S ∘ Y ∘ N ∘ T ∘ H

JACQUES LECLERC

LANGUE ET SOCIÉTÉ

mondia

RÉVISION
Hélène Larue

DIRECTION ARTISTIQUE
Robert Doutre

CARTES
Carto-Média

MONTAGE
Les Studios Artifisme

Langue et société

Mondia Éditeurs, Laval

Pour ne pas alourdir le texte du présent ouvrage, nous avons utilisé la forme masculine, qui désigne aussi bien les hommes que les femmes.

ISBN 2-89114-247-0

Dépôt légal 2e trimestre 1986
Bibliothèque nationale du Québec

Imprimé au Canada/*Printed in Canada*

1 2 3 4 5 6 7 8 9/86 7 8 9

À ANNE-MARIE

REMERCIEMENTS

Je remercie mon collègue et ami, Lionel Jean, qui m'a apporté sa précieuse collaboration au cours de la rédaction de *Langue et société*. Je travaille avec Lionel depuis de nombreuses années et j'ai toujours apprécié son jugement ainsi que son esprit critique; son aide s'est révélée particulièrement efficace pour ce qui touche l'organisation structurelle de ce livre, de même que sur les plans stylistique et pédagogique. En ce qui concerne ces derniers aspects, sa collaboration a été importante, car il a effectué toutes les recherches préliminaires et a rédigé la plus grande partie des textes des *Activités*.

Je tiens à remercier également Michel Plourde, qui a accepté de signer la préface de ce volume. À titre de président du Conseil de la langue française de 1979 à 1985, M. Plourde a été au cœur des grandes questions soulevées par le processus de francisation et d'affirmation du fait français au Québec. Pour cette raison, il était très bien placé pour me conseiller et le présent ouvrage a grandement bénéficié de ses nombreuses remarques.

PRÉFACE

L'univers que nous habitons est devenu un «village global». Les îlots humains n'existent pratiquement plus, tant les messages et les signaux, recherchés ou non, atteignent aujourd'hui chacun de nous. Les distances étant abolies, il faut vraiment se fermer les yeux et les oreilles pour échapper au phénomène omniprésent de la communication sous toutes ses formes.

Dans ce nouvel environnement mondial où chacun est exposé à tout le monde, l'être humain est devenu plus sensible aux autres, à leurs messages et à leurs langues. Mais en même temps, il est devenu plus vulnérable, plus prompt à protéger et à défendre sa propre langue non seulement comme moyen de communication mais aussi comme gage de son identité et de son appartenance à un groupe.

UNE FRESQUE VIVANTE

L'existence de rapports de forces, de luttes même, entre les langues est un fait ancien et universel, mais on en prend davantage conscience aujourd'hui. L'objectif ultime est toujours le même: rendre la communication meilleure, plus efficace, dans un univers multilingue. Mais le prix à payer est souvent la disparition de certaines langues ou la lutte pour la survie. L'évolution des langues et leur comportement interactif constitue donc un objet d'étude tout à fait passionnant qui déborde de beaucoup le champ de la linguistique pour emprunter à la sociologie, à la politique, pour ne pas dire parfois à l'art de la guerre. L'observateur attentif qui a pris la peine de comprendre et d'analyser cette réalité se rend vite compte alors que, dans la vie des sociétés, la langue se présente davantage comme un ensemble de valeurs sociales, économiques et politiques que comme un simple instrument de communication.

C'est dans cette perspective plus large, pleine d'intérêt et d'enseignements utiles, que se situe le livre de Jacques Leclerc. L'énorme fresque sociolinguistique qu'il déroule devant nous est à la fois une leçon d'histoire, de géographie, de politique et d'humanisme. Ambitieuse par son sujet et par ses dimensions spatio-temporelles, elle témoigne à la fois de la curiosité et de la générosité de son auteur.

On y apprend comment naissent et meurent les langues, comment elles se développent ou s'étiolent, dans quelles conditions elles peuvent cohabiter, comment elles deviennent prépondérantes, de quelles façons les États planifient ou ne planifient pas leurs interventions linguistiques... Tout cela nous est montré et décrit de façon vivante à partir de la réalité vécue par les peuples les plus divers. C'est une captivante excursion à travers le monde qui nous est offerte dans ce livre, ou plutôt dans cette somme.

Car il s'agit bien d'une somme: Jacques Leclerc a effectué un gigantesque travail de recherche et de documentation, d'analyse et de rédaction. Il a rendu accessibles au lecteur, dans un même ouvrage, la connaissance et la comparaison des situations linguistiques les plus variées à travers le monde, avec références, chiffres, cartes et tableaux à l'appui. Cet ouvrage apparaît ainsi comme une synthèse unique, originale, sans précédent dans le domaine de l'enseignement et de la sociolinguistique.

UN OUTIL PÉDAGOGIQUE

Jacques Leclerc est linguiste et pédagogue de formation, mais c'est un enseignement de quinze ans au niveau collégial qui l'a amené à se convertir de plus en plus à la sociolinguistique. Il croit que les étudiants «n'accrochent» pas tellement à l'analyse des phénomènes purement linguistiques. Son premier livre, *Qu'est-ce que la langue?*, qui pourtant a connu une large diffusion, était justement à ses yeux un peu trop «linguistique». Le présent ouvrage, conçu dans une optique beaucoup plus large, rend compte du cheminement de l'auteur.

C'est un manuel, mais beaucoup plus qu'un manuel. Il contient plus que de l'information: il véhicule une certaine vision de la langue, considérée non plus seulement comme un code parlé mais comme un phénomène social à plusieurs dimensions. Jacques Leclerc se propose d'abord de montrer que la langue est un phénomène universel, ensuite de fournir à ses étudiants des points de comparaison et une méthode de réflexion leur permettant de relativiser le problème linguistique québécois, de faire la preuve enfin qu'une matière abondante peut être offerte à l'investigation des étudiants à l'intérieur même du champ de la sociolinguistique.

J'ai parlé d'une fresque qui nous livre des aperçus saisissants de la réalité linguistique à travers le monde. Cette réalité est toujours décrite objectivement, certes, mais il est des peintres qui ne restent pas indifférents devant la réalité qu'ils peignent. Jacques Leclerc est de ceux-là. Il n'hésite pas à prendre parti. Il espère ainsi, pédagogiquement, forcer l'élève à prendre parti lui-même ou du moins à engager la discussion et à exercer son esprit critique. Le volume comporte une partie méthodologique ou pédagogique non négligeable. Les nombreuses questions qu'on y trouve, les exercices et les multiples sujets de débat ou de rédaction ont pour but d'aider l'étudiant à «digérer» la matière, de lui permettre de vérifier l'exactitude de ses connaissances et le degré de compréhension des sujets abordés, de développer enfin son jugement et son esprit critique dans des productions ou des travaux personnels.

UNE CONSCIENTISATION LINGUISTIQUE
Les jeunes Québécois en particulier ont un besoin urgent d'actualiser leur conscience linguistique. Comme ils n'ont pas pris part à la «révolution» linguistique québécoise des dernières années, l'avenir de la langue française leur paraît assuré. Ils ignorent presque complètement les conditions économiques, politiques et sociales du développement d'une langue et n'ont que des idées approximatives sur la nature et l'importance des moyens qu'il faut investir pour donner au français toute sa vitalité en Amérique du Nord. Jacques Leclerc fait œuvre de pionnier en mettant entre les mains des enseignants un outil extrêmement utile et polyvalent, dont il a lui-même expérimenté le contenu auprès de ses étudiants, et qui leur permettra de travailler à une plus grande conscientisation linguistique des jeunes.

Cette conscientisation constitue, à mon avis, une priorité de notre système d'éducation et j'y suis personnellement très sensible, à la fois comme professeur de sciences de l'éducation à l'Université de Montréal et comme ancien président du Conseil de la langue française. J'écris ces lignes au moment où je viens de participer, à Paris, à la deuxième réunion du Haut Conseil de la Francophonie, qui a été entièrement consacrée à l'éducation et qui a précisément mis en relief la nécessité d'une conscientisation linguistique accrue chez les jeunes des pays francophones.

Langue et société représente une contribution importante au domaine de la sociolinguistique pour le Québec comme pour la communauté internationale. Son auteur a eu le grand mérite de s'attaquer à une matière riche et complexe, et de nous fournir une illustration vivante de même qu'extrêmement représentative de l'évolution des langues et de la planification linguistique à travers le monde.

Michel Plourde

AVANT-PROPOS

Langue et société se veut une vaste synthèse portant sur les relations entre la langue et la société dans l'univers de la communication. Préoccupation centrale de nos contemporains, la communication est même l'activité qui fait travailler le plus d'individus à part... la guerre. Il n'est pas dû au hasard que la communication et la guerre constituent des moyens privilégiés générateurs de développement économique. Qu'on le veuille ou non, les langues empruntent à la stratégie guerrière pour assurer leur rôle premier: celui de la communication.

Ainsi, la communication ne saurait se réduire à un objet strictement instrumental. Si l'outil — la langue — importait peu et devait être considéré de façon uniquement pragmatique, il n'y aurait aucun intérêt à maintenir des langues peu employées, hors circuit, donc inefficaces, en raison du nombre peu élevé des locuteurs de la plupart des langues du monde. Il ne resterait qu'à promouvoir quelques grandes langues impériales comme l'anglais, le russe, le chinois, le français ou l'espagnol. S'il est vrai que les langues demeurent avant tout des instruments de communication, elles servent aussi à bien d'autres fins; elles sont même l'objet d'amour, de mépris ou de haine. Le discours sur la langue maternelle des peuples est inextricablement lié à l'appartenance à une communauté, à un pays, sinon à une patrie. Les personnes qui parlent l'anglais, le russe ou le chinois peuvent difficilement comprendre que la langue constitue également le génie d'une nation, lequel va de pair avec le besoin de défendre sa langue et son intégrité par rapport aux autres langues plus fortes. *Langue et société* veut faire la preuve que la langue est en effet beaucoup plus qu'un code destiné à la communication.

LE MONDE COMME OBJET D'ANALYSE
Langue et société a comme objet d'analyser les langues du monde, soit quelque 6 000 langues et 170 États souverains. J'ai tenté de présenter l'état actuel des connaissances sur les principaux problèmes concernant le contact des langues. Mon objectif était de faire un ouvrage résolument ouvert sur le monde, presque un guide touristique, qui nous invite à découvrir des contrées méconnues et des peuples divers, contemporains ou disparus. Cette perspective spatio-temporelle paraîtra sans doute ambitieuse aux yeux de plusieurs; j'ai préféré néanmoins privilégier cette vision universaliste, c'est-à-dire multiraciale, multi-ethnique, multilingue et idéologiquement disparate, à une autre qui se serait uniquement centrée sur le Québec et qui me paraissait tronquée. Une approche globale offre l'avantage d'établir des points de comparaison et de nous situer en tant que société par rapport au reste du monde.

En dépit de ce choix de perspective, c'est à travers la lunette québécoise que j'ai brossé le tableau des rapports de forces entre les multiples langues du monde. La vision québécoise demeure constamment présente dans l'ouvrage, comme si l'on regardait le monde à partir du Québec. Par ailleurs, environ 20 % des pages du volume sont consacrées à la question linguistique du Québec et à celle du Canada dans son ensemble.

LE CONTENU DU VOLUME
Langue et société est divisé en sept grandes parties elles-mêmes réparties en 28 chapitres. La première partie (*L'univers de la communication*) s'intéresse aux problèmes liés aux communications linguistique et non linguistique. La deuxième partie (*La langue: une réalité instrumentale et sociale*) présente la langue comme

système de communication et comme réalité sociale; en effet, les liens qui unissent la langue et la société sont si étroits qu'il devient difficile de traiter de l'une sans parler de l'autre.

La troisième partie (*Les langues du monde*) expose l'importance numérique des langues dans le monde; celles-ci sont classées par familles linguistiques et réparties selon leur distribution géographique avec cartes à l'appui. Suit la quatrième partie, soit *La guerre des langues*: nous y trouvons décrits les problèmes dus au multilinguisme, la lutte pour la dominance vue comme une question de vie ou de mort, les facteurs de puissance linguistique, le rôle des États modernes, le bilinguisme, la pathologie linguistique et les conditions de survie des petites langues. Nous apprenons comment naissent et meurent les langues, et comment elles peuvent s'opposer à la glottophagie qui les guette.

Dans la cinquième partie, nous touchons aux questions relatives à *l'aménagement des langues*. Quelque 40 politiques linguistiques provenant d'autant d'États sont analysées. On y trouve à peu près toutes les solutions possibles dont s'inspirent les gouvernements pour régler les conflits linguistiques: de la non-intervention au bilinguisme officiel fondé sur les droits personnels ou les droits territoriaux, en passant par l'assimilation planifiée, la non-discrimination, le statut juridique différencié, le partage territorial des langues, les formules mixtes, etc. L'accent est mis sur les États de l'Amérique (États-Unis, Mexique, Brésil, Canada et provinces canadiennes) et de l'Europe, mais l'Asie, l'Afrique, le Moyen-Orient et l'Océanie n'ont pas été oubliés pour autant.

On aborde dans la sixième partie (*La variation linguistique dans les sociétés monolingues*) la question de la norme; de tout temps, la langue a été récupérée par les différents pouvoirs et ce sont des raisons extralinguistiques qui font que l'une des variétés linguistiques sert de modèle idéal aux autres variétés ou est promue à des fonctions communautaires pour l'ensemble de la société.

Enfin, la septième partie (*Les langues et leur évolution*) est consacrée à la langue française et à son histoire. On y constate que le français a toujours été le résultat de rapports de forces qui ont joué en sa faveur et lui ont assuré la suprématie en France et ailleurs dans le monde. Dans le dernier chapitre de cette partie, on tente de faire comprendre les fondements historiques et sociologiques de la question linguistique au Québec, du Régime français à aujourd'hui.

POURQUOI AVOIR ÉCRIT CE LIVRE?
Notre univers est bien complexe, et j'ai dû me rendre à l'évidence que, dans le domaine des langues en contact, l'harmonie se révèle difficile, presque irréalisable; l'état normal entre les langues semble être la guerre, où la raison du plus fort est souvent la meilleure. En fait, la «paix linguistique» ne me paraît possible que si l'on réussit à éviter la concurrence entre les langues: séparer les langues sur le territoire national, accepter sa propre liquidation, se réfugier dans la diglossie sociale ou dans l'isolement. Sinon, il faut lutter pour sa survie; et dans ce cas, il y a toujours un prix à payer. Parce que les langues sont bien davantage que des instruments de communication et qu'elles ne sont pas extérieures à la personnalité ou à la culture des peuples, elles deviennent facilement le symbole pseudo-linguistique de la dominance politique, économique, militaire, sociale et culturelle. Tout le volume illustre cette dure réalité.

J'ai voulu ainsi ébranler certaines positions établies au sujet de l'interaction entre les langues, notamment pour ce qui touche les prétendues qualités internes des langues, la difficile coexistence des langues en contact, le bilinguisme présenté souvent comme une vertu en soi, l'assimilation et la mort des langues, le rôle de l'État moderne dans la situation de la langue.

On perd ses illusions quand on constate jusqu'à quel point les notions d'égalité, de justice et de droits des minorités sont élastiques; quand on découvre comment les divers gouvernants du monde, des superpuissances aux micro-États du Pacifique, règlent les conflits linguistiques et scellent le destin des langues comme celui des peuples. En somme, force est de constater que la «protection linguistique» ne constitue jamais un cadeau offert à une minorité et que l'aménagement des langues vise avant tout à assurer la promotion des langues dominantes dont la survie est, pour un temps, garantie; les exceptions sont malheureusement rarissimes. Compte tenu de cette réalité, j'ai voulu montrer que l'expérience des autres pays du monde est riche en leçons d'aménagement linguistique. Je crois que les Québécois gagneraient à confronter leur propre expérience en ce domaine avec celle des autres. Non seulement ils risquent de ne pas trop souffrir de la comparaison, mais un tel exercice pourrait en libérer plusieurs de leurs attitudes ambivalentes; selon moi, favoriser le français au Québec et le bilinguisme généralisé en même temps, vouloir un Québec français sans en payer le prix et sans déranger personne, prétendre garantir l'égalité entre l'anglais et le français au Canada relève de l'utopie.

Mon objectif premier était de présenter suffisamment de faits, d'exemples, de points de comparaison, d'analyses et de conclusions pour inciter le lecteur à former et à développer sa conscience linguistique, c'est-à-dire ses connaissances de la réalité, de la démographie, des législations et des enjeux linguistiques, non seulement au Québec et au Canada, mais aussi dans le monde. Au moment où cette conscience, chez les jeunes Québécois, semble moins vigilante que jamais, il me paraît important de fournir un instrument pouvant contribuer à les éveiller. Plutôt que de forcer le lecteur à adopter intégralement mes prises de position et mes convictions, je l'inviterais à s'informer davantage, puis à faire lui-même ses choix en toute connaissance de cause. À mon avis, seule une bonne information sur les questions linguistiques peut contrebalancer le poids que constitue l'usage d'une langue concurrente telle que l'anglais au Québec.

Le manque d'information sur le processus de francisation et la situation sociolinguistique au Québec comme au Canada constitue à mon avis une lacune grave parce qu'il est en relation étroite avec l'éveil et la formation de la conscience linguistique des individus. Aussi n'est-il pas étonnant que beaucoup de jeunes Québécois s'identifient peu à la cause de leur langue, n'affichent que peu de fierté pour les réalisations québécoises et ne contribuent à peu près pas au développement du fait français dans leurs comportements linguistiques. C'est aussi pour combler cette lacune que j'ai écrit ce livre.

J'ai pris soin de présenter un grand nombre de faits et d'exemples le plus objectivement possible: chiffres, tableaux et cartes en témoignent. Toutefois, j'adopte nécessairement une certaine vision de la langue et j'affiche certaines convictions; je ne me contente pas de rapporter des faits: je les analyse, je les replace dans leur contexte, je les mets en relation les uns avec les autres, je fais ressortir les constantes et les contradictions pour en tirer des conclusions. *Langue et société* tient à la fois du reportage, de l'analyse journalistique, de la chronique et de l'éditorial. Certaines de mes conclusions paraîtront peut-être choquantes, mais comme je désire engager le lecteur à prendre position, je dois forcément employer les mots pour y arriver.

RENSEIGNEMENTS D'ORDRE MÉTHODOLOGIQUE

Afin d'aider le lecteur, j'ai cru nécessaire de lui proposer un ensemble d'activités destinées à parfaire ses connaissances ou à les mettre à l'épreuve. Il s'agit d'une «banque» de données relativement considérable dans laquelle chacun puisera selon ses besoins. De même pour le glossaire et les index détaillés que l'on trouve à la fin du volume. Si un enseignant utilise ce livre comme instrument didactique, il devra effectuer des choix en raison de la masse importante des matériaux qui y sont accumulés. Je tiens à préciser que les six premières parties du volume ont déjà subi «l'épreuve de l'expérimentation» (en version manuscrite) auprès de deux groupes d'élèves. J'ai pu ainsi mettre à profit les nombreuses recommandations qu'ils m'ont faites.

Je voudrais signaler que *Langue et société* ne s'adresse pas aux spécialistes de la langue en dépit de son aspect volumineux. J'ai tenté d'utiliser un vocabulaire simple aux antipodes de l'hermétisme. Pour cette raison, je crois que ce livre est accessible à un large public; les spécialistes risquent d'ailleurs d'être déçus parce qu'ils n'y trouveront rien de neuf. Mon seul mérite a été de réunir des données éparses recueillies dans plus de 400 documents et d'en faire une synthèse. Je crois que *Langue et société* fait la preuve que le domaine des relations entre la langue et la société (celui de la sociolinguistique) est suffisamment riche en contenu et en activités diverses pour constituer une discipline apte à développer la conscience linguistique des non-spécialistes.

Pour terminer, un mot sur les références bibliographiques, qui figurent à la fin de chacune des parties du volume. Elles visent à inviter le lecteur à lire d'autres ouvrages portant sur le même sujet. On trouve dans cette bibliographie une masse de documents écrits en français et dont les dates de publication sont récentes pour la plupart. La lecture de la quasi-totalité de ces quelque 400 documents m'a permis de décrire assez fidèlement la situation linguistique du monde.

Jacques Leclerc, mai 1986

TABLE DES MATIÈRES

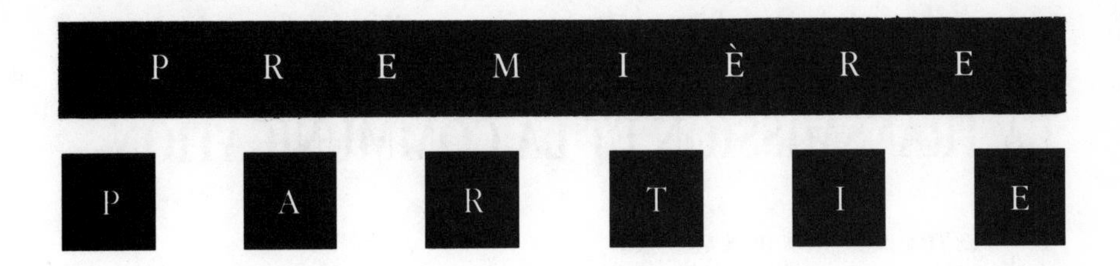

PREMIÈRE PARTIE

L'UNIVERS DE LA COMMUNICATION

LA TRANSMISSION D'UN MESSAGE ○ LES FACTEURS DE LA COMMUNICATION ○ LES FONCTIONS DU LANGAGE ○ DES FONCTIONS LINGUISTIQUES AUX FONCTIONS SOCIALES ○ LA COMMUNICATION NON LINGUISTIQUE ○ LES BRUITS ET LE BROUILLAGE DES CODES

C H A P I T R E 1

LA TRANSMISSION ET LA COMMUNICATION

1 LA TRANSMISSION D'UN MESSAGE

La communication réside dans la transmission d'un message (ou information) d'un destinateur (ou émetteur) à un destinataire (ou récepteur). Les êtres humains communiquent entre eux surtout par le moyen de la langue, c'est-à-dire par un système de signes exprimant des idées; ils peuvent communiquer aussi par des gestes, des rites symboliques ou des codes visuels ou auditifs qu'ils ont créés pour répondre à des besoins spécifiques: panneaux routiers, alphabets, symboles chimiques ou mathématiques, etc.

La diversité des moyens
Il est dans la nature de l'être humain d'étendre son pouvoir de communiquer, par la diversité des moyens et des codes qu'il réussit à concevoir. Il faut cependant bien distinguer la *langue* des *codes non linguistiques*. Ces derniers ont été créés pour répondre à des besoins sociaux; ils exigent l'intervention explicite d'une autorité (le législateur ou diverses sociétés savantes), qui en fixe les règles et le fonctionnement. Les langues naturelles, elles, existent hors de la volonté des individus, qui ne peuvent les modifier à leur guise; de plus, elles donnent lieu à une pluralité de pratiques dans les différentes communautés linguistiques. Il arrive parfois qu'une autorité tente d'intervenir directement dans une langue, soit pour définir l'usage national, soit pour organiser une politique linguistique systématique. Ce type d'intervention n'a cependant rien de comparable à celui qui régit les codes non linguistiques.

Tous les messages exprimés par les codes non linguistiques peuvent être exprimés linguistiquement. C'est grâce à la langue qu'on peut acquérir les autres codes; ceux-ci présupposent en effet l'existence de la langue. Par exemple, l'apprentissage du code de la signalisation routière ou des codes scientifiques (mathématiques, chimie, physique, etc.) exige la manipulation linguistique de tous les signes. L'intérêt de ces codes réside dans les possibilités de convention internationale.

Un lieu d'échange
La langue est le plus important des systèmes de communication: non seulement elle permet toutes les significations possibles, mais elle donne lieu, dans les situations appropriées, à des échanges. Quand deux interlocuteurs se retrouvent dans le même espace physique ou sont réunis par le téléphone, l'échange devient possible. Un destinateur (ou émetteur) envoie un premier message à un destinataire (ou récepteur) qui, à son tour, devient destinateur et répond par un deuxième message, lequel peut susciter l'émission d'un troisième message par le premier intervenant. La communication ne devient efficace que s'il y a échange entre individus, c'est-à-dire partage ou mise en commun. Idéalement, la communication implique aussi un changement, dans la mesure où le but normalement poursuivi est d'influencer un ou plusieurs destinataires lors de la transmission d'une information.

Dans le monde contemporain, la communication peut prendre des formes très diverses. Les techniques modernes permettent d'entrer en relation avec des réalités éloignées dans l'espace et dans le temps. Grâce à des canaux de communication très complexes, on assure une transmission instantanée à un large auditoire plus ou moins éloigné de la source émettrice. Tout cet appareil d'intervention dont dispose la technologie moderne pour multiplier et transmettre les messages exige une infrastructure économique considérable. C'est pourquoi le domaine des communications — ou des télécommunications — est devenu le lieu de l'activité centrale des pays riches; il semble même que ce soit l'activité qui fasse travailler le plus d'individus. On ne lui connaîtrait qu'une seule rivale: l'industrie de la guerre.

2 LES FACTEURS DE LA COMMUNICATION

Plusieurs linguistes ont formulé des théories de la communication. Il est normal en effet que la communication intéresse au premier chef le linguiste, puisque les messages sont le plus souvent verbaux, donc relevant du domaine du langage. Parmi toutes les théories, c'est celle que Roman Jakobson a proposée[1] (en 1963) que l'on cite le plus souvent, sans doute parce qu'elle est la plus complète et la plus cohérente.

Les facteurs de la communication de Jakobson peuvent être illustrés par un schéma *(voir la figure 1.1)*.

LE DESTINATEUR ET LE DESTINATAIRE

Le *destinateur* et le *destinataire* correspondent respectivement à l'*émetteur* (ou sujet parlant) et au *récepteur* (ou sujet écoutant). En situation de COMMUNICATION INDIVIDUALISÉE[2], c'est-à-dire lorsqu'un individu entre en relation avec un autre au moyen du langage, la communication est bidirectionnelle: elle fonctionne dans les deux sens entre le destinateur et le destinataire. C'est ce type de communication qu'on retrouve le plus souvent dans la langue parlée; il est marqué par des connotations plus ou moins affectives en raison des circonstances, lesquelles impliquent en général des relations cordiales ou hostiles. La communication individualisée peut être également écrite, comme c'est le cas dans la correspondance interpersonnelle.

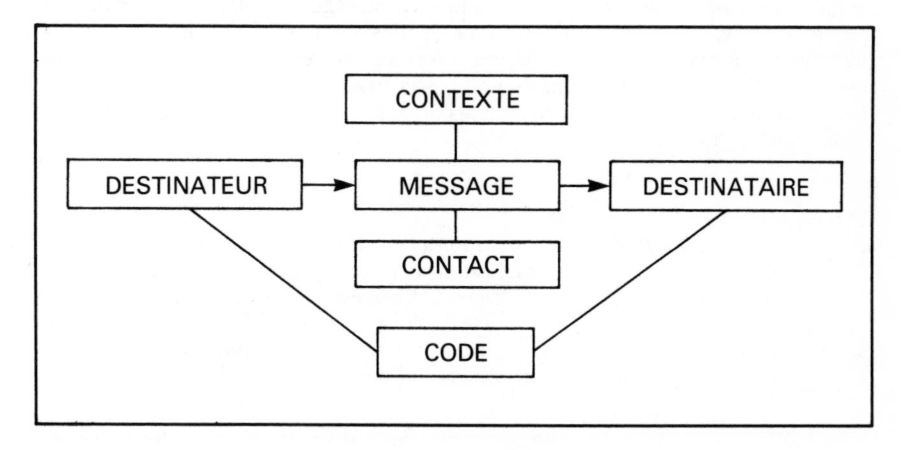

FIGURE 1.1 LES FACTEURS DE LA COMMUNICATION D'APRÈS ROMAN JAKOBSON

1. Voir Roman JAKOBSON, *Essais de linguistique générale*, Paris, Éditions de Minuit, 1963, p. 214.

2. Les mots typographiés dans ce caractère renvoient au GLOSSAIRE, à la fin du livre.

Dans les COMMUNICATIONS INSTITUTIONNALISÉES, destinateur(s) et destinataire(s) sont des groupes ou des institutions: administration publique, monde de l'enseignement, institutions économiques, industries culturelles, médias d'information, etc. Lorsqu'une de ces institutions (ou un autre groupe de pouvoir en général) communique avec des personnes ou avec d'autres institutions, dans le cadre de ses activités, on parle de communication institutionnalisée. Cet acte est le plus souvent impersonnel ou anonyme, et une hiérarchie relativement rigide s'impose. La communication reste unidirectionnelle: le destinataire n'a que peu de possibilité de devenir à son tour le destinateur (émetteur). Le cas semble particulièrement manifeste dans les médias, qui imposent une communication unidirectionnelle en favorisant la diffusion sans retour.

LE MESSAGE

La durée, le contenu, la forme et l'efficacité des *messages* (ou informations) varient selon que l'on s'adresse à un destinataire ou à plusieurs. Dans les communications individualisées, le destinateur sait ordinairement adapter son message en fonction de la personnalité du destinataire et du type de relation qu'il entretient avec lui. Au contraire, dans les communications institutionnalisées, le destinateur a tendance à adopter une forme standardisée sinon rigide, et parfois même hermétique. Il arrive dans ce cas que le message, adressé à de nombreux locuteurs, prenne pour chacun d'eux un sens différent.

LE CONTACT (CANAL)

Le *contact,* c'est le canal physique et psychologique reliant le destinateur et le destinataire au moment de la communication. La nature du canal de transmission conditionne elle aussi les messages. Si la communication est *directe,* c'est-à-dire si les interlocuteurs se trouvent en contact personnel dans le même espace physique, la réponse au message initial implique un canal de retour; dans ce cas, c'est l'air qui sert de canal physique. Par contre, dans les télécommunications ou autres communications *indirectes,* le canal peut prendre des formes très diverses: téléphone, bandes de fréquences, écran cathodique, journal, etc.

Du point de vue temporel, on distingue la *communication immédiate* (p. ex., par téléphone) et la *communication différée* (par bandes magnétiques, disques, etc.), laquelle suppose un support de conservation des messages. La communication différée ne se combine pas nécessairement avec la télécommunication. Ainsi, la création littéraire est une communication différée: l'écrivain, tout en ne connaissant pas nécessairement chacun de ses destinataires, s'adresse à un individu à la fois, hors du temps, au moyen du livre. Au théâtre, cependant, la communication demeure directe et immédiate, unidirectionnelle.

LE CONTEXTE

Le *contexte* (ou *référent*) désigne la situation à laquelle le message renvoie, c'est-à-dire ce dont il est question. Par exemple, un destinateur transmet à un destinataire une information (le message) sur le chômage au Québec (le référent). On parle parfois aussi de *contexte situationnel* ou contexte de situation: ce sont les données communes au destinateur et au destinataire sur la situation culturelle et psychologique, c'est-à-dire les expériences et les connaissances de chacun des deux[3].

3. Voir Jean DUBOIS *et al.*, *Dictionnaire de linguistique*, Paris, Librairie Larousse, 1973, p. 120.

LE CODE

Un *code* est un ensemble conventionnel de signes, soit sonores ou écrits, soit linguistiques ou non linguistiques (visuels ou autres), communs en totalité ou en partie au destinateur et au destinataire. Les langues naturelles sont des codes fondamentaux, mais ce ne sont pas les seuls: les signaux visuels comme ceux de la signalisation routière, les couleurs, les gestes, certains bruits (sirène d'alarme), etc., sont des codes possibles.

Afin de permettre la transmission du message, le code doit être compris par tous les locuteurs en présence, donc être commun à tous; sinon la communication risque de n'être que partielle, voire nulle. De plus, le choix de tel ou tel code en particulier n'est pas indifférent: il obéit à des critères fonctionnels. Ainsi, les signaux routiers permettent de transmettre plusieurs informations simultanément. L'automobiliste doit décoder rapidement ces informations sans avoir à passer par la successivité des signes linguistiques, lesquels sont linéaires et décodés un à un.

Certains messages mettent en œuvre plusieurs codes en même temps: la bande dessinée, le cinéma, l'affiche publicitaire, les sigles ou logotypes d'organismes, de firmes ou d'institutions, le code de la route, etc. Dès lors, des corrélations de redondance, de contraste et de complémentarité jouent entre les codes. Dans tous les cas, le décodage suppose au préalable la connaissance d'une langue particulière.

LES FONCTIONS DU LANGAGE

1 LA THÉORIE DE ROMAN JAKOBSON

Chacun des six facteurs de la communication énumérés par Jakobson correspond à une fonction linguistique précise. Le schéma des fonctions prend donc le même aspect que le schéma des facteurs (*voir la figure 2.1*).

LA FONCTION RÉFÉRENTIELLE

La fonction référentielle est la première des trois fonctions de base (les deux autres étant les fonctions *expressive* et *incitative*). Jakobson l'appelle *référentielle* (rattachée au *référent*), mais d'autres la nomment *cognitive* ou *dénotative*. Elle correspond à la fonction première du langage: informer, expliquer, préciser. Comme cette fonction renvoie au référent, c'est-à-dire à la personne ou au sujet dont on parle, la troisième personne grammaticale domine souvent (*il, elle, ils, elles*) dans ce cas. Voici quelques exemples:

Elle m'a téléphoné pour m'avertir qu'elle ne viendrait pas.

Le fer abonde dans le Nouveau-Québec.

Le consommateur devra procéder à une évaluation de sa situation personnelle.

Les diverses institutions prêteuses offrent différentes formules qui permettent de protéger le consommateur.

La fonction référentielle se caractérise, d'une part, par le fait que le message peut être mis à la forme interrogative (*Le fer abonde-t-il dans le Nouveau-Québec?*) et, d'autre part, par le fait que l'on peut se demander si le message est vrai ou faux (*Il est vrai que le fer abonde dans le Nouveau-Québec*). Fonction référentielle et vérité sont intimement reliées. Ainsi, prenons le message suivant que me transmet un Montréalais: «J'ai scrapé mon char su'a Transcanadienne.» Par rapport strictement à la fonction référentielle, je n'ai pas à m'interroger sur la façon dont le message est donné, mais sur la véracité du message: mon interlocuteur a dit la vérité ou il a menti.

LA FONCTION EXPRESSIVE

On ne parle pas seulement pour communiquer des informations, mais aussi *pour s'exprimer*. La fonction *expressive* est centrée sur le destinateur, qui manifeste essentiellement ses sentiments ou son affectivité; elle suppose l'acquisition d'un style, d'une manière personnelle de s'exprimer. C'est donc par la fonction expressive du langage que l'individu révèle ses sentiments, ses émotions, ses peurs, ses joies. Du point de vue linguistique, les marques de la fonction expressive sont plus particulièrement le *je* ou le *nous*, les interjections, les onomatopées, les jurons, les formes exclamatives en général, les adjectifs à valeur «expressive». En voici quelques exemples:

P'tite salope! Ta robe est propre, hein! C'est pas un cadeau, j't'assure!

Je considère cette revue comme un vulgaire torchon, c'est tout!

«La vache à misère! On a eu ça, la vache à misère, chez nous. Crime! j'm'en souviens en tabaslaque!!! J'avais rien que six ans, moé, pis on était des semaines de temps qu'on... que ma mére nous faisait cuire de la farine mélangée avec de l'eau sur les ronds du poêle[1].»

«I m'a répondu: «Fais pas ton mal à main ni ton fort à bras, ou je m'en vas t'flanquer une mornife[2].»

La fonction expressive se traduit aussi par des traits non linguistiques comme la mimique, l'intonation, les gestes, l'intensité du débit, les silences (ou pauses), etc. Par exemple, dans le juron québécois *Criss de câlice de tabarnak*, la fonction expressive est marquée uniquement par des traits non linguistiques, car les signifiés (ou sens) du référent s'effacent complètement pour laisser toute la place à l'expression de la colère. Alors qu'avec la fonction référentielle, on se pose la question: «Vrai ou faux?», avec la fonction expressive, on se demande: «Sincère ou menteur?»

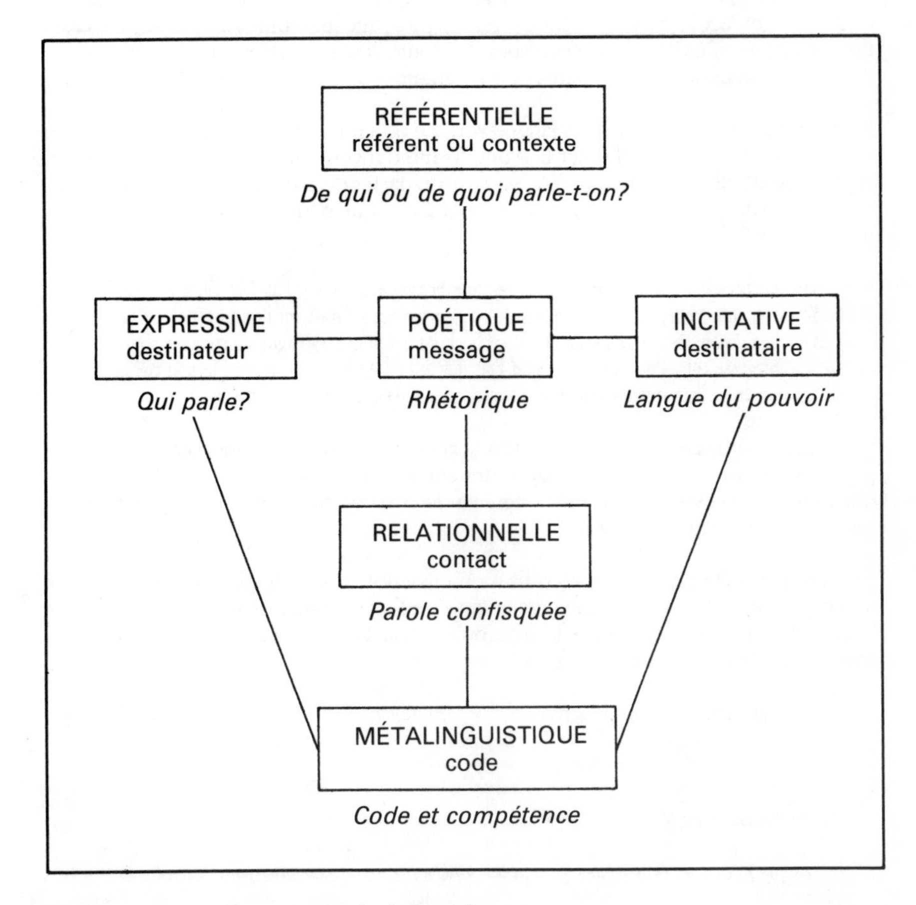

FIGURE 2.1 LES FONCTIONS DU LANGAGE D'APRÈS ROMAN JAKOBSON

1. Extrait du film *Un pays sans bon sens*, de Pierre Perrault, Office national du film, © 1970.

2. Voir *Marie-Calumet* de Rodolphe GIRARD, cité par Pierre DESRUISSEAUX dans *Expressions québécoises*, Montréal, Hurtubise HMH, 1979, p. 164-165.

LA FONCTION INCITATIVE

La fonction *incitative*[3], la troisième fonction de base, est axée sur le destinataire, donc sur le *tu* (alors que la fonction expressive concerne le *je*, et la fonction référentielle, le *il*). Ici, on parle en vue de faire agir, c'est-à-dire que l'on utilise la langue pour amener le destinataire à adopter un certain comportement. C'est la «langue du pouvoir», donc de l'ordre (exprimé par l'impératif), de l'interdiction, du commandement, de la directive, etc. La fonction incitative joue un rôle important dans la publicité, tant dans les journaux qu'à la radio ou à la télévision:

> *Dehors! et ne reviens plus!*
>
> *P'tit vaurien! Monte en haut et lave-toi! C'est la dernière fois que j'te l'dis!*
>
> *Payez moins cher! Achetez chez nous!*

LA FONCTION POÉTIQUE (OU ESTHÉTIQUE)

La fonction *poétique* ou *esthétique* ne se limite pas à la poésie ou à la littérature proprement dite. Elle met l'accent sur le *message* pour lui-même, où le signifiant (la forme du message) importe tout autant, sinon plus, que le signifié (le sens du message). En fait, la fonction poétique correspond à toute forme d'invention linguistique ou d'expérimentation des potentialités de la langue.

En littérature, l'écrivain utilise la langue comme bon lui semble afin d'en tirer les effets qu'il recherche. Comme il s'agit là d'une forme d'invention de la langue, il peut, à la rigueur, désigner un chat par le mot «chien» ou parler de la couleur blanche alors qu'il emploie «noir»; c'est là son droit le plus strict. L'écrivain peut faire dire ce qu'il veut aux mots:

> «J'écris *mort*, ce signe de la stabilité excessive, tant la fadeur du sens s'étale sur son sol si mal tracé   j'écris signe, cette figure restreinte où s'enchevêtre intimement l'écriture   il faudra plus que ces dépouilles hiéroglyphiques à l'embouchure des grands syntagmes lacunaires pour dire tout ce qui glisse entre les signes   sauf l'opaque et l'arbitraire disparus dans la non-clémence du langage   enchantement blanc par lequel un signe équivaut à la mort[4]»

En somme, l'utilisation de procédés tels la rime, la métaphore, l'antithèse, l'ironie, les jeux de mots, etc., fait que le message contient plus de connotation que d'information, que le rythme ou les images l'emportent sur la «vérité»; la fonction poétique demeure informative, mais à sa manière.

De plus, la fonction poétique recourt à un ensemble d'activités linguistiques d'ordre *ludique* (du latin *ludus*: jeu). La langue peut en effet constituer un jeu. Chacun a le droit et la possibilité de s'amuser à la manipuler, que l'on soit écrivain, publicitaire ou utilisateur anonyme de la langue:

> «Tout ce qui grouille, grenouille, scribouille...» (de Gaulle)
>
> «Le joual, c'est l'avenir des franco-funs.» (Michel Tremblay)
>
> *Ma femme s'est faite opérer pour les os verts.*
>
> *Depuis que j'ai eu les bras coupés, je n'ai pas touché un sou et j'en suis réduit à tendre la main.*

---

3. Jakobson emploie l'expression «fonction conative», mais il nous a semblé préférable de recourir à l'expression «fonction incitative», qui correspond plus à la langue courante.

4. Michel LECLERC, «L'enchantement blanc» dans *Écrire ou la disparition*, Montréal, Éditions de l'Hexagone, 1984, p. 22.

Set de toilette pour hommes en peau de cochon.

Les yogourtmandises... ça s'mange tout seul!

Ça bondit, ça fonce, ça dodge!

Enfin, une image à votre image (Nordair).

«Je Te croasse Ma lieuse de lombrics au coeur par un verbe indigent de gravier...[5]»

LA FONCTION RELATIONNELLE

L'objet de la fonction *relationnelle*[6] n'est pas de recueillir des informations, mais de maintenir et de développer des contacts psychologiques entre individus. L'une des valeurs liées à la fonction relationnelle se rattache à la politesse et aux convenances, qui nous font souvent dire des choses plus ou moins vides de sens, parfois même le contraire de ce que nous pensons réellement. Certaines formules utilisées lors de rencontres fortuites (p. ex., dans un corridor) relèvent de cette fonction: «*Bonjour! Comment ça va?*» En fait, le destinateur qui pose la question ne désire généralement pas recevoir une véritable réponse; il se contentera d'un bref: «*Ça va!*» Ces paroles sont vides de sens; on parle simplement par convention, pour maintenir une sorte de contact psychologique très superficiel.

Dans les dialogues entre inconnus au cours de certaines réunions mondaines, la parole vidée de son contenu permet de croire à un «échange»; les individus se sentent alors moins seuls et la parole les sécurise. Que penser aussi du rôle de la radio ou de la télévision dans nombre de foyers où l'appareil reste ouvert de 8 h à 23 h sans interruption? Ce n'est plus la fonction référentielle qui importe dans ce cas, mais la fonction relationnelle.

La publicité fait également un assez grand usage de la fonction relationnelle: le but premier est d'attirer l'attention du consommateur et d'essayer, par la suite, de maintenir le contact. On ne cherche pas à renseigner le consommateur (destinataire), mais plutôt à attirer son attention par des mots-chocs ou des phrases vides de sens. Les exemples suivants illustrent bien la fonction relationnelle: après avoir lu ces messages, le lecteur n'est pas plus renseigné; ce qui compte, c'est qu'il les ait lus!

SEUL *notre produit* (dentifrice) *a des rayures rouges.*

Un NOUVEAU *et* EXTRAORDINAIRE *dentifrice.*

Le détergent SUPER-ACTIF.

Tellement POPULAIRE *chez nous.*

Voici un régime d'amaigrissement AGRÉABLE.

Le NOUVEAU *maquillage qui vous assure confort et protection.*

Toujours NOUVEAU*! Toujours* COINTREAU*!*

5. *Id.*, *Odes pour un matin public*, Trois-Rivières, Éditions des Forges, 1972, p. 18.
6. Roman Jakobson parle de la fonction «phatique», mais «fonction relationnelle» est mieux compréhensible et recouvre une acception plus large.

LA FONCTION MÉTALINGUISTIQUE

C'est par la langue que l'on explique le code de la route, que l'on enseigne la musique ou que l'on apprend les mathématiques. C'est aussi par la langue que l'on parle de la langue; seule la langue permet de parler d'elle-même. Par la fonction *métalinguistique*, le destinateur prend le code comme objet de description: il utilise donc le code pour parler du code. Par exemple, il posera une question comme celle-ci: «*Qu'est-ce que tu veux dire?*» Mais on peut aller beaucoup plus loin, notamment dans les réponses:

> *Tu sais pas ce que c'est, des oreilles-de-christ? Chez nous, en Beauce, ça veut dire des grillades de lard salé.*
>
> *Moi, par gauchiste, je veux dire tous ceux qui veulent changer quelque chose dans notre société, que ce soit par la violence ou par la persuasion...*
>
> *Des pêcheurs ont recueilli des milliers de pleurobranches, c'est-à-dire des mollusques à coquille gastropode ou en spirale mince, comme celle d'un escargot.*

Évidemment, tous les ouvrages traitant du code, comme les grammaires, les dictionnaires, les lexiques spécialisés, ont pour principale fonction de décrire ou d'expliquer ce code. Par exemple:

> *Napoléon est un NOM PROPRE.*
>
> *Le VERBE s'accorde avec son SUJET.*
>
> *ÉPARS, -E: adj. Se dit de ce qui est dispersé, en désordre:* Les enquêteurs examinent les débris épars de l'avion pour tenter de déterminer la cause de l'accident. *(Syn.: ÉPARPILLÉ)*
>
> *Écrivez une PHRASE avec au moins dix MOTS.*

2 LA PORTÉE ET LES LIMITES DES FONCTIONS DU LANGAGE

Les fonctions du langage formulées par Jakobson comportent des limites: elles existent rarement à l'état pur, elles ne sont pas spécifiques au langage et elles laissent de côté tout le domaine social de la langue.

DES FONCTIONS DOMINANTES

Les six fonctions constituent des dominantes dans la communication. De plus, Jakobson reconnaît lui-même un fait: un message peut assumer plusieurs fonctions simultanément. La signification réelle d'un message dépend avant tout de la fonction *prédominante* au moment de la communication. Dans un discours scientifique, domine la fonction référentielle; dans un règlement administratif, la fonction incitative; dans un texte littéraire, la fonction poétique; etc. Bref, il n'y a pas de fonctions exclusives ou uniques, mais des fonctions dominantes.

DES FONCTIONS NON SPÉCIFIQUES AU LANGAGE

Aucune des six fonctions prise isolément ne relève exclusivement du LANGAGE ARTICULÉ. D'autres codes, non linguistiques, peuvent recourir aux mêmes fonctions sauf à la fonction métalinguistique, qui semble présenter un caractère exceptionnel, exclusif au langage.

Dans les systèmes visuels, la fonction référentielle occupe une grande part du message. Par exemple, dans les journaux, les photos d'identité (du style photos de passeport) montrent le visage d'une personnalité sous un angle généralement informatif, donc référentiel. Les photos de reportage montrant un accident de voiture, un match de hockey, un incendie, etc., jouent le même rôle. Il y a aussi les photos-chocs, comme celles qui ont été transmises de l'Allemagne nazie, du Viet-nam, des camps palestiniens de Sabra et Chatila au Liban; dans ce cas, la fonction expressive, sinon la fonction poétique (symbolique), prédomine. La fonction relationnelle, quant à elle, est manifeste lorsque les photos servent à maintenir le contact entre les membres d'une famille (p. ex., les albums de famille), d'une association (p. ex., clubs de l'Âge d'or, club Kiwanis, club Optimiste) ou d'une institution quelconque. La fonction incitative, enfin, est particulièrement présente dans les photos publicitaires.

Reste la fonction métalinguistique, qui semble, répétons-le, exclusive à la langue. On ne peut pas imaginer discourir sur le langage des mathématiques ou des fleurs en se servant uniquement des mathématiques ou des fleurs; il faut recourir à la langue. S'il est possible de convertir tous les systèmes de communication non linguistiques en un système linguistique, il n'est pas toujours possible de faire l'inverse: convertir les systèmes linguistiques en systèmes non linguistiques. Contrairement aux autres systèmes de communication, *la langue peut exprimer toutes les significations.*

LES FONCTIONS SOCIALES DE LA LANGUE

La théorie de Roman Jakobson s'en tient à la communication linguistique individualisée. Nous avons vu qu'elle peut s'appliquer à la communication institutionnalisée et aux systèmes de communication non linguistiques. Mais certaines personnes reprochent à Jakobson d'avoir limité à six les fonctions du langage. Or, toutes les fonctions que l'on pourrait trouver en plus se ramèneraient de toute façon à l'une ou à quelques-unes des six fonctions énumérées précédemment, à l'exception toutefois des fonctions sociales.

En effet, comme la théorie de Jakobson se veut une théorie de la communication individualisée, elle laisse de côté tout le caractère social de la langue. Or, on sait que la langue correspond à un fait social. Ses fins ne sont pas que linguistiques ou expressives. La langue est un bien collectif; comme tel, elle sert d'instrument de valorisation ou de dévalorisation sociale. Bref, la langue remplit à la fois des fonctions linguistiques (celles énumérées par Jakobson) et des fonctions sociales ou communautaires; en ce sens, elle est associée à un pouvoir, voire à une idéologie. Nous reviendrons sur ce point, au chapitre 7.

C H A P I T R E 3

LA COMMUNICATION NON LINGUISTIQUE

Nous savons que le transfert d'une information peut se réaliser par un autre canal que celui de la langue. Ainsi, la sirène d'une ambulance (moyen auditif) avertit l'automobiliste de laisser passer ce véhicule prioritaire; les feux de circulation (moyen visuel) lui indiquent d'arrêter, de se préparer à arrêter ou de passer; une secousse à l'arrière de sa voiture (moyen tactile) lui fait comprendre qu'il vient de se faire emboutir; les gestes (moyen visuel) d'un policier l'informent qu'il va recevoir une contravention.

Nous examinerons maintenant quelques-uns de ces moyens de communication non linguistiques et verrons en quoi ils diffèrent des moyens linguistiques. Nous comprendrons mieux pourquoi la langue occupe une place à part dans l'ensemble des moyens ou systèmes de communication utilisés par les humains. Qu'ils soient visuels, auditifs, tactiles ou olfactifs, les systèmes non linguistiques ont tous un point en commun: ils n'utilisent pas les sons d'une langue en particulier et ils ne peuvent pas exprimer tous les messages possibles; ce sont des moyens limités à des besoins spécifiques, c'est-à-dire des codes limités à la production d'un nombre fini d'énoncés.

1 LES INDICES: DES SIGNES NON INTENTIONNELS

Les indices sont des phénomènes *naturels, involontaires ou non intentionnels* qui nous font connaître quelque chose à propos d'un autre fait qui, lui, n'est pas immédiatement perceptible. Les exemples les plus courants d'indices sont les symptômes (la maladie), les traces (des pas dans la neige), les marques (une brûlure de cigarette sur un meuble), les empreintes. Les odeurs peuvent aussi servir d'indices; p. ex., l'odeur de caoutchouc brûlé lorsqu'on descend une pente raide en voiture peut indiquer que les freins sont défectueux. Un geste nerveux, l'élévation de la voix, certaines mimiques, une prononciation «relâchée» ou peu «soignée» servent également d'indices et fournissent même des connotations sur l'état psychologique ou social d'un individu.

Un indice est donc *un fait naturel ou un fait culturel* qui peut se charger de significations, mais dont la fonction première n'est pas de signifier. La fumée qui signale la présence du feu est porteuse de signification, mais sa fonction originelle n'est pas de signifier. De même, le choix d'un vêtement ou un geste nerveux peut signaler un goût particulier ou la colère; cependant, la fonction d'un vêtement ou d'un geste nerveux n'est pas d'abord de signifier. C'est pourquoi l'indice donne lieu à une interprétation variable plutôt qu'à un décodage systématique. Un geste, l'élévation de la voix, le choix d'un vêtement, la fumée, les odeurs, etc., peuvent être interprétés différemment selon la situation et les individus en cause. Bref, l'indice demeure toujours *fortuit, non conventionnel, involontaire, interprétable, mais signifiant.*

2 LES SYSTÈMES NON LINGUISTIQUES

Les systèmes de communication non linguistiques supposent un mode plus ou moins large d'organisation, donc une structuration du message au moyen d'un canal physique, le plus souvent visuel ou auditif. Dans tous les cas, il y a *intention de communiquer* (contrairement au cas de l'indice).

L'ICÔNE

Selon la terminologie de Charles Sanders Peirce[1], qui a proposé cette notion, l'icône (*employé au masculin*) est *un signe visuel (un signifiant) se référant à un sens (un signifié) dans un rapport de ressemblance.* Un icône remplace l'objet ou la réalité qu'il évoque comme s'il était cet objet. On distingue plusieurs types d'icônes; les plus représentatifs sont *l'illustration ou la photo, le diagramme, l'organigramme, le schéma,* etc. D'une façon générale, plus la représentation iconique se rapproche du réel, moins ses éléments se décomposent en signes stables et constants; donc, moins elle constitue un système et plus, par le fait même, elle laisse place à l'interprétation.

Les photos, les dessins, les illustrations correspondent habituellement à des définitions de la réalité; ainsi, la photo d'un léopard vaut toutes les définitions du dictionnaire. Le message est perçu instantanément sans que l'on doive absolument passer par les signes de la langue. Ce type d'icône que constitue l'image entraîne une certaine interprétation du message, variable selon le destinataire, son intuition, sa compétence, sa réserve de signes culturels.

Le décodage culturel d'une image n'est pas nécessairement univoque: tel politicien paraîtra arrogant aux uns, méprisant aux autres. Les techniques photographiques de cadrage et de retouche sont connues des professionnels, qui savent transformer la représentation photographiée. L'image n'est donc pas innocente; elle est «codée culturellement» par l'événement représenté, la situation des personnages, leurs attitudes et leurs gestes, les lieux, les objets. Tous ces éléments de «signes» instables donnent une *signification ajoutée* à l'information première et sont perçus différemment selon le destinataire.

Par contre, on assiste à une prolifération croissante de représentations iconiques plus *systématisées.* Pensons à la cartographie, aux diagrammes, aux schémas et organigrammes divers. Ainsi, la cartographie présente des tracés et des couleurs qui sont conformes à des catégories topographiques telles que le réseau routier, les agglomérations, les forêts, les voies de chemin de fer, etc. La lecture de ce type d'icônes se fait sur la *trame de l'espace* sans qu'on ait besoin d'un ordre de perception spécifique pour chacun des signes; ceux-ci sont perçus globalement dès le premier coup d'œil. En outre, ils peuvent être compris sans qu'on passe nécessairement par un code linguistique; ils sont donc relativement autonomes par rapport à toutes les langues particulières. Cela dit, n'importe quel locuteur peut facilement transposer ces représentations iconiques en signes linguistiques. On appelle cette opération de transfert de code un *transcodage.*

LE SIGNAL

Lorsqu'un automobiliste circule sur le réseau routier (*voir la figure 3.1*), il voit continuellement des panneaux de signalisation codés lui communiquant des informations univoques: obligation de tourner à gauche, demi-tour interdit, accès interdit aux camions, embranchement à droite, rétrécissement, chaussée cahoteuse ou glissante, limitation de vitesse, présignalisation d'un arrêt, d'une sortie d'autoroute, etc. Comme on estime qu'un automobiliste qui conduit en ville croise entre 800 et 1 000 signaux par 100 km, il est très important que ceux-ci soient univoques et immédiatement perceptibles. La signalisation routière constitue un véritable système de communication fait de *signes univoques conventionnels, à dessin arbitraire ou non*, destinés à provoquer un

1. Voir Charles Sanders PEIRCE, «Signes et familles de signes» dans *Théories du signe et du sens*, Paris, Klincksieck, 1976, p. 13-36.

comportement particulier chez le destinataire (l'automobiliste). Le signal forme donc *un système de signes volontaires, conventionnels et explicites*, c'est-à-dire *produits dans une intention déterminée*. Il faut cependant que le destinataire puisse reconnaître le signal, donc qu'il puisse le décoder; sinon, le signal demeurera simplement un indice.

Quantité de notions et d'informations que nous utilisons quotidiennement sont véhiculées par des signaux. Certains sont de *forme graphique* (l'interdiction, l'obligation, etc.), d'autres sont *iconiques* (chaussée glissante, école, etc.), d'autres encore adoptent des *formes mixtes* qui tiennent à la fois de la forme graphique et de l'icône: interdiction de fumer, accès interdit aux camions, ceinture de sécurité obligatoire, etc. Tels sont aussi les *dessins-silhouettes* (*signes-idéogrammes* à dessin reconnaissable) immédiatement intelligibles sans qu'il soit nécessaire de les traduire dans les langues parlées: éboulis, chaussée cahoteuse ou dos d'âne, poste téléphonique, etc.; de même pour les *signaux idéographiques arbitraires:* stationnement interdit, hôpital, priorité à gauche (ou à droite), relais routier provincial, etc., ou pour les *sigles-idéogrammes* des firmes comme Hydro-Québec, McDonald's, Steinberg, les Expos, la S.T.C.U.M., etc. *(voir la figure 3.1).*

Un autre type de signal concerne l'emploi des *chiffres, nombres, signes scientifiques d'unités de mesure ou de grandeur, symboles chimiques,* etc. Les informations chiffrées que nous recevons tous les jours sont à ce point nombreuses qu'il est à se demander si elles ne dépassent pas en quantité les messages linguistiques: cadrans, voyants, jauges, vitesses, cotes, dates, heures, compteurs, bordereaux, factures, prix, etc.

FIGURE 3.1 LES DIVERS TYPES DE SIGNAUX

Tous ces *signaux idéographiques* sont relativement autonomes par rapport aux langues parlées. Écrit, le chiffre 5 peut se lire *cinq, five, cinco, fünf, fem, pet, viisi, itsutsu, pandj*, etc., mais les lecteurs enregistrent la même notion, quelle que soit la forme phonique utilisée par le destinateur. De même pour les *idéogrammes* du type suivant:

$$2\sqrt{5} = 5^{1/2} \simeq 2{,}236; \sqrt{5} \times \sqrt{5} = \sqrt{5}$$

$$\text{tg}\,\alpha = \frac{\sin\alpha}{\cos\alpha} \qquad A \cap C \qquad A_E = \phi$$

Il existe aussi des signaux qui font intervenir des *codes auditifs* tels que les systèmes d'alarme, les sirènes de bateau, d'usine ou de police, la sonnerie du téléphone ou tout autre avertisseur sonore. Certains messages sont convertis en signaux à l'aide de plusieurs codes à la fois. Par exemple, dans une usine de produits chimiques où sont manipulées des matières dangereuses, les systèmes d'alarme sont conçus pour être entendus malgré la présence de bruits: lorsque l'alerte est donnée, des voyants lumineux peuvent s'allumer et s'éteindre alternativement (code visuel); des panneaux sur lesquels est écrit le mot «danger» peuvent également clignoter (codes linguistique et visuel) alors qu'une sonnerie assourdissante (code auditif) se fait entendre. Ces *codes multiples* sont conçus pour que le message se rende à destination avec le maximum d'efficacité. On agit de cette façon dans la communication verbale lorsqu'on craint d'être mal compris: à la parole on joint le geste, la mimique, le ton, quelquefois des mots écrits ou même un schéma, une illustration, etc.

S'il est aisé de comprendre les représentations iconiques sans passer par les langues naturelles, il n'en est pas de même pour les signaux (en particulier les chiffres et les nombres), qui peuvent à la rigueur être lus sans qu'on repasse par leurs équivalents ou mots dans les langues parlées. En revanche, les signaux constituent des systèmes idéographiques parfaits, parce qu'ils sont univoques et ne laissent pas de place à l'interprétation. Cependant, comme dans le cas de tous les systèmes non linguistiques, ils sont limités à des besoins spécifiques.

LE SYMBOLE

La notion de symbole est quelque peu difficile à cerner dans la mesure où la définition qu'on en donnera ici ne correspond pas du tout à celle qu'on donne généralement à ce terme. Le mot *symbole* est employé notamment en mathématiques, en chimie, en informatique, et désigne des unités de grandeur, des masses ou des éléments informationnels. Dans le contexte d'une théorie de la communication, le symbole correspond à une *forme figurative* se référant à un seul signifié (une seule unité de sens), *abstrait et non comptable*, dans un *rapport analogique (non arbitraire) et conventionnel* avec la réalité. Par exemple, la colombe représente la paix; la balance, la justice; le vieillard tenant une faux, la mort; le sablier, le temps. Si un gamin dessine une colombe pour désigner un oiseau, le dessin est un icône; si le même dessin se retrouve gravé sur le mur d'un édifice des Nations unies, c'est un symbole, car il est produit pour *désigner conventionnellement autre chose* que ce que représenterait normalement l'icône. La colombe gravée sur le mur d'un édifice des Nations unies symbolise la paix; elle ne désigne pas une espèce de volatile.

Comme le symbole véhicule une *valeur culturelle, sociale et conventionnelle*, il est fort possible que ce qui est symbolique dans une collectivité ne le soit pas dans une autre. La couleur rouge symbolise l'amour en Amérique du Nord, mais elle incarne la sincérité et le bonheur au Japon, la passion et le désir chez les Amérindiens, la guerre en Irlande. Étant donné que le symbole est un *signe figuratif* d'une chose et qu'il ne tombe pas sous le sens, il faut que les personnes à qui il est destiné en connaissent la clé (par convention); sinon, le symbole perd sa valeur ou demeure une simple représentation iconique.

LES BRUITS ET LE BROUILLAGE DES CODES

Les langues naturelles constituent des codes qui permettent la transmission d'un message grâce à un canal. L'opération qui consiste à transformer le message dans sa forme linguistique codée s'appelle *encodage*. L'encodage est réalisé par l'émetteur-destinateur, qui choisit des éléments de la langue et applique les règles du code pour construire le message. Le récepteur-destinataire reconstruit le message à partir des signaux qu'il reçoit tout en respectant les mêmes contraintes; cette seconde opération s'appelle *décodage*.

1 LES BRUITS

Les opérations d'encodage et de décodage ne se font pas sans problèmes. D'abord, il faut que le destinateur et le destinataire connaissent et utilisent le même code; autrement, la communication risque d'être réduite considérablement, voire annulée. Il arrive que l'encodeur et le décodeur aient recours à un troisième code (p. ex., l'anglais), parce que ni l'un ni l'autre ne connaît la langue de son interlocuteur (p. ex., l'un parle le français, l'autre l'espagnol); si les deux connaissent imparfaitement ce troisième code (l'anglais, en l'occurrence), la communication sera perturbée encore davantage.

La non-familiarité avec un code commun constitue un «bruit» pour les individus. On appelle *bruit*, en théorie de la communication, toute gêne, erreur ou lacune qui empêche la transmission normale d'un message. Le bruit peut dépendre du destinateur (p. ex., s'il prononce indistinctement), du destinataire (s'il est inattentif), du message lui-même (s'il est obscur), du code (s'il est inadéquat pour le type de message à transmettre) ou du canal (parasites divers).

Dans les télécommunications, les bruits qui agissent sur les canaux de transmission (appareils, fils, relais) peuvent modifier la réception du message au point d'entraver le processus de la communication. Que ce soit à la radio, à la télévision ou au téléphone, on sait jusqu'à quel point les parasites nuisent à une bonne communication. De même, l'automobiliste qui roule lors d'une tempête de neige est soumis au brouillage du code de la signalisation routière.

2 LE BROUILLAGE DES CODES

Les risques de bruits sont multiples et ne concernent pas seulement une audition imparfaite, une défectuosité technique ou la non-familiarité avec un code. La colère, par exemple, peut être considérée comme un bruit troublant la communication. De plus, les références culturelles des individus peuvent également occasionner des brouillages. La photo d'une jeune femme en bikini ou celle d'un homme nu ne soulève certainement pas les mêmes réactions dans un magazine américain et dans un magazine islamique d'Iran; il est probable qu'en Amérique et en Iran, on ne s'attarderait pas exactement sur les mêmes pages avec des réactions identiques. Les codes culturels interviennent de telle sorte que les lecteurs peuvent comprendre différemment les messages transmis par une représentation iconique. De la même façon, on «lit» les photos de certains personnages politiques en fonction de ses propres allégeances: tel chef de parti paraîtra sympathique aux uns, antipathique aux autres.

Les voyages nous donnent également l'occasion de vivre le «déréglage culturel» auquel nous sommes soumis quand nos cadres de références sont bousculés. La langue, la monnaie, les taxis, le téléphone, les restaurants, l'affichage causent bien des problèmes au voyageur, qui subit le brouillage des codes à chaque démarche. Il lui faut se *dé-brouiller* et s'adapter, ou refuser ces nouveaux usages, auquel cas il ferait mieux de rester chez lui.

L'une des caractéristiques du bruit, dans toute communication, est d'être *imprévisible*, ce qui diminue d'autant l'efficacité du code. Il faut alors transformer nos manières de penser, de voir ou d'agir, bref, opérer de nouveaux «réglages». Dès l'instant où, par la suite, on développe un certain automatisme face au code, c'est-à-dire dès qu'on oublie qu'on utilise un code, la communication fonctionne sans entrave.

3 POUR CONTRER LE BRUIT

Dans la pratique de la communication, l'un des moyens efficaces pour pallier les effets du bruit consiste à utiliser la redondance. À force d'être répété, le message finit par passer. Ainsi, dans une communication verbale, on estime que la réception optimale d'un message nécessite une redondance de l'ordre de 50 %[1]. Prenons l'exemple suivant:

> *J'allais sur la pelouse, je m'allongeais. Je ne disais plus rien. Je n'avais plus rien à dire. Je ne trouvais plus rien à dire. Lui et moi, on se connaissait si bien qu'il ne nous suffisait que de quelques mots. Ensuite, c'était le silence. Un silence lourd, monotone...*

Ce taux de redondance paraîtrait excessif dans un message écrit «normal», bien que la propagande et la publicité en fassent la première règle de leur stratégie. La redondance constitue en ce sens un moyen de persuasion efficace. Lors de l'ouverture de son nouveau type de supermarché au Centre 2000 à Laval (en septembre 1984), Steinberg publiait dans les journaux des messages du genre suivant:

UN MARCHÉ
PAS COMME LES AUTRES

Tout sous un même toit

LE MARCHÉ DU JOUR

Le meilleur... meilleur marché

AU
MARCHÉ DU JOUR
IL FAIT BEAU VIVRE
ET BON MARCHÉ

1. Claude ABASTADO, *Messages des médias*, Paris, Cedic, 1980, p. 30-31.

Dans les textes littéraires, la redondance existe également, et elle peut avoir une valeur expressive, stylistique:

> «À ces exemples compilés dans les livres de vanité et d'arrogance que sont les dictionnaires, à ces marques gravées si profondément dans nos corps qu'on les croirait indélébiles, je voudrais substituer d'autres signes. Nés d'une autre matrice, plus tendre et plus féconde. Propre à opérer le déplacement du sarcasme à la reconnaissance. Nouvelles traces à inscrire, hiéroglyphes encore, ces signes seraient à l'image du bavardage fondé sur la connivence, la complicité qui crée cet espace où la parole n'a pas à être forcée ni forgée. Pour cette énonciation non littéraire, je voudrais un langage sans antinomie, qui touche et élucide, qui réconcilie spontanéité et abstraction. Langage d'amitié mais aussi d'intervention, courant capable de transmettre le pouvoir précurseur et avant-coureur de cette parole in-finie[2].»

Comme les risques de bruits sont multiples, on doit s'efforcer de réduire ces derniers le plus possible, car s'ils l'emportent sur la communication, on en arrive à l'incommunicabilité. Communication et incommunicabilité sont deux thèmes qui ont fait couler beaucoup d'encre et tourner beaucoup de pellicule. Entre décoder un message d'une façon rigoureusement symétrique à l'encodage et l'impossibilité de communiquer, il y a la possibilité de disposer d'une plus ou moins grande liberté d'interprétation du message. L'interprétation résulte justement des *bruits* qui entourent une situation de communication.

4 LA LANGUE: UN CODE SANS PAREIL

Il apparaît donc clairement que la langue occupe une place à part dans l'ensemble des moyens ou systèmes de communication utilisés par les humains; et que, contrairement aux moyens non linguistiques, la langue peut exprimer n'importe quelle signification.

De plus, les langues humaines réussissent à exprimer des milliards et des milliards de messages distincts au moyen de signes linguistiques minimaux et relativement peu nombreux. Pour mieux comprendre, essayons d'imaginer un système de communication où chaque message correspondrait à un cri particulier:

Voici mon père = TCHRAC
Voici ton père = TCHIC
Voici son père = TRINC
Voici ma soeur = PLOUNK
Voici ta soeur = PLINK
Voici sa soeur = EUK
Voici ma femme = DRÉKA

. . . et ainsi de suite pour tous les messages.

S'il fallait utiliser autant de cris qu'il y a de messages spécifiques, on aurait besoin de millions et de millions de cris, d'une mémoire phénoménale et d'organes phonatoires suffisamment précis pour transmettre cette masse considérable de signaux sonores totalement différents. Le *langage animal* fonctionne un peu de cette manière. On a pu inventorier, par exemple, une quinzaine de cris différents chez les corbeaux, correspondant à autant de situations ou de comportements distincts; chez les singes, on en a identifié 70 environ pour autant de messages particuliers. C'est ce qui a fait dire à G.-C. Corner:

2. Suzanne LAMY, *D'elles*, Montréal, L'Hexagone, 1979, p. 20-21.

«Si l'homme est un singe, il est le seul singe au monde capable de se demander quel singe il est[3].»

Grâce à la complexité de son cerveau (qui comprend 14 milliards de neurones), l'être humain peut à la fois commander ses muscles phonatoires (cavités buccale et pharyngale) et associer des significations aux formes sonores (signifiants) produites. Le langage humain se caractérise par l'utilisation consciente de signes appris (la langue n'est pas innée), mais assimilés et réutilisables de façon personnelle, donc adaptables selon les circonstances. Ainsi, seules les langues humaines permettent de dire, dans une situation donnée, soit *Prends le stylo rouge*, soit *Prends le rouge*, soit *Prends celui-là, Prends-le* ou encore *Prends ça*.

Chez l'animal, le système de communication est transmis à l'espèce, qui l'utilise instinctivement d'après des comportements conditionnés. Ce sont des signaux gestuels, auditifs, tactiles, olfactifs ou électriques; ils ne relèvent pas d'un code préalablement établi par l'espèce elle-même et consciemment utilisé.

La faculté de fabriquer des signes en très grand nombre et de leur associer des significations précises à partir de moyens minimaux est le propre de l'être humain. Les langues humaines constituent des systèmes très économiques, compte tenu de l'étendue des messages possibles. À partir de 30 à 50 PHONÈMES (le nombre variant selon les langues), on peut fabriquer quelques milliers d'unités linguistiques dotées de signification, lesquelles se combinent à leur tour pour pouvoir exprimer n'importe quelle signification possible, c'est-à-dire des milliards de messages distincts. En ce sens, les langues humaines constituent des codes exceptionnels parmi tous les autres.

Cependant, les langues ne sauraient être assimilées purement et simplement à des codes. Elle possèdent en effet *plus que les propriétés des codes*. Non seulement elle sont flexibles, étant en continuelle transformation, mais elles servent aussi à des fins: sociales, politiques ou idéologiques.

À RETENIR

Le domaine de la communication est devenu le lieu de l'activité centrale du monde contemporain.

La signification réelle d'un message dépend avant tout de la fonction prédominante au moment de la communication.

La langue occupe une place à part dans l'ensemble des moyens de communication.

La langue ne saurait être réduite à un simple code, car elle possède plus que les propriétés du code et sert à d'autres fins.

La non-familiarité avec une langue constitue un «bruit» qui empêche la transmission normale du message.

Une communication efficace peut nécessiter une redondance de l'ordre de 50 %.

---

3. Cité par Fernand MÉRY, dans *Les bêtes ont aussi leurs langages*, Paris, France-Empire, Presse Pocket, 1971, p. 295.

BIBLIOGRAPHIE

ABASTADO, Claude. *Message des médias*, Paris, Cedic, 1980, 261 p.

CLAS, André et Étienne TIFFOU. *Introduction aux études linguistiques*, Montréal, Université de Montréal, Département de linguistique et philologie, 1975, 203 p.

CORBEIL, Jean-Claude. «Éléments d'une théorie de la régulation linguistique» dans *La norme linguistique*, Québec/Paris, Ministère des Communications/Le Robert, 1983, p. 281-303.

DUBOIS, Jean *et al. Dictionnaire de linguistique*, Paris, Larousse, 1972.

GERMAIN, Claude et Raymond LEBLANC. *La sémiologie de la communication*, Montréal, Presses de l'Université de Montréal, 1983, 91 p.

GUIRAUD, Pierre. *La sémiologie*, Paris, P.U.F., coll. «Que sais-je?» n° 1421, 1973.

JAKOBSON, Roman. *Essais de linguistique générale*, Paris, Minuit, 1963, 255 p.

MARTINET, André. *Éléments de linguistique générale*, Paris, Arman Colin, 1967, 223 p.

MARTINET, Jeanne. *Clefs pour la sémiologie*, Paris, Seghers, 1973, 243 p.

MÉRY, Fernand. *Les bêtes ont aussi leurs langages*, Paris, France-Empire, coll. «Presse Pocket», 1971, 313 p.

MOUNIN, Georges. *Clefs pour la linguistique*, Paris, Seghers, 1971, 186 p.

PEIRCE, Charles Sanders. «Signes et familles de signes» dans *Théories du signe et du sens*, Paris, Klincksieck, 1976, p. 13-36.

PEZOT, Jurgen. *Silence, on parle*, Montréal, Guérin, 1979, 156 p.

PRIETO, Luis J. «La sémiologie» dans *Le langage*, sous la direction d'André Martinet, Paris, Gallimard, Encyclopédie de la Pléiade, 1968, p. 95-125.

REBOUL, Olivier. *Langage et idéologie*, Paris, P.U.F., 1980, 228 p.

VION, Robert. «Langues et systèmes de signes» dans *Linguistique*, Paris, P.U.F., 1980, p. 55-65.

YAGUELLO, Marina. *Alice au pays du langage*, Paris, Seuil, 1981, 207 p.

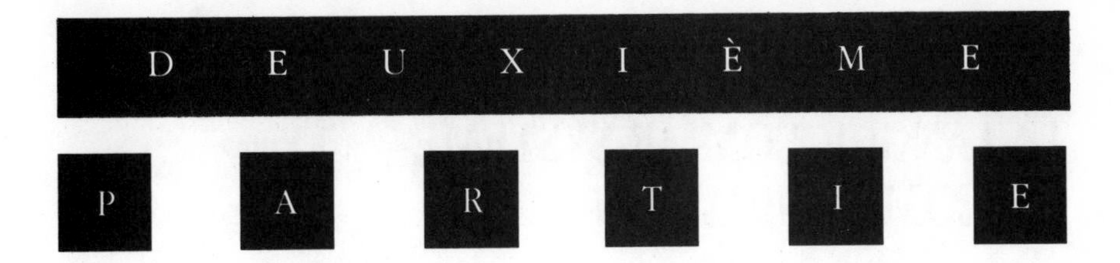

LA LANGUE: UNE RÉALITÉ INSTRUMENTALE ET SOCIALE

FERDINAND DE SAUSSURE ET LES AUTRES ○ LA LANGUE COMME RÉALITÉ INSTRUMENTALE: LE LANGAGE, LA LANGUE ET LA PAROLE, LE SIGNE LINGUISTIQUE, SYNCHRONIE ET DIACHRONIE ○ LA LANGUE COMME RÉALITÉ SOCIALE: UN CODE INVESTI DE VALEURS SOCIALES ○ LES FONCTIONS SOCIALES: INTÉGRATION/IDENTIFICATION, PROMOTION/DÉVALORISATION, ASSIMILATION, UNIFICATION/DÉSINTÉGRATION

LA LANGUE COMME SYSTÈME DE COMMUNICATION

1 SAUSSURE ET LES AUTRES

C'est avec Ferdinand de Saussure (1857-1913) que les études dites linguistiques ont connu leur véritable essor. La publication posthume de son célèbre *Cours de linguistique générale* (1915) est à l'origine de la linguistique contemporaine, dont l'objet propre est le langage humain articulé. L'un des mérites de Ferdinand de Saussure est d'avoir reconnu la nécessité de se défaire des idées de «bon goût» et des préjugés sociaux lorsqu'on aborde l'étude de la langue. Le linguiste analyse les faits objectivement; il n'exclut rien et ne prend pas parti, car il a pour tâche de procéder à une *étude scientifique de la langue*. André Martinet écrivait à ce sujet:

> «Une étude est dite scientifique lorsqu'elle se fonde sur l'observation des faits et s'abstient de proposer un choix parmi ces faits au nom de certains principes esthétiques ou moraux[1].»

Depuis Saussure, la linguistique a donc pris un caractère résolument scientifique: elle a ses méthodes propres, ses modèles généraux et ses théories explicatives. On a élaboré tout un appareil de description afin de permettre l'analyse de la langue comme système de signes exprimant des idées: descriptions phonologique, morphologique, syntaxique, lexicale et sémantique.

Plus tard, le Danois Louis Hjelmslev (1899-1965) prolongera les thèses saussuriennes avec ses *Prolégomènes à une théorie du langage*[2], dans lesquels il propose une démarche essentiellement théorique visant à constituer une «algèbre immanente des langues». Aux États-Unis, Leonard Bloomfield (1887-1949) donne le point de départ de la linguistique américaine en publiant *Language* (1926), qui présente une nouvelle méthode de description: le «distributionnalisme» ou «structuralisme américain». Cette description linguistique se limite au recensement des unités formelles de la langue et à l'étude de leur distribution, c'est-à-dire au relevé de leurs différents environnements dans la chaîne parlée.

En réaction au formalisme des distributionnalistes, apparaît la «grammaire générative et transformationnelle» de Noam Chomsky. Avec la théorie générative, on introduit un nouveau type d'approche consistant à produire un modèle logico-mathématique universel dont on pourrait faire dériver la totalité des langues existantes. Les théories de Chomsky sont exposées principalement dans *Syntactic Structures*[3] et *Aspects of the Theory of Syntax*[4]. Les diverses théories sont relativement abstraites, mais elles demeurent importantes pour l'évolution des sciences humaines.

Le bout linguistique de la lorgnette
Parallèlement à cette approche «technique» de la langue, Saussure avait développé, dans son *Cours de linguistique générale*, une approche sociale. Pour lui, la langue est

1. André MARTINET, *Éléments de linguistique générale*, Paris, Armand Colin, 1966, p. 6.
2. L'exposé de sa théorie parut en danois en 1943; la traduction française, en 1968.
3. Cet ouvrage a été publié en 1957; sa traduction française, parue sous le titre *Structures syntaxiques*, date de 1969 (Éditions du Seuil).
4. L'ouvrage a été publié en 1965 et la traduction française parut en 1971 (Seuil) sous le titre *Aspects de la théorie syntaxique*.

également un fait social et, pour cette raison, la linguistique touche à l'ethnologie, c'est-à-dire à «toutes les relations qui peuvent exister entre l'histoire d'une langue et celle d'une race ou d'une civilisation[5]». En ce sens, on s'intéressera aux relations entre la langue et l'histoire politique, entre la langue et les institutions de toutes sortes, et à tout ce qui se rapporte à l'extension géographique des langues et à leur fractionnement.

Saussure désignait par l'expression *linguistique externe* tous ces phénomènes que l'on étudie aujourd'hui par le biais de la sociolinguistique, de l'ethnolinguistique, de la géographie linguistique, de la dialectologie, auxquelles on peut ajouter les recherches relatives à la planification linguistique. Parmi les grands noms dans ces domaines, citons les Américains Edward Sapir, Uriel Weinreich, Charles A. Ferguson, Joshua Fishman, John J. Gumperz, William Labov, sans oublier le Québécois William Francis Mackey.

L'approche sociolinguistique des faits de langue peut être considérée comme «une étude des faits sociaux vus par le bout linguistique de la lorgnette[6]». Parler des langues, c'est parler des locuteurs de ces langues, de leur histoire, de leurs institutions, de leur situation géographique, de leurs conflits, etc. On s'intéressera par conséquent à la description et à l'explication des usages des langues, de leurs variantes sociales et régionales, donc aux stratégies de communication entre les différents groupes sociaux parlant une même langue; enfin, on s'interrogera sur les rapports ou les conflits possibles entre les langues lorsqu'elles se trouvent en contact.

Toutes ces approches n'épuisent pas le sujet, mais elles touchent deux des aspects les plus fondamentaux de la langue: la langue comme code ou moyen de communication et la langue comme institution sociale. Vue globalement, la langue appartient donc au domaine instrumental (le code) et au domaine social (le statut des langues).

2 LES THÉORIES DE SAUSSURE

Un autre des mérites de Ferdinand de Saussure est d'avoir formulé un certain nombre de théories fondamentales sur le langage, la langue, la parole et le signe linguistique. Ces théories font toujours école; il importe donc de les distinguer.

LE SYSTÈME DE LA LANGUE

Pour Saussure, les mots *langage* et *langue* ne sont pas synonymes. Le *langage* correspond à la faculté naturelle, inhérente et universelle qu'a l'être humain de construire des *langues*, c'est-à-dire des codes pour communiquer. Cette faculté se manifeste non seulement par la possibilité d'inventer des codes, mais aussi et surtout par la capacité d'apprendre de nouvelles langues. Dans les situations d'unilinguisme, cette faculté du langage génère des rapports multiples entre les règles du code utilisé, les contextes situationnels et la société. Cela suppose que le langage diffère d'une communauté linguistique à une autre de sorte qu'il ne saurait fonctionner qu'entre les sujets d'un groupe donné; la forme particulière que prend le langage est donc différente pour chaque groupe de sujets parlants. Ainsi, le français, l'arabe et le chinois sont des langues, des codes particuliers par lesquels se réalise le langage. La langue est un vaste ensemble de ressources communicatives et expressives dans lequel chacun puise au gré de ses besoins grâce à la faculté du langage; sans cette faculté, la langue demeurerait un code abstrait, rigide, immuable.

5. Ferdinand de SAUSSURE, *Cours de linguistique générale*, Paris, Payot, 1969, p. 40.
6. Louis-Jean CALVET, *Les langues véhiculaires*, Paris, P.U.F., 1981, coll. «Que sais-je?», n° 1916, p. 121.

Quand on parle de *langue*, on parle d'un *système* conventionnel différent des autres systèmes linguistiques. Par système, il faut entendre un ensemble structuré d'éléments et de règles, c'est-à-dire une organisation dont toutes les parties s'imbriquent et tendent vers une fin: la communication. Par exemple, quelqu'un pourrait connaître les 50 000 mots du *Petit Larousse* sans savoir pour autant parler le français s'il ignore la «grammaire du jeu», soit les règles de fonctionnement entre les éléments. Une langue n'est pas une nomenclature, mais une organisation dans laquelle les différents éléments, répétons-le, sont en relation les uns avec les autres; ils occupent une position fonctionnelle, ce qui permet de déterminer le message d'un énoncé, bref de communiquer.

LA LANGUE ET LA PAROLE

Si la notion de *langage* au sens saussurien est quelque peu difficile à saisir, c'est parce que le langage correspond davantage à une faculté (à la fois physiologique et psychique) qu'à une réalité tangible. L'étude du langage comporte deux parties: l'une ayant pour objet la langue (le code), l'autre la parole (l'utilisation du code). *Langue* et *parole* se définissent l'une par rapport à l'autre. La *langue*, en tant que code, demeure une convention sociale, indépendante de l'individu. Cependant, l'utilisation que chacun fait du code est personnelle. Ainsi, tous les francophones recourent à un code commun (la langue française), mais chacun d'eux l'utilise de façon particulière. La prononciation et le rythme, par exemple, varient d'un individu à un autre; les mots qu'une personne emploie ne se retrouvent pas nécessairement avec la même fréquence dans la bouche d'une autre; la longueur et la forme des phrases varient encore davantage. La *parole* représente donc la réalisation particulière et individuelle d'une langue; c'est la partie exécutive (orale ou écrite) de la langue, sa réalisation concrète.

La langue est une convention sociale nécessaire pour que la parole produise ses effets, mais la parole demeure indispensable pour que la langue s'actualise. D'une certaine manière, c'est la parole qui fait la langue; si la langue évolue, c'est que la parole ou la multitude de paroles individuelles la fait évoluer. Le changement relève de l'individu, donc du domaine de la parole, mais son acceptation par la communauté est affaire de langue; s'il n'est pas accepté, le changement devient *faute* ou . . . *jeu*. Ainsi, l'opposition du présent et de l'imparfait dans *ils sont/ils étaient* reflète la langue de la collectivité alors que l'opposition *ils sont/ils sontaient* (souvent employée par les jeunes enfants) traduit une variation de parole (individuelle) non acceptée dans la langue; la variante ne devient possible que par la faculté du langage, cette faculté qu'ont les individus de coder (ou de décoder) sans s'imiter servilement comme des perroquets. Ajoutons, enfin, qu'il n'y a pas de langue sans parole, puisque l'une est la réalisation concrète de l'autre.

LE SIGNE LINGUISTIQUE

L'analyse peut-être la plus importante que l'on doit à Saussure est celle qu'il a proposée du *signe linguistique*. La langue recourt à des outils pour transmettre les messages; ces outils sont les signes linguistiques. Pour Saussure, tout signe linguistique est une réalité à deux faces, l'une matérielle, l'autre immatérielle. Par exemple, le mot *oiseau* (*voir la figure 5.1*) se réalise matériellement par une suite de sons: $w + a + z + o$. Ce même mot porte également une signification (face immatérielle): il renvoie à la notion d'un animal couvert de plumes, pourvu d'ailes, de deux pattes et d'un bec, capable de voler. L'aspect matériel, le groupe de sons ($w + a + z + o$), constitue le *signifiant*; l'aspect immatériel, le sens (le concept «oiseau»), constitue le *signifié*. Cette réalité à deux faces peut être représentée par le schéma de la figure 5.2.

Le signe linguistique est donc le résultat de l'association d'un signifiant (le groupe de sons) et d'un signifié (le sens), ces deux parties étant indissociables. On pourrait comparer le signe linguistique à une feuille de papier dont le signifiant serait le recto et le signifié le verso: on ne saurait isoler véritablement le signifié (le sens) du signifiant (le groupe de sons). On pourrait toujours y arriver par un effort d'abstraction, mais le résultat ne serait finalement qu'une pure spéculation de l'esprit. En fait, normalement, le sujet parlant ou écoutant associe signifiants et signifiés dans un tout indissociable pour coder ou décoder les messages.

Les caractéristiques du signe linguistique

Parmi les nombreuses caractéristiques que Ferdinand de Saussure attribue au signe linguistique, on retiendra les suivantes: l'arbitraire du signe, le caractère conventionnel du signe, la linéarité du signe.

Le signe est arbitraire. Le caractère arbitraire du signe linguistique est une réalité difficile à cerner pour un unilingue. Si, en français, au signifié «fromage» correspond le signifiant [frɔmaʒ], il ne s'ensuit pas pour autant que cette association des formes sonores et du sens soit naturelle; le rapport entre le mot (groupe de sons) et la réalité désignée ne va pas de soi. On vérifie ce fait quand on voit la façon dont différentes langues expriment le même signifié:

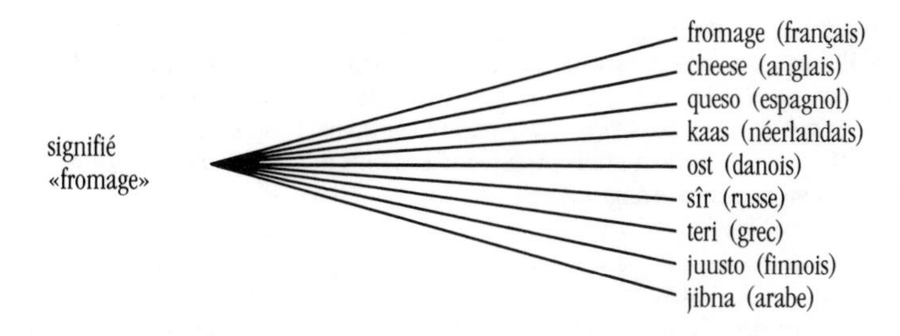

signifiant (sons)	[wazo]
signifié (concept)	

FIGURE 5.1 LE SIGNE LINGUISTIQUE

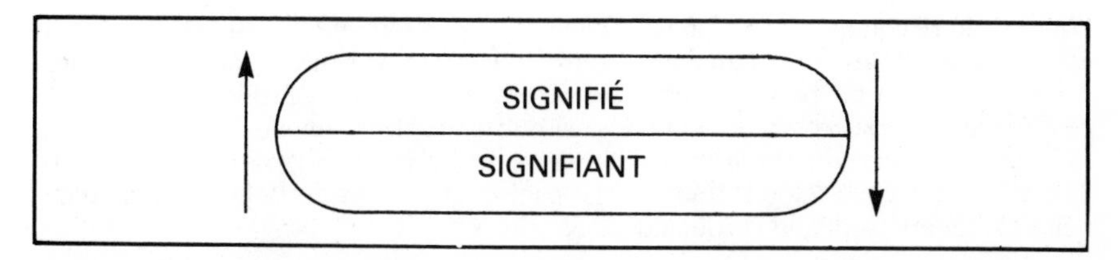

FIGURE 5.2 LES DEUX FACES DU SIGNE LINGUISTIQUE

Le lien qui unit le signifié (sens) et chacun des signifiants (formes sonores) ne repose sur aucun rapport interne. Rien dans le signifié ne favorise tel signifiant plutôt qu'un autre: les signifiants sont arbitraires par rapport aux signifiés et reposent sur un accord collectif. Il n'y a aucun rapport analogique entre les deux faces du signe linguistique et la réalité. Même lorsqu'on emploie des onomatopées, qui sont censées reproduire les sons réels. Ainsi, si le canard fait *couin-couin* en français, il fait *quack-quack* en anglais, *pack-pack* en allemand, *rap-rap* en danois, *hap-hap* en hongrois; quant au coucou, si un francophone croit l'entendre dire *coucou*, un Danois entend *kukker*, un Russe *koukouchka*, un Lituanien *gégé*, un Votiak *kïkï*, un Lamoute *kèkügèn*. C'est là une question de convention à l'intérieur d'un groupe donné.

Tout est arbitraire dans les signes linguistiques, mais tel n'est pas toujours le cas dans les signes visuels (non linguistiques). Si un commerçant se sert d'un dessin illustrant un pain pour identifier sa boulangerie et qu'un autre utilise le dessin d'une botte pour identifier sa cordonnerie, le lien est évident entre les formes visuelles (ou signifiants) et les signifiés auxquels elles renvoient; le rapport entre la forme et le sens revêt ici un caractère analogique. Par contre, si c'est un carré qui identifie la boulangerie et un cercle la cordonnerie, le rapport devient arbitraire et le signe lui-même devra reposer sur une convention pour être utilisable. De même, le rapport entre les deux faces du signe linguistique ne doit son existence qu'à la seule habitude collective.

Le signe est conventionnel. Pour que la langue puisse jouer son rôle d'instrument de communication, il faut que tous les individus d'une communauté linguistique admettent les mêmes conventions. Le français est dépositaire d'une convention sociale selon laquelle on dit *fromage* et non *cheese, queso* ou *Käse*. L'anglais, l'espagnol et l'allemand sont dépositaires d'une convention analogue: pour ces langues, c'est *cheese, queso* ou *Käse* qui renvoie au signifié «fromage».

Il faut bien admettre que le caractère conventionnel du signe linguistique n'est pas du même type que celui des signaux routiers. Certains de ces signaux sont idéographiques et à dessins non arbitraires, tels ceux représentant les dos d'âne, les courbes, les passages à niveau, etc. Il est relativement facile de décoder ces signaux, même pour un étranger. Le signe linguistique met en évidence deux faits: la langue n'est pas innée chez l'individu, et elle constitue un code qu'il doit absolument apprendre; le signe linguistique fait partie d'un héritage transmis par la société. Par contre, marcher, s'asseoir et courir font partie des «performances» qu'on acquiert naturellement, sans que l'on soit obligé de les apprendre.

Le signe est linéaire. Les signes linguistiques se représentent obligatoirement sur l'axe du temps, l'un après l'autre, comme une ligne pointillée. Jamais deux éléments ne peuvent être décodés ou codés en même temps au même point du message. Les signes se suivent chronologiquement, et toute variation dans cette succession entraîne un changement du sens (sinon une incompréhension):

apte = [a] + [p] + [t]
tape = [t] + [a] + [p]
patte = [p] + [a] + [t]

Dans l'écriture comme dans la langue parlée, les signes forment une suite linéaire et il est nécessaire de les «lire» l'un après l'autre, toujours dans le même ordre. Entendre deux discours en même temps entraîne nécessairement la confusion. La langue se caractérise par la successivité, non par la simultanéité des éléments. C'est là un trait fondamental des langues humaines, contrairement à d'autres moyens de communication que l'on décode selon la trame de l'espace et qui se caractérisent par la simultanéité. Comme le souligne Ferdinand de Saussure:

«Tout le mécanisme de la langue en dépend. Par opposition aux signifiants visuels (signaux maritimes, etc.), qui peuvent offrir des complications simultanées sur plusieurs dimensions, les signifiants acoustiques (ou linguistiques) ne disposent que de la ligne du temps; leurs éléments se présentent l'un après l'autre; ils forment une chaîne[7].»

LA SYNCHRONIE ET LA DIACHRONIE

Une étude est dite *synchronique* (du grec *sun-chronos*: en même temps) lorsqu'elle a pour objet un état de langue pris à un moment précis de l'histoire de cette langue, dans son fonctionnement interne. Pour faire une étude synchronique du français, on peut, par exemple, réunir un ensemble de phrases (appelé *corpus*) produites dans une région bien déterminée et s'efforcer de préciser dans quels cas les locuteurs emploient le conditionnel ou le subjonctif, quelle est la distribution des sons (ou phonèmes) employés, leur fréquence et les influences qu'ils ont les uns sur les autres; on peut également s'interroger sur les types et les formes de phrases utilisées, sur l'emploi de tel ou tel mot, sur ses variantes ou ses équivalents dans la communauté, etc.

Lorsqu'on parle de l'évolution ou de l'histoire de la langue, l'étude est appelée *diachronique* (du grec *dia-chronos*: à travers le temps). Le temps, ne l'oublions pas, joue un rôle important dans la vie des langues. En tant que phénomène humain, la langue est soumise au caractère irréversible du temps et, pour cette raison, elle est l'objet de transformations.

Si on entreprend une étude diachronique du français, l'analyse pourra par exemple avoir pour objet l'évolution phonétique de la langue, du latin jusqu'à nos jours; on essaiera de déterminer à quelle époque telle voyelle ou telle consonne latine, selon tel environnement, s'est transformée. Il est possible d'observer de façon analogue des éléments grammaticaux ou des structures syntaxiques. De même, on peut étudier le vocabulaire et chercher à établir l'origine des mots, l'influence des langues étrangères, etc.

Bien sûr, une étude diachronique peut couvrir une période relativement courte de l'histoire de la langue; on étudiera, par exemple, l'évolution phonétique du français en se limitant aux XVIIe et XVIIIe siècles, et on en tirera des lois d'évolution pour cette seule période. Si, par contre, un linguiste fait une analyse portant exclusivement sur la période couvrant la Révolution française, en excluant toute considération sur la période précédente ou sur celle qui suivit, il s'agit alors d'une étude synchronique, dans la mesure où cette étude se limite à un moment précis de l'histoire de la langue française.

Les notions saussuriennes de synchronie et de diachronie nous font comprendre que la diachronie est une succession de synchronies et que, par voie de conséquence, toute innovation (diachronie) dans la langue entraîne une modification partielle du système linguistique lui-même (synchronie). De plus, ce sont les individus (les faits de parole) qui font changer la langue avant que les changements n'entrent dans l'usage. Donc, c'est dans les phénomènes de la parole que germent les transformations que l'on retrouve ensuite dans la langue: tout ce qui est diachronique dans la langue ne l'est que grâce à la parole. En fait, dans l'histoire de toute innovation linguistique, on perçoit deux moments distincts: d'abord, celui où des individus apportent un changement (ou une multitude de faits similaires) par la parole; puis, celui où la collectivité accueille et adopte l'innovation, qui devient alors un fait de langue. Toutes les innovations de la parole ne connaissent pas nécessairement le même succès; plusieurs demeurent individuelles et ne parviennent jamais à la langue. Mais une multitude de changements de la parole, s'ils sont adoptés par la collectivité, finissent par modifier à la longue le système linguistique lui-même (synchronie).

---

7. Ferdinand de SAUSSURE, *op. cit.*, p. 103.

* * *

Jusqu'ici, nous sommes partis du principe que la langue avait pour principales fonctions de véhiculer des concepts, de rationaliser le monde, d'exprimer des émotions, d'attendrir, de faire rire ou de faire pleurer. Mais, comme nous le savons, la langue ne saurait se réduire à une simple réalité instrumentale (comme instrument de communication). Elle est plus qu'un code, elle sert à d'autres fins. La langue véhicule notamment des valeurs sociales — des «bruits» — et représente un symbole, un instrument d'identification, de valorisation ou de dévalorisation sociale, d'unité ou de désintégration nationale. Il est temps de nous pencher maintenant sur cet autre aspect de la langue: sa réalité sociale.

C H A P I T R E 6

LA LANGUE COMME RÉALITÉ SOCIALE

Parler des langues ne se réduit pas à parler du code, puisque c'est aussi parler des locuteurs de ces langues, décrire leur histoire, leurs institutions et leurs conflits aussi bien sociaux que politiques. C'est pourquoi la langue est envisagée comme une institution sociale; elle est donc extérieure à l'individu, qui ne peut l'utiliser ou la modifier comme il l'entend sans mettre en péril la communication elle-même. La langue appartient à la collectivité et n'existe qu'en vertu d'une convention établie entre les membres d'une communauté. En ce sens, elle demeure un bien collectif. Les liens qui unissent la langue et la société sont si étroits qu'il devient difficile de traiter d'une langue sans se référer à la société qui l'utilise. En fait, langue et société constituent un tout indissociable, parce que la langue est le reflet d'une réalité sociale.

1 UN CODE INVESTI DE VALEURS SOCIALES

La première conséquence de l'interaction entre la langue et la société provient du fait que la langue n'est pas neutre. Certains traits linguistiques peuvent fonctionner comme des indicateurs du statut social des individus dans une communauté. Ces traits servent de marqueurs qui révèlent des rapports hiérarchiques relatifs au sexe, à l'âge, aux classes sociales, au niveau d'instruction, à la profession, à l'origine ethnique, etc.

LA LANGUE: UNE MARQUE DE HIÉRARCHIE SOCIALE

Un excellent marqueur linguistique des rapports sociaux est l'emploi des titres qui expriment le statut social ou la fonction. L'emploi des appellations *madame/monsieur* par opposition à *mademoiselle/monsieur* correspond à des signes de respect et de hiérarchie en français. L'alternance *madame/mademoiselle* indique généralement une distinction entre une femme mariée et une célibataire alors que l'unique terme *monsieur* ne réfère nullement à la situation de famille de l'homme. Cette dissymétrie linguistique n'est pas innocente: elle reflète symboliquement le statut dévalorisé de la femme dans la société.

Si le sexe des anges préoccupait les théologiens du Moyen Âge, aujourd'hui, le sexe des mots préoccupe les linguistes. Les dissymétries linguistiques concernant la répartition des tâches se font presque toujours au détriment des femmes. Il semble très difficile de trouver des alternances du type *danseur/danseuse* dans des mots comme *professeur, docteur, chroniqueur, successeur, possesseur, amateur*, etc. De même, il paraît tout aussi difficile de trouver des correspondances au féminin pour des termes comme *chef, gourmet, bon vivant, bandit, homme-grenouille, beau parleur*, etc. Sans compter les hésitations à féminiser les mots ÉPICÈNES comme *la ministre, la juge, la députée, la maire, la chef d'État*, etc.

On cherche des solutions, bien sûr, mais celles-ci ne sont pas toujours satisfaisantes. Ainsi, la formule qui consiste à faire précéder les mots ÉPICÈNES par *femme* (p. ex.: *femme-médecin, femme-juge, femme-policier, femme-chef d'État* et, pourquoi pas, *femme-homme-grenouille*) joue encore au détriment des femmes puisqu'on ne parle pas d'un *homme-médecin*, d'un *homme-juge*, d'un *homme-policier*, d'un *homme-chef d'État*, etc. Une autre tendance consiste à féminiser certains noms de métiers en ajoutant un *-e muet* (*auteure, ingénieure, professeure, gouverneure*, etc.); la résistance à la féminisation en *-euse*, pour une oreille habituée à entendre *danseur-euse*, paraît suspecte: les noms féminins des métiers «intellectuels» ressemblent aux noms masculins (*auteure, professeure, docteure, ingénieure*) alors que ceux des métiers «moins nobles», les métiers manuels en l'occurrence, suivent la morphologie habituelle en *-eur/-euse* (*danseur/-euse, patineur/-euse, soudeur/-euse*). Enfin, le problème des termes dits génériques paraît beaucoup plus difficile à résoudre. L'invisibilité des femmes est manifeste dans ces cas: *les sciences de l'homme; les étudiants qui se présenteront. . .; les candidats à la mairie; le conseil d'administration se compose du président, d'un secrétaire général, d'un trésorier et de deux autres membres nommés par le président.* N'oublions pas non plus la fameuse règle qui laisserait entendre que le masculin l'emporte sur le féminin, ni les dictons et proverbes affreusement sexistes: *Les paroles de l'homme sont comme la flèche qui va droit au but, celles de la femme ressemblent à l'éventail brisé* — Chine. *C'est un don de Dieu qu'une femme silencieuse* — La Bible.

En fait, si la langue française donne prépondérance au masculin, c'est parce que l'emploi du masculin et du féminin rappelle le prestige du pouvoir associé au mâle dominant et l'infériorité sociale de la femme. Par ailleurs, les résistances à la féminisation ne proviennent pas de la langue elle-même, c'est-à-dire du système morphologique, mais des mentalités (la peur de la nouveauté). La langue est souvent en retard sur les structures sociales dans la mesure où les mentalités la tiennent en arrière. Or, on ne saurait forcer la langue à précéder les mentalités; l'action volontariste sur la langue ne donne aucun résultat si elle ne s'accompagne pas d'une évolution parallèle des structures mentales et sociales. Tout espoir n'est heureusement pas encore perdu du côté de la féminisation.

En matière de sexisme, la langue française n'est quand même pas la seule langue en cause dans le monde! Un linguiste américain, Edward Sapir, a étudié plusieurs langues amérindiennes. Il rapporte[1] que certaines de ces langues ont la particularité de faire une distinction entre des formes linguistiques dont l'usage est réservé aux hommes et des formes dont l'usage est réservé aux femmes. Ainsi, la plupart des mots en yana[2] ont deux formes distinctes: une forme dite «mâle» (p. ex.: «personne» = *yana*) et une forme dite «femelle» (p. ex.: «personne» = *ya^{h}*). Les hommes n'utilisent entre eux que les formes mâles; mais quand ils s'adressent aux femmes, ils utilisent les formes femelles. Par contre, les femmes emploient toujours les formes femelles, aussi bien pour se parler entre elles que pour s'adresser aux hommes; une femme peut toutefois recourir aux formes mâles si elle rapporte les paroles d'un homme s'adressant à un autre homme.

Sapir constate que les termes mâles sont des *formes longues* alors que les termes femelles sont des *formes réduites*. En voici quelques exemples:

Forme mâle		Forme femelle
i-na	*(arbre, bâton)*	*i^{h}*
yu-na	*(gland écossé)*	*yu^{h}*
ba-na	*(daim)*	*ba^{h}*
yutc^{h}ai-na	*(bouillie de glands)*	*yutc^{h}ai^{h}*
hik!iwau-na	*(mocassin)*	*hik!iwau^{h}*

Et Sapir de souligner que les hommes parlent dans un style soigné et sans rien omettre (formes longues) lorsqu'ils s'adressent aux hommes. Mais dans la conversation entre femmes ou avec les femmes, un style plus négligé est adopté (formes réduites). Pour

1. Voir Edward SAPIR, *Linguistique*, Paris, Minuit, 1968, p. 273-282.
2. Le yana est une langue amérindienne parlée dans le nord de la Californie.

Sapir, la spécialisation de ces formes réduites constitue un reflet symbolique du statut inférieur de la femme dans la communauté.

LA LANGUE: UNE MARQUE D'APPARTENANCE SOCIALE

Employer une forme linguistique plutôt qu'une autre relève d'un choix, conscient ou non, correspondant aux valeurs véhiculées par la société. Au Québec, l'utilisation de termes tels *séparatiste*, *indépendantiste* et *souverainiste* n'est pas neutre. Ainsi, les *fédéralistes* emploieront plus volontiers le terme *séparatistes* pour désigner avec mépris ceux qui prétendent diviser le Canada, alors que ces derniers préféreront se désigner par les termes *indépendantistes* ou *souverainistes*, plus neutres selon leur point de vue. Selon la question posée (p. ex.: *Êtes-vous séparatiste?*), le destinataire sait tout de suite à qui il a affaire; la question renseigne tout autant que la réponse. Dans d'autres pays, on utilisera des équivalents comme *autonomiste, sécessionniste, dissident, rebelle, insurgé, révolté, anarchiste* ou... *partisan, patriote, nationaliste*, selon le point de vue où l'on se place.

Changer de langue n'est pas davantage une démarche neutre ou innocente. Selon la situation sociolinguistique, parler anglais ou français, espagnol ou basque, russe ou ukrainien, a des implications sociales importantes. Choisir une langue plutôt qu'une autre, dans une situation de bilinguisme ou de multilinguisme, peut relever de la provocation ou de l'asservissement par rapport à la langue dominante.

En République centrafricaine, le français est la langue officielle; c'est la langue de la scolarisation et des rapports internationaux. Par ailleurs, dans les communications interethniques, le sango domine largement. Le français, langue de prestige, est parlé par les élites et les cols blancs, c'est-à-dire les fonctionnaires. Dans une ville comme Bouar, tous parlent le sango et, la plupart, le français, mais on n'utilise pas indifféremment l'une ou l'autre langue.

Le locuteur, dans ce pays, entretient avec le français un rapport lié à une question de légitimité: on ne parle français qu'à celui qui parle français. Mais qui parle le français? L'étranger d'abord, puis le «supérieur» (le fonctionnaire), enfin le «lettré» (l'instruit). On s'adresse d'abord en français à un fonctionnaire parce que c'est le règlement, par marque de respect ou de déférence:

> «Pour un fonctionnaire, dès ton arrivée, il faut d'abord lui dire la chose en français parce que c'est le règlement[3].»

Comme nous le fait comprendre un lycéen de 21 ans, le français est obligatoire pour l'inférieur, mais facultatif pour le supérieur:

> «S'il me parle en français, je dois lui répondre en français, et au cas où il me parle sango, c'est par là que je vais lui répondre en sango[4].»

Les droits et devoirs sont asymétriques, mais c'est l'inférieur hiérarchique qui a le fardeau du devoir. Par ailleurs, on parlera français entre amis qui se considèrent «lettrés»; ou encore, pour insulter ou se valoriser, chez les jeunes garçons scolarisés, notamment par rapport aux jeunes filles[5]. Langue de prestige, le français, par un retournement de valeur, devient aussi la langue de la vantardise. Dans tous les cas, le français et le sango servent à des fonctions spécifiques, dans le cadre d'une division sociale des rôles. Les fonctions propres au français ne concernent que des situations de

---

3. Voir P. POUTIGNAT et P. WALD, «Français et sango à Bouar: fonctions marginales du français dans les stratégies interpersonnelles» dans *Plurilinguisme: normes, situations, stratégies*, de G. MANESSY et P. WALD, Paris, L'Harmattan, 1979. p. 213.
4. *Ibid.*, p. 214.
5. *Ibid.*, p. 216.

communication ritualisées ou très spécifiques comme le contact avec les étrangers (ou avec des gens considérés comme tels).

L'inégalité hiérarchique de langues concurrentes sur un même territoire existe presque partout au monde. Dans la plupart des cas, on trouve une langue pour le travail et les situations de prestige, une autre pour le foyer et le folklore. Au Canada, mais en dehors du Québec, le français ne pénètre que très faiblement, sinon aucunement, le monde du travail, et son statut dans les domaines de l'éducation et de la culture est peu valorisé, voire inexistant. Selon Sheila McLeod Arnopoulos, les Franco-Ontariens vont même se montrer discrets et éviter de parler français en public dans une ville comme Sudbury, où ils constituent plus du tiers de la population. Ils évitent de s'afficher comme francophones. Étant donné que le français soulève constamment l'opposition et le ressentiment de la majorité anglophone, son usage est relégué à la vie familiale ou à des activités culturelles pour francophones seulement. Voici la conclusion de Sheila McLeod Arnopoulos à ce sujet:

> «C'est pourquoi de nombreux francophones ne parviennent pas à se dégager de cette idée embarrassante que le français est une langue que l'on doit cacher dans le fond d'un tiroir, comme ce couple qui se met à parler l'anglais dès qu'il s'éloigne de son quartier de Moulin-à-Fleur. C'est ainsi qu'on en vient imperceptiblement à considérer que le français appartient à la famille, à l'Église et aux activités culturelles, et que l'anglais est la langue des affaires et de la vie publique[6].»

Au Québec, même plusieurs années après la loi 101, les travailleurs francophones utilisent le français dans une proportion de 40 % dans leurs communications avec les anglophones. Le travailleur francophone adopte encore plus facilement l'anglais si son interlocuteur est un patron. Ce qui faisait dire à M. Michel Plourde, président du Conseil de la langue française, en 1983 (propos encore valables aujourd'hui):

> «Force est de constater aussi que, si la langue française est largement utilisée dans les postes subalternes, elle n'occupe pas encore, loin de là, toute la place qui lui revient, comme langue de la majorité, parmi ceux qui décident. On note même un accroissement de l'utilisation de l'anglais chez les administrateurs francophones, comme on note aussi une sous-représentation des francophones dans les postes de commande[7].»

L'emploi d'une langue n'est donc pas indifférent: la langue est liée à la valorisation ou à la dévalorisation. Une langue valorisée est un puissant instrument de promotion sociale et elle ne saurait être employée innocemment par les personnes qui l'adoptent; souvent, le prix à payer, c'est la dévalorisation de sa propre langue maternelle (voir *La fonction de promotion ou de dévalorisation sociale,* à la section 4).

2 LA COMMUNICATION ET LE CONFORMISME LINGUISTIQUE

Une deuxième conséquence de l'interaction entre la langue et la société découle du fait que les individus essaient de se plier aux contraintes des situations de communication. Les circonstances qui entourent l'acte de communication imposent un comportement linguistique.

6. Sheila McLEOD ARNOPOULOS. *Hors du Québec, point de salut?*, Montréal, Libre Expression, 1982, p. 123-124.
7. Michel PLOURDE, «La langue française au Québec» dans *La Presse*, 15 février 1983.

NEW YORK: UN HAUT LIEU DE CONFORMISME

William Labov rapporte[8] le cas des employés de Saks Fifth Avenue, le grand magasin prestigieux de New York, à l'angle de la 50e Rue et de la Cinquième Avenue, près du centre de la mode. Ces employés font partie de la même classe sociale (par le statut économique) que ceux d'autres magasins moins prestigieux, les concurrents Macy's et S. Klein (ce dernier offre des prix réduits). Néanmoins, les employés de Saks se sentent d'une classe sociale supérieure en raison de la clientèle plus sophistiquée de ce magasin. Comme par hasard, il est plus difficile de se faire embaucher chez Saks que chez Macy's ou Klein, et l'employeur a une nette tendance à choisir les personnes qui emploient les formes plus prestigieuses de l'anglais. Une enquête a démontré que les employés de chez Saks s'identifient à leur clientèle en imitant son parler prestigieux, rehaussant ainsi leur propre prestige. Ce conformisme linguistique tend à disparaître dès que ces mêmes personnes se retrouvent dans un contexte situationnel différent (p. ex.: à la maison).

Labov a aussi analysé la grammaire utilisée par des bandes d'adolescents noirs de New York. Il a comparé les usages de quelques groupes à ceux d'individus exclus de ces mêmes groupes. Son étude prouve que le groupe pousse au conformisme linguistique et rejette ceux qui s'en écartent. Par ailleurs, le fait d'être exclu d'un groupe donné se reflète aussi dans la langue.

CAMEROUN: UN CONFORMISME POUR PLAISANTER ET INSULTER

Le choix d'une langue peut relever d'un conformisme social. Au Cameroun, le français et l'anglais sont les deux langues officielles: l'anglais est parlé dans deux provinces (Nord-Ouest et Sud-Ouest) et le français dans les huit autres provinces. Cependant, le pidgin-english est la langue qui compte le plus de locuteurs au Cameroun[9], bien qu'elle soit sans prestige.

L'usage du pidgin-english est soumis à un remarquable conformisme linguistique. Ainsi, chez les Bangwas, on utilise le pidgin-english en famille dans deux situations précises: lorsqu'on plaisante ou lorsqu'on insulte quelqu'un. Autrement, on parle le bangwa, la langue maternelle de l'ethnie bangwa. Mais c'est le mâle le plus âgé de la famille qui doit utiliser le premier le pidgin-english pour donner le feu vert aux autres. Il faut respecter la hiérarchie familiale. Si un petit garçon s'adresse le premier à son grand-père en pidgin-english, celui-ci sera insulté. Le petit-fils doit d'abord parler en bangwa; si le grand-père répond en pidgin-english, le petit garçon comprendra que la situation est à la plaisanterie et pourra continuer dans cette langue. Toutes les plaisanteries, de même que les insultes, peuvent être faites en pidgin-english; les mêmes paroles en bangwa seraient jugées très grossières, voire inacceptables. Le non-respect de ce conformisme linguistique entraînerait l'expulsion du «dissident».

CÔTE D'IVOIRE: LA PAROLE RITUALISÉE

Dans un article sur les Tyembara de la Côte d'Ivoire, Pannan Coulibaly[10] montre l'importance du conformisme linguistique chez ce peuple. Aux dires des Tyembara, il y a des «bons parleurs» et des «mauvais parleurs», c'est-à-dire des bons utilisateurs et des mauvais utilisateurs de la langue tyembara. Les premiers (les Tyembara «natifs») se conforment aux règles de l'usage linguistique de la communauté, alors que les seconds (les jeunes instruits, les personnes assimilées à la culture occidentale, les «acculturés») les ignorent et ont perdu leurs références culturelles.

8. Voir William LABOV, *Sociolinguistique*, Paris, Minuit, 1976, p. 94-126.

9. Voir Carol de FÉRAL, «Ce que parler pidgin veut dire» dans *Plurilinguisme: normes, situations, stratégies*, de G. MANESSY et P. WALD, Paris, l'Harmattan, 1979, p. 103-127.

10. Voir Pannan COULIBALY, «Enquête sur les jeunes acculturés en pays tyembara du nord de la Côte d'Ivoire» dans G. MANESSY et P. WALD, *op. cit.*, p. 189-199.

On reconnaît un «bon parleur» d'abord à la qualité de sa voix, qui fait ressortir toutes les nuances des tons (haut, bas et modulé) du tyembara, car la signification des mots est en relation avec le type de ton utilisé. Le «bon parleur» sait recourir à des devises typiques qui permettent de l'identifier comme représentant d'un village, d'un clan, d'une classe d'âge. Le «bon parleur» saura «donner sa parole» à un «médiateur» qui transmettra le message pour lui à l'auditoire. En tyembara, la prise de la parole doit suivre un ordre ritualisé, partant du plus vieux pour aller au plus jeune et vice versa; il s'agit de réactualiser, pendant le rituel de la communication, la hiérarchie sociale et initiatique. Le «bon parleur» doit être capable de garder le *kapélé*, c'est-à-dire savoir taire tout ce qu'il n'est pas nécessaire de dire à ses yeux. Il doit s'exprimer par énigmes, recourir à des analogies, des mots couverts et des proverbes. Le bon conteur tyembara exposera une situation de façon mythique sous une forme enveloppée et ambiguë, sans dire tout ce qu'il sait, sans tout expliquer. Il laissera à chacun des membres de l'assistance la possibilité d'interpréter les faits et d'en tirer une leçon personnelle. Enfin, le «bon parleur» tiendra compte des moments propices pour parler: il y a des messages «trop forts» que l'on ne transmet qu'à la nuit tombée, loin des oreilles des femmes, des enfants et des non-initiés. Bref, la transmission de la parole chez les Tyembara est caractérisée par des traits initiatiques mâles, des «précautions de silence», des «formules symboliques et ésotériques», le tout à travers un rituel qui respecte les structures sociales de la communauté.

À l'opposé, le «mauvais parleur», le jeune homme instruit et occidentalisé, prononcera tous les mots sur le même ton, d'où un discours «incompréhensible» et «mauvais» pour les initiés. Ignorant la médiation (une tierce personne) et l'ordre initiatique de la prise de la parole, le «jeune acculturé» s'adressera directement à son destinataire et négligera tous les autres participants. Enfin, trop longtemps coupé de son milieu, il a oublié les interdits linguistiques, les formules symboliques et les précautions initiatiques; il expliquera tout, ira droit au but, regardera son interlocuteur droit dans les yeux, recourra même à des formules réservées aux plus vieux et aux femmes, sinon aux enfants. En somme, le jeune instruit n'est qu'un acculturé qui revient au village, un «mauvais parleur» qui n'a plus de références culturelles tyembara. Il fait fi du conformisme linguistique propre à la communication en société, il ignore les règles d'usage de sa communauté, donc il fait des *fautes de langue*. Surtout, il n'a pas su tenir compte de la pression sociale du groupe, qui incite au conformisme linguistique. D'où le rejet.

3 LA LANGUE: UN FACTEUR D'IDENTIFICATION

Une troisième conséquence de la dimension sociale de la langue est la valeur symbolique du code — la langue — comme facteur d'identification à un groupe. La langue crée un sentiment d'appartenance et d'affiliation à une communauté culturelle ou ethnique. Si l'unification des peuples, dans le passé, s'est souvent réalisée par l'occupation militaire ou par la domination religieuse, c'est la langue qui, depuis le XIXe siècle, sert de *critère de nationalité*. «S'il parle comme nous, il est l'un des nôtres», diraient plusieurs. En fait, c'est le sentiment d'identification à une langue qui a engendré la création de plusieurs pays: l'Allemagne, l'Italie, la Roumanie, Israël (avec la religion), les pays arabes, l'Indonésie, le Bangladesh, Madagascar, la Somalie, etc. Citons à ce sujet l'un des grands sociolinguistes américains, Joshua A. Fishman:

> «À l'heure du nouveau courant de modernisation, de conscientisation et d'autonomie, la langue est un symbole de la nationalité, du peuple, de ses souffrances, de sa destinée, de sa grandeur, de ses triomphes; le principal instrument de conception, d'expression, d'assimilation et de communication de ces expériences finit donc par être considéré comme leur somme et leur substance mêmes[11].»

11. Joshua A. FISHMAN, «Aménagement et norme linguistique en milieux linguistiques récemment conscientisés» dans *La Norme linguistique*, Québec/Paris, Gouvernement du Québec/Le Robert, 1983, p. 386.

La langue est devenue *le plus puissant moyen d'identification* dont disposent les peuples et les sociétés. Ce sentiment d'identification joue à deux niveaux: à l'intérieur des différents groupes sociaux partageant une même langue et entre différentes communautés linguistiques coexistant en situation de bilinguisme ou de multilinguisme.

L'IDENTIFICATION SOCIALE

Dans toutes les sociétés humaines, on observe des différences relatives à l'âge (jeunes/vieux), au sexe, au revenu, au niveau d'instruction, au métier, à l'environnement (ville/campagne). Les sociétés ne sont pas homogènes parce que les individus qui les composent sont différents. Cette hétérogénéité sociale n'est pas sans laisser de traces dans la langue: elle entraîne nécessairement une hétérogénéité sur le plan linguistique. N'importe quel observateur le moindrement attentif aura noté, par exemple, des variantes entre la langue parlée par les gens de la campagne et celle des gens de la ville; plus d'un campagnard a vu son parler ridiculisé lorsqu'il est arrivé dans la grande ville. Tous les enseignants reconnaîtront que la variété linguistique des enfants des milieux défavorisés diffère de celle des enfants appartenant à des milieux économiquement plus aisés. Un avocat ne parle pas comme un ouvrier, et celui-ci se rend bien compte de la distorsion qui existe entre sa variété et celle qu'il entend à la télévision.

Tous les individus qui composent les diverses catégories sociales peuvent parler la même langue et se comprendre aisément malgré leurs différences. Pourtant, *ils se reconnaissent*, et ils s'identifient à une prononciation particulière, un vocabulaire particulier, des expressions particulières.

Les travaux du sociolinguiste américain William Labov[12], portant sur la stratification sociale de l'anglais à New York, confirment ce fait. Les formes de l'anglais dites de prestige tendent à être utilisées surtout par les groupes d'âge moyen, les femmes (quand elles «se surveillent»), la petite bourgeoisie urbaine et instruite. L'emploi de certaines variantes linguistiques serait, pour Labov, un indice très sûr de la situation sociale des locuteurs, situation reliée surtout au revenu, au niveau d'instruction ou au métier. Les individus interrogés admettent eux-mêmes que certaines variantes linguistiques servent à les identifier en tant que variété sociale.

Les Noirs de New York, les Camerounais qui parlent le pidgin-english à Bouar, les Tyembara de la Côte d'Ivoire, les ouvriers francophones de Montréal, les Portoricains de New York, tous ces groupes reconnaissent aussi que leur variété linguistique sert de marqueur d'affiliation à la communauté. Même dans les sociétés contemporaines soi-disant égalitaires, la société chinoise par exemple, les dirigeants n'ont pu réussir à éliminer les trois grands «écarts» linguistiques: ouvriers/paysans, villes/campagnes, travailleurs manuels/travailleurs intellectuels. Les écrits stéréotypés du grand journal de Pékin, *Le Quotidien du peuple*, pénètrent mal les milieux populaires, surtout paysans. Ces milieux ne s'identifient pas à la variété linguistique du journal officiel: «Les seuls messages auxquels ils sont réceptifs sont ceux qui utilisent une langue populaire[13]». Il arrive même que les cadres et les intellectuels ne percent pas l'opacité des messages officiels parce que ceux-ci sont devenus trop idéologiques et qu'il faut savoir lire entre les lignes. Bref, un *Quotidien du peuple* pour pékinologues avertis seulement! Il semble cependant que la situation se soit nettement améliorée ces dernières années depuis la purge effectuée dans la «Bande des quatre».

12. Voir William LABOV, *op. cit.*, Paris, Minuit, 1976.

13. Alain PEYRAUBE, «Luttes politiques et mass médias en Chine depuis la Révolution culturelle» dans *Communications*, n° 28, Paris, Seuil, 1978, p. 231.

L'IDENTIFICATION NATIONALE

Tous les peuples savent très bien se distinguer les uns des autres. C'est pourquoi le code linguistique utilisé à l'intérieur d'une communauté aura tendance à s'unifier au sein de cette communauté et à se distinguer des autres codes. De code, il deviendra symbole d'identité et de différenciation. Ainsi, la langue française est devenue le plus grand catalyseur de l'identité des Québécois francophones en tant que peuple distinct en Amérique du Nord. La langue joue le même rôle pour nombre de minorités dans le monde. C'est par la langue que les Catalans et les Basques d'Espagne exposent leurs prétentions autonomistes. C'est en raison de leur langue que les Corses, les Bretons, les Alsaciens et les Occitans se reconnaissent comme différents des autres Français et paraissent marginaux. C'est par la langue que les Ukrainiens, les Biélorusses, les Géorgiens, les Arméniens, les Ouzbeks et autres peuples de l'URSS s'opposent à la volonté de russification des dirigeants soviétiques. Bien souvent, c'est la barrière de la langue qui constitue le dernier rempart des peuples plus faibles, qui s'en servent pour résister au plus fort. Symbole d'appartenance, la langue est un *refuge*, une protection contre les autres.

Un Camerounais qui choisit de parler le pidgin-english plutôt que l'une des deux langues officielles (le français ou l'anglais) identifie son interlocuteur comme un «frère». Dans les marchés et les magasins de Douala (la capitale économique), les employés utilisent le pidgin-english entre eux, mais s'adressent à leurs clients et à leurs patrons en français. Parler pidgin-english, c'est s'identifier comme «complice»; on obtient sa marchandise à meilleur prix en parlant pidgin plutôt que français. Ne pas parler pidgin à Douala, c'est être «étranger».

En Haïti, le CRÉOLE est la langue parlée par toute la population alors que le français est la langue d'au plus 10 % des Haïtiens. Le français y a été, depuis les origines, la langue de la classe dominante: c'est la langue de prestige et de promotion sociale. Pour la grande majorité de la population, les lois, les journaux, les affiches et les déclarations officielles n'ont pas plus de sens que les hiéroglyphes égyptiens. Le créole est tenu pour vulgaire et réputé inférieur. Pourtant, tous les Haïtiens s'identifient émotivement au créole d'abord; ensuite au français, s'ils le connaissent. On parlera en français à un étranger ou à l'administration afin d'être bien vu. Certains intellectuels, très minoritaires toutefois, ont développé un sentiment anti-français, une aversion pour cette langue de l'élite urbaine (langue qu'ils connaissent par ailleurs fort bien), cet instrument de domination, signe d'exclusion sociale. Pour des raisons idéologiques, ils s'appuient sur le créole pour contrer le français, qu'ils connaissent pourtant mieux que quiconque. D'autres iront jusqu'à se servir de l'anglais pour mieux résister au français. Mais c'est là stratégie idéologique pour intellectuels seulement. En Haïti, on s'identifie au créole dans la vie de tous les jours, au français ensuite.

Selon le linguiste mexicain Luis Fernando Lara[14], ses compatriotes auraient développé une véritable aversion pour les mots américains, considérés comme des signes d'une domination étrangère. Pour se distinguer ou se dissocier de l'influence américaine, ils ont recours à l'espagnol. Ainsi, la loi fédérale mexicaine (1975) exige que toute information fournie aux consommateurs soit rédigée en espagnol. Il est stipulé que l'usage de l'anglais (la seule langue étrangère identifiée) pour l'étiquetage est prohibé et que les raisons sociales (américaines) doivent être rédigées selon la phonétique espagnole. L'anglicisme «symbolise la corruption linguistique, qui représente le principal danger face à la conservation de la langue et de la nationalité, le plus important facteur de désintégration de la langue[15].» Aussi paradoxal que cela puisse paraître, l'espagnol est également combattu parce qu'il symbolise le passé colonial de l'Espagne. L'arme, dans ce cas-ci: les mots indigènes (en maya, nahuatl, zapotèque, otomi, yaqui,

14. Voir Luis Fernando LARA, «Activité normative: anglicismes et mots indigènes dans le *Diccionario del español de México*» dans *La Norme linguistique*, Québec/Paris, Gouvernement du Québec/Le Robert, 1983, p. 571-601.
15. *Loc. cit.*

etc.). Pour s'identifier par rapport à l'anglais: l'espagnol; pour se distinguer de l'espagnol: les mots indigènes. Au Mexique, on combat l'impérialisme linguistique (l'anglais) par une autre langue impériale (l'espagnol), quitte à combattre cette dernière par un nationalisme linguistique autochtone (les langues indigènes). Bref, s'identifier à tout prix!

L'identification à la langue passe par la nécessité de se distinguer des autres, de ne compter que sur soi-même ou sur ce qui nous appartient en propre, à savoir notre authenticité. Tous les groupes menacés dans leur authenticité ont tendance à se réfugier dans leur langue et à s'en servir comme défense, drapeau ou symbole. Les Bretons opposent le breton au français, les Haïtiens le créole ou l'anglais au français, les Mexicains l'espagnol à l'anglais et les mots indigènes à l'espagnol, les Québécois le français à l'anglais.

4 LES FONCTIONS POLITIQUES ET SOCIALES DE LA LANGUE

Les considérations précédentes confirment que la langue est beaucoup plus qu'un code et qu'elle sert à d'autres fins que la communication. Comme bien collectif, elle sert de support et de catalyseur à l'expression de la culture et des valeurs de la collectivité.

LA FONCTION D'INTÉGRATION OU D'IDENTIFICATION

La langue maternelle est l'élément qui favorise le plus l'intégration au groupe, parce qu'elle est l'un des constituants les plus importants de la culture. C'est par souci d'intégration sociale au groupe environnant que les Noirs américains ou les adolescents québécois vont volontairement utiliser une variété linguistique condamnée, sinon ridiculisée, par d'autres groupes sociaux (p. ex.: leurs parents ou l'école). C'est par *ethnocentrisme* que les Québécois francophones s'opposent à l'anglais, voire au «français de France», qu'ils ne veulent pas parler; les Haïtiens, pour les mêmes raisons, ne peuvent employer ce même français alors que les Mexicains ne veulent pas davantage parler l'espagnol d'Espagne, appelé d'ailleurs le *castillano* (la langue de la Vieille-Castille). Le comportement linguistique n'est jamais neutre, car il est la manifestation d'une appartenance sociale ou ethnique.

Aux États-Unis, on compte plus de 2 000 écoles gérées par des groupes ethniques autres qu'anglo-saxons[16]. Ces écoles offrent des cours de langue, après les heures habituelles de classe, dans le but de maintenir l'identité ethnique; c'est une pratique courante dans plusieurs pays du monde. La fonction d'intégration se complique dans les pays bilingues ou multilingues lorsque les individus et les communautés linguistiques font face à la concurrence des langues entre elles. Il ne faut pas oublier que *changer de langue* pour s'adapter au milieu *peut être considéré comme un changement d'allégeance*, donc de communauté linguistique. Le changement d'allégeance peut même être interprété comme un *signe de trahison* ou d'asservissement au groupe le plus fort. C'est pourquoi, au point de vue de l'organisation des sociétés, la fonction d'intégration ou d'identification est certainement la plus importante des fonctions sociales de la langue.

LA FONCTION DE PROMOTION OU DE DÉVALORISATION SOCIALE

Une variété linguistique parlée à l'intérieur d'une communauté peut acquérir plus de prestige que les autres variétés. Ordinairement, c'est la variété parlée par l'élite qui est considérée comme la plus prestigieuse, la plus apte à véhiculer la culture. Par le fait

16. Gilles BIBEAU, *L'éducation bilingue en Amérique du Nord*, Montréal, Guérin, 1982, p. 29-30.

même, les autres variétés sont dépréciées et méprisées, reléguées à des fonctions sociales moins importantes. C'est le cas de la langue des Noirs de New York par rapport aux formes plus prestigieuses de l'anglais des couches sociales dont le statut économique est plus élevé.

Lorsque des langues différentes sont en contact sur le même territoire, l'une d'elles devient un instrument de promotion sociale. Comme il n'y a jamais deux langues de promotion qui coexistent, les autres se retrouvent dévalorisées. En Haïti, le français demeure la langue de la promotion alors que le créole est méprisé; il en va de même pour plusieurs pays d'Afrique en ce qui concerne le sort réservé à la langue de l'ex-colonisateur par rapport aux langues nationales. Il n'est même pas nécessaire d'aller aussi loin: pensons aux langues amérindiennes (Amérique du Nord et Amérique du Sud)! Tout près de nous, en Ontario, le français est presque aussi dévalorisé que le créole en Haïti, tandis que l'anglais reste la langue unique du gagne-pain. Même au Québec, si le français se retrouve largement dans les postes subalternes, il demeure encore sous-représenté dans les postes de décision[17]. La langue ou la variété rehausse le niveau économique des individus ou des groupes qui l'utilisent, parce qu'elle donne apparemment accès à des activités économiques et scientifiques avancées. C'est le cas notamment de certaines langues internationales comme l'anglais, le français, le russe, l'espagnol. La connaissance de l'anglais ou d'une autre langue internationale répond essentiellement à des impératifs économiques ou scientifiques et touche ordinairement une faible proportion de la population autochtone de plusieurs pays dont la langue nationale n'est pas de type international. Les représentants de l'industrie (dans les pays de la Communauté économique européenne ou au Japon, par exemple) considèrent comme un avantage de connaître la langue de leurs clients ou de leurs fournisseurs étrangers. Bref, les langues ou les variétés de langues ne sont pas posées comme équivalentes; on établit une hiérarchie. Parler telle langue ou telle variété valorisée donne accès à des avantages économiques.

LA FONCTION D'ASSIMILATION

L'histoire du monde est là pour nous le montrer: les peuples les plus prospères ont toujours été des peuples assimilateurs, voire sanguinaires. Les visées impérialistes vont de pair avec la prospérité. Rappelons encore le cas des Espagnols, des Portugais, des Français et des Anglais qui, au cours des XVIe et XVIIe siècles, ont réussi à faire place nette, tant en Amérique du Sud qu'en Amérique du Nord.

Ainsi, avant l'arrivée de l'Espagnol Cortès au Mexique (1519), la population était estimée à 25 millions d'Aztèques, de Toltèques, de Mayas, d'Olmèques, etc. Moins d'un siècle plus tard, elle était réduite à un million. Celle de l'Empire inca est passée de 10 millions en 1530 (à l'arrivée de Francesco Pizarro) à un million en 1600. Aujourd'hui, sur les quelque 2 000 langues autochtones de l'Amérique du Sud, seuls le guarani (au Paraguay), le quechua et l'aymara (en Bolivie, au Pérou, en Équateur) ont un peu de chance de se maintenir relativement. Et, au Mexique, héritier des deux civilisations anciennes aztèque et maya, seuls les parlants nahuatl (900 000) et maya du Yucatan (450 000) représentent une population d'une certaine importance, population qui, d'ailleurs, résiste mal à la pression très forte de la langue espagnole.

En Amérique du Nord, on compte au moins 200 langues amérindiennes parlées par moins d'un demi-million d'individus, dont 179 820 au Canada (1981). Tant au Canada qu'aux États-Unis, aucune langue amérindienne n'a de statut quelconque, et la population autochtone a été réduite de 90 % depuis l'arrivée des Français et des Anglais.

La langue est donc un instrument d'assimilation extrêmement efficace. Elle réduit les différences au profit du groupe qui a le pouvoir. La langue dominante dépasse le simple

17. Voir Michel PLOURDE, «La langue française au Québec» dans *La Presse*, Montréal, 14 février 1983.

rapport numérique; minoritaire en nombre, elle peut être majoritaire par son statut. Ainsi, au XVIe siècle, on ne comptait que 200 Blancs au Canada contre un million d'Amérindiens, ce qui n'a pas empêché ces derniers de se faire assimiler. La langue dominante exerce un pouvoir d'attraction considérable sur les groupes minoritaires, qui se font exploiter, sinon réprimer, sous le couvert de considérations humanitaires telles que l'instruction, l'accès au marché du travail et à la culture, l'unité nationale.

On admet difficilement, aujourd'hui, que quelqu'un parle ouvertement de «politique d'assimilation». Pourtant, le traitement réservé aux minorités témoigne souvent d'une telle volonté, que confirment certaines déclarations politiques, parfois outrageantes, et certaines décisions prises, surtout dans les pays qui prêchent l'égalité et la justice au reste du monde, comme le Canada, les États-Unis, la France, la Grande-Bretagne, l'URSS.

CANADA

Au Canada, les visées assimilatrices se firent sentir dès la Proclamation royale de 1763, laquelle enfermait la population francophone dans un cadre juridique anglais. Par la suite, plusieurs dirigeants politiques proposèrent des mesures pour organiser «*cette fusion des deux races ou l'absorption de la race française par la race anglaise au point de vue de la langue, des affections, de la religion et des lois*[18].» On trouve plusieurs déclarations de ce genre durant plus d'un siècle, mais le texte le plus célèbre demeure sans contredit le *Rapport Durham*. Lord Durham, nommé gouverneur après la défaite des Patriotes, s'exprimait en ces termes (1839):

> «Toute autre race que la race anglaise (j'applique cela à tous ceux qui parlent anglais) y apparaît dans un état d'infériorité. C'est pour les tirer de cette infériorité que je veux donner aux Canadiens notre caractère anglais[19].»

Quelques lignes plus bas, Durham écrit: «*Je désire plus encore l'assimilation pour l'avantage des classes inférieures*[20]». Il proposera de réunir le Haut-Canada (l'Ontario) et le Bas-Canada (le Québec) pour que la majorité anglaise puisse dominer la minorité française:

> «La tranquillité ne peut venir, je crois, qu'à la condition de soumettre la province au régime vigoureux d'une majorité anglaise; et le seul gouvernement efficace serait celui d'une Union législative[21].»

Non seulement les Canadiens français ne furent pas consultés sur le projet d'union, mais la langue française perdit son caractère officiel au profit de l'anglais, qui devint la seule langue admissible; de plus, l'*Union Act* de 1840 accordait une représentation proportionnellement supérieure aux anglophones du Haut-Canada.

Les mesures assimilatrices ne connurent cependant pas tout le succès escompté et il fallut l'*Acte de l'Amérique du Nord britannique (A.A.N.B.)* de 1867 pour renforcer la suprématie anglaise au Canada. L'*Acte* était conçu pour protéger la majorité anglaise; les droits linguistiques garantis par l'article 133 aux minorités sont demeurés volontairement schématiques et symboliques. L'article 133 plaçait l'anglais et le français sur un pied d'égalité juridique au niveau du gouvernement fédéral et du gouvernement du Québec. En réalité, c'est l'unilinguisme anglais de fait qui prévaudra au fédéral jusqu'en 1969; l'A.A.N.B. n'empêchera pas le Nouveau-Brunswick d'ignorer le fait français (jus-

---

18. Francis MASÈRES (procureur général du Canada), «Considérations sur la nécessité de faire voter un acte par le parlement pour régler les difficultés survenues dans la province de Québec», 1766, cité par G. BOUTHILLIER et J. MEYNAUD dans *Le choc des langues au Québec 1760-1970*, Montréal, Presses de l'Université du Québec, 1972, p. 106.
19. *Ibid.*, p. 156.
20. *Loc. cit.*
21. *Ibid.* p. 157.

qu'en 1969), ni l'abrogation des droits du français au Manitoba en 1890, dans les Territoires du Nord-Ouest en 1892, et en Ontario en 1912.

La langue française a été considérée comme tellement marginale par le fédéral qu'il a fallu mener des campagnes politiques très virulentes pour obtenir des «concessions» qui auraient dû aller de soi: les timbres bilingues en 1927, la monnaie bilingue en 1936, la traduction simultanée aux Communes en 1958, les chèques bilingues en 1962. Pendant tout ce temps, des centaines de milliers d'immigrants sont venus grossir les rangs de la majorité anglaise; toutes les provinces, sauf le Québec et le Nouveau-Brunswick, ont vu diminuer dramatiquement leur minorité francophone. Même la *Loi sur les langues officielles*, votée en 1969 par le parlement fédéral, témoigne encore de la nature symbolique de la démarche gouvernementale pour instituer une politique d'égalité linguistique. L'égalité juridique n'est pas synonyme d'égalité de fait. Tout l'intérêt de cette loi portait sur l'établissement du bilinguisme dans la fonction publique fédérale et sur la création de districts bilingues. D'une part, très peu de fonctionnaires ont appris le français; d'autre part, il n'y avait encore aucun district bilingue au Canada en 1986.

Lors d'une conférence de presse, le Commissaire aux langues officielles, Max Yalden, déclarait:

> «Même ceux qui croient au Père Noël et s'imaginent que c'est demain la veille, ne peuvent se leurrer. L'avenir des minorités (qu'elles atteignent les trois quarts de million ou péniblement les 3 000) est loin d'être assuré. Qui plus est, alors que l'État tire des plans pour leur venir en aide, les principaux intéressés ont opté soit pour le déplacement, soit pour la soumission à la majorité[22].»

De fait, plusieurs ont choisi. Les statistiques[23] révèlent que 30 % des «francophones» hors Québec ne parlent même plus le français; si l'on exclut le Nouveau-Brunswick, le taux d'assimilation grimpe autour de 50 %. Ainsi, après le recensement de 1971, on constatait que les «francophones» ne savaient plus le français dans une proportion de 74,1 % à Terre-Neuve, 59,7 % en Colombie-Britannique, 49,9 % en Alberta, 48,2 % en Nouvelle-Écosse, 47,9 % à l'Île-du-Prince-Édouard, 43,3 % en Saskatchewan, 33 % au Manitoba et 32,5 % en Ontario; seuls les Acadiens du Nouveau-Brunswick ont résisté davantage puisque seulement 9,2 % ne connaissent plus que l'anglais.

La situation des minorités francophones est simplement le résultat des politiques assimilatrices des gouvernements fédéral et provinciaux (huit provinces). Si l'assimilation n'a jamais beaucoup réussi au Québec, elle a atteint pratiquement un point de non-retour dans la plupart des provinces anglophones. Le Commissaire aux langues officielles ne déclarait-il pas à cet effet: «*Malgré l'enchâssement des droits linguistiques dans la Constitution, la situation des minorités pourrait bientôt atteindre un point de non-retour*[24].» Il ne faut pas oublier que plus de 96 % des francophones du Canada demeurent au Québec et dans les provinces limitrophes (Nouveau-Brunswick et Ontario); leur nombre est donc inférieur à 4 % dans les sept autres provinces réunies. Ces minorités ont choisi de se déplacer vers le Québec ou de s'assimiler volontairement. Comme une langue ne se développe qu'en état de forte concentration territoriale, le français des provinces anglaises a peu de chances de résister à l'assimilation, car il ne pourra jamais parvenir à former une masse territoriale homogène. Il semble donc évident que dans un avenir plus ou moins rapproché, il n'y aura à peu près aucune présence francophone viable hors du Québec, du Nouveau-Brunswick et de l'Ontario.

22. Cité par Michel C. AUGER, «La situation des minorités francophones demeure fragile» dans *La Presse*, Montréal, 23 mars 1983.
23. Voir Gouvernement du Canada, *Recensement du Canada (1971)*, Ottawa.
24. Max YALDEN, «La situation des minorités francophones demeure fragile» dans *La Presse*, Montréal, 23 mars 1983.

ÉTATS-UNIS

L'histoire américaine est également remplie de déclarations politiques assimilatrices. Les débats du Sénat américain et les grands journaux sont éloquents à cet égard. Les gouvernements américains ont toujours eu tendance à ignorer les langues minoritaires au profit de l'anglais. En janvier 1968, une loi fédérale institua le *Bilingual Education Act* (ou B.E.A.), qui devait permettre une instruction bilingue à tous les enfants des États-Unis dont l'habileté à s'exprimer en anglais était limitée. Une enquête réalisée en 1969 révélait que seuls 11 États américains prévoyaient effectivement instaurer un enseignement bilingue; dans une vingtaine d'États, l'anglais devait être employé de façon presque exclusive (entre autres, dans le Massachusetts et le Michigan); les règlements ne précisaient rien du tout dans 15 autres États. Qu'on ne s'y méprenne pas: l'éducation bilingue aux États-Unis, lorsqu'elle a cours, vise avant tout l'assimilation des minorités. Comme le souligne Gilles Bibeau:

> «Pour beaucoup d'Américains, l'éducation bilingue est un instrument formel d'assimilation qui, de plus, possède une dimension humanitaire qui devrait soulager la conscience des humanistes et satisfaire les exigences des groupes à assimiler: leur langue maternelle n'occupe-t-elle pas maintenant une place dans le programme scolaire? Mais il n'est pas question de maintenir à moyen terme et encore moins de développer des cultures et des langues souvent considérées comme arriérées, intellectuellement et technologiquement impuissantes, lorsqu'elles ne sont pas tout simplement barbares[25].»

En réalité, fort peu d'Américains croient vraiment que les langues minoritaires contribuent à la richesse culturelle du pays; et encore, quand ils le croient, c'est à la condition que cela ne remette pas en question les grands objectifs d'unité nationale. Dans la mesure où le passé est garant de l'avenir, il faut se rappeler que les politiques linguistiques américaines ont contribué à éliminer quelque trois cents tribus amérindiennes, à réduire à un quart de million une population amérindienne d'environ un million à l'origine, sans oublier la rupture d'innombrables traités et la réduction constante des territoires amérindiens. Ce sont là des faits qui en disent long sur la politique d'une nation puissante qui prêche au monde entier l'égalité et la justice.

LA FONCTION D'UNIFICATION NATIONALE

Si les pays se servent de la langue pour assimiler les divers groupes minoritaires, c'est qu'ils poursuivent en réalité un objectif beaucoup plus «noble»: l'unité du pays. Officiellement, on veut arriver à l'unité linguistique pour faciliter les communications; mais, par-delà cette unité supposément linguistique, c'est l'unité politique que l'on vise, c'est-à-dire la cohésion nationale. Dans la plupart des pays du monde, *unité linguistique et unité politique fonctionnent en symbiose.*

Au cours de l'histoire, la conquête militaire et l'impérialisme, d'une part, ainsi que la soumission et la suppression des minorités linguistiques, d'autre part, sont parvenus à produire une relative homogénéité dans de nombreux pays. C'est ainsi que se sont construits les anciens Empires persan, grec, romain, chinois, ottoman (turc), etc. Puis, avec le développement du sentiment national dans les États modernes, on en est venu à considérer la langue comme un symbole d'unité nationale; d'où le rejet des langues minoritaires, qui risquent de compromettre cette unité nationale. La valorisation de la langue en tant que symbole d'unité politique a engendré, nous le savons, la création d'États comme la France, la Grande-Bretagne, l'Espagne, l'Allemagne, l'Italie, les États-Unis, etc., et, plus récemment, l'URSS, l'Inde, Israël, l'Indonésie, sans oublier les pays d'Amérique du Sud, d'Afrique noire et ceux du Maghreb.

---

25. Gilles BIBEAU, *L'éducation bilingue en Amérique du Nord*, Montréal, Guérin, 1982, p. 25.

AMÉRIQUE

En Amérique du Nord, la quasi-extinction de centaines de langues amérindiennes ne laisse aucun doute sur les intentions des dirigeants politiques canadiens ou américains. De même, le statut du français au Canada n'a jamais préoccupé les chefs politiques anglophones au niveau fédéral comme au niveau provincial. Les législations linguistiques fédérales, notamment, n'ont jamais joué un rôle déterminant pour la protection de la langue minoritaire du Canada: le français. Au lieu de faire preuve de leadership, l'État central a le plus souvent attendu que la situation se dégrade pour apporter des modifications généralement accueillies avec scepticisme parce que c'était «trop peu et trop tard». En fait, on a favorisé l'expansion de l'anglais pour le plus grand bénéfice de l'unité nationale.

Aux États-Unis, l'anglais devint rapidement un instrument d'unité nationale dès la constitution de l'Union (1789). Pourtant, les langues autres que l'anglais ont toujours été très nombreuses; pendant la Première Guerre mondiale, le gouvernement américain a même fourni du matériel de propagande dans 34 langues fréquemment utilisées aux États-Unis. Malgré l'adoption du *Bilingual Education Act* (1968), qui était censé favoriser l'enseignement des langues minoritaires, de nombreux États américains (une douzaine) continuent encore d'interdire l'utilisation d'une autre langue que l'anglais à l'école. Dans les écoles bilingues existantes, on met l'accent sur l'excellence de l'anglais pour que les hispanophones (surtout eux, en l'occurrence) apprennent bien la langue de la majorité, alors qu'au même moment, les anglophones se contentent d'une connaissance approximative de l'espagnol. Le mouvement intégrateur poursuit son œuvre même s'il est contrecarré parfois par divers groupes revendicateurs hispanophones. On fait patienter ces derniers en leur faisant bien sentir qu'il ne saurait être question de compromettre l'unité de la nation américaine.

En Amérique latine, tous les États ont imposé la langue des anciennes puissances coloniales. Aujourd'hui, il reste encore 25 millions d'individus pour parler quelques centaines de langues amérindiennes; il s'agit de 6 % à 7 % de la population totale (environ 360 millions), mais cette minorité semble menaçante pour l'unité nationale des États puisque tous (à l'exception du Paraguay) souhaitent la disparition de ces langues. Ainsi, le Brésil ne reconnaît aucune de ses 250 langues indigènes, ni la Colombie (70 langues), ni le Mexique (60 langues), ni le Guatemala (une vingtaine), etc. Seul le Paraguay a reconnu une langue nationale (le guarani) comme étant sur un pied d'égalité avec l'espagnol; dans ce pays, 93,6 % de la population parle le guarani. Or, en Bolivie, au Pérou et en Équateur, entre 60 % et 90 % de la population parle le quechua (la langue des anciens Incas). Pourtant, même dans ces pays, c'est l'espagnol standardisé qui domine partout en accaparant le système scolaire, la plus grande partie de la presse écrite, de la radio, de la télévision et de la vie publique. Partout, la langue espagnole (le portugais au Brésil) domine, et elle uniformise les nations.

AFRIQUE

La plupart des pays d'Afrique noire sont dans une situation analogue en raison de la multiplicité des ethnies qui composent chacun des États. On compte une cinquantaine d'ethnies en Côte d'Ivoire; au lendemain de l'Indépendance, les dirigeants ont cru bon de perpétuer le français, parce qu'il constituait selon eux un excellent instrument d'unification entre les nombreuses ethnies du pays. Le français est devenu la langue exclusive de la présidence, de l'administration, de la police et de l'armée, de l'enseignement (de tous ordres), de l'affichage, des médias, etc. La majorité des pays africains ont fait de même; certains ont imposé le français (Côte d'Ivoire, Mali, Cameroun, République centrafricaine, Gabon, Burkina-Faso, Zaïre, etc.), d'autres l'anglais (Cameroun, Ghana, Libéria, Malawi, Nigéria, Zimbabwe, etc.).

Un certain nombre d'États, moins nombreux, ont recours à l'une des langues nationales comme langue d'unification: le malgache à Madagascar, le somali en Somalie. D'autres pays ont adopté une forme de bilinguisme ou de multilinguisme plus ou moins officialisé, particulièrement dans des secteurs comme l'enseignement, le commerce et les médias: le Sénégal (français/wolof), la Tanzanie (anglais/swahili), le Kenya (anglais/swahili), l'Ouganda (anglais/swahili/luganda).

En Afrique du Nord, particulièrement en Algérie, au Maroc et en Tunisie, l'arabe a remplacé le français comme langue d'unification. Les politiques d'arabisation visent en réalité l'arabe dialectal, qui est parlé partout dans les pays du Maghreb. Ce type d'arabe, avec ses innombrables variantes, ne permet pas aux Arabes de communiquer entre eux. On tente de remplacer l'arabe dialectal par l'arabe classique ou l'arabe intermédiaire (utilisé dans les médias), pour uniformiser les États et, par-delà, tous les Arabes. L'unité prévaut tellement sur la diversité qu'en Algérie, le pouvoir politique a délibérément choisi d'éliminer le berbère, qui était parlé par plus de 25 % de la population. Cette unité linguistique est cependant loin d'être réalisée dans les quelque 30 pays arabes, car personne ne s'entend sur le type d'arabe sur lequel on doit légiférer.

URSS

En URSS, le gouvernement fédéral pratique officiellement une politique de multilinguisme. Chacune des républiques fédérées conserve une ou plusieurs langues nationales (ukrainien, biélorusse, balte, lituanien, estonien, géorgien, ouzbek, kazakh, morvde, tatar, etc.). Près de 70 langues sont officiellement reconnues sur l'ensemble du territoire soviétique. Leur maintien implique l'existence d'écoles, de publications, d'émissions de radio et de télévision dans toutes ces langues. Ainsi, 35 % des enfants sont éduqués dans une autre langue que le russe. Néanmoins, une hiérarchie s'est établie, et les autorités insistent constamment sur le rôle du russe dans le *rapprochement des nations* et sur la nécessité d'un *bilinguisme total* (pour les non-russophones) pour l'unité de la grande nation soviétique.

INDONÉSIE

La République d'Indonésie compte une population de 162 millions d'habitants (1984). Il existe en Indonésie environ 200 langues différentes, dont la plus importante est le javanais, parlé par 65 % de la population en tant que langue maternelle. Or, depuis 1928 (début des luttes contre l'occupation hollandaise) et jusqu'à l'Indépendance en 1945, le pouvoir politique a toujours favorisé une langue minoritaire: le malais, parlé par 10 % de la population. Le malais est devenu la langue officielle de la République parce qu'il servait déjà dans le commerce maritime comme langue véhiculaire. Bien que minoritaire, le malais pouvait unifier. Ce qui a compté, ce n'est pas son importance numérique, mais son importance fonctionnelle: c'était la langue de la classe possédante. Bien que toujours minoritaire 40 ans après l'Indépendance, le malais (appelé aussi *indonésien* ou *bahasa indonesia*) est compris dans toutes les régions du pays. Il est même devenu la seule langue utilisée dans l'administration, les sciences, les médias, la littérature. Les 200 autres langues demeurent officiellement ignorées.

LA FONCTION DE DÉSINTÉGRATION NATIONALE

La langue sert donc de symbole de l'unité nationale dans la mesure où cette unité correspond aux intérêts de la classe dominante. Dans le cas contraire, les langues minoritaires deviennent rapidement une menace pour l'unité nationale. Le nationalisme linguistique est une arme à deux tranchants: lorsqu'il se développe dans le groupe majoritaire, la langue sert de symbole d'unité, mais lorsqu'il se développe à l'intérieur du groupe minoritaire, la langue devient un instrument d'oppression pour lui, donc de désintégration nationale pour les majoritaires.

Toutes les langues minoritaires ne menacent pas nécessairement l'unité nationale et ne deviennent pas des instruments de division nationale. Si les minoritaires ne constituent aucune force politique, démographique ou culturelle, s'ils se trouvent disséminés sur un vaste territoire, ils ne peuvent porter atteinte à la sécurité de l'État. En revanche, lorsque les minoritaires constituent une réelle force démographique et qu'ils sont prêts à s'en servir, lorsqu'ils savent s'organiser et réussissent à faire entendre leur voix en dehors de leurs frontières nationales, l'État centralisateur se sent réellement menacé dans son unité politique.

Parmi les États modernes, plusieurs ont connu des conflits majeurs qui ont secoué leur stabilité politique, en même temps que leur orgueil national, parce que les minoritaires ont su internationaliser leurs revendications. Mentionnons le cas de la Belgique, du Canada, du Pakistan, du Nigéria, de la Yougoslavie et d'une douzaine d'autres pays. Souvent, devant les conflits, l'État centralisateur devient plus disposé à partager son autorité afin d'éviter la sécession et de se donner bonne conscience devant l'opinion internationale. Dans le cas contraire, l'État recourt à la répression militaire et règle les conflits par la force; c'est une solution qui se révèle parfois efficace.

BELGIQUE

Depuis sa création en 1830, la Belgique a presque toujours vécu dans des situations de conflits. Les «querelles communautaires» sont vieilles de 15 siècles, même si elles sont devenues plus aiguës depuis un peu plus de 20 ans. Wallons et Flamands ont souvent été à couteaux tirés. La minorité wallonne de langue française (32 %) a longtemps dominé la majorité flamande de langue néerlandaise (56 %) sur les plans politique, économique et, bien sûr, linguistique. À partir des années 1960, les Flamands ont revendiqué l'abolition de leur statut de minoritaires, qu'ils supportaient depuis trop longtemps. Ils se sont mis à réclamer l'unilinguisme sur leur propre territoire (nord de la Belgique), avec tout ce que cela pouvait impliquer dans la vie sociale: le droit de travailler dans leur langue, de s'instruire dans leur langue, etc. Après une dizaine d'années de luttes acharnées (conflits sociaux, contestations populaires, sabotages, bombes, chutes de gouvernements), le gouvernement Eyken (février 1970) dut trouver une solution: ce fut la réforme de la Constitution. La réforme reconnaît trois communautés culturelles (les communautés flamande, française et allemande), quatre régions linguistiques (la région de langue flamande au Nord, la région de langue française au Sud, la région de langue allemande et la région bilingue de Bruxelles) et trois régions géographiques «autonomes» sur le plan socio-économique: la Flandre, la Wallonie et Bruxelles-Capitale. Ces communautés et régions se partagent des pouvoirs et des compétences. Le gouvernement de M. Wilfried Martens a fait adopter en août 1980 une loi qui confère l'autonomie à la Flandre et à la Wallonie, et qui fixe de façon irréversible une part au moins du cadre institutionnel de la régionalisation.

La solution demeure encore partielle et le conflit n'est pas entièrement réglé pour autant, car le statut de Bruxelles a été «gelé» (1980) devant l'impossibilité d'en arriver à un compromis. Bien que minoritaires (20 %) dans la capitale, les Flamands réclament l'égalité dans l'administration de la ville et veulent empêcher que les francophones n'étendent le territoire de Bruxelles, parce que ces derniers se développeraient nécessairement sur le sol flamand, au milieu duquel Bruxelles constitue un îlot. Les francophones en concluent qu'ils sont enfermés par les Flamands dans un carcan. Le dialogue a été rompu et, en attendant, l'impasse coûte cher et pèse lourdement sur les institutions bicommunautaires.

CANADA

Depuis les années 1960, le Canada a aussi connu la menace autonomiste. Celle-ci s'est d'abord manifestée par des contestations tumultueuses, des sabotages et des plastiquages. La minorité francophone, qui constitue une majorité au Québec, revendiquait à peu près les mêmes droits que les Flamands en Belgique. En 1963, le gouvernement fédéral institua une Commission royale d'enquête sur le bilinguisme et le biculturalisme, qui remit son rapport en 1967. On y concluait notamment que l'anglais était la langue du pouvoir, du prestige et de la promotion sociale, même au Québec. En 1969, le gouvernement fédéral se décida enfin à faire adopter la *Loi sur les langues officielles*, qui reconnaissait l'anglais et le français comme les deux langues officielles du Parlement et pour tout ce qui relevait du gouvernement du Canada.

Ces mesures ne calmèrent pas pour autant les mouvements indépendantistes. Des factions extrémistes se manifestèrent, et se mirent à piller les banques et les arsenaux militaires. On assista ensuite à deux enlèvements politiques, à l'assassinat d'un ministre du cabinet provincial (Québec) et à l'application de la *Loi sur les mesures de guerre* (octobre 1970).

Après une période d'accalmie, un parti indépendantiste, le Parti québécois, prit le pouvoir à Québec en novembre 1976, ameutant encore une fois l'opinion canadienne. L'année suivante, le Parti québécois fit adopter par l'Assemblée nationale la *Charte de la langue française*, qui proclamait officiellement l'unilinguisme français sur le territoire du Québec (tout en accordant des droits à la minorité anglophone). Puis, le gouvernement provincial perdit son référendum sur la souveraineté du Québec assortie d'une forme d'association avec le Canada: le 20 mai 1980, 59,5 % des Québécois votèrent en faveur du «non». Pendant ce temps, les défenseurs du fédéralisme avaient promis une réforme qui devait rendre le système fédéral plus acceptable aux Québécois. Cette réforme aboutit à la Loi constitutionnelle du 17 avril 1982. De toutes les provinces canadiennes, seul le Québec refusa la nouvelle Constitution, qui lui faisait perdre des pouvoirs. Il en résulta que les francophones hors Québec ne gagnèrent rien dans les faits; pendant ce temps, au Québec, la loi 101 (la *Charte de la langue française*) continua à perdre de l'importance.

Le principe de l'égalité des deux langues est voué à l'échec si cette égalité juridique ne s'accompagne pas de mesures efficaces pour qu'elle se traduise dans les faits. Le bilinguisme risque de demeurer encore *un facteur de division plutôt que d'unité*. La question de la langue au Canada reste une bombe à retardement; non seulement le Québec, mais le Nouveau-Brunswick, l'Ontario et le Manitoba en savent quelque chose.

PAKISTAN

Au lendemain de sa sécession d'avec l'Inde, le Pakistan se retrouva divisé sur le plan géographique et linguistique. En 1956, la Constitution établit une fédération de deux provinces séparées par 1 700 km de sol étranger: le Pakistan occidental à l'ouest de l'Inde, principalement de langue ourdou, et le Pakistan oriental à l'est de l'Inde, de langue bengali. Vers la fin des années 1960, l'État pakistanais vit naître un mouvement autonomiste venu du Pakistan oriental et réclamant plus de justice sociale. L'armée du Pakistan occidental réussit à étouffer toutes les insurrections de la part des Bengalis habitant le Pakistan oriental; on massacra plus de trois millions d'hommes, de femmes et d'enfants. Le conflit semblait réglé.

En 1971, près de 10 millions de Bengalis vinrent trouver refuge en Inde. Abriter et nourrir ces millions de réfugiés coûtait des sommes astronomiques à l'État indien. L'Inde jugea plus «économique» de déclarer la guerre au Pakistan occidental et de «forcer l'indépendance» du Pakistan oriental, qui devint le Bangladesh, pays de 80 millions d'habitants en 1971 (90 millions en 1984) dont 95 % sont de langue bengalie. Déjà divisés par la langue, les Bengalis devaient subir la domination politique du Pakistan occidental, ainsi que sa domination religieuse, économique et sociale. Les difficultés du Bangladesh ne sont pas complètement résolues, car l'Inde pèse lourdement dans la vie politique du jeune État qui vient de changer de maître.

NIGÉRIA

Au Nigéria, la présence de 265 langues différentes dans un pays de 56 millions d'habitants (1960) devait provoquer des conflits, d'autant plus que les Haoussas, les Peuls, les Ibos et les Yoroubas constituaient des groupes suffisamment importants pour s'organiser en États séparés. Le Nigéria est une fédération constituée de 19 États. En 1966, la guerre civile éclata avec le soulèvement des Ibos, qui réclamaient l'autonomie politique. L'année suivante, les Ibos se séparèrent unilatéralement du Nigéria et proclamèrent la création de la République du Biafra. Après trois ans de guerre sanglante, le nouvel État capitula (1970) devant les forces du gouvernement central. Aujourd'hui, la population du Nigéria atteint les 100 millions d'habitants. Les Ibos et les Yoroubas forment 25 % de la population et menacent encore l'unité nationale, alors que le pays est aux prises avec une dépendance pétrolière dangereuse, une économie déficiente, une production agricole stagnante et une inflation galopante. Bref, tout pour ressusciter une crise résorbée par la force il y a 15 ans.

YOUGOSLAVIE

La Yougoslavie est un État qui pratique un multilinguisme exemplaire dans le monde. Pourtant, elle n'est pas demeurée à l'abri des revendications autonomistes, comme l'ont prouvé la crise croate des années 1970 et celle de la région autonome du Kosovo en 1981-1982.

La Fédération yougoslave, formée de six républiques et de deux régions autonomes, comprend plusieurs nationalités: Serbes, Croates, Macédoniens, Albanais, Hongrois, Slovènes, Turcs, Slovaques, Roumains, Ukrainiens, Italiens, Tchèques, etc. En 1970, les Croates (20 % de la population) manifestèrent, déclenchèrent des grèves et se livrèrent à des plastiquages pour réclamer plus d'autonomie. La crise se résorba par la démission forcée de 400 fonctionnaires croates et un retour au centralisme de l'État fédéral. Aujourd'hui, les revendications nationalistes croates sont pourtant loin d'être terminées. La marmite bout.

De plus, les récentes revendications de la région autonome du Kosovo (1981) sont venues remettre en péril l'unité même de l'État yougoslave. La population, en majorité de langue albanaise, revendiquait le statut de république pour sa région autonome. Laisser se développer le mouvement autonomiste du Kosovo risquait d'avoir des répercussions dans l'autre région autonome, la Vojvodine, où vit une forte minorité de Hongrois, et de donner des idées aux Croates ainsi qu'aux Slovènes, traditionnellement réfractaires au rôle dominant de la Serbie en Yougoslavie. Les émeutes et la répression militaire se sont succédées. Bilan: plusieurs morts, des centaines de blessés, des milliers d'arrestations (mai 1981).

À la base de ce ferment nationaliste, on découvre une crise économique qui frappe plus durement le Kosovo, la région la plus pauvre du pays. C'est presque toujours le cas, d'ailleurs: la source des conflits est souvent la domination économique et, par-delà, l'injustice sociale; mais c'est la langue qui sert de flambeau et de porte-étendard. Encore une fois, la crise n'est pas réglée: une autre bombe à retardement peut éclater!

***

Réduire la langue à un système de communication serait tronquer la réalité. On ne peut assimiler purement et simplement la langue à un code. Pour pouvoir être considérée seulement comme un code, la langue ne devrait posséder que les propriétés des codes, ce qui n'est pas le cas. La langue-code est également investie de valeurs sociales liées à la valorisation ou à la dévalorisation. En tant que réalité sociale, elle entraîne un conformisme linguistique, crée des sentiments d'appartenance et devient un instrument idéologique et politique.

La langue se soumet à toutes les lois de la société et obéit à toutes les forces externes, sociales, économiques ou politiques. En ce sens, la langue peut être aussi bien un facteur positif que négatif, selon le groupe en faveur de qui elle joue. Ainsi, les raisons qui incitent un Québécois francophone à soutenir l'expansion du français au Québec l'obligeraient à s'opposer à cette expansion en Belgique flamande, en Afrique, aux Antilles. En règle générale, la loi du plus fort l'emporte toujours.

À RETENIR

La langue est un code et un réservoir de ressources communicatives et expressives dans lequel chaque individu puise au gré de ses besoins grâce à la faculté du langage.

C'est la multitude des paroles individuelles qui fait évoluer la langue.

Le signe linguistique est arbitraire, conventionnel, linéaire.

Plus qu'un code, la langue est investie de valeurs sociales liées à la valorisation ou à la dévalorisation.

Choisir une langue plutôt qu'une autre peut relever de la provocation ou de l'asservissement.

Une langue valorisée est un instrument efficace de promotion sociale.

La langue est devenue le plus puissant moyen d'identification dont disposent les peuples et les sociétés.

Les peuples les plus prospères ont toujours été les plus assimilateurs.

Dans la plupart des pays du monde, unité linguistique et unité politique se confondent.

La langue devient facilement une arme à deux tranchants: un symbole d'unité pour les uns, un symbole d'oppression pour les autres.

BIBLIOGRAPHIE

ALÉONG, Stanley. «Normes linguistiques, normes sociales, une perspective anthropologique» dans *La Norme linguistique*, Québec/Paris, Gouvernement du Québec/Le Robert, 1983, p. 255-280.

ARNOPOULOS, Sheila McLeod. *Hors du Québec, point de salut?*, Montréal, Éditions Libre Expression, 1982, 287 p.

AUGER, Michel C. «La situation des minorités francophones demeure fragile» dans *La Presse*, Montréal, 23 mars 1983.

BARROS, Jacques. «Quel destin linguistique pour Haïti?» dans *Anthropologie et sociétés*, vol. 6, n° 2, Québec, Département d'anthropologie de l'Université Laval, 1982, p. 47-58.

BENVENISTE, Émile. *Problèmes de linguistique générale*, t. 1, Paris, Gallimard, 1966, 356 p.

BENVENISTE, Émile. *Problèmes de linguistique générale*, t. 2, Paris, Gallimard, 1974, 287 p.

BIBEAU, Gilles. *L'éducation bilingue en Amérique du Nord*, Montréal, Guérin, 1982, 201 p.

BOUTHILLIER, Guy et Jean MEYNAUD. *Le choc des langues au Québec 1760-1970*, Montréal, Presses de l'Université du Québec, 1972, 767 p.

CALVET, Louis-Jean. *Les langues véhiculaires*, Paris, P.U.F., coll. «Que sais-je?», n° 1916, 1981, 127 p.

COULIBALY, Pannan. «Enquête sur les jeunes acculturés en pays tyembara du nord de la Côte d'Ivoire» dans *Plurilinguisme: normes, situations, stratégies*, de Paul WALD et Gabriel MANESSY, Paris, L'Harmattan, 1979, p. 189-199.

DE FÉRAL, Carole. «Ce que parler pidgin veut dire» dans *Plurilinguisme: normes, situations, stratégies*, de Paul WALD et Gabriel MANESSY, Paris, L'Harmattan, 1979, p. 103-127.

FISHMAN, Joshua A. «Aménagement et norme linguistiques en milieux linguistiques récemment conscientisés» dans *La Norme linguistique*, Québec/Paris, Gouvernement du Québec/Le Robert, 1983, p. 383-394.

HJELMSLEV, Louis. *Prolégomènes à une théorie du langage*, Paris, Minuit, 1966.

KLOSS, H. et G.D. McCONNEL. *Composition linguistique des nations du monde*, t. 2: «L'Amérique du Nord», Québec, Centre international de recherche sur le bilinguisme (CIRB), Presses de l'Université Laval, 1978.

KLOSS, H. et G.D. McCONNEL. *Composition linguistique des nations du monde*, t. 3: «L'Amérique centrale et l'Amérique du Sud», Québec, CIRB, Presses de l'Université Laval, 1979.

LABOV, William. *Sociolinguistique*, Paris, Minuit, 1976, 459 p.

LARA, Luis Fernando. «Activité normative, anglicismes et mots indigènes dans le *Diccionario del español de México*» dans *La Norme linguistique*, Québec/Paris, Gouvernement du Québec/Le Robert, 1983, p. 571-601.

MACKEY, William Francis. *Bilinguisme et contact des langues*, Paris, Klincksieck, 1976, 539 p.

MAKOUTA-MBOUKOU, Jean-Pierre. *Le français en Afrique noire*, Paris, Bordas, 1973, 237 p.

MALMBERG, Bertil. *Le langage, signe de l'humain*, Paris, Picard, 1979, 289 p.

MARTINET, André. *Éléments de linguistique générale*, 6e éd., Paris, Armand Colin, 1966, 224 p.

MARTINET, André. «Pourquoi parle-t-on français?» dans *L'Express*, Paris, 24-30 mars 1969.

PEYRAUBE, Alain. «Luttes politiques et mass médias en Chine depuis la Révolution culturelle» dans *Communications*, n° 28, Paris, Seuil, 1978, p. 219-233.

PLOURDE, Michel. «La langue française au Québec» dans *La Presse*, Montréal, 14-15 février 1983.

POUTIGNAT, Philippe et Paul WALD. «Français et sango à Bouar: fonctions marginales du français dans les stratégies interpersonnelles» dans *Plurilinguisme: normes, situations, stratégies*, de Paul WALD et Gabriel MANESSY, Paris, L'Harmattan, 1979, p. 201-229.

SAPIR, Edward. *Linguistique*, Paris, Minuit, 1968, 289 p.

SAUSSURE, Ferdinand de. *Cours de linguistique générale*, Paris, Payot, 1969, 331 p.

WHORF, Benjamin Lee. *Linguistique et anthropologie*, Paris, Denoël, 1969, 220 p.

YAGUELLO, Marina. *Les mots et les femmes*, Paris, Payot, 1978, 202 p.

*L*ES LANGUES DU MONDE

L'IMPORTANCE NUMÉRIQUE DES LANGUES ○ LES MÉTHODES DE CLASSIFICATION ○ LES FAMILLES DE LANGUES DANS LE MONDE: LA FAMILLE INDO-EUROPÉENNE ET LES AUTRES, LES LANGUES CRÉOLES OU PIDGINISÉES, LES LANGUES ARTIFICIELLES ○ LA DISTRIBUTION GÉOGRAPHIQUE DES LANGUES ○ UNE DIFFICILE COEXISTENCE

C H A P I T R E 7

UNE TOUR DE BABEL

Notre planète ressemble à une véritable tour de Babel avec ses milliers de langues, réparties dans plus de 170 pays. Les frontières politiques des États ne coïncident guère avec les frontières linguistiques. C'est ainsi que l'on peut constater à l'intérieur d'un État l'existence de plusieurs langues, apparentées ou non. Certaines langues ont des aires d'expansion; elles sont parlées bien au-delà des frontières de leur pays d'origine. De plus, une langue peut être utilisée comme langue maternelle dans un pays qui ne la reconnaît pas nécessairement comme langue officielle, alors qu'une langue officielle peut y être une langue seconde pour la totalité ou une fraction de la population.

À la diversité des langues, se superpose donc la diversité des statuts des langues, avec tous les rapports de force ou de domination qui en découlent. La complexité des situations linguistiques montre l'ampleur du multilinguisme, qui se révèle un phénomène universel. Par ailleurs, les évolutions linguistiques sont lentes: les LANGUES NATIONALES percent difficilement face aux LANGUES COLONIALES ou IMPÉRIALES, qui s'étendent toujours davantage, appuyées ordinairement par le «rouleau compresseur» des États. Parfois, une langue nationale minoritaire réussit à supplanter une langue coloniale et à inverser le processus de l'évolution linguistique. Mais, de façon générale, les «grandes» langues ne cessent de croître aux dépens des «petites», pour des raisons qui n'ont rien à voir avec leur caractère interne. Comme nous le verrons, le tableau des langues dans le monde montre bien la complexité de la situation linguistique.

1 L'IMPORTANCE NUMÉRIQUE DES LANGUES

On ne réussira probablement jamais à connaître le nombre exact de langues dans le monde. La difficulté provient de plusieurs causes. D'abord, très peu de langues sont écrites: à peine plus d'une centaine sur les milliers existantes. On comprendra qu'il est moins aisé de recenser des langues parlées que des langues écrites. Ensuite, les langues uniquement parlées se diversifient beaucoup plus que les autres, de telle sorte qu'il devient parfois très difficile de les distinguer les unes des autres. Par exemple, les centaines de variétés d'arabe constituent-elles *une* langue ou autant de langues ou des dialectes? Les 4 000 IDIOMES parlés en Inde sont-ils tous des langues ou des dialectes? L'une des difficultés les plus considérables provient justement du sens que l'on donne au mot *langue* par rapport à *dialecte*.

Langue ou dialecte? Pas si simple!
Théoriquement, les dialectes sont des langues, parce qu'ils constituent des codes servant à la communication. La distinction entre langue et dialecte est simple, toujours en théorie: les dialectes sont des formes locales d'une langue, assez particularisées pour être identifiées de façon distincte, mais dont l'intercompréhension est plus ou moins aisée entre les personnes qui parlent un autre dialecte de la même langue[1]. Ainsi, entre une langue A et une langue B, si l'intercompréhension est possible malgré les variantes, on parlera de deux variétés dialectales; de même entre les parlers B et C, C et D, etc. Par

1. Voir Michel MALHERBE, *Les langages de l'humanité*, Paris, Seghers, 1983, p. 17.

contre, si l'intercompréhension se révèle impossible entre les parlers A et D, on parlera de langues différentes. Donc, les parlers A et D sont des langues différentes alors que A et B sont des dialectes différents; le parler A est considéré comme une langue par rapport au parler D, mais comme un dialecte par rapport au parler B. La ligne de démarcation entre dialecte et langue est très imprécise en raison des interpénétrations possibles. Le critère de l'intercompréhension demeure donc dans la pratique très difficile à utiliser. C'est pourquoi on a recours à d'autres critères pour distinguer une langue d'un dialecte, critères qui relèvent davantage de considérations socio-économiques, politiques et démographiques que linguistiques. Ainsi, un État considérera un parler A comme une langue alors que l'État voisin le tiendra pour un dialecte. On imaginera sans peine combien il devient difficile, dans ces conditions, de dénombrer les «langues».

La valeur inégale des recensements

Une autre difficulté provient de la valeur inégale des recensements. Encore aujourd'hui, il y a des pays qui n'ont jamais fait de recensement démographique ou qui n'en ont pas fait depuis 25 ou 30 ans; on se fonde alors sur des approximations pour établir des statistiques. Situation plus fréquente: de nombreux pays ne font tout simplement pas de recensement sur les *langues* parlées à l'intérieur de leurs frontières, ou bien ils ne recensent que les individus qui parlent la langue officielle ou l'une des langues officielles; plus souvent encore, les recenseurs élimineront les langues qui ne figurent pas déjà sur leur liste. Ainsi, au Canada, dans les recensements du gouvernement fédéral avant 1981, on ne distinguait pas les langues amérindiennes parlées; on se contentait d'indiquer «Indien, nord-américain». Or le Canada possède l'une des plus longues expériences en matière de recensement; il n'en demeure pas moins qu'avant 1981, il n'était pas possible de savoir exactement combien il se parlait de langues au Canada, du moins en ce qui concernait les Amérindiens.

La valeur inégale des recensements linguistiques selon les pays rend donc très approximatif le nombre «officiel» de langues et le nombre de locuteurs de ces langues. Les résultats demeurent souvent difficiles à interpréter. C'est pourquoi les données statistiques en ce domaine ne doivent être considérées que comme des ordres de grandeur; en ce sens toutefois, elles conservent leur valeur[2].

Combien y a-t-il de langues?

Même s'il est difficile de tirer une «photo» instantanée de la situation linguistique en cette fin du XXe siècle, on peut schématiser approximativement cette situation.

L'Europe. On compte, en Europe, près de 30 langues officielles, auxquelles il convient d'ajouter une trentaine de langues nationales (basque, breton, corse, sarde, frison, etc.) qui ne jouissent pas du même statut. Au total: 60 langues environ.

L'Asie. Il existe également une trentaine de langues officielles en Asie. Par contre, les langues non officielles sont beaucoup plus nombreuses qu'en Europe et les dialectes encore plus (probablement autour de 6 000). Les pays où l'on trouve le plus de langues sont l'Indonésie (plus de 200), l'URSS (130), l'Inde (une centaine, sans compter les 4 000 dialectes), les Philippines (70). On peut considérer, sans trop de risques d'erreur, qu'il existe entre 700 et 800 langues parlées en Asie.

L'Océanie. Compte tenu des 760 langues papoues, des 260 langues australiennes, des 700 langues mélanésiennes ainsi que des 35 langues micronésiennes et polynésiennes, on peut estimer à 1 750 environ le nombre de langues dans cette partie du monde.

---

2. Toutes les données statistiques relevées dans le présent chapitre ont été puisées dans les ouvrages suivants: *Composition linguistique des nations du monde*, tomes 1, 2, 3 et 4, de H. KLOSS et G.D. McCONNEL, Québec, Centre international de recherche sur le bilinguisme (CIRB), Université Laval; *Géographie des langues*, de Roland BRETON, Paris, P.U.F., coll. «Que sais-je?», n° 1648; *Les langages de l'humanité*, de Michel MALHERBE, Paris, Seghers; *L'état du monde*, Paris/Montréal, La Découverte/Boréal Express, éditions 1982, 1983, 1984 et 1985. Voir aussi la bibliographie à la fin du chapitre.

L'Afrique. Les langues arabes, couchitiques, chamites, berbères et tchadiennes sont au nombre de 210. Les langues de l'Afrique noire (sans compter les dialectes) se révèlent plus nombreuses: 900 langues nigéro-congolaises, 600 langues bantoues, 100 langues nilo-sahariennes, 30 langues nigéro-kordofaniennes et 4 langues khoïsanes. Un total d'environ 1 850 langues, dont une quinzaine sont officielles.

L'Amérique du Nord. À part les deux seules langues officielles de toute l'Amérique du Nord, soit l'anglais et le français (cette dernière au Canada seulement), il existe encore 196 langues (d'après la classification de Vœgelin) parlées par 450 000 locuteurs. Nous considérerons que le nombre de langues parlées en Amérique du Nord, à l'exclusion des langues apportées par les immigrants des États-Unis et du Canada (italien, allemand, chinois, etc.), est de 200.

L'Amérique latine et les Antilles. L'espagnol est certes la langue la plus représentée dans cette partie du monde, avec le portugais au Brésil. L'anglais est parlé dans plusieurs petits États des Antilles (Guyane, Jamaïque, Trinité-et-Tobago, etc.). De plus, les langues amérindiennes sont encore très nombreuses en Amérique latine: la classification de Norman Mac Quown et de Joseph Greenberg (1955) en établit une liste de 1 700, bien que *Bordas Encyclopédie* (qui cite ces sources) n'en rapporte que 1 330. Parmi toutes ces langues, seul le guarani, au Paraguay, occupe une place officielle à côté de l'espagnol. On peut donc estimer à moins de 2 000 le nombre de langues dans cette partie du monde.

On en arrive ainsi à un total d'environ 6 660 langues dans le monde (*voir le tableau 7.1*). Ce nombre correspond pour nous à un *ordre de grandeur* à peu près juste; tous nos calculs seront effectués en fonction de cette base. Toutefois, il est permis de croire que le nombre réel des langues pourrait être encore plus important, voire deux fois plus élevé au moins, si l'on réussissait à dénombrer les dialectes importants.

Europe	60
Asie	800
Océanie	1 750
Afrique	1 850
Amérique du Nord	200
Amérique latine et Antilles	2 000
Total:	6 660

TABLEAU 7.1 LE NOMBRE (APPROXIMATIF) DE LANGUES DANS LE MONDE

2 LA RÉPARTITION DES LANGUES

Le dénombrement des langues n'est qu'un aspect du problème. Il importe de savoir aussi combien de locuteurs parlent ces différentes langues et où ils sont situés. Le très grand nombre de langues dans le monde (plus de 6 000) ne doit pas nous faire oublier que la majorité de l'humanité n'en parle en réalité qu'une toute petite portion.

Considérons le tableau 7.2, qui présente toutes les langues parlées par plus de 10 millions de personnes. Les quatre langues les plus importantes (le chinois, l'anglais, l'espagnol et l'hindi) regroupent déjà près de 1,5 milliard de locuteurs sur 4,5 milliards, soit 33 % de la population mondiale. Suivent sept autres langues (le russe, l'arabe, le bengali, le portugais, l'allemand, le japonais et le français), qui totalisent avec les précédentes 2,4 milliards de locuteurs, soit 55 % de la population. Si l'on compte les langues parlées par plus de 40 millions de personnes, c'est-à-dire 28 langues pour 3,2 milliards d'individus, on en arrive à 71 % de la population totale. En fait, 62 langues sont parlées par des populations de plus de 10 millions d'individus et regroupent près de 85 % de la population mondiale. Finalement, si l'on ajoute les 89 langues supplémentaires, que parlent entre 1 million et 9 millions d'individus, on arrive à près de 4 milliards d'individus, soit plus de 88 % de la population du monde. Donc, 151 langues, sur un total de plus de 6 000, sont parlées par près de 90 % de l'humanité.

Langue	Pays principal	Famille	Population (en millions)
chinois	Chine	sino-tibétaine	632
anglais	États-Unis	indo-européenne	352
espagnol	Mexique	indo-européenne	263
hindi	Inde	indo-européenne	250
russe	URSS	indo-européenne	194
arabe	Égypte	chamito-sémitique	150
bengali	Bangladesh	indo-européenne	150
portugais	Brésil	indo-européenne	132
allemand	Allemagne	indo-européenne	120
japonais	Japon	japonaise	117
français	France	indo-européenne	80
wu	Chine	sino-tibétaine	70
italien	Italie	indo-européenne	66
javanais	Indonésie	austronésienne	65
ourdou	Pakistan/Inde	indo-européenne	65
pendjabi	Inde	indo-européenne	65
coréen	Corée	coréenne	59
marathi	Inde	indo-européenne	55
télougou	Inde	dravidienne	55
tamoul	Inde	dravidienne	51
cantonais	Chine	sino-tibétaine	50
ukrainien	URSS	indo-européenne	50
vietnamien	Viet-nam	austro-asiatique	50
turc	Turquie	altaïque	44
bihari	Inde	indo-européenne	40
min	Chine	sino-tibétaine	40
swahili	Tanzanie	bantoue	40
thaï	Thaïlande	sino-tibétaine	40
xiang	Chine	sino-tibétaine	40
goudjarati	Inde	indo-européenne	35
kanara	Inde	dravidienne	35
malais	Indonésie/Malaisie	austronésienne	35
polonais	Pologne	indo-européenne	34
hakka	Chine	sino-tibétaine	30
birman	Birmanie	sino-tibétaine	27
persan (farsi)	Iran	indo-européenne	26
oriya	Inde	indo-européenne	25
gan	Chine	sino-tibétaine	20
haoussa	Nigéria	chamito-sémitique	20
kurde	Turquie/Iran	indo-européenne	20
malayalam	Inde	dravidienne	20

Langue	Pays principal	Famille	Population (en millions)
néerlandais	Pays-Bas	indo-européenne	20
pashtou	Afghanistan	indo-européenne	20
roumain	Roumanie	indo-européenne	20
soudanais	Indonésie	austronésienne	20
visayan	Philippines	austronésienne	20
radjashatni	Inde	indo-européenne	18
serbo-croate	Yougoslavie	indo-européenne	17
yorouba	Nigéria	nigéro-congolaise	16
ouzbek	URSS	indo-européenne	15
tagalog	Philippines	austronésienne	15
kazakh	URSS	altaïque	14
hongrois	Hongrie	indo-européenne	13
kashmiri	Inde/Pakistan	indo-européenne	12
peul	Nigéria	nigéro-congolaise	12
singhalais	Sri Lanka	indo-européenne	12
zhuang	Chine	sino-tibétaine	12
berbère	Algérie	chamito-sémitique	11
tchèque	Tchécoslovaquie	indo-européenne	11
amharique	Éthiopie	chamito-sémitique	10
assamais	Inde	indo-européenne	10
biélorusse	URSS	indo-européenne	10
grec	Grèce	indo-européenne	10
ibo	Nigéria	nigéro-congolaise	10
madourais	Indonésie	austronésienne	10
népalais	Népal	indo-européenne	10
quechua	Pérou	quéchua	10
sindhi	Inde	indo-européenne	10
bulgare	Bulgarie	indo-européenne	9
malgache	Madagascar	austronésienne	9
catalan	Espagne	indo-européenne	8
galla	Éthiopie	chamito-sémitique	8
occitan	France	indo-européenne	8
suédois	Suède	indo-européenne	8
bemba	Zambie	bantoue	7
fulani	Sénégal	nigéro-congolaise	7
khmer	Kampuchea	austro-asiatique	7
kirundi	Burundi	bantoue	7
tatar	URSS	altaïque	7
tibétain	Chine	sino-tibétaine	7
azerbaïdjanais	URSS	altaïque	6
dioula	Mali	nigéro-congolaise	6
ouïgour	URSS	altaïque	6
tadjik	URSS/Inde	indo-européenne	6
bambara	Mali/Guinée	nigéro-congolaise	5
danois	Danemark	indo-européenne	5
finnois	Finlande	ouralienne	5
géorgien	URSS	caucasienne	5
malinké	Mali/Guinée	nigéro-congolaise	5
minangkabaw	Indonésie	austronésienne	5
slovaque	Tchécoslovaquie	indo-européenne	5
somali	Somalie	chamito-sémitique	5
xhosa	Afrique du Sud	bantoue	5

Langue	Pays principal	Famille	Population (en millions)
zoulou	Afrique du Sud	bantoue	5
albanais	Albanie	indo-européenne	4
akan	Ghana	nigéro-congolaise	4
arménien	URSS	indo-européenne	4
bouguinais	Indonésie	austronésienne	4
éfik	Niger	nigéro-congolaise	4
hébreu	Israël	chamito-sémitique	4
ibidjo	Nigéria	nigéro-congolaise	4
luganda	Ouganda	bantoue	4
mandchou	Chine	sino-tibétaine	4
miao	Chine	sino-tibétaine	4
moldave	URSS	indo-européenne	4
mongol	Mongolie/Chine/ URSS	sino-tibétaine	4
norvégien	Norvège	indo-européenne	4
sotho	Lésotho	bantoue	4
twi	Ghana	nigéro-congolaise	4
yi	Chine	sino-tibétaine	4
azéri	URSS	altaïque	3
batak	Indonésie	austronésienne	3
bikol	Philippines	austronésienne	3
guarani	Paraguay	guaranie	3
kanuri	Soudan	nilo-saharienne	3
kikongo	Zaïre	bantoue	3
kimbundu	Angola	bantoue	3
kirghiz	URSS	altaïque	3
lituanien	URSS	indo-européenne	3
more	Burkina-Faso	nigéro-congolaise	3
mossi	Burkina-Faso	nigéro-congolaise	3
nyanja	Zambie	bantoue	3
santali	Inde	austro-asiatique	3
shan	Chine/Birmanie	sino-tibétaine	3
shona	Zambie	bantoue	3
tchiluba	Zaïre	bantoue	3
tigrine	Éthiopie	chamito-sémitique	3
turkmène	URSS/Chine	altaïque	3
baloutchi	Inde	indo-européenne	2
bandjarais	Indonésie	austronésienne	2
boulinais	Indonésie	austronésienne	2
éwé	Dahomey/Togo	nigéro-congolaise	2
karène	Birmanie	sino-tibétaine	2
kikouyou	Kenya	bantoue	2
konkani	Inde	indo-européenne	2
laotien	Laos	sino-tibétaine	2
lingala	Zaïre	bantoue	2
makasar	Indonésie	austronésienne	2
slovène	Yougoslavie	indo-européenne	2
songhaï	Niger/Mali	nilo-saharienne	2
tchouvache	URSS	altaïque	2
tswana	Afrique du Sud	bantoue	2
wolof	Sénégal	nigéro-congolaise	2
letton	URSS	indo-européenne	1
alsacien	France	indo-européenne	1

Langue	Pays principal	Famille	Population (en millions)
aymara	Bolivie	aymara	1
baoulé	Côte d'Ivoire	nigéro-congolaise	1
bachkir	URSS	altaïque	1
basque	Espagne/France	basque	1
bino-édo	Nigéria	nigéro-congolaise	1
brahoui	Inde	dravidienne	1
breton	France	indo-européenne	1
buyi	Chine	sino-tibétaine	1
dinka	Soudan	nilo-saharienne	1
dzonkha	Bhoutan	sino-tibétaine	1
estonien	URSS	indo-européenne	1
éton	Cameroun	bantoue	1
éwondo-boulou	Cameroun	bantoue	1
forien	Soudan	nilo-saharienne	1
kamba	Kenya	bantoue	1
macédonien	Yougoslavie	indo-européenne	1
morvde	URSS	ouralienne	1
nahuatl	Mexique	uto-aztèque	1
nubien	Soudan	nilo-saharienne	1
pampagan	Philippines	austronésienne	1
pangasinan	Philippines	austronésienne	1
permiak	URSS	ouralienne	1
sango	Cameroun	nigéro-congolaise	1
sarde	Italie (Sardaigne)	indo-européenne	1
sénufo	Côte d'Ivoire	nigéro-congolaise	1
swazi	Swaziland	bantoue	1
tiv	Nigéria	nigéro-congolaise	1
yao	Chine	sino-tibétaine	1

TABLEAU 7.2 LES PRINCIPALES LANGUES DU MONDE

Il reste alors environ 5 849 langues pour 500 millions de locuteurs. Cela signifie que près de 90 % de la population mondiale se sert de 2,5 % des langues existantes. Il est donc vrai que la majorité de la population parle un tout petit nombre de langues. D'une certaine manière, on peut affirmer que la plupart des langues du monde sont parlées par des petites communautés: quelques dizaines de milliers de personnes dans certains cas, quelques centaines de personnes dans d'autres, et parfois même quelques individus[3].

3 LA CLASSIFICATION DES LANGUES

Les langues sont si nombreuses qu'il est presque impossible d'étudier cette masse considérable de données. Aussi les linguistes ont-ils entrepris de tenter de les classer. Cette classification doit reposer sur l'utilisation de certains traits choisis selon les affinités qui se découvrent au cours de la classification. L'une des difficultés fondamentales réside toujours dans la définition à donner au mot *langue*. Ce mot a été employé avec des valeurs si diverses et cette notion est si ambiguë qu'elle ne peut servir de base à une nomenclature scientifique.

3. Ainsi le eyak, une langue eskimo-aléoute d'Alaska, était parlé par trois individus en 1976, tous âgés de plus de 50 ans.

Quand on oppose langue à dialecte, on s'entend en général pour préciser que les langues seraient en quelque sorte plus spécifiques que les dialectes; les premières seraient des systèmes de communication différents les uns des autres (sans intercompréhension, même s'il peut exister des éléments communs), alors que les seconds correspondraient à des variétés de langues où l'intercompréhension serait possible de l'une à l'autre. Nous avons vu précédemment (*voir p. 52*) que cette distinction demeure toute relative. Les langues A, B, C, D peuvent être considérées comme des dialectes entre elles, mais comme des langues par rapport à X, Y, Z. Où est la frontière entre A et Z ? Dans la mesure où il est difficile de définir ce qu'on appelle langue, c'est par *pure convention* qu'on peut énumérer les langues du monde.

LES MÉTHODES DE CLASSIFICATION DES LANGUES

On distingue généralement deux types de classification: les classements *typologiques* et les classements *génétiques*. La classification typologique des langues a pour but leur description et leur regroupement en fonction de certaines caractéristiques communes de leurs structures, sans rechercher nécessairement l'établissement de généalogies (ou de familles de langues). La classification génétique s'intéresse plutôt aux familles de langues, c'est-à-dire à un ensemble de langues effectivement parentes qui descendent d'une langue présumée commune ou originelle.

LA MÉTHODE TYPOLOGIQUE

Dans les classements typologiques, les langues peuvent être caractérisées selon divers traits linguistiques: les sons (leur nombre, leurs rapports réciproques), les accents toniques (leur place, leur rôle), le débit, les syllabes (leur structure, leur rôle), les mots (leurs formes et leurs fonctions), les structures syntaxiques, etc. On distingue ainsi trois types de langues: les langues isolantes, les langues agglutinantes et les langues flexionnelles.

Une langue *isolante* est une langue dont les mots sont ou tendent à être invariables, et où l'on ne peut distinguer le radical et les éléments grammaticaux. Le chinois et le vietnamien sont des langues isolantes.

En vietnamien:
thì = verbe *être*
tôi thì = je suis
tôi đã thì = j'ai été
tôi sẽ thì = je serai

En chinois:
you = voyageur
tsou = aller
you tsou = se promener

Dans une langue *agglutinante*, au contraire, on juxtapose après le radical une série de formes distinctes qui servent à exprimer les rapports grammaticaux, c'est-à-dire qui précisent le sens que le radical prend dans la phrase donnée; chacune de ces formes est analysable séparément. Le turc, le quechua (Pérou, Bolivie) et le créole français d'Haïti sont des langues agglutinantes.

En turc:
ev = maison
evim = ma maison
evlerim = mes maisons
evimden = de ma maison
evlerimden = de mes maisons

En quechua:
wasi = (la) maison
wasikuna = (les) maisons
wasip = dans la maison
wasikunap = dans les maisons
wasiykikunap = dans tes maisons

En swahili:
penda = aimer
anapenda = il aime
atapenda = il aimera
amependa = il a aimé
atanipenda = il m'aimera
amakupenda = il t'a aimé
utanipenda = tu m'aimeras

En créole haïtien:
li mangé = il mange (présentement)
li ape mangé = il mange (intemporel)
li te mangé = il a mangé
li tap mangé = il mangeait
li va mangé = il mangera
li tava mangé = il aurait mangé
li ta mangé = il mangerait

Enfin, dans une langue *flexionnelle*, les radicaux sont pourvus d'éléments grammaticaux variables exprimant (plus ou moins ensemble) le genre, le nombre, la personne, le temps, le mode, la voix, le cas (pour les langues à déclinaison comme le latin, l'allemand ou le russe). La plupart des langues européennes sont des langues flexionnelles.

En latin:
bonus dominus = le bon maître (sujet)
boni domini = du bon maître (complément du nom)
bono domino = au bon maître, par le bon maître
boni domini = les bons maîtres (sujet avec verbe pluriel)
bonos dominos = les bons maîtres (complément direct pluriel)

En espagnol:
compro = j'achète
compras = tu achètes
compra = il achète
compramos = nous achetons
compráis = vous achetez
compran = ils achètent

Si la variation flexionnelle est jointe au radical, il s'agit d'une suffixation flexionnelle; si la variation appartient au radical, la flexion est dite interne.

En anglais:
I drink = je bois
I drank = je buvais
I have drunk = j'ai bu

En allemand:
Ich spreche = je parle
Ich sprach = je parlais
Ich habe gesprochen = j'ai parlé

Toutefois, ces distinctions ne sauraient être considérées comme absolues; il conviendrait plutôt de penser en termes de degrés. Le français est de type flexionnel (*cheval/chevaux*), mais certaines variations sont isolantes comme dans l'opposition *je suis/tu es* ou *porter + feuille = portefeuille*; de même pour le mot *pommier* dans les langues suivantes:

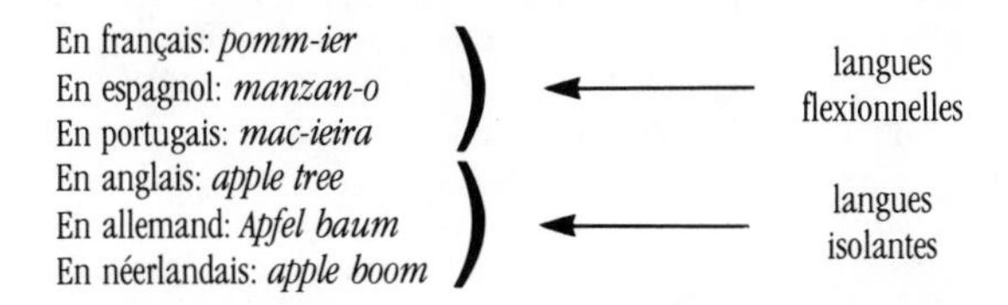

Il importe donc de définir pour chacune des langues le caractère dominant, car une langue peut être plutôt flexionnelle et présenter à la fois des traits isolants et agglutinants.

LA MÉTHODE GÉNÉTIQUE

En raison du caractère non rigoureux des méthodes typologiques, les linguistes s'intéressent plutôt au classement des langues par familles, c'est-à-dire à la méthode génétique. Ainsi, on s'est rendu compte que des langues comme le grec, le latin, l'allemand et l'anglais, le russe et le polonais, l'arménien, l'albanais, le sanskrit (langue de l'Inde, Xᵉ siècle avant notre ère) et l'avestique (langue iranienne, VIᵉ siècle avant notre ère), présentaient des éléments communs remarquables. Ces ressemblances ont donné à penser que toutes ces langues avaient une origine également commune.

En analysant les milliers de langues parlées dans le monde, les linguistes ont pu établir certains liens de parenté plus ou moins étroits entre des idiomes dont plusieurs peuvent représenter des évolutions différentes d'un même prototype (du grec *protos*: premier, primitif). Généralement, on réserve le terme de **famille** linguistique à l'ensemble formé de toutes les langues de même origine (p. ex.: la famille indo-européenne, la famille chamito-sémitique).

Ces familles comprennent des sous-ensembles appelés **sous-familles** ou **branches** (la branche romane, la branche germanique, la branche slave); ces branches sont constituées par certaines langues apparentées plus étroitement entre elles qu'avec d'autres. Ainsi, les langues de la branche romane (français, italien, espagnol, portugais, roumain, etc.) diffèrent de celles des branches germanique (anglais, allemand, suédois, danois, etc.) et slave (russe, polonais, ukrainien, serbo-croate, etc.), mais elles appartiennent toutes à la même famille: la **famille indo-européenne**. Cette famille est appelée ainsi parce qu'elle regroupe un grand nombre de langues en usage depuis l'Inde (en passant par le Pakistan, l'Iran, l'Iraq, la Syrie, l'URSS) jusqu'à l'ouest de l'Europe (du Portugal à la Grande-Bretagne et à l'Islande).

Quant au terme de **groupe** (p. ex.: les langues du groupe andino-équatorial de l'Amérique du Sud), il s'applique indifféremment à un ensemble de familles, à une famille, ou à un ensemble de langues d'une branche; il sous-entend que le classement n'est pas encore fixé ou n'est pas fixé de façon certaine.

Il ne faudrait pas croire que l'établissement de liens de parenté entre les langues repose toujours sur une langue originelle véritable. Dans certains cas, il s'agit d'hypothèses que l'on formule d'après des analyses comparatives et historiques, afin de constituer des ensembles de langues. Les linguistes ont reconstitué des langues originelles, des *protolangues*, qui n'ont jamais été attestées et qui, pour cela, demeurent des langues purement hypothétiques. Ainsi l'indo-européen primitif, reconstruit par les linguistes, reste une langue hypothétique, car on *suppose* que cette langue a effectivement existé: on n'a trouvé aucun document écrit en cette langue attestant son authenticité. Le seul fait dont on est sûr, c'est qu'entre un certain nombre de langues diverses, un ensemble de traits communs remarquable existe et constitue une parenté incontestable. L'indo-européen primitif n'a jamais été attesté, mais on connaît les langues qui en sont issues et ce qu'elles sont devenues en se différenciant de plus en plus avec le temps: le sanskrit en Inde, le vieux-perse en Iran, le grec, le latin, le celtique, le germanique, le slave, le balte, etc., en Europe. Donc, si la langue originelle d'une famille — et sa reconstruction — demeure le plus souvent hypothétique, le lien de parenté, lui, peut être inconstestable.

Afin d'illustrer ces propos, nous allons recourir à une comparaison entre des mots de quatre langues amérindiennes: le fox, le cree, le menomini et l'ojibwa. Ces langues de la famille algonkine présentent des ressemblances évidentes qui montrent qu'elles sont étroitement apparentées et, par voie de conséquence, qu'elles ont une origine commune.

fox	cree	menomini	ojibwa	
pemātesiwa	*pimātisiw*	*pemātesew*	*pimātisi*	= il vit
pōsiwa	*pōsiw*	*pōsew*	*pōsi*	= il embarque
newāpamāwa	*niwāpamāw*	*newāpamaw*	*niwāpamā*	= je le regarde
wāpanwi	*wāpan*	*wāpan*	*wāpan*	= il est apparu
nījawi	*nījaw*	*nējaw*	*nījaw*	= mon corps
kenosiwa	*kinosiw*	*kenōsew*	*kinosi*	= il est long

À partir de nombreux cas comme ceux-ci, il est possible de reconstruire les formes «réelles» du proto-algonkin, considéré comme la langue ancestrale du groupe. Il faut alors comparer les états les plus anciens de ces langues et retrouver certains éléments de la langue mère disparue. Dans ce cas-ci, d'autres faits confirment[4] que les formes les plus longues (les mots fox) sont les plus anciennes et le travail de reconstruction devra s'appuyer sur cette hypothèse. On supposera, par exemple, que tous les mots apparentés qui ont un /p/ dans une langue ont un /p/ dans les autres. On établira alors que ce phonème est un héritage de la langue mère et on supposera l'existence d'un /*p/ proto-algonkin; et ainsi de suite pour tous les autres phonèmes. Puis, d'autres comparaisons permettront d'obtenir des informations sur la morphologie et la syntaxe communes de ces langues.

Ce genre d'étude suppose que les linguistes comparatistes ont dégagé, pour assurer leurs reconstructions, des *règles de changement*. Le nombre de cas qui confirment ces règles d'une langue à l'autre garantit la validité et la pertinence de celles-ci. Par exemple, la comparaison du grec *pater*, du latin *pater*, du sanskrit *pitar* et de l'anglais *father* montre bien que dans toutes ces langues, le /r/ représente un /*r/ indo-européen. En revanche, si en grec, en latin et en sanskrit, le /p/ et le /t/ correspondent, il n'en est pas de même en anglais où /f/ correspond à /p/ et /th/ à /t/. Cette constatation a donné à penser que les phonèmes de l'indo-européen primitif /*p/ et /*t/ se sont maintenus en grec, en latin et en sanskrit, mais qu'ils sont passés respectivement à /f/ et /th/ (en anglais) ou /v/ et /d/ (en néerlandais: *vader*; en danois: *fader*). Une fois cette hypothèse vérifiée dans quantités de mots, on est en droit de formuler des lois d'évolution propres aux langues germaniques: toute occlusive sourde (p. ex.: /p/ et /t/) de l'européen primitif est devenue constrictive dans les langues germaniques (/*p/ → /f/ ou /v/; /*t/ → /th/ ou /d/). Il serait possible d'apporter de nombreux exemples de cette sorte. L'essentiel est cependant de donner une idée de la méthode qu'on a suivie pour établir des lois. Celles-ci permettent d'opérer scientifiquement la reconstruction d'une langue première (une protolangue) à partir d'autres qui en sont issues.

4. Voir H.A. GLEASON, *Introduction à la linguistique*, Paris, Larousse, 1969, p. 347-348.

Les méthodes de la linguistique comparée, bien que fort complexes et très longues à appliquer, permettent donc de reconstruire une langue originelle et de déterminer avec précision le degré de parenté entre des langues. Plus encore, il est possible de dater certains événements avec presque autant de précision qu'on peut le faire avec le carbone 14, grâce à des méthodes fournies par la GLOTTOCHRONOLOGIE; de même qu'on peut découvrir une partie des institutions des peuples anciens dont on ne possède aucun vestige, on peut découvrir leurs langues.

4 UNE SITUATION CONFLICTUELLE

Le nombre et la répartition des langues dans le monde suscitent inévitablement des rapports de forces entre les nations et les États en raison des inégalités linguistiques, sociales, économiques et politiques. La situation linguistique dans le monde rappelle donc l'inéluctable et difficile coexistence des langues.

L'INÉGALITÉ DES LANGUES

Nous savons que la majorité de la population mondiale parle un tout petit nombre de langues: 90 % de l'humanité ne se sert que de 2 % des langues existant sur la planète. Les langues sont inégales d'abord par leur importance numérique, puis par leur diffusion géographique. Ainsi, l'anglais est une langue importante à la fois par le nombre de ses locuteurs (352 millions) et par son expansion: près de 60 pays répartis sur les cinq continents. En revanche, l'hindi ne l'est que par le nombre de ses locuteurs (250 millions), étant limité à un seul État: l'Inde. Lorsqu'il y a conjonction de l'importance numérique et de la diffusion dans l'espace, associée à une forme d'expansionnisme, on parle de *langue impériale* *(voir la figure 7.1 à la page 65).*

L'anglais (352 millions de locuteurs), l'espagnol (263 millions), le russe (194 millions), l'arabe (150 millions), le portugais (132 millions) sont des langues impériales. Avec ses 80 millions, le français est également une langue impériale tandis que le chinois, avec ses 632 millions de locuteurs, correspond moins aux critères adoptés, même si c'est la langue la plus parlée dans le monde. La carte de la figure 7.1 illustre ces propos: un petit nombre de grandes langues occupent toute la place.

Toutefois, cette carte fausse la réalité linguistique dans la mesure où elle laisse croire, d'abord, qu'il n'existe que sept langues dans le monde; ensuite, que celles-ci sont parlées par des locuteurs réels plutôt qu'hypothétiques; enfin, que la plupart des pays sont unilingues. Or, nous savons qu'il y a beaucoup plus que sept ou huit langues. Il ne faut pas se leurrer non plus: de 352 millions de locuteurs réels, l'anglais passerait à 1,5 milliard si on prenait pour base le fait qu'il est la langue officielle ou celle utilisée, dans près de 60 États, comme langue administrative. Les locuteurs virtuels ne constituent quand même pas la réalité: il n'y a pas un milliard de locuteurs chinois parce qu'il y a un milliard de Chinois, ni 250 millions de francophones, ni 270 millions de russophones, etc. Nous savons également que les pays ne sont pas unilingues, mais multilingues. Enfin, cette carte des langues impériales révèle une autre inégalité: celle du statut de ces langues.

L'INÉGALITÉ DES STATUTS

Les 6 000 ou 7 000 langues du monde ne jouissent pas du même prestige; il en est de même pour leurs locuteurs. On admettra sans difficulté que les 243 000 Islandais parlent une *langue* et qu'ils constituent une *nation*; par contre, on croira que les six millions de Peuls parlent un *dialecte* et forment des *tribus* même si cette langue est parlée dans une dizaine de pays: Sénégal, Guinée, Mauritanie, Mali, Burkina-Faso, Niger, Nigéria, Cameroun, etc. À des facteurs démographiques et géographiques, se superposent des facteurs économiques, politiques et idéologiques, qui jouent un rôle fondamental dans le prestige d'une langue. Tout dépend des fonctions sociales de la langue et du nombre de ces fonctions.

Ainsi, une langue peut être limitée à une fonction unique: la communication interpersonnelle à l'intérieur du foyer ou d'une communauté locale. C'est le cas d'au moins 90 % des langues du monde; à l'extérieur du foyer ou de la communauté locale, ces langues sont souvent niées, refoulées, infériorisées, proscrites même. Une langue peut aussi posséder plusieurs fonctions sociales: LANGUE VÉHICULAIRE (langue du commerce), langue d'enseignement, langue coloniale, langue diplomatique, langue scientifique, langue immigrante, langue militaire, langue nationale, langue impériale, langue liturgique, religieuse ou sacrée, LANGUE OFFICIELLE, langue internationale. Or, plus une langue possède de fonctions, plus elle hausse son statut. Plus celui-ci se hausse, plus il augmente à son tour l'expression et la longévité d'une langue.

Rappelons-le, la plupart des langues de l'humanité ne servent qu'à une seule fonction: la communication. Sur plus de 6 000 langues, seulement 200 ou 300 exercent plus d'une fonction. Une soixantaine de langues en possèdent plusieurs: ce sont les langues reconnues officiellement par les États. De ce nombre, une dizaine sont reconnues par deux États ou plus et cinq d'entre elles (l'anglais, l'espagnol, le français, le russe, l'arabe), nettement privilégiées, sont employées dans plus de 20 États. Ce sont les véritables langues impériales, qui exercent à peu près toutes les fonctions possibles. Parmi ces cinq langues, une hiérarchie peut s'établir, notamment à l'avantage de l'anglais et du russe; car la faiblesse relative du français réside dans le nombre de ses locuteurs, celle de l'espagnol dans les facteurs économique et militaire, celle de l'arabe dans sa culture scientifique. D'une façon générale, on peut dire que plus une langue compte de locuteurs, plus elle se trouve élevée dans les hiérarchies économique, culturelle, politique et militaire; donc, plus elle se trouve en position de force pour résister aux puissances assimilatrices des autres langues et plus elle sera à même d'assimiler les langues plus faibles. Ne l'oublions jamais: lorsque des langues accroissent le nombre de leurs locuteurs, elles le font aux dépens des autres langues, les plus faibles.

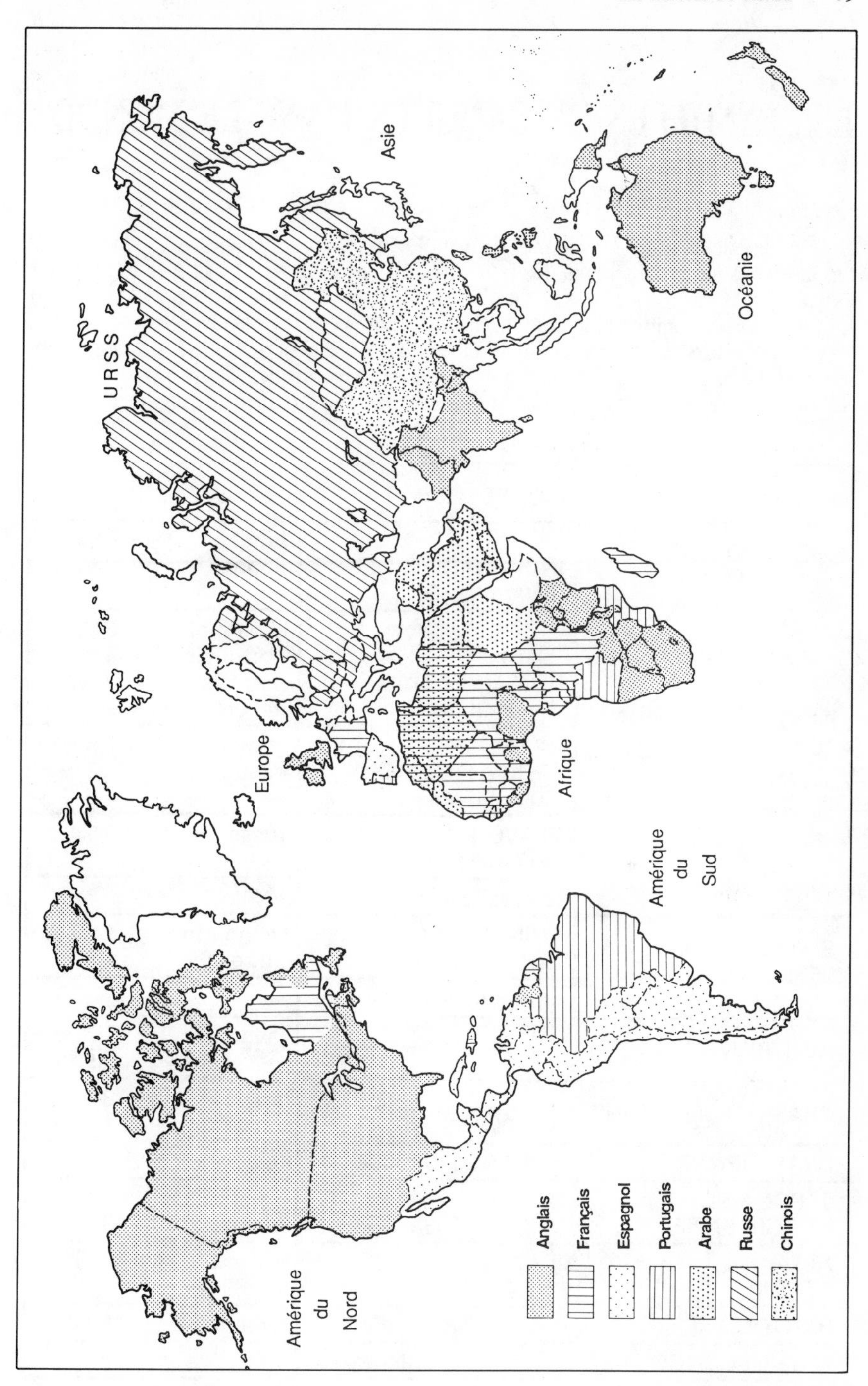

FIGURE 7.1 LES LANGUES IMPÉRIALES DANS LE MONDE

CHAPITRE 8

LES FAMILLES DE LANGUES DANS LE MONDE

Les familles de langues dans le monde actuel sont très nombreuses. Aussi, la liste des familles présentée dans les tableaux des pages suivantes ne saurait être tenue pour exhaustive. Moins de 50 noms de familles de langues y figurent, alors que la réalité est tout autre; on dénombre, par exemple, 50 familles amérindiennes juste en Amérique du Nord et plus de 85 en Amérique du Sud. De plus, seulement quelque 670 langues sont identifiées dans ces tableaux, auxquelles il faudrait ajouter les langues dont on mentionne le groupe sans les identifier une à une: les 260 langues australiennes, les 760

FAMILLE	GROUPE	LANGUES PRINCIPALES	
INDO-EUROPÉENNE 48 %	INDO-IRANIEN 14 % (660 millions)	hindi bengali —	8 % 3 % 3 %
	ROMAN 12 % (500 millions)	espagnol portugais français italien	5 % 3 % 2 % 2 %
	GERMANIQUE 12 % (500 millions)	anglais allemand —	7,5 % 3 % 1,5 %
	SLAVE 8 % (300 millions)	russe —	4 % 4 %
	(autres) 2 %	—	2 %
SINO-TIBÉTAINE 25 %	CHINOIS 19,6 % (887 millions)	mandarin autres	14,2 % 5,4 %
	(autres) 5,4 %	—	
AUSTRONÉSIENNE	4,5 % (200 millions)	javanais —	1,6 % 2,9 %
CHAMITO-SÉMITIQUE	4,5 % (200 millions)	arabe —	3 % 1 %
DRAVIDIENNE	3,7 % (170 millions)	télougou	1,2 %
JAPONAISE ET CORÉENNE	3,7 % (169 millions)	japonais	3 %
ALTAÏQUE ET OURALIENNE	2,4 % (110 millions)	turc	1 %
BANTOUE	2,2 % (100 millions)	swahili	1 %
NIGÉRO-CONGOLAISE	1,7 % (80 millions)	—	
Autres familles	4,1 % (186 millions)	—	

TABLEAU 8.1 LA RÉPARTITION DES FAMILLES DE LANGUES DANS LE MONDE (D'APRÈS ROLAND BRETON, *Géographie des langues*, p. 119)

langues papoues, les 327 langues andino-équatoriales, les 374 langues du groupe gé-pano-caraïbe, les 79 langues de la famille chibcha, etc. Cela donnerait un total d'environ 2 460 langues. Or, on sait qu'il en existe plus de 6 000.

Toutefois, le nombre de familles de langues dans le monde ne doit pas nous faire oublier leur importance fonctionnelle les unes par rapport aux autres. Comme les langues, les familles linguistiques sont réparties inégalement, tant au point de vue géographique qu'au point de vue numérique. Sur les quelques centaines de familles de langues existant dans le monde, une dizaine regroupent à elles seules près de 96 % de la population mondiale (*voir le tableau 8.1*).

D'après ce même tableau, les langues de la famille indo-européenne représentent près de la moitié des locuteurs du monde, soit 48 % (2,1 milliards d'individus); celles de la famille sino-tibétaine suivent, avec 25 % (1,1 milliard). Ce sont les deux familles les plus importantes. Par la suite, on retiendra surtout les familles austronésienne (4,5 % = 200 millions de locuteurs), chamito-sémitique (4,5 % = 200 millions), dravidienne (3,7 % = 170 millions), japonaise et coréenne (3,7 % = 169 millions), altaïque et ouralienne (2,4 % = 110 millions), bantoue (2,2 % = 100 millions) et nigéro-congolaise (1,7 % = 80 millions). Toutes les autres familles linguistiques ne regroupent que 4,1 % de la population, soit 186 millions de locuteurs.

1 LA FAMILLE INDO-EUROPÉENNE

La famille indo-européenne est la famille de langues la mieux connue. Elle a permis à la méthode comparative d'affirmer sa valeur par la précision et l'importance des résultats obtenus. La découverte du sanskrit au XVIIIe siècle avait conduit les savants européens à fournir, avec le latin et le grec, de nombreux éléments de comparaison. Mais c'est surtout l'Allemand Franz Bopp (1791-1867) qui apporta les preuves des relations unissant des langues de l'Inde comme le sanskrit et des langues de l'Europe comme le latin ou le germanique. En partant de la constatation des rapports entre le sanskrit, le grec, le latin, le germanique, le vieux-slave et le celtique, il a établi définitivement la parenté des langues indo-européennes.

Depuis, on est arrivé à classer ces langues avec certitude, à fixer leur degré précis de parenté, à les situer chronologiquement, à reconstituer les principales étapes de leur développement, à établir les correspondances entre les divers groupes. De toutes les familles de langues, c'est la famille indo-européenne qui a été la mieux décrite et ce, pour plusieurs raisons: les documents sont nombreux et certaines langues sont attestées à une date relativement éloignée, comme le hittite (XVIIe siècle avant notre ère), le grec (XVe siècle), le sanskrit (Xe siècle), l'avestique (VIe siècle), le latin (VIe siècle avant notre ère). De plus, ces langues, en dépit d'une évolution considérable, ont toutes conservé des traits d'archaïsme remarquables qui permettent de retrouver des éléments très anciens de la langue mère, l'indo-européen primitif. Aussi les linguistes ont-ils pu reconstruire cette langue commune initiale avec une très grande précision, si tant est que cette langue ait effectivement existé (entre le Ve et le IIe millénaire avant notre ère).

L'indo-européen primitif aurait donné naissance à plus de 1 000 langues. En cette fin du XXe siècle, il en reste environ 200, parlées par plus de deux milliards d'individus, ce qui en fait la famille de langues la plus importante du monde. Le tableau 8.2 donne une liste partielle de ces langues.

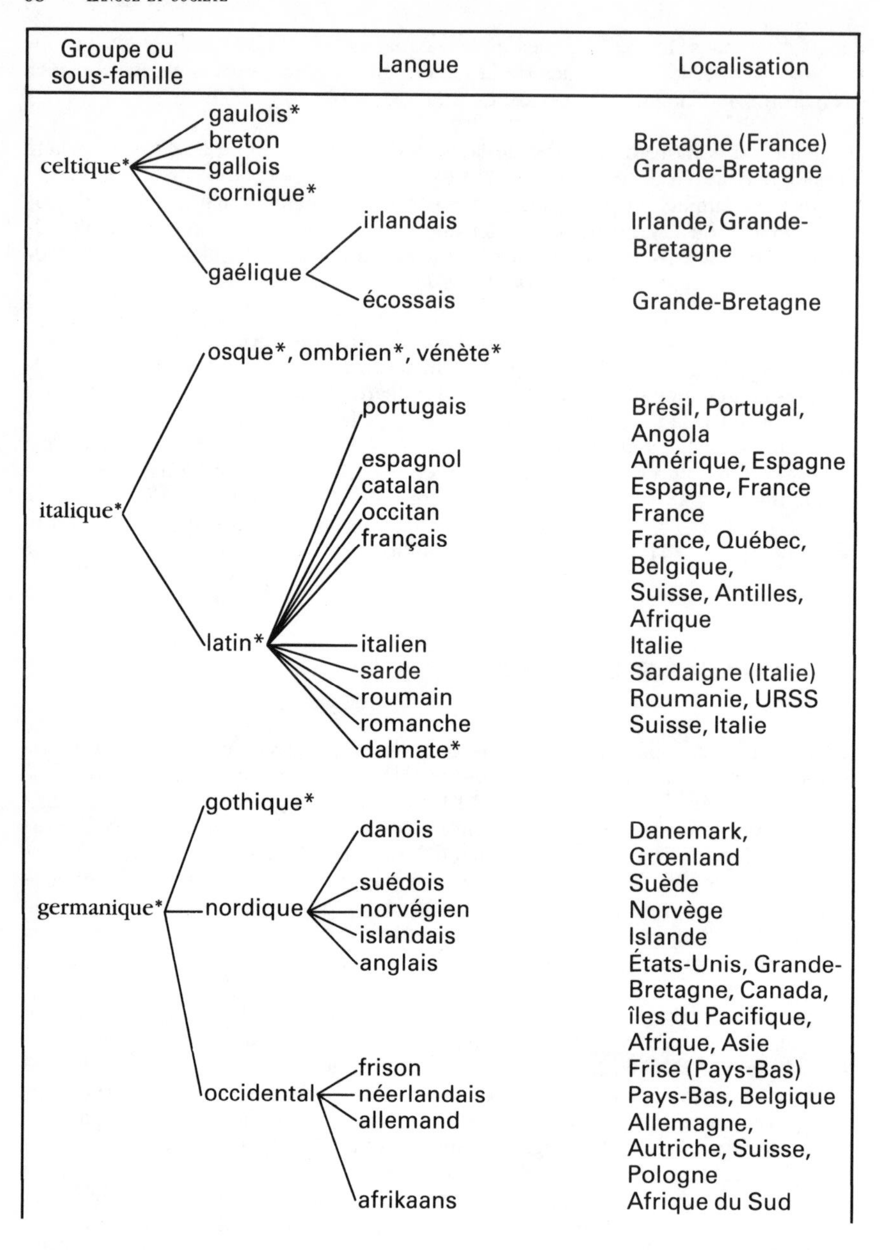

Groupe ou sous-famille	Langue	Localisation
celtique*	gaulois*	
	breton	Bretagne (France)
	gallois	Grande-Bretagne
	cornique*	
	gaélique — irlandais	Irlande, Grande-Bretagne
	gaélique — écossais	Grande-Bretagne
italique*	osque*, ombrien*, vénète*	
	latin* — portugais	Brésil, Portugal, Angola
	latin* — espagnol	Amérique, Espagne
	latin* — catalan	Espagne, France
	latin* — occitan	France
	latin* — français	France, Québec, Belgique, Suisse, Antilles, Afrique
	latin* — italien	Italie
	latin* — sarde	Sardaigne (Italie)
	latin* — roumain	Roumanie, URSS
	latin* — romanche	Suisse, Italie
	latin* — dalmate*	
germanique*	gothique*	
	nordique — danois	Danemark, Grœnland
	nordique — suédois	Suède
	nordique — norvégien	Norvège
	nordique — islandais	Islande
	nordique — anglais	États-Unis, Grande-Bretagne, Canada, îles du Pacifique, Afrique, Asie
	occidental — frison	Frise (Pays-Bas)
	occidental — néerlandais	Pays-Bas, Belgique
	occidental — allemand	Allemagne, Autriche, Suisse, Pologne
	occidental — afrikaans	Afrique du Sud

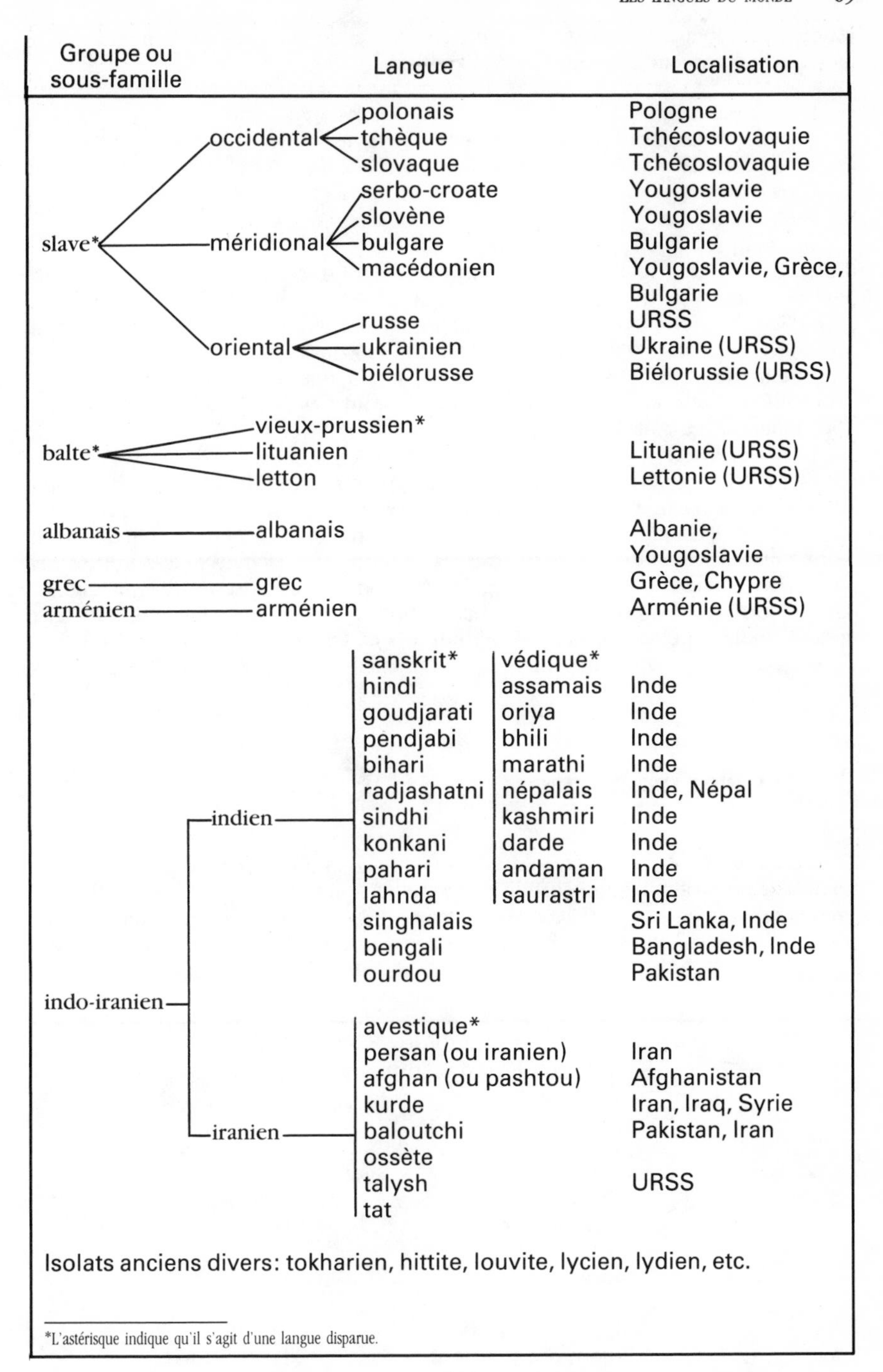

Groupe ou sous-famille		Langue		Localisation
slave*	occidental	polonais		Pologne
		tchèque		Tchécoslovaquie
		slovaque		Tchécoslovaquie
	méridional	serbo-croate		Yougoslavie
		slovène		Yougoslavie
		bulgare		Bulgarie
		macédonien		Yougoslavie, Grèce, Bulgarie
	oriental	russe		URSS
		ukrainien		Ukraine (URSS)
		biélorusse		Biélorussie (URSS)
balte*		vieux-prussien*		
		lituanien		Lituanie (URSS)
		letton		Lettonie (URSS)
albanais		albanais		Albanie, Yougoslavie
grec		grec		Grèce, Chypre
arménien		arménien		Arménie (URSS)
indo-iranien	indien	sanskrit*	védique*	
		hindi	assamais	Inde
		goudjarati	oriya	Inde
		pendjabi	bhili	Inde
		bihari	marathi	Inde
		radjashatni	népalais	Inde, Népal
		sindhi	kashmiri	Inde
		konkani	darde	Inde
		pahari	andaman	Inde
		lahnda	saurastri	Inde
		singhalais		Sri Lanka, Inde
		bengali		Bangladesh, Inde
		ourdou		Pakistan
	iranien	avestique*		
		persan (ou iranien)		Iran
		afghan (ou pashtou)		Afghanistan
		kurde		Iran, Iraq, Syrie
		baloutchi		Pakistan, Iran
		ossète		
		talysh		URSS
		tat		

Isolats anciens divers: tokharien, hittite, louvite, lycien, lydien, etc.

*L'astérisque indique qu'il s'agit d'une langue disparue.

TABLEAU 8.2 LA FAMILLE INDO-EUROPÉENNE

Comme le montre le tableau 8.2, on peut diviser les langues de la famille indo-européenne en neuf groupes ou sous-familles:

1) Les langues celtiques.
2) Les langues italiques ou latines (ou romanes).
3) Les langues germaniques.
4) Les langues slaves.
5) Les langues baltes.
6) L'albanais.
7) Le grec.
8) L'arménien.
9) Les langues indo-iraniennes.

L'albanais, le grec et l'arménien constituent des isolats parmi les langues indo-européennes modernes: ce sont les seules langues de leur groupe respectif. Comme le nom l'indique, les langues indo-européennes s'étendent de l'Europe jusqu'à l'Inde. C'est le groupe **indo-iranien** (*voir le tableau 8.1*) qui constitue l'ensemble le plus important de cette famille, avec 14 % de la population totale du monde, soit 660 millions de locuteurs. Suivent les langues **romanes** et **germaniques**, avec 12 % (500 millions), et les langues **slaves** avec 8 % (300 millions).

Certaines langues indo-européennes comptent parmi les plus importantes du monde. Mentionnons particulièrement l'anglais (352 millions de locuteurs), l'espagnol (263 millions), l'hindi (250 millions), le russe (194 millions), le bengali (150 millions), le portugais (132 millions) et le français (80 millions). Les langues indo-européennes ne sont pas toutes prestigieuses et d'égale importance: elles représentent en réalité un ensemble très diversifié de langues comme le breton, l'espagnol, l'allemand, le russe, le grec, l'hindi, le persan, le népalais, le kurde, etc. Le tableau 8.2 présente quelque 70 langues indo-européennes, mais rappelons qu'il en existe environ 200.

2 LA FAMILLE SINO-TIBÉTAINE

C'est la famille sino-tibétaine qui est la deuxième en importance dans le monde, avec 25 % de la population mondiale. Elle regroupe quelques dizaines de langues réparties en quatre groupes (*voir le tableau 8.3*): **chinois**, **tibéto-birman**, **kadai** et **miao-yao**. Le groupe **chinois** compte 887 millions de locuteurs; si 642 millions de personnes parlent

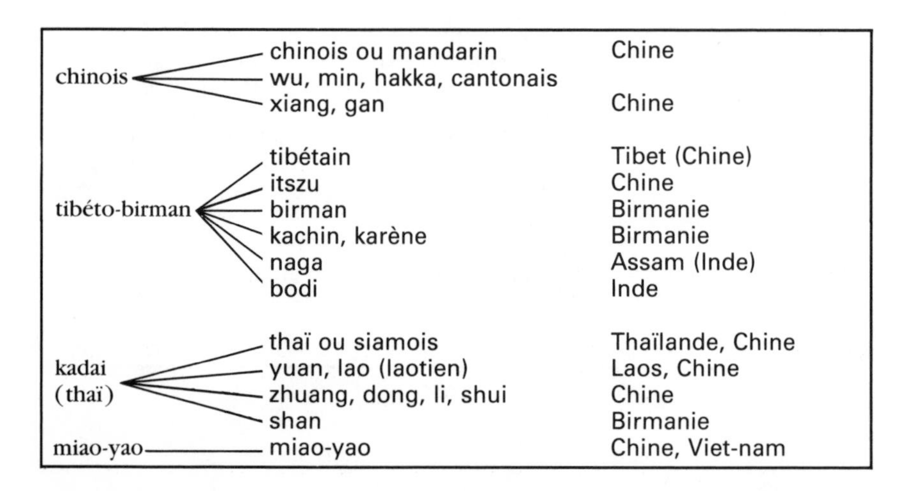

TABLEAU 8.3 LA FAMILLE SINO-TIBÉTAINE

le chinois proprement dit, 245 millions d'individus parlent d'autres langues chinoises comme le wu, le cantonais, le min, le xiang, le hakka, le gan. Les autres langues sino-tibétaines (plus de 110 millions de locuteurs) sont réparties entre les groupes **tibéto-birman** (tibétain, birman, karène, etc.), **kadai** (thaï, laotien, shan, etc.) et **miao-yao** (miao, yao). Les langues **sino-tibétaines** sont près de deux fois millénaires et l'écriture idéographique, qui s'est perpétuée jusqu'à nos jours, semble avoir été constituée dès 1 300 avant notre ère.

3 LA FAMILLE AUSTRONÉSIENNE

Troisième en importance dans le monde, la famille **austronésienne** (autrefois appelée malayo-polynésienne) correspond à 4,5 % de la population totale, avec 200 millions de locuteurs. Elle compte plus de 900 langues liées entre elles et s'étend sur une aire géographique très vaste, partant de l'île de Madagascar dans l'océan Indien, en passant par les îles de l'Indonésie et l'Australie, pour aller jusqu'aux îles du Pacifique, y compris Hawaï et l'île de Pâques.

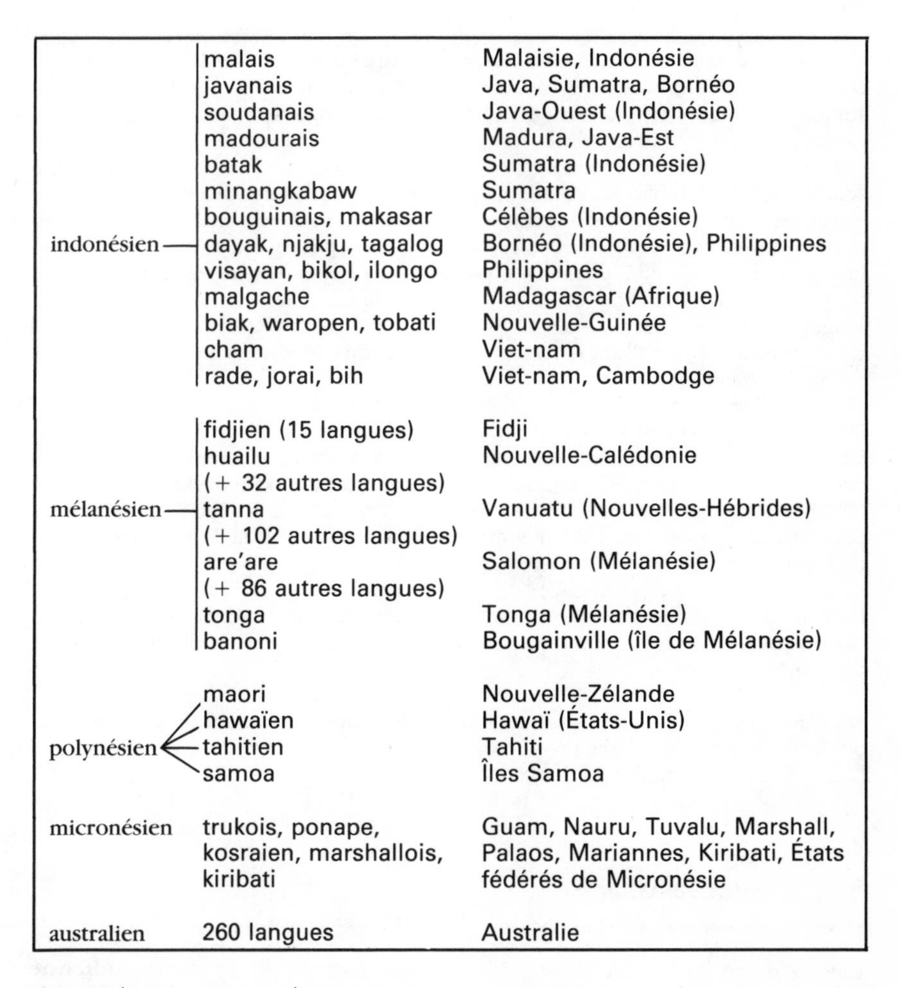

Groupe	Langues	Région
indonésien	malais	Malaisie, Indonésie
	javanais	Java, Sumatra, Bornéo
	soudanais	Java-Ouest (Indonésie)
	madourais	Madura, Java-Est
	batak	Sumatra (Indonésie)
	minangkabaw	Sumatra
	bouguinais, makasar	Célèbes (Indonésie)
	dayak, njakju, tagalog	Bornéo (Indonésie), Philippines
	visayan, bikol, ilongo	Philippines
	malgache	Madagascar (Afrique)
	biak, waropen, tobati	Nouvelle-Guinée
	cham	Viet-nam
	rade, jorai, bih	Viet-nam, Cambodge
mélanésien	fidjien (15 langues)	Fidji
	huailu (+ 32 autres langues)	Nouvelle-Calédonie
	tanna (+ 102 autres langues)	Vanuatu (Nouvelles-Hébrides)
	are'are (+ 86 autres langues)	Salomon (Mélanésie)
	tonga	Tonga (Mélanésie)
	banoni	Bougainville (île de Mélanésie)
polynésien	maori	Nouvelle-Zélande
	hawaïen	Hawaï (États-Unis)
	tahitien	Tahiti
	samoa	Îles Samoa
micronésien	trukois, ponape, kosraien, marshallois, kiribati	Guam, Nauru, Tuvalu, Marshall, Palaos, Mariannes, Kiribati, États fédérés de Micronésie
australien	260 langues	Australie

TABLEAU 8.4 LA FAMILLE AUSTRONÉSIENNE

La famille **austronésienne** (*voir le tableau 8.4*) se divise en cinq grands groupes. Le groupe **indonésien** (200 langues) compte presque tous les locuteurs de cette famille: 198 millions sur un total de 200 millions. Bien que parlé par une minorité de la population (15 millions), le malais est devenu la langue la plus prestigieuse de toute cette région du Sud-Est asiatique; il a été déclaré langue officielle des États de l'Indonésie, de la Malaisie, de Brunéi et de Singapour. Par le nombre de ses locuteurs (65 millions), le javanais est demeuré la langue la plus parlée; il est suivi par le soudanais, le visayan, le madourais, le tagalog, le malgache (à Madagascar), le minangkabaw et le bouguinais.

Tous les autres groupes, c'est-à-dire les langues **mélanésiennes**, les langues **polynésiennes**, les langues **micronésiennes** et les langues **australiennes** (parlées par les aborigènes d'Australie), rassemblent une population disparate d'au plus deux millions de locuteurs, qui se répartissent plus de 700 langues différentes.

4 LA FAMILLE CHAMITO-SÉMITIQUE

Certaines des langues de la famille **chamito-sémitique** (*voir le tableau 8.5*) ont été dans le passé de très grandes langues de civilisation: l'égyptien, le babylonien, le sumérien, le phénicien, le cananéen, l'hébreu. Ces langues **sémitiques**, aujourd'hui disparues à l'exception de l'hébreu, ont été supplantées par l'araméen dès les premiers siècles de notre ère; l'araméen a été supplanté à son tour par l'arabe. Dans le groupe **sémitique**, seuls l'amharique (6 millions de locuteurs), la langue officielle de l'Éthiopie, et l'arabe (150 millions) constituent des langues importantes; l'araméen est en voie d'extinction (moins de 100 000 locuteurs) et l'éthiopien n'est plus que la langue liturgique de l'Église éthiopienne. L'arabe comprend cependant un très grand nombre de variétés dialectales, que seule la tradition empêche de considérer comme des langues distinctes. C'est pourtant ce type d'arabe qui est parlé par tous, bien qu'il soit dévalorisé par rapport à l'arabe classique (la langue du Coran) et à l'arabe intermédiaire (véhiculé par les médias).

Dans le groupe **chamite**, le sous-groupe **égyptien** est formé de l'égyptien ancien (disparu) et du copte, qui en descend; celui-ci est demeuré la langue liturgique des coptes chrétiens d'Égypte. Quant au berbère (11 millions de locuteurs), il est fragmenté en 24 langues et s'en trouve d'autant plus concurrencé par l'arabe. Des 80 langues **couchitiques** (15 millions de locuteurs), seuls le somali et le galla dépassent le million de locuteurs.

Dans le groupe **tchadien**, que certains linguistes rattachent aux langues **chamito-sémitiques**, le haoussa prédomine: il rassemble une population de près de 25 millions de personnes.

Ainsi, avec ses 200 millions de locuteurs, la famille **chamito-sémitique** demeure l'une des familles les plus importantes du monde, tant par son histoire que par le nombre et la distribution géographique de ses locuteurs.

5 LA FAMILLE DRAVIDIENNE

Cinquième par le nombre de ses locuteurs (170 millions), la famille **dravidienne** réunit une trentaine de langues (*voir le tableau 8.6*), parlées principalement dans le

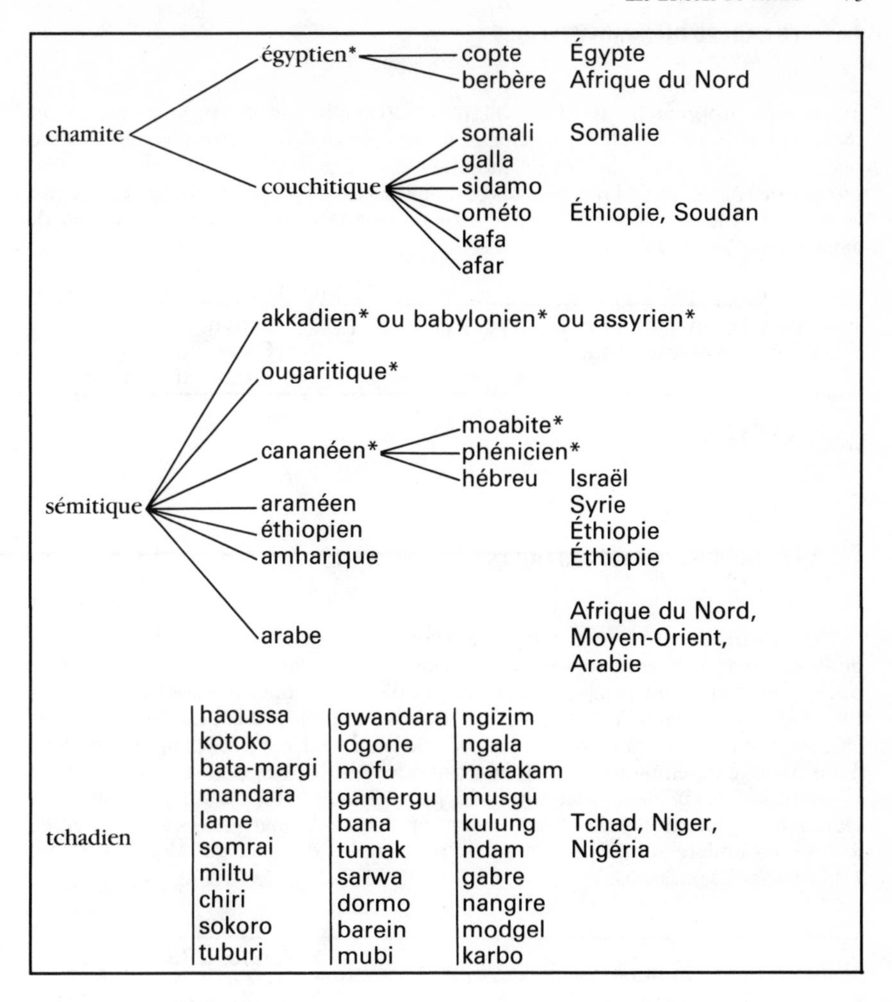

TABLEAU 8.5 LA FAMILLE CHAMITO-SÉMITIQUE

sud de l'Inde. Quatre de ces langues regroupent presque toute la population (165 millions sur 170) parlant l'une des langues dravidiennes: télougou, tamoul, kanara, malayalam.

Inde méridionale	Inde centrale
télougou	toulou
tamoul	malto
kanara	gondi
malayalam	kurukh
	koui
	kharia

TABLEAU 8.6 LA FAMILLE DRAVIDIENNE

6 LE GROUPE DU NORD-ASIATIQUE

Le JAPONAIS proprement dit (110 millions de locuteurs) et le KYUKYU (moins d'un million) forment la famille **japonaise**. À lui seul, le japonais arrive donc en sixième place dans les grandes familles du monde. On y rattache parfois le CORÉEN (famille **coréenne**) parce que celui-ci aurait avec le japonais une parenté lointaine; dans ce cas, le japonais et le coréen forment un groupe de langues appelé le **groupe du Nord-asiatique** (*voir le tableau 8.7*).

famille **japonaise**: japonais, kyukyu	Japon
famille **coréenne**: coréen	Corée du Nord, Corée du Sud

TABLEAU 8.7 LE GROUPE DU NORD-ASIATIQUE

7 LES LANGUES OURALO-ALTAÏQUES

La famille **ouralienne** (*voir le tableau 8.8*) rassemble une population de 25 millions de locuteurs répartis en une trentaine de langues. Cette famille, appelée aussi finno-ougrienne, comprend principalement le finnois et le hongrois, dont les origines remontent assez loin dans le temps, dans les régions situées à l'ouest de l'Oural (les chaînes de montagnes qui séparent l'Europe de l'Asie, en URSS). Les peuples ouraliens n'ont pas d'unité ethnique; ils ont été profondément brassés et divisés au cours de l'histoire sous les poussées successives des peuples indo-européens et turcs. Parmi les Ouraliens, mentionnons les Finnois, les Lapons, les Hongrois, les Estoniens, les Samoyèdes émigrés en Sibérie et les autres peuples de la Volga (Morvdes, Komi, Tchérémisses, Votiaks, etc.).

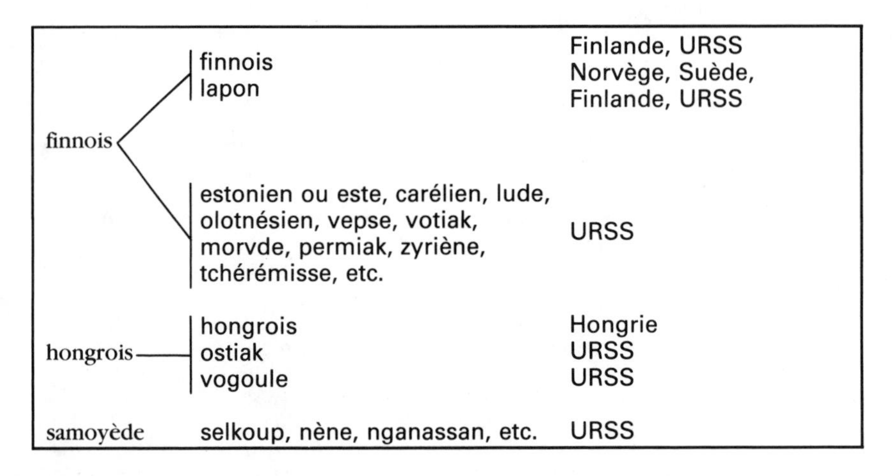

finnois	finnois lapon	Finlande, URSS Norvège, Suède, Finlande, URSS
	estonien ou este, carélien, lude, olotnésien, vepse, votiak, morvde, permiak, zyriène, tchérémisse, etc.	URSS
hongrois	hongrois	Hongrie
	ostiak	URSS
	vogoule	URSS
samoyède	selkoup, nène, nganassan, etc.	URSS

TABLEAU 8.8 LA FAMILLE OURALIENNE

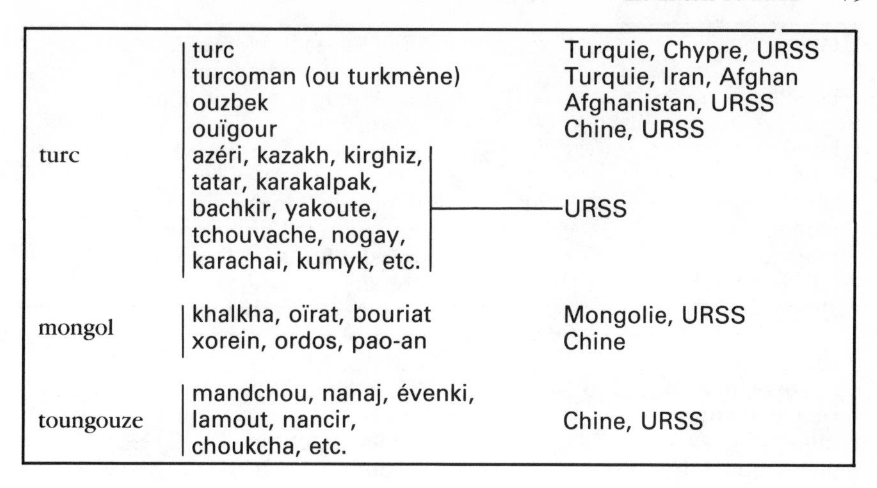

turc	turc	Turquie, Chypre, URSS
	turcoman (ou turkmène)	Turquie, Iran, Afghan
	ouzbek	Afghanistan, URSS
	ouïgour	Chine, URSS
	azéri, kazakh, kirghiz, tatar, karakalpak, bachkir, yakoute, tchouvache, nogay, karachai, kumyk, etc.	URSS
mongol	khalkha, oïrat, bouriat	Mongolie, URSS
	xorein, ordos, pao-an	Chine
toungouze	mandchou, nanaj, évenki, lamout, nancir, choukcha, etc.	Chine, URSS

TABLEAU 8.9 LA FAMILLE ALTAÏQUE

La famille **altaïque** (*voir le tableau 8.9*) regroupe une cinquantaine de langues, dont les langues **turques** (Turquie, URSS, Chine), **mongoles** et **toungouzes**, aux confins de l'URSS et de la Chine, à l'est. Le groupe de langues **turques** comprend, au sens strict du terme, le turc, puis l'azéri, le turkmène ou turcoman, l'ouzbek, le kirghiz, le kazakh, etc.; en tout, près de 70 millions de locuteurs parlent l'une des langues turques. Les autres parlent des langues du groupe **mongol**, principalement le khalkha, ou des langues du groupe **toungouze**, surtout le mandchou en Chine.

On rattache parfois les langues **ouraliennes** aux langues **altaïques**; elles forment alors un groupe élargi appelé **langues ouralo-altaïques**, ainsi nommées parce que la plupart sont parlées entre deux grands massifs montagneux de l'URSS: l'Oural à l'ouest et l'Altaï à l'est. Regroupées ainsi, les langues **ouralo-altaïques** rassemblent une population de 110 millions d'individus et arrivent en septième place par le nombre de leurs locuteurs.

8 LA FAMILLE BANTOUE

Les langues **bantoues** (*voir le tableau 8.10*) sont parfois rattachées à la famille nigéro-congolaise, une famille négro-africaine. La plupart des linguistes en font toutefois une famille indépendante en raison du grand nombre de ces langues (environ 400) et de leur étendue géographique considérable: près de la moitié du continent africain, au sud d'une ligne qui va du Cameroun au Kenya jusqu'à l'Afrique du Sud. On estime à 100 millions le nombre des locuteurs du **bantou**. Aussi cette famille est-elle la plus importante des familles négro-africaines et la huitième en importance dans le monde.

Une vingtaine de langues bantoues sont parlées par plus d'un million de personnes. Au premier rang, figure le swahili, parlé par au moins 40 millions de locuteurs. Puis suivent le bemba, le kinyarwanda, le zoulou, le xhosa, le kiroundi, le sotho, le kikongo, l'umbundu, le shona; une dizaine d'autres langues sont parlées chacune par un ou deux millions de locuteurs. Les 400 langues **bantoues**, avec leurs 100 millions de locuteurs, couvrent une vingtaine de pays d'Afrique.

swahili	Zaïre, Tanzanie, Malawi, Kenya, Ouganda, Somalie
lingala	République centrafricaine, Congo, Zaïre
bemba	Zambie
luba, ngala	Zaïre
zoulou, xhosa, swazi, tswana	Zimbabwe, Mozambique
tsonga	Mozambique, Zimbabwe
rwanda	Rwanda, Burundi, Ouganda, Tanganyika
shona	Zambie, Mozambique, Zimbabwe
sotho	Lesotho
ngamya, makonde, yao	Mozambique, Malawi
kikuyu, kamba	Kenya
mbugu	Angola, Tanzanie
ganda, luganda	Ouganda
tchagga, nyamwezi	Tanganyika

TABLEAU 8.10 LA FAMILLE BANTOUE

9 LA FAMILLE NIGÉRO-CONGOLAISE

La neuvième et dernière des grandes familles de langues, la famille **nigéro-congolaise**, occupe une aire géographique située entre celle des langues chamito-sémitiques de l'Afrique du Nord et celle des langues bantoues du Sud. Les langues nigéro-congolaises (*voir le tableau 8.11*) sont réparties en cinq groupes comptant environ 900 langues au total, parlées par plus de 80 millions de locuteurs.

Du groupe **ouest-atlantique** (17 millions de locuteurs), on retiendra surtout le fulani, le peul et le wolof. Du groupe **mandingue** (15 millions), le bambara et le malinké sont les langues les plus connues, alors que dans le groupe **gur** (12 millions), ce sont le mossi et le sénufo. Le groupe **kwa** (plus de 32 millions) est manifestement le plus important, tant par la quantité de langues en présence (quelques centaines) que par le nombre de locuteurs. Seules les langues suivantes dépassent le million de locuteurs: le yorouba, l'ibo, l'akan, l'éwé et le bino-édo. Enfin, un groupe **bantoïde** (9 millions) se rattache à la famille nigéro-congolaise; il est formé de plusieurs dizaines de langues mineures (en moyenne: 100 à 200 000 locuteurs chacune).

Le tableau 8.12 résume la répartition des grandes familles linguistiques du monde et une carte (*voir la figure 8.1*) illustre la distribution des principaux groupes de langues.

10 LES AUTRES FAMILLES DE LANGUES DANS LE MONDE

Rappelons que toutes les autres familles du monde, au nombre de moins de 200, totalisent 4,1 % de la population de la planète, soit 186 millions d'individus: presque une famille de langues par tranche d'un million de population. Parmi ces nombreuses familles, quelques-unes méritent d'être citées.

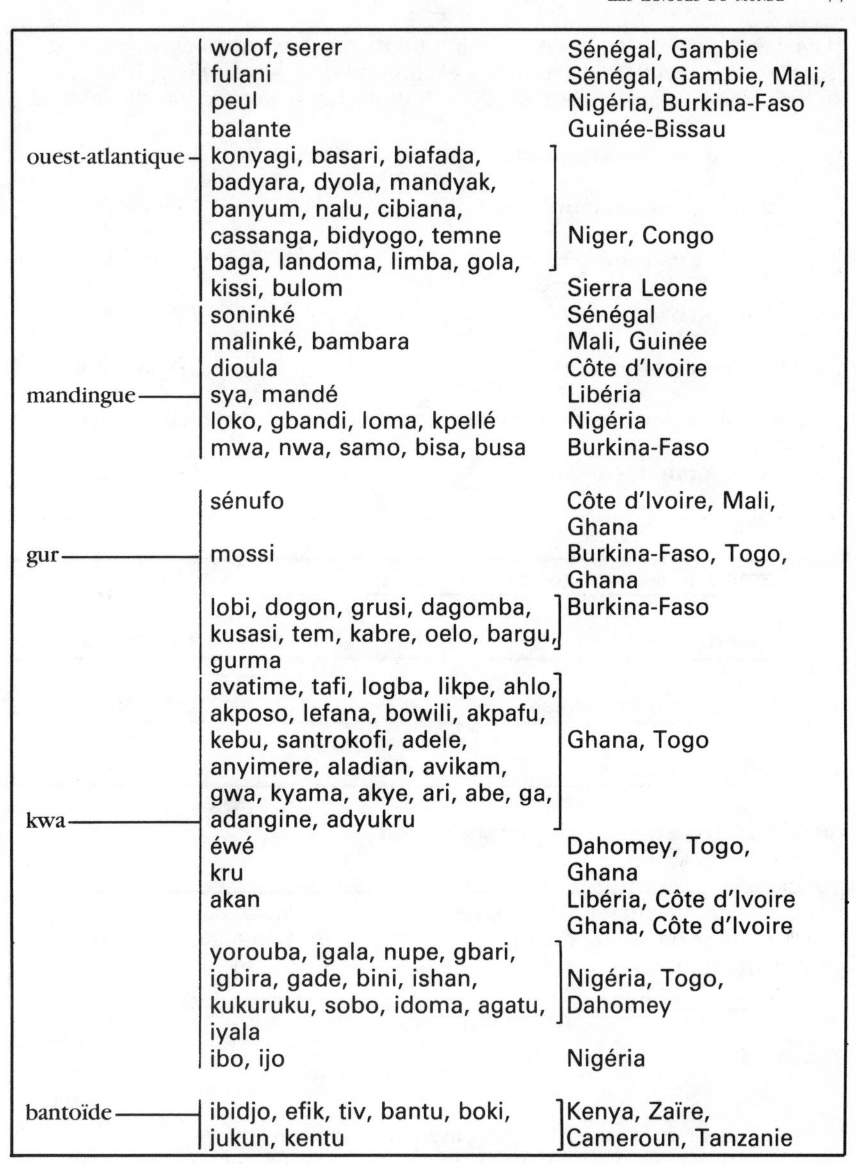

	wolof, serer	Sénégal, Gambie
	fulani	Sénégal, Gambie, Mali,
	peul	Nigéria, Burkina-Faso
	balante	Guinée-Bissau
ouest-atlantique	konyagi, basari, biafada,	
	badyara, dyola, mandyak,	
	banyum, nalu, cibiana,	
	cassanga, bidyogo, temne	Niger, Congo
	baga, landoma, limba, gola,	
	kissi, bulom	Sierra Leone
	soninké	Sénégal
	malinké, bambara	Mali, Guinée
	dioula	Côte d'Ivoire
mandingue	sya, mandé	Libéria
	loko, gbandi, loma, kpellé	Nigéria
	mwa, nwa, samo, bisa, busa	Burkina-Faso
	sénufo	Côte d'Ivoire, Mali,
		Ghana
gur	mossi	Burkina-Faso, Togo,
		Ghana
	lobi, dogon, grusi, dagomba,	Burkina-Faso
	kusasi, tem, kabre, oelo, bargu,	
	gurma	
	avatime, tafi, logba, likpe, ahlo,	
	akposo, lefana, bowili, akpafu,	
	kebu, santrokofi, adele,	Ghana, Togo
	anyimere, aladian, avikam,	
	gwa, kyama, akye, ari, abe, ga,	
kwa	adangine, adyukru	
	éwé	Dahomey, Togo,
	kru	Ghana
	akan	Libéria, Côte d'Ivoire
		Ghana, Côte d'Ivoire
	yorouba, igala, nupe, gbari,	
	igbira, gade, bini, ishan,	Nigéria, Togo,
	kukuruku, sobo, idoma, agatu,	Dahomey
	iyala	
	ibo, ijo	Nigéria
bantoïde	ibidjo, efik, tiv, bantu, boki,	Kenya, Zaïre,
	jukun, kentu	Cameroun, Tanzanie

TABLEAU 8.11 LA FAMILLE NIGÉRO-CONGOLAISE

L'ASIE

La famille **austro-asiatique** (*voir le tableau 8.13*) compte environ 55 langues disséminées un peu partout dans le Sud-Est asiatique. À part le vietnamien (50 millions de locuteurs), le khmer (7 millions), le santali (3 millions), toutes ces langues sont parlées par des populations très faibles en nombre; elles sont presque en voie d'extinction. Le vietnamien et le khmer sont les seules langues de ce groupe à avoir acquis un statut officiel.

Les familles indo-européenne, sino-tibétaine, austronésienne, chamito-sémitique, dravidienne, japonaise et coréenne, ouralo-altaïque, bantoue et nigéro-congolaise regroupent 96,5 % de toute la population du monde.

Famille	Population
Famille **indo-européenne**	2 160 000 000
Famille **sino-tibétaine**	1 125 000 000
Famille **austronésienne**	200 000 000
Famille **chamito-sémitique**	200 000 000
Famille **dravidienne**	170 000 000
Famille **japonaise** et **coréenne**	169 000 000
Famille **ouralo-altaïque**	110 000 000
Famille **bantoue**	100 000 000
Famille **nigéro-congolaise**	80 000 000
Total des neuf familles	4 314 000 000
Autres familles réunies	186 000 000
Population totale	4 500 000 000

TABLEAU 8.12 LES GRANDES FAMILLES LINGUISTIQUES DU MONDE

Langues	Régions
munda: santali, kharia, kurku, sora	Bihar, Orissa (Inde)
môn, khmer ou cambodgien	Birmanie, Kampuchea
vietnamien, muong	Viet-nam
jakun, sakai, semang, khasi	Malaisie, Inde

TABLEAU 8.13 LA FAMILLE AUSTRO-ASIATIQUE

On trouve aussi, en Asie, les langues **paléo-sibériennes** (*voir le tableau 8.14*); ces langues, sans lien de parenté apparent, peuvent être considérées comme des vestiges de langues anciennes dont l'expansion aurait été plus importante dans le passé. Aujourd'hui, on ne compte plus qu'une dizaine de langues paléo-sibériennes, pour moins de 23 500 locuteurs. Supplantées par le russe et les langues altaïques, ces langues auront définitivement disparu d'ici deux ou trois générations.

chukchi	koryak	gilyak	
jukaghir	yuit	ket	URSS, Alaska
kamchadale	tchouktche		

TABLEAU 8.14 LES LANGUES PALÉO-SIBÉRIENNES

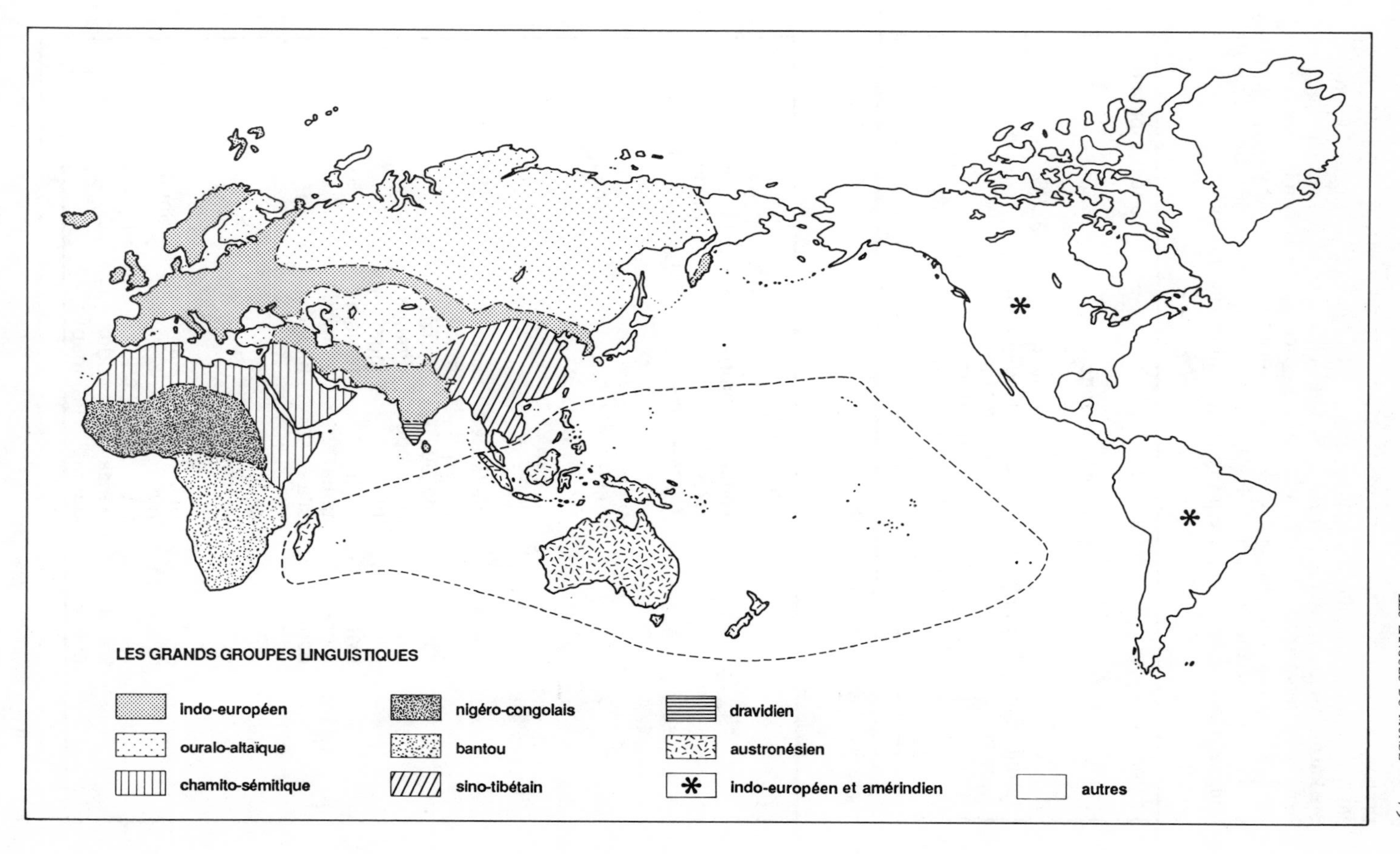

FIGURE 8.1 LES GRANDS GROUPES LINGUISTIQUES DU MONDE

L'EUROPE

Nous ne pouvons retenir, pour l'Europe, qu'un seul groupe de langues: le groupe **euskaro-caucasien** (*voir le tableau 8.15*). Celui-ci comprend deux familles dont les liens de parenté n'ont pas été démontrés avec certitude: la famille **basque** ne comprend qu'une seule langue, l'euskara ou basque (un million de locuteurs), et la famille **caucasienne**, une quarantaine. Les langues caucasiennes ne totalisent pas 10 millions d'individus; à lui seul le géorgien en compte cinq millions.

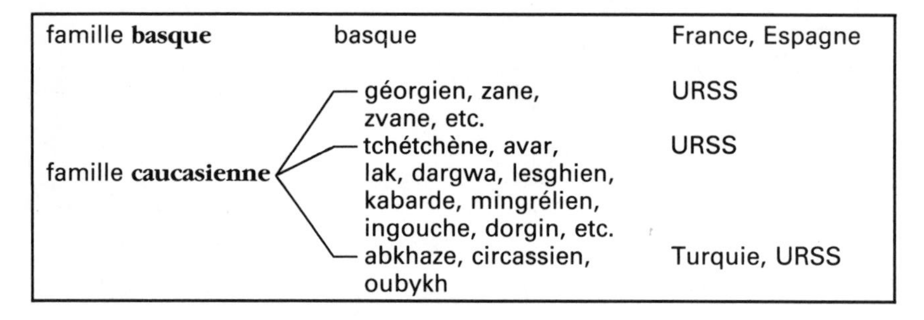

famille **basque**	basque	France, Espagne
famille **caucasienne**	géorgien, zane, zvane, etc.	URSS
	tchétchène, avar, lak, dargwa, lesghien, kabarde, mingrélien, ingouche, dorgin, etc.	URSS
	abkhaze, circassien, oubykh	Turquie, URSS

TABLEAU 8.15 LE GROUPE EUSKARO-CAUCASIEN

songhaï		songhaï		Niger, Mali, Bénin
saharien		kanuri, kanembu, forein, teda, daza, zaghawa, berti		Soudan, Tchad, Nigéria, Niger
maban		maba runga mimi		Tchad
fur		fur		Tchad
Chari-Nil	nubien midod sari surma longari nyima merarit dagu	nilotique birked mekau masongo barea afitti tama sila	kordofan murle murzu didinga ingassana temein sungor baygo	Soudan
	burun nuer	shilluk dinka		Soudan
	bari tenso	masai nyangiya	nandi	Soudan
koman	koma gule	ganza gumuz	uduk mao	Soudan

TABLEAU 8.16 LA FAMILLE NILO-SAHARIENNE

L'AFRIQUE

En Afrique noire, une seule famille reste importante: la famille **nilo-saharienne** (*voir le tableau 8.16*). Celle-ci comprend cinq groupes, dans lesquels sont réparties une centaine de langues parlées par 26 millions de personnes résidant principalement au Niger et au Tchad. Le groupe **Chari-Nil** en accapare 20 millions, avec plus de 60 langues; seule la langue dinka atteint le million de locuteurs. Dans les lautres groupes, le songhaï (groupe **songhaï**) arrive à deux millions, le kanuri et le forien (groupe **saharien**) respectivement à trois et à un million; les groupes **maban**, **fur** et **koman** restent très marginaux.

Au centre de cette même aire linguistique, on retrouve la petite famille **nigéro-kordofanienne** (*voir le tableau 8.17*), formant cinq groupes qui se répartissent une trentaine de langues dont aucune n'atteint les 100 000 locuteurs.

koalib, kanderma, heiban, laro, otoro, kawama, shwai, tira, moro, fungor	Niger, Tchad
tegali, rashad, tagoi, tumale	Niger, Tchad
talodi, lafofa, eliri, masakin, tacho, lumun	Niger, Tchad
tumtum, tuleshi, keiga, karondi, krongo, miri, kadugli, katcha	Niger, Tchad
katla, tima	Niger, Tchad

TABLEAU 8.17 LA FAMILLE NIGÉRO-KORDOFANIENNE

Enfin, au sud-est de l'Afrique, les langues **khoïsanes** (*voir le tableau 8.18*) constituent la dernière petite famille linguistique, avec seulement quatre langues, toutes en voie d'extinction et dont le total ne dépasse pas les 150 000 locuteurs.

hottentot	Namibie, Afrique du Sud
bochiman	Afrique du Sud, Zambie, Botswana
sanbawe, hatsa	Tanganyika

TABLEAU 8.18 LA FAMILLE KHOÏSANE

LES LANGUES PAPOUES DE L'OCÉANIE

En Océanie, on compte 738 langues **papoues** (selon le recensement de Wurm, 1981) pour une population de moins de trois millions d'habitants. Ces nombreuses langues sont dispersées en une douzaine de familles, dont les liens de parenté ne sont pas tous certains; une demi-douzaine de ces langues sont même demeurées inclassables. La moyenne des locuteurs de chacune de ces langues varie de 200 individus à 150 000 (cas rare).

LES LANGUES AMÉRINDIENNES D'AMÉRIQUE

C'est en Amérique que l'on trouve la plus grande concentration de familles linguistiques. On compterait plus de 50 familles amérindiennes (environ 200 langues) en

Amérique du Nord pour moins de 500 000 locuteurs. C'est *le continent de l'émiettement linguistique*. Les principales familles sont les suivantes: la famille **eskimo-aléoute**: 100 000 locuteurs (*voir le tableau 8.19*), la famille **algonkine**: 168 000 (*voir le tableau 8.20*), la famille **athabaskan** ou **na-déné**: 191 000 (*voir le tableau 8.21*), la famille **natchez-muskogee**: 51 000 (*voir le tableau 8.22*), la famille **iroquoise**: 42 000 (*voir le tableau 8.23*), la famille **hoka-sioux**: 87 000 (*voir le tableau 8.24*), la famille **mosan**: 10 000 (*voir le tableau 8.25*).

Seulement une dizaine de langues sont parlées par plus de 10 000 locuteurs. La moyenne de la plupart des langues varie entre 1 000 et 3 000 locuteurs, et plusieurs sont parlées par quelques centaines d'individus, sinon quelques personnes, généralement âgées de plus de 50 ans. Dans de telles conditions, il ne faut pas se leurrer: ces langues sont appelées à disparaître, submergées par la langue anglaise.

eskimo	inupik, youpik	URSS, Alaska, Canada, Groenland
aléoute	aléoutien	Alaska

TABLEAU 8.19 LA FAMILLE ESKIMO-ALÉOUTE

algonkin	cree, montagnais, naskapi, menominee, sauk, fox, kickapoo, shawnee, potawatomi, chippewa, ottawa, algonkin, delaware, munsee, penobscot, abénaki, malecite, micmac, cheyenne, passamaquoddy, piegan, blood, pied-noir, arapaho, atsina, illinois, ojibwa (États-Unis, Canada)
waska	nooka, nitinat, makah, kwakiutl, kitimat, bella bella (Colombie-Britannique)
wiyot	wiyot (nord de la Californie)
yurok	yurok (nord de la Californie)
kutenai	kutenai (Montana, Idaho, Colombie-Britannique)
quileute	quileute (Washington)

TABLEAU 8.20 LA FAMILLE ALGONKINE

Nord	dogrib, hare, bear lake, chipewyan, yellowknife, kutchin, tanana, koyukon, han, tutchone, sekani, sarsi, beaver, stonies, carrier, chilcotin, kaska, tahltan, tanaina, ingalik (Canada)
Pacifique	hupa, kuta, wailaki, chasta-costa, mattole, tolowa (Californie)
Sud	jirarilla, lipan, apache, chiricahua, mescalero, navaho (Nouveau-Mexique, Arizona, Oklahoma)
(isolats)	eyak, tlingit, haida (Alaska)

TABLEAU 8.21 LA FAMILLE ATHABASKAN (OU NA-DÉNÉ)

natchez	creek (Floride)
muskogee	choctaw, chickasaw, alabama, mikasuki, hitchiti, séminole (Texas, Oklahoma, Floride)

TABLEAU 8.22 LA FAMILLE NATCHEZ-MUSKOGEE

cherokee (Oklahoma, Caroline du Nord)
tuscarora (Caroline du Nord, New York)
huron, érié, oneida (Pennsylvanie)
mohawk (New York)
seneca, cayuga, onandaga (New York, Oklahoma)
wyandot (Oklahoma)

TABLEAU 8.23 LA FAMILLE IROQUOISE

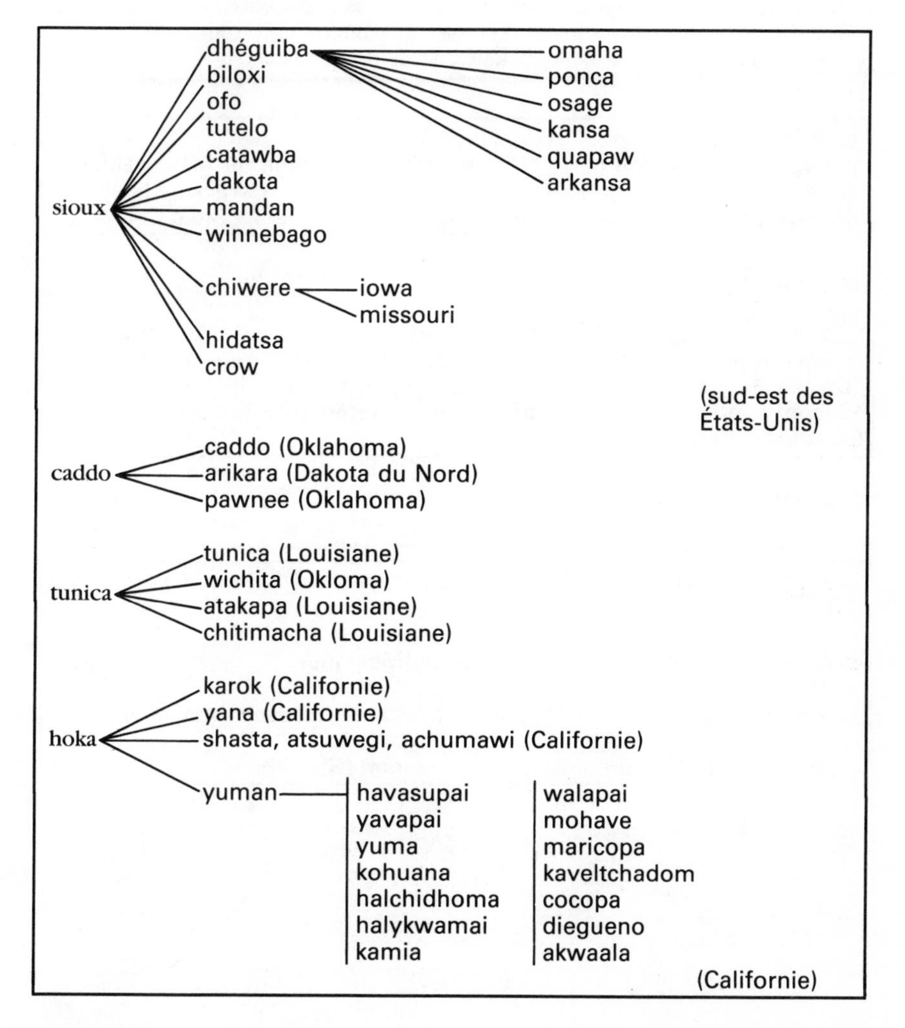

TABLEAU 8.24 LA FAMILLE HOKA-SIOUX

lilloet, shuswap, okanagon, kalispel, pend-d'oreille, spokan, coeur-d'alène, wenatchi, tillamook, chehalis, cowlitz, quinault, lummi, songish, clallam, nanaimo, squamish, comox-sishiatl, bella coola (Montana, Washington, Oregon, Colombie-Britannique)

TABLEAU 8.25 LA FAMILLE MOSAN

On aurait dénombré jusqu'à 2 000 langues amérindiennes en Amérique centrale et en Amérique du Sud. Environ 85 familles de langues se partageraient ces 2 000 langues parlées par une population totalisant 25 millions de locuteurs. On retiendra surtout les familles **uto-aztèque, maya, otomangue, quechua, guaranie, aymara, arawak, araucan, panoan** et **chibcha** (*voir les tableaux 8.26 à 8.31*).

Ces familles de langues rassemblent de 300 000 à 8 millions de locuteurs selon leur importance. Quant aux langues elles-mêmes, seulement cinq d'entre elles sont parlées par plus de 300 000 locuteurs; il s'agit des langues **andino-équatoriales** comme le quechua (8 millions), le guarani (3 millions), l'aymara (1,5 million) ainsi que les langues mexicaines nahuatl (0,9 million) et maya (0,5 million). Ce sont d'ailleurs à peu près les seules langues qui aient quelque chance de se maintenir.

nahuatl (ou langue aztèque) (Mexique) papago, pima, tarahumara, cora, huichol, comanche, luiseno, cahuilla, cupeno, tubatulabal, hopi, ute, paiute, chemehuevi, kawaiisu, shoshoni, gosiute, panamint, mono, bannock, snake (Californie, Nevada, Colorado)

TABLEAU 8.26 LA FAMILLE UTO-AZTÈQUE

maya (proprement dit), ixil, tzeltal, tzotzil, chol, tojolabal, yucatec, huaxtec, itza, jacalteco, motozintleco, tzutuhil, uspanteco, cakchiquel, huasteco, chicomucelteco, quehache, aguaceteco, poton (Mexique, Guatemala, Honduras, Salvador)

TABLEAU 8.27 LA FAMILLE MAYA

otomian	otomi, mazahua, atzinca, matlame, matlazinca, ocuilteco, quata, meco, pame, tonaz (Mexique)
popolocan	chocho, ixcateco, popoloca (Mexique)
mazatecan	guatini-camame, guerrero, oaxaca, tabasco (Mexique)
manguean	cholutèque (Honduras), mangue (Nicaragua)

TABLEAU 8.28 LA FAMILLE OTOMANGUE

langues andines	famille **quechua**: 27 langues (Colombie, Équateur, Pérou, Chili, Bolivie, Argentine) famille **aymara**: 14 langues (Pérou, Bolivie) famille **puelche**: puelche (Argentine); yahgan (Chili) famille **araucan**: 13 langues (Argentine, Chili) famille **tehuelche**: inaquen, payniquen, poya, teuex (Argentine)
langues équatoriales	famille **arawak**: 132 langues (Venezuela, Colombie, Antilles, Cuba, Haïti, Brésil, Pérou, Paraguay, Bolivie) famille **tupi**: 73 langues (Brésil, Pérou, Guyane) famille **guaranie**: 34 langues (Bolivie, Argentine, Paraguay, Brésil) famille **cariri**: 5 langues (Brésil) famille **zamucoan**: 13 langues (Paraguay, Brésil, Bolivie) famille **guahibo-pamiguan**: 10 langues (Venezuela, Colombie)

TABLEAU 8.29 LES LANGUES ANDINO-ÉQUATORIALES

famille **caraïbe**: 159 langues (Guyane, Colombie, Honduras, Guatemala, Brésil, République dominicaine, Venezuela, Panama)
famille **ge**: 47 langues (Brésil)
famille **purian**: 18 langues (Brésil)
famille **borotuque**: 12 langues (Brésil, Bolivie)
famille **panoan**: 123 langues (Pérou, Brésil, Bolivie, Paraguay, Argentine)
famille **nhambicuara**: 10 langues (Brésil)
famille **huarpe**: 5 langues (Argentine)

TABLEAU 8.30 LES LANGUES DU GE-PANO-CARAÏBE

chibcha du Pacifique: 20 langues (Costa-Rica, Panama, Colombie)
talamca: 19 langues (Costa-Rica, Panama)
barbacoan: 25 langues (Panama, Équateur, Colombie)
chibcha de l'Est: 13 langues (Colombie, Nicaragua)

TABLEAU 8.31 LA FAMILLE CHIBCHA

11 LES LANGUES CRÉOLISÉES OU PIDGINISÉES

Dans ce tour d'horizon des familles de langues, on ne saurait passer sous silence le cas des langues CRÉOLISÉES OU PIDGINISÉES. Trop souvent, ces parlers sont considérés comme des corruptions de l'anglais, du français ou du portugais, à peine dignes d'être nommées. On parle de langue créolisée ou pidginisée lorsque deux langues se sont mélangées au cours de leur histoire pour en former une troisième, distincte des deux premières.

Les **créoles** se sont formés aux XVIe et XVIIe siècles, par suite de la traite des esclaves noirs par les puissances coloniales de l'époque (particulièrement la Grande-Bretagne, la France, le Portugal, l'Espagne, les Pays-Bas). Aussi trouve-t-on surtout des créoles à base anglaise, française, portugaise, espagnole et néerlandaise. Les créoles sont parlés en Louisiane et aux Antilles, de même que dans l'océan Indien (archipel des Seychelles, île de la Réunion, île Maurice et île Rodrigues).

Certains linguistes prétendent que les créoles sont des *langues mixtes*: la morphologie et la syntaxe seraient africaines, et le lexique serait à base de français (ou d'anglais, d'espagnol, etc., selon la langue coloniale d'origine). Or, il n'est pas prouvé scientifiquement qu'une origine commune africaine puisse être attribuée à la fois aux créoles des Antilles et à ceux de l'océan Indien. C'est pourquoi d'autres linguistes croient qu'il existe une parenté génétique entre les créoles et que la source est indo-européenne, c'est-à-dire qu'il faut chercher l'origine des créoles dans le français populaire du XVIIe siècle (ou l'anglais populaire, l'espagnol, etc.).

Un **pidgin** correspondrait à un système linguistique doté de structures rudimentaires (lexique réduit, structures grammaticales élémentaires) et de fonctions sociales limitées. Le pidgin n'est la langue maternelle d'aucun des locuteurs qui l'utilisent. On parle de créole lorsque le pidgin devient la langue maternelle d'une portion ou de l'ensemble d'une communauté linguistique qui l'a adopté.

Selon un recensement effectué en 1977 par Ian Hancock[1], on dénombrerait 127 créoles ou pidgins dans le monde:

35 à base d'anglais	6 à base d'allemand
15 à base de français	1 à base de slave
14 à base de portugais	6 à base amérindienne
7 à base d'espagnol	21 à base africaine
5 à base de néerlandais	10 à base non indo-européenne (asiatique)
3 à base d'italien	

La population créolophone à base française est estimée à environ 8 millions de locuteurs, dont 5 à 6 millions en Haïti, 900 000 à l'île Maurice, 485 000 à la Réunion, 650 000 en Martinique et en Guadeloupe, etc. Par ailleurs, le statut des créoles et des pidgins dans le monde est généralement infériorisé. Parmi les rares États où l'on a reconnu officiellement ces parlers (qui sont des langues), mentionnons l'archipel des Seychelles (58 000 habitants), qui a reconnu le créole comme l'une de ses langues officielles (avec l'anglais et le français), et le Vanuatu (autrefois les Nouvelles-Hébrides) en Mélanésie (127 000 habitants), qui a reconnu son pidgin mélanésien, le bichlamar, comme sa «langue officielle parlée».

1. Voir «Repertory of Pidgin and Creole Languages», dans *Pidgin and Creole Linguistics*, cité par Robert CHAUDENSON, *Les créoles français*, Paris, Nathan, 1979.

12 LES LANGUES ARTIFICIELLES

Nous allons terminer ce chapitre en abordant le cas des langues dites artificielles, appelées ainsi par opposition aux langues dites naturelles. Les langues artificielles ont été créées de façon systématique, quelquefois de toutes pièces, pour permettre l'intercompréhension entre individus de langues différentes, quel que soit leur pays d'origine. On a pu créer 200 langues de ce type dans le monde, mais seuls le VOLAPÜK et l'ESPÉRANTO ont connu quelque succès. Dans l'ensemble, ces langues se veulent internationales et universelles, bien qu'elles aient été créées à partir d'une langue naturelle déjà constituée ou d'un groupe de langues naturelles, auxquelles elles empruntent certains traits tout en essayant d'éviter ce qui est trop spécifique à une langue en particulier.

Le VOLAPÜK a été créé en 1880 par Martin Schleyer, mais cette langue n'a pas connu le succès escompté en raison de son système arbitraire et trop compliqué. L'ESPÉRANTO, inventé en 1887 par le Polonais Lazare Ludovic Zamenhof, a connu un sort plus heureux. Son système a été conçu en fonction de critères visant la plus grande internationalité possible et une extrême simplicité. Zamenhof a puisé largement dans les langues indo-européennes (surtout le latin, l'espagnol, le français, l'anglais) et la grammaire de l'espéranto s'apprendrait en moins de 24 heures. On estime à 15 millions le nombre d'espérantistes dans le monde; ils utilisent cette langue surtout dans les congrès internationaux ainsi que dans les publications culturelles et scientifiques.

Bien que l'espéranto soit très facile à apprendre, son succès demeure encore relatif après 100 ans d'existence, et l'idéologie qui présidait à sa création échappe à la plupart des gens. Son créateur y avait vu un moyen de mettre fin à la lutte raciale entre Polonais et Russes dans sa ville, Bialystok. Or, on ne parle pas une langue sous prétexte qu'elle aurait la vertu d'unir les peuples autour d'une langue commune et universelle, mais pour des raisons plus fonctionnelles. Ainsi, les États tiennent toujours à conserver l'usage de leur propre langue et à le promouvoir. Quant aux individus ou aux organismes scientifiques, ils préfèrent recourir à une langue déjà établie qui leur rapporte des avantages économiques et du prestige; pour le moment, c'est l'anglais qui fait office de langue universelle.

C H A P I T R E **9**

LA DISTRIBUTION GÉOGRAPHIQUE DES LANGUES

Les langues et les familles de langues ont connu des sorts différents au cours de l'histoire. Dans certaines parties du monde, les processus de développement des langues nationales et les efforts d'unification politique ont porté la cohésion linguistique à son degré maximal. Le cas est particulièrement manifeste dans les pays où l'on parle une langue indo-européenne, principalement en Europe et en Amérique. Ailleurs, l'interventionnisme en matière de langue vient de s'amorcer et porte parfois un dur coup aux langues minoritaires, dans la mesure où l'expansionnisme linguistique s'exerce au profit des grandes langues déjà bien établies. Malgré tout, de nombreuses langues minoritaires continuent de résister, les unes réussissant mieux que les autres!

1 LES LANGUES D'EUROPE

Le Portugal, l'Espagne, la France et l'Italie constituent un ensemble géographique continu de parlers romans, les langues **romanes**; à cet ensemble, il faut ajouter la Corse (le CORSE), la Sardaigne (le SARDE) et la Roumanie (le ROUMAIN). Ce sont des événements historiques — l'expansion et la désintégration de l'Empire romain — qui ont donné naissance à ces langues. Le PORTUGAIS (132 millions de locuteurs), l'ESPAGNOL (263 millions), le FRANÇAIS (80 millions), l'ITALIEN (66 millions) et le ROUMAIN (20 millions) sont devenus des langues nationales officielles dans leur pays d'origine et ont réussi à y rendre marginales les langues concurrentes, sinon à les éteindre complètement. Enfin, le portugais, l'espagnol et le français ont réussi à s'implanter hors de leurs frontières territoriales. Avec ses 132 millions de locuteurs (dont 10 millions seulement au Portugal), le PORTUGAIS s'est étendu au Brésil (119 millions), en Angola, en Guinée-Bissau et au Mozambique. L'ESPAGNOL s'est surtout implanté en Amérique centrale et en Amérique du Sud (19 États) ainsi qu'en Guinée équatoriale, totalisant 263 millions de locuteurs. Quant au FRANÇAIS, il a poursuivi son expansion en Amérique du Nord (particulièrement au Québec), aux Antilles (Haïti, Martinique, Guadeloupe, Guyane), en Afrique (16 États), dans l'océan Indien (Maurice, la Réunion, Comores) et en Océanie (Nouvelle-Calédonie, Loyauté, Polynésie française, Vanuatu). Parlé dans une trentaine de pays, le français est devenu la langue maternelle de 80 millions de personnes et une langue seconde de communication pour 50 millions d'autres.

L'ESPAGNOL n'a pu éclipser le CATALAN (8 millions de locuteurs) sur son propre territoire, pas plus qu'il n'a eu raison du basque; l'État espagnol a même dû accorder une certaine autonomie à la Catalogne, qui a fait du catalan sa langue officielle. En France, résistent encore à l'assimilation les Alsaciens (1,5 million), les Bretons (1 million), les Corses (300 000), les Occitans (8 millions), les Basques. Qu'en est-il dans les autres pays de parlers romans? L'Italie se heurte aussi à des minorités: française dans le Val d'Aoste (100 000), romanche dans le Frioul (500 000), allemande dans le Trentin — Haut-Adige (250 000), slovène en Vénétie-Julienne (25 000), sarde de Sardaigne (1,2 million), sans compter une quinzaine de variantes dialectales de l'italien dans le Sud. En Roumanie, il existe une importante minorité hongroise (1,5 million), et des minorités de langue allemande et bulgare. Toutes ces minorités, toutefois, que ce soit en Espagne, en France, en Italie ou en Roumanie, ne menacent aucunement les positions des langues officielles.

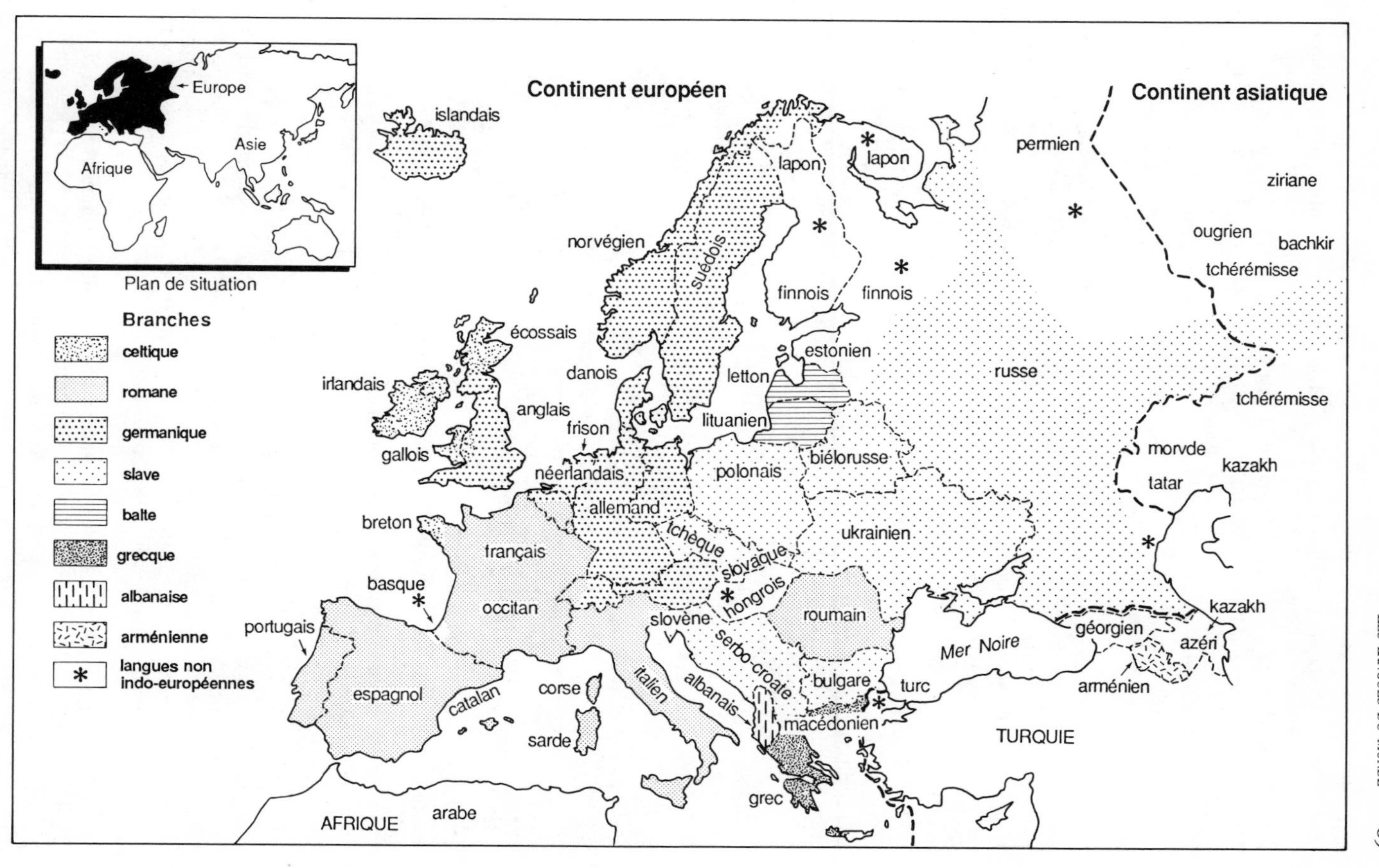

FIGURE 9.1 LES LANGUES D'EUROPE

L'aire des langues **germaniques** (*voir la figure 9.1*) est tout aussi remarquable. Le DANOIS (5 millions de locuteurs), le SUÉDOIS (8 millions), le NORVÉGIEN (4 millions), le NÉERLANDAIS (20 millions), l'ISLANDAIS (222 000) et l'ALLEMAND (120 millions) sont pratiquement restés confinés à leurs frontières d'origine; ils constituent tous des langues officielles. Mais c'est l'ANGLAIS qui, avec ses 352 millions de locuteurs, a connu l'expansion la plus considérable: plus de 50 pays couvrant tous les continents. De la Grande-Bretagne, l'anglais s'est implanté en Irlande, puis dans toute l'Amérique du Nord, aux Antilles (9 États), en Asie (Philippines, Singapour, Hong-Kong), en Afrique (17 États) et en Océanie (une vingtaine d'États).

Véritable langue impériale, l'anglais a dû évincer un grand nombre de langues; presque toutes les langues **celtiques** (GALLOIS, 700 000; IRLANDAIS, 55 500; ÉCOSSAIS, 87 000; CORNIQUE, disparu) sont en voie d'extinction, de même que les langues amérindiennes d'Amérique du Nord et la quasi-totalité des langues mélanésiennes, micronésiennes, polynésiennes, australiennes et papoues de l'Océanie. En tout, l'anglais aura contribué à faire disparaître bientôt plus de 2000 langues.

Les autres langues **germaniques** ont été plus limitées dans leur expansion. Par suite des deux dernières guerres mondiales, la langue allemande a été bloquée dans son impérialisme, dépossédée de ses langues soumises; elle doit se contenter désormais d'évincer les variantes dialectales sur son territoire et de faire disparaître le ROMANCHE, une langue romane en voie d'extinction en Suisse (canton des Grisons: environ 35 000 locuteurs âgés de plus de 50 ans). Quant au néerlandais, s'il n'a pas réussi à s'imposer définitivement dans les anciennes colonies hollandaises (il ne reste plus que le Surinam et les Antilles néerlandaises), il est en train d'éliminer le FRISON, la seule langue germanique en voie d'extinction, qui n'est plus parlé que dans le nord des Pays-Bas (425 000 locuteurs); cependant, le néerlandais a laissé une trace: l'AFRIKAANS, une langue parlée en Afrique du Sud par les descendants des colons néerlandais de l'Afrique australe, les Boers. Depuis 1925, l'afrikaans est une langue officielle en Afrique du Sud, au même titre que l'anglais. Enfin, on pourrait mentionner le cas du DANOIS, une ancienne langue impériale: il est encore en usage au Groenland, mais cet usage ne semble pas très significatif. Pour terminer, rappelons que 500 millions d'individus parlent l'une des neuf langues germaniques.

Les langues **slaves** constituent le troisième groupe de langues d'importance sur le continent européen, avec 300 millions d'usagers. L'interventionnisme linguistique a permis de conserver des langues comme le TCHÈQUE (11 millions de locuteurs), le SLOVAQUE (5 millions), le SLOVÈNE (2 millions), le SERBO-CROATE (17 millions), le BULGARE (9 millions) et le MACÉDONIEN (1,5 million); le POLONAIS, avec ses 34 millions de locuteurs, est encore la langue en meilleure position. L'aire slave orientale ou «russienne» a vu se constituer à côté du RUSSE (194 millions) les langues soeurs que sont l'UKRAINIEN (41 millions) et le BIÉLORUSSE (10 millions). À part le russe, aucune langue slave ne s'est vraiment étendue hors de son territoire; en revanche, la langue russe, originaire de la grande région de Moscou, pénètre progressivement à l'intérieur des 15 républiques fédérées et des 20 régions autonomes de l'URSS. De plus, le russe sert de langue internationale entre tous les pays de l'Est. On peut croire qu'à long terme la russification se poursuivra encore davantage, aux dépens des autres langues.

Sur la Baltique, le LITUANIEN (3 millions) et le LETTON (1,5 million) demeurent les seules langues du groupe **balte** à avoir survécu. D'ailleurs, ces langues ne doivent leur survie qu'à l'intervention des États, qui ont voulu les maintenir comme langues nationales; un fort nationalisme linguistique les a protégées en raison de leur imperméabilité au russe. Le lituanien et le letton appartiennent en effet aux langues baltes; les langues slaves paraissent, à côté de ces dernières, de véritables langues étrangères et non des langues voisines. De plus, contrairement aux autres républiques, la Lituanie et la Lettonie utilisent l'alphabet latin; partout ailleurs en URSS, l'alphabet cyrillique est en usage.

Dans le reste de l'Europe, on ne trouve plus que deux langues indo-européennes isolées: le GREC (10 millions) en Grèce et à Chypre et l'ALBANAIS (3 millions) en Albanie (2,5 millions) et en Yougoslavie (1,5 million). L'Antiquité avait fourni une multitude de langues grecques (entre le XIe et le IVe siècle avant notre ère): mycénien, dorien, éolien, ionien, attique, thessalien, laconien, crétois, rhodien, achéen, etc. Ces langues ont toutes été submergées par le grec classique, qui disparut avec la fin de l'Empire romain d'Orient. Des centaines de langues grecques, il ne reste plus que le grec dit moderne. Quant à l'albanais, issu de l'ancien illyrien, il s'est développé surtout depuis l'indépendance de l'Albanie, en 1912. Le grec et l'albanais forment donc des isolats dans le groupe des langues indo-européennes.

Parmi les autres langues d'Europe, mentionnons la présence de quatre langues de la famille **ouralienne**: le FINNOIS (5 millions de locuteurs) et le LAPON (en voie d'extinction: 33 000 locuteurs) en Finlande, l'ESTONIEN (1 million) en Estonie et le hongrois (13 millions) en Hongrie. Rappelons aussi la présence du BASQUE (1 million) en Espagne et en France, un autre isolat rattaché de loin aux langues **caucasiennes** (*voir le tableau 8.15*) de l'URSS.

La carte linguistique de l'Europe offre donc une relative cohésion, compte tenu du nombre de langues en présence (une soixantaine) par rapport à la population totale: 670 millions d'habitants. C'est un continent fortement marqué par l'interventionnisme des États en matière de langue; ce facteur a contribué, d'une part, à l'unification nationale et, d'autre part, à la réduction ainsi qu'à la suppression d'un nombre considérable de communautés linguistiques originales. Enfin, la création de la Communauté économique européenne a permis aussi de développer un autre type d'interventionnisme linguistique sur le plan international: l'exclusion d'une langue dominante entre États jaloux de leur autonomie, au profit de l'égalité entre toutes les langues de la Communauté (français, néerlandais, allemand, italien, anglais, danois, grec et espagnol).

2 L'URSS ET SA MOSAÏQUE LINGUISTIQUE

Premier État du monde par sa superficie (22 millions de kilomètres carrés: 2,2 fois le Canada), l'URSS est peuplée à 70 % dans la partie européenne (à majorité slave) de son territoire; c'est dire que 70 % des Soviétiques (189 millions) occupent 20 % du territoire, alors que les autres 30 % (81 millions) se répartissent sur 80 % de la superficie du pays. De plus, un citoyen soviétique sur deux n'est pas russe (russophone) et les diverses nationalités (48 %), officiellement au nombre de 180, forment un ensemble des plus hétérogènes. On compte en URSS 130 langues différentes reconnues, appartenant aux langues **indo-européennes** (20 % du territoire), **altaïques**, **ouraliennes**, **caucasiennes**, **paléo-sibériennes** (80 % du territoire au total) (*voir la figure 9.2*). De ces 130 langues, 112 ont un statut reconnu, dont près de 70 comme langues officielles d'une république fédérée, d'une région autonome ou d'un arrondissement national. Ces langues nationales sont considérées comme langues maternelles par plus de 90 % de leurs locuteurs. Bref, l'URSS est confrontée à la réalité du multilinguisme.

Le groupe des **Slaves** forme 74 % de la population soviétique (recensement de 1970) avec 130 millions de Russes, 41 millions d'Ukrainiens et 10 millions de Biélorusses. Concentré dans la partie européenne, ce groupe s'étend néanmoins en Asie à l'intérieur d'un étroit couloir qui passe juste au-dessus de la république du Kazakhstan pour suivre les frontières de la Mongolie et de la Chine jusqu'en Corée du Nord (*voir la figure 9.2*).

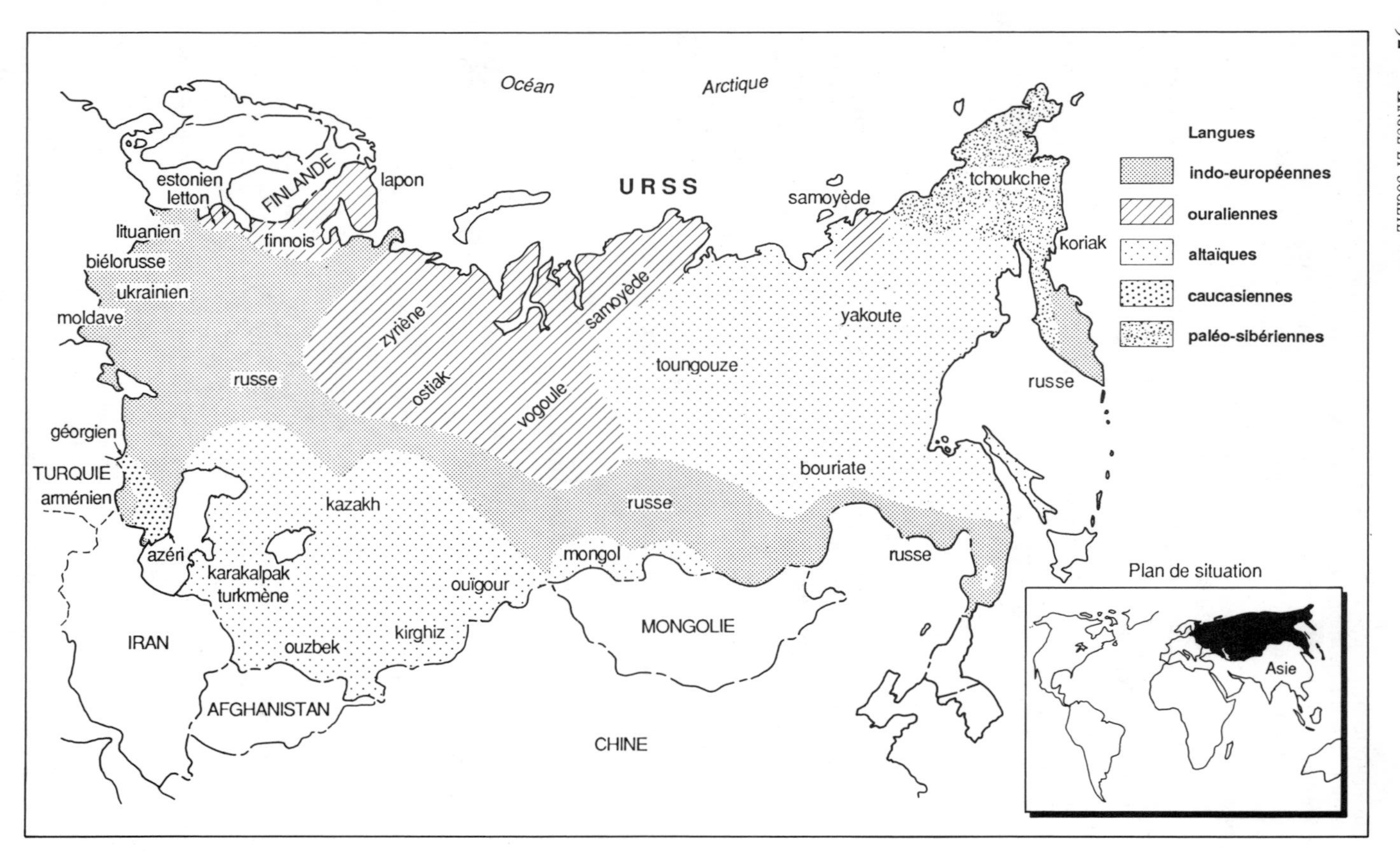

FIGURE 9.2 LES LANGUES DE L'URSS

Les langues **altaïques** arrivent au deuxième rang après les langues slaves, avec environ 50 millions de locuteurs. Certaines langues semblent plus avantagées que d'autres dans la mesure où elles sont concentrées à l'intérieur de républiques qui les protègent. Il s'agit surtout des langues altaïques **turques**, parlées au sud de l'URSS (*voir la figure 9.2*) entre la mer Caspienne et la Chine. Ces langues sont reconnues principalement dans les six républiques musulmanes: le Kazakhstan, le Turkménistan, le Tadjikistan, la Kirghizie, l'Ousbékistan et le Karakalpak, auxquels il faut ajouter la république de l'Azerbaïdjan, à l'ouest de la Caspienne. Les langues les plus importantes demeurent l'OUZBEK (15 millions de locuteurs), le TATAR (en Tatarie, au nord du Kazakhstan: 7 millions), le KAZAKH (14 millions), l'AZERBAÏDJANAIS (6 millions), l'OUÏGOUR (au Kazakhstan et en Kirghizie: 6 millions), l'AZÉRI (en Azerbaïdjan: 3 millions), le TURKMÈNE ou TURCOMAN (2 millions), le TCHOUVACHE (en Tchouvachie, sud de l'Ukraine: 1,8 million), le BACHKIR (en Bachkirie, nord du Kazakhstan: 1,4 million). À la frontière de l'Iran, on trouve une population de Tadjiks (Tadjikistan: 3 millions) parlant une langue **indo-iranienne**, le TADJIK.

Les autres langues altaïques sont parlées par des peuples dispersés dans les forêts ou les steppes de la Sibérie et occupant un territoire considérable (*voir la figure 9.2*). Aucune de ces langues ne dépasse les 300 000 locuteurs; aussi résistent-elles mal à la russification, d'autant plus qu'elles sont fort peu protégées. Il s'agit encore de langues **turques** (yakoute, touvinien, karakalpak, nogay, etc.), mais également de langues **mongoles** et **toungouzes** (*voir le tableau 8.9*).

Les langues de la famille **caucasienne** constituent le troisième groupe de langues en URSS. Ces quelque 40 langues, parlées uniquement dans les montagnes du Caucase entre la mer Noire et la mer Caspienne (*voir la figure 9.2*), comptent neuf millions de locuteurs. Le GÉORGIEN, à lui seul, est parlé par plus de 4,5 millions d'individus; toutes les autres langues du Caucase (*voir le tableau 8.15*) ont entre 50 000 et 350 000 locuteurs, à l'exception du TCHÉTCHÈNE (700 000) et de l'AVAR (400 000). Malgré leur faible population, les langues caucasiennes résistent farouchement à la langue russe. Ce sont des langues protégées par les montagnes; elles ont véhiculé de riches valeurs culturelles et sont identifiées à une longue tradition par chaque communauté.

Les langues de la famille **ouralienne** ne comptent que cinq millions de locuteurs en URSS; ceux-ci sont situés principalement près des frontières de la Finlande et dans la Sibérie occidentale (*voir la figure 9.2*). Seulement trois langues atteignent le million de locuteurs: l'ESTONIEN, le MORVDE et le PERMIAK. Dans ces conditions, les langues ouraliennes ne peuvent ambitionner de jouer un rôle bien important, même lorsqu'elles sont appuyées par une république fédérée (l'estonien en Estonie), une région autonome (carélien, morvde) ou un arrondissement national (votiak, tchérémisse, permiak, langues samoyèdes).

Les autres groupes linguistiques de l'URSS comprennent des langues **indo-européennes** et des langues **paléo-sibériennes**. Parmi les langues indo-européennes non slaves, rappelons le cas des langues **baltes** (LITUANIEN en Lituanie: 3 millions de locuteurs; LETTON en Lettonie: 1,5 million), mais aussi celui de l'ARMÉNIEN (4 millions) en Arménie, langue indo-européenne isolée, et du MOLDAVE (3 millions) en Moldavie, sorte de roumain dialectal modifié dans sa forme écrite par l'adoption de l'alphabet cyrillique.

Enfin, un mot au sujet des langues **paléo-sibériennes**. Avec 23 000 locuteurs, les quelque dix langues (*voir le tableau 8.14*) que l'on trouve dans cette région du nord-est de l'URSS semblent en voie d'extinction. Seul le GILYAK est parlé par plus de 1 000 personnes, sur les côtes de l'île Sakhaline (près du Japon).

L'URSS est certes confrontée au problème du multilinguisme. Le maintien de près de 70 langues officielles suppose l'existence d'écoles (de la maternelle à l'université), de publications culturelles et scientifiques, de médias écrits, de postes de radio et de télévision, etc., dans toutes ces langues. Quant au russe, il reste la langue des relations internationales des peuples de l'URSS. Néanmoins, une hiérarchie s'est établie, car les autorités insistent constamment sur le rôle du russe dans le rapprochement des nations et sur la nécessité d'un bilinguisme total pour l'unité nationale.

3 L'ASIE CENTRALE

Nous entendons par Asie centrale les pays au sud de l'URSS, entre la Turquie et le Japon, en excluant les pays majoritairement arabophones plus au sud, comme l'Arabie Saoudite, et les pays de langue austronésienne, comme la Malaisie et l'Indonésie.

L'AIRE TURCO-IRANIENNE

L'aire turco-iranienne s'étend de la Turquie au Pakistan (*voir la figure 9.3*) et comprend principalement des langues **indo-iraniennes** (*voir le tableau 8.2*), **altaïques** (*voir le tableau 8.9*) et **chamito-sémitiques** (*voir le tableau 8.5*). La Turquie (46,8 millions d'habitants) se situe dans l'aire des langues altaïques et indo-iraniennes avec le TURC (40 millions de locuteurs) comme langue principale, le KURDE (10 millions) comme langue minoritaire prépondérante, suivi de plus de 35 autres langues minoritaires: l'AZÉRI, l'AZERBAÏDJANAIS, l'ARABE, le CIRCASSIEN, le GREC, etc. Le KURDE, une langue indo-iranienne (*voir le tableau 8.2*) dont le nombre de locuteurs est estimé à 20 millions, est parlé non seulement en Turquie, mais aussi en Syrie, en Iraq et en Iran (*voir le tableau 9.3*).

Bien que relativement multilingues (10 à 20 langues chacun), la Syrie et l'Iraq demeurent des pays majoritairement arabophones avec des minorités kurdes. Les minorités linguistiques se révèlent beaucoup plus importantes en Iran; le FARSI (26 millions de locuteurs), appelé aussi iranien ou persan, est la langue officielle de l'Iran, mais le pays compte plus d'une vingtaine d'autres langues (KURDE, BALOUTCHI, AZÉRI, ARABE, etc.) regroupant une population de huit à neuf millions d'individus.

En Afghanistan (20 millions d'habitants), le multilinguisme semble encore plus prononcé. À côté de l'AFGHAN OU PASHTOU (14 millions de locuteurs), entrent en concurrence le TADJIK (5 millions), l'OUZBEK (1 million), le TURKMÈNE (0,5 million) et quelques langues indo-iraniennes moins importantes telles le PASHAI (100 000), le KAFIR (90 000), le BALOUTCHI (70 000), le KIRGHIZ, le PENDJABI, le PAMIR, le MUNDJI, le SHUGNI, etc.

Au Pakistan (82,5 millions d'habitants), on ne trouve que des langues **indo-iraniennes**. Environ 40 millions de Pakistanais parlent l'OURDOU, la langue officielle, mais seulement 7 millions l'utilisent comme langue maternelle. L'ourdou est très proche de l'hindi de l'Inde, mais il s'écrit en alphabet arabe alors que l'hindi s'écrit en alphabet devanagari. En fait, la principale langue maternelle de la majorité des Pakistanais est le PENDJABI, parlé par au moins 25 à 30 millions de locuteurs. Les autres langues **indiennes** parlées au Pakistan sont le PASHTOU (12 millions), le SINDHI (7 millions), le BALOUTCHI (5 millions), le KASHMIRI (1 million); on trouve aussi d'autres minorités non indo-européennes: le BRAHOUI (1,5 million), une langue dravidienne isolée; le TIBÉTAIN (famille sino-tibétaine); le BOUROUSHASKI, une curiosité linguistique, car il s'agit d'une langue totalement inclassable, parlée par 27 000 locuteurs au Pakistan et 13 000 en Inde.

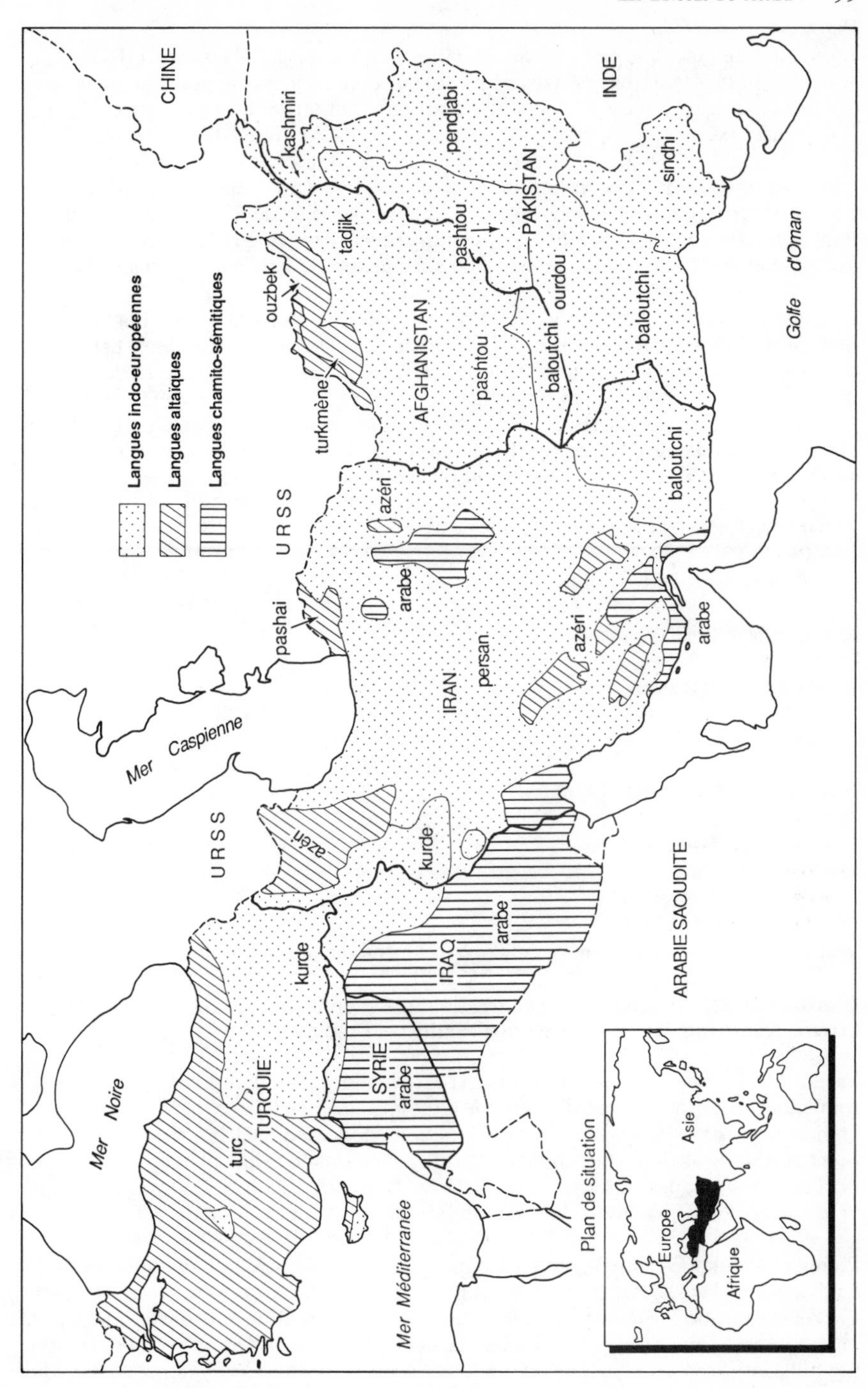

FIGURE 9.3 L'AIRE TURCO-IRANIENNE

L'INDE

La situation linguistique de l'Inde semble bien complexe: ses 694 millions d'habitants sont répartis en 4 000 langues et dialectes[1]. En fait, l'Inde apparaît linguistiquement plus diversifiée qu'elle ne l'est vraiment. On ne compterait que 800 langues, dont plus de 760 seraient parlées par de petites communautés de moins de 100 000 habitants. Donc, une quarantaine de langues demeurent importantes. De plus, les 16 langues reconnues officiellement par la Constitution de l'Union indienne, une république fédérale de 22 États (*voir la figure 9.4*), regroupent à elles seules plus de 90 % de la population. Pour approximativement la même population, nous avons vu que l'Europe reconnaissait 30 langues officielles et comptait une soixantaine de langues importantes.

En principe, chaque État membre de l'Union est découpé selon une base linguistique, mais le multilinguisme demeure quand même la règle. Seulement deux États sont unilingues à 90 %: l'Haryana, de langue hindi, au nord-est et le Kerala, de langue malayalam, au sud-ouest. Sont unilingues à 80 % les États du Bengale (bengali), du Goudjarat (goudjarati), d'Orissa (oriya), du Tamil Nadu (tamoul) et le plus grand État de l'Union, l'Uttar Pradesh, avec ses 100 millions de locuteurs de langue hindi. Dans quelques autres États, on parle deux ou plusieurs langues d'importance égale:

Arunachal Pradesh: adi, assamais, népalais, nissi, nocte, wancho

Himachal Pradesh: hindi et pahari

Cachemire: kashmiri et pendjabi

Meghalaya: garo et khasi

Nagaland: sema et konyak

Pendjab: pendjabi et hindi

Radjasthan: radjashatni et hindi

Tripura: tripouri et bengali

Toutes les langues de l'Union indienne relèvent de quatre familles distinctes: les langues **indo-européennes**, avec 515 millions de locuteurs; les langues **dravidiennes**, avec 170 millions; les langues du groupe **mounda** (5 millions) de la famille **austro-asiatique**; les langues **sino-tibétaines** (1 million).

Parmi les langues **indo-européennes** (plus précisément les langues **indo-iraniennes**), vient au premier lieu l'HINDI. C'est la quatrième langue du monde après le chinois, l'anglais et l'espagnol, avec 250 millions de locuteurs. L'hindi est non seulement la langue officielle de l'Union et du district fédéral de Delhi, mais aussi la langue ou l'une des langues officielles des États du Bihar, du Madhya Pradesh, de l'Uttar Pradesh, du Radjasthan, de l'Haryana, de l'Himachal Pradesh.

Viennent ensuite les autres grandes langues indiennes: le BENGALI (150 millions: Bengale occidental et Assam), parlé aussi au Bangladesh, le PENDJABI (40 millions: Pendjab, Cachemire, district fédéral de Delhi), le MARATHI (50 millions: Madhya Pradesh et Maharachtra), le BIHARI (40 millions: États de Bihar et d'Orissa), le GOUDJARATI (35 millions: États de Goudjarat et de Maharachtra), l'ORIYA (25 millions: Orissa), le RADJASHATNI(18 millions: Radjashtan et Madhya Pradesh), l'ASSAMAIS (10 millions: Assam et

1. Ce chiffre est avancé par les auteurs de l'annuaire 1983 *L'état du monde*. Gérard TOURET, dans *L'aménagement constitutionnel des États de peuplement composite*, parle plutôt de 800 langues. Quant aux auteurs de *Composition linguistique des nations du monde* (tome 1), ils donnent une liste (incomplète) de 315 langues environ pour l'Inde.

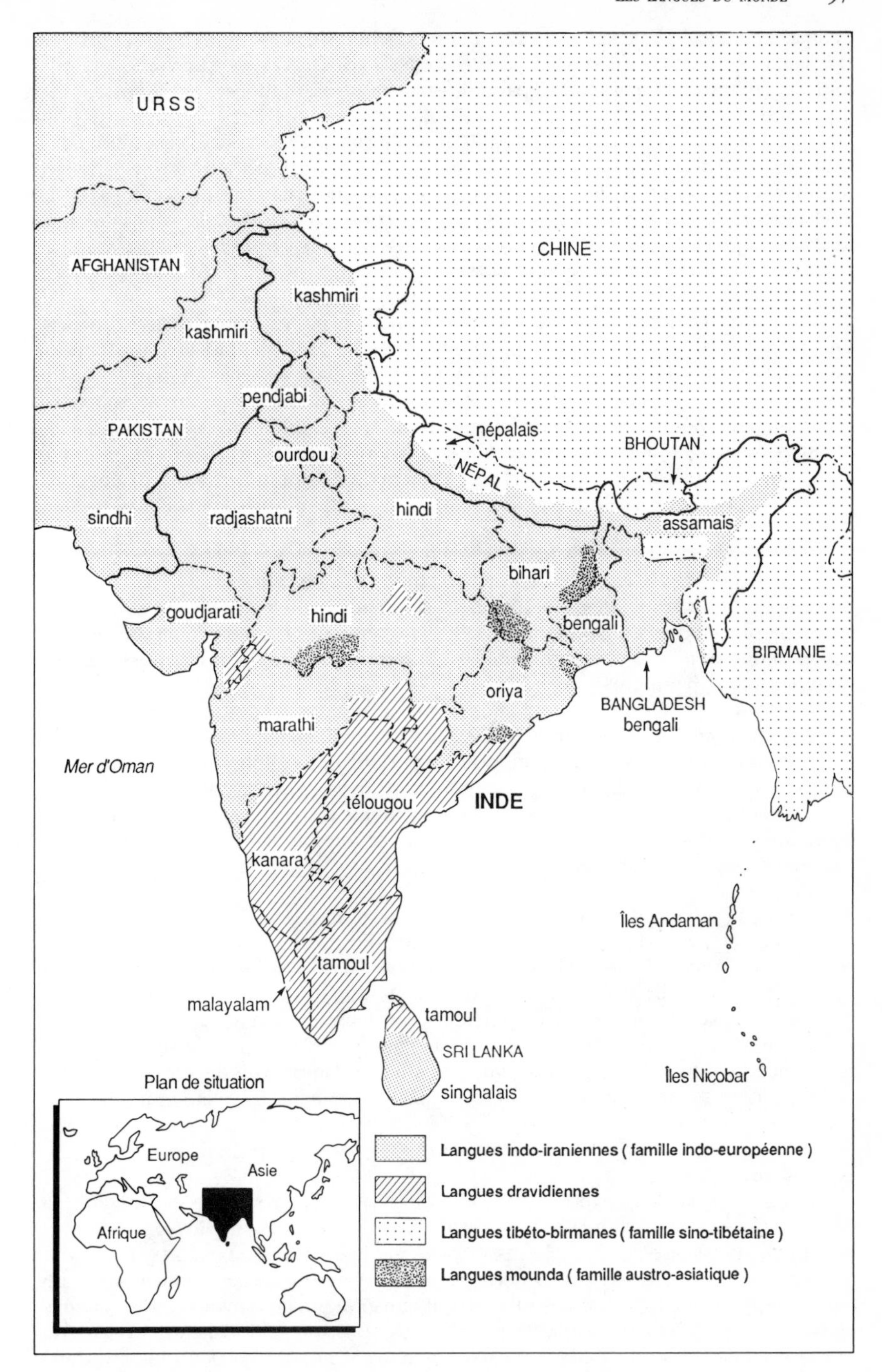

FIGURE 9.4 LES GRANDS GROUPES LINGUISTIQUES DU SUB-CONTINENT INDIEN

Arunachal Pradesh) et le KASHMIRI (12 millions: Cachemire et Pakistan). Dans ce groupe des langues indiennes, il faudrait inclure celles parlées hors de l'Union, comme le NÉPALAIS (10 millions) parlé au Népal et le SINGHALAIS (12 millions) au Sri Lanka.

Les autres langues indiennes (plus de 300) font figure de dialectes régionaux; ce sont le bhili, le pahari, le gondi, le manipouri, le konkani, le tripouri, le koumauni, le garhwali, le dhivehi ou maldivien (îles Maldives), etc. Les langues indiennes reconnues par la Constitution de l'Union sont appelées *langues constitutionnelles*. Ce sont l'HINDI, le SANSKRIT[2], le BENGALI, le KASHMIRI, l'OURDOU[3], l'ASSAMAIS, le PENDJABI, le GOUDJARATI, le MARATHI, l'ORIYA, le RADJASHATNI et le BIHARI.

Le second groupe linguistique important est représenté par les langues **dravidiennes**. Quatre de ces langues (sur un total de 25 environ) sont déclarées langues constitutionnelles de l'Union. Elles sont parlées principalement dans les États du Sud: le Tamil Nadou est de langue TAMOUL (43 millions de locuteurs), le Kerala de langue MALAYALAM (20 millions), l'Andhra Pradesh de langue TÉLOUGOU (52 millions) et le Karnataka de langue KANARA (35 millions). Il existe plusieurs autres langues dravidiennes (BRAHOUI, GOND, KOUI, etc.), mais elles sont parlées par de petites communautés dispersées dans plusieurs États; ces langues, qui totalisent moins de cinq millions de locuteurs, sont en déclin.

Enfin, on trouve également dans le nord de l'Inde, près de la frontière himalayenne et de celle de la Birmanie, des langues **tibéto-birmanes** (trois millions de locuteurs au total); de plus, moins de cinq millions d'Indiens, émiettés dans des régions de montagnes et de forêts reculées, parlent des langues **mounda** (famille **austro-asiatique**), dont le SANTALI (3 millions).

La situation linguistique de l'Inde se révèle complexe également dans les systèmes d'écriture employés. On y utilise au moins une douzaine d'alphabets différents pour transcrire les langues. L'alphabet devanagari (hindi, marathi, sindhi, népalais, etc.) est le plus courant; on se sert en plus des alphabets gurmukhi (en pendjabi), goudjarati, oriya, bengali, singhalais, tamoul, kanara, malayalam, télougou, arabe (en ourdou et en kashmiri), tibétain, birman et latin (pour l'anglais).

À cette situation suffisamment complexe vient se greffer le rôle de l'ANGLAIS comme langue véhiculaire (du commerce) dans toute l'Inde. L'abandon de l'anglais est constamment retardé depuis l'Indépendance. L'anglais est obligatoire comme langue seconde (avec l'hindi) dans toutes les écoles. Donc, dans chaque État, se superposent à la langue ou aux langues régionales officielles ces deux super-langues que sont l'hindi et l'anglais. En réalité, on fait usage de l'anglais quand, à cause de susceptibilités régionales, on refuse d'accepter la langue officielle de l'Union, l'hindi. Dans un pays aux prises avec un tel multilinguisme, il est difficile de concilier diversité et unité.

DE LA CHINE AU JAPON

Pour les besoins de notre exposé, nous retiendrons ici les pays suivants: la Mongolie, la Chine, la Corée (Nord et Sud), le Japon et Taiwan. La Mongolie, ou plus exactement la République populaire de Mongolie, est étroitement liée à l'URSS, tant aux points de vue politique, économique, culturel, que linguistique. Avec une petite population de 1,6 million d'habitants, la Mongolie est située, linguistiquement, dans l'aire des langues **altaïques** (*voir le tableau 8.9*). Ce pays fait figure de noyau national entre les langues mongoles d'URSS et celles de la Chine (*voir la figure 9.5*). Les 500 000 Mongols d'URSS

---

2. Le SANSKRIT est une langue disparue vers le Xe siècle avant notre ère. Pour des raisons de tradition et de culture, le sanskrit a été déclaré une langue constitutionnelle. Seuls une poignée d'Indiens très cultivés en maintiennent la pratique.

3. L'OURDOU est une langue constitutionnelle en raison de ses similitudes avec l'hindi; il est parlé par une trentaine de millions de musulmans de l'Inde et s'écrit en alphabet arabe.

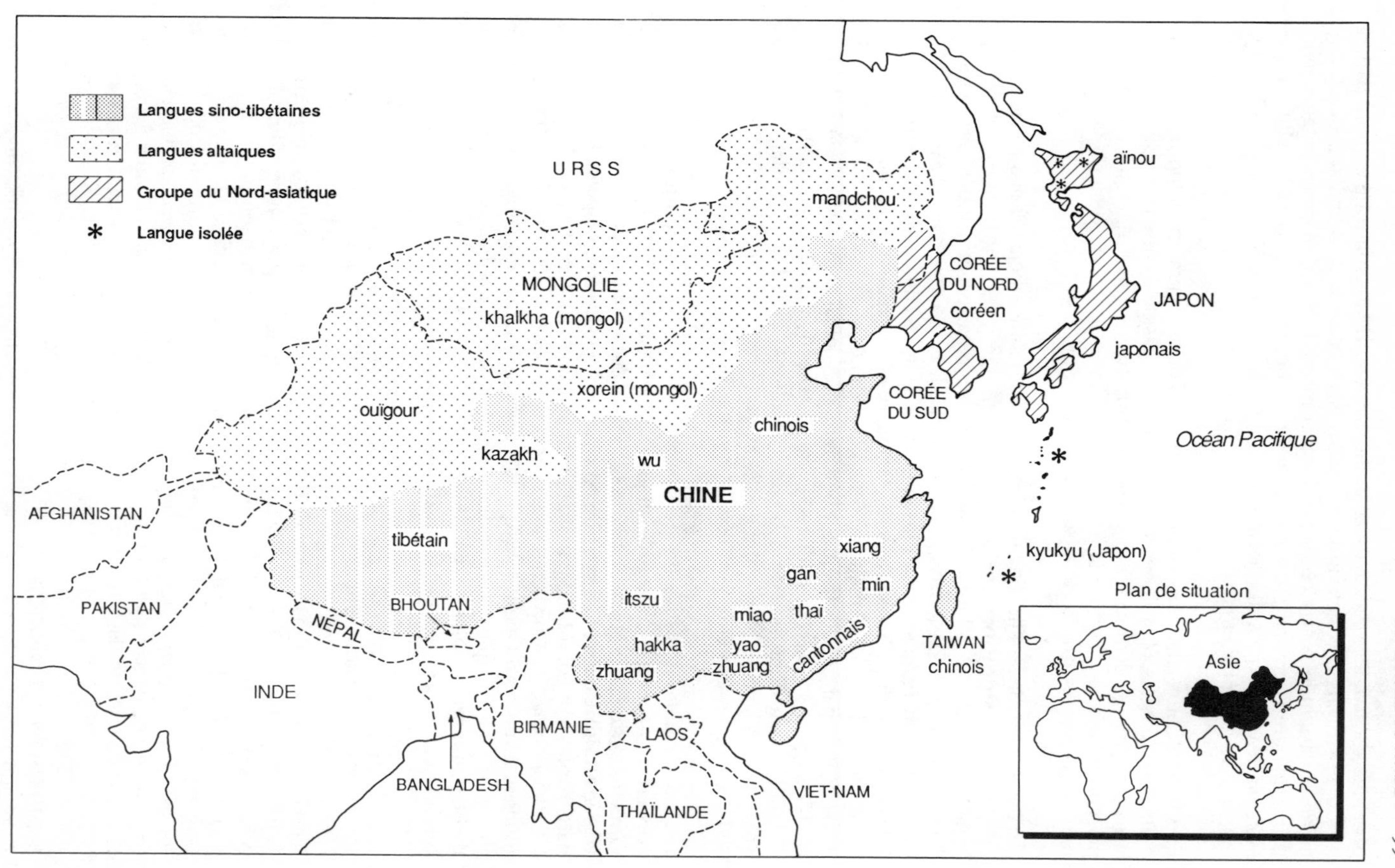

FIGURE 9.5 LES LANGUES DE L'ASIE CENTRALE (CHINE ET JAPON)

parlent le BOURIAT, le KALMOUK, l'ALTAÏEN, etc.; ceux de la Mongolie (1,6 million) parlent surtout le KHALKHA et (une minorité) l'OÏRAT; enfin, plus de deux millions de Chinois mongols parlent le XOREIN (écrit en alphabet mongol). Les différentes langues **mongoles** demeurent toutes très voisines et l'intercompréhension reste facile, sauf entre les Mongols de Chine, qui utilisent l'alphabet mongol, et ceux de Mongolie et d'URSS, qui ont recours à l'alphabet cyrillique.

En Chine, la puissance du chinois a été telle que sur une population de plus d'un milliard d'habitants, 60 millions seulement ne sont pas de culture chinoise. En fait, du strict point de vue démographique, les minorités linguistiques, quoique nombreuses, ne représentent que 6 % de la population totale. Le problème vient du fait que ces minorités vivent sur 60 % de la surface du territoire.

Il n'existe que trois familles linguistiques en Chine: le sino-tibétain, l'altaïque, le coréen. Dans la famille **sino-tibétaine** (*voir le tableau 8.3*), c'est de loin le groupe **chinois** qui l'emporte; les 948,2 millions de sinophones se répartissent entre 632 millions de Chinois du Nord, de parler MANDARIN, c'est-à-dire le CHINOIS DE PÉKIN, et 316 millions de Chinois du Sud, partagés entre plusieurs autres langues chinoises: le WU (70 millions), le CANTONAIS (60 millions), le MIN (50 millions), le XIANG (50 millions), le HAKKA (40 millions) le GAN (30 millions), etc. Les peuples non sinophones de la famille sino-tibétaine parlent des langues **tibéto-birmanes, kadai** et **miao-yao** (*voir le tableau 8.3*). Il s'agit des Thaïs (15 millions) au sud, parlant le thaï, le li (680 000), le zhuang (12 millions), le dong, etc.; des Tibétains (5 millions) au sud-ouest, parlant le TIBÉTAIN, l'ITSZU ou des langues himâlayennes; des Miaos (4 millions) et des Yaos (1 million) au sud-est, avec le MIAO et le YAO (*voir la figure 9.5*).

Les autres ethnies non sinophones appartiennent à la famille **altaïque** et à la famille **coréenne** du groupe du Nord-asiatique (*voir le tableau 8.7*). Il y a deux millions de Coréens près de la frontière de la Corée du Nord et 13 millions de Chinois parlant une langue **altaïque** dans toute la partie nord de la Chine. Il s'agit, rappelons-le du XOREIN parlé par les Mongols (2 millions), de plusieurs autres langues **turques** (6 millions) au Nord-Ouest avec principalement le OUÏGOUR, le KAZAKH, le KIRGHIZ, et des langues **toungouzes** au Nord-Ouest, telles que le MANDCHOU (moins de 4 millions), le LAMOUT, le NANCIR, etc. Le fait que chacune des minorités parlant ces langues ait un territoire théoriquement autonome ne signifie pas grand-chose, étant donné les traditions centralisatrices et assimilatrices de l'Empire chinois, traditions qui semblent aujourd'hui plus fortes que jamais.

En dehors du territoire chinois, le CORÉEN est parlé évidemment en Corée du Nord (18 millions) et en Corée du Sud (38 millions), avec des îlots en URSS (400 000) et au Japon (800 000) pour un total de 59 millions de locuteurs. Quant au Japon, il constitue l'un des très rares pays du monde à connaître une étonnante homogénéité linguistique. À part les 800 000 locuteurs de langue coréenne, les minorités linguistiques demeurent marginales et à peu près complètement assimilées: il s'agit de celles parlant l'AÏNOU (une langue isolée en voie d'extinction), dans l'île de Hokkaïdo au nord du Japon (10 000 locuteurs), et le KYUKYU (une langue japonaise également en voie de disparition) au sud. Depuis l'échec de son aventure impériale en 1945, le JAPONAIS (117 millions de locuteurs) reste confiné dans ses îles.

L'ASIE DU SUD-EST: L'INDOCHINE

La région indochinoise du Sud-Est asiatique est partagée entre une demi-douzaine d'États-nations correspondant chacun à une ethnie majoritaire avec sa langue de culture, mais avec des minorités non négligeables. Dans tous ces pays (*voir la figure 9.5*), on rencontre essentiellement des langues **sino-tibétaines** (*voir le tableau 8.3*) et **austro-asiatiques** (*voir le tableau 8.13*).

Les langues **tibéto-birmanes** de la famille **sino-tibétaine** sont majoritaires en Birmanie (35 millions d'habitants), avec le BIRMAN (27 millions) et les langues voisines comme le KACHIN (700 000), le KARÈNE (2,5 millions), le CHIN (600 000), etc.; on y parle aussi des langues **kadai** (THAÏ: 3 millions; SHAN: 2 millions) et **austro-asiatiques** (le MÔN: 700 000). En Thaïlande (49,2 millions d'habitants), le THAÏ du groupe **kadai** domine nettement (32 millions) malgré la présence de plusieurs minorités dont le CHINOIS (6 millions), le KHMER (1 million), le MALAIS (1 million), le KARÈNE (0,7 million), le MÔN (75 000).

Au Laos (3,4 millions), la grande majorité de la population est de langue LAO (2,5 millions), une autre langue **kadai** très proche du thaï; il existe des langues minoritaires importantes dont le KHA (500 000), une langue **austro-asiatique** du groupe **môn-khmer**, et le MIAO (300 000), une langue **sino-tibétaine** du groupe **miao-yao**, sans compter les Vietnamiens et les Chinois qui utilisent leur langue. Le Kampuchea démocratique (ou Cambodge) est presque entièrement peuplé de Khmers (6 millions), auxquels se joignent des minorités vietnamiennes et chinoises. Contrairement au Kampuchea démocratique, le Viet-nam, dont la langue officielle est le VIETNAMIEN (45 millions) de la famille **austro-asiatique**, connaît de nombreuses langues minoritaires: une soixantaine de langues différentes dont le total n'atteint pas les 10 millions de locuteurs. Les plus importantes sont le CHINOIS (1 million), le KHMER (0,4 million), le MUONG (0,4 million), une langue proche du vietnamien, le MIAO (0,2 million), le MÔN, le THAÏ, le YAO, etc., et quelques langues **indonésiennes** (CHAM, RADE, JARAI, BIH, etc.).

4 L'ASIE DU SUD-EST INSULAIRE

Cette partie du monde (*voir la figure 9.6*) recouvre un territoire considérable, composé de plusieurs milliers d'îles habitées par une population de 240 millions de personnes parlant des centaines de langues différentes. La grande dominante: les langues **indonésiennes** de la famille **austronésienne**, autrefois appelée malayo-polynésienne (*voir le tableau 8.4*). De toutes les langues **indonésiennes** (environ 200 langues), le MALAIS, appelé aussi INDONÉSIEN (*bahasa indonésia*), occupe une place prépondérante, non pas en raison du nombre de ses locuteurs (15 millions), mais parce qu'il est devenu la langue officielle de la Malaisie et de l'Indonésie (153 millions). Comme langue maternelle, le MALAIS n'est donc parlé que par une minorité économiquement et politiquement puissante, qui a les moyens d'imposer sa langue au reste de la population. Pourtant, d'autres langues, particulièrement en Indonésie, occupent une place non négligeable, dont le JAVANAIS avec ses 65 millions de locuteurs. Suivent le SOUDANAIS (20 millions), le MADOURAIS (10 millions), le MINANGKABAW (5 millions), le BUGIS (4 millions), le BATAK (3,5 millions), le MAKASAR (2 millions) et près de 200 autres langues indonésiennes.

Aux Philippines (50 millions d'habitants), on assiste à un phénomène analogue. Le visayan apparaît comme la langue la plus importante par le nombre de ses locuteurs (20 millions), mais c'est le TAGALOG (10,3 millions) qui a été promu au rang de langue officielle (avec l'anglais); il a été baptisé *pilipino* ou PHILIPPIN. Parmi les quelque 90 autres langues et dialectes de l'archipel, seuls le BIKOL (3,2 millions), l'ILONGO (5,3 millions), le PAMGAGAN (1,4 million) et le PANGASINAM (1,3 million) atteignent le million de locuteurs. En Asie du Sud-Est insulaire, la diversité linguistique est la règle, accentuée par les distances et l'insularité elle-même.

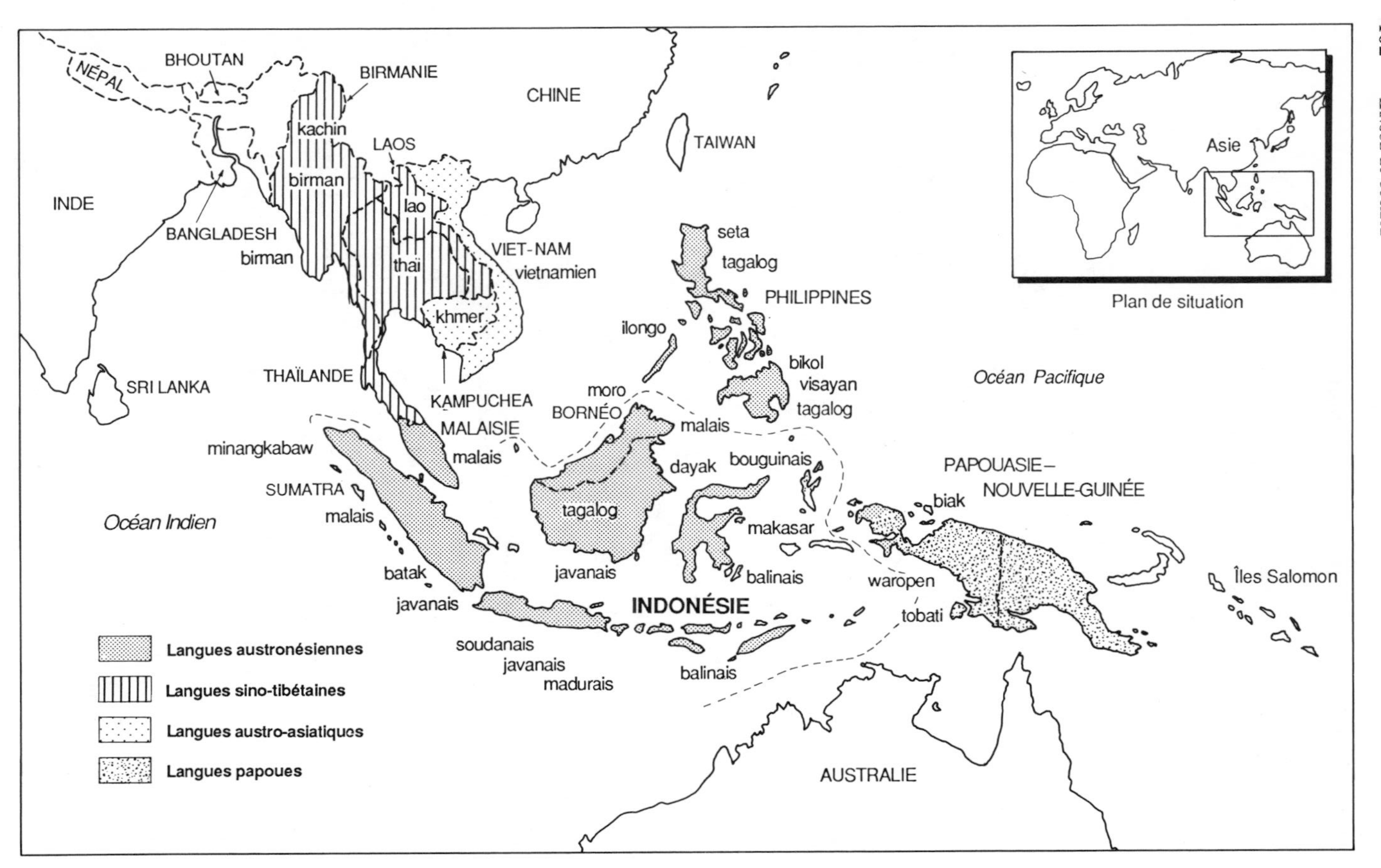

FIGURE 9.6 LES LANGUES DU SUD-EST ASIATIQUE

5 L'OCÉANIE

L'Océanie (*voir la figure 9.7*) comprend des populations peu nombreuses (à l'exception de l'Australie) et très dispersées, sur des dizaines de milliers d'îles dans le Pacifique. Les langues maternelles des populations autochtones se répartissent entre les langues **austronésiennes** (*voir le tableau 8.4*), les langues **papoues** et les langues **indo-européennes** d'origine coloniale comme l'anglais et le français. La situation linguistique de l'Océanie est certainement l'une des plus complexes au monde: elle est remarquable par la multiplicité, la diversité et le mélange des langues.

LES LANGUES ABORIGÈNES D'AUSTRALIE

L'Australie offre une situation à la fois simple et complexe. Simple, parce que toute la population (15 millions) parle l'anglais, qui s'est imposé aussi à la population autochtone; complexe en ce qui concerne les langues aborigènes **australiennes**, qui appartiennent à la famille **austronésienne**. Entre 40 et 50 000 Australiens au plus possèdent encore une certaine connaissance des langues aborigènes. Ces langues sont au nombre de 260, réparties en 27 ou 28 groupes distincts. Cependant, seulement deux ou trois langues sont parlées par 10 000 locuteurs ou plus: le TOLAI (60 000), le MOTOU (10 000) et l'IRI (9 000). Le nombre de sujets parlants varie autour de 4 000 (le MABUAIG, le WAILBRI), plus souvent autour de 1 000, mais la plupart des langues ne comptent plus, en réalité, que quelques centaines de locuteurs, voire quelques dizaines, et parfois moins de dix individus très âgés. Vieilles de 5 000 ou 6 000 ans, ces langues auront probablement toutes disparu dans une vingtaine d'années; c'est le cas, par exemple, du TASMANIEN, une langue aborigène importante éteinte au siècle dernier dans l'île de Tasmanie. Dans les faits, les langues australiennes ne causent aucun problème à l'Australie, qui les ignore et qui doit se préoccuper de nombreux immigrants chinois, néerlandais, grecs, italiens, allemands, hongrois, russes, ukrainiens, français, etc.

LES LANGUES PAPOUES

L'île de la Nouvelle-Guinée (*voir la figure 9.7*) est divisée en deux parties. La partie ouest ou occidentale, appelée Irian Jaya ou Kalimanta, appartient à l'Indonésie; c'est une région peu peuplée (un million d'habitants), dans laquelle on trouve plusieurs dizaines de langues indonésiennes et papoues. La partie est ou orientale de la Nouvelle-Guinée constitue la Papouasie, avec une population de 3,1 millions d'habitants. Rappelons qu'on y compte plus de 1 100 langues, dont 738 langues **papoues** pour 2,9 millions de locuteurs. C'est un exemple unique au monde de multiplicité, de complexité, de diversité linguistiques. Ces langues se divisent en une douzaine de groupes, dont l'un compte 493 langues. Le nombre de locuteurs varie généralement entre 200 et 150 000 individus; seul l'ENGA, la plus importante des langues papoues, atteint ce nombre de 150 000.

Par ailleurs, l'anglais est la langue officielle de la Papouasie, mais il demeure peu utilisé par la très grande majorité de la population, qui préfère recourir au pidgin comme langue véhiculaire entre les différentes communautés ou au BAZAR MALAIS, un malais d'influence pidgin fort répandu. Avec une situation linguistique aussi disparate, les problèmes de communication demeurent importants: une petite population utilise des centaines de langues papoues, des dizaines de langues mélanésiennes et polynésiennes, l'anglais, le pidgin et le bazar malais.

LES LANGUES DE LA MÉLANÉSIE

La Mélanésie, mot grec signifiant «îles noires», c'est-à-dire peuplées de Noirs, comprend une série d'îles et d'archipels qui forment une guirlande au nord et à l'est de la Nouvelle-Guinée (*voir la figure 9.7*). Plusieurs de ces îles et archipels constituent des

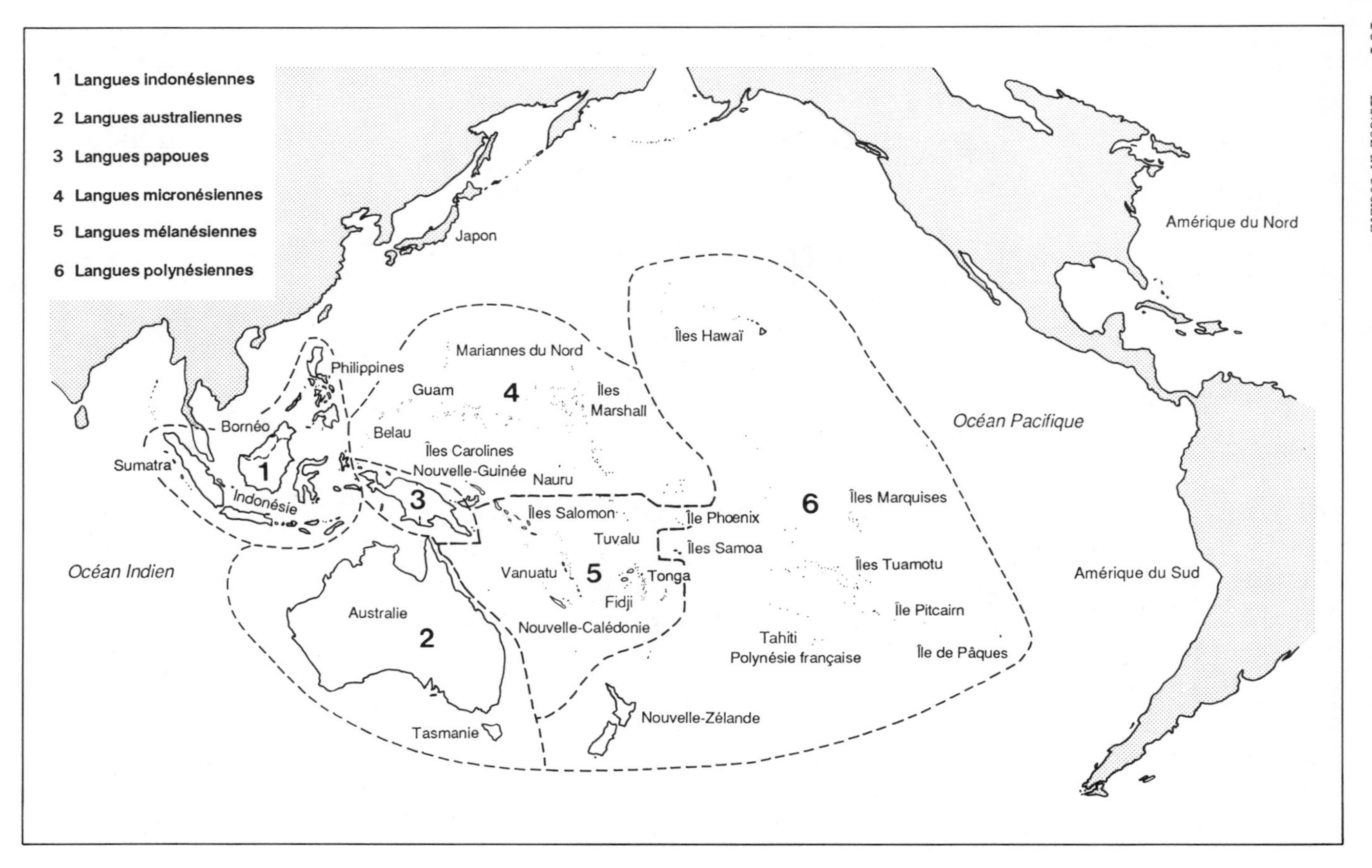

FIGURE 9.7 LES GROUPES LINGUISTIQUES DE L'OCÉANIE

micro-États indépendants (pour des populations variant de 6 000 à 100 000 habitants environ), alors que d'autres appartiennent à l'Australie, à la Grande-Bretagne, à la France ou aux États-Unis. Un million de personnes parlent l'une des 700 langues **mélanésiennes** qui, sauf exception, semblent à peu près toutes en voie d'extinction.

La Nouvelle-Calédonie et les îles Loyauté forment un territoire français d'outre-mer; la population (100 000 habitants) parle le français. Mais 45 000 locuteurs, disséminés en de très petites communautés, se partagent une trentaine de langues mélanésiennes et quelques langues polynésiennes; dans ce dernier cas, le nombre de locuteurs varie de quelque centaines à plus de 1 000 individus.

La situation paraît assez semblable dans les îles Salomon (240 000 habitants) sauf que l'anglais, largement répandu dans la population, sert de langue officielle; quelque 180 000 personnes se répartissent 86 langues autochtones, dont 70 langues mélanésiennes, quelques langues papoues, polynésiennes, micronésiennes et chinoises, sans oublier le pidgin.

Au Vanuatu[4], dont la population est de 120 000 habitants, l'anglais, le français et le bichlamar[5] sont adoptés comme langues officielles. Cependant, 73 000 locuteurs se partagent 102 langues mélanésiennes, trois langues polynésiennes (WALISIEN, TAHITIEN, TONGA) et une langue chinoise (HAKKA). Tous les habitants parlent l'une des langues mélanésiennes, le français ou l'anglais (jamais les deux) et le BICHLAMAR.

Aux îles Fidji (640 000 habitants), 46 % de la population utilise une autre langue que l'anglais (langue officielle) comme langue maternelle: 260 000 parlent l'une des 13 ou 14 langues fidjiennes, 32 000 l'hindi ou l'ourdou, 7 000 le tamoul, le télougou ou le goudjarati. Enfin, le TONGA est la langue majoritaire (70 %) aux îles Tonga (100 000 habitants) et constitue l'une des rares langues mélanésiennes qui résistent à la langue impériale; toutefois, les positions de l'anglais se renforcent, car il demeure la langue unique de l'enseignement et sa connaissance devient l'un des critères d'emploi.

LES LANGUES MICRONÉSIENNES

La Micronésie, qui signifie «petites îles», forme un chapelet d'îles au nord-ouest de la Mélanésie (*voir la figure 9.7*). L'anglais est la seule langue véhiculaire de ces micro-États, dont la plupart sont sous tutelle américaine: Mariannes, Marshall, Guam, Carolines, Palaos, Nauru, Kiribati, etc. Les langues **micronésiennes** sont 15 fois moins nombreuses (environ 45) que les langues mélanésiennes pour une population d'environ 150 000 individus. Contrairement à celles qui parlent les langues mélanésiennes, ces communautés linguistiques paraissent plus homogènes et moins diversifiées, donc moins en danger d'extinction.

Dans toute la Micronésie, une quinzaine de langues seulement sont parlées par des communautés de plus de 5 000 locuteurs. Il s'agit du CHAMARRO (62 000), une langue indonésienne parlée aux îles Mariannes, à Guam et aux Carolines, où l'on parle aussi le CAROLINIEN (4 000); du KIRIBATI (55 000) à Kiribati; du KOSRAIEN (47 000) dans l'État de Kosræ (l'un des cinq États des EFM — États fédérés de Micronésie); du TRUKOIS (31 500) dans l'État du Truk (EFM); du MARSHALLOIS (29 500) aux îles Marshall; du PONAPE (22 000) dans les États de Ponape et de Kosræ (EFM); du PALAOU (13 750), une langue indonésienne, aux îles Palaos; du NAURU (16 000) à l'île Nauru; du YAPOIS (5 800) dans l'État du Yap (EFM).

---

4. Le Vanuatu (prononcer «vanouatou») était appelé autrefois les Nouvelles-Hébrides.

5. Le bichlamar (de *Beach-La-Maar*) est un PIDGIN austronésien utilisé par les chasseurs de baleines et les pêcheurs depuis le XIXe siècle.

LES LANGUES DE LA POLYNÉSIE

Tout le reste du Pacifique est le domaine des langues **polynésiennes**, parlées par un ensemble d'un million de locuteurs à l'intérieur d'un vaste triangle formé de la Nouvelle-Zélande au sud-ouest, d'Hawaï au nord, de l'île de Pâques au sud-est, avec au centre la Polynésie française. Il existe environ une vingtaine de langues polynésiennes, chacune se divisant en un nombre plus ou moins important de dialectes.

La Nouvelle-Zélande (3,1 millions d'habitants), constituée de deux îles au sud-est de l'Australie, est une ancienne colonie britannique qui a gardé l'anglais comme langue véhiculaire et comme langue d'enseignement. Aujourd'hui (recensement de 1976), 2,5 millions de personnes y utilisent l'anglais comme langue maternelle alors que 270 000 autres parlent le MAORI (langue polynésienne) et 20 000 le SAMOA (langue polynésienne); le reste de la population (310 000) est de langue néerlandaise, allemande, afrikaans, mélanésienne, chinoise, indienne ou dravidienne.

Dans le Samoa-Occidental (indépendant) et les Samoa américaines (population totale des deux Samoa: 200 000 habitants), 120 000 personnes parlent encore le SAMOA, une langue polynésienne vieille de 3 000 ans qui résiste péniblement à l'anglais. Bien que le samoa soit avec l'anglais l'une des deux langues officielles du Samoa-Occidental, les lois sont formulées uniquement en anglais, langue du commerce et du gouvernement. Dans d'autres îles de cette région polynésienne, les habitants demeurent unilingues, comme à Tuvalu (l'ELLICIEN: 6 000) et aux îles Cook (le MAORI: 20 000), où l'anglais est parlé par une très faible majorité: 77 locuteurs à Tuvalu et 1 300 aux îles Cook. Ailleurs, les habitants sont tous devenus bilingues: NIUE/ANGLAIS à l'île Niu, TOKELAOU/ANGLAIS aux îles Tokelaou.

Les îles Hawaï (près d'un million d'habitants) font partie politiquement des États-Unis. L'ANGLAIS y domine largement et a assimilé presque toute la population polynésienne d'origine. Environ 9 400 Hawaïens autochtones, parmi les plus âgés (60 ans et plus), tous bilingues, ont conservé leur langue, l'HAWAÏEN; de ce nombre, 1 400 le parlent couramment et seulement 250 disent l'utiliser régulièrement à la maison. Les véritables langues minoritaires sont devenues le philippin (70 000), le japonais (65 000) et le chinois (15 500), avant l'hawaïen. Hawaï est un État très multilingue; diverses langues y sont représentées: quelques langues polynésiennes, le coréen, le portugais, le punti, le tagalog et le créole. Le CRÉOLE est même devenu le parler principal des Hawaïens d'origine; ils utilisent l'anglais pour l'administration, dans les établissements commerciaux ou à l'école, mais le créole est la langue de la vie quotidienne. Dans ces conditions, on peut prédire sans beaucoup de risque de se tromper l'extinction complète de l'hawaïen d'ici quelques années.

Le FRANÇAIS règne en maître en Polynésie française (100 000 habitants); il demeure la seule langue utilisée dans les écoles, l'administration et les médias. Environ 50 % de la population est assimilée; quelques langues polynésiennes résistent encore: le TAHITIEN (26 000), le TOUAMOTOU (9 000) et le MARQUISIEN (5 500).

Enfin, au sud de la Polynésie française, les 74 habitants de l'île de Pitcairn (G.-B.) ne parlent évidemment que l'anglais. À l'autre extrémité du triangle polynésien, se trouve l'île de Pâques (appartenant au Chili) avec 1 585 habitants. Ceux-ci parlent tous l'espagnol et parfois le RAPANUI, une langue polynésienne, vestige du passé.

ET... LE PIDGIN

Presque toutes les îles de l'Océanie sont aux prises avec les langues impériales (indonésien, anglais ou français), qui éclipsent parfois totalement les langues autochtones, surtout en Mélanésie et en Polynésie. Mais ces populations ont trouvé un autre moyen de communiquer entre elles: le pidgin. Ce sont l'extrême diversité des langues dans cette partie du monde et la nécessité des contacts entre communautés différentes qui ont entraîné la création de pidgins à base de mots anglais surtout, mais mêlés également à des mots mélanésiens, indonésiens, micronésiens, australiens, polynésiens ou papous. Bref, le monde de l'Océanie est un monde de bilingues, de trilingues et de polyglottes; c'est un monde propre aux civilisations orales. Le temps n'est peut-être pas très éloigné où ce monde aura atteint l'âge des civilisations industrielles et de l'écriture, c'est-à-dire l'âge de l'unilinguisme.

6 LE MONDE ARABE

L'aire d'extension des communautés chamites et sémitiques couvre tout le nord de l'Afrique (une dizaine de pays) et tout le Moyen-Orient (une quinzaine de pays), rassemblant une population de plus de 200 millions d'individus. Sur cette population, la grande majorité est arabophone (150 millions), les langues minoritaires étant souvent morcelées, marginales, à l'exception de l'hébreu en Israël, de l'amharique en Éthiopie et du somali en Somalie. Dans l'ensemble, la situation des langues **chamito-sémitiques** (*voir le tableau 8.5*) est considérablement moins complexe que celle des langues altaïques, indiennes et austronésiennes; toutefois, le problème de la multiplicité des arabes régionaux demeure entier.

Au Moyen-Orient (*voir la figure 9.8*), la grande majorité de la population parle l'ARABE ou l'une de ses variantes dialectales comme langue maternelle. Bien que minoritaire dans ses aires d'extension extrêmes (Turquie et Iran), l'arabe est majoritaire à plus de 80 % en Syrie (4,5 millions de locuteurs) et en Iraq (10 millions). Il est à peu près la seule langue au Liban (2,6 millions), en Jordanie (3,4 millions), en Arabie Saoudite (9,7 millions), au Yémen du Nord et au Yémen du Sud (8 millions), au Koweit (1,4 million), Qatar, Bahreîn, Émirats arabes unis (3 millions au total). La seule véritable exception demeure Israël avec comme langue principale l'HÉBREU (une autre langue **sémitique**); cette langue est parlée par près de trois millions de locuteurs en Israël, mais l'arabe constitue la seconde langue avec un million de sujets parlants.

Sur le continent africain (*voir la figure 9.8*), la situation des langues chamito-sémitiques est légèrement plus complexe sauf en Égypte (42 millions), en Libye (3 millions) et en Tunisie (6,3 millions), où l'arabe avec ses variantes dialectales est parlé pratiquement par 100 % de la population. Les arabophones constituent 85 % de la population en Algérie (soit 16 millions de locuteurs), 80 % au Maroc (16 millions), 75 % en Mauritanie (1,2 million), 65 % au Soudan (12 millions), 33 % au Tchad (1,5 million). Les groupes minoritaires de ces pays comprennent les 24 langues berbères (11 millions), disséminées par îlots en Algérie, au Maroc, au Sahara occidental, en Libye et au Mali; on pourrait mentionner aussi les neuf millions de francophones de la Mauritanie, du Maroc, de l'Algérie et de la Tunisie.

Si les langues **chamites** (*voir le tableau 8.5*) sont représentées par le BERBÈRE dans le nord-ouest de l'Afrique, ce sont les langues **couchitiques** et les langues **éthiopiennes** (*voir le tableau 8.5*) qui dominent dans la «corne de l'Afrique», dans l'est. Parmi les premières, prennent place le SOMALI (5 millions), la langue officielle de la Somalie, et le GALLA (8 millions), parlé en Éthiopie et au Soudan; parmi les secondes, figurent principalement l'AMHARIQUE (10 millions), la langue officielle de l'Éthiopie, le TIGRINE (3 millions) et le TIGRÉEN (0,7 million), propres aux provinces revendicatrices de l'Érythrée et du Tigré. Enfin, parmi les langues du groupe **tchadien** (*voir le tableau 8.5*), qui en compte bien une centaine (25 millions de locuteurs) rattachées aux langues **chamito-sémitiques**, le HAOUSSA (20 millions), parlé au Nigéria, au Niger et au Tchad, surpasse toutes les autres.

Les pays dits arabophones présentent donc une situation relativement homogène; il faut dire que les États ont pris depuis une vingtaine d'années des mesures énergiques, parfois répressives (comme en Algérie), pour mener à bien les campagnes d'arabisation, dont les effets se font sentir aujourd'hui.

7 L'AFRIQUE NOIRE

La plupart des pays de l'Afrique noire (*voir la figure 9.8*) connaissent une situation linguistique quasi inextricable en raison de la multitude des langues autochtones (peut-être 2 000), du découpage artificiel des États et du rôle géopolitique des anciennes puissances coloniales (France et Grande-Bretagne surtout). Celles-ci ont en effet tracé les frontières politiques en fonction d'intérêts purement économiques et stratégiques (comme l'accès à la mer), sans se préoccuper des ethnies multiples qui peuplaient ces États découpés ainsi arbitrairement. Aussi, il est fréquent qu'une même langue soit parlée, dans six ou sept États avoisinants, par des ethnies apparentées, et qu'un même État présente une mosaïque linguistique très diversifiée pouvant compter 15 langues, comme au Mali, à 50 comme en Côte d'Ivoire, à 200 au Nigéria et à 400 au Zaïre. À cela, s'ajoute le rôle politique et commercial des langues comme le français (dans une quinzaine d'États), l'anglais (dans une quinzaine d'États aussi), le SWAHILI (dant tout l'Est africain) ou même certaines autres langues africaines qui remplissent une fonction véhiculaire importante (p. ex., le haoussa, le wolof, le dioula, etc.).

L'AFRIQUE DE L'OUEST ET L'AFRIQUE CENTRALE

Les langues **nilo-sahariennes** (*voir le tableau 8.16*) s'intercalent au centre de l'Afrique entre les langues **sémitiques** au nord, les langues **couchitiques** à l'est, les langues **nigéro-congolaises** à l'ouest et les langues **bantoues** au sud (*voir la figure 9.8*). Ces langues **nilo-sahariennes** regroupent une centaine de langues parlées par 26 millions de personnes. Le KANURI (3 millions), la langue la plus importante du groupe **saharien**, est parlé au Niger, au Nigéria, au Tchad et au Soudan; le groupe **songhaï** avec une seule langue, le SONGAI (2 millions), vient ensuite dans les États du Mali, du Burkina-Faso, du Bénin, du Niger et du Nigéria. Les langues des groupes **maban**, **fur** et **koman** (*voir le tableau 8.16*) sont parlées à l'est des régions précédentes et s'étendent du Tchad et à l'Éthiopie en communautés linguistiques de faible importance. Les langues du groupe **Chari-Nil** (qui comprend 60 langues parlées par 20 millions de locuteurs) sont confinées au Soudan à l'intérieur de petites communautés d'agriculteurs ou de nomades. Au centre de cette aire linguistique, moins de deux millions de locuteurs parlent l'une des quelque 30 langues **kordofaniennes** (*voir le tableau 8.17*), que l'on trouve principalement au Niger et au Tchad.

Le centre-ouest de l'Afrique est occupé par les langues **nigéro-congolaises** (*voir le tableau 8.11*), le plus important groupe linguistique (80 millions) après le groupe bantou (100 millions). Les langues de la branche **ouest-atlantique** regroupent une population de plus de 20 millions d'individus, de la zone côtière du Sénégal jusqu'au Cameroun; le PEUL est parlé à lui seul par 12 millions de personnes, groupées en communautés éparses, du Sénégal au Cameroun; suit le FULANI (7 millions), parlé également par des communautés dispersées entre six ou sept États, du Sénégal au Nigéria. Quant au WOLOF (2 millions), restreint comme langue maternelle au Sénégal et à la Gambie, il sert aussi de langue commerciale dant toute la région atlantique. Viennent ensuite le DIOLA, le KEMME et le SERÈNE au Sénégal et en Gambie, le KISSI et le BULOM en Sierra Leone, le BALANTE en Guinée-Bissau et une multitude d'autres langues.

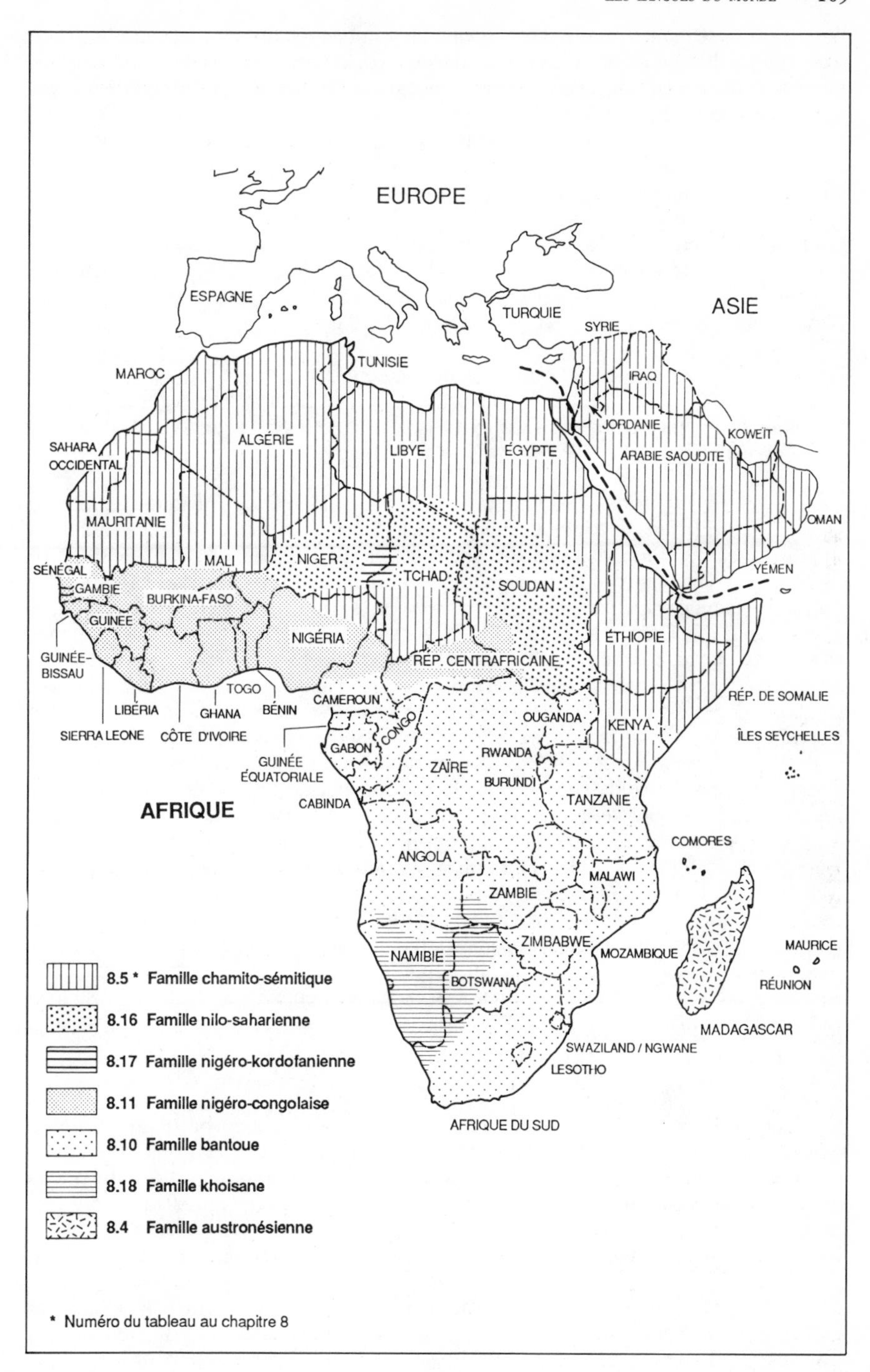

FIGURE 9.8 LE CONTINENT AFRICAIN

Le groupe **mandingue** compte une vingtaine de langues, de la Mauritanie au Nigéria. Le MALINKÉ (5 millions) et le BAMBARA (5 millions), parlés surtout au Mali et en Guinée, s'étendent du Sénégal à la Côte d'Ivoire, ainsi qu'à la Gambie et à la Guinée-Bissau; ces langues forment de petites communautés de moins d'un million d'habitants chacune. On peut nommer, par ordre d'importance, le MENDÉ au Libéria et en Sierra Leone, le SONINKÉ au Sénégal, au Mali et au Burkina-Faso, le LOMA au Libéria et en Guinée, le KPELLÉ au Nigéria et le KWENI en Côte d'Ivoire.

Les langues du groupe **kwa** (*voir le tableau 8.11*), avec 32 millions de locuteurs, sont surtout représentées par le YOROUBA (16 millions) au Nigéria, au Bénin et au Togo, l'IBO (10 millions) au Nigéria, l'AKAN (4 millions) au Ghana, l'ÉWÉ (2 millions) au Togo, au Bénin et au Ghana, le BAOULÉ (1 million) en Côte d'Ivoire.

Les langues du groupe **gur** (12 millions de locuteurs) s'étendent à travers le Mali, le Burkina-Faso, la Côte d'Ivoire, le Ghana, le Togo, le Bénin et le Nigéria; le MOSSI (3 millions) semble la langue la plus répandue dans cette région avec le SÉNUFO (1,5 million) en Côte d'Ivoire.

De tous ces pays d'Afrique de l'Ouest, du golfe de Guinée et de l'Afrique centrale, ce sont la Côte d'Ivoire, le Nigéria, le Niger et le Tchad qui connaissent les situations linguistiques les plus complexes. Aucune des 50 langues de la Côte d'Ivoire (8,6 millions d'habitants) ne réussit à s'imposer; même pas le DIOULA, parlé à un titre ou à un autre (langue véhiculaire surtout) par 50 % de la population, ou le BAOULÉ, la langue ivoirienne la plus répandue (20 %). Le français se superpose à toutes les langues ivoiriennes et occupe une place exclusive dans l'administration, l'enseignement à tous les niveaux, les médias. Au Niger (5,5 millions d'habitants) et au Tchad (4,6 millions), les 200 langues **tchadiennes** (*voir le tableau 8.5*), **sahariennes** (*voir le tableau 8.16*) et **kordofaniennes** (*voir le tableau 8.17*) ne réussissent pas à concurrencer les langues officielles comme l'anglais (Nigéria), l'arabe ou le français (Tchad). Rares sont les pays de cette partie de l'Afrique qui font une place aux langues autochtones. Le Nigéria, avec ses 265 langues, a dû accepter de reconnaître quelque peu les langues de ses groupes les plus revendicateurs, ceux qui comptent notamment plus de 10 millions de locuteurs: les Haoussas (haoussa), les Yoroubas (yorouba) et les Ibos (ibo); le Sénégal a fait de même avec le WOLOF. Donc, sauf dans ces deux pays, l'anglais et le français sont à peu près les langues uniques de l'enseignement, de l'administration, de la justice et des médias. Rappelons que l'anglais (Cameroun, Gambie, Ghana, Libéria, Sierra Leone, Nigéria) et le français (Cameroun, Bénin, République centrafricaine, Tchad, Niger, Mali, Sénégal, Côte d'Ivoire, Burkina-Faso) ne sont parlés généralement que par environ 10 % de la population.

L'AFRIQUE SUD-TROPICALE

L'Afrique sud-tropicale et australe recouvre l'aire des langues **bantoues** (*voir le tableau 8.10*), qui s'étendent du Cameroun au Mozambique, c'est-à-dire tout le sud de l'Afrique avec une enclave, les langues **khoïsanes**, dans le sud-ouest du continent. Le nombre de langues bantoues, le plus important groupe de langues en Afrique noire, est estimé à environ 400 pour 100 millions de locuteurs. Seulement une vingtaine de langues sont jugées importantes: elles sont parlées par plus d'un million de locuteurs.

En premier lieu, vient le SWAHILI, langue de 40 millions d'Africains, parlé principalement en Ouganda, au Kenya, au Zaïre, en Tanzanie; il est l'une des langues officielles (avec l'anglais) au Kenya et en Tanzanie. Après le swahili, mais exerçant une fonction purement régionale, viennent le BEMBA (7 millions de locuteurs) en Zambie, le KIRNYARWANDA (7 millions) au Rwanda, le KIRUNDI (5 millions) au Burundi, le LUGANDA (4 millions) en Ouganda, le KIKONGO (3 millions), le TSCHILUBA (3 millions) et le LINGALA (2 millions) au Zaïre.

De façon générale, les langues européennes comme l'anglais, le français et le portugais voient le nombre de leurs locuteurs progresser, si l'on fait exception du swahili, langue africaine en pleine expansion. Cependant, en Afrique du Sud (30 millions d'habitants), c'est l'inverse qui se produit: l'anglais ne représente plus que 6 % de la population et l'afrikaans 20 %, alors que 74 % de la population parle le ZOULOU, le XHOSA, le TSWANA, le SHONA, etc; l'anglais demeure toutefois l'une des langues officielles avec l'afrikaans.

Enfin, dans la partie ouest, comprenant des morceaux de la Namibie, du Bostwana et de l'Afrique du Sud, survivent de petites populations isolées et clairsemées parlant des langues **khoïsanes** (*voir le tableau 8.18*). On ne compte plus que quatre langues de cette famille (le HOTTENTOT, le BOCHIMAN, le SANBAWÉ, le HATSA); celles-ci sont toutes en voie d'extinction et le nombre total de leurs locuteurs n'atteint pas les 150 000.

À l'exception du Gabon (0,5 million d'habitants), du Congo (1,6 million), du Zaïre (29,1 millions), où la langue officielle est le français, et de l'Angola (7 millions), du Mozambique (11 millions) et de la Guinée-Bissau (0,8 million) où le portugais est la langue officielle, tous les autres pays de l'Afrique sud-tropicale utilisent l'anglais comme langue officielle: Namibie, Zimbabwe, Botswana, Lesotho, etc.

L'OCÉAN INDIEN

Situé entre l'Afrique et l'Australie, l'océan Indien a été une zone relativement francophone dans le passé. La situation s'est considérablement modifiée depuis quelques années, surtout dans la grande île de Madagascar (9 millions d'habitants). Dans cette colonie qui a été française depuis la fin du XIXe siècle, le MALGACHE remplace progressivement le français depuis 1972. D'origine **austronésienne**, plus précisément du groupe **indonésien**, le MALGACHE OFFICIEL est la langue des Merinas, le groupe dominant de la population malgache, qui a réussi à exercer sa prépondérance sur les populations d'origine africaine; celles-ci habitent surtout dans les plaines côtières alors que les Merinas sont installés sur les hautes terres de l'intérieur. Il existe 50 variétés de malgache, mais c'est le merina qui s'impose à la fois sur les autres langues et sur le français. L'imposition du malgache n'est cependant pas chose facile, car les rivalités sont grandes entre les Merinas et les «côtiers».

À l'île Maurice (0,9 million d'habitants), l'ANGLAIS est la langue officielle, mais une grande partie de la population parle le FRANÇAIS et le CRÉOLE parce que l'île a été colonie française avant de devenir colonie britannique, puis indépendante en 1968; on y parle aussi des langues chinoises et indiennes. L'île de la Réunion (0,5 million d'habitants) est un territoire français d'outre-mer; le français est donc la langue officielle bien que toute la population parle le CRÉOLE DE LA RÉUNION.

L'archipel des Comores (370 000 habitants) est également une ancienne colonie française; la langue officielle est le français, mais la majorité de la population parle le SWAHILI. Quant à l'archipel des Seychelles (70 000 habitants), c'est le seul État à avoir rendu le créole (avec le français) langue officielle; par ailleurs, la plupart des habitants parlent aussi soit le français, soit l'anglais, sinon les deux. Enfin, l'archipel des Maldives (160 000 habitants), qui regroupe une centaine d'îlots au sud de l'Inde, est un État indépendant de langue anglaise.

8 L'AMÉRIQUE DU NORD

Au Canada et aux États-Unis, la langue anglaise s'est étendue massivement sur tout le continent nord-américain et a assimilé progressivement les ethnies amérindiennes ainsi que les diverses masses immigrantes des deux pays à quelques exceptions près. Quand on fait référence à ces immigrants, on parle souvent de «mosaïque canadienne» et de «melting pot» américain. Voyons ce qu'il en est de ces populations en commençant par les premiers habitants: les Amérindiens.

LES MINORITÉS AMÉRINDIENNES

Les langues amérindiennes de l'Amérique du Nord comprennent une cinquantaine de familles distinctes. Au recensement de 1971, il y avait 295 215 habitants d'origine ethnique amérindienne au Canada; de ce nombre, 179 820 utilisaient effectivement une langue amérindienne à la maison. Aux États-Unis (recensement 1970), on en comptait 268 205 sur une population totale de 792 730. Donc, moins d'un demi-million (448 000) de personnes parlent encore l'une des quelque 200 langues amérindiennes d'Amérique du Nord. Dans ces conditions, une langue parlée par plus de 5 000 individus apparaît presque comme importante.

Dans *Composition linguistique des nations du monde* (tome 2: *L'Amérique du Nord*)[6], les auteurs dénombrent environ 80 langues amérindiennes au Canada[7]. Les langues les plus représentées font parties des familles **eskimo-aléoute** (100 000 locuteurs), avec le YUPIK (40 000) et l'INUPIAT ou INUIT (30 000), et **algonkine** avec le CREE (70 000), l'OJIBWA (62 000), l'ALGONKIN proprement dit (50 000), le DELAWARE (21 000), le BLACKFOOT ou PIED-NOIR (10 000), le MICMAC (9 000). Dans la famille **iroquoise**, il ne restait plus que 1 041 locuteurs parlant le HURON lors du recensement de 1971. Aucune langue des familles **athabascan** ou **mosan** n'est parlée par plus de 5 000 locuteurs.

Aux États-Unis, où l'on dénombre environ 165 langues amérindiennes, une douzaine ont plus de 5 000 locuteurs. Il s'agit du NAVAHO (140 000), de l'APACHE (22 000) et du TLINGIT (7 533) de la famille **athabascan**, du CHEROKEE (10 000) et du MOHAWK (6 105) de la famille **iroquoise**, du POTAWATOMI (5 000) et du CHEYENNE (6 000) de la famille **algonkine**, du CHOCTAW (15 000) et du CREEK (10 000) de la famille **natchez-muskogee**, du DAKOTA (40 000) de la famille **hoka-sioux**, du PAPAGO (16 690) et du HOPI (4 500) de la famille **uto-aztèque**, un important groupe linguistique de l'Amérique centrale.

Finalement, à part les langues eskimo-aléoutes, protégées par leur isolement du Nord, la plupart des langues amérindiennes semblent en voie d'extinction à moins que des mesures correctives ne soient prises pour les sauver; étant donné la politique traditionnelle des gouvernements canadien et américain, qui a toujours été dans le sens contraire, l'espoir est mince.

LES AUTRES MINORITÉS LINGUISTIQUES ET L'ANGLAIS

Aux États-Unis, quelque 25,3 millions de citoyens américains (1975), sur une population de 232 millions (11 %), ont une autre langue que l'anglais ou l'espagnol comme langue maternelle. Il s'agit principalement de l'allemand, de l'italien, du polonais, du yiddish, de l'ukrainien, du grec, du néerlandais, du chinois, du hongrois, du portugais. Tous ces groupes minoritaires, une cinquantaine, sont voués à une assimilation plus ou moins rapide dans le creuset de la culture anglo-saxonne.

Il n'en est pas de même cependant pour les HISPANOPHONES, dont une grande partie provient du Mexique, de Porto-Rico et de Cuba. La Mexican-American Population Commission of California[8] établissait à 9,2 millions la population hispanophone en 1971. Or, depuis la dernière décennie, la population originaire d'Amérique latine, les

6. Voir la bibliographie à la fin du chapitre.
7. Pour tout ce qui concerne les langues amérindiennes de l'Amérique du Nord, se reporter à la figure 9.9 et aux tableaux 8.19 à 8.25.
8. D'après Gilles BIBEAU, *L'éducation bilingue en Amérique du Nord*, Montréal, Guérin, 1982, p. 60.

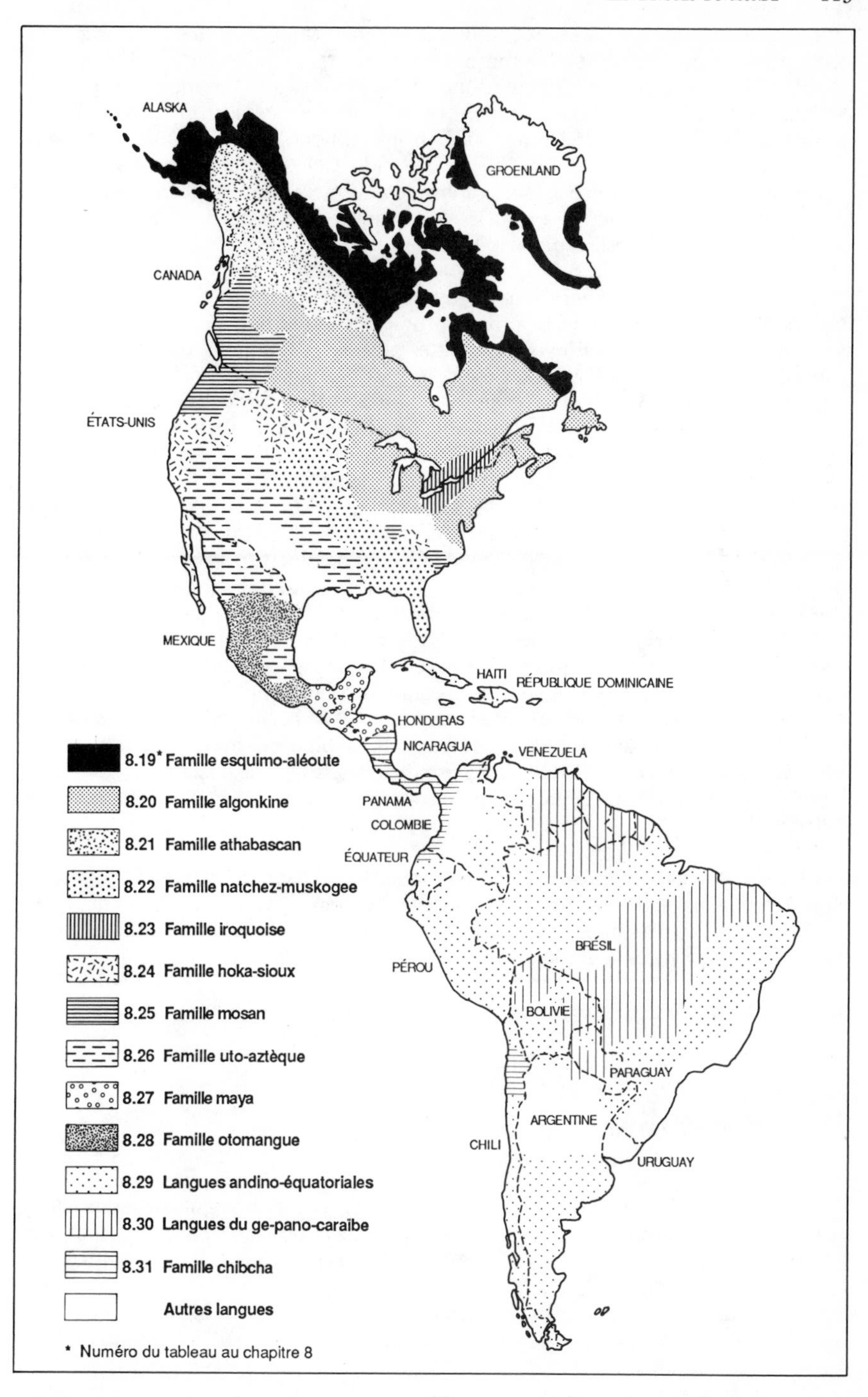

FIGURE 9.9 LES FAMILLES AMÉRINDIENNES

Latinos, a augmenté de 67 %, sans compter la grande masse des *indocumentados*, les «sans papiers», qui arrivent au rythme d'un million par année par le Mexique. La population hispanophone devrait donc aujourd'hui avoir atteint au moins les 20 millions. De plus, ces hispanophones ont tendance à se concentrer dans cinq États du Sud-Ouest: la Californie (52 % de souche hispanophone), le Texas (40 %), l'Arizona (44 %), le Nouveau-Mexique (89 %), le Colorado (89 %). Étant donné leur forte concentration sur le territoire et leur nombre relativement élevé, il y a fort à parier que les gouvernements américains auront des problèmes avant longtemps avec ces «Latinos», qui ne semblent pas vouloir se laisser assimiler.

Quant aux FRANCOPHONES américains, ils représentent des groupes importants dans les États de la Nouvelle-Angleterre, où ils constituent plus du tiers de la population du Vermont, du New Hampshire et du Maine; plus de 3,1 millions d'habitants de la Nouvelle-Angleterre et de l'État de New York sont d'origine francophone. Ailleurs, la Californie en abrite 1,3 million, la Louisiane un million, le Michigan 943 000; le Texas, la Floride, l'Illinois et l'Ohio, environ 500 000 chacun. Cette minorité francophone de sept à huit millions[9] de personnes pourra difficilement être résorbée à court terme.

Au Canada, le recensement de 1981[10] révèle que, sur 24 millions d'habitants, 16,4 millions utilisent l'anglais à la maison contre 5,9 pour le français. Les langues non officielles les plus représentées sont l'italien (364 000), principalement en Ontario et au Québec; le chinois (187 000), en Ontario et en Colombie-Britannique; l'allemand (163 000), en Ontario, au Manitoba, en Alberta et en Colombie-Britannique; le portugais (130 000), en Ontario et au Québec; le grec (94 000), en Ontario et au Québec; l'ukrainien (94 500), en Ontario, en Alberta et en Saskatchewan. Comme aux États-Unis, les chances de survie de ces langues non reconnues demeurent à peu près nulles à long terme. Ainsi, dans l'éventualité où un(e) immigrant(e) de langue italienne se marie «au hasard» — avec un(e) italophone, un(e) anglophone ou un(e) francophone — et que ses enfants adoptent l'une des deux langues officielles, le taux de disparition de l'italien serait de 89 % après la deuxième génération et de 99,9 % après la troisième génération[11].

En réalité, la situation linguistique demeure relativement simple au Canada: les anglophones sont majoritaires dans neuf provinces et les francophones le sont uniquement au Québec (82 %). Par ailleurs, les autres francophones (1,1 million) sont disséminés dans les neuf provinces anglaises. Malgré l'enchâssement des droits linguistiques dans la Constitution, la situation des minorités francophones hors Québec demeure à ce point fragile qu'on peut croire à leur assimilation à plus ou moins long terme.

9 L'AMÉRIQUE LATINE

Des États-Unis à la Terre de Feu, l'Amérique latine est pratiquement divisée en deux grandes aires linguistiques: une aire HISPANOPHONE groupant 19 États et une aire LUSOPHONE[12] au Brésil, lesquelles comprennent respectivement 237 millions et 124,6 millions d'habitants. Entre les deux, disséminés à travers les Antilles, quelques îlots anglophones, francophones et néerlandophones. Voilà pour la thèse officielle! À cela, s'ajoutent les centaines de langues amérindiennes parlées par 25 millions d'individus et les créoles des Antilles.

---

9. D'après la Presse canadienne, «Plus de 13 millions d'Américains ont des ancêtres français» dans *La Presse*, 8 décembre 1983.
10. Statistique Canada, *Recensement du Canada de 1981*, «Faits saillants», 26 avril 1983, 32 pages.
11. D'après Jean A. LAPONCE, *Langue et territoire*, Québec, Presses de l'Université Laval, CIRB, 1984, p. 85.
12. Le mot «lusophone» signifie «qui parle le portugais»; ce mot tire son origine de «Lusitanie», qui désignait l'ancienne province romaine de la péninsule ibérique appelée aujourd'hui le Portugal.

LES LANGUES DOMINÉES

Les premières langues dominées ont été les langues autochtones et ce, dès l'arrivée des Espagnols. En 1550, le roi d'Espagne, Charles Quint, avait déjà décidé la castillanisation[13] des indigènes dans un texte expliquant qu'aucune langue indienne, si parfaite soit-elle, ne saurait interpréter les mystères de «Notre Sainte Foi catholique[14]». Après quatre siècles, certaines langues et certaines familles[15] de langues résistent encore: l'**uto-aztèque** avec 84 variétés de langues (1 million de locuteurs); le **maya** avec 28 langues (0,5 million) au Mexique; l'**otomangue** avec 38 langues (1,2 million) au Mexique et au Nicaragua; le **quechua** avec 27 langues (10 millions) en Colombie, en Équateur, au Pérou, au Chili, en Bolivie et en Argentine; le **guarani** avec 34 langues (3 millions) en Bolivie, au Paraguay, au Brésil et en Argentine; l'**aymara** avec 14 langues (2 millions) au Pérou et en Bolivie; l'**araucan** avec 13 langues (0,5 million) au Chili et en Argentine; le **panoan** avec 123 langues (0,3 million) au Pérou, en Bolivie, au Paraguay et au Brésil; le **chibcha** avec 77 langues (0,4 million) en Amérique centrale et en Colombie. La moyenne des autres familles de langues chute autour de 20 000 à 40 000 locuteurs pour chacune d'elles.

Au Mexique (73,1 millions d'habitants), l'Institudo Nacional Indigenista de Mexico estime à 60 le nombre de langues parlées au pays et à 4,8 millions le nombre de locuteurs indigènes. Aucune des langues autochtones n'atteint le million. Parmi les langues amérindiennes, l'ancienne langue impériale des Aztèques, le NAHUATL, atteint les 900 000 locuteurs alors qu'elle en comptait 25 millions au XVIe siècle; puis viennent le MAYA (600 000) au Yucatan, l'OTOMI (400 000), le ZAPOTÈQUE (350 000), le MIXTÈQUE (300 000), le TOTONAQUE (220 000), le MAZAJUAS, (150 000), le MAZATHÈQUE (150 000), etc.

Dans toute cette région de l'Amérique centrale, on compterait 260 langues, mais seulement quelques-unes connaissent une certaine vitalité. Au Guatemala, un petit pays de 7,2 millions d'habitants, la moitié de la population parlerait près de 20 langues distinctes, surtout des langues mayas dont le CAKCHIQUEL (0,5 million), le KEKCHI (350 000), le MAM (340 000), etc. Dans les autres pays de cette partie de l'Amérique, mentionnons le MISKITO (70 000) au Nicaragua et au Honduras, le CUNA (25 000) à Panama, le CARIBE (50 000), le CHORTI (33 000).

En fait, c'est dans les pays situés le long de la Cordillère des Andes (Colombie, Équateur, Pérou, Bolivie) et au Paraguay que sont concentrées les trois principales langues du continent, soit le quechua, l'aymara et le guarani, qui totalisent 15 millions de locuteurs. Le QUECHUA est l'ancienne langue impériale de l'Empire inca; il est parlé aujourd'hui par plus de 10 millions de locuteurs dans six pays: le Pérou, l'Équateur, la Bolivie, auxquels il faut ajouter des portions des territoires colombien, argentin et chilien. Le quechua est parlé par 50 % de la population du Pérou (pop. totale: 18,7 millions) et 34 % de celle de la Bolivie (5,9 millions); de plus, une autre partie de la population bolivienne parle aussi l'AYMARA (25 %). Ces deux langues, atteintes par la fragmentation dialectale (27 variétés pour le quechua et 14 pour l'aymara), connaissent un statut différent selon les pays. Bien que généralement interdites dans les écoles, dans l'administration et dans la haute société, et particulièrement infériorisées au Pérou et en Équateur, ces langues jouissent d'un certain prestige en Bolivie où, notamment, elles sont utilisées à la radio.

Au Paraguay (3,3 millions), 94 % de la population parle le GUARANI ou l'une de ses 34 variétés; 74 % est unilingue guarani (2,4 millions), 23 % bilingue guarani-espagnol, 4 % unilingue espagnol; de plus, un autre million de locuteurs vit en Bolivie, au Brésil et en Argentine. Enfin, il existerait 250 langues amérindiennes au Brésil (124,6 millions), mais les possibilités pour l'une d'elles de jouir d'un quelconque prestige sont absolument nulles. C'est l'usage exclusif du portugais qui prévaut.

---

13. La «castillanisation» est un phénomène d'assimilation de la part du castillan, la langue du roi d'Espagne; il s'agit de la langue espagnole.
14. Voir Louis-Jean CALVET, *Les langues véhiculaires*, Paris, P.U.F., «Que sais-je?», n° 1916, p. 56.
15. Pour les familles amérindiennes de l'Amérique latine, voir les tableaux 8.26 à 8.31.

Dans le monde des Caraïbes, s'ajoutent d'autres minorités linguistiques très diversifiées. La créolisation a donné naissance à plusieurs langues originales comme le CRÉOLE FRANÇAIS d'Haïti (5,1 millions de locuteurs), de la Guadeloupe (300 000 locuteurs), de la Martinique (324 000) et de la Guyane française (63 000). Les CRÉOLES ANGLAIS (5 millions de locuteurs) sont parlés en Jamaïque, aux Bahamas, aux îles Vierges, en Dominique, à Sainte-Lucie et à Saint-Vincent, à la Barbade, à Grenade, à la Trinité-et-Tobago. D'autres parlers mixtes sont utilisés, comme le PAPIAMENTO (225 000) des Antilles néerlandaises, le SRANAM-TONGO du Surinam, le TAKI-TAKI de la Guyane. Ces langues sont évidemment proscrites dans l'administration et la vie officielle des États.

LES LANGUES DOMINANTES

En Amérique du Sud comme ailleurs, on a toujours eu recours à une pratique vieille comme le monde: la suprématie du plus fort. C'est l'usage quasi exclusif de l'espagnol ou du portugais qui prévaut partout. Lorsqu'un État élabore une stratégie linguistique, c'est ordinairement pour protéger la langue dominante. La protéger contre les langues nationales ou contre les langues étrangères? Les intentions politiques ne sont pas toujours claires à ce sujet. Mais les dirigeants s'organisent ordinairement pour contrer les langues autochtones.

À l'espagnol et au portugais, s'ajoutent trois autres langues coloniales: l'ANGLAIS (Jamaïque, Bahamas, Îles Vierges, Dominique, Sainte-Lucie et Saint-Vincent, Barbade, Trinité-et-Tobago, Guyane), le FRANÇAIS (Haïti, Guadeloupe, Martinique, Guyane française) et le NÉERLANDAIS (Surinam et Antilles néerlandaises; îles Aruba et Curaçao). Comme partout sur le continent, c'est l'emploi quasi exclusif de la langue impériale qui prévaut. D'une façon générale, on peut dire que les langues européennes ont réussi à supplanter, sinon à éclipser les langues amérindiennes sur l'ensemble des deux continents. Le succès est moins évident avec les langues créoles, qu'aucun État cependant n'ose reconnaître officiellement; Haïti a bien reconnu officiellement le créole, mais cette décision ne s'est pas traduite dans les faits.

On préférerait plutôt remplacer un créole par une autre langue impériale comme langue officielle; par exemple, remplacer le français par l'anglais de préférence au créole. C'est presque ce qui s'est passé au Surinam: à la veille de l'Indépendance (1975), les politiciens ont voulu remplacer le néerlandais, non pas par le papiamento, mais par l'anglais ou l'espagnol, sous prétexte que l'administration du pays serait davantage au diapason de son environnement et de sa population. Le projet est demeuré sur les tablettes.

La difficile coexistence des langues

Toutes les inégalités sur le plan linguistique ne peuvent qu'engendrer des conflits entre les groupes en présence. L'histoire montre que les États ont inévitablement tendance à adopter une vision centralisatrice et unificatrice devant la multitude des langues en présence sur leur territoire; en vérité, en matière d'*aménagement linguistique*, l'unité prévaut le plus souvent sur la diversité, ce qui entraîne une attitude répressive et bêtement obscurantiste. D'où les mouvements de lutte pour l'autonomie venant des groupes linguistiques minoritaires qui se refusent à devenir bientôt des fossiles.

Il n'en demeure pas moins que, malgré une spectaculaire explosion démographique, surtout depuis un siècle, le nombre de langues va inévitablement diminuer dans les années à venir. On peut croire que les langues non écrites seront particulièrement vulnérables et qu'elles seront appelées à disparaître à plus ou moins long terme, surtout si le nombre de leurs locuteurs demeure peu élevé. Le phénomène que l'on a constaté en Amérique, où près de 800 langues ont dû disparaître depuis plus de trois siècles, est vraisemblablement appelé à se reproduire non seulement en Amérique, mais aussi en Océanie, en Afrique et en Asie.

Si le monde entier en arrivait à une situation linguistique analogue à celle de l'Europe actuelle, où il n'y a en moyenne qu'une langue par 10 millions d'habitants, il n'y aurait plus, toute proportion gardée, qu'environ 450 langues dans le monde. Cela signifierait que 90 % des langues actuelles disparaîtraient au profit des langues officielles des États et des autres langues associées aux diverses formes de pouvoir.

Dans ce domaine, les spéculations demeurent bien incertaines. Rappelons que l'avenir d'aucune des langues actuelles n'est assuré pour l'éternité. L'histoire des anciennes langues impériales est là pour le prouver: l'égyptien, le babylonien, le phénicien, le grec, le latin, etc., sont disparus. À l'instar des organismes de notre planète, les langues naissent, elles évoluent dans le temps et elles sont destinées à mourir.

À RETENIR

On compte approximativement 60 langues en Europe, 800 en Asie, 1 750 en Océanie, 1 850 en Afrique, 2 200 en Amérique, pour un total d'environ 6 660 langues dans le monde.

Néanmoins, on peut dire que 90 % de la population mondiale se sert de 2 % des langues existantes; la majorité de la population du monde parle donc un tout petit nombre de langues.

Les langues des familles indo-européenne, sino-tibétaine, austronésienne, chamito-sémitique, dravidienne, japonaise et coréenne, ouralo-altaïque, bantoue, nigéro-congolaise, regroupent 96 % de toute la population du monde; les autres familles linguistiques réunies (au nombre de près de 200) atteignent tout au plus 4 %.

L'indo-européen primitif a donné naissance à plus de 1 000 langues; il en reste aujourd'hui environ 200, parlées principalement en Inde et au nord de l'Inde, en Europe, dans les deux Amériques, en Océanie; les langues indo-européennes totalisent plus de deux milliards de locuteurs.

Les quelque 30 langues sino-tibétaines, avec plus d'un milliard de locuteurs, sont concentrées en Chine et en Indochine.

Les 900 langues austronésiennes (200 millions de locuteurs) s'étendent de l'île de Madagascar dans l'océan Indien, en passant par l'Indonésie et l'Australie, jusqu'aux îles du Pacifique.

Les langues chamito-sémitiques couvrent tout le nord de l'Afrique et une partie du Proche-Orient, avec 200 millions de locuteurs.

Les 30 langues dravidiennes (170 millions de locuteurs) demeurent concentrées pratiquement dans le sud de l'Inde.

Les 80 langues ouralo-altaïques (110 millions) couvrent la Turquie, presque tout le territoire soviétique (80 %), la Mongolie ainsi que des îlots en Iran, en Afghanistan et en Chine.

Les 400 langues bantoues (100 millions) recouvrent l'Afrique sud-tropicale alors que les 900 langues nigéro-congolaises (80 millions) s'étendent d'ouest en est au centre de l'Afrique.

On compterait plus de 125 langues créoles dans le monde, pour environ 20 millions de locuteurs.

La plupart des 6 600 langues du monde sont réduites à une seule fonction: la communication interpersonnelle au foyer ou dans la communauté locale immédiate.

Deux ou trois cents langues possèdent plus d'une fonction, dont celles de langue véhiculaire ou de langue religieuse; une soixantaine de langues ont plusieurs fonctions, dont celles de langue nationale ou de langue officielle; parmi ces langues déjà privilégiées, seulement cinq remplissent à peu près toutes les fonctions possibles.

Plus une langue possède de fonctions sociales, plus elle augmente son statut, donc ses possibilités d'expansion et sa longévité.

Selon toute vraisemblance, le nombre de langues dans le monde va diminuer considérablement dans les années à venir au profit des langues plus fortes associées au pouvoir politique ou économique.

À l'exemple de la vie des organismes de notre planète, les langues naissent, elles évoluent dans le temps et elles sont destinées à mourir.

BIBLIOGRAPHIE

ALBO, Xavier. «La situation sociolinguistique de l'Amérique centrale et de l'Amérique du Sud» dans *Composition linguistique des nations du monde*, t. 3, Québec, CIRB (Centre international de recherche sur le bilinguisme), Presses de l'Université Laval, 1979, p. 9-37.

ARLOTTO, Anthony. *Introduction to Historical Linguistics*, Boston, Houghton Mifflin Co., 1972.

BIBEAU, Gilles. *L'éducation bilingue en Amérique du Nord*, Montréal, Guérin, 1982, 201 p.

BRETON, Roland. *Géographie des langues*, Paris, P.U.F., coll. «Que sais-je», n° 1648, 1976, 128 p.

BROUK, S. *La population du monde*, Moscou, Éditions du Progrès, 1983, 590 p.

CALVET, Louis-Jean. *Les langues véhiculaires*, Paris, P.U.F., coll. «Que sais-je?», n° 1916, 1981, 121 p.

CHALIAND, Gérard et Jean-Pierre RAGEAU. *Atlas stratégique*, «Géopolitique des rapports de forces dans le monde», Paris, Fayard, 1983, 223 p.

CHAUDENSON, Robert. *Les créoles français*, Paris, Fernand Nathan, 1979, 173 p.

DONATO, Joseph. «La variation linguistique ou la langue dans l'espace, le temps, la société et les situations de communication» dans *Linguistique*, Paris, P.U.F., 1980, p. 280-305.

DORAIS, Louis-Jacques. «Langue et identité à Hawaï» dans *Anthropologie et société*, vol. 7, n° 3, Québec, Département d'anthropologie de l'Université Laval, 1983, p. 63-76.

DUBOIS, Jean *et al. Dictionnaire de linguistique*, Paris, Larousse, 1973.

GILYAREVSKY, R.S. et V.S. GRIVNIN. *Language Identification Guide*, Moscou, Nauka Publishing House, 1970.

GLEASON, H.A. *Introduction à la linguistique*, Paris, Larousse, 1969, 380 p.

HAUDRY, Jean. *Les Indo-Européens*, Paris, P.U.F., coll. «Que sais-je?», n° 1965, 1981, 128 p.

LAPONCE, Jean A. *Langue et territoire*, Québec, CIRB, Presses de l'Université Laval, 1984, 265 p.

LECLERC, Jacques. *Qu'est-ce que la langue?*, Laval, Mondia Éditeurs, 1979, p. 109-124.

LOCKWOOD, W.B. *A panorama of Indo-European Languages*, Londres, Hutchinson University Library, 1972.

MACKEY, William Francis. *Bilinguisme et contact des langues*, Paris, Klincksieck, 1976, 534 p.

MACKEY, William Francis. «La mortalité des langues et le bilinguisme des peuples» dans *Anthropologie et société*, vol. 7, n° 3, Québec, Département d'anthropologie de l'Université Laval, 1983, p. 3-23.

MALHERBE, Michel. *Les langages de l'humanité*, Paris, Seghers, 1983, 443 p.

POTTIER, Bernard. «Les langues dans le monde» dans *Le langage*, Paris, Centre d'Étude et de Promotion de la Lecture, 1973, p. 226-249.

OUVRAGES COLLECTIFS

Composition linguistique des nations du monde, t. 1: «L'Asie du Sud: secteurs central et occidental», sous la direction de H. KLOSS et G.D. McCONNEL, Québec, CIRB, Presses de l'Université Laval, 1974.

Composition linguistique des nations du monde, t. 2: «L'Amérique du Nord», sous la direction de H. KLOSS et G.D. McCONNEL, Québec, CIRB, Presses de l'Université Laval, 1978.

Composition linguistique des nations du monde, t. 3: «L'Amérique centrale et l'Amérique du Sud», sous la direction de H. KLOSS et G.D. McCONNEL, Québec, CIRB, Presses de l'Université Laval, 1979.

Composition linguistique des nations du monde, t. 4: «L'Océanie», sous la direction de H. KLOSS et G.D. McCONNEL, Québec, CIRB, Presses de l'Université Laval, 1981.

Encyclopédie thématique Weber, n° 14, Barcelone/Paris, CIESA/Weber S.A. d'éditions, 1972, p. 70-71 et 82-83.

La Grande Encyclopédie, n° 33, Paris, Librairie Larousse, 1974, p. 6444-6954.

Langues dominantes, langues dominées, Paris, Edilig, 1982, 178 p.

Le langage, sous la direction d'André Martinet, Paris, Encyclopédie La Pléiade, Gallimard, 1968.

L'état du monde, Paris/Montréal, La Découverte/Boréal Express, 1982, 638 p.

L'état du monde, Paris/Montréal, La Découverte/Boréal Express, 1983, 640 p.

L'état du monde, Paris/Montréal, La Découverte/Boréal Express, 1984, 640 p.

L'état du monde, Paris/Montréal, La Découverte/Boréal Express, 1985, 636 p.

Peuples du monde entier, Encyclopédie Alpha, vol. 11: «Glossaire des peuples», Lausanne (Suisse), Éditions Grammont S.A., 1980, 218 p.

Recensement du Canada de 1981, «Faits saillants», Ottawa, Statistique Canada, avril 1983, 32 p.

Sciences sociales (2), «Linguistique», sous la direction de Roger Caratini, Paris-Bruxelles, Bordas Encyclopédie, 1972, p. 71-144.

The Encyclopedia Americana, vol. 16, New York, Encyclopedia Americana Corporation, 1972.

The New Encyclopædia Britannica, vol. 10, Chicago, Encyclopædia Britannica Inc., 1974.

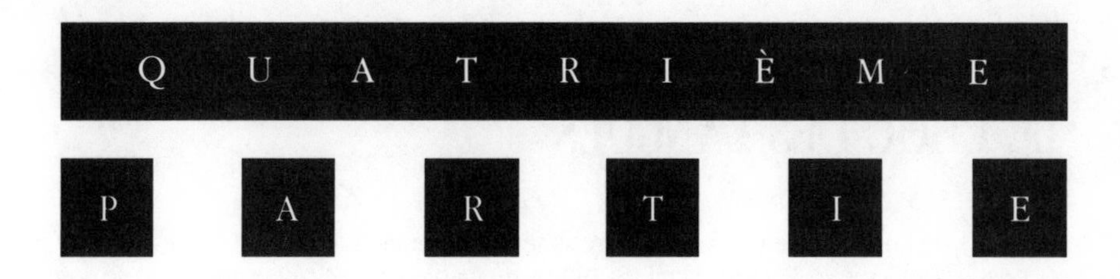

LA GUERRE DES LANGUES

LE CHOC DES LANGUES: LE MULTILINGUISME COMME SOURCE DE CONFLITS ○ LA LUTTE POUR LA DOMINANCE: UNE QUESTION DE VIE OU DE MORT; LA VITALITÉ DES LANGUES OU LES FACTEURS DE PUISSANCE LINGUISTIQUE ○ L'ÉTAT MODERNE: UN ÉTAT GLOTTOPHAGE ○ PATHOLOGIE LINGUISTIQUE ET RÉSISTANCE DES PETITES LANGUES: DE LA SURVIVANCE À LA FIÈVRE AUTONOMISTE ○ ESSAI DE FUTUROLOGIE LINGUISTIQUE

LE CHOC DES LANGUES

Au cours de l'histoire de l'humanité, rares sont les langues qui ont réussi à se développer sans contact avec l'extérieur; il est plutôt probable que ce phénomène ne se soit jamais réalisé. Le contact des langues est un fait historique normal: des peuples de langues différentes entrent en relation, soit pour communiquer entre voisins frontaliers, soit pour exercer le commerce, soit pour entreprendre des conquêtes militaires et assujettir les vaincus par la suite, etc. Il y a aussi contact des langues quand un individu se déplace pour des raisons professionnelles ou autres, qu'il quitte son pays pour en visiter un autre ou immigrer, et qu'il est amené à utiliser une autre langue que la sienne. Le bilinguisme résulte de ce phénomène du contact des langues.

Lorsque deux ou plusieurs langues se trouvent en contact, donc lorsqu'on se trouve en situation de bilinguisme ou de multilinguisme, elles exercent toujours une action l'une sur l'autre. Les langues en contact s'influencent et ont une influence sur les plans linguistique, social, culturel, politique, etc. Étant donné que les langues sont plus que de simples instruments de communication et qu'elles sont également médiatrices de projets sociaux, culturels, économiques ou politiques, elles n'ont pas la même force les unes par rapport aux autres, ni la même résistance. Aussi le contact des langues favorise-t-il la langue la plus forte, celle qui bénéficie du poids du nombre et du pouvoir sous toutes ses formes. Des rapports de force inégaux ne peuvent pas produire des langues égales. Or, les langues s'imposent par la force, même lorsque celle-ci n'est pas utilisée. Les langues, à l'instar des individus, sont au coeur de conflits de préséance et de dominance qui font et défont les hiérarchies dans lesquelles elles se trouvent. Les langues en contact cherchent à s'éliminer et à se vaincre. Comme l'affirme de façon réaliste le politicologue Jean A. Laponce de l'Université British Colombia: «Entre langues, l'état normal, c'est la guerre[1]».

Dans ce combat pour la survie des langues, deux possibilités: la soumission ou la résistance. Selon le cas, on assistera soit à un génocide linguistique assurant la suprématie de la langue la plus forte, soit à la répression, à la ségrégation linguistique ou à une autre forme de représailles contre la langue la plus faible, soit à l'assimilation lente ou rapide de celle-ci, soit encore à la coexistence plus ou moins pacifique de deux langues inégales, soit enfin à l'autonomie ou à la sécession. Sauf dans les cas d'autonomie ou de sécession, c'est ordinairement le groupe dominant qui décide du sort réservé à la minorité.

Depuis plusieurs millénaires, la surface du globe offre ce spectacle constant de ce que nous appelons la *guerre des langues*, c'est-à-dire deux mouvements tendanciels opposés, en perpétuelle évolution: certaines langues s'étendent dans l'espace et finissent parfois par occuper tout le terrain, d'autres régressent et tendent vers l'extinction. L'espace couvert par les langues est mouvant, car il est soumis aux aléas des affrontements militaires et des impérialismes, des rapports sociaux, du commerce, des idéologies et de la politique. Ce combat pour la survie des langues n'est que la manifestation d'un combat plus large: la dominance politique et économique.

---

1. Jean A. LAPONCE, *Langue et territoire*, Québec, Presses de l'Université Laval, CIRB, 1984, p. 64.

1 LE MULTILINGUISME: UN PHÉNOMÈNE UNIVERSEL

Une certaine vision idéaliste veut que l'unilinguisme soit la règle et le multilinguisme un phénomène marginal. C'est à la fois fausser la réalité et rêver en couleurs. Plusieurs considèrent comme normale la situation des pays d'Europe et d'Amérique du Nord qui, en deux ou trois siècles, ont réussi à imposer une langue apparemment unique sur leur territoire: la France, la Grande-Bretagne, l'Allemagne, l'Italie, l'Espagne, les États-Unis, etc. De là à croire qu'il s'agit de la norme mondiale, il n'y a qu'un pas, vite franchi par certains Occidentaux qui s'appuient sur le fait que quelque 140 pays sont officiellement unilingues, alos qu'une trentaine seulement sont bilingues ou multilingues. Mais observons plutôt les faits.

TROP DE LANGUES POUR TROP PEU DE PAYS

Nous savons qu'il n'existe pas moins de 6 000 langues dans le monde pour environ 170 États; donc, une moyenne théorique de 35 langues par pays. Le tableau 10.1 nous permet de voir que c'est effectivement en Europe que le multilinguisme est le moins prononcé: environ deux langues en moyenne par pays. En Amérique, le multilinguisme touche particulièrement les populations autochtones avec 25 millions de locuteurs (4 % de la population mondiale) pour 1 700 langues réparties dans une trentaine d'États; on peut compter au moins 50 langues par pays. Par ailleurs, plus de 90 % de la population parle l'anglais, l'espagnol ou le portugais. Il faut bien admettre que l'Europe et l'Amérique du Nord ont atteint une grande homogénéité linguistique sans que disparaisse pour autant le multilinguisme. Par contre, l'Asie, l'Afrique et l'Océanie, soit 70 % de la population mondiale, atteignent des moyennes très élevées: 20 langues par pays en Asie, 37 en Afrique et 1 770 en Océanie. Sur ces trois continents, un multilinguisme généralisé règne.

Continent	Population (1983) en millions	Langues effectives	Langues officielles	États
EUROPE	754	60	28	33
AMÉRIQUE	614	1 700	6 (a)	38
ASIE	2 558	800	27	40
AFRIQUE	469	1 850	13	50
OCÉANIE	23	1 700	4 (b)	10
TOTAL	4 418	6 000 (c)	67 (d)	171

(a) Il s'agit de l'anglais, de l'espagnol, du portugais, du français, du néerlandais (Surinam et Antilles néerlandaises) et du guarani (Paraguay).

(b) Il s'agit de l'anglais, du français, du samoa et du kiribati; l'espagnol de l'île de Pâques a été exclu.

(c) Le nombre des langues réelles a été arrondi à 6 000.

(d) Le nombre des langues officielles différentes devrait se situer autour de 67, non de 78 comme le calcul l'indiquerait ici: l'anglais a été compté cinq fois au lieu d'une; le français, quatre; le néerlandais, l'espagnol et le portugais, trois fois chacun.

TABLEAU 10.1 LA RÉPARTITION NUMÉRIQUE PAR CONTINENT DES LANGUES EFFECTIVES, DES LANGUES OFFICIELLES ET DES ÉTATS

L'UNILINGUISME DES ÉTATS: UNE FAUSSE RÉALITÉ

Dans les faits, la quasi-totalité des États du monde sont multilingues même si 26 se déclarent officiellement bilingues[2], quatre trilingues[3] et un seul quadrilingue (Singapour). Parmi les quelque 135 États qui se prétendent unilingues, certains offrent une véritable mosaïque linguistique:

INDONÉSIE: 200 langues
ZAÏRE: plus de 500 langues
NIGÉRIA: plus de 200 langues
URSS: 180 langues
CHINE: 80 langues environ
PAPOUASIE: 1 100 langues
VANUATU: 102 langues mélanésiennes
INDE: 800 langues dont 16 «constitutionnelles»
BRÉSIL: 160 langues amérindiennes
MEXIQUE: 60 langues amérindiennes
VIET-NAM: une soixantaine de langues
CÔTE D'IVOIRE: une cinquantaine de langues

Les États linguistiquement homogènes sont rares. Seuls les pays suivants sont unilingues à plus de 90 %: le Japon (119,6 millions de locuteurs), la Corée du Nord (19 millions), la Corée du Sud (40,6 millions), la République dominicaine (6 millions), les Bahamas (220 000), Saint Kitts et Nevis (50 000), la Dominique (90 000), l'Islande (238 000), la principauté du Liechtenstein (26 000), la République de Saint-Marin (21 000). À part le Japon, la Corée (Nord et Sud) et la République dominicaine, on ne compte que quelques micro-États vraiment unilingues. Partout ailleurs, c'est le multilinguisme plus ou moins accentué, plus ou moins généralisé. Nous reviendrons sur cet aspect un peu plus loin.

2 BOULEVERSEMENTS ET MULTILINGUISME

Ce sont toujours des bouleversements politiques, militaires, sociaux, économiques ou technologiques qui provoquent l'apparition du multilinguisme. Les changements politiques de même que les conquêtes militaires ont été sûrement parmi les principales causes du multilinguisme, mais les impératifs économiques tels le commerce ainsi que certains changements technologiques récents ont favorisé également le bilinguisme ou le multilinguisme.

LA CRÉATION DES ÉTATS-NATIONS

Au cours des derniers siècles, le monde occidental a assisté à la création de nombreux États nationaux (selon le principe «un État, une nation»), qui ont réussi à unifier politiquement de plus ou moins vastes portions de territoires multi-ethniques. En Europe de l'Ouest, le rattachement d'une région au pouvoir central a été moins souvent le fait d'une conquête militaire pure et simple (même si elle n'y était pas totalement étrangère) que le résultat d'alliances matrimoniales entre familles régnantes et d'accords plus ou moins politiques. C'est le cas des États comme la France, la Grande-Bretagne, l'Allemagne, l'Italie, l'Espagne, la Suède, etc.

Ces États ont assimilé linguistiquement et culturellement les divers groupes ethniques à l'intérieur de leurs frontières politiques même si plusieurs de ces groupes ont réussi à

2. Afghanistan, Afrique du Sud, Burundi, Cameroun, Canada, Chypre, Finlande, Inde, Irlande, Israël, Kenya, Kiribati, Lesotho, Madagascar, Malte, Mauritanie, Norvège, Pakistan, Paraguay, Philippines, Samoa-Occidental, Seychelles, Swaziland, Tchécoslovaquie, Vanuatu, Vatican.
3. Belgique, Suisse, Yougoslavie, Sri Lanka.

conserver un certain usage de leur langue maternelle originale et un certain nombre de traditions propres. Le problème de la coexistence linguistique ne se poserait pas si quelques-unes de ces minorités ethniques (les Basques, les Corses, les Bretons, les Gallois, les Catalans, etc.) ne revendiquaient pas un élargissement de leurs droits ou si divers parlers régionaux, notamment dans les pays germaniques, ne persistaient pas concurremment à la langue standard.

Prenons le cas de l'Allemagne. Tant que celle-ci était constituée de plusieurs États autonomes (la Prusse, la Saxe, la Bohème, l'Autriche, la Franconie, la Bavière, etc.), le multilinguisme ne pouvait se manifester. Avec l'unification des États allemands au XIXe siècle, les divers parlers germaniques furent mis en évidence, car ils soulevaient la question de l'unification linguistique, c'est-à-dire de la standardisation de la langue allemande. Bien que l'Allemagne, l'Autriche et la Suisse aient achevé cette unification après plus d'un siècle, de nombreuses langues régionales continuent parallèlement à être employées comme langues vernaculaires de tous les jours. Ainsi on parle le *Hochdeutsch* (ou haut-allemand) dans le Nord-Ouest, le *Niederdeutsch* (ou bas-allemand) dans le Nord-Est, le *Westmitteldeutsch* (ou moyen-allemand) dans le centre de la RFA, l'*Ostmitteldeutsch* (un autre moyen-allemand) surtout en RDA, l'*Oberdeutsch* (ou sud-allemand) en Bavière, le *Schweizerdeutsch* (ou suisse-allemand) en Suisse alémanique. Il ne faudrait pas sous-estimer l'importance de ces parlers régionaux. D'une part, ils sont plus distincts entre eux que ne le sont le norvégien, le danois et le suédois, ce qui contribue en partie à assurer leur maintien; d'autre part, ils sont demeurés très vivaces tant en RFA et en RDA qu'en Suisse alémanique, où l'on assiste d'ailleurs à une recrudescence du *Schweizerdeutsch*[4].

L'unification politique des États de l'Europe de l'Ouest a d'abord mis en évidence le multilinguisme ethnique, puis elle a contribué à assurer la standardisation et la suprématie des langues officielles, sans réussir cependant à faire disparaître les anciennes langues régionales. Celles-ci, qu'on croyait disparues il y a une vingtaine d'années, sont réapparues parfois avec force; qu'on pense à la langue des Catalans, des Basques, des Bretons, des Corses, des Écossais, des Gallois, etc. Aujourd'hui, les «langues» minoritaires et les parlers régionaux cohabitent dans une relative harmonie assurée par la répartition fonctionnelle des rôles sociaux: on parle le corse, le catalan, le gallois, le languedocien, le sicilien, le *Niederdeutsch* ou le *Schweizerdeutsch* en famille ou entre amis, mais on parle et on écrit en français, en espagnol, en anglais, en italien ou en allemand standard (le *Hochdeutsch*) à l'école et au travail. Il n'en demeure pas moins que lentement, mais sûrement, la langue standard continue à prendre de l'expansion, refoulant les langues ou variétés non standard dans les domaines dénués de prestige.

LES CONQUÊTES MILITAIRES

Dans le cas des conquêtes militaires proprement dites, un groupe militaire supérieur envahit un territoire étranger et s'impose par le choc des armes à la population locale. Les vainqueurs occupent alors le pays conquis et se l'approprient, de façon permanente, jusqu'à ce qu'ils en soient délogés par d'autres envahisseurs ou qu'ils se fassent repousser par les vaincus, ou encore jusqu'à ce que ceux-ci reprennent leur autonomie.

Ces conquêtes militaires, dont l'histoire est parsemée, constituent la cause principale du multilinguisme parce que les conquérants imposent leur langue à la population vaincue ou instaurent un bilinguisme que cette dernière est généralement seule à assumer. Les conquêtes provoquent par la même occasion d'immenses brassages de population, population que l'on essaie d'unifier au moyen de la langue impériale.

4. Pour plus de détails sur cette question, le lecteur pourra consulter l'article de Joachim GESSINGER et Helmut GLÜCK, «Historique et état de la norme linguistique en Allemagne» dans *La norme linguistique*, Québec/Paris, Éditeur officiel du Québec/Le Robert, 1983, p. 203-252.

Dès la Haute Antiquité, la formation de l'Égypte des pharaons (vers 3200-332) s'est réalisée grâce à la fusion de nombreuses ethnies venues d'Afrique et d'Asie. C'est par d'incessantes querelles guerrières avec les peuples voisins que les Égyptiens ont maintenu leur hégémonie et la suprématie de leur langue pendant près de 2 000 ans, c'est-à-dire jusqu'à la dynastie des Ramsès. Par la suite, ils furent dominés successivement par les Assyriens (664 av. J.-C.), les Perses (585 av. J.-C.), les Grecs (332 av. J.-C.), les Romains (30 av. J.-C.) et les Vandales (429 ap. J.-C.), avant de disparaître de l'histoire lors de la conquête arabe en 641. Par la suite, les Arabes se firent la guerre entre eux jusqu'à la domination ottomane, qui dura trois siècles (1517-1830) et qui prit fin avec l'arrivée des Anglais et des Français, lesquels se partagèrent de nouveau la région pendant un siècle et demi. De toutes ces invasions qui ont nécessairement entraîné d'immenses brassages de population soit par domination politique, soit par besoins économiques ou par mariages mixtes, c'est l'invasion arabe qui a eu les effets les plus durables: elle donna à toute l'Afrique du Nord une langue (l'arabe) et une religion (l'islam) communes; les colonisations française et anglaise ont néanmoins réussi à implanter solidement le français (Algérie, Tunisie, Mauritanie, Maroc) ou l'anglais (Égypte) comme langue seconde.

Les conquêtes militaires les plus «exemplaires» à cause de leurs effets durables encore aujourd'hui en Occident reviennent aux Romains. Vers 750 av. J.-C., Rome n'était qu'une petite bourgade habitée par des Latins, des Sabins et une minorité étrusque. Après plus de 500 ans de guerres, Rome avait fini par soumettre à peu près toute l'Italie, la Sicile et la Sardaigne. En 200, elle avait déjà acquis, en plus de l'Espagne, la Corse et l'«Afrique» (Tunisie); en 146, Rome s'emparait de la Macédoine, de la Grèce, puis de l'«Asie» (Turquie actuelle). Ces acquisitions en entraînèrent d'autres: la Syrie (64), Chypre (58), la Belgique (57), la Gaule (52), l'Égypte (32), une grande partie de la Germanie, les Alpes, la Judée, la Bretagne, la Dacie (Roumanie), la Mauritanie, l'Arménie, la Mésopotamie, l'Assyrie et l'Arabie. Au moment de son apogée, vers 200 ap. J.-C., l'Empire romain comptait une quarantaine de «provinces» ou d'États «protégés», s'étendant de l'Écosse à l'Arménie et de l'Arabie à la Lusitanie (Portugal), avec une population de 60 millions d'habitants.

L'effet des conquêtes romaines sur le monde est manifeste: une multitude de langues italiques (originaires d'Italie), celtiques, germaniques, sémitiques ont disparu. La langue latine a supplanté le grec comme LANGUE VÉHICULAIRE et a gardé son hégémonie en Occident jusqu'au XVIIe siècle. Avant de disparaître à son tour comme LANGUE VERNACULAIRE, le latin a donné naissance à de grandes langues modernes (français, espagnol, portugais, italien, etc.), lesquelles se sont propagées jusqu'en Amérique, en Afrique, en Asie et en Océanie.

Cette expansion des langues européennes, notamment en Amérique, est encore le résultat de conquêtes militaires. Français, Anglais, Espagnols et Portugais ont vaincu les populations autochtones et leur ont imposé leur langue ainsi que leur culture sans même reconnaître aux premiers occupants des droits particuliers. Après plusieurs siècles de présence européenne en Amérique, la quasi-totalité des langues amérindiennes est en voie d'extinction. Même les anciennes langues impériales du Nouveau Monde, comme le nahuatl des Aztèques et le quechua des Incas, n'ont pu résister à la langue des envahisseurs. La rencontre entre Européens et populations amérindiennes s'est révélée catastrophique pour ces dernières: dépossession de territoires, exploitation éhontée sinon esclavage, maladie et alcoolisme, famine, bilinguisme et déculturation; bref, un génocide systématique exercé avec efficacité par les Espagnols, les Portugais et les Anglo-Saxons.

Au lieu de créer des États-nations, les conquêtes militaires rassemblent parfois sous le pouvoir central un très grand nombre de peuples, de cultures, de langues, de religions et même de races différentes. Lorsque l'occupation dure très longtemps et que le conquérant contrôle les territoires soumis par une armée puissante ainsi qu'une infrastructure administrative, économique et politique, sa langue a toutes les chances de demeurer. C'est ce qui s'est passé pour les Romains dans une grande partie de l'Europe ainsi que pour les Espagnols, les Portugais et les Anglais en Amérique.

Par contre, certaines conquêtes se révèlent plus éphémères. L'immense empire d'Alexandre le Grand, qui s'étendait de la Macédoine au Pendjab en Inde en passant par l'Égypte, la Mésopotamie et la Perse, s'est démembré moins de 100 ans après la mort d'Alexandre sans laisser beaucoup de traces chez les populations autochtones; néanmoins, le grec est alors devenu une grande LANGUE VÉHICULAIRE sur le plan international. Le sort de la langue des Francs représente un cas exceptionnel. De langue germanique, les Francs ont reconquis la Gaule romanisée, qu'ils ont appelée «Pays des Francs» (Pays de France), mais ils n'ont pu imposer leur langue à la population. Au contraire, ils l'ont perdue et ont été acculturés par les vaincus en l'espace de quelques générations. Trop peu nombreux, les élites et les soldats ont dû pratiquer l'exogamie; les enfants ont appris la langue de leur mère gallo-romaine. Peu fréquent dans l'histoire, ce phénomène d'un peuple qui gagne un pays en perdant sa langue se produit lorsque le conquérant fait face à une population fortement structurée dont le poids culturel repose sur des institutions établies, des traditions écrites et une bureaucratie déjà formée. Cette dominance acculturée n'empêche pas le multilinguisme de se manifester; les langues se mélangent et s'influencent.

LES DÉPLACEMENTS DE POPULATION

Une autre cause du multilinguisme est liée aux phénomènes d'immigration. On en distingue plusieurs types, qui peuvent se réduire aux cas suivants: l'immigration coloniale, la déportation massive, les réfugiés politiques, l'exode volontaire, les travailleurs étrangers.

L'*immigration coloniale* provient de l'occupation militaire par un pays impérialiste qui s'arroge un territoire et place les autochtones en situation d'asservissement. Les exemples les plus représentatifs? L'occupation des continents américain et australien par les Européens, qui ont réussi à submerger les populations d'origine par une forte immigration: quelque 40 millions d'Européens sont venus minoriser les Amérindiens et les Australiens, aujourd'hui promis à l'extinction. La République populaire de Chine vient de tenter une expérience analogue dans ses «provinces autonomes»: elle a réussi à minoriser les populations *turcophone* du Xinjiang (moins de 50 % de la population de la province), *mongole* de la Mongolie intérieure (réduite à 20 %), *zhuang* du Guangxi (réduite à 36,9 %), *tibétaine* du Tibet (40 %), sans compter les multiples nationalités non sinophones. Il en va de même en Israël, où les colonies de peuplement sont présentement destinées à submerger les territoires occupés, dont les locuteurs parlent l'arabe.

Lorsque l'immigration coloniale ne réussit pas à dominer (en nombre) la population locale, elle la soumet à une condition d'infériorité socio-économique par rapport aux coloniaux. Pensons aux ex-colonies britanniques, françaises, italiennes, allemandes et hollandaises en Asie et en Afrique. Cette forme de coexistence entre la population migrante minoritaire mais possédante et la population locale majoritaire mais dominée provoque nécessairement une dévalorisation des langues indigènes et des tensions finissent par éclater un jour. La solution réside dans l'autonomie politique ou la répression. Ainsi, l'Afrique du Sud est demeurée le seul État colonial de tout le continent noir. Bien que ne formant que 15 % de la population, les Blancs occupent 87 % du territoire et maintiennent une politique rétrograde d'apartheid: exclusion politique de la majorité noire (72 %), régime raciste policier, surexploitation des travailleurs africains, «parquage» de la population dans des réserves (les bantoustans) insidieusement appelées «États indépendants». De plus, le gouvernement prend bien soin d'entretenir soigneusement les rivalités entre les différents groupes ethniques de langues bantoues: sotho (18 %), zoulou (14,4 %), xhosa (14,4 %), etc.

Dans toutes ces situations coloniales, la langue dominante est celle du conquérant, qui impose la ségrégation linguistique au groupe dominé; ce dernier assume seul le fardeau du bilinguisme. Aujourd'hui, les ex-colonies, devenues indépendantes, continuent à lutter pour une véritable indépendance économique et contre les liens culturels puissants qui les rattachent encore à leur ancien maître (p. ex., la langue et l'éducation).

La *déportation massive* de populations vers des territoires étrangers représente un autre aspect, non négligeable, du multilinguisme. On connaît le cas des Irlandais qui, aux XVIIIe et XIXe siècles, ont été déportés par les Anglais vers l'Amérique et l'Australie (plus d'un million). L'URSS a fait de même avec de petits peuples soupçonnés de collaboration tels les Balkars, les Tchétchènes, les Ingouches, les Kalmouks, les Allemands de la Volga, tous disséminés en Sibérie. Plus près de nous, on se rappellera la tragédie des Acadiens (12 000) expulsés et dispersés par les Anglais au XVIIIe siècle dans les colonies anglaises du Sud ou en Angleterre, rapatriés en France ou simplement disparus dans les naufrages de l'exil. Dans tous les cas, la déportation a entraîné le bilinguisme chez la population bannie et sa quasi-extinction, sauf pour les individus (comme les Acadiens) qui ont pu revenir dans leur pays d'origine. Mais l'exemple le plus important, à cause de la masse humaine concernée (deux millions d'esclaves pour les seules colonies britanniques), est celui de la traite des Noirs africains pour l'exploitation des plantations de canne à sucre et des champs de coton de l'Amérique tropicale, des Caraïbes et du sud des États-Unis. Les conséquences linguistiques de cette déportation de 9,5 millions de Noirs (période 1450-1870) sont triples: d'abord, aucune des langues originelles n'a survécu; certaines ont donné naissance à de nombreux créoles très vivaces pour plusieurs millions de nos contemporains; enfin, la grande masse s'est progressivement fondue et linguistiquement assimilée à la langue dominante.

Un autre type de déplacement de population a trait aux *réfugiés politiques*, qu'on peut répartir en quatre vagues successives. La première a eu lieu après la Première Guerre mondiale, alors que des millions de personnes se sont retrouvées apatrides à la suite du démembrement des Empires d'Allemagne, de Russie et d'Autriche-Hongrie en petits États nationaux. Au lendemain de la Seconde Guerre mondiale, d'importants déplacements de populations ont encore eu lieu et le même phénomène s'est produit: reflux des ressortissants des puissances vaincues vers leur pays d'origine, rapatriement des prisonniers et déportés, transferts territoriaux, exode volontaire massif de populations hostiles aux nouveaux régimes politiques installés en Europe de l'Est. On estime à 25 millions pour la Première Guerre mondiale et à 30 millions pour la Seconde le nombre de personnes qui ont ainsi quitté leurs foyers (sans compter, dans le dernier cas, les prisonniers et les déportés). Les effets linguistiques ont été considérables parce que de nombreux pays d'Europe se sont retrouvés avec le problème des minorités sur les bras, en particulier tous les pays de l'Est, l'Italie, la France, la Suède et la Finlande. À cela, il faudrait ajouter le problème particulier relatif à la fondation de l'État d'Israël: immigration juive (un million après 13 ans) et émigration de la population palestinienne vers l'Égypte, la Jordanie, le Liban, l'Iraq, la Syrie, etc. Aujourd'hui, trois millions de Juifs utilisent l'hébreu comme LANGUE VÉHICULAIRE, laquelle sert d'instrument pour briser l'hétérogénéité linguistique des nouveaux immigrants.

La décolonisation des années 1960 a provoqué de nouvelles migrations affectant encore des masses humaines considérables. Ainsi, la fin de l'Empire britannique des Indes a incité huit millions de musulmans indiens à fuir au Pakistan tandis que neuf millions d'hindouistes pakistanais refluaient en Inde. En Afrique, des révoltes contre les puissances coloniales ont dégénéré parfois en guerres meurtrières (p. ex., en Algérie), provoquant l'exode de populations entières vers leur mère patrie ou ailleurs. Maintenant que la décolonisation est achevée (sauf en Afrique du Sud), une nouvelle vague de réfugiés politiques s'est formée à la suite des derniers conflits. L'Afrique et l'Asie sont particulièrement atteintes, avec plus de 16 millions de réfugiés qui fuient soit la guerre, soit un régime politique hostile. En Afrique, c'est surtout l'Éthiopie qui est touchée: la population refoule vers la Somalie, le Soudan et Djibouti (plus de deux millions de personnes en 1983-1984); il faut ajouter les réfugiés qui quittent le Tchad, l'Ouganda, l'Angola, le Zimbabwe pour affluer vers les pays voisins. En Asie du Sud-Est, ce sont les *boat people* du Viet-nam, du Laos et du Kampuchea qui fuient en Amérique du Nord, en Europe de l'Ouest et en Australie; en Afghanistan, c'est trois millions de Baloutchis et de Pashtous qui se réfugient au Pakistan, où l'on parle la même langue (baloutche et pashtou) et un million en Iran (principalement des Pashtous). Ces immenses brassages de populations ont des conséquences pour ce qui concerne les langues en contact: toutes ces nouvelles minorités se regroupent au début en ghettos linguistiques pour se protéger, mais elles finissent par s'assimiler avec le temps dans les pays d'accueil.

Un autre cas d'immigration est l'*exode volontaire* de migrants pour des raisons plus pacifiques, par exemples des motifs d'ordre économique. Ces migrants choisissent de s'établir dans un autre pays et de s'y intégrer à plus ou moins long terme. Les États-Unis, le Canada et l'Australie ont connu ainsi une expansion considérable grâce à leur immigration massive depuis le milieu du XIXe siècle. L'arrivée de milliers d'immigrants chaque année, pendant un siècle et demi, a formé ce que l'on a appelé aux États-Unis un *melting pot*, dont l'effet s'est atténué par l'assimilation de toutes les minorités dès la deuxième ou la troisième génération. Les immigrants hispanophones demeurent encore une exception; ils constituent 10 % de la population américaine (soit 25 millions d'habitants) et l'anglais semble avoir quelque difficulté à les absorber. Relativement concentrés dans le Sud et à New York, les *Latinos* ont même réussi à faire adopter une loi fédérale sur l'éducation bilingue (1968), qui leur a permis d'introduire l'espagnol dans les écoles de plusieurs États.

Les *travailleurs étrangers* constituent la dernière catégorie d'immigrants. Ils émigrent en principe temporairement. L'Europe et les États-Unis en ont accueilli plus de 11 millions ces dernières années: des Pakistanais, des Indiens et des Antillais en Grande-Bretagne; des Africains, des Espagnols, des Portugais et des Maghrébins en France; des Italiens et des Grecs en Suisse; des Turcs de religion musulmane et des Yougoslaves en Allemagne; des Finlandais en Suède; des *Latinos* aux États-Unis. Cette immigration est importante parce qu'elle constitue, par exemple, jusqu'à 17 % de la main-d'oeuvre en Suisse et 30 % au Luxembourg; elle oscille autour de 7,5 % en France, en Grande-Bretagne, en RFA et en Belgique. Les travailleurs immigrés représentent une main-d'oeuvre à bon marché pour les pays d'accueil, qui les contraignent à une condition d'infériorité socio-économique. Ces immigrants marginalisés continuent généralement à utiliser leur langue dans l'espoir d'un éventuel retour au pays. En attendant, il en résulte des rivalités de groupes, surtout en ce qui concerne les minorités dites «visibles» telles les Turcs, les Maghrébins, les Pakistanais, les Indiens, les Antillais; à la confrontation des langues, s'ajoute celle des races et des religions.

3 LE MULTILINGUISME: UNE SOURCE DE CONFLITS

La présence du multilinguisme sur un territoire provoque facilement des conflits en raison du rapport de force entre les langues. Étant donné que celles-ci ne sauraient se réduire à de simples instruments de communication extérieurs à la personnalité et à la culture des peuples, elles deviennent rapidement le symbole pseudo-linguistique de la dominance politique, économique et sociale.

LA LANGUE, UN SYMBOLE DE L'IDENTITÉ CULTURELLE

Le concept d'identité culturelle est en relation avec l'existence d'un groupe humain particularisé par la langue, la race, la religion, les institutions, les arts, les us et coutumes (cuisine, danse, costumes, etc.). Ce sont là des traits qui peuvent caractériser un groupe ethnique, tel que défini par Selim Abou:

> «Nous entendons par groupe ethnique un groupe dont les membres possèdent, à leurs propres yeux et aux yeux des autres, une identité enracinée dans la conscience d'une histoire ou d'une origine commune. Ce fait de conscience est fondé sur des données objectives telles qu'une langue, une race, une religion commune, voire un territoire, des institutions ou des traits culturels communs, quoique certaines de ces données puissent manquer[5].»

Si la langue était réductible à sa fonction strictement instrumentale (comme le marteau qui sert à enfoncer un clou), elle ne susciterait guère d'émotivité et il serait indifférent d'utiliser une langue plutôt qu'une autre. Or, les peuples ne semblent pas très disposés à changer de langue comme on change de marteau. Symbole de l'identité, la langue est le plus puissant facteur d'appartenance sociale et ethnique en même temps qu'un facteur de différenciation et d'exclusion: elle permet d'identifier et d'isoler quelqu'un qui n'appartient pas au groupe. Ce phénomène se manifeste de façon particulièrement virulente dans les situations de bilinguisme ou de multilinguisme, comme le souligne Jean-Claude Corbeil:

> «Pour tous et partout, la langue apparaît comme le vecteur le plus efficace de l'identité culturelle. Le désir de faire usage des langues nationales, de sa langue à soi, se comprend aisément et s'observe dans toutes les situations de bi ou de multilinguisme: francisation au Québec, arabisation dans les pays du Maghreb et naguère dans les pays du Machrek, malgachisation à Madagascar, flamandisation en Belgique, intention d'utiliser les langues africaines dans tous les pays d'Afrique subsaharienne[6].»

Cette affirmation de soi va de pair avec la recherche de la dominance, mais, ce faisant, la langue dominée entre nécessairement en conflit avec la langue dominante, dont elle veut partager la suprématie. Surtout en situation de bilinguisme ou de multilinguisme, il existe des incompatibilités engendrées par l'attribution des responsabilités entre les groupes; c'est pourquoi il ne peut y avoir deux langues de la promotion ou du pouvoir sur un même territoire. D'où le conflit de présence, par exemple entre le français et l'anglais au Québec, entre l'arabe et le français au Maghreb, entre le malgache et le français à Madagascar, entre le flamand (néerlandais) et le français en Belgique, entre les langues africaines et les langues coloniales en Afrique, etc. L'issue de ces combats linguistiques dépendra des rapports de force en présence dans la lutte pour la dominance.

L'INÉGALITÉ HIÉRARCHIQUE DES LANGUES CONCURRENTES

L'une des autres sources de conflits provient justement de la répartition inégale des rôles sociaux attribués aux langues concurrentes. La langue dominante a généralement tendance à se réserver certains domaines de prédilection, ceux reliés au pouvoir: l'administration, l'école, les institutions économiques, les médias, l'État. La langue dominée est alors refoulée dans les domaines non prestigieux tels la famille, les communications individuelles, parfois la religion. Le problème central est donc celui du *statut* des langues en contact: la langue dominée peut être soit interdite (le berbère en Algérie, le kurde en Turquie), soit simplement ignorée (les langues amérindiennes en Amérique), soit tolérée (le tibétain en Chine), soit autorisée légalement (le breton en France), soit reconnue juridiquement comme langue nationale (le wolof au Sénégal, le romanche en Suisse) avec certains privilèges ou reconnue officiellement sur un pied d'égalité juridique (le français au Canada) sans que cette égalité ne se traduise nécessairement dans les faits.

---

5. Selim ABOU, *L'identité culturelle*, Paris, Anthropos, cité par Jean-Claude CORBEIL dans «Préface à la deuxième édition» de l'*Introduction à la terminologie* de Guy RONDEAU, Chicoutimi, Éditions Gaétan Morin, 1984, 238 p.
6. *Ibid.*, p. XXIV.

Se servant de la langue comme d'un instrument de pouvoir, la majorité dominante impose l'unification linguistique à une population hétérogène: l'anglais aux États-Unis, le russe en URSS, le chinois mandarin en République populaire de Chine, l'espagnol en Amérique du Sud, etc. Une telle politique a toujours correspondu à un sentiment de supériorité chez les locuteurs de la langue dominante et a contribué par le fait même à susciter des revendications chez le groupe minoritaire, qui peut réagir en s'affirmant encore davantage. Le breton a joué ce dernier rôle en France, comme le catalan et le basque en Espagne, le gallois et l'écossais en Grande-Bretagne, le kurde en Iran et en Iraq, le tibétain en Chine, le français au Québec, le néerlandais en Belgique, etc.

LE CENTRALISME ET LE DÉVELOPPEMENT ÉCONOMIQUE

Comme on peut le constater, la fonction d'unification de la langue au plan national peut entrer en conflit avec celle de l'identité culturelle. Les pays industrialisés d'Europe (y compris l'URSS) et d'Amérique du Nord ont réussi à homogénéiser leur société sur le plan linguistique à l'exception de quelques poches de résistance. Ce conflit entre unité et diversité n'est pas vécu de la même façon dans plusieurs pays du tiers monde, particulièrement en Asie et en Afrique.

Le développement des pays industrialisés se caractérise par l'homogénéité linguistique, c'est-à-dire la réduction du nombre des langues, l'urbanisation, la généralisation de l'enseignement, l'importance accrue des communications écrites, la culture technico-scientifique et la prolifération terminologique. Ces facteurs ont rendu nécessaire l'interventionnisme linguistique de l'État au nom de l'efficacité de la communication. D'où la propension à la NORMALISATION et à la CODIFICATION des langues standard. De là à relier le développement économique à la standardisation et à l'unilinguisme, il n'y a qu'un pas.

À l'opposé, les pays en voie de développement, notamment en Afrique et en Asie du Sud, se caractérisent par une civilisation de type agricole dont la population est dispersée dans les campagnes. C'est également une civilisation de l'oralité et l'usage de l'écriture est peu répandu, le taux d'analphabétisme étant très élevé: de 60 % à 90 % pour la moitié des États africains et de 60 % à 80 % pour l'Asie du Sud et le Moyen-Orient. Enfin, le système socio-politique de ces pays s'est toujours accommodé du multilinguisme fondé sur une population pluraliste capable de réagir promptement aux diverses situations.

La conclusion s'impose d'elle-même: la présence du multilinguisme serait le propre des sociétés agricoles, peu développées et peu évoluées, en voie de modernisation. En revanche, on associe l'homogénéité linguistique, la standardisation et l'unilinguisme aux sociétés industrialisées, riches, évoluées, modernes.

Les pays sous-développés veulent s'insérer dans le monde industrialisé, étape jugée inévitable de la modernisation en Afrique et en Asie. Mais comment concilier multilinguisme traditionnel et modernité, diversité et unité nationale? Fortes de l'expérience des pays riches, les élites occidentalisées des pays en voie de développement ont tendance à copier le même modèle, c'est-à-dire à utiliser leur parler — la langue coloniale ou celle de leur classe sociale — comme langue véhiculaire et à l'imposer à leurs compatriotes en abandonnant les LANGUES NATIONALES ou VERNACULAIRES. Ainsi quelques centaines de millions de personnes doivent subir l'imposition linguistique dans tous les domaines, c'est-à-dire la langue et le système de valeurs traditionnaliste d'une petite élite, au mépris des langues nationales ou vernaculaires. Ce système favorise pour le moment l'anglais, le français, le russe, l'espagnol, le portugais, l'hindi, le chinois et le malais, pour ne citer que les langues les plus importantes.

Il suscite aussi de nombreuses revendications. Plusieurs pays en voie de développement se sont lancés dans des programmes gigantesques de *modernisation linguistique* sans tenir compte des traditions et des sensibilités naturelles propres aux communautés linguistiques pluralistes. Un grand nombre de locuteurs de langues régionales ont réagi agressivement aux influences des langues étrangères et au centralisme à l'occidentale en faisant front comme un seul bloc linguistique composite; Maghreb, Sénégal, Rwanda, Burundi, Éthiopie, Somalie, Madagascar, Kenya, Tanzanie et plusieurs ethnies en Inde, au Pakistan, en Afghanistan et en Chine, voilà autant d'exemples de ce type de réaction.

LA DYNAMIQUE GÉOGRAPHIQUE DES LANGUES

Les langues se concurrencent parce qu'elles se livrent une bataille de préséance pour les différents rôles sociaux. De ce rapport de force se dégage une constante: les langues se chassent l'une l'autre dans le même espace géographique pour se rapprocher le plus possible de l'unilinguisme. Jean A. Laponce a particulièrement bien développé cette théorie:

> «Les langues opèrent comme si elles étaient des espèces animales, et les individus qui les parlent des territoires à ressources restreintes. L'idéal, pour une langue, c'est de contrôler tout le terrain. À défaut d'obtenir cet idéal, une langue «cherchera» à s'assurer des positions stratégiques dominantes (...)[7].»

Dans une situation de cohabitation linguistique, la langue dominante tend à devenir unique en prenant toute la place, tant dans la fonction de communication interpersonnelle que dans les fonctions d'identification, de promotion sociale et d'unité nationale. Normalement, la langue dominante réussit si les rapports de force jouent en sa faveur et selon la façon dont les langues se répartissent sur un territoire donné.

Les langues ne vivent bien qu'en état de forte concentration géographique. Si une langue minoritaire ne parvient pas à former une masse territoriale homogène, il lui sera à peu près impossible de résister à l'assimilation. C'est pour cette raison que les langues cherchent à se regrouper pour exercer leur dominance sur «leur» territoire. La situation linguistique au Canada en fournit un exemple probant. Malgré la *Loi sur les langues officielles* et la *Charte des droits et libertés*, qui garantissent les services en anglais et en français sur tout le territoire canadien, la population tend à se concentrer territorialement de décennie en décennie. Depuis au moins 1900, les francophones ont progressivement délaissé les provinces à majorité anglophone pour se maintenir au Québec et au Nouveau-Brunswick: 96 % des francophones habitent le Québec ou les provinces limitrophes (Nouveau-Brunswick et Ontario). De même les anglophones du Québec ont-ils cherché à se regrouper dans l'ouest de Montréal; ils sont à peu près disparus de la ville de Québec (alors qu'ils y ont déjà constitué 40 % de la population, il y a 100 ans) et sont devenus nettement minoritaires dans les Cantons-de-l'Est, où ils dominaient naguère. Le Canada anglais devient de plus en plus unilingue anglais, le Québec de plus en plus unilingue français; comme si l'anglais repoussait le français vers le Québec et que le français repoussait l'anglais vers l'Ouest[8]. La tendance semble nette: les francophones et les anglophones du Québec cherchent un espace qui leur soit propre pour se protéger, laissant le champ libre pour l'anglais dans le reste du Canada. Cela signifierait-il que si les anglophones acceptent de vivre dispersés sur la Côte-Nord, en Gaspésie, aux Îles-de-la-Madeleine ou dans les Cantons-de-l'Est, et que si des francophones acceptent la même situation au Manitoba, en Saskatchewan ou en Colombie-Britannique, c'est qu'ils acceptent d'être assimilés? Il est permis de le croire; Max Yalden, l'ancien commissaire aux langues officielles du Canada, ne déclarait-il pas en mars 1983: «Les principaux intéressés ont opté soit pour le déplacement (vers le Québec), soit pour la soumission à la majorité[9]».

---

7. Jean A. LAPONCE, *op. cit.*, p. 32.
8. D'après Jean A. LAPONCE, «La distribution géographique des groupes linguistiques et les solutions personnelles et territoriales aux problèmes de l'État bilingue» dans *L'État et la planification linguistique*, tome 1, Québec, Éditeur officiel du Québec, 1981, p. 88.
9. Cité par Michel C. AUGER, «La situation des minorités francophones demeure fragile» dans *La Presse*, Montréal, 23 mars 1983.

Cette *loi de la dynamique géographique des langues* explique bien l'une des causes des conflits dans la mesure où les langues se mélangent mal sur le même territoire. Dispersées, les langues minoritaires n'ont pas assez de force pour résister à la langue dominante; d'où les conflits pour la dominance, une simple question de vie ou de mort! En revanche, si les langues en présence peuvent s'attribuer chacune un territoire exclusif, la *paix linguistique* paraît probable. Le problème vient du fait qu'il n'est pas toujours possible de répartir les groupes linguistiques selon le principe de la division territoriale, comme en Suisse ou en Belgique.

LA LUTTE POUR LA DOMINANCE: UNE QUESTION DE VIE OU DE MORT

La longévité d'une langue varie en fonction de sa vitalité. Plus une langue a de la vitalité, plus il lui sera possible d'assurer sa longévité; moins elle en a, moins elle aura des chances de survivre et de s'épanouir. La durée de vie moyenne d'une langue serait estimée[1] à 2 000 ou 2 500 ans. Or, des langues vivent parfois beaucoup plus longtemps, comme les langues australiennes des aborigènes (durée de 5 000 à 6 000 ans), d'autres à peine quelques siècles, comme le roman, le gothique ou le dalmate. Certaines langues connaissent une grande expansion (l'anglais, l'arabe, l'espagnol, le swahili) alors que des centaines d'autres perdent du terrain ou tendent à disparaître. Les langues n'ont pas toutes la même puissance, ni la même force d'attraction, ni la même résistance lorsqu'elles se trouvent en contact. En fait, une langue n'est pas dominante naturellement; elle l'est parce que ses locuteurs sont puissants et importants. Avant d'analyser les facteurs réels qui contribuent à la force des langues, examinons ce que valent les facteurs idéalistes.

1 LA CONCEPTION IDÉALISTE

La force d'attraction d'une langue ne réside pas dans sa valeur intrinsèque. Contrairement à ce que plusieurs pourraient croire, il n'y a pas de langues en soi plus aptes que d'autres à s'étendre. L'idéologie de la glorification des vertus de la langue n'a jamais favorisé l'expansion ou la survie d'une langue sauf dans l'esprit de quelques idéalistes. Les jugements de valeur qui portent sur l'esthétique d'une langue, ses qualités ou ses défauts, ses prétendues dispositions et sa facilité d'apprentissage, relèvent de critères fort discutables et reposent sur des considérations arbitraires.

L'IDÉOLOGIE DE LA GLORIFICATION LINGUISTIQUE

Certains affirment que le français, l'anglais et l'espagnol sont des langues importantes en raison de leur *clarté* et de leur *précision*. Cela signifierait que les locuteurs de ces langues seraient privilégiés. On pourrait bien se demander en vertu de quoi ce privilège n'a pas été étendu aux 6 000 autres langues de la planète. Aucun peuple n'accepterait de changer de langue sous prétexte qu'une autre paraît plus performante. On voit mal les Américains se mettre à apprendre l'apache ou les Blancs d'Afrique du Sud le zoulou parce qu'une équipe de savants linguistes aurait réussi à prouver que ces deux langues sont plus précises et plus claires que l'anglais. En réalité, la clarté et la précision ne relèvent pas de la langue elle-même, mais de la logique et de la pensée, c'est-à-dire de l'utilisation personnelle du code[2].

D'autres soutiendront que l'anglais et le français sont des langues *riches* par rapport à l'apache ou au zoulou, réputés *pauvres*. On se fondera, pour porter un tel jugement, sur le nombre plus ou moins important de mots spécifiques servant à désigner la réalité. Le français et l'anglais compteraient quelques centaines de milliers de mots alors qu'on

1. A. CAILLEUX (1953), cité par Jean A. LAPONCE dans *Langue et territoire*, Québec, Presses de l'Université Laval, CIRB, 1984, p. 58.
2. Voir Gilles BIBEAU, «Joual en tête» dans *La Presse*, Montréal, 16 juin 1973.

n'en relèverait que quelques milliers en apache et en zoulou. En ce sens, une langue serait riche ou pauvre selon le nombre total de mots inscrits dans les dictionnaires. Cela suppose que les langues écrites ont, au départ, un avantage sur les langues non écrites: celui de pouvoir consigner les mots, même disparus, dans un répertoire. Dans la vie courante, un anglophone moyennement instruit connaît vraisemblablement à peu près le même nombre de mots qu'un Apache ou un Zoulou moyennement instruits. Voici à ce sujet l'opinion d'un africaniste:

> «Il semble bien qu'en fait, on doive admettre que le vocabulaire dont disposent tous les hommes est, à quotient intellectuel égal des locuteurs, à peu près équivalent d'une langue à l'autre, et que pour une langue utilisée dans une civilisation technologiquement complexe, il faille parler de différents dialectes spécialisés, inintelligibles d'une catégorie professionnelle à l'autre[3].»

Selon J. Macnamara (*The Bilingual's Linguistic Performance. A Psychological Overview*)[4], la langue courante, c'est-à-dire celle que nous utilisons sans avoir recours au dictionnaire, ne dépasse pas 6 000 mots. Il faut dire aussi que la prétendue pauvreté des langues amérindiennes ou africaines provient en grande partie de l'ignorance et de l'incompétence des lexicographes (les auteurs des dictionnaires) occidentaux face aux langues «exotiques» qu'ils étudient. De toute façon, ce n'est pas parce que certaines langues sont «riches» qu'elles s'étendent, mais plutôt parce que leurs locuteurs le sont, économiquement.

De même, plusieurs croient à l'existence de langues *primitives* par rapport à des langues dites *évoluées*. Or, aussi loin que l'on remonte dans l'histoire des langues, on n'a toujours affaire qu'à des langues évoluées, c'est-à-dire développées, achevées, qui ont donc derrière elles un passé considérable dont on ne sait rien, bien souvent. On associe les concepts de *langue primitive* et de *langue évoluée* au développement du progrès scientifique ou technologique occidental. En ce sens, dire que le zoulou est moins évolué que l'anglais, c'est comme dire que la trajectoire d'un DC-9 est plus primitive et moins évoluée que celle d'un Concorde. D'après William Labov: «Il ne semble pas que les langues se fassent toujours meilleures, et rien ne montre l'existence d'un progrès dans l'évolution linguistique[5]». Autrement, les peuples «primitifs» parleraient des langues «primitives» et les peuples «civilisés», c'est-à-dire nous... des langues «civilisées». Tel n'est pas le cas!

D'autres encore soutiennent que telle ou telle langue est plus belle, plus douce, plus musicale qu'une autre. De là à prétendre que la *beauté d'une langue* favorise son expansion, il y a toute une marge. Les critères de la beauté correspondent à des clichés culturels, sujets à des discussions bien aléatoires. En fait, on confond souvent la langue et le sentiment que l'on éprouve pour le peuple qui la parle; un peuple que l'on estime aura une belle langue, un peuple méprisé une langue laide. Comme le souligne André Martinet, ces jugements...

> «... se fondent en fait sur les sentiments qu'on éprouve pour la nation qui fait usage de la langue en cause, sur la nature des contacts qu'on a établis avec ses usagers, sur le goût que l'on a pour le pays où on l'a entendue, sur l'attrait de la littérature dont elle est le support[6].»

Pour un Québécois, l'anglais, l'espagnol, l'italien, le suédois sont de belles langues; il est peu probable que nous considérions de la même façon le créole haïtien, l'apache, le zoulou ou... l'allemand des films de guerre (une langue dure, rude, militaire, diraient certains).

3. Pierre ALEXANDRE, *Langues et langage en Afrique noire*, Paris, Payot, 1967, p. 44.
4. Cité par Jean A. LAPONCE dans *Langue et territoire*, Québec, Presses de l'Université Laval, CIRB, 1984, p. 4.
5. William LABOV, *Sociolinguistique*, Paris, Minuit, 1976, p. 369.
6. André MARTINET, *Le français sans fard*, Paris, P.U.F., 1969, p. 48.

Il y en a qui croiront que la survie d'une langue dépend de sa *pureté*. Une langue pure, c'est-à-dire non corrompue par des éléments étrangers au cours de son évolution, aurait plus de chance de faire face à la concurrence des autres langues. Cela n'explique pas comment il se fait que l'anglais, après avoir emprunté près de 60 % de son vocabulaire au français dans les siècles passés, soit devenu la première langue du monde. Il n'existe évidemment pas de langue pure, corrompue, dégénérée ou bâtarde, ou alors toutes les langues le sont, car elles résultent de transformations antérieures: le français contemporain serait un français *dégénéré* du XVIIe siècle, celui-ci étant une *corruption* du français du XIIe siècle, produit *abâtardi* du latin, lui-même *dégradé* de l'indo-européen *primitif*, et ainsi de suite jusqu'à Adam, le seul humain à avoir pu parler une langue absolument «pure». Il n'y a pas de langue pure: toutes les langues sont profondément métissées sans que la communication en soit pour autant altérée.

LES PRÉTENDUES PRÉDISPOSITIONS INNÉES D'UNE LANGUE

Ce n'est pas non plus en vertu de quelque disposition naturelle qu'une langue s'impose dans des domaines prestigieux comme le commerce, les sciences ou la musique. Par exemple, rien dans le système linguistique de l'anglais ne le prédispose à dominer les affaires ou les sciences. Ce n'est pas à cause de prédispositions innées que la langue anglaise est la langue internationale du commerce et des sciences. L'apache ou le zoulou pourrait tout aussi bien faire l'affaire si l'empire commercial et scientifique de notre temps était apache ou zoulou. On sait que, dans les siècles passés, l'égyptien, le babylonien, le phénicien, le grec, le latin, le français, l'italien, ont déjà joué le rôle que joue l'anglais aujourd'hui. Au Moyen Âge, la plupart des intellectuels anglais étaient même convaincus que la langue anglaise allait régresser devant le latin qui, d'après eux, était destiné à un avenir prometteur. Non seulement le français a devancé le latin, mais celui-ci a été supplanté par toutes les langues vernaculaires; de plus, on sait le sort qu'ont connu le latin et l'anglais par la suite.

Un autre point que l'on soulève souvent: *le degré de difficulté d'une langue*. On semble accepter généralement l'idée que certaines langues sont plus difficiles ou plus faciles à apprendre que d'autres. Nombreux sont ceux qui croient que l'anglais doit à sa prétendue facilité d'apprentissage son pouvoir d'attraction à l'heure actuelle. Le degré de difficulté d'une langue demeure toujours une question très discutable et arbitraire, parce que l'on doit se placer du point de vue de la personne qui l'apprend comme langue seconde. Les difficultés d'apprentissage dépendent d'un ensemble de facteurs relativement complexes. Abstraction faite de tout contexte sociologique, un francophone devrait apprendre assez facilement les langues suivantes: l'italien, l'espagnol, le roumain, le portugais, l'indonésien (ou malais), le turc. Bien que ces langues soient techniquement faciles pour un francophone en raison d'affinités ou de compatibilités typologiques, c'est l'anglais, plus difficile, qui est appris. Un anglophone peut apprendre l'espagnol alors qu'il lui serait plus aisé de savoir le néerlandais ou le frison. Si le chinois paraît insurmontable à un Américain, il n'en est pas de même pour un Tibétain ou un Birman. Pour un francophone, le basque, le birman, le chinois, le coréen, le géorgien paraîtront des langues extrêmement complexes et poseront des problèmes techniques redoutables.

Une autre difficulté technique réside dans les différences d'écriture; il nous est difficile d'apprendre une langue dont le système d'écriture n'est pas le même que le nôtre. Une personne qui utilise normalement l'alphabet latin aura beaucoup de difficultés à s'adapter à un autre alphabet, que ce soit l'alphabet arabe, coréen, tamoul, khmer, arménien, hébreu, amharique, devanagari, etc. Le chinois est réputé pour sa grammaire extrêmement simple, mais son système idéographique pose de sérieux problèmes à tout être humain normalement constitué. Un autre élément est l'existence ou non de manuels d'apprentissage. Il est en effet peu pratique d'apprendre, par exemple, le bulgare, le quechua ou le berbère s'il faut au préalable passer par le russe, l'espagnol ou l'arabe, étant donné l'absence totale de manuels en d'autres langues que ces dernières. Mais ce ne sont pas des raisons techniques qui interviennent dans le choix d'une langue seconde.

La plus grande force d'attraction d'une langue seconde dépend de la motivation. On n'apprend pas le basque, le swahili, l'apache ou le zoulou simplement parce qu'on n'a aucune raison de les apprendre. Qu'une multinationale américaine propose à l'un de ses employés unilingues de quadrupler son salaire moyennant la connaissance du chinois, du basque ou du zoulou, et notre Américain saura résoudre toutes les difficultés. C'est pour des raisons utilitaires qu'un Américain du sud des États-Unis apprendra l'espagnol de préférence à toute autre langue, qu'un Frison préférera le néerlandais à l'anglais, qu'un Sénégalais choisira le français avant l'anglais, etc. On peut aussi décider de *ne pas apprendre* une langue en raison de facteurs psycho-affectifs. Il devient à peu près impossible à un Arménien d'apprendre le turc s'il n'oublie pas le génocide dont son peuple a été victime de la part des Turcs en 1915. Lors de la Seconde Guerre mondiale, l'apprentissage de l'allemand a connu une chute remarquable aux États-Unis pendant que sa cote montait en France; les Américains refusaient d'apprendre l'allemand pour des raisons idéologiques alors que des raisons pratiques incitaient les Français à le parler; depuis, ces derniers se sont mis à l'anglais. Comme on peut le constater, le degré de difficulté d'une langue relève d'un phénomène complexe qui n'a que peu à voir avec le pouvoir d'attraction ou de répulsion de cette langue.

2 LA VITALITÉ DES LANGUES

La vitalité d'une langue est en relation avec sa puissance. Celle-ci dépend avant tout de l'extension de cette langue dans l'espace ainsi que du nombre et de l'importance de ses fonctions de communication. La somme des facteurs qui déterminent la puissance linguistique provient de la force des peuples qui utilisent une langue; cette force est démographique, économique, culturelle, politique et idéologique.

LE FACTEUR DÉMOGRAPHIQUE

Le facteur démographique constitue sans nul doute l'un des facteurs les plus importants dans le maintien ou la force d'une langue. Parmi les variables qui se rattachent à ce facteur, vient en premier lieu le nombre des locuteurs d'une langue. Le français a été la première langue du monde à une époque (du XIIe au XIVe siècle) où la France était le pays le plus peuplé d'Europe, ce qui explique sa prépondérance encore aux XVIIe et XVIIIe siècles. Aujourd'hui, les langues les plus importantes par le nombre de leurs locuteurs sont, dans l'ordre: le chinois, l'anglais, l'espagnol, l'hindi, le russe, l'arabe, le bengali, le portugais, l'allemand, le japonais, le français.

LE NOMBRE DE LOCUTEURS

Si l'on consulte le tableau 11.1, on constatera que seulement 68 langues sont parlées par 10 millions de locuteurs ou plus, ce qui constitue 1 % des 6 000 langues du monde. Ce sont là les langues que l'on pourrait qualifier de «fortes», si ce terme conserve encore un sens lorsqu'il sert à désigner tant l'anglais que le quechua. Même si l'on ajoutait les 106 langues du tableau 7.2 (chapitre 7), que parlent entre un et neuf millions de locuteurs, on arriverait à un total de 174 langues «viables», soit 2,9 % des langues. Du point de vue du nombre, nous sommes obligés de constater l'état de très grande faiblesse de l'écrasante majorité (97,1 %) des langues du monde. Au-dessous d'un certain nombre de locuteurs (moins d'un million), une langue a du mal à survivre. Les cinq langues les plus importantes représentent tous les continents à l'exception de l'Afrique et chacune conserve une solide base géographique: le *chinois* en Asie centrale, l'*anglais* en Amérique du Nord, l'*espagnol* en Amérique du Sud, l'*hindi* en Asie tropicale, le *russe* en Europe de l'Est. Parmi les langues ayant un nombre moyen de locuteurs (entre 50 et 150 millions), quatre ont leur base en Europe (l'allemand, le français, l'italien, l'ukrainien), une au Moyen-Orient et en Afrique du Nord (l'arabe), deux en Amérique du Sud (l'espagnol et le portugais) et les autres en Asie (le bengali, le japonais, le wu, le javanais, l'ourdou, le pendjabi, le coréen, le marathi, le télougou, le tamoul, le cantonais, le vietnamien). Seuls l'anglais, l'espagnol et le français sont des langues multicontinentales.

La force numérique n'est pas tout; sinon, à long terme, le chinois finirait par assimiler le monde entier dès la dixième génération (selon une simulation de la disparition des langues à l'échelle mondiale établie par Jean A. Laponce[7]). Le poids numérique peut être contrebalancé ou stimulé par d'autres facteurs, comme nous le verrons plus loin.

Rang	Langue	Population	Rang	Langue	Population
1.	chinois*	632	35.	birman	27
2.	anglais*	352	36.	persan* (farsi)	26
3.	espagnol*	263	37.	oriya	25
4.	hindi*	250	38.	gan	20
5.	russe*	194	39.	haoussa	20
6.	arabe*	150	40.	kurde	20
7.	bengali*	150	41.	malayalam	20
8.	portugais*	132	42.	néerlandais*	20
9.	allemand*	120	43.	pashtou*	20
10.	japonais*	117	44.	roumain*	20
11.	français*	80	45.	soudanais	20
12.	wu	70	46.	visayan	20
13.	italien*	66	47.	radjashatni	18
14.	javanais	65	48.	serbo-croate*	17
15.	ourdou*	65	49.	yorouba	16
16.	pendjabi	65	50.	ouzbek	15
17.	coréen*	59	51.	tagalog*	15
18.	marathi	55	52.	kazakh	14
19.	télougou	55	53.	hongrois*	13
20.	tamoul*	51	54.	kashmiri	12
21.	cantonais	50	55.	peul	12
22.	ukrainien	50	56.	singhalais*	12
23.	vietnamien*	50	57.	zhouang	12
24.	turc*	44	58.	berbère	11
25.	bihari	40	59.	tchèque*	11
26.	min	40	60.	amharique*	10
27.	swahili*	40	61.	assamais	10
28.	thaï*	40	62.	biélorusse	10
29.	xiang	40	63.	grec*	10
30.	goudjarati	35	64.	ibo	10
31.	kanara	35	65.	madourais	10
32.	malais*	35	66.	népalais*	10
33.	polonais*	34	67.	quechua	10
34.	hakka	30	68.	sindhi	10
*L'astérisque renvoie aux langues officielles des États souverains.					

TABLEAU 11.1 LES LANGUES PARLÉES PAR 10 MILLIONS DE LOCUTEURS OU PLUS

7. Voir *Langue et territoire*, Québec, Presses de l'Université Laval, 1984, p. 86.

LA FERTILITÉ DU GROUPE

Un autre aspect démographique non négligeable pour la vitalité d'une langue est la fertilité du groupe. L'histoire du Québec met en évidence le fait qu'une minorité ne réussit à survivre qu'en maintenant sa position numérique dans des rapports à peu près constants avec la majorité. Dans une Amérique du Nord régulièrement alimentée par du sang neuf, les francophones n'ont pu sauvegarder leur individualité que par une très forte fécondité; en deux siècles, les 65 000 Français abandonnés par Louis XV sont passés à cinq millions. Mais la revanche des berceaux est terminée au Québec, dont le taux de natalité a chuté à son niveau le plus bas, ne renouvelant même plus le stock des générations. D'ici 20 à 50 ans, certaines langues vont voir leur vitalité augmenter en raison de l'explosion démographique de leurs locuteurs: l'espagnol, le portugais, l'arabe, le swahili, le malais (indonésien), l'hindi, le pendjabi, le marathi, le télougou, le tamoul, le tagalog, etc.

LES MARIAGES MIXTES ET L'IMMIGRATION

Les mariages mixtes, par exogamie ou endogamie, représentent un autre élément appréciable de la vitalité linguistique. L'*exogamie* (mariage entre individus de groupes différents) favorise généralement la langue du groupe majoritaire, car elle facilite l'assimilation des enfants à la majorité alors que l'*endogamie* (mariage entre individus appartenant à un même groupe) permet de maintenir la langue du groupe minoritaire. De la même façon, l'immigration vient apporter du sang nouveau à la majorité, mais elle peut entraîner l'affaiblissement, voire l'extinction, du groupe minoritaire, qui risque l'absorption (p. ex., les Amérindiens et les aborigènes d'Australie).

LA DISTRIBUTION ET LA MOBILITÉ DE LA POPULATION

Une autre variable démographique importante concerne la distribution de la population, qui peut influer sur la vitalité d'une langue. En effet, la puissance démographique ne dépend pas uniquement du nombre de personnes qui parlent une langue, mais aussi des endroits où se trouvent ces personnes, de leur répartition dans le monde. Selon William Mackey, la dispersion démographique constitue l'un des facteurs favorables à la vitalité linguistique:

> «Quatre cent millions de personnes dans un seul pays n'auront pas la même influence globale que le même nombre de personnes réparties en nombre suffisant dans plusieurs pays du monde. Bien qu'il y ait plus de Chinois que d'anglophones et que l'on trouve des Chinois un peu partout, il y a des anglophones dans plus d'endroits au monde[8].»

On trouve effectivement des anglophones dans plus de 45 pays, des francophones dans plus de 30, des arabophones dans 22, des hispanophones dans 21, des lusophones (parlant portugais) dans 7, des sinophones dans 4 pays (Chine, Hong-Kong, Taiwan, Singapour). Par contre, la dispersion démographique affaiblit les petites langues qui, fragmentées, deviennent moins résistantes face à l'assimilation. La dispersion se révèle positive pour les langues fortes, de même que la mobilité de la population. Non seulement les anglophones et les francophones se répartissent un peu partout, mais ils sont toujours en train de se déplacer en tant que touristes, commerçants, industriels, étudiants, etc. Cette mobilité de plusieurs millions d'anglophones, de francophones, de germanophones, de nippophones (parlant le japonais), etc., dans plusieurs parties du monde contribue à assurer à ces langues un prestige lié au dynamisme de leurs locuteurs.

De toutes les variables reliées au facteur démographique, l'importance numérique combinée avec la dispersion apparaît comme le principal atout. Le facteur numérique à

8. William F. MACKEY, *Bilinguisme et contact des langues*, Paris, Klincksieck, 1976, p. 204.

lui seul ne suffit pourtant pas à assurer la puissance d'une langue. Le cas du bengali, la septième langue du monde, en fournit un exemple probant; nous y reviendrons plus loin.

LE FACTEUR ÉCONOMIQUE

On évalue la puissance économique d'une langue à partir de plusieurs variables telles que la production industrielle, le niveau technologique, les échanges internationaux, etc. Vers 1200 avant notre ère, les Phéniciens ont contrôlé tout le commerce méditerranéen, ce qui assura la suprématie de leur langue pendant quelques siècles; les Grecs ont même adopté l'écriture phénicienne et l'ont transmise aux Romains, qui sont à l'origine de l'alphabet utilisé de nos jours par la moitié de l'humanité. Aux XVe et XVIe siècles, la force économique des Italiens contribua à la dominance de leur langue dans toute l'Europe. Aujourd'hui comme hier, l'hégémonie économique des pays riches concourt au prestige et à la diffusion de la langue de leurs locuteurs. Faute de données complètes pour évaluer la puissance linguistique en fonction de tous les facteurs économiques, nous nous limiterons à trois variables: le volume des échanges internationaux, la production nationale brute (PNB) et la production nationale par tête d'habitant ou revenu moyen, bien que ce dernier facteur serve davantage à mesurer la richesse individuelle que la puissance d'une langue.

LE VOLUME DES ÉCHANGES INTERNATIONAUX

En ce qui concerne les échanges internationaux dans le monde (*voir le tableau 11.2*), cinq pays ont une importance exceptionnelle parce qu'ils assument à eux seuls 38 % des imports et 40 % des exports: les États-Unis, la République fédérale d'Allemagne, le

Importateurs (en milliards de dollars 1980)			Exportateurs (en milliards de dollars 1980)		
Rang	Pays (langue)	$	Rang	Pays (langue)	$
1.	États-Unis (anglais)	255,7	1.	États-Unis (anglais)	216,7
2.	RFA (allemand)	188,0	2.	RFA (allemand)	192,9
3.	Japon (japonais)	140,5	3.	Japon (japonais)	129,2
4.	France (français)	134,9	4.	Grande-Bretagne (anglais)	115,4
5.	Grande-Bretagne (anglais)	120,1	5.	France (français)	111,3
6.	Italie (italien)	99,5	6.	Arabie Saoudite (arabe)	109,1
7.	Pays-Bas (néerlandais)	76,9	7.	Italie (italien)	77,7
8.	Belgique-Luxembourg (français)	71,2	8.	URSS (russe)	76,5
9.	URSS (russe)	68,5	9.	Pays-Bas (néerlandais)	73,9
10.	Canada (anglais)	58,5	10.	Canada (anglais)	64,3
11.	Suisse (allemand)	36,4	11.	Belgique-Luxembourg (français)	64,1
12.	Suède (suédois)	33,4	12.	Suède (suédois)	30,9
	MONDE	1 283,6		MONDE	1 152,9

Source: ONU, *Manuel de statistiques du commerce international et du développement*, 1981; cité par Pierre SERRYN dans *Le Monde d'aujourd'hui, Atlas économique-social-politique-stratégique*, Paris, Bordas, 1984, p. 56-57.

TABLEAU 11.2 LES PRINCIPAUX PAYS IMPORTATEURS ET EXPORTATEURS

Japon, la France et la Grande-Bretagne. Ces pays importent surtout des matières premières et exportent des produits manufacturés. Si l'on ajoute les sept autres pays qui suivent selon l'ordre d'importance, on observe que la *langue anglaise* revient trois fois (É.-U., G.-B., Canada), le *français* deux fois (France, Belgique-Luxembourg), l'*allemand* une fois pour l'exportation (RFA) et deux fois pour l'importation (RFA et Suisse), alors que les langues suivantes figurent une fois: *japonais, arabe, italien, russe, néerlandais* et *suédois*. Le volume des imports et des exports de ces pays joue un rôle important dans la diffusion des langues concernées.

LE PRODUIT NATIONAL BRUT (PNB)

Ajoutons à ce premier indice de la puissance linguistique le produit national brut (PNB). Le PNB sert à mesurer l'ensemble de la production globale d'un pays et de ses achats à l'extérieur; il est en relation avec la *richesse collective nationale*, qu'il ne faut pas confondre avec le revenu par tête d'habitant. L'État peut en effet utiliser les bénéfices engendrés par la production nationale à des fins militaires, spatiales, voire géodésiques, plutôt qu'à des fins de sécurité sociale, de santé, d'éducation ou simplement de déduction d'impôt. Le tableau 11.3 donne une mesure de la puissance économique des langues officielles des États: les langues non officielles ont été exclues de cette liste et toute la richesse étatique a été attribuée à la langue dominante pour ce qui est des pays officiellement unilingues; dans les pays officiellement multilingues, la richesse a été répartie proportionnellement entre les groupes dont les langues sont officielles. Malgré la marge d'erreur possible dans un tel tableau, on constate que les pays dont le PNB est le plus élevé sont des pays de langue anglaise, russe, japonaise, allemande, française, chinoise, espagnole et arabe. Autre constatation étonnante: les 12 premières langues sont associées à 90 % de la richesse mondiale; il faut avouer que ce n'est pas peu. La situation a bien évolué par rapport au passé: il y a 50 ans, l'arabe aurait été exclu de ce «club sélect»; il y a 100 ans, il aurait fallu écarter le japonais; il y a 1 000 ans, seul le chinois y aurait figuré en compagnie du grec et du latin.

Rang	Langue	PNB	%	Rang	Langue	PNB	%
1.	anglais	2 739 766	31,6	18.	danois	50 410	0,58
2.	russe	965 520	11,1	19.	tchèque	48 490	0,55
3.	japonais	836 160	9,6	20.	serbo-croate	41 549	0,47
4.	allemand	789 145	8,9	21.	norvégien	38 500	0,44
5.	français	587 325	6,6	22.	roumain	38 170	0,44
6.	chinois	454 317	5,1	23.	hongrois	36 860	0,42
7.	espagnol	400 970	4,6	24.	grec	31 557	0,36
8.	arabe	222 789	2,5	25.	coréen	30 570	0,35
9.	italien	218 320	2,5	26.	finnois	30 113	0,34
10.	portugais	210 340	2,4	27.	bulgare	28 450	0,32
11.	néerlandais	168 441	1,8	28.	slovaque	22 830	0,26
12.	polonais	128 330	1,4	29.	thaï	21 790	0,25
13.	hindi/ourdou	127 936	1,4	30.	tagalog	19 297	0,22
14.	suédois	84 750	0,9	31.	hébreu	13 005	0,15
15.	persan (farsi)	70 229	0,8	32.	vietnamien	8 870	0,10
16.	malais	66 256	0,7	33.	bengali	7 630	0,08
17.	turc	53 120	0,6	34.	slovène	6 334	0,07
				35.	swahili	6 107	0,07

Source: *The Europa Yearbook 1981* (Banque mondiale), cité par Jean A. LAPONCE dans *Langue et territoire*, Québec, Presses de l'Université Laval, CIRB, 1984, p. 72-73.

TABLEAU 11.3 LES LANGUES SELON LEUR PUISSANCE ÉCONOMIQUE (PNB EN MILLIONS DE DOLLARS US 1978)

LE REVENU MOYEN PAR HABITANT

Si nous mesurons la richesse selon le produit national par habitant (PNH) ou revenu moyen, la répartition de la richesse se révèle tout autre. Le tableau 11.4 transforme les mesures du tableau 11.3 en moyennes par personne pour les 34 premières langues. À l'exception de l'allemand, les langues aux premiers rangs du tableau 11.3 perdent leur position privilégiée: du 1er rang, l'anglais tombe au 9e, le russe au 15e, le japonais au 7e, le français au 14e, le chinois au 36e, l'italien au 13e, le portugais au 29e, etc. En revanche, les langues scandinaves (suédois, danois, norvégien, islandais) et certaines langues germaniques (allemand, néerlandais) raflent les six premières places. Bref, les locuteurs les plus riches du monde habitent le nord-ouest de l'Europe et le Japon. Les 238 000 Islandais, isolés dans leur petite île, sont plus prospères que les 352 millions d'anglophones répandus dans plus de 45 pays. Des pays relativement riches par leur PNB (Chine, Inde, États hispanophones, arabophones et lusophones) connaissent une très grande pauvreté sur le plan de la richesse individuelle. En 1978, un Suédois gagnait 10 210 $US, un Américain 9 700 $, un Français 7 923 $, un Soviétique 3 700 $, un hispanophone 1 633 $, un Arabe 1 496 $, un Chinois 465 $, un Indien ou un Pakistanais 186 $, un Vietnamien 170 $, un Bengali 90 $, de même qu'un Laotien et un Khmer. L'anglais et le français correspondent à des gammes de revenu très variées qui vont des États les plus riches aux États les plus pauvres: le français est la langue du Luxembourgeois (10 410 $) et de l'Haïtien (260 $), l'anglais, celle de l'Américain (9 700 $) et du Dominicain (440 $), ce qui baisse considérablement la moyenne de ces deux langues sur le plan mondial.

On observera facilement que la richesse économique peut être relative si l'on confronte la mesure du tableau 11.3 (PNB) à celle du tableau 11.4 (revenu par habitant). Certaines langues n'ont à peu près, comme puissance, que la richesse individuelle (suédois, danois, norvégien, islandais) sans être appuyées par d'autres facteurs. Néanmoins, la puissance économique engendre ordinairement le développement culturel et, si elle est appuyée par le facteur démographique, elle permet aussi de s'élever dans la hiérarchie militaire.

Rang	Langue	Revenu annuel par habitant	Rang	Langue	Revenu annuel par habitant
1.	suédois	10 210	18.	grec	3 207
2.	danois	9 920	19.	bulgare	3 200
3.	norvégien	9 510	20.	serbo-croate	2 390
4.	allemand	8 597	21.	slovène	2 390
5.	néerlandais	8 546	22.	macédonien	2 390
6.	islandais	8 320	23.	maltais	2 160
7.	japonais	7 330	24.	persan (farsi)	1 766
8.	finnois	6 820	25.	roumain	1 750
9.	anglais	5 676	26.	espagnol	1 633
10.	tchèque	4 720	27.	afrikaans	1 566
11.	slovaque	4 720	28.	arabe	1 496
12.	hébreu	4 120	29.	portugais	1 472
13.	italien	3 940	30.	albanais	1 264
14.	français	3 713	31.	turc	1 225
15.	russe	3 700	32.	coréen	1 026
16.	polonais	3 660	33.	mongol (khalkha)	960
17.	hongrois	3 450	34.	tagalog	510

Source: S. CULBERT, *The World Almanach (1977)*, New York, cité par Jean A. LAPONCE dans *Langue et territoire*, Québec, Presses de l'Université Laval, CIRB, 1984, p. 75-76.

TABLEAU 11.4 LES LANGUES SELON LEUR RICHESSE INDIVIDUELLE (REVENU ANNUEL PAR HABITANT EN 1978, EN MILLIERS DE DOLLARS US)

LA PUISSANCE MILITAIRE

«Une langue, c'est un dialecte qui possède une armée, une marine et une aviation[9]», a dit un jour le maréchal Lyautey. De fait, les grandes langues doivent toutes leur réussite première à la conquête militaire et à la colonisation, suite immédiate de l'occupation. Ce fut le cas pour la colonisation grecque, qui suivit les conquêtes d'Alexandre le Grand (334-323 av. J.-C.) ainsi que pour la progression plus lente, mais encore plus durable de l'Empire romain, qui donna naissance aux langues romanes d'aujourd'hui (français, espagnol, etc.). L'expansion fulgurante de l'Islam au VIIe siècle amena les Arabes à envahir toute l'Afrique du Nord, une grande partie de l'Espagne, l'Arabie, la Syrie, la Mésopotamie, la Perse, l'Égypte, et à imposer leur langue, qui a gardé après 13 siècles les mêmes bases géographiques (à l'exception de l'Espagne). La dynastie des Han régna en Chine de 206 av. J.-C. à 220 apr. J.-C., puis, dans les siècles suivants, en Mandchourie, au Tibet, en Mongolie et au Turkestan; c'est la soumission et la suppression des minorités qui assurent aujourd'hui encore la suprématie du chinois. En Europe, les Espagnols, les Portugais, les Britanniques, les Français et les Hollandais ont envahi le monde entre les XVIe et XIXe siècles en imposant leur langue sur les cinq continents, principalement en Amérique, en Océanie et en Afrique. Longtemps soumis aux Mongols, les Russes étendirent progressivement leurs conquêtes au détriment des Turcs et des Chinois pour devenir le plus grand empire du monde contemporain, avec la langue russe qui suivait. Finalement, en tant que langue principale des vainqueurs occidentaux de la Seconde Guerre mondiale, l'anglais accrut immédiatement sa puissance dans le monde, particulièrement en Asie et dans le Pacifique (Océanie).

Les conquêtes militaires demeurent des facteurs majeurs dans l'expansion ou la régression des langues en contact. La colonisation fait le reste en tentant d'assimiler les vaincus. La langue de l'armée, c'est la langue du commandement, celle du fer et de l'acier, celle de la force indiscutée et indiscutable. Voici le témoignage d'un Algérien, Kateb Yacine, extrait d'une entrevue reproduite dans la revue *Jeune Afrique*:

> «J'écris en français parce que la France a envahi mon pays et qu'elle s'y est taillé une position de force telle qu'il fallait écrire en français pour survivre; mais en écrivant français, j'ai mes racines arabes ou berbères qui sont encore vivantes.
>
> Il y a des contradictions — des chocs entre les peuples. Le choc du peuple algérien, avec le peuple français, ça a été un choc d'armes, un choc de sang, un choc d'hommes et de *cultures*, et c'est cela le plus important. Finalement, l'essentiel des rapports entre les Algériens et les Français, après une guerre de cent trente ans, c'est l'affrontement entre *les hommes* à travers une langue[10].»

Qu'en est-il de la puissance militaire dans le monde contemporain? Pour évaluer les langues selon la puissance militaire, nous allons recourir à deux variables: le *nombre de soldats* et le *budget militaire*. Le tableau 11.5 énumère les langues «militaires» mesurées d'après le nombre de soldats (mesure A) et d'après les dépenses militaires (mesure B). Cette liste ne tient compte que des 35 premières langues officielles de chacune des deux catégories et elle répartit la puissance entre chacune des langues officielles d'un même État s'il y en a plus d'une. En 1980, on comptait 26 millions de militaires à plein temps dans le monde, c'est-à-dire des membres des forces armées régulières en uniforme, recensés dans *The Military Balance 1981-82*; par ailleurs, 75 millions de civils travaillaient pour les militaires, le tout générant des dépenses de 576 milliards de dollars US pour cette seule année de 1980.

Parmi les 12 langues «à gros bataillons» (un demi-million de soldats ou plus), trois langues (le vietnamien, le turc et l'ourdou) ont une puissance militaire nettement supérieure à leur importance démographique (respectivement 41 millions, 44 millions, 65 millions) et à leur force économique; ainsi, le salaire annuel était en

9. Lise NOËL, «Le prix qu'il faut payer» dans *Douze essais sur l'avenir du français au Québec*, Québec, Éditeur officiel du Québec, 1984, p. 165.
10. Cité par Chadly FITOURI dans *Biculturalisme, bilinguisme et éducation*, Neuchâtel/Paris, Delachaux et Niestlé, 1983, p. 136.

1980 de 170 $ pour un Vietnamien, de 1 225 $ pour un Turc et de 300 $ pour un Pakistanais, contre plus de 11 000 $ pour un Américain et un Français. Si l'on tient compte des facteurs combinés d'ordre démographique, économique et militaire, les langues puissantes demeurent l'anglais, le russe, le chinois, l'allemand, le français et, dans une moindre mesure, l'arabe et le japonais.

LE FACTEUR CULTUREL

La puissance culturelle d'une langue constitue un facteur *non économique* pouvant assurer indéniablement la vitalité d'une langue. Le grec et le latin se sont répandus en

A) Puissance mesurée d'après le nombre de soldats				B) Puissance mesurée d'après le budget militaire*			
Rang	Langue	Soldats	%	Rang	Langue	Budget	%
1.	chinois	4 919 700	21,1	1.	anglais	177 422	30,7
2.	russe	3 658 000	15,7	2.	russe	152 000	26,4
3.	anglais	2 950 300	12,7	3.	chinois	59 595	10,3
4.	arabe	1 496 100	6,4	4.	arabe	36 129	5,3
5.	vietnamien	1 029 000	4,4	5.	allemand	27 525	4,8
6.	espagnol	1 026 700	4,3	6.	français	24 036	4,2
7.	hindi	960 000	4,1	7.	espagnol	12 221	2,1
8.	allemand	708 700	3,0	8	japonais	8 960	1,5
9.	français	646 000	2,7	9.	vietnamien	8 500	1,5
10.	turc	567 000	2,4	10.	néerlandais	7 334	1,3
11.	ourdou	450 000	1,9	11.	italien	6 760	1,2
12.	portugais	397 000	1,7	12.	hindi	6 660	1,1
13.	italien	366 300	1,5	13.	coréen	4 760	0,8
14.	polonais	317 500	1,4	14.	polonais	4 670	0,8
15.	malais	316 500	1,4	15.	hébreu	4 420	0,7
16.	persan	252 200	1,1	16.	persan	4 227	0,7
17.	japonais	241 000	1,0	17.	malais	3 887	0,6
18.	thaï	230 800	1,0	18.	suédois	3 636	0,6
19.	amharique	229 500	0,9	19.	serbo-croate	2 838	0,4
20.	serbo-croate	208 000	0,9	20.	portugais	2 788	0,4
21.	grec	185 400	0,8	21.	turc	2 590	0,4
22.	roumain	184 500	0,7	22.	tchèque	2 393	0,4
23.	birman	173 500	0,7	23.	grec	1 806	0,3
24.	hébreu	169 600	0,7	24.	ourdou	1 730	0,3
25.	néerlandais	161 400	0,7	25.	norvégien	1 570	0,2
26.	bulgare	149 000	0,6	26.	afrikaans	1 536	0,2
27.	tchèque	132 600	0,5	27.	roumain	1 470	0,2
28.	coréen	127 800	0,5	28.	danois	1 350	0,2
29.	hongrois	93 000	0,3	29.	bulgare	1 140	0,1
30.	tagalog	82 000	0,3	30.	slovaque	1 127	0,1
31.	bengali	72 000	0,3	31.	hongrois	1 106	0,1
32.	suédois	68 900	0,2	32.	finnois	610	0,1
33.	slovaque	62 000	0,2	33.	tagalog	557	0,1
34.	somali	61 000	0,2	34.	swahili	387	0,0
35.	swahili	56 000	0,2	35.	amharique	385	0,0

Source: *The International Institute for Strategic Studies (1982)*, cité par Jean A. LAPONCE dans *Langue et territoire*, Québec, Presses de l'Université Laval, CIRB, 1984, p. 78-81.

*En millions de dollars US.

TABLEAU 11.5 LES LANGUES SELON LEUR PUISSANCE MILITAIRE (ANNÉE 1979-1980)

Occident et sont restés des langues de culture pendant plusieurs siècles même après avoir perdu leur puissance démographique, militaire et économique. Le degré de NORMALISATION d'une langue, le nombre de livres édités ou de publications scientifiques, le nombre et le tirage des journaux, la production cinématographique, la quantité des postes émetteurs et récepteurs de radio ou de télévision, etc., sont des variables sûres pour mesurer la force culturelle d'une langue. Il est possible d'accéder à la culture par la musique, les beaux-arts ou la gastronomie, mais il s'agit là de manifestations culturelles qui n'ont à peu près aucun rapport avec le rayonnement d'une langue. Aussi est-il préférable de s'en tenir aux vecteurs directement reliés à la langue comme les publications écrites (littéraires, scientifiques, utilitaires, journalistiques, etc.) pour évaluer la puissance culturelle.

Vers 1 500 av. J.-C., l'invention de l'écriture alphabétique a favorisé la diffusion du phénicien et de l'araméen, qui s'écrivaient avec cette technique graphique nettement supérieure et plus commode par rapport aux caractères cunéiformes complexes tracés sur de l'argile. Il semble évident que seules les langues écrites (environ une centaine) peuvent aujourd'hui prétendre à un rayonnement culturel le moindrement important. De ce nombre, les LANGUES officielles NORMALISÉES occupent presque tout le terrain de la production écrite.

LE NOMBRE DE VOLUMES ÉDITÉS

Il se publie environ 700 000 titres ou volumes par année dans le monde. Le tableau 11.6 relève le nombre de volumes édités par année dans les langues officielles (au moins 1 000 titres). Faute de données statistiques disponibles, certaines langues normalisées ne figurent pas dans ce tableau: serbo-croate, macédonien, slovène, roumain, singhalais, afrikaans, tagalog, tamoul. Le tableau montre que six langues — l'anglais, le russe, l'allemand, le français, l'espagnol et le japonais — accaparent les deux tiers de la production mondiale. Certaines autres données surprennent quelque peu; par exemple, l'apport de quelques langues parlées par un nombre moyen de locuteurs: le coréen, le néerlandais, l'italien, le polonais, le hongrois, etc. Dix fois plus faible sur le plan démographique, le coréen produit autant que le chinois; chacun des petits pays scandinaves (suédois, danois, norvégien, finnois) publie plus de livres que tous les pays arabophones réunis: toute proportion gardée, la production écrite est 30 fois plus élevée chez un Finnois que chez un arabophone. Pour cette variable, l'arabe se retrouve en 22e position alors qu'il est au 6e rang par la démographie, au 8e par le PNB, au 4e sur le plan militaire. Par ailleurs, certaines petites langues comme le mongol (khalka), l'hébreu et l'albanais s'en tirent tout de même assez honorablement. Sauf sur le plan de la démographie absolue, l'anglais semble toujours indélogeable de la première place. Aucune langue africaine ne figure parmi les 32 langues du tableau 11.6.

LES PUBLICATIONS SCIENTIFIQUES

Afin de minimiser les risques d'erreur dans les données statistiques du tableau 11.6, il nous faut comparer ces résultats avec ceux concernant les publications scientifiques. Selon les statistiques de *Chemical Abstracts* (*voir le tableau 11.7*), 407 229 articles scientifiques ont été recensés pour la seule année 1980 dans le domaine de la chimie (un peu plus de 1,5 million pour l'ensemble des articles scientifiques réunis). Au total, 46 langues (officielles ou non officielles) figurent dans ce tableau, à l'exception du gaélique, de l'islandais, du kazakh, du mongol (khalka), du sindhi, du turkmène et du gallois, pour lesquels les données ne sont pas disponibles. Première constatation: l'*anglais* absorbe les deux tiers (64,7 %) de toute la production mondiale, suivi de loin par le *russe* (17,8 %). Les six premières langues (anglais, russe, japonais, allemand, français, polonais) représentent 95 % de la production scientifique totale en chimie; les 12 premières: 98 %. Il reste 2 % pour les 34 autres langues, sans compter les quelque 6 000 langues restantes dans le monde. Par rapport au tableau 11.6, on remarquera que certaines langues semblent peu «scientifiques»: l'hindi et l'arabe sont passés respective-

Rang	Langue	Titres	%	Rang	Langue	Titres	%
1.	anglais	153 223	21,8	17.	finnois	8 227	1,1
2.	russe	83 007	11,8	18.	mongol (khalkha)	6 241	0,8
3.	allemand	77 315	11,0	19.	malais	5 569	0,7
4.	français	55 137	7,8	20.	norvégien	5 578	0,7
5.	espagnol	53 021	7,5	21.	bulgare	5 070	0,7
6.	japonais	42 217	6,0	22.	arabe	5 029	0,7
7.	coréen	25 747	3,6	23.	turc	4 790	0,6
8.	chinois	25 600	3,6	24.	thaï	4 498	0,6
9.	portugais	18 320	2,6	25.	grec	4 100	0,5
10.	néerlandais	14 100	2,6	26.	tchèque	3 940	0,5
11.	italien	13 456	2,0	27.	slovaque	3 223	0,4
12.	hindi	11 500	1,6	28.	hébreu	2 397	0,3
13.	polonais	9 800	1,4	29.	persan	2 187	0,3
14.	hongrois	8 836	1,2	30.	vietnamien	1 500	0,2
15.	suédois	8 582	1,2	31.	ourdou	1 279	0,1
16.	danois	8 563	1,2	32.	albanais	1 043	0,1

Source: ONU, dans *L'état du monde 1984*, Paris/Montréal, La Découverte/Boréal Express, 1984.
Note: selon les données disponibles, le nombre des titres porte sur l'année 1978, 1979, 1980, 1981, 1982 ou 1983.

TABLEAU 11.6 LA HIÉRARCHIE DES LANGUES OFFICIELLES DANS LESQUELLES ON A PUBLIÉ PLUS DE 1 000 VOLUMES EN UNE ANNÉE

ment des 12e et 22e rangs dans les titres édités (*voir le tableau 11.6*) aux 38e et 42e rangs dans les publications en chimie (*voir le tableau 11.7*). Plusieurs petites langues (danois, finnois, slovène, norvégien, hébreu, afrikaans, albanais) conservent des positions honorables compte tenu de leur faible population.

Si l'on mesurait la hiérarchie des langues dans une autre discipline que la chimie, on arriverait à des résultats assez identiques. Des chercheurs de l'Université Laval de Québec ont étudié l'évolution de quelque 40 langues depuis les 100 dernières années dans les disciplines suivantes: médecine, mathématiques, physique, chimie, biologie et sciences de la terre. L'étude[11] démontre que, entre 1880 et 1918, l'anglais, le français et l'allemand ont tour à tour dominé le peloton de tête; puis le français a commencé à régresser alors que l'allemand a dominé l'anglais jusqu'à la veille de la Seconde Guerre mondiale. À partir de ce moment, l'anglais a définitivement déclassé ses deux langues rivales (allemand et français) pendant que le russe émergeait en seconde place. Les résultats des chercheurs de Laval concordent avec ceux de *Chemical Abstracts* (1980), notamment pour l'anglais et le russe (64 % et 17 % de la production mondiale).

Pour toutes les disciplines réunies, l'étude de Laval place l'allemand en troisième position avec 9 % de la production totale (contre 4 % dans *Chemical Abstracts*), suivi du français avec 4 % (contre 2 % dans *Chemical Abstracts*). Ainsi, en médecine, le français (avec 4,1 %) surpasse le japonais (avec 2,7 %), comme il est probable qu'il déclasse l'allemand en aérospatiale. De toute façon, peu importe les chassés-croisés entre les langues, la tendance manifeste est celle décrite par Jean A. Laponce:

> «La culture scientifique est dominée par des langues européennes et américaines; le japonais fait exception. Une seule langue, l'anglais, a valeur de lingua franca mondiale; elle est, aux dimensions de la planète, ce que furent à d'autres époques, le latin, le français et l'italien pour l'Europe et le bassin méditerranéen[12].»

11. Voir William F. MACKEY, «La mortalité des langues et le bilinguisme des peuples» dans *Anthropologie et sociétés*, vol. 7, n° 3, Québec, Département d'anthropologie, Université Laval, 1983, p. 12 à 15.
12. *Op. cit.*, p. 68.

Rang	Langue	Articles	%	Rang	Langue	Articles	%
1.	anglais	263 430	64,7	24.	biélorusse	101	—
2.	russe	72 483	17,8	25.	slovène	96	—
3.	japonais	21 180	5,2	26.	norvégien	88	—
4.	allemand	16 155	4,0	27.	grec	86	—
5.	français	8 310	2,0	28.	vietnamien	78	—
6.	polonais	4 559	1,1	29.	persan (farsi)	68	—
7.	italien	3 126	0,8	30.	malais	55	—
8.	chinois	3 118	0,8	31.	hébreu	47	—
9.	espagnol	2 542	0,6	32.	afrikaans	43	—
10.	tchèque	1 960	0,5	33.	albanais	40	—
11.	bulgare	1 680	0,4	34.	arménien	23	—
12.	roumain	1 478	0,4	35.	thaï	17	—
13.	hongrois	1 159	0,3	36.	macédonien	12	—
14.	portugais	928	0,2	37.	géorgien	14	—
15.	coréen	890	0,2	38.	hindi	13	—
16.	serbo-croate	886	0,2	39.	azerbaïdjanais	8	—
17.	slovaque	817	0,2	40.	letton	8	—
18.	ukrainien	588	0,1	41.	lituanien	8	—
19.	néerlandais	381	0,1	42.	arabe	7	—
20.	suédois	307	0,1	43.	estonien	3	—
21.	turc	207	0,1	44.	esperanto	2	—
22.	danois	123	—	45.	swahili	2	—
23.	finnois	102	—	46.	pendjabi	1	—

Source: «Chemical Abstracts (1980)», cité par Jean A. LAPONCE dans *Langue et territoire*, Québec, Presses de l'Université Laval, CIRB, 1984, p. 66.

TABLEAU 11.7 LA HIÉRARCHIE DES LANGUES EN CHIMIE (1980) D'APRÈS LE NOMBRE D'ARTICLES INDEXÉS DANS «CHEMICAL ABSTRACTS»

L'INFORMATION

Cette dominance des langues européennes et américaines se maintient dans le domaine de l'information. Dans le monde actuel, on peut estimer à 8 000 le nombre de quotidiens (400 millions d'exemplaires), à 20 000 le nombre d'émetteurs de radio et à 20 000 également le nombre d'émetteurs de télévision. Par ailleurs, l'Amérique et l'Europe possèdent à elles seules 60 % de toute la presse écrite mondiale (soit 4 800 quotidiens), 70 % des émetteurs de radio et 90 % des émetteurs de télévision. L'Asie, l'Afrique et l'Amérique du Sud, qui comptent pour 70 % de la population de la planète, doivent se contenter de 40 % de la presse écrite (dont 10 % au Japon seulement), de 30 % de tous les émetteurs de radio (dont 5 % au Japon) et de 10 % de tous les émetteurs de télévision (dont 5 % au Japon). Selon les données publiées dans l'*Annuaire statistique de l'Unesco*[13], les langues les plus puissantes dans le domaine de l'information écrite sont, dans l'ordre, les suivantes: suédois, japonais, allemand, finnois, islandais, norvégien, russe, anglais, danois, néerlandais, polonais, tchèque, slovaque, hongrois, français, hébreu, etc. Il faut cependant préciser que les petits territoires fortement urbanisés bénéficient d'un avantage sur les États de vastes dimensions, où la population est plus dispersée et hétérogène; ce qui explique que 572 Suédois par 1 000 habitants lisent un quotidien, comparativement à 397 Soviétiques, 287 Américains et 218 Canadiens. Par ailleurs, il existe un réseau de cinq grandes agences de presse dont la primauté demeure incontestable; parmi ces grandes agences internationales qui couvrent l'ensemble de la planète, trois sont de langue anglaise (Associated Press, United Press International, Reuter), une de langue française (Agence France-Presse), une de langue russe (Agence TASS: Telegrafnoie Agentstvo Sovietskovo Soïuza).

13. Voir Bernard VOYENNE, *L'information aujourd'hui*, Paris, Armand Colin, 1979, p. 81-90.

LA CULTURE ET L'ÉCONOMIE

Les variables culturelles montrent avec évidence que la puissance culturelle d'une langue dépend directement de la puissance économique. Un sous-développement économique entraîne invariablement un sous-développement culturel. C'est ce qui explique, d'une part, la force des langues du nord-ouest de l'Europe et de l'Amérique du Nord; d'autre part, le sous-développement économique explique aussi la faiblesse culturelle des langues importantes par leur démographie comme l'arabe, l'hindi, le bengali, le portugais, etc., dont les locuteurs sont aux prises avec un taux d'analphabétisme élevé (*voir le tableau 11.8*). L'Asie et l'Afrique sont particulièrement touchées par cette carence culturelle.

Ce sont les langues des nations riches et puissantes qui peuvent se permettre de diffuser la quasi-totalité du savoir universel sur de vastes territoires. Les personnes qui étudient une langue étrangère choisissent de préférence une langue dans laquelle elles trouveront beaucoup de publications; la plupart du temps, elles choisiront l'anglais, le français, le russe ou l'allemand, contribuant ainsi à renforcer l'hégémonie culturelle du «club des riches».

LE FACTEUR POLITIQUE

Dans les chapitres précédents, nous avons pu remarquer que la langue et la politique étaient intimement liées. À l'instar des autres facteurs, le pouvoir politique constitue l'une des forces les plus puissantes dans la vie des langues. Ce qui fait dire à Louis-Jean Calvet: «Les langues sont au pouvoir politique ou ne sont pas des langues[14]». De fait, avec Ducrot et Todorov, nous pouvons dire: «Le plus souvent, la langue officielle est simplement un parler régional qui a été étendu arbitrairement à l'ensemble de la nation[15]». Grâce à l'appareil de l'État et de ses institutions — le pouvoir législatif, la justice, l'école, l'armée, la police —, les gouvernements peuvent imposer une langue dans l'enseignement, dans le monde du travail, dans l'administration, dans la rédaction des lois, dans l'affichage, etc. L'*imposition linguistique* est un acte d'autorité politique dont le but est de gagner des effectifs en transformant l'allégeance linguistique des citoyens. Les Alsaciens ont alternativement, depuis le XVIIe siècle, été soumis à la francisation et à la germanisation; quand l'Alsace était française, les enfants étaient éduqués en français et lorsqu'elle redevenait allemande, ils poursuivaient leurs études en allemand. Résultat: un enfant étudiait en allemand alors que ses parents avaient fréquenté l'école française et ses grands-parents l'école allemande. Au XIXe siècle, une partie de la Pologne se faisait germaniser pendant que l'autre était soumise à la russification. Évidemment, la langue dominée demeure généralement proscrite dans les institutions de l'État.

Les 171 États aujourd'hui admis à l'ONU ont tous adopté une ou plus d'une langue officielle à l'intérieur de leurs frontières respectives. Dans plusieurs cas, la langue officielle correspond à la langue majoritaire de la population comme aux États-Unis, en Allemagne, au Danemark, au Japon, en Thaïlande, etc.; parfois, c'est une LANGUE minoritaire INDIGÈNE que l'on impose par autorité à l'ensemble de la population: le malais (13 %) en Indonésie, le chinois mandarin (20 %) à Taiwan, l'anglais (30 %) à l'île Maurice, l'hindi (35 %) en Inde. Souvent, c'est une *langue minoritaire étrangère* qui fait office de langue officielle de la nation: tel est le cas de tous les États d'Afrique noire à l'exception de la Somalie et de l'Éthiopie, et de tous les petits États de l'Océanie incluant la Papouasie. Mais dans tous les États où la langue officielle ne correspond pas à la langue de la majorité de la population, la langue imposée est celle de l'élite politique; à Taiwan (19 millions), plus de 80 % de la population parle le fukienese, mais c'est le mandarin qui gouverne, comme c'est le malais (13 %) en Indonésie, l'amharique (27 %) en Éthiopie, l'hindi (35 %) en Inde. Enfin, il arrive que des États reconnaissent plus d'une

14. *Linguistique et colonialisme*, Paris, Payot, 1974, p. 21.
15. *Dictionnaire encyclopédique des sciences du langage*, Paris, Seuil, 1972, p. 80.

Rang	%	Amérique	Asie	Afrique	Langue officielle
1.	94			Somalie	somali
2.	91		Yémen du N.		arabe
3.	90			Niger	anglais
4.	89			Burkina-Faso	français
5.	86			Mali	français
6.	85			Éthiopie	amharique
7.	82			Tchad	arabe
8.	81			Guinée-Bissau	portugais
9.	80			Gambie	anglais
10.	80		Népal		népalais
11.	79			Comores	français
12.	79	Haïti			français
13.	76			Guinée	français
14.	76		Pakistan		ourdou
15.	75		Qatar		arabe
16.	74		Soudan		arabe
17.	73			Burundi	français
18.	73			Angola	portugais
19.	72			Bénin	français
20.	71		Maroc		arabe
21.	69		Yémen du S.		arabe
22.	68		Bangladesh		bengali
23.	68			Togo	français
24.	67			Rép. centrafricaine	français
25.	66			Nigéria	anglais
26.	65			Côte d'Ivoire	français
27.	64			Sénégal	français
28.	63			Tunisie	arabe
29.	59			Algérie	arabe
30.	59	Bolivie			espagnol
31.	58		Inde		hindi
32.	58			Égypte	arabe
33.	57		Iran		persan
34.	56		Laos		laotien
35.	54			Guinée équat.	espagnol
36.	50		Iraq		arabe
37.	47		Émirats arabes unis		arabe
38.	46		Syrie		arabe
39.	44			Congo	français
40.	42		Kampuchea		khmer
41.	42			Libye	arabe
42.	40			Mauritanie	arabe
43.	39			Madagascar	malgache
44.	36		Koweït		arabe
45.	36			Gabon	français
46.	36			Zaïre	français
47.	34		Birmanie		birman
48.	33		Chine		chinois
49.	33		Indonésie		malais
50.	33		Malaisie		malais

Source: ONU (1983) dans *L'état du monde 1984*, Paris/Montréal, La Découverte/Boréal Express, 1984.

Tableau 11.8 Les pays à fort taux d'analphabétisme (1983)

langue officielle, c'est-à-dire qu'ils accordent au moins juridiquement le statut d'égalité à deux ou plusieurs langues: c'est le cas au Canada, en Finlande, en Afghanistan, en Suisse, en Belgique et en Yougoslavie.

On trouvera au tableau 11.9 la liste des *langues étatiques*, c'est-à-dire les langues officielles adoptées par les États. On constatera que plus de 60 langues sont la langue officielle d'au moins un État, ce qui constitue une augmentation appréciable de quelque 25 langues par rapport à la situation précédant la Seconde Guerre mondiale (1938), où l'on en comptait 35. Il reste que le nombre de langues officielles demeure encore nettement en deçà de ce qu'il pourrait être compte tenu du nombre considérable de langues dans le monde, dont 160 avec un million ou plus de locuteurs.

Parmi la soixantaine de langues étatiques quant au gouvernement central, 42 sont *mono-étatiques* (officielles dans un seul État) et 18 *multi-étatiques* (officielles dans plus d'un État). L'anglais arrive encore au premier rang avec 48 États, le français au second rang avec 35 (y compris certains territoires français d'outre-mer), l'arabe au troisième rang avec 22, l'espagnol au quatrième rang avec 21, le portugais au cinquième rang avec sept, l'allemand au sixième rang avec six; suivent le chinois, le malais, le néerlandais et l'italien avec quatre États chacun; enfin, huit langues sont officielles avec deux États chacune: le coréen, le turc, le persan (appelé farsi en Iran et dari en Afghanistan), le swahili, le suédois, le grec, le tamoul, le kirundi (appelé kirundi au Burundi et kinyarwanda au Rwanda). Il reste 42 langues mono-étatiques dont la puissance politique est nécessairement moindre, à l'exception du russe et du japonais: le russe ne contrôle qu'un seul État, mais celui-ci s'étend sur de très vastes territoires (22 millions de kilomètres carrés) répartis sur deux continents avec une puissance démographique, économique, militaire et culturelle indiscutable. Quant au japonais, sa faiblesse politique et sa faible superficie sont compensées par une très forte puissance économique, culturelle et démographique qui joue un grand rôle sur le plan continental en Asie.

Dans l'avenir, les langues les mieux à même de progresser seront celles qui ont le contrôle d'au moins un État. Celles qui demeureront sans État souffriront d'un handicap difficilement surmontable:

> «Les langues qui n'ont pas d'État sont en très mauvaise posture pour la phase à venir du conflit des langues, conflit qu'intensifient les communications universelles et rapides qui mobilisent de grandes masses de population dans des ensembles culturels, économiques et politiques multilingues[16].»

Même si le pouvoir politique constitue une force incontestable, l'histoire offre des cas où la puissance politique s'est révélée un échec. L'Inde n'a pas encore réussi, après 40 ans, à remplacer l'anglais par l'hindi; l'Irlande a échoué complètement dans sa politique d'implanter l'irlandais depuis 1949; le Québec éprouve encore beaucoup de difficulté à faire du français la langue dominante. Dans les trois cas, d'autres facteurs viennent contrecarrer la force politique: en Inde, c'est le nationalisme linguistique de plusieurs États fédérés refusant la prépondérance de l'hindi; en Irlande, l'omniprésence de l'anglais est telle qu'elle écrase les quelque 55 000 irréductibles qui utilisent encore l'irlandais à la maison (sur une population de 3,4 millions); au Québec, le français se heurte au pouvoir politique fédéral, à l'économie anglo-saxonne, à la culture américaine, à la démographie nord-américaine.

16. Jean A. LAPONCE, *op. cit.*, p. 105.

Rang	Langue	Nombre d'États	États (population en millions)
1.	ANGLAIS	50	Inde* (#/711), États-Unis (235), Nigéria (#/82), Pakistan* (#/87), Grande-Bretagne (56), Tanzanie* (#/19,1), Canada* (19/25), Kenya* (#/18,7), Sri Lanka* (#/15,4), Australie (15), Ouganda (#/14,1), Ghana (#/12,2), Namibie (#/12), Zimbabwe (#/7,5), Malawi (#/6,4), Afrique du Sud* (4/28), Sierra Leone (#/3,6), Irlande* (0,05/3,6), Cameroun* (#/9), Nouvelle-Zélande (3,3), Papouasie (#/3,1), Singapour* (#/2,5), Jamaïque (2,3), Liberia (#/2,1), Trinité-et-Tobago (1,2), Lesotho* (#/1,4), Maurice (0,3/1,0), Botswana (#/0,9), Guyane (#/0,9), Gambie (#/0,6), Swaziland* (#/0,6), Fidji (#/0,66), Malte* (#/0,33), Bahamas (0,22), Salomon (#/0,24), Belize (#/0,17), Vanuatu* (#/0,12), Samoa-Occidental* (#/0,16), Sainte-Lucie (#/0,12), Grenade (0,11), St-Vincent-et-Grenadines (0,10), Tonga (#/0,10), îles Vierges (#/0,10), Dominique (0,09), Antigua et Barbuda (#/0,07), Seychelles* (#/0,06), Kiribati* (#/0,06), St-Kitts et Nevis (0,05), Tuvalu (#/0,008), Nauru (#/0,007).
2.	FRANÇAIS	35	France (55), Zaïre (#/30), Madagascar* (#/9,2), Côte d'Ivoire (#/8,5), Mali (#/7,5), Canada* (6/25), Cameroun* (#/9), Burkina-Faso (#/6,3), Sénégal (#/6), Haïti (#/5,3), Guinée (#/5,2), Rwanda* (#/5,1), Burundi* (#/4,2), Bénin (#/3,7), Tchad* (#/3,6), Belgique* (3,2/9,9), Togo (#/2,7), République centrafricaine (#/2,4), Congo (#/1,7), Suisse* (1,2/6,4), Mauritanie* (#/1,7), Gabon (#/0,5), Réunion (#/0,5), Luxembourg (#/0,37), Guadeloupe (#/0,33), Martinique (#/0,32), Vanuatu* (#/0,12), Nouvelle-Calédonie (0,078/0,14), Polynésie française (#/0,1), Djibouti* (#/0,3), Guyane française (#/0,07), Comores (#/0,038), Seychelles* (#/0,06), Monaco (0,026), Wallis et Futuna (#/0,003).
3.	ARABE	22	Égypte (46), Iraq (25/32,2), Algérie (17/20), Maroc (14/22), Soudan (20), Syrie (10/11), Arabie Saoudite (9,8), Tunisie (7), Yémen du Nord (6,1), Tchad* (3,6), Jordanie (3,4), Libye (3), Liban (2,7), Yémen du Sud (2,1), Mauritanie* (1,7), Koweït (1,6), Israël* (1/4), Oman (0,95), Émirats arabes unis (0,083), Bahrein (0,33), Djibouti* (0,3), Qatar (0,26).
4.	ESPAGNOL	21	Mexique (75), Espagne (38), Argentine (29), Colombie (29), Pérou (18,7), Venezuela (15,1), Chili (12), Cuba (10), Équateur (8,9), Guatemala (7,9), République dominicaine (6), El Salvador (5,1), Bolivie (5,9), Honduras (4,1), Paraguay* (#/3,4), Porto Rico (3,3), Nicaragua (2,9), Uruguay (2,9), Costa Rica (2,3), Panama (2), Guinée équatoriale (#/0,38).
5.	PORTUGAIS	7	Brésil (130), Mozambique (#/13,2), Portugal (10,1), Angola (#/7,4), Guinée-Bissau (#/0,6), Cap-Vert (#/0,3), Sao Tome-et-Principe (#/0,087).
6.	ALLEMAND	6	République fédérale allemande (62), République démocratique allemande (16,7), Autriche (7,6), Suisse* (4,7/6,4), Belgique* (0,66/9,9), Liechtenstein (0,03).

7.	CHINOIS	4	République populaire de Chine (1 032), Taiwan (2/19), Hong-Kong (5,2), Singapour* (1,5/2,5).
8.	MALAIS	4	Indonésie (20/154), Malaisie (14,8), Singapour* (0,5/2,5), Brunei (0,25).
9.	NÉERLANDAIS	4	Pays-Bas (14,3), Belgique* (5,6/9,9), Surinam (#/0,41), Antilles néerlandaises (#/0,25).
10.	ITALIEN	4	Italie (57), Suisse* (0,32/6,4), San Marino (0,02), Vatican (0,001).
11.	CORÉEN	2	Corée du Sud (41), Corée du Nord (19).
12.	TURC	2	Turquie (46), Chypre* (0,162/0,65).
13.	PERSAN	2	Iran (27/40), Afghanistan* (4,6/16,8).
14.	SUÉDOIS	2	Suède (8,3), Finlande* (0,33/4,8).
15.	GREC	2	Grèce (9,8), Chypre* (0,487/0,65).
16.	SWAHILI	2	Tanzanie* (19,1), Kenya* (18,6).
17.	TAMOUL	2	Sri Lanka* (4,6/15,4), Singapour* (0,5/2,5).
18.	KIRUNDI	2	Burundi* (4,2), Rwanda* (5,1).
19.	RUSSE	1	URSS (194/272).
20.	HINDI	1	Inde* (250/711).
21.	JAPONAIS	1	Japon (119/120).
22.	BENGALI	1	Bangladesh (93/95).
23.	OURDOU	1	Pakistan* (7/87).
24.	VIETNAMIEN	1	Viet-nam (52/57).
25.	THAÏ	1	Thaïlande (40/49).
26.	POLONAIS	1	Pologne (37).
27.	BIRMAN	1	Birmanie (27/37).
28.	AMHARIQUE	1	Éthiopie (10/34).
29.	SERBO-CROATE	1	Yougoslavie* (17/22,8).
30.	ROUMAIN	1	Roumanie (20/22,8).

31.	NÉPALAIS	1	Népal (10/16).
32.	SINGHALAIS	1	Sri Lanka* (11/15,4).
33.	TAGALOG	1	Philippines* (13/52).
34.	HONGROIS	1	Hongrie (10,7).
35.	PASHTOU	1	Afghanistan* (10/16,8).
36.	TCHÈQUE	1	Tchécoslovaquie* (10/15).
37.	MALGACHE	1	Madagascar* (9).
38.	BULGARE	1	Bulgarie (7,8/8,9).
39.	KHMER	1	Kampuchea (6,7/7).
40.	DANOIS	1	Danemark (5,1).
41.	SOMALI	1	Somalie (4/5).
42.	FINNOIS	1	Finlande* (4,7/5).
43.	SLOVAQUE	1	Tchécoslovaquie* (4,5/15).
44.	NORVÉGIEN	1	Norvège* (4).
45.	LAOTIEN	1	Laos (2,8/3,9).
46.	HÉBREU	1	Israël* (3/4).
47.	GUARANI	1	Paraguay* (3,1/3,4).
48.	ALBANAIS	1	Albanie (2,9).
49.	SLOVÈNE	1	Yougoslavie* (1,8/22,8).
50.	MACÉDONIEN	1	Yougoslavie* (1,2/22,8).
51.	MONGOL	1	Mongolie (1,7/1,8).
52.	AFRIKAANS	1	Afrique du Sud* (1,5/28).
53.	DZONKHA	1	Bhoutan (1/1,3).
54.	SOTHO	1	Lesotho* (1,4).
55.	SWAZI	1	Swaziland* (0,6).
56.	MALTAIS	1	Malte* (0,337).

57.	IRLANDAIS	1	Irlande* (0,55/3,4).
58.	ISLANDAIS	1	Islande (0,238).
59.	SAMOA	1	Samoa-Occidental* (0,160).
60.	KIRIBATI	1	Kiribati* (0,060).
61.	CATALAN	1	Andorre (0,04).

Les États multilingues sont suivis d'un astérisque (ex.: Inde*); le signe # signifie que la langue officielle n'est pas indigène, c'est-à-dire qu'elle est étrangère; quand il y a un seul chiffre, il représente la population; quand il y a deux chiffres, le premier représente le nombre de locuteurs et le deuxième, la population totale.

TABLEAU 11.9 LA HIÉRARCHIE DES LANGUES SELON LEUR STATUT OFFICIEL

Le facteur politique ne peut pas agir seul; il ne peut que renforcer un statut déjà créé par d'autres facteurs. Ainsi le malais n'aurait pu devenir la langue nationale de l'Indonésie s'il n'avait été au préalable la langue de l'économie dès 1928; de même pour le malgache à Madagascar, l'amharique en Éthiopie ou le mandarin à Taiwan qui, au départ, ont été des langues dominantes sur les plans économique et militaire; quant au cas particulier de l'hébreu, celui-ci constituait une telle force symbolique et religieuse que le pouvoir politique n'a eu qu'à la récupérer. Le facteur politique est un instrument extrêmement puissant s'il se combine à d'autres facteurs, mais il devient inutile s'il agit seul. Contrairement aux facteurs économiques, culturels ou militaires, la puissance politique doit compter sur le consensus social; dans le cas contraire, elle peut devenir une force bidon.

LE FACTEUR IDÉOLOGIQUE

Dans la vie des langues, il est une force mystérieuse, impondérable, imprévisible, qui vient parfois contrecarrer les forces démographiques, économiques ou culturelles, qui arrive même dans certains cas à défier la force militaire: l'impulsion d'une puissante idéologie. Nous distinguerons deux variables: l'idéologie religieuse et l'idéologie politique (ou nationaliste).

L'idéologie religieuse

La langue et la religion forment deux réalités beaucoup plus indissociables qu'on ne le croit généralement même si ce lien n'est pas absolu. La religion, comme la langue, peut être un facteur de cohésion et jouer un rôle d'idéologie auprès des peuples: elle inspire des actes, elle oblige à parler et à discuter. Il arrive même que langue et religion s'allient pour exprimer l'identité culturelle. Il n'y a pas que les Canadiens français qui aient cru que la langue puisse être *la gardienne de la foi*[17]; plusieurs des contemporains de Henri Bourassa auraient pu écrire avec lui que «. . . la langue anglaise est la langue de l'erreur, de l'hérésie, de la division, de l'anarchie dogmatique et morale[18]».

Pour plusieurs peuples, défendre sa langue, c'est défendre sa foi. Non seulement les Québécois y ont cru jusqu'à une époque assez récente, mais d'autres le croient encore: les musulmans sunnites avec l'arabe, les musulmans chiites avec le farsi (persan), les sikhs avec le pendjabi au Pendjab (Inde), les coptes avec le copte (Égypte et Éthiopie), les Juifs avec l'hébreu.

17. «*La langue gardienne de la foi*» est le titre d'une conférence célèbre du directeur du *Devoir* en 1918, Henri Bourassa.
18. Henri BOURASSA, *La langue gardienne de la foi*, Montréal, Bibliothèque de l'Action française, 1918, p. 42.

Religions et langues se correspondent selon trois catégories: les langues mono-religieuses, les langues à dominante religieuse, les langues à bi-religionisme équilibré. La première catégorie, les *langues mono-religieuses*, regroupe des langues liées à une seule religion: le yiddish et l'hébreu au judaïsme, le copte à la religion copte, le japonais au shintoïsme.

La seconde catégorie, la plus importante, rassemble des *langues à dominante religieuse* de l'ordre de 80 % à 90 %. L'anglais est protestant à 80 % (catholique à 20 %), de même que toutes les langues des pays scandinaves: danois, suédois, norvégien, islandais et finnois. Les langues romanes (italien, français, espagnol, portugais, catalan, sarde, romanche) sont catholiques à 90 % environ; sont catholiques aussi certaines langues slaves comme le polonais, le slovaque, le slovène. Les Roumains, les Grecs, les Albanais et la plupart des peuples slaves (Russes, Ukrainiens, Tchèques, Serbes, Croates, Macédoniens) sont majoritairement catholiques orthodoxes. Quant aux musulmans sunnites, ils parlent surtout l'arabe (80 %), mais aussi l'ourdou, le pashtou, le bengali, le somali, le turc, alors que l'hindi et les langues dravidiennes (tamoul, télougou, kannara, etc.) sont hindouistes à 80 %. Par ailleurs, ceux qui parlent le coréen, le mongol, le singhalais, le birman, le khmer, le laotien, le thaï et le vietnamien sont bouddhistes. Enfin, la religion taoïste est pratiquée par les Chinois à 80 %.

La troisième catégorie concerne les *langues à bi-religionisme équilibré*, c'est-à-dire les langues qui se partagent à peu près à part égale deux religions. Cette catégorie de langues est représentée notamment par l'allemand et le néerlandais, à 50 % catholiques et à 50 % protestants; on pourrait mentionner aussi le farsi (persan), à moitié musulman chiite et à moitié musulman sunnite.

Il n'est pas surprenant que, dans ces conditions, les conflits de langues dégénèrent en conflits de religions et vice versa. Effectivement, les guerres de religions ont souvent coïncidé avec des guerres de langues: catholiques français contre protestants anglais (France et Angleterre au XVIe siècle, Nouvelle-France et Nouvelle-Angleterre au XVIIIe siècle), protestants anglais contre catholiques irlandais (XIXe siècle), catholiques romans (Espagne) contre musulmans arabes (VIIIe siècle), Juifs parlant hébreu contre musulmans arabes sunnites ou chiites (depuis 20 ans), hindouistes de langue hindie contre musulmans de langue ourdoue (Inde contre Pakistan: 1947, 1965, 1974), hindouistes hindiphones contre sikhs parlant pendjabi (1984), hindouistes tamouls contre bouddhistes singhalais (Sri Lanka, 1984-1985).

Il est indéniable que certaines langues ont connu une grande diffusion en raison de la puissance de l'idéologie religieuse. L'influence de l'Islam a été déterminante pour l'expansion de l'arabe (entre les VIIIe et XIIe siècles), comme celle du judaïsme pour la diffusion de l'hébreu. La religion a surtout joué un rôle important dans le maintien de plusieurs langues au cours de l'histoire. Le sanskrit a été une langue vivante en Inde jusqu'au IIe millénaire avant notre ère; il a été remplacé par le *prākrit*, mais la religion brahmane l'a maintenu comme langue exclusivement religieuse pendant plus de 1 000 ans. Le sumérien dut sa survie, longtemps après sa disparition comme langue vivante, au fait qu'il devint la langue sacrée des Akkadiens de l'ancienne Mésopotamie. De même, tout comme l'Église copte a maintenu le copte en Égypte, l'Église catholique a permis au latin de survivre jusqu'au XXe siècle. L'idéologie religieuse peut garder une langue artificiellement en vie, mais, lorsqu'elle ne joue qu'un rôle de conservation, elle affaiblit la vitalité de la langue et prolonge tout au plus son agonie. Le sanskrit, le sumérien, le latin, le copte ont fini par s'éteindre parce qu'ils n'étaient plus que paroles vides de sens, répétitions ritualisées sans assise VERNACULAIRE.

En revanche, la religion joue un rôle positif dans la promotion des *langues non sacrées*. C'est en grande partie grâce à la religion protestante que le gallois est encore parlé au Pays de Galles, comme c'est grâce à la religion orthodoxe que le roumain a survécu en Roumanie. De la même façon, en Amérique andine, les prêtres catholiques ont contribué, souvent à leur insu, à l'expansion de certaines langues parce qu'ils les avaient choisies comme véhicules d'évangélisation: le quechua des Incas, l'aymara, le guarani. Rappelons encore les cas classiques de l'arabe du Coran pour les musulmans et de l'hébreu pour les Juifs. Au Québec, la religion a joué un rôle non négligeable dans la promotion du français; pendant près de deux siècles, ce fut le seul pouvoir véhiculé en cette langue. Généralement, cette prise en charge de la langue par la religion demeure précaire, à long terme, si elle n'est pas relayée à un moment donné par une autre force: l'État. Tant au Québec qu'au Pays de Galles, en Roumanie ou en Israël, l'État a remplacé la religion comme instrument de promotion et de vitalité linguistique.

L'idéologie politique

Les idéologies politiques contemporaines contribuent également à la promotion et à l'expansion d'un grand nombre de langues. Il n'est pas facile de catégoriser les idéologies politiques des langues dominantes; il paraît plus simple de reprendre les catégories proposées par le politicologue Laponce[19], qui distingue les «démocraties pluralistes» (à élections libres), les «régimes communistes» (à contrôle étatique de l'économie) et les régimes non communistes mais «autoritaires», voire militaires.

Les *démocraties pluralistes* de type occidental caractérisent des États dont la langue a fait l'objet depuis longtemps d'une forte NORMALISATION. L'unilinguisme étatique semble la voie la plus courante et, maintenant que l'unification linguistique y est achevée, ces régimes affichent une relative tolérance à l'égard des minorités, tolérance qui peut aller parfois jusqu'au bilinguisme officiel (Suisse, Belgique, Finlande, Canada). Dans ces régimes, on trouve des langues à «tendance mono-étatique» (danois, suédois, norvégien, islandais, finnois, grec, italien, néerlandais) et des langues multi-étatiques qui chevauchent des régimes plus «autoritaires» (communistes ou non communistes): l'allemand (à 80 % démocratique), l'anglais (à 80 %), le français (à 45 %), l'espagnol (à 40 %). Les démocraties plus récentes comme l'Inde, le Sri Lanka, Kiribati et Israël sont aux prises avec le multilinguisme et une langue coloniale (l'anglais) omniprésente qu'elles contribuent à propager; l'exception est le Japon, qui s'aligne davantage sur les démocraties occidentales.

La plupart des *régimes communistes* favorisent des langues officiellement mono-étatiques, majoritaires, indigènes, et ignorent les langues minoritaires. En Europe de l'Est, il s'agit de langues normalisées et codifiées depuis longtemps: le russe, l'allemand (à 20 % communiste), le bulgare, le polonais, le roumain, le serbo-croate, le slovène, le macédonien, le tchèque, le slovaque, l'albanais et le hongrois. Parmi ces États, trois manifestent plus ouvertement une grande libéralité à l'égard du pluralisme linguistique: l'URSS, la Tchécoslovaquie et la Yougoslavie. Toutefois, dans tous ces pays, se superpose une langue supranationale: le russe. En Asie, les régimes communistes ignorent systématiquement le pluralisme et prônent la seule langue majoritaire: le mandarin en Chine, le khalkha en Mongolie, le pashtou en Afghanistan, le khmer au Kampuchea, le laotien au Laos, le vietnamien au Viet-nam; sur le continent africain, il faudrait ajouter l'Éthiopie d'obédience communiste, qui impose l'amharique, langue minoritaire dans le pays.

Quant aux *régimes autoritaires non communistes*, ils prônent majoritairement la suprématie d'une langue coloniale multi-étatique et ignorent les langues nationales sur le plan officiel: l'anglais (à 20 %) en Afrique et en Océanie, l'arabe (tous les États arabophones), l'espagnol (à 60 %) en Amérique latine et en Guinée équatoriale, le français (à 55 %) en Afrique, aux Antilles et en Océanie, le portugais (à 95 %) au Brésil et en Afrique. Les autres États imposent une langue indigène en ignorant toutes les langues minoritaires: le Bangladesh (bengali), l'Iran (farsi), le Bhoutan (dzonkha), le Népal (népalais), la Tanzanie (swahili), le Kenya (swahili), Madagascar (malgache), la Somalie (somali), la Turquie (turc). Les exceptions demeurent les États qui n'ont pas de

19. *Op. cit.*, p. 124-129.

minorité importante comme le Burundi et le Rwanda (kirundi), le Lesotho (sotho), le Swaziland (siswati), le Samoa-Occidental (samoa), le Paraguay (guarani) et l'Indonésie, qui impose une langue minoritaire (malais).

Dans ces conditions, il n'est pas surprenant que les conflits de langue deviennent très souvent à la fois des conflits ethniques, politiques et idéologiques, car on peut observer une certaine tendance à la concentration des langues dans un type d'idéologie politique. Toutefois, l'idéologie commune à tous les régimes politiques reste encore le *centralisme* au nom de l'*unité nationale*, pour laquelle la langue devient une arme. Combinée avec d'autres facteurs, l'idéologie politique a indéniablement contribué à diffuser des langues comme l'anglais, le russe, l'espagnol, le portugais, le français, l'arabe, ainsi que de nombreuses langues mono-étatiques.

Rappelons encore une fois que l'idéologie est une arme à deux tranchants; l'idéologie nationaliste transforme la langue en symbole d'unité nationale pour le groupe qui exerce le pouvoir, mais en même temps elle peut favoriser l'émergence d'un nationalisme linguistique chez le groupe minoritaire, pour qui la langue dominante a valeur d'instrument d'oppression. En Europe, en URSS, en Inde, en Chine, au Canada, comme ailleurs, l'émergence de l'idéologie nationaliste, *régionale et minoritaire*, est universelle: la tendance des minorités à prendre en main leur développement, à accéder à l'autonomie ethnique, sinon à l'autodétermination politique, s'accroît sans arrêt. Les Ukrainiens, les Arméniens et les Ouzbeks en URSS, les Tibétains, les Mongols et les Ouïgoures en Chine, les Tamouls, les Assamais et les Pendjabi en Inde, les Catalans en Espagne et les Kurdes en Turquie tiennent plus que jamais à leur langue. Plus l'État central se montre répressif et intolérant, plus il stimule le nationalisme minoritaire. Celui-ci peut devenir une puissante force idéologique capable de mettre un frein à l'expansion, sinon à l'impérialisme des grandes langues. Alors que la diversité linguistique pourrait devenir une source d'enrichissement, elle demeure le plus souvent une source de conflit.

LE BILAN DES RAPPORTS DE FORCE

Analysons les cinq grands facteurs de puissance linguistique susmentionnés (démographique, économique, militaire, culturel, politique) en regard des 12 premières langues, selon la hiérarchie numérique. En observant le tableau 11.10, nous constatons que seuls l'anglais et l'allemand sont touchés par toutes les variables de chacun des cinq facteurs hiérarchiques. Il s'agirait donc là des deux langues les plus «puissantes» du monde, et la première place reviendrait à l'anglais. Le français arriverait en troisième place; il n'apparaît pas à la variable «prospérité» (revenu moyen par habitant) puisqu'il se situe au 14e rang (*voir le tableau 11.4*). Rappelons cependant que ce facteur mesure moins la puissance d'une langue que la richesse individuelle de ses locuteurs.

Il faut conclure qu'il est extrêmement difficile d'évaluer le poids relatif des différents facteurs les uns par rapport aux autres. Ainsi, une seconde place au facteur «politique» vaut-elle autant qu'un second rang au facteur «démographique» ou «culturel»? La juxtaposition de ces hiérarchies met surtout en relief les forces et les faiblesses des langues auxquelles il manque soit l'importance numérique, soit la puissance économique, soit la force militaire, soit la production culturelle, soit le poids politique.

Il en résulte que le bengali, par exemple, n'est fort que par la démographie et reste faible sur tous les autres plans. Les faiblesses de l'hindi, du chinois et de l'arabe sont d'ordre économique et culturel (surtout pour l'arabe); celles du portugais, d'ordre militaire et économique; celles de l'italien, d'ordre démographique, militaire et politique; celles du japonais, d'ordre militaire et politique. Quatre langues n'ont qu'un seul point faible: l'économie pour l'espagnol, la démographie pour le français, la politique pour l'allemand et, dans une moindre mesure, pour le russe (cette relative faiblesse pour le russe est certainement moins importante que celle de l'allemand, du japonais ou de l'italien).

	Démographique	Économique			Militaire		Culturel		Politique
		Commerce	PNB	Prospérité	Soldats	Budget	Livres	Sciences	
CHINOIS	1		6		1	3	8	8	7
ANGLAIS	2	1	1	9	3	1	1	1	1
ESPAGNOL	3		7		6	7	5	9	4
HINDI	4				7	12	12		
RUSSE	5	8	2		2	2	2	2	
ARABE	6	6	8		4	4			3
BENGALI	7								
PORTUGAIS	8		10		12		9		5
ALLEMAND	9	2	4	4	8	5	3	4	6
JAPONAIS	10	3	3	7		8	6	3	
FRANÇAIS	11	5	5		9	6	4	5	2
ITALIEN	12	7	9			11	11	7	9

TABLEAU 11.10 LES 12 PREMIÈRES LANGUES SELON LA HIÉRARCHIE NUMÉRIQUE

Par ailleurs, la puissance de l'hindi, du chinois et de l'arabe est d'abord démographique puis militaire, alors que l'espagnol a l'avantage supplémentaire de la puissance politique. L'économie ainsi que les productions culturelles et scientifiques constituent les forces du japonais et de l'allemand. La grande force du français réside surtout dans sa dispersion politique combinée avec des atouts fort importants sur les plans économique, militaire et culturel; comme par hasard, la plus grande force du français coïncide avec la seule faiblesse du russe. Quant à l'anglais, il se révèle très fort sur tous les plans, sans aucune faiblesse, accaparant six fois le premier rang.

D'une façon générale, le nombre de locuteurs d'une langue détermine le niveau hiérarchique de celle-ci sur les plans économique, militaire, culturel et, parfois, politique. C'est ce qui explique la prépondérance de l'anglais aujourd'hui et la position privilégiée du français qui, dans le passé, a pu compter sur un facteur démographique très positif. Il ressort que le monde contemporain est dominé par quelques grandes langues européennes, avec un apport important de l'arabe, du chinois et du japonais. Ces langues exercent à l'heure actuelle leur suprématie dans tous les secteurs et contrôlent l'essentiel des forces démographiques, économiques, militaires et culturelles du monde. Non seulement elles imposent leur suprématie, mais elles exercent une force d'attraction considérable sur les langues plus faibles. Aussi Roland Breton a-t-il raison d'écrire:

> «Et, par-dessus tout, un petit nombre de grandes langues appuyées par un outillage verbo-conceptuel anciennement élaboré, une littérature abondante et quelques États influents, s'attire une masse croissante de locuteurs secondaires, puis maternels, et une clientèle d'États mineurs[20].»

Les langues plus faibles peuvent survivre et s'épanouir même sans la force numérique, ni militaire, à condition de contrôler idéalement un gouvernement, sinon un État. Rappelons-nous que le contact des langues favorise celles qui ont pour elles la force, c'est-à-dire le nombre et le pouvoir. À défaut d'acquérir cette force à l'échelon mondial, les plus petites langues peuvent exercer ce contrôle à l'échelon d'un territoire limité, c'est-à-dire sur le plan national. Le suédois, le danois, le norvégien, le finnois, l'islandais en sont des exemples parmi les plus significatifs. Ces langues utilisent l'État comme instrument privilégié de pouvoir.

20. Roland BRETON, *Géographie des langues*, Paris, P.U.F., coll. «Que sais-je?», n° 1648, 1976, p. 125.

L'ÉTAT MODERNE: UN ÉTAT GLOTTOPHAGE

L'État moderne constitue un puissant levier pour la promotion d'une langue. Quand il s'agit de la langue officielle, l'État se sert de ses pouvoirs pour la propulser à l'avant-scène en tant qu'institution étatique. Parmi les 6 000 langues existantes, seulement une soixantaine, soit 1 % de l'ensemble, peuvent s'appuyer sur l'État, les autres étant considérées comme des réalités insignifiantes ou comme des éléments perturbateurs nuisant à l'unité nationale. La tendance normale de l'État est d'aller vers l'unilinguisme, pour des raisons d'efficacité dans la communication, d'économie et d'unité nationale. C'est pourquoi les langues non reconnues risquent le plus souvent d'être non seulement oubliées, mais réprimées ou proscrites tant est irrésistible la tendance à l'uniformisation.

Il est frappant de constater le nombre d'États officiellement unilingues (plus de 80 %) alors qu'il n'en existe pratiquement aucun qui soit unilingue dans les faits. Et même parmi ceux qui se déclarent multilingues, à peu près aucun ne réussit à assurer l'égalité réelle entre les langues en présence. La lutte pour la domination se poursuit à l'intérieur de l'État, qui en privilégie infailliblement une. L'unité, l'économie et l'efficacité finissent par prévaloir sur la diversité et l'égalité. L'État devient à la fois défenseur et oppresseur des langues, mais c'est sa tendance naturelle à la GLOTTOPHAGIE[1] qui l'emporte.

1 LES LANGUES SANS ÉTAT

Les langues sans État sont des langues désarmées, sans force démographique influente et sans force militaire, économique ou politique. Tout au plus peuvent-elles compter parfois sur une certaine force culturelle strictement locale et sur la bonne volonté de ceux qui exercent le pouvoir; c'est le sort de la plupart des langues du monde. Lorsque l'État n'accorde pas de reconnaissance juridique à l'une ou l'autre de ses langues minoritaires, il impose à l'ensemble des citoyens une seule langue de prestige réservée à des sphères d'activités comme l'administration, la justice, le commerce, l'industrie, l'école, l'affichage, etc. Les autres langues sont ordinairement refoulées vers des domaines comme la religion, la vie familiale, l'agriculture ou les relations interpersonnelles non institutionnalisées.

L'État peut agir facilement sur ces langues minoritaires, les asphyxier pour hâter leur extinction, les réprimer, les ignorer, les reconnaître régionalement. Un grand nombre de langues assistent à leur propre liquidation, laquelle consiste à se faire absorber par la majorité. Leur assimilation s'effectue rapidement, dans une sorte de déculturation à l'égard du patrimoine ancestral et de dissolution dans la «civilisation» moderne. C'est le cas des langues amérindiennes des Amériques, des langues australiennes des aborigènes, des langues paléo-sibériennes d'URSS, de la langue des Aïnous du Japon, des Boshimans et Hottentots du sud de l'Afrique, et de celle de plusieurs peuples mélanésiens d'Océanie, pour ne mentionner que les populations les plus déshéritées de la planète. Ces langues constitueront bientôt des fossiles que l'on scrutera à la loupe dans quelques grandes universités...

1. Terme inventé par Louis-Jean CALVET dans *Linguistique et colonialisme* (voir bibliographie) pour désigner les États «dévoreurs de langues».

Dans plusieurs pays du monde, un sort identique attend un grand nombre de langues si les gouvernements continuent à ne pas intervenir. Comme il n'est pas dans l'intérêt des dirigeants d'accorder une protection particulière à ces langues, on peut présumer que la non-intervention vise effectivement leur élimination. On peut citer d'abord les nombreuses communautés linguistiques d'URSS, qui ne contrôlent même pas une «république autonome» et celles de la République populaire de Chine, qui ne disposent pas de «région autonome»; mentionnons aussi les 70 petites communautés de langues indonésiennes en Indonésie et aux Philippines, les 60 minorités ethniques du Viet-nam, les trois millions de Papous en Nouvelle-Guinée, les cinq millions d'occitanophones du sud de la France, les Sardes en Sardaigne, les Hongrois en Roumanie, etc. Tous ces peuples n'ont à peu près aucun droit même s'ils occupent un territoire depuis plusieurs siècles; parfois, ils doivent subir la répression comme les Berbères en Algérie, les Kurdes en Turquie, en Iraq et en Iran, les Ibos au Nigéria, etc.

Il arrive aussi que l'on dépossède une langue *parlée par la majorité* de la population d'un État: le fukienese à Taïwan, le javanais en Indonésie, l'afar à Djibouti, le swahili au Zaïre, le bemba en Zambie, le visayan aux Philippines, le pendjabi au Pakistan, le haoussa au Niger, le chewa au Malawi, le mossi au Burkina-Faso, le peul en Gambie, le fidjien aux îles Fidji, le tswana au Botswana, le tonga à Tonga, etc. Dans tous ces pays, c'est une langue minoritaire locale ou étrangère qui domine; en l'occurrence, l'anglais ou le français. Même majoritaires numériquement, ces langues ne réussissent pas à neutraliser l'assimilation dont elles sont victimes parce qu'elles ne contrôlent pas un gouvernement ni un État. Or, les langues qui ne disposent pas d'un État voient leur avenir fort menacé.

2 LES ÉTATS OFFICIELLEMENT UNILINGUES: UNE FAUSSE REPRÉSENTATION

L'unilinguisme officiel des États masque évidemment la réalité du pluralisme linguistique. Nous verrons qu'il y a différentes catégories de pays dits «unilingues»: certains sont plus unifiés que d'autres, mais c'est la minorité.

LES ÉTATS LINGUISTIQUEMENT UNIFIÉS

La première catégorie d'États linguistiquement homogènes comprend ceux qui peuvent prétendre à un quasi-unilinguisme à 90 % ou à 95 %, voire 99 %. Le Japon, malgré la présence de ses 800 000 locuteurs coréens, de ses 20 000 Aïnous et de ses quelques milliers de citoyens parlant le kyukyu, représente un cas type d'unilinguisme puisque moins de 1 % de la population utilise une autre langue que le japonais comme langue maternelle; c'est évidemment un cas unique au monde compte tenu de l'importance numérique de la population. Deux autres États d'importance moindre entrent dans cette catégorie d'États linguistiquement unifiés (*voir le tableau 12.1*): la Corée du Sud et la Corée du Nord, ainsi que deux petits États (la République dominicaine et la Dominique) et quatre micro-États (Bahamas, Islande, Liechtenstein, San Marino). Ce sont là les véritables pays unilingues du monde, c'est-à-dire des États *sans variations dialectales et sans minorités significatives*; ils représentent 5,8 % des États de la planète.

États unilingues	Langue officielle	Population
Japon	japonais	119,6
Corée du Sud	coréen	40,6
Corée du Nord	coréen	19,0
République dominicaine	espagnol	6,0
Islande	islandais	0,238
Bahamas	anglais	0,22
Saint Kitts et Nevis	anglais	0,05
Dominique	anglais	0,09
Liechtenstein	allemand	0,026
San Marino	italien	0,021

TABLEAU 12.1 LES ÉTATS UNILINGUES DE FAIT (DE 90 À 95 %) (SANS VARIATIONS DIALECTALES)

État	Langue	État	Langue
Arabie saoudite	arabe	Libye	arabe
Autriche	allemand	Oman	arabe
Bahreïn	arabe	Portugal	portugais
Bangladesh	bengali	Qatar	arabe
Égypte	arabe	Tunisie	arabe
Émirats arabes	arabe	Yémen du Nord	arabe
Grèce	grec	Yémen du Sud	arabe
Jordanie	arabe	RDA	allemand
Koweït	arabe	RFA	allemand

TABLEAU 12.2 LES ÉTATS UNILINGUES AVEC VARIATIONS DIALECTALES

La seconde catégorie d'États linguistiquement unifiés comprend des pays aux prises *avec d'importantes variations dialectales* (*voir le tableau 12.2*). Mentionnons d'abord les pays arabophones (Arabie saoudite, Égypte, etc.), dont une minorité de la population peut prétendre parler l'arabe officiel. La plus grande partie de la population arabophone, pauvre, peu instruite, voire analphabète, parle l'une des nombreuses variétés dialectales de l'arabe. Le Bangladesh, la Grèce et le Portugal n'ont pas réglé non plus leurs différences dialectales, bien que des interventions aient été tentées en ce sens, au Portugal et surtout en Grèce, récemment. Le Bangladesh est divisé en deux grandes aires dialectales: le bengali oriental et le bengali occidental, parlés par plus de 97 % de la population; il reste moins de 3 % de petites ethnies réparties en une trentaine de langues, totalisant environ 2 millions de locuteurs (sur 95 millions). Enfin, nous connaissons la situation des pays germaniques de langue allemande, dont les parlers locaux sont demeurés très vivaces tout en ne remettant pas en question la standardisation de la langue officielle; de plus, la République fédérale allemande et l'Autriche doivent faire face à des minorités relativement importantes qui commencent à poser des problèmes, particulièrement en RFA où les travailleurs immigrés affluent en grand nombre. Donc, bien qu'officiellement unilingues, tous ces pays ne peuvent pas prétendre être homogènes comme c'est le cas au Japon ou en Corée.

Une troisième catégorie d'États regroupe ceux qui abritent des *minorités de faible importance*, dont la proportion varie entre 5 et 15 % de l'ensemble d'une population. Le tableau 5.14 présente la liste de ces 33 États (20 %). Il s'agit surtout de pays d'Europe (dix États), d'Amérique du Sud (neuf États) et des Antilles (six États), auxquels il convient d'ajouter l'Australie, la Nouvelle-Zélande, la Somalie, le Liban, le Viet-nam et les îles Maldives dans l'océan Indien. À l'exception du cas des Frisons aux Pays-Bas, les droits des groupes minoritaires demeurent totalement ignorés et c'est la politique d'assimilation qui domine partout.

État	Langue officielle	Langues minoritaires
Albanie	*albanais*	tsigane, grec, roumain
Andorre	*catalan*	français, espagnol
Antigua	*anglais*	créole
Argentine	*espagnol*	guarani, araucan, quechua, chon, aymara, etc.
Australie	*anglais*	langues australiennes et langues diverses
Barbade	*anglais*	créole
Brésil	*portugais*	guarani, tupi, arawak, caribe, jé, pano, tukano, etc.
Bulgarie	*bulgare*	turc, tsigane, arménien, etc.
Chili	*espagnol*	araucan, quechua, alakaloufe, etc.
Costa Rica	*espagnol*	cuna, kabekar, guatuso, etc.
Cuba	*espagnol*	caribe, créole
Danemark	*danois*	allemand, suédois, norvégien, etc.
El Salvador	*espagnol*	pipil, lenka, kekchien
Grande-Bretagne	*anglais*	gallois, écossais, irlandais
Grenade	*anglais*	créole
Honduras	*espagnol*	sumo, misquito, paya, pipil, etc.
Hongrie	*hongrois*	allemand, slovaque, slovène, serbo-croate
Jamaïque	*anglais*	créole
Liban	*arabe*	arménien, français, dialectes
Maldives	*maldivien*	anglais
Monaco	*français*	diverses
Nicaragua	*espagnol*	misquito, ouliva, matagalpa, etc.
Panama	*espagnol*	guaymi, cuna, choco, etc.
Nouvelle-Zélande	*anglais*	langues diverses, maori, samoa

Pays-Bas	*néerlandais*	frison
Pologne	*polonais*	biélorusse, ukrainien, allemand, russe, slovaque, etc.
Saint-Vincent	*anglais*	créole
Sainte-Lucie	*anglais*	créole
Somalie	*somali*	swahili, arabe, italien, etc.
Suède	*suédois*	finnois, lapon
Uruguay	*espagnol*	allemand, italien, guarani, caïngua
Venezuela	*espagnol*	caribe, arawak, chibcha, tupi, etc.
Viet-nam	*vietnamien*	cantonais, thaï, khmer, yao, etc.

TABLEAU 12.3 LES ÉTATS UNILINGUES AVEC DE FAIBLES MINORITÉS (DE 5 À 15 %)

Ces trois catégories d'États «linguistiquement unifiés» comptent pour moins de 30 % des États du monde et la moitié renferment des minorités représentant jusqu'à 15 % de la population. Dans tous ces cas, la seule langue officielle domine malgré l'hétérogénéité linguistique. Nous vivons une époque où l'État-nation est considéré comme la norme alors qu'en réalité, il fait exception à la règle.

LES ÉTATS UNILINGUES À FORTES MINORITÉS

La majorité des États unilingues se heurtent à des minorités plus difficilement assimilables, voire carrément inassimilables. Les minorités des États du tableau 12.4 sont considérées comme importantes pour deux raisons: d'une part, elles peuvent former jusqu'à 50 % de la population totale d'un État; d'autre part, bien que constituant parfois moins de 15 % d'une population, certaines minorités se sont montrées traditionnellement très revendicatrices. En ce sens, on peut considérer ces minorités comme «fortes».

Les États à fortes minorités revendicatrices sont les suivants: l'Algérie (Berbères), la Chine (Tibétains, Mongols, Ouïgoures, Kazakhs, Tartares, Ouzbeks, Hui), l'Espagne (Catalans, Basques), la France (Basques, Bretons, Corses), la Turquie, l'Iraq et l'Iran (Kurdes), la Roumanie (Hongrois), l'URSS (Ukrainiens, Arméniens, Géorgiens, Caucasiens, Turkmènes, etc.). Certaines de ces minorités ont dû payer cher leurs revendications, qui leur ont attiré la répression: les Berbères, les Kurdes, les Tibétains, les Arméniens ont été particulièrement éprouvés. D'autres ont réussi à obtenir des concessions: les minorités en France, aux États-Unis (hispanophones), en Italie et en Chine. Ces concessions consistent généralement en quelques heures d'enseignement dans la langue minoritaire, parfois même un temps d'antenne limité, à la radio ou à la télévision (aux heures de faible écoute). Si l'on fait exception de l'Espagne, de l'URSS et du Luxembourg, la plupart des États ignorent leurs minorités même lorsqu'elles atteignent jusqu'à 50 % de la population totale. Tout au plus consent-on à leur donner une instruction bilingue durant les premières années d'enseignement pour mieux les

État	Langue officielle	Langues minoritaires
Algérie	*arabe*	dialectes, langues berbères
Bhoutan	*dzonkha*	assamais, bihari, bengali
Birmanie	*birman*	karène, kachin, chin, kayah, etc.
Brunéi	*malais*	dayak, cantonais, chinois
Chine	*mandarin*	25 langues chinoises et 55 langues non chinoises
Colombie	*espagnol*	arawak, caribe, quechua, chibcha, pano, tukano, etc.
Équateur	*espagnol*	quechua, sapara, tukano
Espagne	*espagnol*	catalan, basque, gallicien
États-Unis	*anglais*	espagnol et diverses langues
Fidji	*anglais*	hindi, tamou, télougou, fidjien
France	*français*	occitan, breton, alsacien, catalan, corse, flamand
Guatemala	*espagnol*	plus de 20 langues mayas
Iran	*farsi*	kurde, baloutche, arménien, azéri, turkmène, arabe, etc.
Iraq	*arabe*	kurde, arménien, syriaque
Italie	*italien*	français, frioulan, ladin, allemand, slovène, albanais, sarde, sicilien
Kampuchea	*khmer*	vietnamien, cantonais, muong, cham, etc.
Laos	*laotien*	khmon, miao, thaï, sui, etc.
Luxembourg	*français*	luxembourgeois, allemand
Malaisie	*malais*	mandarin, cantonais, hakka, tamoul, dayak, etc.
Maroc	*arabe*	dialectes et langues berbères
Mexique	*espagnol*	nahuatl, maya et 58 autres
Mongolie	*khalkha*	oïrat, ouïgour, dialectes
Népal	*népalais*	bihari, tibétain, newara, etc.

Pérou	*espagnol*	quechua, aymara, arawak, pano, guarani, etc.
Roumanie	*roumain*	hongrois, allemand, ukrainien, russe, tsigane
Soudan	*arabe*	dinka, shilouk, nubien, fur, etc.
Syrie	*arabe*	kurde, arménien, araméen
Thaïlande	*thaï*	laotien, khmon, môn, karène, etc.
Trinité-et-Tobago	*anglais*	créole, hindi, tamoul
Turquie	*turc*	kurde, turkmène, grec, etc.
URSS	*russe*	180 langues

TABLEAU 12.4 LES ÉTATS UNILINGUES AVEC DES MINORITÉS IMPORTANTES (DE 15 À 50 %)

assimiler. Dans l'ensemble, ces langues subordonnées restent cantonnées et maintenues en situation d'infériorité par la langue dominante.

De ces 31 États unilingues, trois demeurent des cas exceptionnels: le Luxembourg, l'Espagne, l'URSS. Les Luxembourgeois vont à l'école en allemand, parlent français au gouvernement et luxembourgeois à la maison ou entre amis. En Espagne, l'espagnol est la langue officielle, mais le catalan et le basque ont le statut de *langues officielles régionales* (ou LANGUES *SOUS-ÉTATIQUES*); en Catalogne et au Pays Basque, les locuteurs bénéficient ainsi de tous les droits inhérents à une langue officielle: le droit à l'enseignement dans la langue maternelle à tous les niveaux et à l'utilisation de la langue maternelle pour l'affichage, l'administration, le parlement régional, la radio et la télévision. De même, en URSS, le russe est la langue officielle de l'État central (URSS) et de la République de Russie (R.S.F.S.R. ou République soviétique fédérative socialiste russe). Mais chacune des 14 autres «républiques fédérées» de même que 12 «républiques autonomes» de la R.S.F.S.R. ont droit à leur langue officielle régionale; en tout, 70 langues jouissent de ce statut en URSS.

Le statut de ces langues sous-étatiques en Espagne et en URSS se révèle nettement plus avantageux que celui des langues minoritaires des autres pays (si on y peut encore parler de «statut»). Il ne faut pas se leurrer cependant sur les failles du système. Les Catalans (17 %) et les Basques (2 %) sont tenus d'apprendre l'espagnol, tout comme les Soviétiques non russophones (48 %) doivent apprendre le russe, puisque la langue officielle est l'espagnol en Espagne et le russe en URSS. Les Espagnols castillans qui émigrent en Catalogne, de même que les Russes qui changent de lieu de résidence pour habiter dans les autres républiques, ont le droit de transporter leur langue avec eux, alors que ce droit n'existe pas pour les minoritaires qui quittent leur «réserve». Cela signifie que les Catalans et les Basques d'Espagne, à l'instar des non-russophones d'URSS, peuvent se retrouver un jour minorisés dans leur propre région et qu'ils demeurent les seuls à assumer le bilinguisme. Même avec un statut de langues sous-étatiques, les problèmes de cohabitation restent importants pour les langues subordonnées, car l'État, naturellement glottophage, ne peut s'empêcher d'exercer sa dominance sur elles.

État	Langue officielle	Langues majoritaires
Bolivie	*espagnol* (40 %)	*quechua*, aymara, arawak, guarani, chikito, etc.
Djibouti	*arabe* (5 %)	*afar*, somali, etc.
Éthiopie	*amharique* (27 %)	*galla*, somali et 12 autres
Indonésie	*malais* (13 %)	*javanais*, madurais et 200 autres
Taiwan	*chinois* (10 %)	*fukienese*

Tableau 12.5 Les États unilingues dont la langue officielle indigène est minoritaire

LES ÉTATS UNILINGUES NON UNIFIÉS

Plus d'une quarantaine d'autres États dits unilingues ne le sont vraiment que de nom. Lorsque la langue officielle est une langue indigène, elle est parlée par moins de 40 % de la population; lorsqu'elle est étrangère, elle est ordinairement parlée par 2 % à 5 % de la population, rarement au-delà de 20 %.

Quelques États ont imposé une *langue indigène minoritaire* à l'ensemble de leur population. On ne compte que cinq cas de ce type (*voir le tableau 12.5*): la Bolivie, Djibouti, l'Éthiopie, l'Indonésie et Taiwan. Même si l'on parle majoritairement le quechua en Bolivie, l'afar et le somali à Djibouti, le galla et le somali en Éthiopie, le javanais en Indonésie, le fukienese à Taiwan, ce sont respectivement l'espagnol, l'arabe, l'amharique, le malais et le chinois qui ont préséance dans ces pays. Étant donné que les rapports de force sont plus équilibrés dans ces pays qu'ils ne le sont dans les autres États multilingues mentionnés plus haut, les gouvernants ont dû accorder certains droits aux langues non reconnues, particulièrement dans l'enseignement, à la radio et à la télévision. Il n'en demeure pas moins que, à l'exemple des grands États européens des siècles passés, l'objectif ultime est d'utiliser le pouvoir étatique pour réduire et assimiler les langues non officielles.

La dernière catégorie d'États dits unilingues, la plus nombreuse — 40 États (23 %) —, est constituée d'États dont la *langue officielle* est une langue *étrangère*, presque toujours une langue internationale, qu'on utilise pour gouverner et administrer. En consultant le tableau 12.6, nous constatons que la plupart des pays de cette catégorie sont situés en Afrique, quelques-uns en Amérique centrale ou aux Antilles, les autres en Océanie et dans l'océan Indien.

En Amérique centrale, trois langues étrangères assurent une domination: l'anglais assujettit l'espagnol et les langues amérindiennes dans le petit État de Belize, le français subordonne les créoles en Haïti, à la Martinique, à la Guadeloupe et en Guyane française, et le néerlandais domine encore son ancienne colonie, le Surinam, aux dépens du takitaki, un PIDGIN à base d'anglais, et des langues asiatiques. Dans l'océan Indien, le français est la langue des Comores à la place du swahili, et l'anglais celle de l'île Maurice à la place du créole. L'anglais impose sa domination à peu près partout dans le Pacifique, notamment dans quatre États indépendants de l'Océanie (île Nauru, Papouasie, îles Tonga et Tuvalu), aux dépens des langues polynésiennes, mélanésiennes, micronésiennes et papoues; le français a conservé ses privilèges dans les départements français d'outre-mer comme la Polynésie française, la Nouvelle-Calédonie et quelques autres petites îles. En Afrique, un seul pays utilise l'espagnol (la Guinée équatoriale) contre cinq pour le portugais (Angola, Mozambique, Cap-Vert,

État	Langue officielle	Langues minoritaires
Angola	*portugais*	40 langues *bantoues* et les langues khoïsanes
Belize	*anglais*	langues *mayas* et caribes, espagnol
Bénin	*français*	*fon,* gen, yorouba, dendi, bariba
Botswana	*anglais*	*tswana*, boshiman, yéyé, etc.
Cap-Vert	*portugais*	*créole* à base de portugais
République centrafricaine	*français*	*sango*, gbaya, banda, etc.
Comores	*français*	*swahili*, arabe
Congo	*français*	*kikongo*, téké, lingala, mboshi, sanga-maka, pandé, etc.
Côte d'Ivoire	*français*	60 langues: *dioula*, baoulé, sénoufo, ébrié, agni, attié, etc.
Gabon	*français*	40 langues bantoues dont le *fang*
Gambie	*anglais*	*mandingue*, peul, wolof, etc.
Ghana	*anglais*	40 langues: *twi, fanti,* haoussa, etc.
Guyane	*anglais*	*hindi, tamoul,* caribe, arawak, etc.
Guinée	*français*	*peul, malinké,* soussou, guerzé, etc.
Guinée-Bissau	*portugais*	*créole*, balante, peul, malinké, etc.
Guinée équatoriale	*espagnol*	langues bantoues: *fang, bubi*, etc.
Haïti	*français*	*créole*
Burkina-Faso	*français*	*more*, gourmantché, bobo, sénoufo, lobi, peul, dioula, samo, etc.

Libéria	*anglais*	bassa, krahn, gola, dé, etc.
Malawi	*anglais*	langues bantoues: *chewa*, yao, tumboka, nyanja, etc.
Mali	*français*	*bambara, dioula,* malinké, dogon, songhai, sénoufo, peul, soninké, etc.
Maurice	*anglais*	*créole*, français, hindi, tamoul, etc.
Mozambique	*portugais*	langues *bantoues*: makwa, tsonga, gwamba, chopi, zoulou, etc.
Namibie	*anglais*	langues bantoues: *cherero, ovambo*, boshiman, hottentot, etc.
Nauru	*anglais*	*nauru* (langue polynésienne)
Niger	*français*	*haoussa*, djerma, tamasheq, kanouri, peul, etc.
Nigéria	*anglais*	265 langues: *haoussa, yorouba, ibo, peul,* efik, kanouri, tiv, etc.
Ouganda	*anglais*	env. 20 langues: *luganda*, rou-toro, rou-roga, etc.
Papouasie — Nouvelle-Guinée	*anglais*	1 100 langues *papoues, hiri-motou* (pidgin), bazar malais, etc.
Salomon	*anglais*	70 langues mélanésiennes, langues micronésiennes, polynésiennes, papoues, chinoises
Sao Tomé-et-Principe	*portugais*	*créole* à base de portugais, *fang*, etc.
Sénégal	*français*	env. 20 langues: *wolof*, peul, sérère, diola, malinké, etc.
Sierra Leone	*anglais*	env. 15 langues: kpélé, menda, timne, sherbo, *créole* à base d'anglais, etc.

Surinam	*néerlandais*	*taki-taki* (pidgin) et langues caribes, hindi, tamoul, javanais, etc.
Togo	*français*	env. 35 langues: *éwé*, bossari, etc.
Tonga	*anglais*	*tonga* (langue mélanésienne)
Tuvalu	*anglais*	*ellicien* (langue polynésienne)
Zaïre	*français*	400 langues bantoues: *swahili, kiswahili,* lingala, kongo, tchilouba, etc.
Zambie	*anglais*	langues bantoues: *bemba,* tchitonga, nyanja, lamba, bisa, nkoya, etc.
Zimbabwe	*anglais*	langues bantoues: *shona,* ndébélé, tswana, etc.

TABLEAU 12.6 LES ÉTATS UNILINGUES DONT LA LANGUE OFFICIELLE EST ÉTRANGÈRE

Guinée-Bissau, Sao Tomé-et-Principe); en ce qui concerne les autres États du continent noir, 14 ont fait du français et 16 de l'anglais leur langue officielle unique; ces deux langues continuent d'exercer leur domination sur des populations qui ne les connaissent que fort peu: généralement de 10 à 20 %, exceptionnellement 40 % en Côte d'Ivoire. La fraction de la population qui parle ces langues au foyer varie autour de 3 à 5 %. Seuls quelques États de cette catégorie ont accordé une place, par règlement, à l'enseignement des langues nationales: Haïti, le Nigéria, le Sénégal, le Mali, etc. Plusieurs, en revanche, leur accordent un temps d'antenne à la radio: Haïti, l'Angola, le Bénin, le Ghana, le Niger, l'Ouganda, le Sénégal, le Zaïre, etc. Peu de journaux sont publiés dans les langues nationales africaines.

En résumé, il ressort que dans les États dits unilingues, prévalent des situations de domination d'une langue sur d'autres. Ces 137 États, c'est-à-dire 80 % des États du monde, bien que très majoritairement multilingues dans les faits (de l'ordre d'environ 90 %), ont des rapports de force tellement favorables à une langue dominante que cette dernière est seule reconnue officiellement, refoulant toutes les autres en situation d'infériorité. Pour ces États, le bilinguisme ou le multilinguisme semble donc une complication inutile face à l'efficacité apparente du monolinguisme. Dans ce rapport de force entre langues, l'*anglais* et le *français* (et, dans une moindre mesure, le *portugais*) ont acquis une puissance démesurée par rapport à l'importance numérique que ces langues ont dans ces pays. À part quelque dix États pour lesquels le problème du multilinguisme ne se pose pas, les gouvernements suivent leur tendance naturelle à la glottophagie, l'unité prévalant sur la diversité.

3 LES ÉTATS MULTILINGUES

Bien que 80 % des États se déclarent officiellement unilingues pour ce qui relève du gouvernement central alors qu'ils sont majoritairement multilingues, 20 % ont opté pour le bilinguisme ou le multilinguisme officiels. La répartition des États multilingues du tableau 12.7 indique que 29 d'entre eux sont officiellement bilingues, quatre sont trilingues (Belgique, Sri Lanka, Suisse, Yougoslavie) et un seul quadrilingue (Singapour). Les États de Djibouti*, de Madagascar*, du Sri Lanka* et du Tchad* ont été ajoutés à la liste du tableau 12.7 parce qu'ils appliquent une politique de multilinguisme dans les faits pour ce qui relève du gouvernement central, bien que ce multilinguisme ne soit pas constitutionnellement reconnu. On pourrait croire que les États officiellement multilingues, contrairement aux pays unilingues centralisateurs, sont plus conciliants, sinon respectueux des droits des minorités, voire égalitaires. Un examen plus minutieux permettra de vérifier la véracité de cette affirmation.

État	1re langue	2e langue	3e langue	4e langue	
Afghanistan	persan (dari)	pashtou			I
Afrique du Sud	afrikaans	anglais			I
Belgique	français	néerlandais	allemand		I
Burundi	français	kirundi			C
Cameroun	français	anglais			É
Canada	anglais	français			I
Chypre	grec	turc			I
Djibouti*	français	arabe			C
Finlande	finnois	suédois			I
Inde	anglais	hindi			C
Irlande	anglais	irlandais			I
Israël	hébreu	arabe			I
Kenya	anglais	swahili			C
Kiribati	anglais	kiribati			C
Lesotho	anglais	lesotho			C
Madagascar*	français	malgache			C
Malte	maltais	anglais			C
Mauritanie	français	arabe			C
Norvège	bokmal	nujnorsk			I
Pakistan	anglais	ourdou			C
Paraguay	espagnol	guarani			I
Philippines	anglais	tagalog (pilipino)			C
Rwanda	français	kirundi			C
Samoa-Occidental	anglais	samoa			C
Seychelles	anglais	français			É
Singapour	anglais	malais	mandarin	tamoul	C
Sri Lanka*	anglais	singhalais	tamoul		C
Suisse	allemand	français	italien		I
Swaziland	anglais	siswati			C
Tanzanie	anglais	swahili			C
Tchad*	français	arabe			C
Tchécoslovaquie	tchèque	slovaque			I
Vanuatu	anglais	français			É
Yougoslavie	serbo-croate	slovène	macédonien		I

Légende: I = indigènes, C = indigène + étrangère; É = étrangères

TABLEAU 12.7 LES ÉTATS OFFICIELLEMENT MULTILINGUES

LES ÉTATS MULTILINGUES: DES ÉTATS FAIBLES

Si nous examinons la liste des États du tableau 12.7 en fonction de l'implantation des langues officielles, nous constatons que ces États se divisent en trois catégories: ceux dont les langues officielles sont des langues étrangères (dernière colonne: lettre «É»), ceux dont les langues officielles sont des langues indigènes (lettre «I»), ceux dont les langues officielles résultent d'une combinaison de langue indigène et de langue étrangère (lettre «C»). Seulement trois États (9 %) ont comme langues officielles deux langues étrangères, c'est-à-dire des langues qui ne sont pas utilisées comme langue maternelle par la population: le Cameroun, les Seychelles, le Vanuatu; ces trois États ont les mêmes langues officielles (français et anglais), lesquelles remplacent les langues africaines du Cameroun, le créole des Seychelles et les langues mélanésiennes du Vanuatu. Treize autres (38 %) utilisent des langues indigènes comme langues officielles: l'Afghanistan, l'Afrique du Sud (?), la Belgique, le Canada, Chypre, la Finlande, l'Irlande, Israël, la Norvège, le Paraguay, la Suisse, la Tchécoslovaquie et la Yougoslavie. Enfin, dans le reste des États, soit 53 %, qui font usage d'une combinaison des deux, on trouve toujours le français ou l'anglais comme langue étrangère.

On constate que tous les États qui ont au moins une langue étrangère comme langue officielle sont des anciennes colonies françaises, britanniques ou américaines; c'est le cas pour 21 États, auxquels il faut ajouter d'autres anciennes colonies telles que l'Afrique du Sud, le Canada, Chypre (une ex-colonie turque, puis britannique), la Finlande (une ex-colonie suédoise, puis russe), l'Irlande (une ex-possession britannique), Israël (résultant d'un protectorat britannique après la partition de la Palestine), la Norvège (une ex-colonie danoise), le Paraguay (une ex-colonie espagnole). Quant à la Belgique, ayant appartenu en partie à la France, en partie aux Pays-Bas, elle a été conçue après la défaite de Napoléon comme État-tampon destiné à contenir la France. Tous les États multilingues sont donc des anciennes colonies ou des anciennes possessions à l'exception de la Suisse, de l'Afghanistan, de la Tchécoslovaquie et de la Yougoslavie. Comme ces deux derniers États résultent de la partition de l'Empire austro-hongrois après la Première Guerre mondiale, on constatera que seuls l'Afghanistan et la Suisse doivent au caprice de l'histoire d'être multilingues; comme le souligne Jean A. Laponce: «Le bilinguisme est moins un privilège qu'un accident de l'histoire dont, selon le cas, bénéficient ou souffrent les États faibles[2]». On peut noter que l'Afghanistan et la Suisse sont des petits États coincés entre de grandes puissances (l'URSS et l'Inde, d'une part; l'Allemagne, l'Italie et la France, d'autre part). Aussi Laponce a raison d'affirmer:

> «Lorsque l'État multilingue n'est pas une ancienne colonie, c'est alors, dans tous les cas, un petit État aux marches d'un ou de plusieurs grands pays. Il n'est pas dû au hasard qu'aucune des grandes puissances militaires du monde actuel ne soit officiellement bilingue[3].»

Les États bilingues ou multilingues sont effectivement des anciennes colonies ou des restes d'empires éclatés, ou encore, des petits États qui font fonction de tampons entre pays plus puissants. Et de dire encore Jean Laponce: «En vérité, le bilinguisme, s'il est un don de l'histoire, est un don que l'histoire réserve aux États petits ou faibles[4]». Ces États sont faibles parce qu'ils dépendent de puissances plus grandes, mais aussi parce qu'ils ne peuvent imposer l'unilinguisme comme l'ont fait les super-puissances (États-Unis et URSS) et autres puissances (Chine, Grande-Bretagne, France, Allemagne, Italie, Brésil, Mexique, etc.); ils doivent composer avec le bilinguisme.

LE DEGRÉ DE BILINGUISME DES ÉTATS

Les États multilingues ne pratiquent pas tous le bilinguisme au même degré: le bilinguisme peut être symbolique ou plus ou moins effectif. Pour évaluer le degré de

2. Jean A. LAPONCE, *Langue et territoire*, Québec, Presses de l'Université Laval, CIRB, 1984, p. 104.
3. *Ibid.*, p. 97.
4. *Ibid.*, p. 98.

bilinguisme des États, Jean A. Laponce suggère de passer au crible les États multilingues à partir de neuf critères: l'utilisation qui est faite des langues pour ce qui touche le domaine des timbres, des passeports, des billets de banque, de la rédaction des lois, des débats du Parlement, des réunions du cabinet ministériel et des ministères, ainsi que la présence ou non de la traduction dans les débats du Parlement ou aux réunions du cabinet.

Il ressort de son analyse que quelques États ne manifestent leur bilinguisme que de façon fort symbolique: Paraguay, Rwanda, Irlande, Philippines, Chypre. Au Paraguay et au Rwanda par exemple, la deuxième langue officielle n'est utilisée ni sur les timbres, ni sur les billets de banque, ni sur les passeports; elle n'est pas davantage reconnue dans les écoles, les lois ou les débats du Parlement. Entrent aussi dans cette catégorie l'Irlande, les Philippines et Chypre. En Irlande, les timbres-postes et les billets de banque sont bilingues, de même que l'adoption des lois; pour le reste, tout se fait très majoritairement dans la première langue officielle (anglais): débats du Parlement, réunions ministérielles, enseignement (l'irlandais est enseigné comme langue seconde), radio, télévision, etc.; la situation est identique aux Philippines, à l'exception du domaine de l'instruction: on enseigne le tagalog à l'école. Quant à Chypre, depuis la proclamation de la République turque de Chypre (15 novembre 1983), l'île est divisée en deux territoires unilingues dotés, chacun, d'un parlement; il s'agit donc là d'un bilinguisme théorique.

Les 29 autres États sont effectivement bilingues, mais de façon plus ou moins déséquilibrée et toujours à l'avantage de la première langue dominante (*voir le tableau 12.7*). La plupart des États (une vingtaine) pratiquent un bilinguisme très déséquilibré. D'abord, plusieurs d'entre eux sont demeurés monolingues, soit pour les timbres-postes, soit pour les billets de banque, soit pour les passeports: Afghanistan, Burundi, Djibouti, Israël, Kenya, Kiribati, Lesotho, Tchécoslovaquie. Ensuite, dans les débats du Parlement, quelques États n'emploient que la première langue officielle: Irlande (à 95 %), Malte, Mauritanie, Philippines, Sri Lanka; d'autres n'adoptent leurs lois que dans cette langue: Kiribati, Philippines, Singapour, Sri Lanka, Tanzanie; dans d'autres encore, la plupart des débats se déroulent dans la véritable langue dominante (à l'exception de la Belgique et du Lesotho): Suisse, Canada, Inde, Israël, Yougoslavie, Pakistan, Malte, Finlande, Cameroun, etc. De plus, seulement 33 % des États disposent d'un système de traduction simultanée au Parlement: Belgique, Cameroun, Canada, Inde, Madagascar, Pakistan, Samoa, Singapour, Sri Lanka, Suisse, Swaziland, Yougoslavie. Il arrive que la traduction soit partielle, c'est-à-dire qu'elle se fasse uniquement de la langue subordonnée à la langue dominante: Israël et Irlande.

Dans le domaine des services gouvernementaux, le bilinguisme semble particulièrement déséquilibré, car il est à peu près impossible de recourir à des services bilingues partout dans les pays dits bilingues. Pour des raisons d'unilinguisme territorial, il est évidemment impensable d'obtenir de tels services bilingues en Belgique, en Suisse, en Yougoslavie, en Finlande, au Cameroun et en Tchécoslovaquie, mais ces services pourraient exister ailleurs, où le territorialisme linguistique n'est pas reconnu (Canada, Vanuatu, Malte, Afghanistan, etc.); ce n'est cependant pas le cas. Dans la fonction publique, la langue de travail entre fonctionnaires correspond presque toujours à la première langue dominante; même en Belgique où, il faut le reconnaître, le bilinguisme est particulièrement équilibré, la langue dominante des différents ministères reste le français.

Il en va de même pour tout ce qui concerne les exécutifs, c'est-à-dire les réunions des conseils de ministres ou des cabinets ministériels: l'une des langues officielles (la plus forte) établit sa domination. Ainsi le conseil des ministres fonctionne en anglais au Canada, en Inde, au Pakistan, en Irlande, au Kiribati, aux Philippines, à Singapour, au Sri Lanka, au Lesotho, au Kenya, aux Seychelles et au Vanuatu; il se déroule en français au Cameroun, aux Comores, à Djibouti et en Mauritanie. Par ailleurs, le cabinet de la

Confédération helvétique (Suisse) fonctionne en allemand, celui de la Finlande en finnois, celui de la Yougoslavie en serbo-croate, celui de Malte en maltais, celui d'Israël en hébreu, etc. Les seuls États où le cabinet des ministres utilise les deux langues sont les suivants: Belgique, Burundi, Madagascar, Norvège, Samoa-Occidental, Swaziland, Tchad, Tanzanie et Tchécoslovaquie. Parmi ces États, seuls la Belgique, Madagascar et le Swaziland utilisent un service de traduction simultanée.

Que conclure sinon que tous les États officiellement bilingues pratiquent un bilinguisme déséquilibré au gouvernement central, à l'exception de la Belgique, qui semble s'approcher de l'équilibre, «encore qu'en Belgique même, lorsque les ministres sont privés de leurs interprètes, le français reprend son rôle dominant[5]». Il est tellement vrai que l'État moderne tend vers l'unilinguisme et la glottophagie qu'aucun ne peut empêcher une langue d'établir sa domination.

4 POURQUOI LE BILINGUISME ÉTATIQUE?

Nous savons que le multilinguisme provient des invasions ou des conquêtes militaires, des déplacements massifs de population, du colonialisme, de l'unification politique des États et de la partition d'anciens empires. Plus de 80 % des États du monde ont continué à promouvoir une langue dominante unique pour leurs institutions et leur gouvernement. On peut se demander alors pourquoi les autres (20 %) ont plutôt opté pour le bilinguisme officiel. La question paraît d'autant plus pertinente que même ces États ne peuvent s'empêcher de résister à la glottophagie plus ou moins prononcée. Si 20 % des États acceptent de consacrer des sommes d'argent parfois considérables et des ressources humaines importantes au maintien d'une dualité linguistique déséquilibrée, c'est qu'il y va malgré tout de leur intérêt. Quel est donc cet intérêt?

ÉVITER LES CONFLITS OUVERTS

Les États qui se résignent à adopter un multilinguisme officiel veulent avant tout éviter les conflits ouverts entre la majorité dominante et la minorité dominée, qui constitue une masse critique imposante, par exemple 20 % ou plus de la population totale. C'est le cas en Afghanistan (dari/pashtou), en Belgique (néerlandais/français), au Canada (anglais/français), à Chypre (avant la partition de l'île), en Israël (hébreu/arabe), en Norvège (bokmal/nujnorsk), en Tchécoslovaquie (tchèque/slovaque) et en Yougoslavie (serbe, croate, slovène, macédonien). L'Afrique du Sud reconnaît l'afrikaans (avec l'anglais) parce que les Afrikanders, ces descendants des colons néerlandais établis au pays avant la Guerre des Boers (1899-1902), forment aujourd'hui la majorité de la population blanche; bref, une sorte de coalition entre Blancs pour mieux dominer la majorité noire.

C'est pour la même raison que d'autres États maintiennent une langue étrangère sur les plans gouvernemental et administratif. L'Inde, le Sri Lanka, les Philippines, le Vanuatu et Madagascar maintiennent la langue coloniale ou les deux (au Vanuatu) parce que l'adoption de la seule langue indigène dominante entraînerait des réactions violentes de la part des minorités régionales, qui interpréteraient une telle politique comme de la provocation. Les minoritaires acceptent d'autant mieux le bilinguisme langue coloniale/langue majoritaire indigène que la première est étrangère. L'adoption, comme seule langue officielle, de l'hindi (Inde), de l'ourdou (Pakistan), du singhalais (Sri Lanka), du tagalog (Philippines) ou du malgache officiel (Madagascar), risquerait littéralement de faire exploser le sud de l'Inde (de langues dravidiennes) et d'autres

5. *Ibid.*, p. 99.

régions autonomistes (Assam, Cachemire, Pendjab, etc.), le Pakistan (majoritairement de langue pendjabi), le nord du Sri Lanka (de langue tamoul), le nord et le centre de l'archipel des Philippines (respectivement de langue ilocano et visayan) et les populations côtières (de langues malgaches autres que le mérina dominant) de Madagascar. Ainsi la langue étrangère n'est qu'un moyen de temporiser, jusqu'à ce que l'autre langue officielle étende lentement mais sûrement sa domination, et élimine la concurrence entre les langues indigènes. Cette politique inavouable est appelée à prendre de l'ampleur, comme on peut déjà le constater en Tanzanie, au Kenya, au Swaziland et en Malaisie, où les langues coloniales perdent constamment du terrain au profit de la langue indigène dominante; les gouvernements de ces pays entendent délaisser graduellement l'anglais pour, selon le cas, le swahili, le siswati ou le malais. Ils abandonneront la langue coloniale le jour où ils seront assez forts pour imposer l'unilinguisme sur leur territoire sans soulever des conflits ouverts.

UNIFIER UN PAYS MULTILINGUE

La reconnaissance de deux ou de plusieurs langues dans l'État permet de réunir dans une même structure politique des individus ainsi que des groupes d'origines ethniques et linguistiques diverses. La Belgique, la Suisse, la Yougoslavie et la Finlande constituent sans doute des cas exemplaires d'unification politique dans le respect des cultures et des langues. Les différentes communautés linguistiques de chacun de ces pays vivent dans une relative harmonie même si l'État ne peut empêcher une certaine domination de s'y exercer sur le plan gouvernemental. Il faut reconnaître que le territorialisme linguistique par juxtaposition d'unilinguismes élimine en partie le conflit entre les langues.

Plusieurs pays bilingues maintiennent une langue coloniale pour unir les nombreuses ethnies qui l'acceptent dans la mesure où elle est étrangère. Par l'anglais, l'Inde unit plus facilement ses 800 langues minoritaires et ses 16 langues constitutionnelles que par l'hindi; de même pour les 15 langues du Pakistan, les quelque 12 langues du Kenya et les 70 langues des Philippines. Par le français, Madagascar peut plus facilement unifier ses 50 langues malgaches. En adoptant à la fois le français et l'anglais, le Cameroun et le Vanuatu réussissent à neutraliser la centaine de langues parlées sur leur territoire. Dans tous ces États, la langue coloniale joue un rôle important, sinon exclusif, à l'école. À part de rares cas où les rapports de force imposent le respect des droits de chacun des groupes (Belgique, Yougoslavie), l'État contemporain unifie aussi pour mieux résister politiquement à des voisins plus puissants. Il est dans l'intérêt des pays multilingues d'éviter des scissions territoriales qui feraient le jeu des pays voisins: l'URSS (pour l'Afghanistan, la Yougoslavie, la Tchécoslovaquie), les États-Unis (pour le Canada), la France (pour la Belgique et la Suisse), la Turquie (pour Chypre), l'Allemagne et l'Italie (pour la Suisse), la coalition arabe (pour Israël). Autrement dit, ces États sont *plus forts s'ils sont bilingues mais unifiés* politiquement que s'ils sont *unilingues mais scindés* en deux territoires autonomes. L'unification politique permet de mieux résister au plus fort.

COMMUNIQUER AVEC L'EXTÉRIEUR

L'un des avantages manifestes du bilinguisme est qu'il permet plus facilement à l'élite dirigeante de communiquer avec l'extérieur, sur le plan des relations internationales. Par exemple, les États-Unis peuvent communiquer avec près de 50 pays en anglais alors que le bilinguisme anglais-français permet au Canada de communiquer avec près de 80 États. Cela demeure un avantage bien théorique puisque les Américains communiquent avec tous les pays du monde en anglais. De plus, si le bilinguisme facilite les communications avec l'étranger, il devient un obstacle à la communication interne et une menace potentielle à l'intégrité territoriale.

En réalité, si de nombreux États conservent une langue coloniale sur les plans gouvernemental, administratif, scolaire et culturel, c'est qu'ils ne peuvent tout simplement pas s'en dispenser, les langues locales n'ayant pu assurer la relève après la décolonisation. On ne voit pas en effet comment la plupart des États du continent africain et quelques-uns en Asie pourraient s'en passer dans un proche avenir, car il y va de leur développement économique.

PRÉSERVER DES LIENS ETHNIQUES

Par-delà le besoin d'éviter les conflits et la sécession, et celui de garder un instrument de communication qui assure le développement économique, on peut promouvoir le bilinguisme pour préserver une langue nationale. C'est pour cette raison que certains pays ont adopté le bilinguisme: Irlande (anglais-irlandais), Kiribati (anglais-kiribati), Samoa (anglais-samoa), Lesotho (anglais-lesotho), Swaziland (anglais-siswati), Madagascar (français-malgache), Burundi et Rwanda (français-kirundi), Tanzanie et Kenya (anglais-swahili), Mauritanie et Tchad (français-arabe). Il s'agit, pour la plupart, d'États faibles qui cherchent à protéger la langue nationale par des frontières territoriales sécurisantes et qui ne peuvent imposer l'unilinguisme de la langue indigène pour des raisons politiques et économiques; la langue coloniale n'en continue pas moins d'exercer sa domination. L'idéal aurait été sans doute que chacun des États impose un unilinguisme qui favorise la langue nationale, mais le rapport de force ne s'y est pas prêté. Le processus est toutefois bien amorcé dans quelques États: Madagascar, Tanzanie et Kenya.

ASSIMILER LES MINORITÉS

Quelles que soient les raisons invoquées, le bilinguisme est avant tout destiné à éviter les conflits virulents entre les groupes en présence. Cette politique sert à temporiser et à éliminer les revendications des minorités pendant que se poursuit l'oeuvre d'intégration et d'assimilation à la langue dominante. C'est la position catégorique du linguiste Gilles Bibeau lorsqu'il déclare:

> «Le bilinguisme national, c'est-à-dire commandé par l'État, à moins qu'il ne se rapporte à l'existence dans l'État de deux régions proprement unilingues, ne peut être autre chose qu'une mesure transitoire destinée à assimiler en douce la minorité, sans créer de sentiment de rejet de ses valeurs culturelles et linguistiques. La cote du bilinguisme monte d'autant plus haut que la résistance à l'assimilation est plus grande[6].»

C'est d'ailleurs une pratique aussi vieille que le monde et il n'est pas de peuples majoritaires qui peuvent prétendre ne pas la retracer dans leur histoire d'une façon ou d'une autre. Même les Égyptiens, les Chinois, les Aztèques et les Mayas y ont eu recours il y a 3 000 ans. Néanmoins, l'assilimation est freinée, sinon rendue impossible, lorsque l'État sépare les langues sur le territoire en deux zones unilingues, comme en Belgique (à l'exception de Bruxelles) et en Suisse.

Il y a des limites à l'expansion des langues et à l'impérialisme linguistique. Les empires ont toujours existé et ils ont tous fini par disparaître; qu'on pense aux empires égyptien, phénicien, grec, romain, mongol, etc. Ces empires sont tous morts de la combinaison de plusieurs types de forces. Pour le moment, aucune langue ne peut menacer l'impérialisme des langues européennes. Mais qu'adviendra-t-il en l'an 2020 ou en 2030 lorsque les populations occidentales ne compteront plus que pour moins de 20 % de la population mondiale et que la richesse collective se sera accrue en Chine, en Inde, au Brésil, au Mexique, au Moyen-Orient? Le rapport de force changera et entraînera peut-être un nouveau choc des langues d'où naîtront d'autres glottophages!

---

6. Gilles BIBEAU, *L'éducation bilingue en Amérique du Nord*, Montréal, Guérin, 1982, p. 164.

CHAPITRE 13

PATHOLOGIE LINGUISTIQUE ET RÉVEIL DES MINORITÉS

Depuis la fin du XIXe siècle, le taux de disparition des langues est particulièrement élevé, conséquence inévitable de la suprématie des langues fortes. D'autre dizaines de langues auront disparu d'ici la fin du siècle; on ne le remarquera même pas, la disparition d'une langue ne représentant jamais un événement bien spectaculaire.

On a pu précédemment (chapitre 12) identifier les facteurs qui favorisent la vitalité et l'extension des langues; il convient maintenant d'examiner ceux qui contribuent à leur régression, voire à leur mort. Bien que fort regrettable sur le plan socio-culturel, la mort d'une langue constitue un phénomène normal puisque, à l'exemple de la vie des organismes, une langue naît et doit évoluer dans le temps avant de disparaître à plus ou moins long terme. En étudiant le processus de la *pathologie linguistique*, c'est-à-dire la régression et la mort des langues, on pourra non seulement saisir le pourquoi de la mort d'une langue, mais aussi s'interroger sur les moyens de défendre celle-ci afin de prolonger sa longévité ou d'assurer sa survie.

1 LES FACTEURS D'EXTINCTION DES LANGUES

On ne saura jamais le nombre des langues mortes puisque la plupart des langues disparues n'ont pas laissé de trace. Les plus anciens écrits (les pictogrammes de Sumer) ne datent que de 6 000 ans alors que, selon Régine Legrand-Gelber[1], un «langage oral déjà évolué» existait il y a environ 40 000 ans; il est évident que certains moyens de communication plus rudimentaires existaient bien antérieurement, il y a peut-être une centaine de millénaires. On peut donc penser qu'il y a eu sur la terre quelques milliers de langues qui ont disparu avant que quelques-unes — environ 250 — puissent laisser des traces (comme le ligure) ou des monuments (comme le latin).

Les causes de la disparition des langues demeurent multiples et complexes, mais elles correspondent essentiellement à des facteurs d'ordre militaire, démographique, économique, politique et culturel.

LES CONQUÊTES MILITAIRES

Les conquêtes militaires sont déterminantes pour les langues perdantes. D'abord, une langue peut cesser d'exister par le génocide, l'élimination pure et simple de la population dont c'est la langue d'usage. S'il s'agit d'une langue minoritaire, l'effet est radical et irréversible. Mentionnons encore une fois la liquidation de nombreuses langues amérindiennes et de plusieurs petits peuples d'URSS et de Chine: les Ingouches, les Kalmouts, les Mekhétiens, les Nus, les Achangs, etc. Dans plusieurs cas, le génocide, même partiel, constitue la première étape vers un long déclin parce qu'il réduit la vitalité linguistique des survivants. Rappelons les effets des massacres occasionnés par les armées de César qui fauchèrent sept millions de guerriers gaulois, réduisant la population du tiers de ses effectifs. Signalons encore le massacre de deux millions

1. Voir «Le langage humain, sa nature» dans *Linguistique*, Paris, PUF, 1980, p. 13-54.

d'Irlandais par les Anglais au XIXe siècle, celui de 600 000 Arméniens par les Turcs au début du siècle, l'hécatombe des Ibos au Nigéria (1966-1970) et celle de trois millions de Bengalis par le Pakistan en 1971. Plus récemment, les régimes totalitaires du Kampuchea et de l'Éthiopie ont éliminé des millions de leurs citoyens.

Les conquêtes militaires réduisent les effectifs des petits peuples de façon draconienne et laissent des séquelles tout aussi funestes telles que la famine, les épidémies, la pauvreté, les déplacements de population, l'asservissement, la colonisation, l'exploitation, la répression et l'interdiction. Dans le cas d'une langue vaincue mais forte, comme le fut le latin au Ve siècle, le déclin peut être lent; lorsqu'il s'agit d'une langue faible, le choc des armes et ses conséquences peuvent être fatals surtout si la domination dure longtemps.

LA FAIBLESSE NUMÉRIQUE

La faiblesse numérique constitue toujours une menace pour la survie d'une langue, et encore plus si ses locuteurs ne contrôlent pas les pouvoirs politique, économique, militaire ou culturel. Cette faiblesse démographique peut être causée, nous le savons, par un génocide, mais aussi par d'autres facteurs plus «pacifiques».

Dans des cas extrêmes, une langue disparaît parce que tous ses locuteurs ont disparu: le dalmate en Yougoslavie, le cornique en Grande-Bretagne, le tasmanien dans l'île de Tasmanie (Australie). Dans quelques années, plusieurs langues amérindiennes auront disparu simplement parce que leurs derniers locuteurs se seront éteints. Il faut dire que le choc des civilisations s'est avéré particulièrement fatal pour les populations conquises en Amérique ainsi qu'en Australie et dans le reste de l'Océanie. Les conquérants européens y ont introduit des *maladies* et des *épidémies* qui ont littéralement décimé des populations entières, les réduisant parfois à un tiers de leur nombre original en l'espace de quelques années.

La plupart du temps, la faiblesse démographique s'aggrave par la *dispersion* de la population sur le territoire ou par l'*exode à l'étranger*, ce qui contribue à réduire davantage les forces de résistance. Les 900 000 Québécois qui ont quitté la province entre 1840 et 1930 pour les États-Unis ont affaibli le poids des francophones en Amérique du Nord parce qu'en s'exilant ils ont changé d'allégeance linguistique en se fondant dans la majorité anglophone américaine. Souvent, l'*immigration étrangère* vient noyer la population locale au risque de la minoriser sur son propre territoire. Ainsi les Hawaïens, déjà victimes d'épidémies introduites par les Blancs, ont subi l'assaut de la minorisation au moyen de vagues d'immigration successives; de 1878 à 1890, la proportion d'Hawaïens «purs» est passée de 81,9 % à 45,1 % et a continué de diminuer par la suite: 36,2 % en 1896, 24,4 % en 1900, 20,1 % en 1910, 13 % en 1930 et seulement 1,5 % en 1976. L'exemple des Hawaïens n'est certes pas unique, car les cas de minorisation par submersion demeurent fréquents: les Anglais au Canada après la conquête, les Américains dans les États du Sud après leur domination du Mexique, les Russes dans la république du Kazakhstan où ils forment 43 % de la population (1983), les Chinois dans les régions autonomes de Mongolie intérieure (80 % de Chinois mandarins en 1983), du Guangxi (74 %), etc.

D'autres facteurs à caractère démographique contribuent également à la disparition d'une langue: les *mariages mixtes (exogamie)* et la *dénatalité*. Si les mariages exogames (entre individus d'allégeances linguistiques différentes) favorisent les langues fortes, ils s'avèrent néfastes pour les autres puisque l'exogamie accélère la tendance à l'assimilation linguistique. Les immigrants italiens, allemands ou hispanophones en Amérique du Nord conservent quelque temps leur langue d'origine dans la mesure où les mariages sont endogames (entre individus de même allégeance linguistique); sinon, l'assimilation devient irrésistible. De même, le faible taux de natalité ne réduit pas nécessairement la puissance d'une langue si le réservoir démographique reste suffisamment dense. Même si le taux de fécondité est inférieur au seuil de renouvellement des générations aux États-Unis (1,89), en France (1,94) et en République fédérale allemande (1,42), les conséquences demeurent minimes à court terme pour ces pays qui possèdent une population nombreuse et qui, de plus, assimilent leurs minorités.

Dans le cas d'un groupe minoritaire comme les Québécois, le déclin démographique (avec un taux de fécondité de 1,6 enfant par femme) aura pour effet d'accentuer la minorisation de ce groupe, par rapport au Canada anglais en l'occurrence. Le Québec comptait pour 26,5 % de la population canadienne en 1981, mais ce taux sera ramené à 23,8 % en 2006[2]. Il est possible de croire que, lorsque les francophones représenteront moins de 20 % de la population canadienne, des voix anglophones s'élèveront pour demander une révision de la politique de bilinguisme au Canada. Il n'est pas dit non plus que l'Occident n'aura pas à subir, un jour, les lourdes conséquences de sa sous-fécondité. Une société qui ne se reproduit plus court le risque de ne pas survivre. Est-ce là le prix à payer pour le progrès économique ou le reflet de l'échec d'une civilisation? Dans les deux cas, c'est le cul-de-sac.

LA DOMINATION SOCIO-ÉCONOMIQUE

La régression d'une langue dépend aussi de la place que ses locuteurs occupent dans les rapports socio-économiques. Supplantée démographiquement et militairement, une langue dominée doit s'en remettre à la société dominante pour assurer son développement économique. Le breton en France et le gallois en Grande-Bretagne illustrent le déclin rapide et catastrophique d'une langue soumise à un *changement social radical provoqué de l'extérieur*, changement qui propulse les locuteurs dans un univers culturel nouveau sur lequel ils n'ont à peu près aucune prise.

Tant que la Bretagne et le Pays de Galles sont restés des sociétés agricoles protégées par l'isolement géographique relatif de leur région, le breton et le gallois se sont maintenus malgré la pression linguistique (francisante ou anglicisante) de l'école, de l'administration et du gouvernement. Mais la prospérité économique du français en France et de l'anglais en Grande-Bretagne a attiré les populations bretonne et galloise vers les zones où régnait la langue dominante, dans les villes en particulier; en même temps, les régions périphériques étaient conduites par des chefs d'entreprise qui parlaient la langue dominante. En moins d'une génération, le breton et le gallois ont perdu une bonne moitié de leurs locuteurs par suite de l'industrialisation, de l'urbanisation et des grands brassages de population. En fait, la prospérité économique de la langue dominante et le sous-développement économique de la langue dominée étouffent celle-ci en plaçant ses locuteurs dans une position sociale les obligeant à utiliser la langue dominante afin d'améliorer leur niveau de vie. Ce qui fait dire à Jean A. Laponce:

> «Lorsqu'une communauté décide que le coût du maintien de sa langue n'a plus de contrepartie suffisante sous forme de gains sociaux et psychologiques, la langue disparaît, comme a disparu le celte du Yorkshire qui n'est plus employé, pratiquement, que pour compter les moutons[3].»

Seul *l'intérêt économique* explique que des communautés abandonnent leur langue pour une autre qu'elles jugent plus rentable. Si la pression exercée par la langue la plus forte à cause de son utilité socio-économique se maintient pendant une longue période, le groupe minoritaire finira par achever lui-même l'œuvre de destruction de sa propre langue, et ce, malgré l'attachement qu'il porte à celle-ci. C'est le phénomène du *suicide linguistique*, qui passe par un bilinguisme de plus en plus généralisé chez le groupe dominé; le phénomène atteint d'abord les centres urbains, puis les campagnes où, bientôt, seuls quelques îlots conservent une langue devenue folklorique et confinée à des rôles restreints: la vie en famille, l'église... les vaches et les moutons!

2. D'après Georges MATHEWS, *Le choc démographique*, Montréal, Boréal Express, 1984, p. 150.
3. Jean A. LAPONCE, *op. cit.*, p. 57.

Le poids social et économique de la langue dominante peut être tel que les petites langues ne peuvent plus lui résister à moins de demeurer enfermées dans un *ghetto linguistique* et de s'isoler totalement. Les groupes minoritaires qui refusent cette solution doivent en payer le prix, car «le maintien d'une petite langue à proximité d'une grande se fait au prix du développement économique, le développement économique au prix de la langue[4]».

Autrement dit, tout se passe comme si les parents, malgré l'attachement qu'ils portent à leur langue, étaient toujours prêts au nom de la réussite de leurs enfants à inciter ceux-ci à apprendre la langue du plus fort — la langue qui détient le pouvoir économique — en oubliant souvent le prix qu'ils devront payer pour l'amélioration de leur niveau de vie: la perte de leur langue. Quand cette attitude est généralisée, on assiste au phénomène de la *mutation linguistique*, c'est-à-dire au changement d'allégeance, prélude au suicide linguistique.

Les situations de bilinguisme sont particulièrement favorables à la dépréciation d'une petite langue confrontée à l'apprentissage d'une autre langue, plus forte, plus prestigieuse, plus chère mais plus rentable.

L'IMPUISSANCE POLITIQUE

Rappelons encore une fois ce mot de Calvet: «Les langues sont au pouvoir politique ou ne sont pas des langues[5]». Cela signifie que les petites langues les moins à même de survivre sont celles qui n'exercent pas le contrôle d'un État, d'un gouvernement ou, à défaut, d'un territoire qui leur soit propre. Une langue qui ne détient pas un pouvoir politique se place dans une position précaire de survie parce que l'impuissance politique est liée ordinairement à la faiblesse numérique, à la domination économique et à la dépendance culturelle.

Les langues des pays scandinaves témoignent de l'effet protecteur du contrôle politique chez les petites langues. Que ce soit le suédois (8 millions), le danois (5 millions), le finnois (5 millions), le norvégien (4 millions) ou même l'islandais avec ses 238 000 locuteurs, ces langues devraient se maintenir aussi longtemps qu'elles continueront à contrôler le pouvoir politique de leur État respectif.

C'est pourquoi les langues sous-étatiques ont moins d'avantages parce qu'elles contrôlent un gouvernement et un territoire soumis à la volonté d'un gouvernement central plus fort qui peut renverser les décisions ou contester les législations du pouvoir régional. On n'a qu'à rappeler la vingtaine de lois catalanes que le gouvernement de Madrid ne s'est pas gêné de contester, avec succès dans la majorité des cas; au Canada, la Cour suprême déclarait en juillet 1984 que la «clause Québec» (l'école anglaise accessible aux seuls enfants dont les parents ont fait leurs études primaires en anglais au Québec) de la *Charte de la langue française*, adoptée par le gouvernement du Québec, était contraire à la *Charte des droits et libertés* enchâssée dans la nouvelle Constitution canadienne (1982). La charte fédérale a eu préséance sur la charte provinciale et c'est la «clause Canada» qui prévaut dorénavant au Québec.

Parce qu'il ne contrôle pas totalement son territoire, le catalan de la Catalogne (Espagne) est moins favorisé que le suédois, bien qu'ils aient le même nombre de locuteurs (8 millions). De même pour les républiques fédérées de l'URSS et leur langue sous-étatique, de même pour le français au Québec, au sein de la fédération canadienne. La situation des langues sous-étatiques de l'Inde semble toutefois plus avantageuse en raison de la faiblesse relative de l'hindi, tant sur le plan de la population qui le parle (35 %) que sur le plan des États fédérés (trois sur 23 ont l'hindi comme

4. Jean A. LAPONCE, *op. cit.*,-p. 54.

5. Louis-Jean CALVET, *Linguistique et colonialisme*, Paris, Payot, 1974, p. 21.

langue officielle); de plus, comme l'hindi est subordonné à l'anglais pour ce qui touche l'administration centrale, le contexte favorise davantage le maintien des autres langues constitutionnelles de l'Inde. Rappelons également que certaines de ces langues sont parlées par des populations numériquement fortes: le pendjabi dans l'État du Pendjab (65 millions de locuteurs), la marathi dans l'État du Maharachtra (55 millions), le télougou dans l'État du Tamil Nadu (51 millions), le goudjarati dans l'État du Goudjarat (35 millions), le kanara dans l'État du Karnataka (35 millions), etc.

Par contre, les langues qui ne bénéficient d'aucune autonomie politique ni d'aucun gouvernement, même régional, doivent considérer leur avenir avec anxiété dans la mesure où leur maintien ne dépend plus que de la bonne volonté de la majorité dominante. Après avoir contribué à détruire la langue minoritaire, le groupe majoritaire peut se donner le «plaisir de la générosité». Par exemple, qu'elle ait été monarchique, révolutionnaire ou républicaine, la France s'est toujours acharnée contre ses minorités pour promouvoir le français; maintenant que celui-ci a assuré sa domination, le gouvernement tente de sauvegarder le «patrimoine national». Cela se traduit notamment par la possibilité de dispenser quelques heures d'enseignement par semaine ou d'autoriser la diffusion d'émissions de radio et de télévision en breton, en catalan, en languedocien, etc. Voici ce qu'en pense un Occitan, Péire Pessamessa, écrivain et maire d'un hameau (Buoux) du Lubéron:

> «Oui, c'est vrai qu'on fait pas mal de choses, mais il ne faut pas se faire d'illusion: un quart d'heure par semaine à la télévision, coincé entre du sport et des variétés, qui va regarder ça? On verra...[6].»

Pendant 10 siècles, le tiers de la France a parlé occitan. Depuis le célèbre édit de François Ier, en passant par la Révolution, l'école obligatoire au XIXe siècle et la pénétration des médias au XXe siècle, l'occitan régresse tragiquement. Si les sources officielles admettent huit millions de locuteurs de langue occitane, Péire Pessamessa se montre plus pessimiste:

> «L'occitan, il n'y a pas plus beaucoup de monde qui le parle, même dans nos campagnes, qui le parle de coeur. Une langue qu'on n'apprend plus que dans les livres, c'est une langue morte (...) Oui, ça fait de la peine, c'est une belle langue. Aujourd'hui, si on est deux millions à le parler, c'est beaucoup[7].»

Comme bien d'autres langues minoritaires, l'occitan a été victime de l'interdiction linguistique. Le pouvoir politique de la Révolution française a interdit l'usage des langues autres que le français. Cette interdiction, courante dans les pays officiellement unilingues, provenait de l'idéologie nationaliste d'une nation qui se voulait «une et indivisible». L'interdiction linguistique pratiquée par la plupart des États constitués contribue donc largement à l'extinction des petites langues. C'est pourquoi l'avenir des langues sans État ou sans gouvernement demeure précaire. La langue qui contrôle le pouvoir politique peut se servir de ce pouvoir pour éliminer les langues rivales. L'interdiction et l'imposition constituent donc des moyens efficaces dont savent se servir les États forts. Il arrive que l'État fort n'a même pas à supprimer la langue minoritaire; il l'ignore tout simplement, et l'apathie fait le reste.

L'IMPÉRIALISME CULTUREL

L'impérialisme culturel est le résultat d'un rapport de force qui joue en faveur d'une langue dominante, laquelle contrôle à la fois le nombre de locuteurs et le pouvoir économique, générateur de produits culturels. La domination culturelle s'étend de l'école jusqu'aux produits véhiculés par les moyens technologiques tels le cinéma, la radio, la télévision et l'informatique.

---

6. Propos recueillis par Sylvie HALPERN dans «Comment meurt une langue?», *L'Actualité*, Montréal, décembre 1984, p. 90-97.
7. *Loc. cit.*

Les groupes minoritaires qui ne disposent même pas de l'école pour promouvoir leur langue n'ont pratiquement aucune chance de survie. Ainsi, les francophones au Canada anglais, qui n'ont pas accès à l'école française sous prétexte que leur nombre ne le justifie pas, sont certes plus menacés de disparition que les autres. À plus forte raison, les *langues non écrites* disparaîtront rapidement, comme c'est présentement le cas de plusieurs centaines de langues amérindiennes, africaines ou mélanésiennes. Même parmi les langues écrites, celle qui ne sont *ni normalisées, ni codifiées* pourront moins résister à la puissance des langues fortement normalisées et codifiées. Ainsi, les paysans analphabètes qu'on alphabétise en bambara, au Mali, ne trouvent presque rien à lire chez les marchands de journaux et encore moins dans les bibliothèques; la culture et l'information passeront toujours par la langue coloniale (le français) alors que le bambara est en voie de devenir la langue numériquement majoritaire au pays. Faute de normalisation et de codification, le bambara reste la langue dominée, le français demeurant la langue d'accès au pouvoir. Selon William F. Mackey, un des facteurs qui a toujours fait la force du français est que cette langue a été «l'une des plus normalisées au monde[8]». Or, «une langue qui n'est pas normalisée peut difficilement fonctionner comme instrument d'une société dans laquelle l'ordinateur, qui tolère mal les variantes, est destiné à régulariser les fonctions de la vie[9]».

Lorsque deux langues normalisées se trouvent confrontées sur un territoire, comme c'est le cas au Canada, l'une des deux exerce naturellement sa domination. Dans le domaine culturel, les francophones sont envahis par la culture de leurs puissants voisins du Sud: publications, radio, télévision par câble, cinéma, informatique. Il apparaît difficile, dans un tel contexte, de chercher à s'affirmer culturellement. Pourtant, les francophones du Québec peuvent comparer avantageusement leurs productions culturelles à celles d'autres «petits» peuples tels les Finlandais, les Suédois, les Danois, les Norvégiens, les Juifs d'Israël, etc. L'impérialisme culturel des Américains, ces nouveaux tsars de la culture, est plus fort au Québec qu'ailleurs en raison de la proximité des États-Unis et du pouvoir d'attraction de la langue anglaise; l'omniprésence de la culture américaine pour les Québécois se compare à celle de la langue française pour les Bretons, les Corses et les Occitans en France ou dans les ex-colonies françaises, à la différence que la langue minoritaire au Canada correspond à une autre langue impériale ailleurs dans le monde. Les petites langues qui ne pourront se payer les techniques de diffusion qui mettent les langues en valeur se placeront dans une position fragile parce qu'elles auront regardé le train passer. Voici un autre témoignage de l'écrivain occitan, Péire Pessamessa:

> «On avait une langue, une culture, une terre et on n'a pas su les défendre. Maintenant, on vit à l'heure du monde et notre pendule à nous, elle n'est plus à l'heure[10].»

Le défi, pour les petites langues, consiste à la fois à se défendre contre l'impérialisme des grandes langues et à exceller sur leur terrain, même si elles ne disposent ni du nombre, ni des mêmes ressources économiques et technologiques. Viser les standards d'excellence internationaux peut être suicidaire pour les petites langues à cause du prix à payer en cas d'échec, mais l'exemple, encore une fois, des Suédois, des Danois, des Norvégiens et des Finlandais montre qu'il est possible de relever le défi. Sinon, c'est l'asphyxie culturelle et la mort de la langue; les locuteurs auront manqué le train, comme ceux de l'occitan:

> «Notre langue, elle est en train de mourir parce qu'elle ne correspond plus à la réalité, tout simplement parce que la réalité n'est plus occitane. À quoi ça sert, les mots, quand il n'y a plus rien à mettre dedans[11]?»

8. William F. MACKEY, «La mortalité des langues et le bilinguisme des peuples» dans *Anthropologie et sociétés*, vol. 7, n° 3, Québec, Département d'anthropologie, Université Laval, 1983, p. 9.

9. *Loc. cit.*

10. Propos recueillis par Sylvie HALPERN dans «Comment meurt une langue?», *L'Actualité*, Montréal, décembre 1984, p. 97.

11. *Loc. cit.*

Pour que la réalité soit occitane, catalane, galloise, suédoise ou québécoise, il faut créer des produits culturels en occitan, en catalan, en gallois, en suédois ou en français (Québec). Utiliser massivement la culture des autres, c'est devenir dépendant et anémier sa langue en contribuant, par surcroît, à l'expansion des langues déjà fortes. Produire une culture minoritaire de qualité coûte plus cher que pour les majoritaires, mais c'est le prix à payer surtout depuis que la culture majoritaire pénètre jusque dans les foyers par le moyen de la radio et de la télévision.

L'histoire nous prouve que seuls les peuples qui disposent d'un poids culturel fondé sur des institutions stables, un réseau d'écoles et des traditions écrites, réussissent à survivre même après avoir été conquis par les armes.

2 LE PROCESSUS DE LA MORT DES LANGUES

Nous venons d'identifier certains des principaux facteurs qui causent l'extinction des langues. Pour bien comprendre ce phénomène, il faut nous pencher aussi sur le comment de ce processus. La mort d'une langue n'est pas subite, hormis dans le cas d'un génocide, où l'on supprime tous les locuteurs d'une langue. Le premier symptôme de ce que Mackey appelle la «pathologie linguistique[12]», la «maladie», pour continuer à employer une terminologie anthropomorphique, apparaît quand un peuple commence à ne plus utiliser sa langue, quand il l'abandonne pour la remplacer par une autre. Ce processus se déroule en des phases provisoires de durée variable selon les langues en présence. Que ce changement soit appelé *changement d'allégeance, mutation linguistique* ou *transfert de langues (language shift)*, il décrit un phénomène bien connu: l'*assimilation*.

UN PRÉALABLE: LE BILINGUISME COMME VERTU

Le problème du bilinguisme a suscité un intérêt croissant dans le monde, surtout depuis le début des années 1960. Après le phénomène de la décolonisation et de l'émergence d'un grand nombre de nations indépendantes, il s'est produit une évolution dans les mentalités quant à la façon de traiter les minorités et de considérer les langues étrangères. Certains gouvernements (la Belgique, le Canada, l'Irlande et l'Afrique du Sud, pour ne citer que les plus importants) ont entrepris des études d'envergure sur l'état des langues à l'intérieur de leurs frontières.

La conception du bilinguisme qui prévaut dans le monde consiste à laisser croire que *le bilinguisme est une vertu en soi* et que *toute personne devrait tendre à l'acquérir*. On tente de convaincre la minorité que le fait de parler deux langues constitue une richesse exceptionnelle qui ouvre la porte à deux mondes, sinon au monde entier. Un poète kazakh, qualifié de «progressiste» par la hiérarchie soviétique, Abaï Kunanbaiev, déclare ainsi: «Connaître le russe, cela signifie ouvrir les yeux sur le monde[13].» On essaie de persuader la minorité qu'apprendre la langue de la majorité enrichira son intelligence et sa vie culturelle, lui assurera un meilleur développement économique, l'ouvrira vers l'internationalisme contemporain et lui évitera le repliement sur soi, c'est-à-dire le ghetto linguistique, résultat d'un nationalisme étroit, fermé et primitif.

Or, les résultats des recherches scientifiques effectuées jusqu'à maintenant révèlent que si le bilinguisme apporte des effets positifs dans certains cas, il entraîne des conséquences catastrophiques dans d'autres. Rappelons-nous que le bilinguisme de-

12. William MACKEY, *op. cit.*, p. 15.
13. Cité par Anaïs B. (sic), «La Grande langue russe ou l'anti-Babel» dans *L'Alternative*, Paris, mai-août 1984, n° 27-28, p. 34.

meure, un peu partout dans le monde, le fardeau des groupes minoritaires: seuls les minoritaires sont bilingues. On peut se demander comment il se fait que les majoritaires n'accèdent pas massivement au bilinguisme puisqu'il semble si bénéfique pour les minoritaires. Dans les situations de langues en contact sur un même territoire, si le bilinguisme peut devenir une nécessité pour les minoritaires, il apparaît inutile pour les majoritaires à moins qu'il ne s'agisse d'une «coquetterie culturelle». *Le bilinguisme n'a pas les mêmes effets selon qu'il est pratiqué par la majorité ou la minorité, l'élite ou la masse, dans un contexte unilingue ou multilingue, en milieu hostile ou non, etc.*

DU BILINGUISME DE L'INDIVIDU AU CONFLIT D'IDENTITÉ

Le bilinguisme de l'individu demeure très relatif parce qu'il y a plusieurs façons d'être bilingue. William Mackey définit le bilinguisme comme «l'alternance de deux langues ou plus chez le même individu[14]». La connaissance d'une autre langue implique premièrement la notion de *degré* dans la maîtrise du code, tant sur les plans PHONOLOGIQUE que graphique, grammatical, lexical, sémantique et stylistique; deuxièmement, le degré de compétence du bilingue dépend des *fonctions*, c'est-à-dire de l'usage qu'il fait de la langue et des conditions dans lesquelles il l'emploie (foyer, école, travail, loisirs, etc.); troisièmement, il faut considérer la facilité avec laquelle le bilingue passe d'une langue à l'autre — l'*alternance* — en fonction du sujet dont il parle, de la personne à qui il s'adresse et de la pression qu'il subit; enfin, tous les facteurs précédents déterminent la capacité de l'individu bilingue à maintenir deux codes séparés sans les mélanger, phénomène appelé l'*interférence*.

LES TYPES DE BILINGUISME

Plusieurs facteurs conditionnent le type de bilinguisme chez l'individu. Il y aura un *bilinguisme* parfait si «les deux langues ont le même pouvoir de communication sur l'ensemble des rôles sociaux[15]»; chez le bilingue parfait, les deux langues sont, en principe, utilisées indifféremment dans n'importe quelle situation, avec la même rapidité dans la mémoire, la même qualité d'expression et le même pouvoir créateur. Étant donné que cette performance se révèle plus souvent un idéal qu'une réalité, le bilinguisme de l'individu se présente la plupart du temps sous les diverses formes d'un *bilinguisme différencié*, donc inégal selon les situations de communication; Laponce[16] en distingue trois formes:

a) *Le bilinguisme juxtaposé*: lorsque chacune des langues est associée à un ou plusieurs rôles sociaux distincts; par exemple, un individu ne parle que le français à la maison et que l'anglais au travail. Dans ce cas, on parlera aussi de DIGLOSSIE, phénomène social caractérisé par la répartition fonctionnelle des rôles.

b) *Le bilinguisme superposé à dominance unique*: lorsqu'une des deux langues domine toujours dans l'ensemble des situations de communication; par exemple, un francophone bilingue utilise surtout le français alors qu'un anglophone bilingue privilégie l'anglais.

c) *Le bilinguisme superposé alterné*: lorsque l'inégalité ne favorise pas toujours la même langue; par exemple, chez un francophone, le français peut dominer en famille, à l'école ou au tennis, mais est subordonné à l'anglais au travail et devant la télévision.

Le degré de connaissance de chacune des langues, la fréquence d'utilisation et les rôles sociaux qui leur sont attribués conditionnent la domination d'une langue sur l'autre, chez un individu. L'idéal, pour une langue, est de contrôler tout le terrain de la communication en s'assurant la domination dans tous les rôles sociaux. À défaut

14. William MACKEY, *Bilinguisme et contact des langues*, Paris, Klincksieck, 1976, p. 9.
15. Jean A. LAPONCE, *op. cit.*, p. 28.
16. *Ibid.*, p. 29-30.

d'atteindre cet idéal, il lui faudra se réserver des positions stratégiques dominantes: la famille, le travail, le domaine de l'acquisition des connaissances (école, radio, télévision, lecture, etc.), les loisirs, la religion, la politique.

LE BILINGUISME DÉSÉQUILIBRÉ

Le nombre et l'importance de ces rôles stratégiques constituent des facteurs de déclin ou de survivance d'une langue parce qu'ils peuvent avoir des répercussions négatives sur les plans de la performance linguistique et de l'identité culturelle. Un individu qui pratique un bilinguisme superposé à dominance unique en faveur de sa langue maternelle ne court aucun danger de perdre sa langue: l'acquisition d'une langue seconde demeure purement instrumentale si elle ne vise qu'à remplir un nombre réduit de rôles sociaux.

En revanche, si la dominance favorise la langue seconde dans la plupart des rôles sociaux ou dans les rôles stratégiquement importants, l'individu bilingue met sa langue maternelle en danger: la non-utilisation de sa langue entraînera une perte d'habileté linguistique en même temps qu'une perte d'identité. Comme le souligne Jean Laponce: «Une langue qu'on cesse d'utiliser comme langue dominante s'atrophie[17]», bien que ce processus s'effectue lentement. De même pour le bilinguisme alterné qui évoluerait vers une dominance en faveur de la langue seconde. Un déséquilibre entre la langue première et la langue seconde en faveur de cette dernière amène l'individu à considérer la langue seconde comme sa langue dominante; en cessant d'employer sa langue maternelle de façon intensive, il permet à sa langue seconde de s'y insérer graduellement, parfois jusqu'à ce que sa langue maternelle ne subsiste plus qu'à l'état résiduel.

LES COÛTS DU BILINGUISME

Le bilinguisme n'est pas une vertu en soi et il y a un prix à payer. Les coûts et les bénéfices dépendent de l'environnement social. Le coût n'est pas le même pour un francophone qui parle anglais à Paris, à Montréal ou à Winnipeg; non plus que pour un anglophone qui parle français à Winnipeg, à Montréal ou à Paris. Le francophone bilingue ne court aucun danger de perdre sa langue à Paris, comme l'anglophone bilingue à Winnipeg ou à Montréal. Cependant, l'acquisition de l'anglais à Winnipeg ou à Montréal peut être plus intégratrice tant sur le plan de la culture que sur celui des rôles sociaux et de la langue.

Les études de Hamers et Blanc[18] démontrent hors de tout doute que le bilinguisme est très positif pour les enfants des groupes dominants qui acquièrent une compétence fonctionnelle dans la langue seconde, si celle-ci est valorisée, car ils ne risquent aucune acculturation (assimilation de l'autre culture). Par contre, le bilinguisme et l'éducation bilingue ne se révèlent pas aussi positifs *pour les enfants des groupes minoritaires*. Les études portant sur le bilinguisme des minoritaires en Suède, au Mexique, aux États-Unis, en Grande-Bretagne et au Canada (Manitoba) montrent que, dans la majorité des cas, *le bilinguisme est décidé par le groupe dominant* et qu'il vise, à long terme, *l'intégration et l'assimilation* des membres du groupe dominé[19]. Bien que les minoritaires bilingues en tirent des avantages socio-économiques et qu'ils développent une certaine bilingualité, ils risquent l'acculturation si la langue seconde domine dans trop de rôles sociaux, pénétrant même jusque dans leurs foyers.

Lorsque le bilinguisme menace l'identité culturelle, il conduit, à plus ou moins brève échéance, à l'acculturation et à l'assimilation. Le cas est particulièrement manifeste lorsque la langue minoritaire est dominée dans la plupart des rôles sociaux et dévalori-

17. Jean A. LAPONCE, *op. cit.*, p. 34.
18. Voir Josiane F. HAMERS et Michel BLANC, *Bilingualité et bilinguisme*, Bruxelles, Éditions Pierre Mardaga, 1983, p. 313-329.
19. *Ibid.*, p. 338.

sée à la fois par le groupe dominant et le groupe dominé. Bref, *le bilinguisme se révèle positif* si les deux langues sont valorisées et si la langue maternelle reste dominante dans ses rôles sociaux. Le prix à payer: un amoindrissement de l'identité, qui devra être compensé par une vigilance accrue de la part de l'individu. *Le bilinguisme devient négatif* si le coût culturel est trop élevé: dévalorisation de la langue maternelle minoritaire, acculturation et assimilation au groupe dominant.

BILINGUISME SOCIAL ET ASSIMILATION

Si le bilinguisme en soi n'est pas une vertu, il ne constitue pas non plus une maladie puisque ce sont les conditions sociales, les rapports de force et des facteurs psychologiques qui rendent le bilinguisme «additif» ou «soustractif». Le phénomène du bilinguisme est simplement la manifestation d'un comportement qui consiste à remplacer une langue par une autre comme instrument de communication et comme instrument d'appropriation culturelle. Étendu à l'échelle d'une société, le bilinguisme se généralise au point de devenir le propre d'une ethnie minoritaire subordonnée à la majorité; en ce sens, le bilinguisme instrumental d'un francophone à Paris n'est évidemment pas du même ordre que le bilinguisme subordonné d'un Amérindien parlant le nahuatl au Mexique ou celui d'un francophone à Winnipeg.

Le bilinguisme étendu à toute une société ou à un groupe ethnique amorce le processus de l'extinction de la langue subordonnée. C'est un phénomène transitoire: on parle deux langues en attendant de n'en parler plus qu'une. Voici comment William F. Mackey, le plus éminent linguiste canadien spécialiste de cette question, décrit ce bilinguisme social:

> «Il évolue dans le temps, dans une direction unique, vers la nouvelle langue que l'on utilise de plus en plus souvent, avec de plus en plus de personnes, pour de plus en plus de fonctions, jusqu'au moment où tout le monde l'utilise toujours pour toutes les fonctions et besoins personnels et communautaires[20].»

Le bilinguisme communautaire se caractérise donc comme *une étape transitoire entre un unilinguisme et un autre unilinguisme*. Ce transfert de langues est schématisé par Hamers et Blanc[21] dans la figure 13.1. Le point de départ est un unilinguisme en L_1 (langue première); suit une période de transition bilingue L_1/L_2, la première langue restant d'abord dominante ($L_1 > L_2$), puis devenant dominée ($L_2 > L_1$); l'aboutissement ultime est un unilinguisme en L_2. Les individus et les groupes ne se comportent pas de façon homogène dans ce transfert; certains évoluent plus vite que d'autres. Un cas extrême est celui, relevé par Michel Malherbe[22], des Kamasins, peuple de la région de Krasnoïarsk en Sibérie. Les Kamasins ont changé trois fois de langue en 50 ans. Originellement de langue kamasse (langue samoyède), ils ont commencé à parler le turc en 1840 et ne connaissaient déjà plus leur langue maternelle 20 ans plus tard; depuis 1890, ils ont abandonné le turc pour le russe. Les Hawaïens ont mis un peu plus de 50 ans à passer de l'hawaïen à l'anglais, mais les anciens Aztèques ont résisté 300 ans avant de se «bilinguiser» massivement au XIXe siècle et de se «mexicaniser» au XXe, par la migration vers les villes et l'éducation bilingue. Il est inutile de citer d'autres exemples: c'est un scénario propre à des centaines de langues à travers l'histoire. Quel scénario? Toujours le même: *domination et* MINORISATION, *bilinguisme et acculturation, assimilation et retour à l'unilinguisme*. Ce qui change, c'est la durée du bilinguisme de transition, parce qu'il est déterminé par le nombre et l'importance des pressions exercées sur la langue minoritaire. Plus l'ensemble des fonctions sociales favorise la langue majoritaire, plus le processus va en s'accélérant et plus l'assimilation est rapide.

---

20. Voir «La mortalité des langues et le bilinguisme des peuples» dans *Anthropologie et sociétés*, vol. 7, n° 3, Québec, CIRB, Université Laval, 1983, p. 16.
21. J.F. HAMERS et Michel BLANC, *op. cit.*, p. 248.
22. Michel MALHERBE, *Les langages de l'humanité*, Paris, Seghers, 1983, p. 367.

FIGURE 13.1 LE SCHÉMA DU TRANSFERT DE LANGUES

VILLES	Élite = bilingue Masse = unilingue	Unilinguisme stable
VILLES CAMPAGNES	Masse = bilingue Masse = unilingue	Bilinguisme transitoire
VILLES CAMPAGNES	= unilinguisme grandissant = bilinguisme grandissant	Bilinguisme transitoire
CAMPAGNES ZONES ÉLOIGNÉES	= majoritairement unilingues = bilingues	Unilinguisme stable

TABLEAU 13.1 LES ÉTAPES DE L'ASSIMILATION DANS L'ESPACE

On peut résumer le processus de l'assimilation ou du remplacement de la langue *dans l'espace* selon les quatre étapes décrites au tableau 13.1. L'assimilation commence avec le bilinguisme de l'élite sociale pendant que la masse demeure unilingue. Puis celle-ci devient progressivement bilingue dans les villes alors que la population des campagnes reste unilingue. Les villes évoluent vers un unilinguisme grandissant tandis que le bilinguisme gagne les campagnes. La dernière étape: les campagnes passent massivement à l'unilinguisme et il n'y subsiste que quelques îlots bilingues.

Contrairement à ce que l'on peut penser, *le processus de l'assimilation n'est pas irréversible*. Il peut s'arrêter en cours d'évolution, comme le démontrent les exemples de survivance ou même de renaissance de langues. L'anglais est demeuré une langue faible jusqu'au XVIIe siècle; il avait même failli disparaître au VIIIe siècle au profit du norrois des Vikings, qui avaient presque anéanti les Angles et les Saxons. Le philosophe anglais Francis Bacon, qui vécut au temps de Shakespeare, avait prédit la mort de l'anglais et croyait que le latin redeviendrait une langue universelle. On sait ce qui s'est produit: le latin est mort et l'anglais est la plus grande langue universelle contemporaine.

3 LA RÉSISTANCE DES MINORITÉS

Des termes comme *minorités, nationalités, groupes ethniques* ou *groupes culturels* recouvrent une réalité d'ordre quantitatif et différenciatif; ils traduisent également une condition de dépendance ou, du moins, un sentiment de dépendance chez des groupes humains marginalisés, dominés, infériorisés. Néanmoins, le terme de *minorité* peut désigner le groupe dominant; par exemple, les Blancs d'Afrique du Sud, bien que minoritaires en nombre, se comportent comme une majorité: la majorité noire (70 %) est devenue une minorité fonctionnelle; la minorité blanche, une majorité fonctionnelle. Parfois, la situation paraît plus confuse, comme au Québec: plusieurs anglophones de Montréal — considérés comme minoritaires par beaucoup de Québécois francophones — s'estiment eux-mêmes majoritaires en tant que *Canadians* et croient que les francophones constituent une minorité.

Le principal problème des minorités, qu'elles soient réelles (numériques) ou fonctionnelles, est relié à la capacité de prendre en main leur propre développement. Cette capacité de se prendre en main est au sommet des droits des minorités, droits qui entrent en conflit avec ceux de la majorité. L'État moderne peut et doit s'adapter aux réalités d'une diversité culturelle et linguistique, ou suivre les modèles unificateurs ou autoritaires qui engendrent affrontements et appauvrissement. La communauté internationale a été apparemment sensible aux difficultés d'adaptation qui se produisent, comme en témoigne l'article 27 du *Pacte des droits civils et politiques*, adopté en 1966 par les Nations unies et concernant les minorités religieuses, ethniques et linguistiques. Cette initiative est, comme tant d'autres, restée sans suite concrète dans la plupart des pays. D'où la résurgence des revendications autonomistes de la part des minorités, qui n'acceptent plus de se voir minimisées ainsi:

1) Dépendance politique et économique
2) Exclusion totale ou partielle des pouvoirs de décision.
3) Réduction aux rôles sociaux non prestigieux.
4) Nécessité du bilinguisme acculturant.
5) Perception négative d'elles-mêmes.
6) Identité culturelle constamment menacée.

LA FIÈVRE AUTONOMISTE

De deux choses l'une: ou bien la minorité accepte son sort et se fait exploiter, ou bien elle résiste ou se révolte au risque d'encourir la répression, mais dans l'espoir d'obtenir... l'autonomie. Plusieurs minorités se soumettent, s'assimilent et attendent leur liquidation. D'autres, au contraire, optent pour la résistance, mais la paient cher: les Arméniens en Turquie, les Hongrois en Roumanie, les Juifs en Allemagne, les catholiques irlandais en Ulster, les Tibétains en Chine, les Ibos au Nigéria, les Berbères en Algérie, les Kurdes en Iran et en Iraq, etc.

Depuis les années 1960, le monde a assisté à une levée de boucliers de la part de nombreuses minorités. Ce réveil des minorités exploitées constitue le phénomène de masse le plus nouveau de l'histoire contemporaine. En annonçant la tenue à Québec, pour mars 1985, de la *Troisième conférence internationale de droit constitutionnel* portant sur «Les droits des minorités», le président de la Conférence, le professeur Gil Rémillard, déclarait:

> «Un peu partout dans le monde, les problèmes des minorités engendrent des situations explosives susceptibles d'entraîner des conflits généralisés. Ils constituent sans doute la première menace à la paix[23].»

Plusieurs exemples viennent spontanément à l'esprit: le Pays Basque, le Liban, l'Iran, l'Inde et l'Éthiopie, où les conflits entre minorités et majorités risquent à tout moment de déborder les frontières et de mettre à feu et à sang de vastes régions du monde, sinon la planète entière. Depuis 20 ans, bien des minorités ont fait parler d'elles — les Corses, les Bretons, les Flamands, les Jurassiens (Suisse), les Québécois, les Noirs des États-Unis, etc. — et réussi à obtenir des droits élargis; phénomène exceptionnel, les Flamands sont même passés du statut de minoritaires à celui de majoritaires.

Encouragés par ces exemples, d'autres groupes minoritaires traditionnellement moins revendicatifs — les Occitans en France, les Inuit et les Amérindiens aux États-Unis, les

23. Cité par Marcel ADAM, «Qui n'est pas concerné par le problème des minorités?» dans *La Presse*, Montréal, 12 mars 1985.

Frisons aux Pays-Bas, les Acadiens et les Franco-Manitobains au Canada — ont exploité cette résurgence à leur profit et se sont risqués à revendiquer le droit d'être ce qu'ils sont. L'attitude des majoritaires a un peu évolué à ce sujet depuis 20 ans et certains dirigeants politiques se montrent plus conciliants. Mais si, comme au Canada, on accorde des garanties constitutionnelles, on se montre encore souvent moins inquiet de la survie des minorités que de celle de certaines espèces animales en voie d'extinction.

Dans tous ces mouvements de revendication, les principes invoqués sont ceux de l'*identité* et de l'*autonomie*, sinon de l'*autogouvernance*. Ces soulèvements peuvent revêtir la forme d'un soutien à une langue, à une religion, à une race ou à une ethnie particulière. Il semble bien que les mouvements de libération ne soient pas près de s'éteindre et qu'ils risquent plutôt de faire tache d'huile. Les prétextes pour exalter le patriotisme ou le nationalisme de chacun ne manquent pas, tant à l'Ouest qu'à l'Est ou dans les pays non alignés.

Du côté de l'Ouest, le calme semble quelque peu revenu pour le moment, si l'on excepte les revendications des Flamands concernant le statut bilingue de Bruxelles, celles des francophones du Val d'Aoste en Italie et celles des Turcs de Chypre (contre les Chypriotes grecs). Mais il faudrait peu de chose pour réveiller à nouveau Corses, Bretons, Catalans, Québécois et hispanophones des États-Unis. Au Canada, les Franco-Manitobains ont fait revivre récemment la «guerre des langues», et les Acadiens du Nouveau-Brunswick également, lors des audiences publiques de janvier 1985 sur le bilinguisme: les Acadiens ont des exigences qui menacent la tranquillité des anglophones! Ceux-ci ont réagi violemment en lançant des oeufs et des *Speak Canadian!* aux «extrémistes» francophones.

La situation semble moins sûre à l'Est, notamment en Yougoslavie où les tensions sont très vives chez les Albanais du Kossovo (mitoyen avec l'Albanie), les Croates, les Macédoniens et les Slovènes. De son côté, la Hongrie commence à se pencher sur le sort des Hongrois de Tchécoslovaquie et de Roumanie. Dans les prochaines années, il faudra observer le comportement des peuples de l'Europe de l'Est, où les particularismes nationaux s'affirment plus que jamais devant l'hégémonie soviétique. Un peu partout, des craquements se font entendre, jusqu'en URSS: les six républiques musulmanes (Kazakhstan, Kirghizie, Tadjikistan, Ouzbékistan, Azerbaïdjan, Turkménistan), en grande majorité turcophones, savent qu'elles constitueront en l'an 2000 le quart de toute la population soviétique; cela rend possibles des revendications autonomistes impensables hier encore. Pour l'instant, le pays clé, c'est la Pologne: là seulement, la société forme un bloc inébranlable, capable éventuellement de résister au pouvoir.

En Asie, la fièvre autonomiste secoue particulièrement l'Inde dans le Pendjab depuis 1982 et s'étend dans les États du Cachemire (où l'on parle kashmiri), d'Assam (assamais), de Tripura (tripuri), du Tamil Nadu (tamoul), sans oublier le réveil des «séparatistes» tamouls du Sri Lanka, la résistance kurde en Iran et celle qui oppose les Afghans aux Russes. Toute cette grande région, qui s'étend de la Turquie jusqu'au sud de l'Inde, est propice aux mouvements autonomistes parce qu'elle renferme une multitude de peuples aux prises avec des régimes autoritaires et centralistes.

En Afrique, la contestation continue au Nigéria, en Namibie, en Angola, au Zaïre et au Zimbabwe pendant que la guerre civile fait des ravages en Éthiopie, dans la province de l'Érythrée, et en attendant que la révolte des Noirs puisse exploser en Afrique du Sud. Même dans une tranquille petite ex-colonie hollandaise d'Amérique du Sud, le Surinam, il y a risque d'affrontement entre un régime centraliste radical et une mosaïque de groupes ethniques excédés. Il n'y a jamais eu autant de mouvements autonomistes dans le monde. Les membres d'une majorité qui se sentent en sécurité ne sont probablement pas conscients de la menace que posent à leur tranquillité les problèmes reliés aux droits des minorités linguistiques.

LES FACTEURS DE SURVIVANCE

Nous connaissons les facteurs qui favorisent l'expansion des langues et ceux qui entraînent leur régression. Toutefois, une langue peut survivre dans une phase comateuse plus ou moins stable sans disparaître pour autant. Passons donc maintenant aux facteurs qui permettent à des langues de se maintenir ainsi et de persister jusqu'à ce que des événements déstabilisateurs interviennent.

L'ISOLEMENT

L'isolement géographique et social constitue sûrement le premier facteur qui contribue à perpétuer la survivance d'une langue, car il permet d'éviter l'absorption des langues minoritaires par les langues majoritaires. Ainsi l'inaccessibilité des *montagnes* a permis à des langues minoritaires de se maintenir contre vents et marées: le basque, les langues caucasiennes, le tibétain, le berbère, etc. Un second type d'asile et d'espace culturel clos est constitué par l'*insularité*. C'est grâce à la protection de l'océan que les langues australiennes se sont maintenues pendant 5 000 ou 6 000 ans; de même pour les 700 langues mélanésiennes, micronésiennes et polynésiennes. Rappelons aussi, pour l'Europe, le cas de langues insulaires tels le corse (Corse), le sarde (Sardaigne), le sicilien (Sicile), le mannois (île de Man) éteint au XIXe siècle et le féroïen (îles Féroé, Danemark). C'est encore l'isolement géographique qui a gardé intacts le breton en France, le romanche en Suisse, le frison aux Pays-Bas, le lapon dans les pays scandinaves. Le français s'est maintenu au Québec en partie grâce à l'isolement d'une société agricole repliée sur elle-même pendant plus d'un siècle et demi. Lorsque les petites langues voient leur isolement rompu, isolement qui assurait leur protection, l'assimilation les menace aussitôt.

Le fait aussi que certaines langues soient *génétiquement et typologiquement isolées* des autres langues environnantes joue en faveur de leur maintien: le basque, le bourou-shaski au Pakistan, le trumai dans le Haut-Xingū, au Brésil. Les langues isolées linguistiquement disparaissent moins rapidement que celles qui ont des affinités avec des langues plus fortes à proximité; les 25 langues chinoises de Chine comme le wu, le min, l'hakka, le xiang, etc., sont plus facilement assimilables que les langues non chinoises comme l'ouïgour, l'ouzbek, le tibétain, etc. Tout facteur qui crée les *conditions propices au ghetto linguistique* est favorable au maintien des petites langues: l'endogamie, l'isolement culturel, le refus d'être du même siècle, etc.

LA DIGLOSSIE

La diglossie, c'est-à-dire la répartition inégale des rôles sociaux au sein de deux communautés, contribue aussi au maintien des langues faibles. La langue dominante s'approprie généralement l'appareil administratif, l'école, le domaine du travail, les médias, etc., pendant que la langue minoritaire récupère les domaines de la famille et de la religion. Tant et aussi longtemps que la langue minoritaire peut exercer ces fonctions minimales, elle se perpétue tout en se folklorisant. Le bilinguisme diglossique enraye l'assimilation et élimine les situations conflictuelles en spécialisant les langues en contact. Les langues amérindiennes vont se maintenir aussi longtemps que leurs locuteurs pourront les utiliser en famille et qu'ils éviteront l'exogamie et la dispersion démographique.

N'oublions pas que si le latin a persisté pendant près de deux millénaires, soit 1 600 ans après la chute de l'Empire romain, c'est parce qu'il a conservé des fonctions liturgiques et administratives dans l'Église catholique; il a même été une langue scientifique, une langue de culture enseignée dans plusieurs pays, voire une langue parlementaire, comme en Hongrie. On constate que son *poids culturel* lui a assuré des fonctions sociales prestigieuses longtemps après que les conditions de sa grandeur eurent cessé d'exister. Tant qu'il y a eu des individus «bilingues» pour l'utiliser, la diglossie en a retardé l'agonie.

LA FÉTICHISATION

Parmi les facteurs de survivance, il faut compter sur la bonne volonté de la majorité, qui peut décider de maintenir en vie une langue minoritaire pour des raisons... idéologiques. Depuis plus d'un siècle, les gouvernements mexicains ont multiplié les fouilles archéologiques et favorisé les études portant sur les langues amérindiennes du pays. Pendant qu'on assimilait les Amérindiens, on analysait et classifiait leurs langues comme des «objets archéologiques» appartenant à un passé lointain et mythique. Cette FÉTICHISATION des langues indigènes sert, en réalité, de prétexte à forger une identité nationale mexicaine. L'exemple hawaïen est identique; devenu une langue moribonde, l'hawaïen demeure le seul vestige autochtone pouvant fournir une identité commune aux nombreux groupes d'origines diverses vivant à Hawaï. La langue hawaïenne est partout présente (toponymie, tourisme, restauration, musique, danse, radio, etc.), mais seulement 250 personnes de plus de 60 ans pouvaient l'utiliser à la maison en 1978[24]. Ces deux exemples montrent qu'une langue peut continuer à survivre comme *symbole idéologique* alors qu'elle en est à son dernier soupir.

LA CONTRE-OFFENSIVE DES MINORITÉS

Certaines minorités disposent de moyens plus efficaces pour assurer leur survie. La persuasion, le marchandage, la menace et la violence comptent parmi les moyens classiques. Lorsque la minorité ne réussit pas à obtenir ce qu'elle désire par la persuasion, le marchandage ou la menace, il lui reste deux issues: la soumission ou la violence. Tout dépend du jeu des forces en présence, que celles-ci soient démographiques, économiques, politiques ou idéologiques. Chose certaine, les revendications linguistiques n'ont de linguistiques que le nom. En réalité, c'est du pouvoir politique et économique qu'il s'agit, que les groupes en soient conscients ou non. C'est pourquoi il faut laisser le terrain de la langue pour aborder ceux de la politique et de l'économie. Dans les conflits dits linguistiques, la majorité défend son pouvoir, mais devant la *détermination* de la minorité, elle peut décider de sauver les meubles, c'est-à-dire de conserver l'essentiel de ses avantages politiques et économiques et d'accorder une légitimité linguistique.

LA FORCE IDÉOLOGIQUE

Le moyen le plus puissant dont dispose une minorité structurée repose sur la force idéologique. En tant que symbole d'identité, la langue demeure le plus puissant facteur d'appartenance sociale et ethnique. Le *nationalisme linguistique* devient extrêmement mobilisateur parce que, en créant des liens de solidarité entre les individus et en développant un sens aigu de l'identité, il légitime l'autorité du groupe pour passer à l'action[25]. Les revendications deviendront d'autant plus vives que le groupe se sent menacé. Plus la majorité se montrera intolérante, peu conciliante et jalouse de ses prérogatives, plus elle favorisera les revendications chez la minorité. Celles-ci paraîtront sérieuses si la minorité dispose d'atouts crédibles: une forte conscience collective, un poids culturel, une position numérique au-dessus d'un certain seuil (environ 20 %), un réseau de diffusion des informations, un système de scolarisation, des institutions stables, etc. Ces atouts donnent du poids à la minorité qui doit négocier avec la majorité.

LE CONTRÔLE D'UN TERRITOIRE OU LES FORTERESSES LINGUISTIQUES

La concentration géographique et le contrôle d'un territoire sont également déterminants. La revendication linguistique doit servir de moyen de délimitation naturelle d'un territoire. La tendance d'un groupe linguistique est de former une masse territoriale homogène, car «pour s'établir, se maintenir et se développer, une langue, c'est-à-dire

24. Voir Louis-Jacques DORAIS, «Langue et identité à Hawaï» dans *Anthropologie et sociétés*, vol. 7, n° 3, Québec, Département d'anthropologie, Université Laval, 1983, p. 65.

25. Voir Léon DION, *Nationalismes et politique au Québec*, Montréal, HMH, 1975, p. 22.

une culture, a besoin d'un espace qui lui soit propre[26]». Si la religion peut s'accommoder d'une dispersion de ses membres (par exemple, la religion juive), tel n'est pas le cas pour la langue: «Une langue par contre ne survit bien qu'en état de forte concentration territoriale[27]», de déclarer Jean A. Laponce.

Depuis la fin du XVIIIe siècle, les divers mouvements de revitalisation de l'hébreu ont tous échoué (Allemagne, Pologne, URSS, É.-U.) jusqu'à la création de l'État d'Israël. La concentration territoriale a permis la survie du français au Québec comme la déconcentration a favorisé l'assimilation des francophones hors Québec. Les hispanophones des États-Unis ont plus de possibilités de conserver leur langue alors que tous les autres groupes ethniques (Italiens, Allemands, Polonais, etc.) sont appelés à disparaître. On peut même penser que les Allemands et les Italiens des États-Unis ou du Canada désirent l'assimilation puisqu'ils acceptent la dispersion. Nous faisons face à ce que Jean A. Laponce appelle la *loi de la dynamique géographique des langues:*

> «Les individus qui parlent une langue qui se maintient ou se développe tendent à occuper des espaces géographiques contigus et linguistiquement homogènes. Autrement dit, la dynamique géographique des langues va à l'encontre du bilinguisme[28].»

La concentration territoriale est une condition essentielle dans le développement des langues minoritaires, mais elle peut être renforcée ou affaiblie selon que les *frontières linguistiques* sont plus ou moins rigides. La séparation territoriale des langues par des frontières réduit les conflits en évitant le chevauchement des langues, qui est toujours à l'avantage de la langue dominante.

Aux États-Unis, on trouve des cas de concentration territoriale sans frontières linguistiques délimitées, notamment chez les hispanophones. À l'opposé, la Suisse et la Belgique présentent des cas de *frontières* délimitées *rigides*, à l'intérieur desquelles se développent deux aires unilingues, ce qui élimine toute possibilité d'assimilation de la part du groupe dominant, qui ne peut transporter sa langue dans les territoires minoritaires à moins d'accepter de se faire assimiler lui-même. L'URSS, la Chine, le Canada, la Finlande, la Yougoslavie présentent des cas de frontières *poreuses* parce que le contrôle frontalier est partiel: en changeant de lieu de résidence, les groupes linguistiques transportent avec eux leur langue.

Au Canada, en Finlande et en Yougoslavie, c'est la loi de la *symétrie* qui joue: minoritaires et majoritaires transportent leur langue d'une zone linguistique à l'autre lorsqu'ils changent de lieu de résidence. Un anglophone de l'Ontario ne perd aucun de ses droits garantis par le gouvernement fédéral lorsqu'il vient s'établir au Québec, la constitution lui garantissant par ailleurs l'accès à l'école anglaise; de même pour un Slovène ou un Macédonien en Yougoslavie, un Suédois ou un Finnois en Finlande. À long terme, la majorité peut sortir gagnante de ces transferts dans la mesure où les minorités, lorsqu'elles quittent leur zone sécurisante, ne peuvent plus résister à l'assimilation; tel n'est pas nécessairement le cas pour le groupe majoritaire, qui peut espérer prendre de l'expansion en territoire minoritaire. En URSS, en Chine et en Europe, c'est la loi de l'*asymétrie* qui fonctionne à l'avantage des majoritaires; dans ces pays, on donne la possibilité à la langue majoritaire, mais non aux langues minoritaires, de changer de territoire; on protège la langue majoritaire par des frontières linguistiques rigides alors qu'on accorde des frontières poreuses aux minoritaires. Si l'État central voulait vraiment protéger ses minorités, il ferait agir l'asymétrie en faveur de leur langue, ce qui éviterait de les rendre minoritaires sur leur territoire.

26. Jean A. LAPONCE, «La distribution géographique des groupes linguistiques et les solutions personnelles et territoriales aux problèmes de l'État bilingue» dans *L'État et la planification linguistique*, tome 1, Québec, Éditeur officiel du Québec, 1981, p. 85.
27. *Ibid.*, p. 86.
28. *Ibid.*, p. 95.

On peut conclure que les groupes minoritaires sont davantage protégés en Suisse et en Belgique que partout ailleurs dans le monde. Le Canada, la Finlande et la Yougoslavie protègent mieux leurs minorités que l'URSS, la Chine et l'Espagne, où règne l'inégalité des statuts entre les langues; mais la situation des uns et des autres peut aboutir au même résultat, car tout dépend, en dernière analyse, de la direction dans laquelle s'opèrent les transferts linguistiques d'un territoire à l'autre: on peut à la longue «minoriser» la minorité sur son territoire en pratiquant l'asymétrie. L'exemple de tous ces pays montre bien qu'une minorité n'est vraiment protégée contre l'assimilation que dans la mesure où elle est concentrée et sécurisée par des frontières d'autant plus sûres qu'elles seront rigides. Des langues comme l'hébreu en Israël, l'islandais en Islande, le dzonkha au Bhoutan et le luxembourgeois au Luxembourg illustrent bien l'effet protecteur d'une frontière sécurisante sur une petite langue.

La création de *forteresses linguistiques* peut évidemment entraîner des coûts économiques et sociaux que certains trouveront regrettables, mais du point de vue de la protection des langues — c'est celui qui nous intéresse ici — c'est la seule tactique qui, à long terme, ait des chances d'aboutir.

L'AUTOGOUVERNANCE

Il est un autre atout de taille à la disposition de certaines petites langues: *l'autogouvernance*. Les langues minoritaires se doivent d'étendre leurs revendications sur les plans politique et économique si elles veulent assurer leur épanouissement. La vieille tradition du combat linguistique totalement coupé de toute lutte politique, cette tradition de *la langue seulement* a abouti partout à une impasse: la langue se folklorise en se spécialisant dans le rétro. Nombre de langues minoritaires l'ont appris à leurs dépens, en s'enfermant trop souvent dans la culture régionale: traditions, littérature, chanson, folklore, etc. Ce n'est pas le folklore qui empêchera le français en Louisiane et l'hawaïen à Hawaï de mourir. La souveraineté culturelle passe par le contrôle des écoles, des tribunaux, du commerce, de la finance et des médias; sinon, elle demeure utopique. Idéalement, la langue minoritaire doit même viser le contrôle d'un gouvernement, voire d'un État et d'une armée.

La *souveraineté politique* devrait constituer le mode d'autonomie par excellence d'une petite langue (Israël, Islande, Luxembourg, Bhoutan), mais cette autonomie n'est pas à la disposition de toutes les minorités: les coûts humains en pertes de vie, de même que les coûts sociaux et économiques peuvent paraître trop élevés. Il n'en demeure pas moins que l'objectif ultime doit toujours être l'autodétermination des peuples, qu'elle soit totale ou partielle.

Lorsque l'autonomie totale se révèle impossible ou non souhaitable, il reste la possibilité de contrôler un *gouvernement local*, comme dans les républiques de l'URSS, les États de l'Union indienne, la Catalogne en Espagne, les républiques en Yougoslavie, le Québec au Canada. C'est là une des revendications les plus souvent mises de l'avant par les minorités ethniques concentrées dans un territoire: établir des frontières à l'intérieur desquelles elles sont majoritaires et où elles jouissent d'une certaine autonomie politique. À l'intérieur d'une telle superstructure nécessairement contraignante, il faut accepter de «vivre dangereusement» et de se battre continuellement sous peine de reculer. C'est l'ex-premier ministre du Canada, Pierre Elliott-Trudeau, qui déclarait lui-même, dans un message de la Saint-Jean aux francophones du Québec, le 24 juin 1982:

> «Nous ne sommes pas bâtis pour le repos, mais pour la course. Et, tant que nous serons habités par la même volonté de vivre que nos ancêtres, rien ni personne ne pourra nous dépouiller de notre avenir[29].»

29. Cité par Gil RÉMILLARD, «Les Québécois au lendemain du rapatriement» dans *Actes du congrès «Langue et société au Québec»*, tome 2, Québec, Éditeur officiel du Québec, 1984, p. 43.

Monsieur Trudeau avait raison de croire que les minorités doivent lutter pour survivre et assurer leur avenir, mais en acceptait-il toutes les conséquences, lui qui ne croyait qu'au nationalisme pan-canadien? Il n'en demeure pas moins que, ne lui en déplaise, la seule protection efficace passe par l'autonomie politique, totale ou partielle, et par l'établissement de frontières linguistiques rigides, unilingues si possible; l'ex-premier ministre canadien a toujours refusé une telle politique.

Le *fédéralisme* est un système évidemment plus souple que celui d'un État unitaire, car il permet en principe des formes d'autogouvernance. Il faut savoir tirer les ficelles de son côté. La lutte est nécessairement politique, puis constitutionnelle, et juridique par la suite. Elle doit se faire avec cohérence, avec vigueur, avec même une certaine intransigeance de la part des minorités, c'est-à-dire «en comprenant bien que la magnanimité passe d'abord par les victoires décisives[30]». Puisque les langues s'excluent mutuellement, les minoritaires doivent réussir à neutraliser l'expansion de la langue majoritaire sur leur territoire, en utilisant toutes les voies législatives à leur disposition. Au niveau national, les minorités doivent se protéger par des garanties constitutionnelles qu'elles auront réussi à arracher aux majoritaires, mais en s'assurant que ces garanties se traduisent dans les faits. On ne doit pas se laisser hypnotiser par le pouvoir de la constitution, dont les limites sont toujours sous-jacentes. Ainsi, la garantie d'utiliser sa langue n'accorde pas automatiquement le droit d'être compris. La Constitution canadienne prévoit qu'un francophone a le droit d'utiliser sa langue dans tous les services fédéraux partout au Canada; ainsi, on peut demander un timbre en français à Yellowknife (Territoires du Nord-Ouest canadien), mais il n'est pas assuré qu'un fonctionnaire devra comprendre la langue. Il s'agit d'une garantie qui affirme l'impossible. En d'autres mots, il faut que d'autres personnes puissent communiquer dans notre langue pour que les garanties constitutionnelles nous soient applicables. On touche ici au problème des droits collectifs; la plupart des États démocratiques refusent de reconnaître ces droits dans une constitution. Pour eux, le respect des droits individuels rend superflu la reconnaissance des droits collectifs. Or, pour atteindre une véritable égalité, les groupes minoritaires ont besoin de se faire reconnaître des droits collectifs.

Il faut également trouver des normes de conduite qui vont à l'encontre du «majoritarisme», selon lequel une simple majorité prend les décisions pour toute la population. On peut trouver des formules; par exemple, exiger une double majorité lorsqu'on touche aux droits des minorités: s'assurer que les décisions importantes soient prises avec la participation et le consentement des groupes intéressés. C'est une formule utilisée au Parlement de Bruxelles et qui évite que les Flamands majoritaires réduisent ou modifient les droits des Wallons minoritaires sans leur consentement.

De plus, question d'ajouter des billes à leur jeu, les minoritaires doivent maintenir des contacts avec d'autres nations qui partagent la même langue. Ces contacts sont culturels comme il se doit, mais surtout économiques et politiques. Car c'est sur le plan des intérêts économiques que les nations ont le plus de chances de s'entendre. Au besoin, les groupes minoritaires auraient intérêt à internationaliser leurs revendications. À partir de ce moment, l'État trop centralisateur deviendrait vraisemblablement plus disposé à partager son autorité, afin d'éviter la sécession et de se donner bonne conscience devant l'opinion publique internationale.

Un autre problème intéressant concerne *les minorités dispersées* qui ne contrôlent pas de territoire à elles. Est-il possible de penser, dans ce cas, à une forme d'autogouvernance? C'est ce que désirent, par exemple, certains peuples autochtones du Canada. Il n'est pas impensable de trouver des formules originales à cet égard: une réussite, même partielle, aurait une signification énorme pour ces minorités qui ont vu, dans le passé, leurs droits maintes fois bafoués. Par exemple, le droit à certains services publics et la

30. Guy BOUTHILLIER, «La loi 101: une peau de chagrin» dans *Actes du congrès «Langue et société au Québec»*, tome 2, Québec, Éditeur officiel du Québec, 1984, p. 408.

création de certaines institutions contrôlées par les Amérindiens pourraient faire l'objet d'accords intergouvernementaux. De tels accords devraient prévoir aussi des arrangements fiscaux et des budgets gérés par les Amérindiens eux-mêmes, sous peine de demeurer sans suite concrète. On peut penser aussi à une représentation des autochtones au sein du Parlement et du Sénat.

***

On constatera qu'il n'est pas à la disposition de toutes les minorités de recourir à ces moyens de protection parce qu'ils dépendent d'une combinaison de plusieurs facteurs: le pouvoir des majoritaires, le poids numérique des minoritaires, leur force idéologique et leur conscience nationale, leur détermination, etc. L'inconvénient de tous les moyens de protection linguistique est qu'ils entraînent des coûts économiques et sociaux jugés parfois trop élevés tant par les majoritaires que par les minoritaires. Du côté des majoritaires, on redoute toujours que les droits accordés amènent les minorités à exiger un statut politique et peut-être, à la limite, à revendiquer le droit à l'autodétermination. Le ministre des Affaires extérieures du Canada, M. Joe Clark, a déclaré lui-même qu'il n'est pas facile de reconnaître aux minorités des droits collectifs:

> «Parce qu'il s'en trouvera toujours un bon nombre qui craindront sincèrement que le fait d'institutionnaliser des différences du genre peut servir à les accentuer et même à compromettre l'intégrité de l'État[31].»

Voilà pourquoi à peu près tous les États se méfient des minorités et ne sont généralement pas prêts à leur reconnaître plus de droits qu'il ne faut pour avoir bonne conscience. Quant aux minoritaires, ils doivent comprendre qu'ils devront faire des choix quelquefois difficiles: protéger leur langue ou leurs intérêts économiques! En dernière analyse, il appartient à chaque société d'effectuer ses choix en fonction de ses valeurs. Dans la mesure où la langue constitue une valeur, il faut accepter d'en payer le prix pour la protéger. Si la contre-offensive paraît trop onéreuse en regard des gains escomptés, le groupe minoritaire peut réévaluer ses objectifs. La décision de s'engager dans un tel processus dépend, comme toujours, du rapport de force entre le groupe dominant et le groupe dominé.

31. Cité par Marcel ADAM, «À peu près tous les États se méfient des minorités» dans *La Presse*, Montréal, 14 mars 1985.

ESSAI DE FUTUROLOGIE LINGUISTIQUE

Il est périlleux de se livrer à un exercice de futurologie linguistique, car l'avenir des langues dépend de facteurs imprévisibles tels que les guerres ou autres catastrophes possibles. C'est pourquoi les pronostics ne valent qu'en fonction de la situation mondiale actuelle. De façon générale, nous pouvons dire que toutes les langues, quelles qu'elles soient, y compris les plus fortes, demeurent vulnérables. Elles peuvent rapidement évoluer et régresser, ou s'étendre s'il se présente de nouveaux contextes politiques appuyés sur des rapports de force différents.

L'avenir de la plupart des langues étatiques d'origine européenne devrait se stabiliser, mais il ne saurait se comparer à celui des langues des pays en voie de développement. Aussi paraît-il plus judicieux de distinguer l'avenir des langues des pays industrialisés de celui des pays du tiers monde.

1 L'AVENIR DES LANGUES DES PAYS INDUSTRIALISÉS

Au niveau national, les langues reconnues officiellement par les États (France, Allemagne, Pays-Bas, etc.) vont se maintenir et poursuivre inexorablement leur standardisation. Paradoxalement, le succès de cette standardisation devrait autoriser une plus grande souplesse à l'égard des variations linguistiques à l'intérieur de ces pays, comme c'est présentement le cas en Allemagne. Les langues sans État, quant à elles, vont régresser, en particulier les langues celtiques (breton, gallois, écossais), l'occitan en France, le romanche en Suisse et le frison aux Pays-Bas; l'irlandais ne résistera pas non plus, son déclin devant s'accentuer. En revanche, le catalan et le basque devraient avoir des chances de survivre si Catalans et Basques réussissent la restauration de leur langue.

Dans les pays de l'Est, les langues nationales de même que les langues minoritaires vont se maintenir dans la mesure où ces dernières sont multi-étatiques (le hongrois en Roumanie, l'albanais en Yougoslavie, etc.) ou sous-étatiques (l'estonien, l'ukrainien, le géorgien, etc.). D'une part, ces langues sont protégées malgré la russification constante; d'autre part, on voit mal comment les Russes pourraient assimiler d'ici 50 ans plus de 50 millions d'Ukrainiens, 15 millions d'Ouzbeks et plusieurs millions de peuples suffisamment compacts et traditionnellement très revendicateurs tels les Tatars, les Kazakhs, les Azerbaïdjanais, les Géorgiens, etc. Par contre, ce sera l'hécatombe pour des dizaines de petits autres peuples: Bouriates, Kabardes, Mari, Morvdes, Ossètes, Ourdmourtes, Samoyèdes, etc. La connaissance du russe comme langue seconde augmentera, mais son usage comme langue maternelle se stabilisera à cause de la baisse de fécondité des Russes, qui formeront moins de 50 % de la population soviétique en l'an 2000.

En Amérique du Nord, les positions de l'anglais sont assurées tant aux États-Unis qu'au Canada. La survie du français est à peu près nulle partout sauf au Québec et dans les régions limitrophes, mais les gouvernements fédéral et provinciaux devront exercer une politique coercitive en sa faveur. L'espagnol fera encore des gains importants aux États-Unis en raison de la progression démographique des hispanophones; tout dépendra aussi de la conscience linguistique qu'ils se donneront ou ne se donneront pas. Une minorité qui pourrait atteindre bientôt 20 % de la population américaine se fera nécessairement entendre davantage surtout si elle sait demeurer concentrée sur le territoire. En Australie, l'anglais poursuivra son uniformisation territoriale d'autant plus facilement qu'il bénéficie de l'insularité; de même pour le japonais au Japon.

Au niveau international, l'avenir des langues solidement établies comme l'anglais, le français, l'espagnol, le russe, l'allemand, paraît serein à première vue. Ces langues ont assuré leur dominance sur tous les plans: économique, culturel, militaire, politique, technologique. Elles ont déjà conquis le domaine de l'informatique, accaparé en grande partie par l'anglais sur le plan véhiculaire. Les pays industrialisés ont déjà commencé à se constituer des banques de données informatisées et disposeront bientôt d'informations d'une richesse sans précédent; les grandes langues internationales continueront donc de bénéficier de cette avance, en particulier l'anglais.

Malgré les facteurs de puissance incontestables qui jouent en faveur de ces langues actuellement, leur avenir n'est pas assuré pour l'éternité, car l'expansionnisme des grandes langues demeure toujours au stade des succès provisoires. Certains prédisent même que l'expansion de l'anglais le conduira à un éclatement semblable à celui qu'a connu le latin. Mais le déclin des grandes langues n'est pas rapide: c'est pourquoi la disparition de l'anglais n'aura pas lieu dans les prochaines décennies. L'anglais, comme le russe, le français et l'allemand, devra cependant faire face à deux problèmes de taille: la dénatalité, qui frappe leurs locuteurs, et le nationalisme linguistique des États, qui va progresser.

Le *nationalisme linguistique* des États imposera la parité des langues. Déjà, la Communauté économique européenne (CEE) s'accommode d'une telle parité entre toutes les langues de ses membres même au prix d'une incroyable paperasserie et d'une armée de traducteurs. D'ici à une vingtaine d'années, on peut s'attendre à ce que les États du tiers monde abandonnent les langues coloniales au profit d'un certain nombre de langues autochtones; plusieurs de ces États se sont déjà engagés dans cette voie. Ce sont surtout l'anglais, le français et le portugais qui écoperont pour ces transferts linguistiques. L'avenir de l'anglais et du français comme langues maternelles dans les pays du tiers monde va donc régresser, mais leur expansion comme langues secondes sera plus importante qu'elle ne l'est actuellement. On peut effectivement croire que l'anglais deviendra la première langue véhiculaire du monde, et ses seules véritables bases resteront la Grande-Bretagne, l'Irlande, les É.-U., l'Australie et certaines îles du Pacifique; quant au français, il pourrait suivre les mêmes tendances: augmenter le nombre de ses locuteurs qui l'utilisent comme langue seconde, notamment en Afrique et en Europe, mais rester confiné, comme langue première, à la France (plus la Wallonie en Belgique et la Romandie en Suisse) et au Québec. Donc, si les choses évoluent normalement, on pourra assister sur le plan mondial à un rééquilibrage linguistique, qui reflétera un plus grand plurilinguisme dans lequel la force de chaque langue dépendra du nombre des locuteurs, de la richesse économique et de l'intensité des productions culturelles.

Autre faille importante pour les langues des pays industrialisés: la *dénatalité*. Dans 20 ans, les pays riches formeront 20 % de la population mondiale et posséderont presque toutes les richesses avec une population vieillie, ridée et repliée sur elle-même. Or, du point de vue économique, une population active vieillissante perd, ipso facto, de sa capacité productive. Sera-t-il possible pour les langues fortes actuelles de maintenir dans ces conditions leur suprématie économique et militaire? Cette suprématie est assurée pour quelques dizaines d'années encore, mais après? Les pays riches auront de plus en plus de difficultés à exporter leurs excédents industriels à un tiers monde sous-alimenté et aux prises avec une dépendance alimentaire intolérable. Une telle situation explosive exclut le statu quo. On peut se demander quel sera l'avenir d'une minorité occidentale comparable, à l'échelle du monde, à la situation des Blancs en Afrique du Sud: bien que formant 17 % de la population, ceux-ci possèdent toutes les richesses du pays.

Tant que les grandes langues occidentales maintiendront leur hégémonie culturelle, politique, économique et militaire, leur avenir sera assuré; le jour où elles perdront cette hégémonie, elles devront s'adapter ou disparaître. N'oublions pas que c'est l'explosion démographique de l'Europe au XIXe siècle (de 180 millions à 476 millions entre 1800 et 1914) qui explique en partie sa prédominance sur le monde: elle a fourni la base du peuplement de l'Amérique et de l'Australie, les colons pour coloniser, les compétences pour développer le capitalisme. Dans 20 ans, l'Occident et le Japon seront peuplés de vieillards qui pèseront de plus en plus lourd sur le développement économique.

2 L'AVENIR DES LANGUES DU TIERS MONDE

Il devient d'autant plus difficile de prévoir l'évolution des langues du tiers monde qu'on en dénombre au moins 6 000. Cependant, certaines tendances méritent d'être mentionnées. D'abord, on peut prédire que le nombre des langues va diminuer considérablement. Si les pays du tiers monde atteignaient une homogénéité analogue à celle de l'Europe actuelle, il ne resterait plus que 450 langues environ. Il n'est pas dit que les pays non industrialisés vont évoluer comme a évolué l'Europe, car ces pays s'accommodent beaucoup plus du multilinguisme. On peut penser néanmoins que les langues non écrites vont s'écrire ou vont disparaître, à l'exception de celles parlées par des groupes isolés dans les îles, des montagnes ou des déserts. L'introduction de l'écriture sera un facteur décisif de consolidation des langues du tiers monde, mais il est lié à l'importance numérique de leurs locuteurs. Une communauté de quelques dizaines de milliers de locuteurs ne pourra supporter le poids de l'édition scolaire ou des ouvrages le moindrement scientifiques. Les petites langues qui côtoient des langues plus importantes avec lesquelles elles ont des affinités génétiques risquent aussi de se faire absorber. Ce phénomène peut se produire sur une grande échelle en Afrique et en Asie: par exemple, en Inde, une quinzaine de langues suffisent à submerger plus de 90 % d'une population de 711 millions d'individus.

À partir de ces considérations, on peut prédire que les pays du tiers monde vont se donner des langues nationales qui ne seront pas l'anglais ni le français. Certaines langues africaines sont appelées à connaître une expansion considérable: le swahili au premier chef, puis le haoussa, le mandingue, le peul, le wolof, le dioula. En Asie, le malais deviendra une grande langue, de même que l'hindi, le persan et, dans une moindre mesure, le bengali; le chinois améliorera encore ses positions s'il sait se doter d'une écriture alphabétique. En Asie du Sud-Est, le vietnamien devrait jouer un rôle continental particulier. Mais l'essor le plus remarquable est réservé sans doute à l'espagnol, à l'arabe et au portugais.

Dans 20 ans, la majorité des locuteurs du monde parleront le chinois, l'espagnol, l'arabe, le portugais, l'hindi, le bengali, le malais ou le swahili. Ils habiteront dans les pays du tiers monde et constitueront au moins 80 % de la population de la planète. Les différences entre les pays à haute et basse pression démographiques risquent de provoquer des conflits au sujet du partage des richesses accaparées par la minorité occidentale. De 3 milliards en 1960, nous sommes passés à 4,8 milliards en 1984; nous serons 6,2 milliards en l'an 2000, probablement 8 milliards en 2050 et quelque 10 milliards à la fin du XXIe siècle. D'un côté, l'homme blanc, opulent, vieux et minoritaire, de l'autre, les peuples «de couleur», pauvres, jeunes et majoritaires, entassés en Chine, en Inde, au Bangladesh, au Pakistan, au Brésil, au Nigéria, au Mexique et en Algérie.

En 1974, Houari Boumedienne, alors président de l'Algérie, déclarait à l'Onu:

> «Un jour, des millions d'hommes quitteront les parties méridionales pauvres du monde pour faire irruption dans les espaces relativement accessibles de l'hémisphère Nord, à la recherche de leur survie[1].»

Il est difficile de cerner précisément ce que cette sombre prédiction signifie, mais elle laisse néanmoins présager des phénomènes migratoires importants et d'ailleurs déjà amorcés entre le Maghreb et l'Europe, entre l'Amérique du Sud et l'Amérique du Nord, entre l'Asie et l'Australie.

De toute façon, les rapports de force étant appelés à se modifier considérablement d'ici 20 à 50 ans, l'importance des langues impériales actuelles va également se modifier. Il est plausible de croire que, dans ces conditions, les langues impériales du XXIe siècle risquent de devenir l'espagnol, l'arabe et le portugais en raison de facteurs combinés d'ordre démographique, militaire, économique et politique. Au niveau continental, l'anglais, le russe, le malais, le chinois, l'hindi, le swahili et peut-être le vietnamien et le japonais, devraient jouer un rôle particulier. Sur le plan des communications internationales, on peut même envisager que l'anglais puisse continuer à jouer un rôle analogue à celui naguère exercé par le latin; ayant perdu les conditions de sa grandeur, l'anglais persisterait comme langue véhiculaire à l'échelle planétaire dans des fonctions diglossiques au sein de la civilisation post-industrielle. Ainsi, à la fin du XXIe siècle ou au XXIIe siècle, les gens instruits de la plupart des pays utiliseraient l'anglais comme langue instrumentale pour communiquer par écrit ou au moyen des banques de données informatisées au niveau international, mais ne le parleraient à peu près jamais, hormis les «natifs» d'Amérique du Nord, d'Europe et d'Australie.

Ce ne sont là que de pures spéculations extrapolées à partir des données actuelles. Comme l'avenir des langues n'est jamais fixé, des événements encore inconnus, voire impensables aujourd'hui, peuvent bouleverser l'échiquier linguistique international et créer des scénarios tout à fait différents. Une simulation effectuée par un ordinateur impartial nous conduirait sûrement à des scénarios plus sécurisants ou plus catastrophiques encore. Nous sommes dans le domaine de l'imaginaire et cette question intéressera davantage les générations futures.

***

1. Cité par Gérard-François DUMONT, «Comment les démocraties se soumettent» dans *L'Express*, Paris, 10 août 1984, p. 17.

À RETENIR

Entre les langues, l'état normal, c'est la guerre; ce combat n'est que la manifestation d'un combat plus large: la dominance politique et économique.

Ce sont des bouleversements importants qui provoquent le multilinguisme: les conquêtes militaires, la création des États-nations, les déplacements de population; le multilinguisme engendre à son tour des conflits de préséance entre les langues à cause de leur valeur symbolique en ce qui touche l'identité et la dominance, l'inégalité hiérarchique des langues concurrentes, le centralisme politique, le développement économique et la dynamique géographique des langues qui tend vers l'unilinguisme.

Le multilinguisme serait le propre des sociétés agricoles, peu développées, en voie de modernisation; on associe, au contraire, l'homogénéité linguistique, la standardisation et l'unilinguisme aux sociétés industrialisées, riches, évoluées, modernes.

L'idéologie de la glorification des vertus de la langue n'a jamais favorisé l'expansion ou la survie d'une langue, sauf dans l'esprit de quelques idéalistes; l'esthétique d'une langue, ses qualités ou ses défauts, ses prétendues prédispositions internes et sa facilité relèvent de critères fort discutables et arbitraires.

Seulement 62 langues sont parlées par 10 millions de locuteurs ou plus (soit 1 % des langues du monde); du point de vue du nombre, l'écrasante majorité des langues du monde est donc dans un état d'extrême faiblesse; les langues les plus fortes sur ce plan demeurent le chinois, l'anglais, l'espagnol, l'hindi, le russe, l'arabe, le bengali, le portugais, l'allemand, le japonais et le français.

L'hégémonie économique des pays riches concourt au prestige et à la diffusion de la langue de ces pays: anglais, russe, japonais, allemand, français, chinois, espagnol, arabe.

Les langues «à gros bataillons» sont le chinois, le russe, l'anglais, l'arabe, le vietnamien, l'espagnol, l'hindi, l'allemand, le français.

Six langues accaparent les deux tiers de toute la production écrite mondiale: l'anglais, le russe, l'allemand, le français, l'espagnol et le japonais; ainsi ce sont les langues des nations riches et puissantes qui peuvent se permettre de diffuser la quasi-totalité du savoir universel à l'ensemble de l'humanité.

Sur le plan politique, l'anglais, le français, l'arabe, l'espagnol et le portugais sont en position privilégiée.

Le monde contemporain est dominé par quelques grandes langues européennes (anglais, russe, français, allemand, espagnol), avec un apport important de l'arabe, du chinois et du japonais; ces langues exercent à l'heure actuelle leur suprématie dans tous les secteurs et contrôlent l'ensemble des forces démographiques, économiques, militaires et culturelles du monde.

Les 137 États unilingues du monde représentent des situations de dominance de langues sur d'autres; bien que très majoritairement multilingues dans les faits, ces États favorisent tellement une langue dominante qu'elle seule est reconnue officiellement, refoulant toutes les autres en situation d'infériorité.

Le bilinguisme des quelque 34 autres États est moins un privilège qu'un fardeau dont, selon le cas, bénéficient ou souffrent les États faibles; de plus, le bilinguisme est pratiqué par tous de façon déséquilibrée à l'avantage de la première langue dominante.

Si 20 % des États du monde consentent à investir des sommes d'argent parfois considérables et à dépenser des énergies humaines importantes pour maintenir une dualité linguistique déséquilibrée, c'est essentiellement pour éviter les conflits ouverts, temporiser et faire taire les revendications des minorités pendant que se poursuit l'œuvre d'intégration et d'assimilation à la langue dominante.

La disparition des langues est causée avant tout par les conquêtes militaires, la faiblesse numérique de leurs locuteurs, la domination socio-économique, l'impuissance politique, l'impérialisme culturel.

Le premier signe du processus pathologique menant à l'extinction commence par un bilinguisme étendu à toute une société; c'est un phénomène transitoire qui consiste à parler deux langues en attendant de n'en parler plus qu'une.

Une langue peut prolonger sa survie si elle sait créer les conditions propices au ghetto linguistique, si elle peut exercer des fonctions sociales minimales en situation de diglossie, si elle devient objet de fétichisation symbolique.

Certaines minorités disposent néanmoins de moyens puissants pour se protéger: la détermination et la force idéologique, le contrôle d'un territoire, l'autogouvernance ou l'autonomie politique.

Les minoritaires doivent parfois faire des choix difficiles: protéger leur langue ou leurs intérêts économiques.

L'expansionnisme des grandes langues demeure toujours un succès provisoire; les grandes langues européennes (anglais, français, russe, allemand) devront faire face à des problèmes de taille: la dénatalité qui frappe leurs locuteurs et le nationalisme des États du tiers monde, nationalisme qui va progresser; les pays du tiers monde vont se donner des langues nationales qui ne seront pas l'anglais ni le français et ils modifieront les rapports de force entre les langues.

Dans 20 ans, la majorité des locuteurs du monde parleront chinois, espagnol, arabe, portugais, hindi, bengali, malais, swahili; ils seront pauvres, jeunes, majoritaires, entassés dans une dizaine de pays et à la recherche de leur survie. Cette situation interdira alors tout statu quo.

BIBLIOGRAPHIE

ABOU, Sélim. «Portée et limites du rôle de l'État dans la planification linguistique» dans *L'État et la planification linguistique*, tome 1, Québec, Éditeur officiel du Québec, 1981, p. 153-174.

ADAM, Marcel. «Qui n'est pas concerné par le problème des minorités?» dans *La Presse*, Montréal, 12 mars 1985.

ADAM, Marcel. «À peu près tous les États se méfient des minorités» dans *La Presse*, Montréal, 14 mars 1985.

ADAM, Marcel. «Sensibiliser les peuples aux droits des minorités» dans *La Presse*, Montréal, le 16 mars 1985.

ALEXANDRE, Pierre. *Langues et langages en Afrique noire*, Paris, Payot, 1967, 169 p.

ANGENOT, Marc. «Langue nationale et promotion du mouvement nationaliste» dans *Actes du congrès «Langue et société au Québec»*, tome 2, Québec, Éditeur officiel du Québec, 1984, p. 493-502.

ARENDT, Hannah. *L'impérialisme*, Paris, Fayard, 1982, 350 p.

BALTHAZAR, Louis. «Un nationalisme à bout de souffle» dans *Actes du congrès «Langue et société au Québec»*, tome 2, Québec, Éditeur officiel du Québec, 1984, p. 472-479.

BELLEAU, André. «Nationalisme et langue nationale» dans *Actes du congrès «Langue et société au Québec»*, tome 2, Québec, Éditeur officiel du Québec, 1984, p. 514-518.

BIBEAU, Gilles. *L'éducation bilingue en Amérique du Nord*, Montréal, Guérin, 1982, 201 p.

BOUTHILLIER, Guy. «La loi 101: une peau de chagrin» dans *Actes du congrès «Langue et société au Québec»*, tome 2, Québec, Éditeur officiel du Québec, 1984, p. 405-409.

BOUTON, Charles. *La linguistique appliquée*, coll. «Que sais-je?», n° 1755, Paris, P.U.F., 1979, 123 p.

BRETON, Roland. *Géographie des langues*, coll. «Que sais-je?», n° 1648, Paris, P.U.F., 1976, 128 p.

BROUK, S. *La population du monde*, Moscou, Éditions du Progrès, 1983, 590 p.

CALVET, Louis-Jean. *Linguistique et colonialisme*, Paris, Payot, 1974, 250 p.

CALVET, Louis-Jean. *Langue, corps, société*, Paris, Payot, 1979, 177 p.

CALVET, Louis-Jean. *Les langues véhiculaires*, coll. «Que sais-je?», n° 1916, Paris, P.U.F., 128 p.

CALVET, Louis-Jean. «L'alphabétisation ou la scolarisation: le cas du Mali» dans *L'État et la planification linguistique*, tome 2, Québec, Éditeur officiel du Québec, 1981, p. 163-172.

CASTONGUAY, Charles. «L'évolution récente de la situation démolinguistique au Québec et dans l'Outaouais» dans *Actes du congrès «Langue et société au Québec»*, tome 2, Québec, Éditeur officiel du Québec, 1984, p. 155-158.

CASTONGUAY, Charles. «Le dilemme démolinguistique du Québec» dans *Douze essais sur l'avenir du français au Québec*, Québec, Éditeur officiel du Québec, 1984, p. 13-35.

CHALIAND, Gérard et Jean-Pierre RAGEAU. *Atlas stratégique, géopolitique des rapports de force dans le monde*, Paris, Fayard, 1983, 224 p.

CHALIAND, Gérard et Jean-Pierre RAGEAU. *Atlas de la découverte du monde*, Paris/Montréal, Fayard/Boréal Express, 1984, 192 p.

CORBEIL, Jean-Claude. «Les choix linguistiques» dans *Actes du colloque «La qualité de la langue après la loi 101»*, Québec, Éditeur officiel du Québec, 1980, p. 46-52.

CORBEIL, Jean-Claude. *L'aménagement linguistique du Québec*, Montréal, Guérin, 1980, 154 p.

CORBEIL, Jean-Claude. «Préface de la deuxième édition» de l'*Introduction à la terminologie* de Guy RONDEAU, Chicoutimi (Québec), Éditions Gaétan Morin, 1984, 128 p.

DARBELNET, Jean. *Le français en contact avec l'anglais en Amérique du Nord*, Québec, Presses de l'Université Laval, CIRB, 1976, 146 p.

DEUTSCH, Karl W. «The political significance of linguistic conflicts» dans *Les États multilingues, problèmes et solutions/Multilingual political systems, problems and solutions*, Québec, Presses de l'Université Laval, CIRB, 1975, p. 7-28.

DION, Léon. *Nationalismes et politique au Québec*, Montréal, Hurtubise HMH, 1975, 177 p.

DION, Léon. *Pour une véritable politique linguistique*, Québec, ministère des Communications, 1981, 52 p.

DORAIS, Louis-Jacques. «Langue et identité à Hawaï» dans *Anthropologie et sociétés*, vol. 7, n° 3, Québec, Département d'anthropologie de l'Université Laval, 1983, p. 63-76.

DUMONT, Gérard-François. «Comment les démocraties se soumettent» dans *L'Express*, Paris, 10 août 1984, p. 17.

DUROSELLE, Jean-Baptiste. *Tout empire périra*, Paris, Publications de la Sorbonne, 357 p.

FALCH, Jean. *Contribution à l'étude du statut des langues en Europe*, Québec, Presses de l'Université Laval, CIRB, 1973, 280 p.

FALLOT, Évelyne et Béatrice DE LAHAYE. «Démographie: le suicide de l'homme Blanc?» dans *L'Express*, n° 1726, Paris, 10 août 1984, p. 14-19.

FILION, Maurice. «Religion et langue» dans *Actes du congrès «Langue et société au Québec»*, tome 2, Québec, Éditeur officiel du Québec, 1984, p. 107-112.

FISHMAN, Joshua A. *Sociolinguistique*, Nathan/Labor, Paris/Bruxelles, 1971, p. 160.

FITOURI, Chadly. *Biculturalisme, bilinguisme et éducation*, Delachaux et Niestlé SPES, Neuchâtel-Paris, 1983, 300 p.

FORTIN, Andrée. «Courts-circuits» dans *Douze essais sur l'avenir du français au Québec*, Québec, Éditeur officiel du Québec, 1984, p. 59-73.

GARMADI, Juliette. *La sociolinguistique*, Paris, P.U.F., 1981, 226 p.

GEORGE, Pierre. *Géopolitique des minorités*, coll. «Que sais-je?», n° 2189, Paris, P.U.F., 1984, 127 p.

GEORGEAULT, Pierre. «La conscience linguistique des jeunes: mythe ou réalité» dans *Actes du congrès «Langue et société au Québec»*, tome 1, Québec, Éditeur officiel du Québec, 1984, p. 397-404.

GESSINGER, Joachim et Helmut GLÜCK. «Historique et état du débat sur la norme linguistique en Allemagne» dans *La norme linguistique*, Paris/Québec, Le Robert/Gouvernement du Québec, 1983, p. 203-252.

HALPERN, Sylvie. «Comment meurt une langue» dans *L'Actualité*, Montréal, décembre 1984.

HAMERS, Josiane F. et Michel BLANC. *Bilingualité et bilinguisme*, Bruxelles, Éditions Pierre Mardaga, 1983, 498 p.

JARDEL, Jean-Pierre. «De quelques usages des concepts de *bilinguisme* et de *diglossie*» dans *Plurilinguisme: normes, situations, stratégies*, G. MANESSY et P. WALD, Paris, L'Harmattan, 1979, p. 25-38.

JOURDAN, Christine. «Mort du *Kanaka Pidgin English* à Mackay, Australie» dans *Anthropologie et sociétés*, vol. 7, n° 3, Québec, Département d'anthropologie de l'Université Laval, 1983, p. 77-96.

KHUBCHANDANI, Lachman M. «La modernisation des langues dans le tiers monde» dans *Revue internationale des sciences sociales*, n° 99, Paris, Unesco, 1984, p. 175-196.

KLOSS, Heinz. «Democracy and the Multinational State» dans *Les états multilingues, problèmes et solutions/Multilingual Political Systems, problems and solutions*, Québec, Presses de l'Université Laval, CIRB, 1975, p. 29-60.

LABOV, William. *Sociolinguistique*, Paris, Minuit, 1976, 458 p.

LACROIX, Benoît. «La langue gardienne de la foi?» dans *Actes du congrès «Langue et société au Québec»*, tome 2, Québec, Éditeur officiel du Québec, 1984, p. 103-106.

LAFONT, Robert. «La privation d'avenir ou le crime contre les cultures» dans *Langue dominante, langues dominées*, Paris, Edilig, 1982, p. 15-36.

LAPONCE, Jean A. «Relating Linguistics to Political Conflicts: The Problems of Language Shift in Multilingual Societies» dans *Les États multilingues, problèmes et solutions/Multilingual Political Systems, problems and solutions*, Québec, Presses de l'Université Laval, CIRB, 1975, p. 185-207.

LAPONCE, Jean A. «La distribution géographique des groupes linguistiques et les solutions personnelles et territoriales aux problèmes de l'État bilingue» dans *L'État et la planification linguistique*, tome 1, Québec, Éditeur officiel du Québec, 1981, p. 83-106.

LAPONCE, Jean A. *Langue et territoire*, Québec, Presses de l'Université Laval, CIRB, 1984, 265 p.

LEGRAND-GELBER, Régine. «Le langage humain et sa nature» dans *Linguistique*, sous la direction de Frédéric FRANÇOIS, Paris, P.U.F., 1980, p. 13-54.

LESLIE, Peter M. «Pour protéger les minorités: le libéralisme et le communalisme» dans *Le Devoir*, Montréal, 5 mars 1985.

LEUPRECHT, Peter. «Le Conseil de l'Europe et les droits des minorités» dans *Le Devoir*, Montréal, 5 mars 1985.

LOPEZ-ARELLANO, Jose. «Diglossie et société au Mexique» dans *Anthropologie et sociétés*, vol. 7, n° 3, Québec, Département d'anthropologie de l'Université Laval, 1983, p. 41-62.

MACKAY, William F. «Puissance, attraction et pression des langues en contact: modèles et indices» dans *Les États multilingues, problèmes et solutions/Multilingual Political Systems, problems and solutions*, Québec, Presses de l'Université Laval, CIRB, 1975, p. 119-160.

MACKAY, William F. *Le bilinguisme: phénomène mondial*, Québec, Presses de l'Université Laval, CIRB, 1967, 62 p.

MACKAY, William F. *Bilinguisme et contact des langues*, Paris, Klincksieck, 1976, 538 p.

MACKAY, William F. «La mortalité des langues et le bilinguisme des peuples» dans *Anthropologie et sociétés*, vol. 7, n° 3, Québec, Département d'anthropologie de l'Université Laval, 1983, p. 3-24.

MALHERBE, Michel. *Les langages de l'humanité*, Paris, Seghers, 1983, 443 p.

MARCEL, Jean. «Fragments de lettres à un ami sur les rapports de la langue et la culture» dans *Douze essais sur l'avenir du français au Québec*, Québec, Éditeur officiel du Québec, 1984, p. 137-148.

MARTINET, André. *Le français sans fard*, Paris, P.U.F., 1969, 221 p.

MATHEWS, Georges. *Le choc démographique*, Montréal, Boréal Express, 1984, 207 p.

MEMMI, Albert. *Portrait du colonisé*, Paris, Petite Bibliothèque Payot, 1973, 179 p.

MONOD-BECQUELIN, Aurore et Georges AUGUSTINS. «Pronostic: réservé» dans *Anthropologie et sociétés*, vol. 7, n° 3, Québec, Département d'anthropologie de l'Université Laval, 1983, p. 25-40.

NOËL, Lise. «Le prix qu'il faut payer» dans *Douze essais sur l'avenir du français au Québec*, Québec, Éditeur officiel du Québec, 1984, p. 165-177.

PAQUETTE, Jean-Marcel. «Réflexions sur Babel» dans *Actes du congrès «Langue et société au Québec»*, tome 2, Québec, Éditeur officiel du Québec, 1984, p. 487-492.

POULIN, Richard. *La politique des nationalités de la République populaire de Chine*, Québec, Éditeur officiel du Québec, 1984, 210 p.

PRUJINER, Alain. «L'émergence des droits des minorités linguistiques» dans *Le Devoir*, Montréal, 5 mars 1985.

RAFFESTIN, Claude. «La torpeur du consensus, ou comment évincer la langue française des échanges culturels helvétiques» dans *Anthropologie et sociétés*, vol. 6, n° 2, Québec, Département d'anthropologie de l'Université Laval, 1982, p. 71-80.

RÉMILLARD, Gil. «Les Québécois au lendemain du rapatriement» dans *Actes du congrès «Langue et société au Québec»*, tome 2, Québec, Éditeur officiel du Québec, 1984, p. 35-43.

RÉMILLARD, Gil. «La difficile défense des minorités» dans *Le Devoir*, Montréal, 5 mars 1985.

RUSTOW, Dankwart A. «Language, Nations, and Democracy» dans *Les États multilingues, problèmes et solutions/Multilingual Political Systems, problems and solutions*, Québec, Presses de l'Université Laval, CIRB, 1975, p. 43-60.

SERRYN, Pierre. *Le Monde d'aujourd'hui, Atlas économique-social-politique-stratégique*, Paris, Bordas, 1984, 72 p.

SERRYN, Pierre et René BLASSELLE. *Atlas historique*, Paris, Bordas, 1983.

SIMON, Walter B. «Occupational Structure, Multilingualism and Social Change» dans *Les États multilingues, problèmes et solutions/Multilingual Political Systems, problems and solutions*, Québec, Presses de l'Université Laval, 1975, p. 87-108.

TARNOPOLSKY, Walter S. «La reconnaissance des minorités ethniques et nationales» dans *Le Devoir*, Montréal, 5 mars 1985.

TOSEVSKI, Yvan. «Minorités ethniques ou entités ethniques?» dans *Le Devoir*, Montréal, 5 mars 1985.

TOURET, Bernard. *L'aménagement constitutionnel des États de peuplement composite*, Québec, Presses de l'Université Laval, CIRB, 1973, 259 p.

VAILLANCOURT, François. «Le développement économique du Québec et la place du français» dans *Actes du congrès «Langue et société au Québec»*, tome 2, Québec, Éditeur officiel du Québec, 1984, p. 369-375.

VENDRYES, Joseph. *Le langage*, Paris, Albin Michel, 1968, 444 p.

VOYENNE, Bernard. *L'information aujourd'hui*, Paris, Armand Colin, 1979, 318 p.

WEINREICH, Uriel. «Unilinguisme et multilinguisme» dans *Le langage*, Gallimard, Encyclopédie de La Pléiade, 1968, p. 647-684.

WOEHRLING, José. «Les obligations internationales du Canada envers les minorités» dans *Le Devoir*, Montréal, 5 mars 1985.

L'état du monde 1984, Paris/Montréal, La Découverte/Boréal Express, 1984, 639 p.

L'AMÉNAGEMENT DES LANGUES

L'INTERVENTIONNISME DE L'ÉTAT: UNIVERSALITÉ DU PHÉNOMÈNE, CAUSES, CONDITIONS DE SUCCÈS, LIMITES ET EFFETS SECONDAIRES ○ LA POLITIQUE DE LA NON-INTERVENTION ○ LES POLITIQUES D'ASSIMILATION ○ LES SOLUTIONS PERSONNELLES: LA NON-DISCRIMINATION, LE STATUT JURIDIQUE DIFFÉRENCIÉ, LE BILINGUISME INSTITUTIONNEL ○ LES SOLUTIONS TERRITORIALES: LES DROITS INDIVIDUELS LOCALISÉS, L'AUTONOMIE RÉGIONALE, LE MODÈLE YOUGOSLAVE, LA SÉPARATION TERRITORIALE ○ LES SOLUTIONS «LINGUISTIQUES» ○ L'AMÉNAGEMENT LINGUISTIQUE AU QUÉBEC ○ LES POLITIQUES DE «DÉCOLONISATION LINGUISTIQUE»

L'INTERVENTIONNISME DE L'ÉTAT

L'interventionnisme de l'État en matière de langue est le plus souvent désigné en français par l'expression «planification linguistique» (en anglais: language planning); on emploie aussi les expressions «aménagement linguistique» et «dirigisme linguistique». De toute façon, il s'agit toujours, de la part d'un État ou d'un gouvernement, d'un *processus de décision sur la langue*. Comme cette intervention sur la langue est décidée et planifiée par le pouvoir politique, on parle aussi de *politique linguistique*.

La planification ou l'aménagement linguistique consiste en un effort délibéré de modifier l'évolution naturelle d'une langue ou l'interaction normale entre des langues. Lorsqu'on fait de la planification linguistique, on s'organise donc pour changer l'évolution des langues en agissant sur les phénomènes de puissance et d'attraction des langues les unes par rapport aux autres. On peut évidemment hâter l'évolution normale d'une langue, la freiner ou changer son cours, comme on peut tenter de réduire la concurrence entre les langues ou l'accentuer, sinon l'éliminer.

Les interventions politiques en matière de langue s'inspirent rarement de motifs purement linguistiques; elles se rapportent le plus souvent à des projets de société formulés en fonction d'objectifs d'ordre culturel, économique et politique. Dans ce contexte, il n'est pas surprenant que la question de l'aménagement linguistique se pose comme un problème puisqu'il s'agit de trancher dans le vif des situations linguistiques au moyen d'une constitution, de lois, de règlements, de directives ou de contrôles. Le politicologue québécois Léon Dion a raison d'écrire: «Quand les groupes discutent de politique linguistique, qu'ils en soient conscients ou non, c'est en même temps le pouvoir social et le pouvoir économique qu'ils négocient[1]» et l'on pourrait ajouter «quand ce n'est pas le pouvoir politique lui-même». C'est l'une des raisons pour lesquelles une intervention sur la langue est toujours source de conflits.

La planification peut porter sur les deux aspects suivants ou sur l'un des deux seulement: le code (langue) ou le statut de la langue (son rôle social). Lorsqu'on agit sur le code, on intervient sur la langue elle-même: par exemple, sur l'*alphabet* (imposition de l'alphabet cyrillique en URSS, de l'alphabet latin en Turquie, de l'alphabet devanagari en Inde), l'*orthographe* (modernisation de l'orthographe en Espagne et en Norvège), la *prononciation* et la *grammaire* (en Norvège, en Indonésie et en Grèce), ou le *vocabulaire* (tous les pays) par la création de commissions de terminologie. Par contre, lorsqu'on veut agir sur le statut, on met l'accent sur le *rôle des langues dans la société* ou sur les rapports de puissance, de pression et d'attraction entre des langues différentes. Il est possible alors de rehausser le statut d'une langue minoritaire ou de lui accorder la parité avec la langue majoritaire, voire d'inverser le statut des langues minoritaire et majoritaire.

Dans ce chapitre portant sur l'interventionnisme de l'État, nous nous pencherons sur différentes politiques linguistiques mises en oeuvre à travers le monde. Nous verrons que la «paix linguistique», lorsqu'on l'obtient, est réalisée par des moyens aussi divers que la non-intervention, la répression, le bilinguisme officiel ou institutionnel, la séparation territoriale des langues, etc. Il y a des réussites étonnantes et des échecs notoires bien que les demi-succès ou demi-échecs demeurent plus fréquents; dans l'ensemble, rares sont les États qui en arrivent à une réussite complète ou à un échec cuisant. Tout dépend aussi de l'objectif visé et du point de vue où l'on se place: par

1. Léon DION, *Pour une véritable politique linguistique*, Québec, ministère des Communications, 1981, p. 20-21.

exemple, une politique d'assimilation constitue une réussite dans la mesure où elle permet d'assimiler effectivement un ou plusieurs groupes linguistiques, et une politique qui vise l'égalité entre deux groupes est un échec si elle ne parvient pas à rendre deux langues égales. Dans ce domaine comme dans bien d'autres, tout est relatif.

1 L'UNIVERSALITÉ DU PHÉNOMÈME

L'interventionnisme linguistique a probablement existé dès l'apparition des premiers États. La Chine, la Mésopotamie, l'Égypte, les Empires aztèque et maya ont dû pratiquer diverses formes d'intervention dès le second millénaire avant notre ère; on ne peut certes pas parler de «planification» linguistique au sens où on l'entend aujourd'hui, mais il est indéniable que ces premiers États ont pratiqué certaines interventions dans le domaine de la langue, ne serait-ce que pour réglementer l'usage de l'écriture dans les documents administratifs et les ordonnances. Les Romains ont trop bien réussi leur expansion linguistique pour qu'elle n'ait pas été quelque peu planifiée; chose certaine, le maintien du latin pendant de nombreux siècles comme langue d'État a été le résultat de décisions prises par les autorités politiques et l'Église catholique.

Le roi d'Angleterre, Édouard III, a été l'un des premiers à utiliser son pouvoir, en 1363, pour imposer l'anglais comme langue de l'État au lieu du français. François 1er fit de même en 1539 avec sa célèbre ordonnance de Villers-Cotterêts, qui prescrivait l'usage du français à la place du latin. Son exemple fut suivi par Charles Quint (1550), qui commença la castillanisation de l'Espagne; par la suite, Philippe IV en 1634 et Charles II en 1693 imposèrent le castillan en Nouvelle-Espagne, et interdirent même à la population l'usage des langues locales.

En l'an 1000, on ne comptait que quelques langues étatiques en Europe: le latin, le germanique, le français, le vieux-norrois, le slavon et l'arabe (en Espagne). En 1800, il y en avait presque trois fois plus: le latin, le français, l'anglais, l'espagnol, le portugais, le néerlandais, l'italien, l'allemand, le polonais, le danois, le suédois, le turc, le russe, le serbe, etc. Un siècle et demi plus tard, on en dénombrait une trentaine. Cela signifie que, dans le passé, des États ont pris des décisions sur le statut de certaines langues, contribuant ainsi à la promotion des unes et au déclin des autres.

Dans notre XXe siècle finissant, on ne connaît pas de pays qui n'aient pas fait, d'une façon ou d'une autre, de planification linguistique. Dans une étude effectuée en 1977, Giuseppe Turi[2] a analysé les règles constitutionnelles de 147 États dans le monde. De ce nombre, 110 avaient effectivement prévu des dispositions constitutionnelles en matière de langue. Celles-ci varient en nombre; la plupart des pays se restreignent à une, deux ou trois clauses constitutionnelles; seuls quelques États adoptent des règles très élaborées; la Belgique, Chypre, la Finlande, l'Inde, l'Irlande, la Malaisie, Malte, le Sri Lanka, la Yougoslavie, l'Afrique du Sud, Haïti et le Kenya.

D'autres États, bien que pauvres en règles constitutionnelles, se révèlent fort pourvus en dispositions législatives. Les États dont les lois sont les plus importantes en matière de langue et dont les politiques linguistiques sont les plus élaborées sont les suivants: l'Algérie, le Burundi, le Cameroun, le Canada, la Chine, l'Espagne, l'Équateur, l'Éthiopie, la France, la Grèce, l'Indonésie, l'Iraq, l'Iran, Madagascar, le Maroc, le Mexique, le Sénégal, la Suisse, la Tchécoslovaquie, la Turquie, l'URSS, le Vanuatu.

2. Voir *Les dispositions juridico-constitutionnelles de 147 États en matière de politique linguistique*, Québec, Université Laval, CIRB, 1977.

Il existe une politique linguistique dans chaque État même lorsque les gouvernements n'interviennent pas, car la non-intervention — le laisser-faire — constitue aussi une forme de politique. La politique linguistique peut être stabilisée depuis longtemps (France, Allemagne, URSS, Mexique), en pleine révolution (Éthiopie, Algérie, Madagascar), en régression (Irlande) ou en évolution (Indonésie, Canada, Israël). Qu'elle soit imposée par la contrainte ou acceptée par les citoyens, toute politique linguistique est mise en oeuvre par des règles constitutionnelles, des lois, des règlements, des décrets ou simplement par la tradition (Luxembourg, États-Unis).

Si les États adoptent une politique linguistique, c'est ordinairement pour solutionner des conflits entre majorité et minorité(s). La question des minorités est une épine au pied de tous les États. N'oublions pas que la dynamique naturelle des États tend vers l'homogénéisation et la glottophagie. L'idéal pour un État est d'éviter que des individus, par leur langue, aient une façon différente de penser de celle du pouvoir établi; comme ce n'est pas possible, les gouvernements s'efforcent d'éviter les différences excessives et les oppositions en adoptant une politique qui réduira les dissidences ou les préviendra. L'éventail des moyens demeure très large: génocide, assimilation, DROITS PERSONNELS, droits collectifs, autonomie régionale, séparation territoriale, autonomie politique, etc.

N'allons donc pas croire qu'il soit exceptionnel d'adopter une politique linguistique. C'est un phénomène qui s'est accentué avec la création des États-nations au XIXe siècle et qui est devenu universel après la décolonisation des années 1960.

2 LES CAUSES DE L'INTERVENTIONNISME LINGUISTIQUE

À l'origine de l'interventionnisme, nous trouvons un certain nombre de facteurs. Ceux-ci peuvent être ramenés à quatre[3] et ils fonctionnent en enchaînement: le pluralisme linguistique, la concurrence entre les langues, la conscience de cette concurrence accompagnée de la volonté d'intervenir, et la présence de conflits sociaux plus ou moins intenses.

LE PLURALISME LINGUISTIQUE

Tous les pays du monde connaissent la diversité linguistique sur leur territoire même si la plupart ont adopté une seule langue officielle. Nous savons aussi que 20 % des États se reconnaissent officiellement plurilingues, comme le Canada, la Belgique, la Suisse, la Tchécoslovaquie, le Pakistan, l'Inde, etc. Mais jamais un État ne reconnaît toutes les langues parlées à l'intérieur de ses frontières. Comment ferait l'Inde pour fonctionner avec 845 langues, le Zaïre avec 400, le Nigéria avec 200, la Papouasie avec plus de 1 000, le Vanuatu avec 100, etc.?

Même si le pluralisme linguistique est la réalité dans tous les pays, cela ne suffit pas pour recourir à l'intervention. La politique de la non-intervention sera souvent jugée préférable, car elle avantage la majorité. En réalité, il faut que les langues en contact se fassent concurrence entre elles.

L'INTENSITÉ DE LA CONCURRENCE ENTRE LES LANGUES

La nécessité de l'aménagement linguistique s'accroît en fonction de l'intensité de la concurrence entre les langues. Ainsi, aux États-Unis, la concurrence est à peu près nulle entre l'italien, le français et l'anglais; elle est plus prononcée entre l'espagnol et

---

3. Voir Jean-Claude CORBEIL, *L'aménagement linguistique du Québec*, Montréal, Guérin, 1980, p. 112-115.

l'anglais, mais pas au point de justifier une politique généralisée à cet égard. Il existe une vingtaine de langues africaines au Sénégal, mais seuls le wolof, le peul, le serer, le diola, le malinké et le soninké se font concurrence; aussi le gouvernement sénégalais a-t-il adopté une politique restreinte à ces six langues promues au rang de langues nationales; parmi celles-ci, le wolof émerge déjà au point où l'on peut prévoir qu'à long terme cette langue connaîtra un sort particulier. En Inde, le partage du pays en 15 zones plus ou moins unilingues a réglé de manière satisfaisante la concurrence entre la plupart des langues sur ce territoire.

Au Mexique, aucune des 60 langues amérindiennes (dont le nahuatl et le maya) ne concurrence l'espagnol; en revanche, la puissance attractive de l'anglais a obligé le gouvernement mexicain à adopter une politique très protectionniste à l'égard de l'espagnol: tout semble avoir été conçu pour contrer l'anglais. Au Québec, la puissance de l'anglais a aussi forcé trois gouvernements successifs (1969, 1974, 1977) à intervenir en faveur du français.

Là encore, la concurrence réelle entre les langues n'est pas une condition suffisante pour élaborer une politique linguistique puisque, comme au Québec et au Canada, les gouvernements sont intervenus après plus de deux siècles de concurrence entre l'anglais et le français.

LA VOLONTÉ D'INTERVENIR

Il faut non seulement être conscient de la concurrence entre les langues, mais surtout *vouloir* intervenir; c'est même la raison fondamentale. Ainsi, en Côte d'Ivoire, plus de 50 langues africaines sont en concurrence; pourtant, le gouvernement ivoirien n'est jamais intervenu: il lui a semblé préférable de laisser toute la place au français. Les dirigeants espèrent sans doute qu'un jour le problème des langues nationales se résoudra de lui-même, c'est-à-dire que les langues nationales seront absorbées par le français.

À l'opposé, à Madagascar, on a élaboré une politique linguistique relativement efficace pour imposer le malgache à la place du français; de même en Indonésie pour imposer le malais, en Algérie pour l'arabe, en Éthiopie pour l'amharique, en Inde pour l'hindi, en Tanzanie pour le swahili, etc. Au Canada, le gouvernement fédéral a fini par intervenir en 1969 (*Loi sur les langues officielles*) et le gouvernement québécois la même année (loi 63), alors que tous connaissaient la concurrence entre l'anglais et le français depuis l'Acte de Québec de 1774. On n'a pas voulu intervenir auparavant; on a plutôt attendu que la situation socio-politique devienne explosive.

LA PRÉSENCE DE CONFLITS SOCIAUX

Rappelons que le multilinguisme engendre des antagonismes en raison des rapports de domination dans les domaines culturel, social, économique et politique. Ces antagonismes peuvent devenir virulents au point d'être une cause majeure de conflits sociaux et politiques. Les conditions sont particulièrement mûres pour un affrontement lorsque les groupes minoritaires doivent apprendre la langue du groupe dominant pour commencer leur ascension sociale. Une telle situation oblige ordinairement les gouvernements à intervenir afin d'éviter la désintégration nationale.

Parfois, on choisit la voie de la répression militaire, qui semble plus efficace, car elle élimine les concessions à l'égard des minoritaires; il a paru plus simple à l'Empire ottoman (1915) de tenter le génocide des Arméniens (massacre de plus de 600 000 personnes, selon les historiens) plutôt que de composer avec eux. Quelques cas plus récents: les Tibétains en Chine (1959), les Kurdes en Iran (1946 et 1978) et en Iraq (1970, 1975, 1979), les Baloutches au Pakistan (1979), les Ibos au Nigéria (1970).

Lorsqu'un État s'interdit de telles répressions, il doit transiger et adopter une politique plus conciliante. Ce n'est qu'après une dizaine d'années de luttes acharnées (conflits sociaux, contestations populaires, sabotages, chutes de gouvernements) que la Belgique s'est résignée à diviser les pays en zones linguistiques distinctes afin de faire la «paix linguistique» entre Wallons (francophones) et Flamands (néerlandophones).

À côté de ces soulèvements majeurs, dont certains ont dégénéré en guerres sanglantes, on a assisté à des revendications violentes de groupes plus réduits qui ont fini, après bien des déboires, par obtenir plus d'autonomie; pensons aux Basques, aux Catalans, aux Bretons, aux Corses, aux Franco-Québécois, etc. Dans tous les cas, les gouvernements concernés ont attendu que la situation se dégrade avant d'intervenir et de trouver des solutions.

3 LES MODALITÉS D'AMÉNAGEMENT DES LANGUES

Il est périlleux d'intervenir pour changer le statut des langues, car si les conflits linguistiques engendrent d'intenses passions, les solutions peuvent entraîner des frustrations encore plus intolérables. Toute planification linguistique improvisée, qui vise des objectifs trop vagues, qui est mise en oeuvre sans les moyens et les ressources nécessaires et dont les conséquences sociales possibles n'ont pas été prises en compte, aboutira à un échec ou à des résultats néfastes pour les sociétés. Il est préférable de s'abstenir que d'agir à l'aveuglette et sans objectif global. Il faut donc bien réfléchir à la question et étudier à fond la situation sociolinguistique, les objectifs et les moyens possibles ainsi que les stratégies à élaborer, en tenant compte des ressources disponibles et des conséquences prévisibles de la planification.

Les modalités d'aménagement des langues demeurent relativement simples bien que lourdes de conséquences politiques, sociales et économiques. Elles peuvent être ramenées aux trois principes décrits par Jean-Claude Corbeil dans *L'aménagement linguistique du Québec*[4].

EXAMINER À FOND LA SITUATION LINGUISTIQUE

Il faut d'abord procéder à une description détaillée de la situation sociolinguistique avec le maximum de rigueur scientifique. Cela signifie que l'on doit former une équipe de chercheurs responsable, non partisane et multidisciplinaire, qui effectuera les cueillettes de données sur les langues et les populations en présence, qui veillera à sonder l'opinion publique et qui entreprendra des campagnes d'information et d'animation dans les différents milieux.

Il importe, à cette étape, de décrire la réalité telle qu'elle est, non telle qu'on voudrait qu'elle soit. Toute cette activité d'enquête est primordiale parce qu'elle permet de partir du constat de la réalité; il est plus aisé ensuite de soupeser les avantages et les inconvénients en fonction des objectifs que l'on peut se fixer. Les études gouvernementales du Canada (*Rapport de la Commission royale d'enquête sur le bilinguisme et le biculturalisme*) et du Québec (*Rapport de la Commission d'enquête sur la situation de la langue française et sur les droits linguistiques du Québec*) constituent des exemples du genre qui sont connus à travers le monde.

4. *Ibid.*, p. 117-119.

DÉTERMINER LA SITUATION CIBLE

Une fois que les spécialistes ont décrit la situation sociolinguistique et qu'ils ont fourni des éléments d'information permettant de prendre des décisions politiques éclairées, il reste aux gouvernants à faire des choix. Le plus difficile consiste à choisir les objectifs en fonction de la situation souhaitée, c'est-à-dire la situation cible.

Par exemple, on peut décider d'assimiler la minorité ou quelques-uns des groupes minoritaires; que cet objectif soit avouable ou non, tous les États le choisissent en partie. Il est impensable de vouloir tenir compte de toutes les minorités: l'objectif des gouvernements américain, canadien, australien, britannique, français, etc., est manifestement d'assimiler tous leurs immigrants, qu'ils soient italiens, hongrois, grecs, pakistanais, algériens, etc. À cet effet, les gouvernements prévoient des mesures pour faciliter l'insertion des immigrants et l'apprentissage de la langue de la majorité.

On peut vouloir protéger certaines minorités, ordinairement celles que l'on ne peut assimiler. En ce cas, il faut décider si l'on accorde aux minoritaires le même statut juridique ou constitutionnel. Il est plus facile de concéder l'égalité juridique — tous les citoyens sont égaux devant la loi — que d'octroyer l'égalité de fait sur les plans politique et économique. La protection des minorités ne se réalise pas de la même façon d'un État à l'autre; le statut du breton en France n'a rien à voir avec celui du catalan en Espagne ou de l'anglais au Québec.

Une autre possibilité consiste à forcer l'égalité entre deux ou plusieurs groupes inégaux. C'est sûrement l'un des objectifs les plus difficiles à réaliser dans un processus d'aménagement des langues. Ainsi, il est plus aisé de rendre 15 langues égales en Inde que de rendre égaux le finnois (92 %) et le suédois (7 %) en Finlande. L'égalité de fait entre des groupes trop disproportionnés relève plus de l'utopie que du réalisme, à moins de séparer les langues en zones unilingues sur le territoire (comme en Suisse).

Il est aussi extrêmement difficile d'inverser le statut des langues en présence: par exemple, de rendre une minorité majoritaire et une majorité minoritaire. Il y a peu de cas de ce genre à travers l'histoire. Un des cas récents est celui de la Belgique, où le statut minoritaire des Flamands est devenu un statut majoritaire, rendant ainsi les Wallons minoritaires. Plus souvent, l'objectif consiste à choisir une minorité parmi d'autres pour la hisser au rang de majorité; c'est le cas de l'Éthiopie avec l'amharique, de Taiwan avec le chinois mandarin, de Haïti avec le français, de l'Indonésie avec le malais.

Quels que soient les objectifs retenus, il faut que les dirigeants soient conscients qu'ils devront justifier leur choix face à l'ensemble de la population et leur démontrer le bien-fondé de leur politique. Si celle-ci ne recueille pas un large consensus auprès des usagers, il faudra s'attendre à des résistances ou à des révoltes, à moins d'être en mesure de recourir à la répression et... de réussir dans cette voie.

ÉLABORER UNE STRATÉGIE

Une fois les objectifs fixés, il reste à élaborer une stratégie qui permettra de passer de la situation de départ à la situation cible. Auparavant, il faudra avoir choisi les moyens tout en tenant compte des ressources disponibles, tant financières que linguistiques et humaines.

Sur le plan des moyens, l'État doit choisir entre la persuasion et la coercition. La persuasion jouit de la préférence générale des majoritaires surtout lorsqu'il s'agit de promouvoir le statut d'une langue infériorisée; elle est cependant tellement inefficace qu'elle ne contribue souvent qu'à attiser les revendications des minoritaires pendant qu'elle endort les majoritaires. La coercition demeure la seule façon réaliste d'obtenir des résultats; encore faut-il utiliser le pouvoir législatif avec prudence, car les lois adoptées risquent de soulever la colère de la majorité. Il reste toujours l'armée, qui peut venir à la rescousse des gouvernants, mais la répression engendre facilement la révolte.

Toujours sur le plan des moyens, il faut opter pour des DROITS PERSONNELS ou des DROITS TERRITORIAUX, ou encore effectuer un dosage des deux. Selon le principe des droits personnels, tous les individus ont les mêmes droits peu importe où ils résident sur le territoire, qu'ils soient dispersés ou concentrés sur ce territoire. Le principe de la TERRITORIALITÉ entraîne des délimitations géographiques: les droits linguistiques sont reconnus seulement dans un territoire donné. Lorsqu'on trace des frontières linguistiques, on peut rendre celles-ci étanches ou perméables. Les frontières sont étanches quand aucun groupe ne peut les franchir (comme en Suisse); elles sont perméables quand le groupe majoritaire peut transporter sa langue à l'intérieur de la zone minoritaire (comme les Espagnols en Catalogne).

Après que les objectifs et les moyens ont été déterminés avec précision, on doit concevoir la stratégie en fonction des ressources disponibles. On analysera quatre types de ressources: les ressources financières, les ressources humaines, les ressources linguistiques et les délais.

LES RESSOURCES FINANCIÈRES

On ne fait rien sans ressources financières. Un gouvernement qui entreprend une planification linguistique doit trouver les moyens d'y affecter les sommes requises pour mener les enquêtes, mettre en œuvre des travaux terminologiques ou pédagogiques, instituer et faire fonctionner les organismes de contrôle, etc. Le gouvernement pakistanais a dû abandonner ses projets de réforme linguistique entrepris en 1958 du simple fait d'un manque de ressources financières.

LES RESSOURCES HUMAINES

Les ressources humaines sont de la plus grande importance parce que l'aménagement linguistique dépend essentiellement de la compétence de spécialistes (linguistes, démographes, pédagogues, sociologues, statisticiens, etc.) et de personnes responsables chargées de veiller à ce que la politique se traduise dans les faits. Il faut aussi disposer d'un nombre important de compétences linguistiques dans une langue donnée; par exemple, il est inutile de promouvoir une langue infériorisée si l'on est dans l'impossibilité de recourir à des professeurs capables d'appliquer les nouvelles mesures à l'école. La Tanzanie retarde son calendrier d'implantation du swahili dans les écoles précisément à cause du manque de professeurs qualifiés en swahili; en Catalogne, faute d'enseignants catalans, environ 20 % de l'enseignement primaire était donné en catalan en 1983 alors que l'objectif était de 100 %. Bref, il faut s'organiser pour contrôler d'abord le comportement linguistique des institutions (écoles, administration publique, monde de l'industrie et du commerce, médias, etc.) de telle sorte que les changements s'effectuent à ce niveau et provoquent ensuite un effet d'entraînement chez les individus.

LES RESSOURCES LINGUISTIQUES

Une langue qui n'a jamais été valorisée par la société ne dispose généralement pas d'un lexique suffisamment élaboré pour faire face à de nouveaux besoins. La renaissance de l'hébreu, considéré comme langue morte depuis de nombreux siècles par les linguistes, a nécessité 40 ans de travaux préliminaires en vue de la création et de la normalisation d'une terminologie adaptée à la vie contemporaine. Rendre le wolof langue officielle du Sénégal suppose un travail analogue, sans compter la fabrication du matériel didactique nécessaire du primaire à l'université.

La création du vocabulaire technique et scientifique peut soulever des controverses dans la mesure où les ressources de la langue autochtone ne suffisent pas. Il faut alors adopter une politique concernant les emprunts aux autres langues. En général, plus les planificateurs terminologues sont nationalistes, plus ils évitent d'emprunter à la langue qui les a dominés. Lors de la réforme de la langue turque, les terminologues ont tenté d'éliminer l'influence de la langue arabe et du persan; les linguistes mexicains ont recours d'abord aux mots amérindiens, ensuite aux mots espagnols et enfin aux mots anglais; les terminologues québécois utilisent les mots anglais en dernier ressort, après avoir épuisé les ressources du français; en Indonésie, selon que les linguistes sont d'origine javanaise, musulmane ou américano-européenne, ils ont tendance à privilégier les mots javanais, arabes, anglo-saxons ou néerlandais. Dans le domaine de la langue, il est très facile de heurter les susceptibilités, et effectuer un choix linguistique révèle de toute façon des tendances idéologiques.

LES DÉLAIS

Toutes les mesures ne peuvent être applicables au moment de l'adoption de la politique. Les coûts des changements linguistiques augmentent d'autant plus que les délais sont courts. La mise en œuvre de la politique linguistique ne peut se réaliser avant la fin des études préliminaires, des travaux terminologiques, de la conception du matériel et de la formation pédagogique nécessaires; il faut aussi s'assurer qu'on dispose d'un personnel qualifié, dont la formation peut être longue; sans compter la rédaction de milliers de documents administratifs dans la nouvelle langue et l'écoulement des imprimés existants.

Au strict point de vue linguistique, il a été plus aisé de franciser le Québec, dont la langue reposait déjà ailleurs dans le monde sur une longue tradition administrative, culturelle et scientifique, que de promouvoir le malais en Indonésie, le malgache à Madagascar, l'hébreu en Israël et l'arabe dans les pays du Maghreb, où tout était à faire. On comprendra que le facteur temps constitue dans certains cas un élément avec lequel on doit composer.

Un État qui improvise ou qui néglige de tenir compte de ces modalités d'aménagement linguistique court fatalement à un échec dont les coûts financiers, politiques et sociaux peuvent être considérables. Légiférer sur des normes régissant la construction domiciliaire est une chose, faire des lois sur la langue en est une autre: les lois linguistiques peuvent bouleverser la vie des citoyens. Une mauvaise planification peut engendrer d'intolérables frustrations et attiser les conflits au lieu de les régler.

4 LES LIMITES DU RÔLE DE L'ÉTAT

L'intervention de l'État en matière de langue a des limites; ce pouvoir n'est pas absolu. L'autoritarisme centralisateur, qui consiste à imposer unilatéralement une seule langue partout sur le territoire en ignorant le pluralisme linguistique, comporte ses dangers. Cette attitude, qui allait de soi au XIXe siècle, soulève aujourd'hui l'indignation ou la révolte chez nombre de groupes minoritaires.

LE CONSENSUS SOCIAL

L'État démocratique doit nécessairement miser sur le consensus social lorsqu'il veut mettre en œuvre une politique linguistique viable. Le politicologue Léon Dion décrit bien cet aspect du problème:

> «Pour avoir quelque chance de succès, une politique linguistique doit s'harmoniser avec les tendances lourdes d'une société. C'est ainsi qu'elle ne conduira à l'élévation du statut d'une langue que si ceux qui parlent cette langue sont eux-mêmes engagés dans un processus de promotion sociale. Mais même dans ce cas, il faut tenir compte de la résistance des groupes actuellement dominants qui voient leurs privilèges sociaux aussi bien que linguistiques menacés de même que de l'orientation des groupes non directement impliqués et des sociétés environnantes[5].»

Autrement dit, on n'élève pas socialement un groupe qui ne le désire pas vraiment et il faut toujours tenir compte du poids de ceux qui ont intérêt à maintenir le statu quo. Même le gouvernement algérien de Houari Boumediène, plutôt centralisateur et répressif, a dû plier devant la bourgeoisie technocratique et économique qui a réussi à maintenir le bilinguisme français-arabe malgré la politique d'arabisation amorcée dès l'indépendance; cette bourgeoisie pro-occidentale poursuit parallèlement sa propre politique d'industrialisation francophile sans être inquiétée le moins du monde par le pouvoir politique, qui se garde bien de toute ingérence. Bien que l'arabisation soit toujours proclamée en Algérie, elle ne sera vraisemblablement poursuivie que dans le cadre d'un compromis entre les forces en présence.

Il sera toujours difficile pour un État d'harmoniser le pluralisme ethnolinguistique sur un territoire. Il est facile de susciter des conflits lorsque s'opposent l'aspiration de l'État à l'unité et le réflexe de conservation des groupes. Pour cette raison, il n'est jamais aisé de concilier les exigences du bien commun et les intérêts de chacun des groupes appelés à cohabiter. On peut viser une cohabitation harmonieuse entre les différentes communautés, mais celle-ci demeurera relative, voire utopique, dans la mesure où les droits des uns s'opposent aux droits des autres, et dans la mesure où ce sont les rapports de force qui dominent l'action entre les groupes. Cela dit, une certaine harmonie demeure possible.

LA RELATIVITÉ DE L'ÉGALITARISME

L'État planificateur doit aussi être conscient de la relativité de l'égalitarisme entre les communautés linguistiques. Des droits égaux donnés à des groupes inégaux ou à des langues inégales ne produiront jamais des situations égalitaires. Au Canada, par exemple, c'est la règle de l'uniformité qui prévaut entre la minorité anglophone du Québec et les minorités francophones des provinces anglaises. La Constitution canadienne leur accorde les mêmes droits. L'État central devrait pourtant comprendre que la situation de la minorité anglophone du Québec ne saurait se comparer à celle des minorités francophones hors Québec. Ainsi le paragraphe 23.2 de la Constitution étend l'accès à l'école anglaise au Québec à trois nouvelles catégories de citoyens, ce qui a pour effet d'augmenter l'expansion de l'anglais dans cette province sans pour autant favoriser l'expansion du français dans les provinces anglaises, créant de ce fait un préjudice grave au français, au Québec. Dans les situations inégales, il faut au contraire fonctionner avec le principe de l'asymétrie, c'est-à-dire recourir à des mesures compensatoires inégales qui favorisent davantage les minorités. Comme le souligne Léon Dion: «Il ne devrait y avoir aucune limite à la générosité de la part des majorités anglophones à l'endroit des minorités francophones ni à l'aide matérielle, technique et culturelle du gouvernement fédéral[6]». Ce qui revient à dire qu'il faut accorder des droits inégaux à l'avantage des minoritaires pour leur procurer un statut égalitaire dans les faits.

C'est pourquoi il faut se méfier des clauses constitutionnelles qui garantissent l'égalité devant la loi. Il existe souvent un décalage entre les règles constitutionnelles et la réalité sociale. Il est encore une fois plus facile d'accorder une égalité juridique que de la transposer dans les faits. C'est précisément l'un des problèmes les plus

5. Léon DION, *op. cit.*, p. 21.
6. *Ibid.*, p. 40.

complexes à résoudre, non seulement au Canada, mais dans la plupart des pays, en particulier lorsqu'on ne sépare pas les langues sur le territoire.

LES DOMAINES D'INTERVENTION RESTREINTS

Une autre limite à l'action de l'État touche les domaines d'intervention. Bien que fort importants, ceux-ci demeurent restreints. L'État peut uniquement intervenir dans le comportement linguistique des institutions qu'il contrôle, c'est-à-dire dans les communications institutionnalisées: la langue de l'enseignement, de l'administration, de la justice, de l'armée et de l'environnement (économie, commerce, industrie, affichage). Là encore, la politique linguistique peut se heurter à des résistances farouches, comme l'ont démontré les expériences d'arabisation en Algérie, où technocrates, industriels et étudiants ont réussi à faire plier le gouvernement. De toute façon, le pouvoir politique restera impuissant en ce qui concerne le domaine des communications individualisées: on ne pourra jamais empêcher des individus de parler entre eux dans leur langue et de la manière qu'ils désirent. Il n'en demeure pas moins que l'État peut restreindre ou augmenter considérablement les champs d'action d'une langue donnée.

Enfin, un dernier point: il n'y a pas de politique linguistique universellement valable. Ce qui convient en Suisse, en Finlande ou en URSS peut se révéler inadéquat au Canada ou au Sri Lanka. Cela ne doit pas empêcher les États de s'inspirer, au besoin, de l'expérience des autres pays, sans pour autant copier les modèles et les modalités d'ailleurs, parce que chaque État a des problèmes spécifiques à résoudre.

5 LES EFFETS SECONDAIRES DE LA PLANIFICATION

Il est périlleux de mettre en œuvre une planification linguistique: l'État ne contrôle pas nécessairement les effets secondaires de sa politique. Arbitrer des langues en concurrence peut être une entreprise nécessaire, mais c'est presque toujours une opération risquée; si l'on court ce risque, c'est parce qu'on estime que la non-intervention comporte encore plus de danger.

On fait généralement de la planification linguistique parce qu'on vise l'harmonisation du pays et qu'on désire maintenir l'unité nationale. On peut réussir, plus ou moins bien parfois, mais on ne recherche jamais certains effets secondaires d'une telle politique.

LES RÉVOLTES ET LES ÉMEUTES

Ainsi, la politique de malgachisation à Madagascar a donné lieu à diverses réactions de la part des populations côtières de l'île, qui ont perçu la promotion du malgache officiel comme une tentative de «mérinisation»: l'ethnie dominante, les Mérinas, avait imposé son propre dialecte (le mérina) et l'avait promu au rang de malgache officiel. Les réactions ont été violentes et ont dégénéré en révoltes et en émeutes sanglantes dans plusieurs régions périphériques; le gouvernement a dû faire marche arrière en faveur du français, mieux accepté par les populations côtières.

En Algérie, les réactions à l'arabisation sont venues d'abord des élites technocratiques et industrielles qui, fortes de leur propre pouvoir, ignorèrent simplement la politique gouvernementale; puis, en avril 1979, les étudiants arabisants de l'université d'Alger et des autres universités déclenchèrent une grève générale qui dura jusqu'en janvier 1980. Les étudiants réclamaient une arabisation totale et immédiate de l'administration parce que, munis de leurs seuls diplômes arabes, ils ne trouvaient de débouchés ni dans l'administration, ni dans l'industrie. Pris entre deux feux, le gouvernement fit mine de céder aux revendications étudiantes, ce qui provoqua en avril 1980 de violentes émeutes de la part des étudiants berbères, qui criaient à la «répression culturelle» et scandaient: «Le berbère est notre langue». Depuis ce temps, le gouvernement algérien n'ose trop parler d'arabisation et la Commission nationale d'arabisation a même été abolie.

LES EFFETS CONTRAIRES

Parfois, la politique linguistique produit des effets contraires aux objectifs fixés. Entre 1970 et 1977, le gouvernement canadien a investi 1,4 milliard de dollars pour «bilinguiser» la fonction publique fédérale et étendre le bilinguisme en éducation. La politique du gouvernement visait à assurer des services bilingues partout au Canada et à permettre aux francophones d'accéder à des postes bilingues dans la fonction publique fédérale. La réalité s'est révélée tout autre. Attirés par la «prime au bilinguisme», 88 % des fonctionnaires qui se sont inscrits aux cours de langue étaient des anglophones, qui ont pu bénéficier, par surcroît, d'une «pause» dans leur vie de fonctionnaire. Le gouvernement fédéral n'avait certes pas prévu qu'il dépenserait 206 455 $ pour chacun des 1 344 fonctionnaires anglophones qui ont réussi à se «bilinguiser efficacement», soit 5 % d'entre eux. Pire encore, selon une étude du Conseil du Trésor (1976), 10 160 fonctionnaires anglophones unilingues occupaient des postes officiellement bilingues avec prime au bilinguisme[7]. Près de 10 ans plus tard, le Commissaire aux langues officielles, M. D'Iberville Fortier, pouvait encore déclarer:

> «Au train où vont les choses, rien ne permet de penser que la répartition, la qualité, voire l'existence des services fédéraux bilingues seront sur un pied d'égalité en l'an 2000[8].»

Bref, la politique de bilinguisme institutionnel du gouvernement fédéral a eu pour effet de rendre bilingues une très faible partie des fonctionnaires anglophones (5 %), tout en permettant à 20 000 autres de bénéficier d'une hausse de traitement malgré leur faible connaissance du français, voire leur ignorance totale de cette langue. Cette politique de bilinguisme a profité avant tout à quelques milliers de fonctionnaires anglophones; les services bilingues sont demeurés à peu près inexistants jusqu'à maintenant. Au moins, on a calmé les revendications des francophones; c'est probablement ce qu'on désirait.

L'ESSOUFFLEMENT, L'APATHIE, LA CULPABILITÉ

Au Québec, la loi 101 a été en quelque sorte son propre ennemi. Elle a sécurisé les Québécois et a laissé à l'État-providence le soin de protéger la langue française. Léon Dion va plus loin: «Notre langue paraît en sécurité. Les Québécois n'ont pas aimé être accusés d'intolérance et ils veulent maintenant se montrer conciliants[9]». Des sondages (1984) démontrent que la tiédeur, l'essoufflement, la culpabilité et la volonté de recul ont manifestement remplacé la combativité des francophones. Celle-ci a même changé de camp: ce ne sont plus les francophones mais bien les anglophones qui, encadrés par Alliance-Québec, occupent l'avant-scène sur «le front linguistique».

Cette culpabilité des francophones s'explique mal quand on sait que la plupart des provinces anglophones n'assurent toujours pas d'écoles à leur minorité francophone et ne manifestent guère d'empressement à remplir leurs obligations constitutionnelles trois ans après que la Charte des droits ait été promulguée[10]. Les francophones oublient que les anglophones du Québec «demeurent les mieux nantis parmi les minorités de

7. Voir Fédération des francophones hors Québec, *Les héritiers de Lord Durham*, vol. 1, Ottawa, 1977, p. 110-111.
8. Cité par Gilbert LAVOIE, «Ottawa doit donner des dents à la Loi sur les langues officielles» dans *La Presse*, Montréal, 27 mars 1985.
9. Cité par Gérald LEBLANC, «La saga de la loi 101» dans *Plus*, Montréal, 26 janvier 1985.
10. Voir Commissaire aux langues officielles, *Rapport annuel 1984*, Ottawa, ministère des Approvisionnements et Services Canada 1985, p. 18.

langue officielle[11]» au Canada. Ils oublient aussi que l'avenir du français au Québec même est loin d'être assuré et que, pour reprendre le mot de Guy Bouthillier, «la magnanimité passe d'abord par les victoires décisives[12]».

LA BATAILLE JUDICIAIRE

Autre effet de la loi 101: la bataille judiciaire qu'elle a déclenchée. C'est par centaines qu'on peut compter les causes touchant la loi 101 depuis 1977. Trois grandes causes méritent particulièrement d'être soulignées. En 1979, la Cour suprême du Canada déclarait que le chapitre III de la *Charte de la langue française*, faisant du français la seule langue officielle de la législation et des tribunaux, était contraire à l'article 133 de la Constitution de 1867 (A.A.N.B.), qui exige le bilinguisme au Québec et à Ottawa. En juillet 1984, la même Cour suprême invalidait l'article 73 de la loi 101 (accès à l'école anglaise pour les enfants dont les parents ont étudié en anglais *au Québec*), qui allait à l'encontre, rétroactivement, du paragraphe 23.2 de la nouvelle Constitution canadienne de 1982, laquelle étend ce droit aux enfants dont les parents ont étudié en anglais *au Canada*. Enfin, en décembre 1984, la Cour supérieure du Québec invalidait l'article 58 de la Charte (loi 101) interdisant l'affichage dans une autre langue que le français en raison de la liberté d'expression consacrée dans la *Charte québécoise des droits et libertés de la personne*.

Il est presque gênant de constater la rapidité relative avec laquelle les tribunaux ont réagi aux griefs des anglophones comparativement à leur lenteur dans le cas des francophones du Manitoba (plus de 100 ans après le début des revendications). Il n'en demeure pas moins que la bataille judiciaire a effrité considérablement la loi 101 en en réduisant l'application et, surtout, le prestige.

LES MODIFICATIONS STRUCTURELLES DE L'ÉTAT

La planification linguistique peut aussi avoir pour effet d'entraîner des modifications structurelles et des règles constitutionnelles qui transforment l'organisation politique même de l'État. Il arrive que l'ampleur et le degré de précision des dispositions constitutionnelles soient tels que la Constitution devient elle-même l'instrument de la planification linguistique; c'est le cas en Inde, en Malaisie, à Chypre et au Sri Lanka. L'acceptation du pluralisme linguistique a amené l'Inde, par exemple, à établir un système de type fédéral complexe, et la Belgique, à adopter une formule d'autonomie régionale dont on voit peu d'exemples dans le monde.

Se doter d'une politique linguistique axée sur le pluralisme oblige l'État à décider de l'étendue de la protection accordée à la minorité. Devra-t-on accorder l'égalité numérique au Parlement ou dans la composition du gouvernement? Accepter le principe de la double majorité selon lequel le groupe majoritaire ne peut décider seul de certaines questions sans l'accord majoritaire de la minorité? Créer deux Parlements? Adopter un statut d'égalité ou d'inégalité? Transposer l'égalité dans les faits ou s'en tenir à une simple déclaration de principe? Ce sont là des choix qui peuvent avoir des effets déterminants sur l'organisation politique d'un État.

Nous allons maintenant examiner des cas particuliers qui nous permettront de vérifier comment les États appliquent leur politique linguistique, destinée à régler les conflits entre les langues en contact.

11. *Ibid.*, p. 193.
12. Guy BOUTHILLIER, «La loi 101: une peau de chagrin» dans *Actes du congrès «Langue et société du Québec»*, Québec, Éditeur officiel du Québec, 1984, p. 408.

LA POLITIQUE DE LA NON-INTERVENTION

Une politique de non-intervention consiste avant tout à choisir la voie du laisser-faire, à ignorer les problèmes lorsqu'ils se présentent et à laisser évoluer le rapport des forces en présence. Dans la pratique, il s'agit d'un choix véritable, donc d'une planification, qui joue toujours en faveur de la langue dominante. Un gouvernement non interventionniste ne se pose pas comme arbitre et se garde bien d'adopter des dispositions constitutionnelles ou législatives. Une politique de non-intervention est par définition non écrite et non officielle, bien que cela n'empêche pas un gouvernement de procéder par règlements ou par décrets. Dans la plupart des cas, une telle politique équivaut, comme nous le verrons, à une politique d'assimilation non déclarée.

1 LA COLOMBIE-BRITANNIQUE: UN CAS TYPIQUE DE PROVINCE ANGLAISE

En 1850, la Colombie-Britannique était une colonie anglaise majoritairement francophone à 60 %[1]. L'immigration anglaise a changé rapidement la situation puisqu'en 1901 les francophones ne constituaient déjà plus que 2,5 % de la population, et 1,1 % en 1931. Au recensement de 1981, on comptait, dans cette province, 2 % de francophones, soit 45 615 personnes sur une population de plus de 2,7 millions. Cette minorité, éparpillée, isolée géographiquement et culturellement, se perd aujourd'hui dans la masse anglophone environnante à une vitesse galopante. Constamment exposés à l'anglais dans la rue, à l'école, au travail, entre amis, et soumis aux mariages mixtes dans des proportions de plus de 70 %, les francophones de la Colombie-Britannique connaissent un taux d'assimilation de l'ordre de 69 à 89 % et à peine 15 % d'entre eux utilisent le français à la maison.

LE STATUT DU FRANÇAIS

Au niveau du gouvernement provincial de la Colombie-Britannique, le français n'a aucun statut officiel, pas plus que l'anglais d'ailleurs. En effet, la province n'a jamais légiféré en matière de langue et aucune loi ou disposition constitutionnelle n'a été adoptée. Même si l'anglais n'est pas reconnu juridiquement comme langue officielle, il a acquis ce statut dans les faits.

Ce n'est donc que sur le plan des structures relevant du gouvernement fédéral que la langue française jouit d'un statut dans la province. La Colombie-Britannique n'est pas soumise aux dispositions de l'article 133 de l'Acte de l'Amérique du Nord britannique pour ce qui touche le Parlement provincial et les tribunaux, mais elle est liée à l'article 23 de la *Loi constitutionnelle de 1982*, qui accorde le droit à l'enseignement en français partout au Canada... «là où le nombre le justifie». La *Loi sur les langues officielles* protège également les francophones, qui peuvent bénéficier en principe de services bilingues quand ils font affaire avec des organismes du gouvernement fédéral. Dans la réalité, les services bilingues ne sont pas offerts sur demande pour la simple raison que la demande pour ces services est à peu près nulle, les francophones ayant pris l'habitude de toujours transiger en anglais.

1. Voir Catherine LENGYEL et Dominic WATSON, *La situation de la langue française en Colombie-Britannique*, Québec, Éditeur officiel du Québec, 1983, p. 11.

LES DROITS EFFECTIFS DES FRANCO-COLOMBIENS

Comme l'article 133 de l'A.A.N.B. ne s'applique pas en Colombie-Britannique, le français ne peut être utilisé ni au Parlement provincial, ni dans les cours de justice, où il est possible tout au plus d'exiger la présence d'un interprète. Dans tous les services gouvernementaux provinciaux, la documentation n'est offerte qu'en anglais; il n'y a même pas de procédure prévue pour les services de traduction, qui sont à peine existants ou simplement inexistants. Une enquête CROP (1983) a révélé que moins de 3 % des francophones ont pu obtenir des services en français dans cette province.

Il n'y a pas plus d'espace francophone sur le plan du travail. Les seules possibilités de travailler en partie en français en Colombie-Britannique demeurent les suivantes: moins de 200 postes dits bilingues dans la fonction publique fédérale, une cinquantaine de postes à Radio-Canada, et quelques autres emplois bilingues dans deux Caisses populaires, quatre librairies et à l'hebdomadaire régional *Le Soleil de Colombie*, qui tire à 3 600 exemplaires. La grande majorité de ces postes sont occupés par des anglophones bilingues.

En fait, les seuls droits réels accordés aux francophones se limitent à l'enseignement du français au primaire; il est très difficile, sinon impossible, de réunir des élèves en nombre suffisant pour donner en français le cours secondaire. Depuis 1979, le gouvernement provincial permet l'enseignement du français de la maternelle à la septième année. Tous les districts scolaires sont tenus d'offrir un enseignement en français là où se trouvent 10 enfants francophones ou plus. En 1983, en comptait 972 élèves dans les classes françaises, réparties dans 18 localités. Cet enseignement n'est offert qu'aux seuls francophones ayant leur citoyenneté canadienne, mais il est ouvert aux anglophones qui veulent apprendre le français. Les cours destinés aux francophones connaissent un succès phénoménal auprès des anglophones: il y a dix fois plus d'élèves anglophones inscrits que de francophones.

Le gouvernement provincial ne fait pas de cadeau à sa minorité francophone, car l'enseignement du français en Colombie-Britannique sert en réalité beaucoup plus les intérêts des anglophones que celui des francophones; ces classes de français profitent de subventions fédérales et d'avantages pédagogiques appréciables, en plus de permettre d'offrir des postes supplémentaires à des professeurs dont la connaissance du français semble plus que douteuse; d'après l'étude de Shapson[2], de 30 % à 50 % des professeurs considèrent leur français comme faible ou nul, et le tiers n'utilisent cette langue que pendant la moitié de leurs cours. En fait, la Colombie-Britannique satisfait aux exigences de l'article 23 de la *Loi constitutionnelle de 1982* en offrant des cours de français à sa minorité, mais il s'agit bien de cours de français *langue seconde* destinés avant tout à une majorité anglophone socio-économiquement aisée.

En Colombie-Britannique, comme dans toutes les autres provinces anglaises à l'exception de l'Ontario et du Nouveau-Brunswick, la situation des francophones demeure pour le moins fragile et leur présence tient plus du symbole que de la réalité. C'est le résultat efficace d'une politique linguistique de non-intervention destinée à assimiler la minorité.

2 LES ÉTATS-UNIS D'AMÉRIQUE

Les États-Unis constituent un laboratoire privilégié d'expériences multiples portant sur le problème de l'intégration des minorités en raison des millions d'immigrants qui, par

2. *Ibid.*, p. 57.

vagues successives, ont formé ce pays de 235 millions d'habitants. On a toujours eu tendance à masquer cette réalité du pluralisme en mettant plutôt l'accent sur l'*american way of life*, société idéale et homogène. Au cours des dernières décennies, une série de revendications venues surtout des Noirs et des minorités de langue espagnole ont joué un rôle prépondérant au sein du mouvement de «réethnisation». Il semble que ce renouveau ethnique soit une forme de protestation contre un gouvernement qui se veut trop unificateur et centralisateur au nom de standards valables pour tous.

LA TRADITION DU LAISSER-FAIRE LINGUISTIQUE

Sur le plan constitutionnel, il n'y a pas de langue officielle aux États-Unis. L'anglais a acquis ce statut par droit coutumier, c'est-à-dire par tradition. Bien que leur constitution soit en faveur de la liberté d'expression et d'opinion, les Américains n'ont jamais empêché la loi du plus fort et du plus grand nombre de s'appliquer inexorablement envers les Amérindiens, les Noirs et les immigrants; au besoin, on a pratiqué l'intolérance, l'exploitation et la ségrégation. Le gouvernement fédéral a toujours maintenu une politique de bannissement des langues minoritaires sans qu'il fût nécessaire d'adopter des lois en ce sens. Les particularismes linguistiques, religieux et autres, subsistent toujours et plusieurs groupes ont proclamé leur «droit à la différence». Le gouvernement fédéral a dû faire des concessions et a fait adopter en ce sens le *Bilingual Education Act*.

LA POLITIQUE D'ÉDUCATION BILINGUE

L'adoption du *Bilingual Education Act* (1967) rappelle que le domaine de l'éducation relève de la juridiction des États et non du gouvernement fédéral américain. La loi prévoyait seulement des fonds fédéraux pour des programmes destinés à tous les enfants des États-Unis dont l'habileté à s'exprimer en anglais était limitée. Puis on a adopté trois nouvelles lois en 1972 pour les écoles ayant un urgent besoin d'aide, soit pour vaincre la ségrégation (*Emergency School Aid Act*), soit pour promouvoir l'éducation des Amérindiens (*Indian Education Act*), soit pour protéger l'héritage ethnique des minorités (*Ethnic Heritage Program*).

La plupart des États américains ont mis à profit ces contributions fédérales, notamment la Louisiane, la Californie, le Nouveau-Mexique et le Texas. En 1974, une douzaine d'États continuaient d'interdire l'enseignement dans une autre langue que l'anglais: l'Arkansas, le Delaware, l'Idaho, le Montana, le Nebraska, l'Oklahoma, la Virginie de l'Ouest, le Wisconsin, etc. C'est donc par son pouvoir financier que le gouvernement fédéral a pu susciter un nombre important d'expériences en matière d'éducation bilingue. Selon Gilles Bibeau[3], 70 % de ces projets sont destinés à des hispanophones; les autres sont réservés à l'italien, à l'allemand, au français et à quelques langues amérindiennes. L'objectif est d'assurer à des minorités une partie de leur formation scolaire dans leur langue maternelle (surtout au primaire) en considérant que les enfants devront par la suite poursuivre leurs études dans la langue seconde pour s'intégrer progressivement à la vie américaine. Cette politique s'adresse avant tout aux minorités de niveau socio-économique faible: les hispanophones, les Amérindiens et de multiples autres communautés ethniques.

Il est difficile de prévoir les résultats pédagogiques de cette opération amorcée en 1968, mais l'objectif politique, lui, est clair. Selon Gilles Bibeau:

> «La création de programmes d'éducation bilingue constitue un geste politique jugé nécessaire pour résorber un certain niveau de résistance et éloigner sinon éviter d'autres troubles sociaux[4].»

---

3. Voir Gilles BIBEAU, *L'éducation bilingue en Amérique du Nord*, Montréal, Guérin, 1982, p. 61.
4. *Ibid.*, p. 166.

Cette préoccupation soudaine du gouvernement américain pour les minorités ethniques coïncide précisément avec la montée des troubles sociaux de toutes sortes dans les États du Sud: pauvreté chronique chez 30 à 40 % d'hispanophones, chômage élevé, non-productivité économique, baisse de la consommation, banditisme, émeutes, vandalisme, etc. Injecter des sommes d'argent dans ces programmes d'éducation bilingue permettait d'enseigner non seulement l'anglais mais aussi l'espagnol. Il ne fait pas de doute que cette politique d'éducation bilingue n'est pas destinée au maintien des cultures ethniques; elle vise plutôt l'assimilation en douce des minorités. La politique linguistique des États-Unis ne s'explique pas autrement, d'autant plus que le gouvernement américain a toujours affiché un souverain mépris pour les langues des immigrants et ne leur a jamais reconnu aucun droit sur le plan juridique. Une exception récente: depuis quelques années, le gouvernement fédéral permet l'usage de l'espagnol dans les communications aériennes avec les tours de contrôle des États du Sud. Ce qui n'empêche pas l'américanisation ou plutôt l'*usaïfication* de se poursuivre inexorablement. Après tout, la non-intervention consiste à laisser le rapport de force fonctionner dans toute sa rigueur à l'avantage de la langue dominante.

3 L'AMÉRIQUE DU SUD

Les politiques linguistiques des États latino-américains ressemblent en de nombreux points à celles des États-Unis, du moins en ce qui concerne les langues minoritaires; elles diffèrent quant au statut juridique accordé à la langue officielle. Pour les besoins de notre étude, nous analyserons ici la situation de quelques États représentatifs: le Mexique, le Paraguay et les États de l'Amérique andine (Équateur, Pérou, Bolivie).

LE MEXIQUE

Le Mexique, république fédérale de 31 États et de 74 millions d'habitants, ne semble pas avoir de règles constitutionnelles relativement au statut de l'espagnol et des langues minoritaires. Ce pays ne figure pas sur la liste des 147 États recensés par Giuseppe Turi[5]. Les lois mexicaines, par contre, sont très explicites à ce sujet.

LA POLITIQUE RELATIVE AU STATUT DE L'ESPAGNOL

La politique linguistique du gouvernement mexicain se révèle très protectionniste à l'égard de la langue espagnole. C'est la langue obligatoire dans l'enseignement et le monde du travail. La loi exige notamment que toutes les marques de commerce, même étrangères, soient rédigées selon la graphie et la phonétique espagnoles, que les entreprises étrangères aient une version en espagnol des dossiers de toutes leurs transactions, que l'affichage, l'étiquetage et l'emballage soient en espagnol seulement. Selon une loi fédérale adoptée en 1975, l'anglais est même interdit sur les emballages des produits de consommation. Quant aux langues amérindiennes, la loi n'en fait pas mention bien que le gouvernement mexicain ait développé une politique spécifique à leur endroit: l'éducation bilingue.

LA POLITIQUE D'ÉDUCATION BILINGUE

Comme aux États-Unis, le gouvernement mexicain autorise (depuis une quarantaine d'années) l'enseignement en langues amérindiennes dès la première année du primaire. La propagande officielle laisse entendre qu'on veut respecter ainsi le pluralisme ethnolinguistique du pays; on sait en effet qu'il existe une soixantaine de langues amérindiennes au Mexique. La première étape consiste à alphabétiser les Amérindiens

5. Voir *Les dispositions juridico-constitutionnelles de 147 États en matière de politique linguistique*, Québec, Presses de l'Université Laval, CIRB, 1977.

dans leur langue maternelle; on leur enseigne à lire et à écrire dans leur langue aussi longtemps qu'il le faut pour leur assurer un minimum de compréhension.

On introduit l'espagnol par bribes et la langue maternelle est éliminée progressivement. Comme aux États-Unis, il s'agit d'un enseignement de transition destiné à amener l'élève à la langue dominante. D'ailleurs, les quatre matières principales (espagnol, mathématiques, sciences naturelles et sciences sociales) sont enseignées avec l'aide de manuels nationaux en espagnol sous prétexte que, selon l'article 3 de la Constitution, tous les Mexicains ont droit à une éducation *égale*; ce qui est préjudiciable à la population amérindienne parce que ces manuels, conçus pour l'espagnol langue maternelle, ne sauraient convenir à l'apprentissage de l'espagnol comme langue seconde.

On peut s'interroger sur les véritables objectifs d'une telle politique d'éducation bilingue de la part d'un gouvernement qui a toujours considéré la disparition des populations amérindiennes comme une condition préalable à la construction de l'État national. Un éminent fonctionnaire mexicain, Salomon Nahmad, donne cette interprétation:

> «Il est presque certain que les idéaux de l'unité se confondent avec ceux de l'uniformité (...); au lieu de servir à l'éducation et à l'acquisition des connaissances, le processus d'enseignement-apprentissage fait fonction d'arme pour l'ethnocide ou l'évangélisation. On cherche également, par l'éducation, à faire disparaître l'identité ethnique et linguistique, comme si celle-ci avait quelque chose à voir avec le processus d'apprentissage[6].»

Loin de promouvoir et de préserver les langues amérindiennes, le gouvernement mexicain les confine à l'infériorité sociale. Les langues amérindiennes ne sont enseignées que pour alphabétiser les enfants qui, de toute façon, ne trouveront par la suite aucun document rédigé dans leur langue; personne ne serait capable de lire de tels documents à commencer par les principaux intéressés, chez qui le taux d'analphabétisme est très élevé. De plus, l'accès aux médias leur est interdit à l'exception de rares postes de radio marginaux patronnés par des organisations religieuses. On parle nahuatl, maya, otomi, totonaque, zapothèque, tarask, etc., à la maison, au marché, dans l'autobus, et «seulement aux vrais Indiens», pas aux citadins. C'est le principe d'une société diglossique: l'espagnol pour les occasions officielles, les langues «indiennes» pour les communications individualisées et informelles. Près de trois millions de citoyens mexicains vivent l'égalité devant la loi de cette façon: les 900 000 Aztèques (nahuatl), les 800 000 Mayas, les 400 000 Otomis, les 200 000 Mixtèques, les 200 000 Zapothèques, etc. Il ne fait pas de doute que la politique du gouvernement mexicain vise l'extinction de ces populations à plus ou moins long terme. L'État n'a qu'à continuer de laisser évoluer les choses comme elles le font présentement.

LE PARAGUAY ET L'AMÉRIQUE ANDINE

Les langues amérindiennes les plus importantes de toute l'Amérique du Sud sont parlées au Paraguay et dans les États longeant la Cordillère des Andes: Bolivie, Pérou, Équateur (*voir la figure 16.1*). C'est pour cette raison qu'il nous a semblé nécessaire de donner un aperçu de la politique linguistique de ces pays.

LE PARAGUAY

Le Paraguay est le seul État de toute l'Amérique à être intervenu politiquement pour reconnaître officiellement une langue amérindienne. L'espagnol et le guarani sont en effet les deux langues officielles du Paraguay. Comme nous le verrons, il s'agit bel et

6. Cité par Rainer Enrique HAMEL, «Conflit socioculturel et éducation bilingue: le cas des Indiens otomi au Mexique» dans *Revue internationale des sciences sociales*, vol. XXXVI, n° 1, Paris, Unesco, 1984, p. 116.

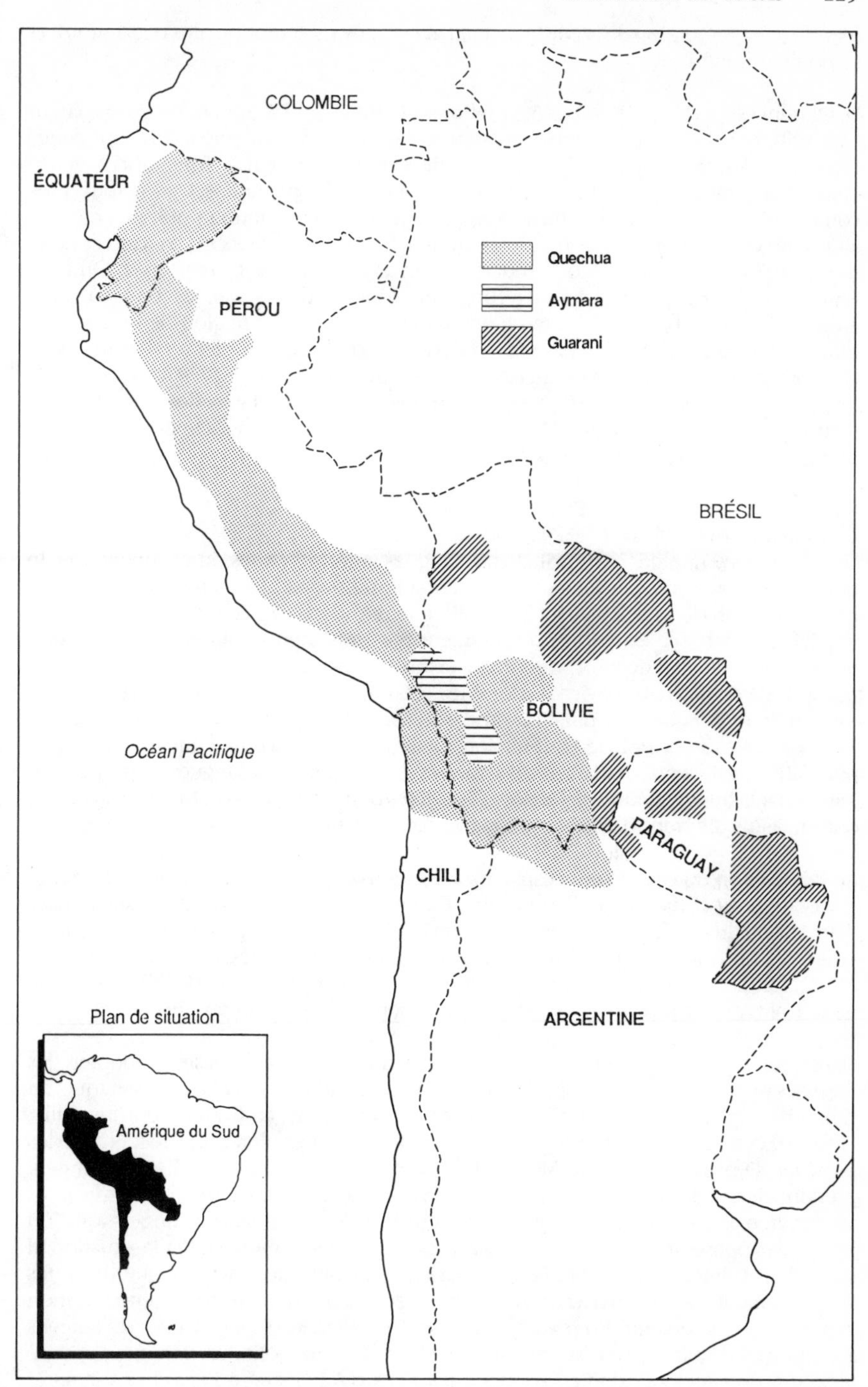

FIGURE 16.1 LES LANGUES AMÉRINDIENNES IMPORTANTES DE L'AMÉRIQUE DU SUD

bien d'une intervention de la part d'un État, mais d'une intervention plus déclaratoire et symbolique que réelle.

Le guarani est parlé par 94 % des 3,3 millions d'habitants; 74 % sont unilingues guarani (2,4 millions), 23 % sont bilingues guarani-espagnol et 4 % seulement sont unilingues espagnol. Bien que langue officielle au même titre que l'espagnol, le guarani demeure confiné aux rapports informels et intimes alors que l'espagnol sert pour toutes les communications à caractère officiel: enseignement, administration publique, médias, affichage, etc. Ce qui signifie que le guarani est exclu des billets de banque et de la monnaie, du Parlement et de la rédaction des lois, du cabinet ministériel. On peut toutefois utiliser le guarani dans les communications verbales avec les fonctionnaires au niveau le plus bas de la hiérarchie administrative. Cette situation diglossique du bilinguisme paraguayen n'est pas sans soulever de nombreux problèmes d'ordre social et éducationnel, d'autant plus qu'une étude gouvernementale (1979) révèle que la majorité de la population est en faveur du guarani comme l'une des deux langues d'enseignement. Rien n'a été réalisé en ce sens depuis cette enquête et le gouvernement n'ose pas intervenir.

L'AMÉRIQUE ANDINE: ÉQUATEUR, PÉROU, BOLIVIE

Le guarani est l'une des trois principales langues amérindiennes du continent avec le quechua et l'aymara. Ces langues totalisent 15 millions de locuteurs disséminés au Paraguay et dans les pays longeant la Cordillère des Andes. Le quechua, ancienne langue impériale des Incas, est parlé présentement par plus de 10 millions de personnes, principalement en Équateur, au Pérou et en Bolivie, auxquels il faut ajouter des portions de territoires au Nord (Colombie) et au Sud (Chili et Argentine). Le quechua est parlé par 50 % de la population du Pérou (population totale: 18,7 millions) et par 34 % de celle de la Bolivie (population totale: 5,9 millions); une autre partie de la population bolivienne parle aussi l'aymara (25 %). Ces deux langues, fortement atteintes par la fragmentation dialectale (27 variétés pour le quechua et 14 pour l'aymara), ont un statut différent dans ces trois pays, dont la langue officielle est l'espagnol.

Au Pérou et en Équateur, seul l'espagnol est permis dans les écoles et l'administration ainsi que pour l'affichage et l'étiquetage. Comme au Mexique et dans les autres pays d'Amérique du Sud, une situation diglossique prévaut chez les langues amérindiennes. Toutefois, en Bolivie, le quechua et l'aymara sont plus avantagés: ces langues demeurent très utilisées dans le commerce et cinq stations radiophoniques de La Paz (capitale de la Bolivie) ont recours presque exclusivement à l'aymara et au quechua.

Dans tous ces États, la seule politique linguistique avouée consiste à adopter des mesures protectionnistes à l'égard de la langue espagnole. Que ce soit au Mexique, en Colombie, en Équateur, en Bolivie, au Pérou, au Paraguay, au Chili ou en Argentine, l'État protège l'espagnol et prohibe les langues autochtones plutôt que de tenter de les protéger. Des pays comme le Mexique, l'Équateur, le Pérou et la Bolivie pourraient prendre des mesures efficaces pour sauver un certain nombre de grandes langues amérindiennes, mais ils ne tentent rien en ce sens. La politique linguistique du Paraguay, apparemment plus généreuse, ne change absolument rien à la situation: il s'agit d'un bilinguisme simplement déclaratoire et purement symbolique. Bref, les gouvernements latino-américains ne s'intéressent manifestement pas à cette question et n'osent pas intervenir. En réalité, tous semblent s'accorder pour laisser les langues autochtones disparaître par submersion. Il s'agit là d'une politique non interventionniste universellement adoptée par tous les États d'Amérique à l'égard des langues amérindiennes, des frontières du Groenland au nord à la Terre de Feu au sud.

4 UN CAS REPRÉSENTATIF DE NON-INTERVENTION EN AFRIQUE: LA CÔTE D'IVOIRE

La Côte d'Ivoire (superficie: 322 500 km²) est un État d'Afrique occidentale de 8,9 millions d'habitants, baigné par le golfe de Guinée au sud (Atlantique), limité à l'ouest par le Libéria et la Guinée, au nord par le Mali et le Burkina-Faso, à l'est par le Ghana. La Côte d'Ivoire a été une possession française de 1842 à 1960, date où le pays a accédé à l'indépendance.

LA SITUATION SOCIOLINGUISTIQUE

Sur le plan linguistique, le pays offre une véritable mosaïque: on ne dénombre pas moins d'une soixantaine de langues. Les plus importantes sont le dioula, le sénoufo, le haoussa, le yacouba, le mandingue, le malinké, l'agni, le bété, le guéré. Le dioula occupe une position privilégiée, car il sert de langue véhiculaire commerçante entre les Ivoiriens; on estime qu'environ 50 % de la population le parle à un titre ou à un autre, ce qui en fait la langue la plus parlée en Côte d'Ivoire[7].

Lors de l'accession du pays à l'indépendance, les responsables politiques ont maintenu la langue qui leur semblait la plus immédiatement disponible et opérationnelle: la langue de l'ancien colonisateur, soit le français. À partir de ce choix, la politique linguistique écrite de la Côte d'Ivoire tient essentiellement à l'article 1 de la Constitution: «La langue officielle est le français». Cette clause signifie que le français est la langue de la Présidence, de la République, de l'Assemblée nationale, de l'administration publique, des cours de justice, de l'enseignement à tous les niveaux (primaire, secondaire, technique et professionnel, universitaire), des forces policières et des forces armées, de l'affichage et des médias.

Pour le reste, l'État n'intervient pas. Les modalités d'application de l'article 1 de la Constitution sont laissées à la discrétion des ministres. Dans les faits, les langues ivoiriennes et le français ont leur domaine propre: les premières restent les langues utilisées dans les villages et pour les communications informelles, tandis que le français, langue de l'école, de la promotion sociale et du travail, est utilisé dans les villes.

LA POLITIQUE EFFECTIVE DE LA CÔTE D'IVOIRE

Le maintien du français en Côte d'Ivoire apparaît surtout comme un moyen de neutraliser les particularismes locaux et de fondre les groupes ethniques en une seule nation. Le président de l'Assemblée nationale, Philippe Yacé, déclarait aux Nations unies (1976) à cet égard:

> «Je dois toutefois à la vérité de dire qu'en ce qui concerne mon pays, l'adoption du français, par l'article premier de notre Constitution, a sans doute été l'un des facteurs d'unité qui ont favorisé l'aboutissement heureux et si rapide de l'œuvre de construction nationale dont Son Excellence le Président Félix Houphouët-Boigny avait fait un des premiers thèmes de son action. Le français, librement accepté par nous, a été un facteur de cohésion... à l'intérieur de la Côte d'Ivoire où il a favorisé le regroupement de nos quelque cent ethnies[8]...»

---

7. Voir Denis TURCOTTE, *La politique linguistique en Afrique francophone*, Québec, Presses de l'Université Laval, CIRB, 1981, p. 45.
8. Cité par Denis TURCOTTE, *op. cit.*, p. 66.

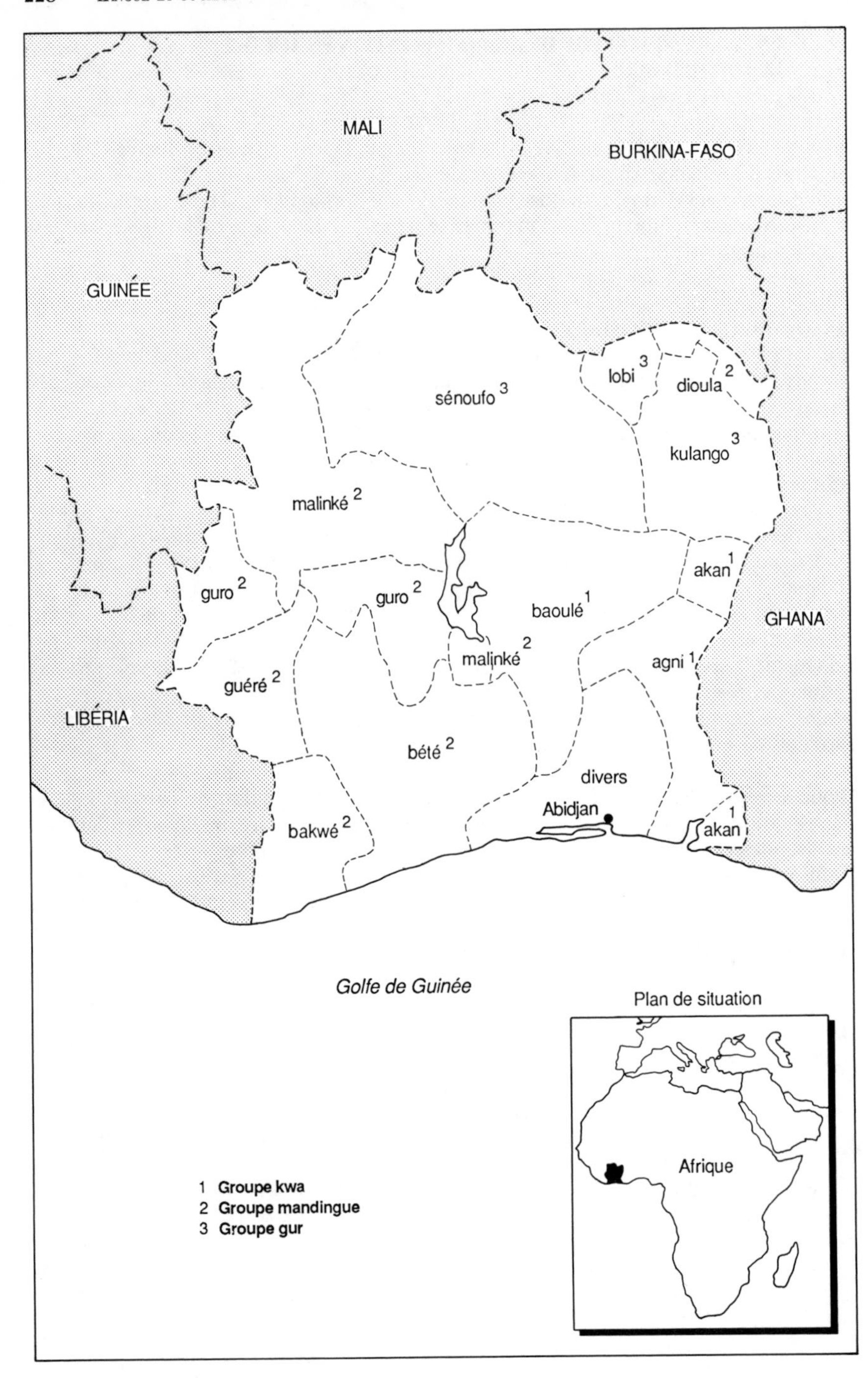

FIGURE 16.2 LA CÔTE D'IVOIRE

Le choix du français n'est pas étranger non plus à la croissance économique d'ailleurs remarquable de la Côte d'Ivoire. Le ministre des Affaires culturelles, Jules Hié Nea, répondait à un journaliste en 1976:

> «Mais il ne faut pas oublier que la Côte d'Ivoire a choisi un développement ouvert sur le monde extérieur: la nécessité d'utiliser une langue internationale s'impose par de telles considérations. Le français est non seulement la langue de l'économie, de l'administration mais aussi de la plupart de nos écrivains[9].»

Quant à la question des langues ivoiriennes, on dénote une grande réticence, de la part des dirigeants politiques, à l'aborder. Le problème des langues nationales est même constamment escamoté. Selon Denis Turcotte:

> «On semble entretenir l'espoir de voir bientôt le pays placé devant le fait accompli. Le français progresse si bien dans toutes les couches de la population que le jour n'est pas si loin où son statut ne sera plus remis en question[10].»

De toute évidence, le régime actuel a la ferme intention de faire du français le véhicule national par excellence de la Côte d'Ivoire. Les moyens mis en œuvre, notamment dans les domaines de l'enseignement et des médias, ne laissent aucun doute à ce sujet.

À tous les niveaux d'enseignement, c'est l'usage exclusif du français qui prévaut. Au primaire, les élèves doivent obligatoirement parler français «sous peine d'amende» même pendant les périodes de récréation. Au terme de leurs six années d'études primaires, les enfants ivoiriens ont une maîtrise suffisante du français pour pouvoir exprimer leurs idées spontanément sans difficultés. Au secondaire, on introduit l'anglais comme langue seconde obligatoire; au deuxième cycle, les élèves doivent apprendre une autre langue étrangère au choix: l'espagnol ou l'allemand. De plus, l'État a adopté dès 1971 un ambitieux programme de télévision éducative destiné aux élèves du primaire et du secondaire. L'expérience de la télévision éducative semble jusqu'ici très concluante en ce qui concerne la maîtrise du français: les leçons de français sont encore plus efficaces qu'avec les méthodes traditionnelles.

Tout comme le système d'enseignement, les médias sont perçus par les autorités ivoiriennes comme un puissant instrument d'unité nationale et de développement économique. Tout le pays est doté de moyens d'information modernes: journaux, radio, télévision, agences de presse, etc., ce qui fait de la Côte d'Ivoire l'un des pays d'Afrique les mieux équipés en ce domaine. La langue des médias est le français, mais une quinzaine de langues ivoiriennes sur une soixantaine sont utilisées à la radio à raison de deux périodes d'information de vingt minutes par semaine et par langue; la télévision diffuse seulement en français, sauf dans le cas des informations régionales quotidiennes, qui sont présentées en une douzaine de langues.

Si le maintien du français en Côte d'Ivoire ne semble pas être vraiment remis en question, la politique actuelle de non-intervention à l'égard des langues ivoiriennes fait néanmoins l'objet de contestations; on déplore, dans certains milieux intellectuels, le sort peu enviable réservé aux langues nationales. On peut donc s'attendre à une revalorisation des langues ivoiriennes dans un proche avenir. On ne pourra plus les ignorer même si 40 % de la population est déjà francisée, ce qui fait de la Côte d'Ivoire l'un des pays d'Afrique les plus «francophones». Bref, les responsables de la politique linguistique de la Côte d'Ivoire évitent de faire des choix en faveur d'une langue ivoirienne et cette absence de choix correspond à une tentative d'assimilation des langues nationales.

***

9. *Ibid.*, p. 67.
10. *Ibid.*, p. 70.

En Afrique, contrairement aux États d'Amérique où la quasi-totalité des langues nationales est condamnée à disparaître par submersion, un certain nombre de langues autochtones risquent d'émerger malgré la dominance des langues européennes comme le français, l'anglais et le portugais. Dans plusieurs États d'Afrique, on ne pourra plus ignorer les langues nationales encore très longtemps bien que la plupart des gouvernements continuent de pratiquer une politique de non-intervention à leur égard comme au Mali, au Cameroun, au Zaïre, au Tchad, etc. Néanmoins, ce sont les langues africaines les plus faibles qui vont faire les frais de cette politique de non-intervention. Il semble que ce soit le prix à payer pour l'unité nationale et le développement économique des États naturellement glottophages.

LES POLITIQUES D'ASSIMILATION

Les politiques d'assimilation existent dans à peu près tous les États, à un degré ou à un autre. Dans les cas que nous avons décrits, il s'agissait bel et bien de politiques d'assimilation, mais d'une assimilation en douce, non avouée: on ne fait rien et on attend que le problème se règle lui-même. Dans les politiques d'assimilation proprement dite, on utilise des moyens planifiés qui visent à accélérer l'assimilation des minorités. La nuance peut paraître minime, il est vrai: les moyens d'intervention dans une politique d'assimilation sont essentiellement plus centralisateurs et répressifs. Nous nous limiterons à un cas assez particulier, celui du Kurdistan (en Turquie, en Iraq, en Iran et en Syrie), et à celui de trois grands États: le Brésil, la Chine et l'Indonésie.

1 LE BRÉSIL

Le Brésil, jadis colonisé par le Portugal, est devenu aujourd'hui la première puissance d'Amérique latine: 125 millions d'habitants, une superficie de 8,5 millions de kilomètres carrés (9,9 au Canada), un PNB (263 milliards de dollars en 1982) supérieur à celui de tous les États d'Amérique du Sud réunis. Comme tous les États forts, le Brésil est centralisateur malgré sa structure fédérative (23 États fédérés), ce qui a nécessairement des effets sur sa politique linguistique.

Le Brésil peut témoigner d'une longue tradition en matière d'*interdiction linguistique*. Dès 1727, en effet, une loi portugaise interdisait l'emploi du tupi-guarani, la «langue générale» qui servait de langue véhiculaire entre Blancs et «Indiens». L'État d'Espérito Santo imposait même des peines de prison à ceux qui employaient une autre langue que le portugais. Une loi de l'État de Sao Paulo (1850) allait jusqu'à interdire les «langues indiennes» . . . à la campagne. Ces faits illustrent simplement que le Brésil a pratiqué pendant toute la période coloniale une politique de *destruction systématique* des langues amérindiennes, dont nous pouvons constater les effets aujourd'hui.

C'est la ville de Rio de Janeiro qui, depuis le début du XIXe siècle, a imposé son hégémonie linguistique à tout le Brésil. L'européanisation a coïncidé avec l'arrivée, en 1807, de 20 000 membres de la famille royale du Portugal et du régent à Rio, ville qui devint alors le modèle linguistique pour toutes les grandes villes du Brésil. L'aristocratie portugaise imposa l'unilinguisme (la langue standard) dans tout le système d'enseignement ainsi que dans l'administration, et interdit simplement l'usage des autres langues.

Des cinq millions qu'ils étaient avant l'arrivée des Blancs, il reste moins de 200 000 Amérindiens (moins de 1 % de la population), parqués dans les forêts sauvages de l'Amazonie, territoires considérés comme des terres n'appartenant à personne. Non autonomes, les Amérindiens dépendent entièrement de l'État pour leur subsistance; acculturés et soumis au bilinguisme, ils vivent dispersés, séparés les uns des autres, et conservent leur statut d'«indigènes» entretenus. Considérés comme des vagabonds, des paresseux, des «incapables de travailler», ils servent tout juste d'attraction pour les touristes en mal de curiosités. Il est évident que le développement économique du pays, le progrès et l'unité nationale l'emportent sur la survie de ces «sauvages» dont on n'attend plus que la liquidation.

La politique linguistique actuelle du Brésil est très claire: il faut assimiler l'héritage colonial en faisant disparaître toute trace des langues autochtones, par l'élimination des variétés de portugais appelées «dialectes», «patois» ou «parlers corrompus». Parler un «dialecte» ou un «créole», c'est être un «demi-sauvage»; or, un demi-sauvage ne peut suivre le progrès et bien servir la nation, car il lui manque un instrument essentiel: le portugais.

Au Brésil, la langue portugaise est demeurée alignée sur celle de l'Académie des sciences de Lisbonne. En vertu de la Loi du 18 décembre 1971, une convention lie l'Académie brésilienne des lettres, dont le but est de maintenir la parité orthographique et lexicale avec la langue portugaise du Portugal. La langue de prestige correspond à celle des groupes politiquement dominants depuis près de deux siècles. Il n'est guère surprenant que seule cette langue standard ait droit de cité au Brésil dans l'administration, les médias, l'enseignement, etc. Ce qui paraît plus insolite, c'est qu'un pays de 125 millions d'habitants soit dépendant linguistiquement d'un pays de 10 millions d'habitants.

2 LA RÉPUBLIQUE POPULAIRE DE CHINE

Pour la plupart des Occidentaux, tous les citoyens de la Chine, de quelque nationalité qu'ils soient, sont des Chinois. On compte pourtant 25 ethnies chinoises et 56 minorités non chinoises. Ces dernières représentent une population équivalant à près de deux fois et demie celle du Canada et habitent des régions qui forment ensemble un territoire aussi vaste que l'Europe de l'Ouest. En raison de son territoire immense et de sa population multilingue, la République populaire de Chine a cru bon d'adopter une politique linguistique énergique pour assurer l'unité nationale.

LES DIVISIONS TERRITORIALES

Le territoire de la République populaire de Chine couvre une superficie de 9,6 millions de kilomètres carrés; c'est le troisième plus grand pays du monde après l'URSS (22 millions km^2) et le Canada (9,9 millions km^2). À l'intérieur de cette immense superficie, seulement 15 % du territoire est densément peuplé, en raison de la masse montagneuse imposante (52 %) et des zones désertiques (16 %).

La Chine est une république socialiste multinationale (*voir la figure 17.1*) administrativement composée de 22 provinces, de cinq régions autonomes (Xinjiang, Tibet, Mongolie intérieure, Hingxia, Guangxi) et de trois municipalités relevant de l'autorité centrale (Pékin ou *Beijing*, Shangai, Tianjin). Il y a donc 30 unités administratives au niveau supérieur. Les 22 provinces chinoises ne sauraient se comparer aux provinces canadiennes puisqu'elles n'ont qu'un pouvoir administratif. Quant aux régions dites autonomes, elles demeurent «égales en statut à la province» et elles récupèrent théoriquement les droits suivants: le droit à la langue nationale de la région, le droit aux cadres locaux et au gouvernement régional, le droit d'administrer leurs finances, de rédiger des règlements spéciaux et d'entreprendre des réformes moyennant l'accord de Pékin. Une région autonome peut être formée lorsqu'elle renferme une communauté suffisamment compacte: les Mongols, les Tibétains, les Zhuang, les Hui, les Ouïgours.

LES NATIONALITÉS ET LES LANGUES

Aujourd'hui, la population de la République populaire de Chine est de 1 013 millions d'habitants, auxquels il faut ajouter les 19 millions de Chinois de Taiwan (la Chine

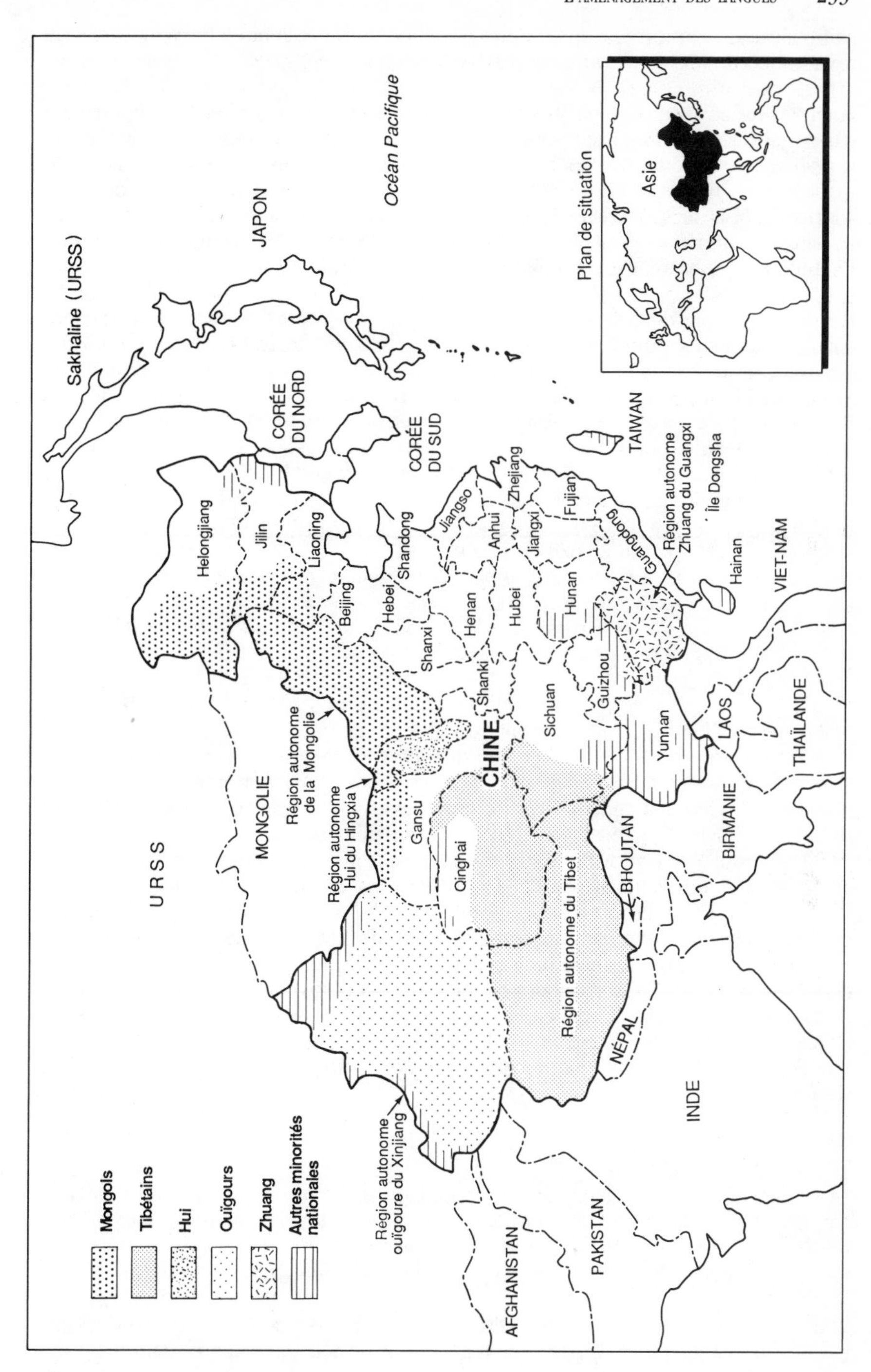

FIGURE 17.1 LA RÉPARTITION DES MINORITÉS EN CHINE

Source: Richard POULIN, *La politique des nationalités de la République populaire de Chine*, Québec, Éditeur officiel du Québec, 1984, p. 17.

nationaliste de l'île de Formose) et les 5 millions qui habitent Hong Kong (colonie britannique depuis 1842, qui sera rendue à la Chine en 1997).

Sur 1 037 millions de Chinois, 948,2 millions (94 %) sont des Chinois *sinophones* (qui parlent une langue chinoise), appelés aussi Han, contre 67 millions de Chinois *non sinophones* (6 %) ou non-Han. Parmi les sinophones ou Han, 638 millions parlent le mandarin ou chinois de Pékin: ce sont les Chinois du Nord ou Han du Nord. Les autres sont les Chinois du Sud ou Han du Sud; au nombre de 316 millions, ils se répartissent en 24 langues chinoises dont le wu (70 millions), le cantonais (60 millions), le min (50 millions), le xiang (50 millions), et le hakka (40 millions).

Il reste 67 millions de Chinois non sinophones; ils sont divisés en 56 nationalités pour autant de langues différentes. On compte 29 langues de la *famille sino-tibétaine* (30 millions de locuteurs) dont le zhuang (12 millions) et le buyi (1,7 million) du groupe thaï (9 langues au total), le tibétain (3,4 millions), le yi (4,8 millions) et le hani (1 million) du groupe tibéto-birman (16 langues), le miao (3,9 millions) et le yao (1,2 million) du groupe miao-yao (4 langues). Parmi les 18 langues de la *famille altaïque* (environ 13 millions de locuteurs), on distingue 7 langues turques dont le ouïgour (5,4 millions), le kazakh (0,8 million), le kirghiz, l'ouzbek (0,1 million) et le tatar, 6 langues mongoles (3 millions) dont le mongol proprement dit (2,6 millions), et 5 langues du groupe toungouze dont le mandchou (2,6 millions). Les autres langues minoritaires sont le coréen (1,6 million) de la *famille coréenne*; trois langues môn-khmer en plus du vietnamien (315 000 au total) de la *famille austro-asiatique*; le tadjik (une langue iranienne) et le russe (une langue slave) de la *famille indo-européenne*, et le gaoshan (0,3 million) de la *famille austronésienne*.

En soi, le nombre relativement faible des minorités (6 %) ne constituerait pas un problème en Chine si ce n'était le fait que les Han (tant du Nord que du Sud), malgré leur forte majorité de 94 %, n'occupent que 40 % du territoire chinois, alors que les minorités non sinophones occupent 60 % du territoire avec une population de 6 %. De plus, ces minorités habitent des territoires riches en ressources naturelles et elles sont localisées près des frontières considérées comme stratégiques par Pékin (*voir la figure 17.1*), pour une question de sécurité nationale. Enfin, ces minorités ont des liens ethniques avec des peuples frères de l'autre côté des frontières. Toutes les nationalités turques (Ouïgours, Kazakhs, Tatars, Kirghiz, Ouzbeks, etc.) occupent des frontières communes avec les nations turques de l'URSS, de l'Afghanistan et du Pakistan; les Tibétains de Chine ont également une frontière commune avec les Tibétains de l'Inde; les Miao, les Li et les Zhuang ont des peuples frères au Laos et au Viet-nam; les Mongols de Chine ont aussi leurs frères en République populaire de Mongolie et en URSS; les Coréens partagent aussi une frontière avec les Coréens de la Corée du Nord. Le moins que l'on puisse dire, c'est que les minorités non sinophones rendent les frontières chinoises poreuses et peu sûres.

LA POLITIQUE OFFICIELLE

La langue officielle de la République populaire de Chine est le chinois mandarin. Depuis 1955, la «langue parlée commune» est appelée le *putonghua*; parlée par 70 % des Han, elle est obligatoire dans toutes les écoles primaires et secondaires (sauf dans les régions autonomes), dans l'armée, à la radio, à la télévision et au théâtre.

Pour la transcription écrite, on utilise un système idéographique, c'est-à-dire une écriture archaïque qui ne repasse pas par les sons de la langue comme dans le cas des écritures alphabétiques. Chaque idéogramme représente à la fois un mot et une syllabe, et chaque mot dispose d'un signe, ce qui rend le système peu économique: de 6 000 à 8 000 caractères sont courants; on peut compter jusqu'à 80 000 signes dans certains dictionnaires scientifiques. Cette complexité a rendu nécessaire plusieurs réformes au cours des siècles; la dernière date de 1977. On a simplifié le système au point qu'avec 2 238 caractères, il est possible de satisfaire aux besoins de l'usage courant. De plus, le gouvernement chinois a introduit, en 1951, un alphabet appelé *pinyin*. Le président Mao Tsé Toung avait entrepris cette gigantesque réforme de la langue dans le but de faciliter l'alphabétisation des masses, de favoriser l'apprentissage du *putonghua* chez les jeunes enfants, de créer des langues écrites pour les minorités, de permettre l'informatisation des banques de données. La politique actuelle est de poursuivre la romanisation de l'écriture (l'alphabet *pinyin* étant calqué en partie sur l'alphabet romain) et d'orienter les langues existantes vers l'alphabet *pinyin*, tout en maintenant temporairement le système idéographique, qui favorise l'unité nationale: grâce à ce système, tous les Han (25 langues) peuvent lire le même journal, chacun dans sa langue. La généralisation du *pinyin* mettra fin à cette unité.

Quant aux langues minoritaires, la Constitution de 1978 insiste sur la nécessité de «renforcer la grande union de toutes les nationalités». Elle reconnaît certains droits aux nationalités:

> «La République populaire de Chine est un État multinational uni. Toutes les nationalités sont égales en droit. Elles doivent maintenir leur union et leur fraternité, s'entraider et apprendre les unes des autres. Toute discrimination et oppression à l'égard d'une nationalité et tout acte visant à saper l'union des nationalités sont interdits; le chauvinisme de grande nationalité et le chauvinisme local sont à combattre.
>
> Toutes les nationalités jouissent de la liberté d'utiliser et de développer leur langue et écriture, de conserver ou de réformer leurs usages et coutumes[1].»

Il reste à vérifier dans quelle mesure les déclarations constitutionnelles correspondent à la réalité. Voyons les faits.

UNE POLITIQUE ASSIMILATRICE

En réalité, la politique de la Chine est une politique d'assimilation à l'égard des minorités non han. Le gouvernement de Pékin utilise à cet effet cinq moyens: la supériorité de la culture han, la centralisation administrative, l'armée, l'enseignement, l'immigration.

La prétendue supériorité des Han

Selon Richard Poulin[2], les thèmes du gouvernement chinois portent constamment sur la «supériorité des Han», la «mission civilisatrice des Han», le «devoir moral» pour les non-Han d'accéder au niveau des Han. Pour le gouvernement, les Han, officiellement «plus avancés», constituent «le guide des peuples». La tâche du Parti et du gouvernement est donc «d'aider les peuples minoritaires à rattraper le peuple han dans la grande marche vers le socialisme». Pour les Han, les minorités sont des «arriérés», des «barbares», des «chiens», des «requins», des «bons à rien» et il faut les tirer de leur infériorité. En revanche, les Han sont vus par les minorités comme «de la racaille qui vole les autochtones», sinon des «bandits». Ce qui compte, c'est de montrer ou de faire croire que les Han sont supérieurs et que les minorités ont tout intérêt à s'assimiler à leur culture supérieure.

La centralisation administrative

Le gouvernement chinois s'organise pour sous-diviser les régions autonomes en plusieurs territoires administratifs dans le but de mieux les contrôler; ainsi, la région autonome du Tibet est divisée en cinq districts contrôlés par du personnel han. Dans toutes les provinces et dans toutes les régions autonomes, la plupart des postes officiels

1. Cité par Richard POULIN, *op.cit.*, p. 57.
2. *Ibid.*, p. 60 à 67.

sont comblés par des Han sous prétexte que les minorités manquent de cadres et ne connaissent pas suffisamment le mandarin pour communiquer avec le gouvernement central. En fait, une grande partie du personnel administratif et gouvernemental dans les régions autonomes utilise exclusivement le mandarin, et ce, malgré les déclarations constitutionnelles; ce qui réduit l'autonomie à un simple bout de papier...

La sécurité nationale

Les Han ne font pas confiance aux minorités pour surveiller les frontières nationales communes avec l'URSS, la Mongolie, la Corée, le Viet-nam, le Laos et l'Inde. C'est pourquoi la totalité des officiers et des soldats de l'armée sont des Han. La milice chinoise se comporte en véritable «armée d'occupation» dans les régions autonomes, ce qui augmente la méfiance des minorités à l'égard des Han, qui doivent contrôler à la fois les frontières et l'intérieur du territoire.

L'enseignement

Même si la République populaire de Chine compte 56 nationalités non sinophones, et même si la Constitution reconnaît l'usage des langues nationales dans les régions autonomes, moins d'une dizaine de langues minoritaires sont effectivement enseignées; il s'agit du mongol, du kazakh, du kirghiz, du ouïgour, du tatar, du tibétain, du miao. Le chinois officiel demeure obligatoire comme langue seconde. Les 48 autres langues minoritaires sont pratiquement exclues du système scolaire parce qu'elles ne seraient pas encore dotées d'écriture. On alphabétise les minorités avec l'alphabet *pinyin* pour leur apprendre le *putonghua* (mandarin parlé). De plus, la majorité des professeurs sont des Han; les minorités manqueraient aussi de personnel qualifié.

L'immigration

Le gouvernement chinois pratique depuis 1956 une politique favorisant l'immigration des Han dans les régions minoritaires. Résultat? La minorisation des non-Han sur leur propre territoire. Ainsi, dans la région autonome du Xinjiang, les Han, qui constituaient 5,5 % de la population en 1949, atteignaient 50 % en 1980; en Mongolie intérieure, les Han forment aujourd'hui près de 80 % de la population; dans la région autonome zhuang du Guangxi, les Zhuang ne comptent plus que pour 36,9 % de la population malgré leur nombre élevé (12 millions); les Tibétains sont 3,4 millions, mais le gouvernement central a réussi à envoyer sur leur territoire plus de cinq millions de Han et, n'eut été de la vive résistance des Tibétains, il en aurait envoyé de 9 à 10 millions de plus. Enfin, une autre forme de la politique d'immigration consiste à déporter de jeunes enfants vers la région de Pékin en vue de les initier à la culture han; cette dernière mesure est inégalement appliquée parce qu'elle provoque parfois la révolte chez les minoritaires, notamment les Tibétains, qui ne semblent pas comprendre les bienfaits de l'éducation han.

DES RÉSULTATS EFFICACES

La politique assimilatrice de la Chine constitue une réussite dans la mesure où plusieurs groupes nationaux sont effectivement en voie d'extinction. Pour une quarantaine de petits peuples, les seuls attributs nationaux demeurent une langue méprisée et parlée uniquement à la maison de même qu'un habillement folklorique peu porté. On peut ranger dans cette catégorie les Zhuang (12 millions), les Yi (4,8 millions), les Bouyei (1,7 million), les Mandchou (2,6 millions), les Li (0,6 million), les Lisu (0,4 million), les Va (0,2 million), les She (0,3 million), les Gaoshan (0,3 million), les Lahu (0,2 million), les Shui (0,2 million), les Naxi (0,2 million) et quelque 35 autres peuples de moins de 100 000 locuteurs.

Cette politique comporte néanmoins des échecs parce qu'elle provoque une très forte résistance chez certaines nationalités et les fait se révolter encore davantage. C'est surtout le cas des minorités situées près des frontières comme les Mongols, les Tibétains, les Coréens, les Kazakhs, les Ouïgours, les Kirghiz, les Tatars, les Miao et les

Hui. Ces peuples se montrent particulièrement inassimilables, et font preuve d'une résistance et d'une ténacité qui étonnent les dirigeants chinois après 2 000 ans de domination, de répression, de déportations et de purges. Ils réclament tous un élargissement de leurs droits nationaux pendant que les revendications autonomistes ne se comptent plus.

La politique d'assimilation de la République populaire de Chine a rendu les minorités perméables à l'influence soviétique et aux autres influences dites «impérialistes» de l'Inde, du Viet-nam, voire des Britanniques et des Américains, au risque de susciter des problèmes avec l'URSS, la Mongolie, la Corée du Nord, l'Inde et le Viet-nam. Non seulement la Chine éveille le mécontentement de 67 millions de personnes près des frontières nationales, mais elle remet en question le socialisme chinois, avec cette politique qui nie l'égalitarisme socialiste.

3 LE KURDISTAN: LA SOLIDARITÉ ENTRE ÉTATS ASSIMILATEURS

Au cœur du Moyen-Orient, vit un peuple de 20 millions de personnes écartelé entre la Turquie (48,3 millions), l'Iran (42,8 millions), l'Iraq (15,2 millions), la Syrie (9,9 millions) et l'URSS (276,5 millions): les Kurdes. Victime de la partition de l'Empire ottoman et de la création des États modernes du Moyen-Orient après la Première Guerre mondiale, le peuple kurde s'est réfugié dans une région de hautes montagnes qu'il appelle le Kurdistan (*voir la figure 17.2*).

On compte aujourd'hui 10 millions de Kurdes en Turquie (21 % de la population du pays), 6 millions en Iran (14 %), 3 millions en Iraq (20 %), 800 000 en Syrie (8 %) et quelque 350 000 en URSS, où ils ne représentent que 0,01 % de la population soviétique. La très grande majorité des Kurdes (80 %) ne parle pas d'autre langue que le kurde, une langue indo-européenne de la branche iranienne. Conséquence du fractionnement politique des Kurdes, la langue kurde n'est pas unifiée; elle est fragmentée en plusieurs variétés dialectales dont le kurmancî et le soranî, les variétés les plus importantes, puis le zazaî, le lorî, le bakhtyarî. De plus, les Kurdes d'URSS écrivent leur langue en alphabet cyrillique, ceux de Turquie en alphabet latin, ceux d'Iraq, d'Iran et de Syrie en alphabet arabe ou arabo-persan. Ils sont davantage unifiés par la religion, étant presque tous musulmans sunnites.

Bien que partagés entre plusieurs États qu'ils ne contrôlent pas, les 20 millions de Kurdes sont restés relativement concentrés dans leur Kurdistan, à cheval sur quatre frontières. Ils possèdent toutes les caractéristiques d'une nation, mais ils n'ont pas d'État qui leur appartienne en propre. Pour conserver leur identité, les Kurdes ont dû s'opposer à des gouvernements centralisateurs et répressifs, la plupart du temps par la violence, à défaut d'autres solutions que leur refusent conjointement les États dans lesquels ils sont intégrés. Retranchés dans leurs chaînes de montagnes et hauts plateaux d'accès difficile, les Kurdes résistent farouchement aux dominations étrangères depuis plus de 60 ans.

LA TURQUIE

Au XIXe siècle, les diverses tentatives d'assimilation de la part de l'Empire ottoman entraînèrent la création de plusieurs principautés kurdes indépendantes, toutes plus ou moins réprimées. Suite à l'effondrement de l'Empire ottoman, le traité de Sèvres (1920) avait prévu la création d'un Kurdistan indépendant; non seulement ce traité resta sans suite, mais un décret gouvernemental interdit en 1924 l'enseignement en langue kurde, de même que toutes les associations et publications kurdes.

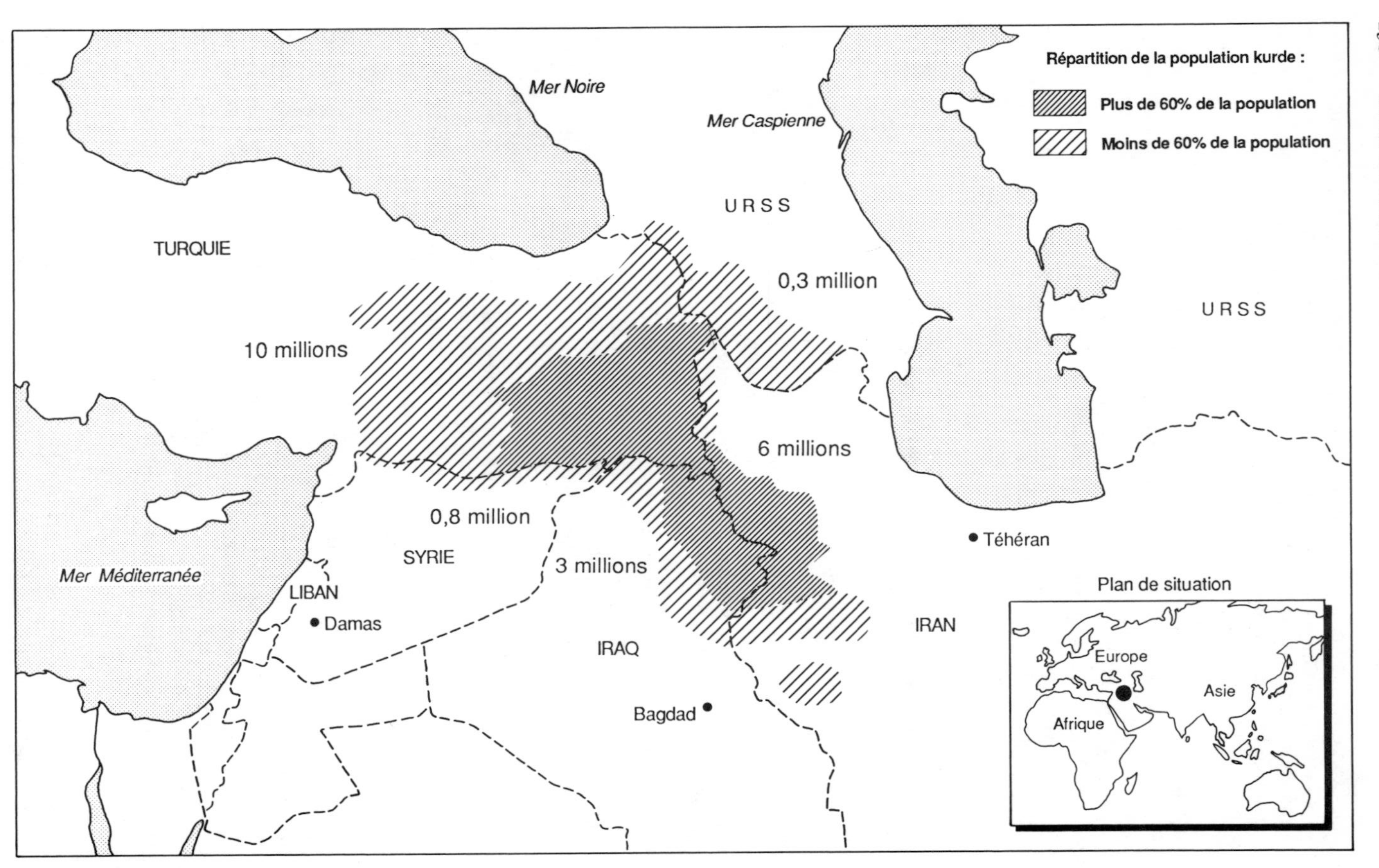

FIGURE 17.2 LE KURDISTAN

Cette situation donna lieu aux nombreuses révoltes qui secouèrent le Kurdistan turc de 1925 à 1939; elles furent toutes écrasées par le maréchal Mustafa Kemal Atatürk, le «Père des Türk». Dès sa prise du pouvoir, celui-ci avait entrepris, avec l'armée, de vastes opérations de ratissage des régions kurdes; qualifiées à l'époque de «campagnes de pacification du Kurdistan», ces opérations militaires avaient entraîné une répression telle qu'on peut parler d'un véritable génocide: massacres, déportations massives, incendies de villages, etc. Officiellement, il n'y eut plus de Kurdes en Turquie et ceux-ci furent considérés comme des «Turcs montagnards»; le Kurdistan prit le nom d'«Anatolie orientale» et vécut sous le régime de la loi martiale jusqu'en 1946, en plus d'être interdit aux étrangers jusqu'en 1965.

La Constitution de 1961 proclama encore une fois l'indivisibilité du territoire et du «peuple turc» de Turquie. Depuis cette époque, la répression a continué de s'abattre régulièrement (1971, 1973, 1980) sur les Kurdes. Aujourd'hui, le sud-est de la Turquie demeure sous le contrôle illimité de l'armée et les autorités turques restent fidèles à leur politique d'assimilation: la langue kurde est interdite de même que les mots «Kurdes» et «Kurdistan», la plupart des dirigeants kurdes sont en prison, les déportations massives se perpétuent.

Pendant que la question kurde perdure en Turquie, les 10 millions de «Turcs montagnards» (Kurdes) espèrent encore une reconnaissance de leurs droits. Beaucoup demandent que la Turquie se transforme en une république fédérale au sein de laquelle ils bénéficieraient d'une certaine autonomie; d'autres n'hésitent pas à demander le maximum: l'autonomie politique et la formation d'un grand Kurdistan avec les régions kurdes d'Iran, d'Iraq et de Syrie.

L'IRAN

À l'exemple de la Turquie, l'Iran a pratiqué, depuis le XIXe siècle, une politique de répression à l'égard des Kurdes. Le régime de Reza Chah (le fondateur de la dynastie Pahlavi) fut particulièrement catastrophique pour les Kurdes d'Iran. Non seulement il interdit la langue kurde dès 1925, mais il conclut un accord (le pacte de Saadabad) en 1937 avec Mustafa Kemal Atatürk pour combattre conjointement les Kurdes. La répression et la misère conduisirent ces derniers à se rebeller lors de la Seconde Guerre mondiale. Pendant que les Russes et les Britanniques occupaient l'Iran, les Kurdes déclarèrent unilatéralement le Kurdistan indépendant: la «République de Mahabad» vécut du 22 janvier 1946 au 5 décembre 1946, date à laquelle elle fut écrasée par le Chah, aidé de la Royal Air Force britannique.

La langue kurde fut de nouveau interdite, les fonctionnaires kurdes limogés, les dirigeants emprisonnés ou pendus, la loi martiale instaurée jusqu'en 1957. Les Kurdes poursuivirent leur guérilla contre le Chah d'Iran pendant que celui-ci soutenait financièrement les Kurdes d'Iraq en révolte contre le pouvoir central de Bagdad. Étouffés par le régime du Chah, les Kurdes profitèrent de la révolution islamique de l'ayatollah Khomeiny (1978-1979) pour revendiquer l'autonomie, qui leur fut refusée. Dès septembre 1979, les milices kurdes et les *pasdaran* (les «gardiens de la révolution») s'affrontèrent. Khomeiny proclama la «guerre sainte» et les forces kurdes durent reprendre le maquis, abandonnant les villes indéfendables.

La guerre du Kurdistan se poursuit aujourd'hui malgré le conflit irako-iranien. La République islamique d'Iran mène de front deux combats: l'un contre ses six millions de Kurdes, l'autre contre l'Iraq. L'Iran espère ainsi couper les Kurdes iraniens de ceux d'Iraq tout en affaiblissant son voisin, l'Iraq. Pendant que les Kurdes continuent de n'avoir droit à rien, le blocus économique, les massacres de la population et les bombardements permanents prennent des proportions alarmantes.

Néanmoins, les autonomistes kurdes semblent garder un «bon moral»; ils demandent un Iran démocratique, laïc et fédéral, qui leur accorderait une autogouvernance pour la gestion de leurs affaires.

L'IRAQ

Dès sa création après la Première Guerre mondiale, l'Iraq entreprit d'assimiler les Kurdes sur son territoire, ce qui entraîna des soulèvements armés successifs en 1932, en 1942 et en 1945, suivis d'une guérilla féroce entre 1960 et 1975. La riposte du gouvernement iraqien se révéla parfois terrible: blocus économique, massacres de la population, incendies de villages, etc. Mais, comme toujours, les maquisards kurdes demeurèrent insaisissables.

En 1974, le gouvernement promulgua unilatéralement la loi n° 33, sur l'autonomie du Kurdistan iraqien. Cette loi accordait le statut de région autonome au Kurdistan et déclarait le kurde langue officielle, avec l'arabe, dans cette partie du territoire iraqien: de plus, le Kurdistan se trouvait doté d'un Conseil législatif et d'un Exécutif. Cette loi sur l'autonomie, qui ne s'appliquait que sur quelque 60 % du territoire revendiqué par les Kurdes, ne pouvait satisfaire ces derniers. Les conflits reprirent de plus belle dès 1975 lorsque le Chah d'Iran retira aux Kurdes son appui financier et logistique. La guerre avec l'Iran permit à l'homme fort du pays, le président Sadam Hussein, d'investir à son tour le territoire kurde avec son armée, harcelée à la fois par les Iraniens et les maquisards kurdes d'Iraq.

Malgré tout, les trois millions de Kurdes d'Iraq bénéficient d'un meilleur statut qu'en Turquie ou en Iran; ils participent au gouvernement central, ils disposent d'un réseau d'écoles complet (primaire et secondaire), de journaux ainsi que d'une station de radio et de télévision diffusant en kurde. Pour le moment, l'autonomie reste encore plus symbolique que réelle, mais les dirigeants iraqiens de Bagdad se disent disposés à revoir la loi de 1974; on semble accepter de plus en plus que le pays soit formé de deux peuples: Arabes et Kurdes. Il reste à transposer cette réalité dans les faits.

LA SYRIE

Entre 1920 et 1941, sous le mandat français, les Kurdes de Syrie jouirent d'une certaine liberté. Ils purent publier des journaux et des volumes en kurde et, dans le Nord-Est, les fonctionnaires furent aussi bien kurdes qu'arabes. Par la suite, les premiers gouvernements syriens devinrent moins libéraux et les Kurdes n'échappèrent pas à la répression. Celle-ci atteignit son paroxysme avec la création de la République arabe syrienne (septembre 1961). Un véritable «plan pour un génocide légal» fut élaboré: émigration forcée en Turquie et en Iraq, déportation dans des régions syriennes désertiques, massacres de villages, arrestations, emprisonnements arbitraires et tortures, retrait de la nationalité syrienne, interdiction de la langue kurde, etc. Cette politique d'oppression et de déportation se poursuivit jusqu'en 1976, année où le gouvernement décida de ne plus intervenir et de laisser aller les choses.

Pour le moment, les 800 000 Kurdes de Syrie bénéficient d'une relative accalmie. Ils sont toujours tenus à l'écart de la vie politique, mais au moins le fait de posséder des livres kurdes n'est plus passible de prison. Un seul droit leur est reconnu: celui de défendre l'intégrité du territoire syrien, même au prix de leur vie.

L'URSS

Les 350 000 Kurdes d'URSS sont disséminés dans les républiques d'Azerbaïdjan, de Turkménie et surtout d'Arménie. Ils n'ont jamais eu de problèmes spécifiques et le kurde est reconnu comme l'une des langues nationales de l'URSS. Les Kurdes sont regroupés en «régions autonomes» et ne revendiquent rien de particulier: ils disposent de services administratifs en langue kurde, ainsi que d'un système d'enseignement, de journaux et d'imprimeries.

***

Écartelés entre plusieurs États, les Kurdes ont dû subir la politique de gouvernements extrêmement assimilateurs. Le mythe de l'État-nation, né en Europe au siècle dernier, reste particulièrement tenace en Turquie, en Iran et en Syrie. De plus, chaque État se sert de la présence de sa minorité «encombrante» pour exercer une pression chez son voisin. La Turquie, l'Iran, l'Iraq et la Syrie sont solidaires pour arrêter tout mouvement autonomiste destiné à unifier les différentes parties du Kurdistan. Le peuple kurde a le malheur de vivre dans une région stratégique, enjeu de multiples convoitises; les puissances supérieures qui le manipulent ont intérêt à maintenir ces conflits d'une extrême violence dans tout le Kurdistan. Même la guerre iraqo-iranienne sert les visées assimilatrices des deux belligérants qui tentent de coincer les Kurdes entre les deux armées.

Oubliés de l'histoire, sans alliés, sans existence autonome, les 20 millions de Kurdes résistent, retranchés dans leur isolement. La question kurde risque de perdurer indéfiniment, car la région bénéficie d'une configuration physique qui favorise l'identité de ce peuple sans État, engagé dans une guérilla féroce depuis longtemps, rêvant à son État indépendant. Chimère ou terre promise?

4 L'INDONÉSIE: L'ASSIMILATION PACIFIQUE

L'Indonésie est formée d'un archipel (*voir la figure 17.3*) baigné par l'océan Indien au Sud, la mer de Chine au Nord et l'océan Pacifique à l'Ouest. L'archipel est composé de plus de 3 000 îles, dont les principales sont Java, Sumatra, Bornéo (*Kalimantan*), Célèbes (*Sulawesi*), Moluques, Timor et Irian Jaya (partie ouest de la Nouvelle-Guinée). L'Indonésie a comme voisins immédiats la Malaisie, les Philippines et les petits États de Singapour et de Brunéi au nord, la Papouasie à l'est, et l'Australie au sud.

Habitée par 154 millions de personnes, l'Indonésie est un pays où on parle plus de 200 langues. Les plus importantes demeurent le javanais (65 millions), le soudanais (10 millions), le madourais (10 millions) et le malais (15 millions). La langue officielle est le malais ou *bahasa indonesia*, parlé par une minorité principalement sur la côte est de l'île de Sumatra, dans les régions côtières de Bornéo et dans la région de la capitale (Djakarta), dans l'île de Java. Le cas de l'Indonésie est l'un des plus intéressants au point de vue de l'aménagement d'une politique linguistique: une langue minoritaire nationale y assimile les autres langues avec le consentement des locuteurs.

DE LA LANGUE COLONIALE AU MALAIS

L'Indonésie, une ancienne colonie hollandaise, a toujours résisté à la langue impériale, le néerlandais; seule l'élite l'apprenait lorsqu'elle désirait accéder aux fonctions administratives. La lutte pour la libération nationale commença en 1928 quand le Parti nationaliste d'Ahmed Sukarno décida de promouvoir, par anticipation, le malais au statut de langue nationale. Il s'agissait d'une décision purement symbolique, mais cet événement orienta l'avenir du malais, perçu aussitôt comme un facteur d'identification et d'unification face à l'occupation hollandaise. Un premier congrès linguistique en 1938 permit de jeter les bases d'une opération destinée à mettre au point une ortho-

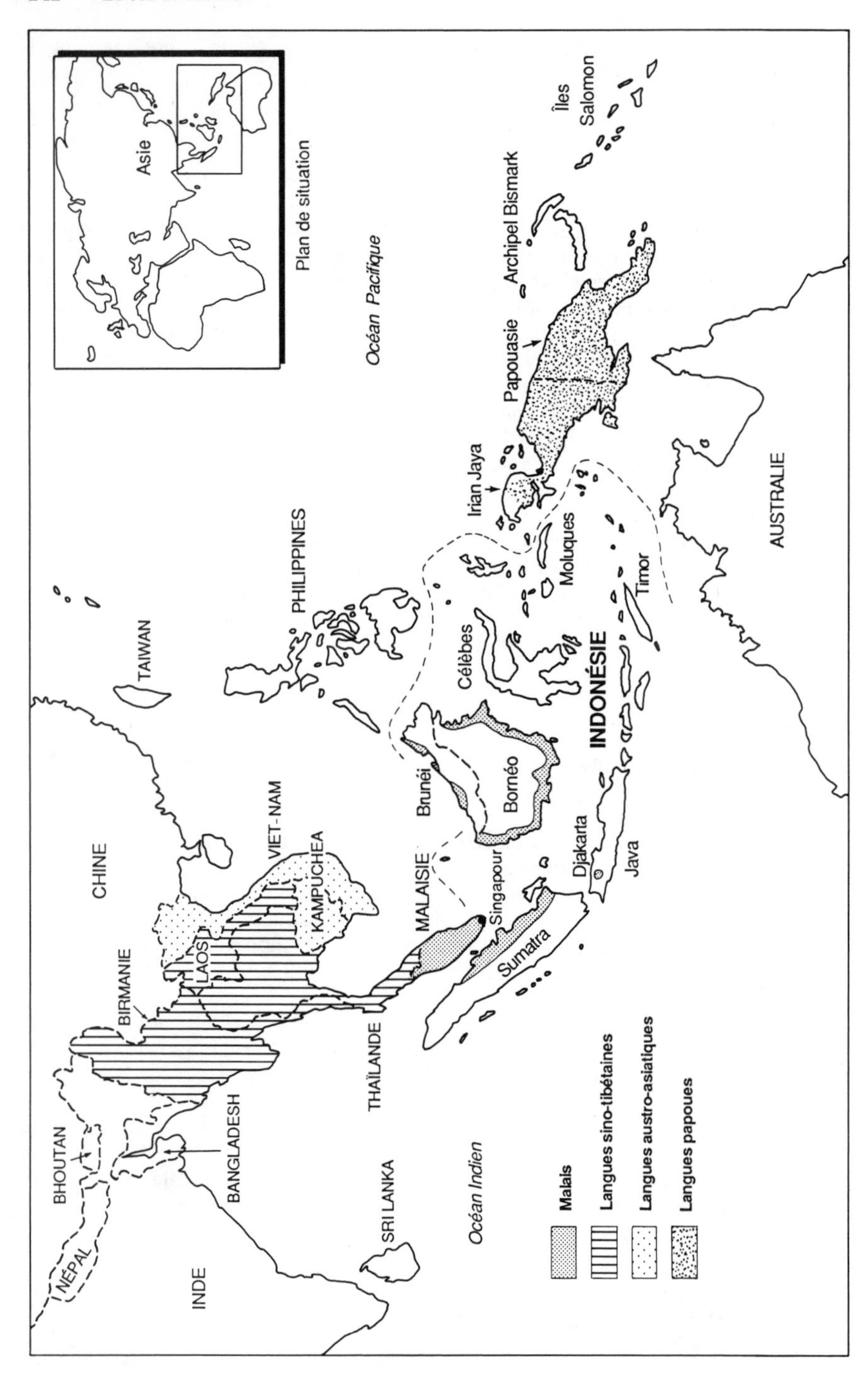

FIGURE 17.3 L'INDONÉSIE

graphe (avec l'alphabet latin), une grammaire et un vocabulaire adaptés à la vie moderne. La défaite des Pays-Bas aux mains des Allemands et l'occupation japonaise qui s'ensuivit en Indonésie soulevèrent aussitôt l'action des nationalistes dans tout le pays. À la fin de la guerre (1945), Sukarno proclama unilatéralement l'indépendance de la République indonésienne, une fédération qui fut abolie en 1950 lorsque les Pays-Bas renoncèrent définitivement à leurs droits de souveraineté sur l'archipel. Dès lors, le malais s'imposa avec une rapidité surprenante en supplantant l'ancienne langue coloniale en moins d'une génération.

UNE POLITIQUE ASSIMILATRICE ACCEPTÉE

Le malais ou *bahasa indonesia* doit son ascension fulgurante au centralisme autoritaire de l'élite politique, à son statut de langue commerciale dans tout le Sud-Est asiatique, et à sa valeur symbolique comme instrument de libération nationale après les occupations hollandaise et japonaise.

Dès l'indépendance, le gouvernement créa le *Pengembangam*, le Centre national de développement linguistique, qui entreprit la codification, la normalisation et l'expansion du *bahasa indonesia*. Il s'agit d'une politique linguistique savamment planifiée: le *Pengembangam* s'est lancé dans la publication de grammaires, de dictionnaires et de manuels pédagogiques ainsi que dans la création de terminologies scientifiques. En même temps, on fit du *bahasa indonesia* une véritable langue passe-partout, c'est-à-dire une langue très simplifiée qui a gardé une étroite parenté avec les autres langues indonésiennes. L'objectif était d'en faire une langue seconde facile à apprendre qui se substituerait progressivement aux langues locales.

L'opération semble avoir réussi puisque, aujourd'hui, le malais ou *bahasa indonesia* est devenu la seule langue de l'administration, de l'enseignement, des médias, de l'affichage, des sciences, etc. Cette langue est acceptée par presque tous les groupes ethniques comme symbole de la nation indonésienne. Le malais indonésien domine maintenant toutes les langues locales, qui ne lui font plus aucune concurrence.

LES RÉSISTANCES

Cette politique d'étouffement linguistique réussit effectivement partout sauf au Timor et en Irian Jaya (*voir la figure 17.3*). D'une part, les Mélanésiens du Timor, annexé de force par l'Indonésie en 1975, résistent à l'occupation militaire et aux méthodes barbares de l'armée pendant que l'Australie revendique ce territoire. D'autre part, les Papous de l'Irian Jaya (partie occidentale de la Nouvelle-Guinée) n'acceptent pas la domination des 20 000 Indonésiens sur cette portion de leur île revendiquée d'ailleurs par l'État de la Papouasie, qui occupe la partie orientale.

***

Ces deux exceptions mises à part, l'Indonésie a réussi à mettre en pratique une politique d'assimilation pacifique, un cas presque unique dans l'histoire avec celui d'Israël. Cette réussite s'explique: la politique reposait avant tout sur le consensus de la nation. Ce n'est pas l'importance numérique du malais qui a compté, mais son importance fonctionnelle et symbolique. En Chine, ces facteurs n'ont pas joué dans le cas des minorités non sinophones, pas plus que dans celui des Kurdes du Kurdistan; quant aux Amérindiens du Brésil, ils n'ont plus la force de s'opposer à quoi que ce soit. Néanmoins, ces exemples montrent qu'une politique d'assimilation peut constituer une réussite, bien que l'on puisse réprouver les méthodes répressives auxquelles elle donne lieu. Le cas de l'Iraq révèle en outre que l'on peut prétendre pratiquer une politique apparemment plus libérale sans qu'elle ne se transpose dans les faits.

LES SOLUTIONS PERSONNELLES

Jusqu'ici, les politiques linguistiques avancées (non-intervention ou assimilation) visaient l'homogénéité, confondant facilement unité nationale et uniformité. Aucun des États en cause n'avait comme objectif la protection des minorités, bien au contraire. Dans les exemples qui vont suivre, les politiques linguistiques correspondent à des SOLUTIONS dites PERSONNELLES; elles visent à aménager la cohabitation des langues sur un territoire national. On parle de solutions personnelles lorsque l'État accorde des droits linguistiques transportables à des individus, que ceux-ci soient concentrés ou non dans des zones géographiquement délimitées. Il s'agit donc de droits personnels.

Normalement, les solutions personnelles sont utilisées lorsque les groupes linguistiques sont dispersés sur le territoire de l'État; il peut arriver, comme en Autriche, aux Pays-Bas ou en France, que les groupes soient localisés géographiquement, mais cela n'implique pas que l'État agit sur une base territoriale. Avec ces solutions, on cherche à faire de la langue un droit strictement individuel tout aussi transportable que le droit de vote ou le droit d'expression religieuse.

De plus, selon que le but véritable des solutions personnelles est l'assimilation de la minorité ou la préservation de celle-ci, l'État fondera sa politique sur l'égalité ou l'inégalité; cependant, dans le cas d'une politique égalitaire, la grande difficulté demeure toujours de traduire les intentions dans les faits. Nous retiendrons trois types de solutions personnelles: le principe de la *non-discrimination*, le *statut juridique différencié* et le *bilinguisme institutionnel.*

Toutefois, ces différentes solutions ne sont pas nécessairement exclusives: comme nous le verrons, dans un État qui a promulgué officiellement le bilinguisme institutionnel, ce pourra être le statut juridique différencié qu'on emploiera dans les faits. De même, un État bilingue devrait, en principe du moins, recourir automatiquement à la solution de la non-discrimination, mais la réalité peut se révéler tout autre. Plusieurs solutions sont donc possibles en même temps; ce qui compte, c'est la pratique dominante vécue dans la réalité.

1 LE PRINCIPE DE LA NON-DISCRIMINATION LINGUISTIQUE

Le principe de la non-discrimination linguistique s'applique à toutes les personnes et constitue une garantie individuelle qu'accorde l'État. Ce «privilège» apparaît dans un certain nombre de traités internationaux, dans la Déclaration universelle des droits de l'homme et dans un grand nombre de constitutions nationales.

Dans la Déclaration universelle des droits de l'homme, on lit à l'article 2:

> «Chacun peut se prévaloir de tous les droits et toutes les libertés proclamées dans la présente Déclaration, sans distinction aucune, notamment de race, de couleur, de sexe, *de langue*, de religion, d'opinion politique ou de toute autre opinion, d'origine nationale ou sociale, de fortune, de naissance ou de toute situation.»

Quant à la Constitution de la République fédérale allemande, elle stipule à l'article 3:

«Nul ne doit être favorisé au défavorisé en raison de son sexe, de son ascendance, de sa race, *de sa langue*, de sa patrie et de son origine, de sa croyance et de ses conceptions religieuses ou politiques.»

Le principe de la non-discrimination demeure toujours d'application très générale, sinon abstraite, et repose sur une certaine conception voulant que les individus soient égaux, qu'ils aient les mêmes besoins et doivent être traités de façon identique. Ainsi, dans la Constitution de la République populaire de Hongrie, on a libellé le paragraphe 49.1 comme suit:

«Les citoyens de la République populaire de Hongrie sont égaux devant la loi et jouissent tous des mêmes droits.»

Dans cette optique, le problème des minorités se confond avec celui des droits de la personne. Beaucoup d'États privilégient le respect de tels droits; pour eux, ce respect rend superflue la reconnaissance des droits collectifs d'une minorité. Évidemment, il s'agit d'un prétexte qui cache le vrai motif, mais cette formule a le mérite de donner bonne conscience aux États tout en ne les emprisonnant pas dans des lois de protection trop compromettantes. Voici quelques cas de ce type.

L'AUTRICHE

L'Autriche (7,6 millions d'habitants) est une république fédérale de neuf États ou *Länder*. Elle est limitée par la Suisse et le Liechtenstein à l'ouest, par la Hongrie à l'est, par l'Italie et la Yougoslavie au sud, par l'Allemagne et la Tchécoslovaquie au nord. L'allemand est la langue officielle de l'Autriche bien qu'il existe des minorités tchèque, slovaque, slovène, croate et hongroise, dont l'ensemble n'atteint toutefois pas 100 000 locuteurs. Selon la Constitution fédérale, la république protège les minorités contre toute discrimination, notamment d'ordre linguistique. Les lois constitutionnelles précisent que quelle que soit la langue d'un ressortissant autrichien, elle ne peut être restreinte d'aucune manière dans les relations publiques ou privées.

Dans la région de Vienne, les Tchèques et les Slovaques ont le droit de diriger leurs écoles et de contrôler l'enseignement. Cet enseignement en tchèque ou en slovaque n'est offert toutefois que pour le primaire. Pour les Croates et les Hongrois résidant dans les *Länder* du Burgenland (près de la frontière hongroise) et de la Styrie (frontière yougoslo-hongroise), l'État accorde le droit à un enseignement primaire et secondaire, et le droit de s'adresser dans ces langues avec l'administration locale; ce droit s'étend aux tribunaux régionaux, mais les sentences doivent être rendues en allemand. Quant aux Slovènes de la Carinthie (frontière yougoslave), l'État ne leur permet que des écoles bilingues, où l'on enseigne moitié en slovène et moitié en allemand durant les trois premières années du primaire; à partir de la quatrième année, l'enseignement est dispensé en allemand pendant que le slovène est utilisé concurremment (à raison de quatre heures par semaine). Malgré ces droits, l'enseignement de la langue allemande demeure obligatoire comme langue seconde dans toutes les écoles où s'appliquent ces dispositions relatives aux minorités nationales.

Par ailleurs, toute la vie officielle se déroule entièrement en allemand, que ce soit au Parlement des *Länder*, à la radio ou dans l'administration fédérale. Malgré tout, quelques postes de radio locaux diffusent à certaines heures des émissions en slovène, en croate ou en hongrois.

DE QUELQUES ÉTATS SOCIALISTES

En *Pologne* (36,6 millions d'habitants), la Constitution accorde à tous les citoyens des droits égaux et elle les protège contre toute discrimination. La langue officielle est le polonais, mais les minorités allemande, ukrainienne, biélorusse, russe et lituanienne ont droit à leurs écoles au niveau primaire; la plupart de ces écoles sont bilingues, c'est-à-dire qu'on y enseigne en langue minoritaire et en polonais. Certaines stations de radio diffusent des émissions dans les langues minoritaires.

La *Hongrie* (10,7 millions) assure également à ses minorités la possibilité de recevoir un enseignement dans leur langue. Au total, moins de 400 000 Hongrois de langues allemande, slovaque, serbo-croate ou roumaine ont leurs écoles, leurs organismes culturels et leurs journaux. La radio d'État diffuse chaque jour des émissions en allemand, en slovaque et en serbo-croate. À l'exemple des États précédents, l'enseignement en langue minoritaire n'est offert qu'au niveau primaire et la plupart de ces écoles sont bilingues: hongrois-slovaque, hongrois-allemand, etc.

La *Roumanie* (22,6 millions) garantit à peu près les mêmes droits à ses minorités hongroise (1,5 million), allemande (0,4 million) et bulgare (quelque 35 000). Cependant, la Roumanie étend aussi ces droits à l'enseignement secondaire, aux journaux, à la justice et à l'administration locale; selon les besoins, des services de traduction et d'interprétariat sont prévus. La connaissance du roumain demeure de toute façon indispensable tant pour le travail que pour l'accès aux études supérieures.

***

La formule de la non-discrimination, dans les faits, favorise davantage l'assimilation que la protection des minorités, à qui on ne donne des droits spéciaux qu'avec parcimonie. Cette formule n'assure aucune autonomie effective et ne permet pas une véritable égalité, sinon strictement formelle, par rapport au groupe dominant; elle ne consiste qu'à assurer l'égalité des minorités les unes par rapport aux autres, et n'empêche nullement la majorité d'établir sa dominance. La preuve? La langue dominante demeure toujours indispensable au travail, dans la rue, dans les magasins et dans les écoles ou institutions d'enseignement secondaire ou supérieur. La non-discrimination vise l'assimilation en douce à long terme en obligeant les minoritaires à assumer seuls le fardeau du BILINGUISME DIGLOSSIQUE. Il n'est pas surprenant que beaucoup d'États favorisent cette formule.

2 LE STATUT JURIDIQUE DIFFÉRENCIÉ

Bien que certaines langues minoritaires ne soient pas reconnues comme langues officielles à l'intérieur d'un État, elles se voient parfois accorder une protection particulière. Cela se produit quand l'État réglemente l'utilisation des langues minoritaires dans certains secteurs comme l'enseignement, l'administration, les tribunaux ou les médias, dans le but de protéger une minorité nationale sur la base de droits personnels inégaux. Dans ce cas, l'État ne prétend pas accorder l'égalité; il concède simplement un statut juridique différencié, donc inégal par rapport à la majorité.

LE FRISON AUX PAYS-BAS

Le néerlandais est la langue officielle des Pays-Bas (14,3 millions). L'État accorde toutefois une protection à la langue minoritaire, le frison, parlé par 300 000 locuteurs dans la région de la Frise (Friesland), au Nord-Ouest (*voir la figure 18.1*). Le frison est la langue des Frisons, peuple germanique proche parent des Saxons et dominé dès le VIIIe siècle; c'est une langue très différente du néerlandais et elle ressemble étrangement au vieil anglais. Le frison est demeuré une langue usuelle jusqu'en 1498, puis il a commencé à péricliter. En 1927, il a retrouvé sa place dans l'enseignement aux Pays-Bas.

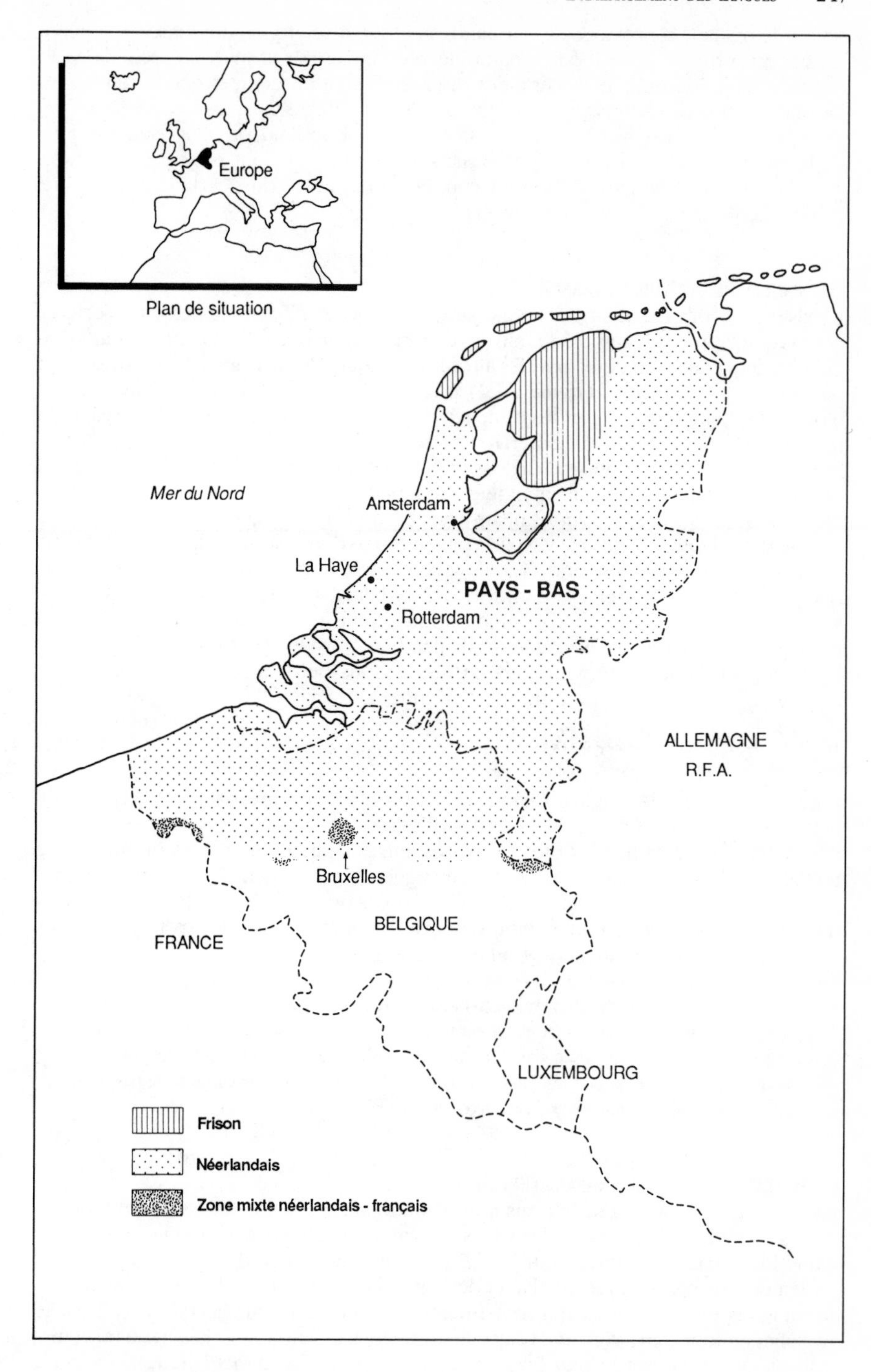

FIGURE 18.1 LES PAYS-BAS

Aujourd'hui, dans la province de Friesland, on enseigne en frison durant les premières années du primaire et moitié frison, moitié néerlandais par la suite; au secondaire, le néerlandais prédomine, mais certaines disciplines sont enseignées encore en frison. De plus, le frison est admis au même titre que le néerlandais dans les actes notariés, les actes judiciaires et les procès devant les tribunaux du Friesland; on peut communiquer en frison avec l'administration locale, mais les services ne sont pas nécessairement assurés dans cette langue. De toute façon, la connaissance du néerlandais demeure essentielle pour les Frisons des Pays-Bas.

LES LANGUES RÉGIONALES EN FRANCE

Il existe de nombreuses langues régionales en France et elles n'ont cessé de décliner depuis que François Ier imposa le français comme langue officielle. On divise traditionnellement la France en deux grandes aires linguistiques: les parlers d'oïl au Nord et les parlers d'oc au Sud (*voir la figure 18.2*). Bien qu'en voie d'extinction, certains parlers d'oïl sont encore utilisés dans les campagnes; p. ex.: le picard, le normand, le gallo, le saintongeais, le poitevin et le berrichon. Les locuteurs de ces langues régionales pratiquent tous un bilinguisme diglossique. En ce qui concerne les langues d'oc, on distingue le franco-provençal (quelques milliers d'individus) à l'Est, l'occitan proprement dit et ses variantes (limousin, auvergnat, provençal, languedocien) ainsi que le gascon au Sud-Ouest. L'occitan est parlé par au moins deux millions de personnes mais compris par sept millions, tandis que le gascon (avec le béarnais) n'est parlé que par quelques dizaines de milliers d'individus. Aux langues de ces deux grandes zones, viennent s'ajouter: le breton, d'origine celtique, qui est parlé par un peu moins d'un million de personnes en Bretagne; le flamand au Nord-Est (entre 60 000 et 100 000 locuteurs) et l'alsacien (1,5 million) en Alsace, tous deux langues germaniques; le basque (100 000), langue non indo-européenne; le catalan (200 000 environ), langue romane; le corse, langue d'origine italienne parlée par plus de 200 000 locuteurs, dont 100 000 en Corse même et 100 000 autres dispersés sur le continent.

Dans l'ensemble, ces langues régionales sont toutes en régression à l'exception de l'alsacien, qui se maintient même dans des villes comme Strasbourg ou Colmar, chez les plus jeunes comme chez les plus vieux. Les autres langues régionales ont une nette tendance à n'être parlées que dans les campagnes et par les gens âgés. N'oublions pas que toutes les langues régionales ont subi le poids de deux siècles de centralisme et d'interdit. On se rend compte aujourd'hui de l'apport culturel de ces langues après avoir tout fait pour les anéantir. Comme le souligne Jean Richard:

> «Jusqu'à une époque toute récente, la valeur culturelle des «dialectes» était rarement perçue: condamnés depuis la Révolution, les parlers locaux représentaient le poids du passé dans un monde nouveau; abandonnés à la paresse linguistique de locuteurs peu touchés par l'évolution du monde, ils avaient amorcé un gigantesque recul. Mais, en se raréfiant, ils devenaient objets de curiosité, le pittoresque bientôt évanoui que certains songeaient à recenser pour la postérité[1].»

LA LÉGISLATION FRANÇAISE EN ÉDUCATION

En 1951, le gouvernement français avait fait adopter la loi Deixonne, qui permettait l'enseignement en langues locales «dans les régions où elles sont en usage». Il s'agissait d'une loi restrictive qui autorisait (article 10) l'enseignement dans quelques langues seulement (breton, basque, catalan et occitan); elle limitait à une heure d'activités par semaine cet enseignement, qui devait demeurer facultatif pour les élèves (art. 3). Le Parlement adopta, en 1975, une nouvelle loi relative à l'emploi de la langue française, mais qui reconnaissait le plurilinguisme en France à l'égard des langues locales ou régionales. On autorisait l'emploi et la connaissance de ces langues locales désormais reconnues comme faisant partie intégrante du patrimoine national. L'article 12 de la loi

1. Jean RICHARD, «L'école et les dialectes» dans *Langue dominante, langues dominées*, Paris, Edilig, 1982, p. 134.

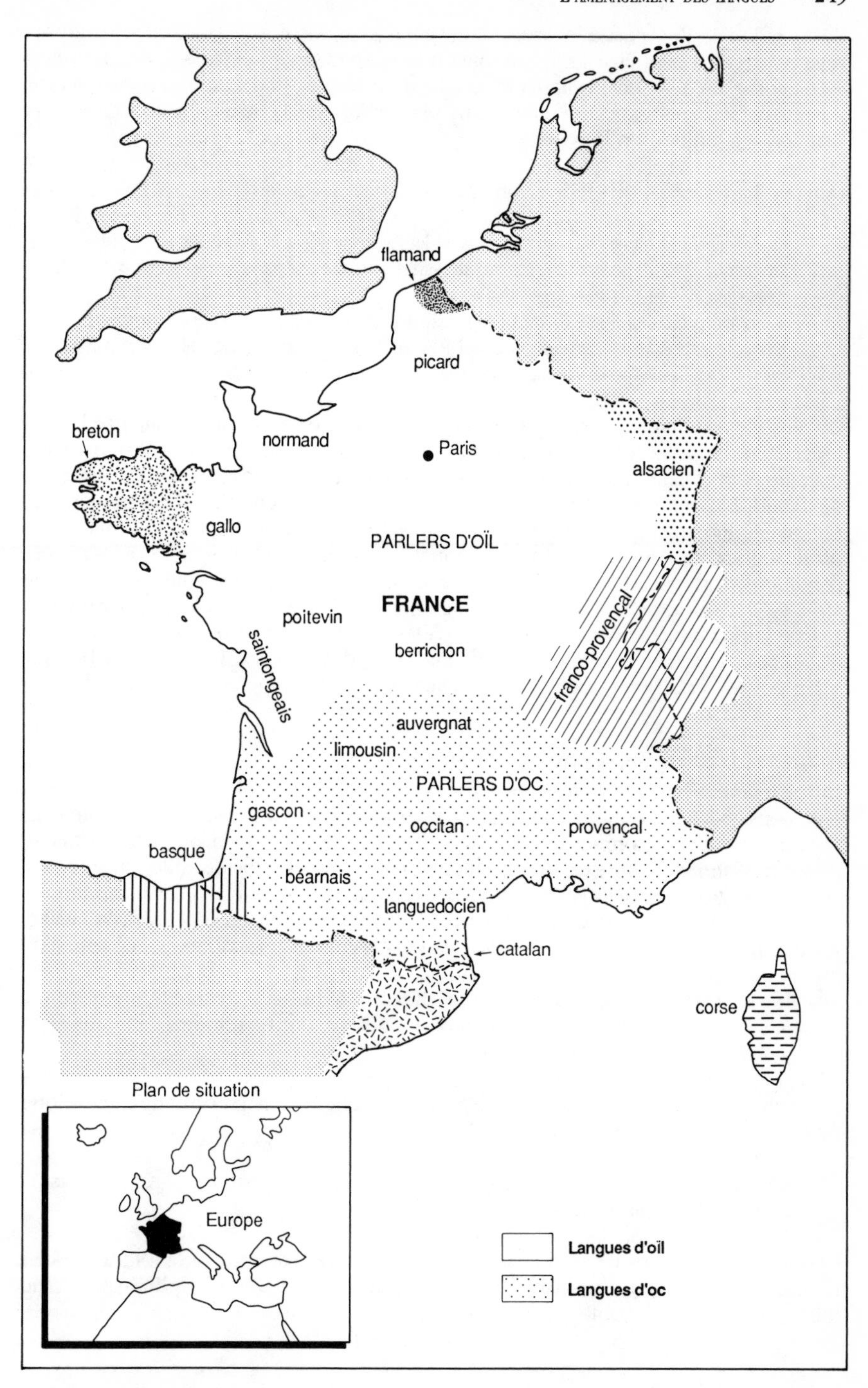

FIGURE 18.2 LES LANGUES RÉGIONALES

du 11 juillet 1975 accorde le droit à «un enseignement des langues et des cultures régionales (qui) peut être dispensé tout au long de la scolarité» aussi bien en breton qu'en corse, en alsacien, en flamand, etc. Le ministère de l'Éducation organise même des enseignements expérimentaux dans ses territoires d'outre-mer: en créole à la Réunion, en tahitien en Polynésie, etc.

Dans la réalité, la loi de 1975 a donné les résultats suivants:

— un enseignement d'une heure par semaine en langue régionale à la maternelle et au primaire;
— au premier cycle du secondaire, des activités dirigées n'imposant pas aux élèves une contrainte supplémentaire ou une surcharge horaire;
— au second cycle, une limite de trois heures par semaine par groupe de 10 élèves au moins;
— un enseignement qui doit demeurer facultatif pour tous les intervenants: enseignants, élèves, parents;
— une épreuve facultative de langue locale à la fin du baccalauréat.

De plus, cet enseignement déjà parcimonieux rencontre des obstacles majeurs: l'insuffisance ou l'absence de matériel pédagogique (surtout en breton et en corse), le manque de formation des professeurs (surtout en catalan et en basque), un sentiment de total isolement chez les enseignants. Dans l'ensemble, l'enseignement des langues régionales demeure marginal et incertain; il dépend trop de la compétence, limitée, des professeurs et de leur conviction personnelle. Il n'est pas surprenant que, dans ces conditions, fort peu d'élèves suivent des cours en langue régionale; pour l'année 1977-1978, l'Académie de Rennes n'avait comptabilisé que 21 276 élèves pour toute la France, qui compte au total 10 millions d'élèves. On dénombrait notamment 12 009 élèves pour l'occitan, 4 889 pour le breton, 1 862 pour le corse, 1 288 pour le basque, 1 228 pour le catalan, et aucun pour les autres langues.

LA RADIO ET LA TÉLÉVISION FRANÇAISES

La loi n'oblige par les sociétés nationales de radio et de télévision à diffuser des émissions en langue régionale. Ainsi, la troisième chaîne de télévision FR3 a seulement l'obligation de programmer des émissions rendant compte de la vie et de l'actualité régionales afin de favoriser une meilleure intégration socioculturelle. Néanmoins, depuis 1975, des émissions sont diffusées, par Radio-France et FR3, en alsacien, en corse, en breton, en provençal, en béarnais, en languedocien, en occitan et en catalan; les autres langues sont interdites. Ces émissions prennent généralement la forme d'un bulletin quotidien de cinq minutes à la radio ou d'un magazine hebdomadaire télévisé allant de 20 à 60 minutes; le breton est privilégié: FR3 lui accorde une heure et demie par jour et Radio-France deux bulletins quotidiens de 10 minutes, en plus d'un magazine hebdomadaire d'une heure.

Une telle politique a peu de chance de protéger réellement le patrimoine linguistique de la France. Comme le dit Guy Gauthier:

> «Les chanteurs ne suffisent pas pour sauver une langue. La presse marginale non plus. Et quelques minutes de radio pas davantage[2].»

Le droit à l'emploi des langues régionales est peut-être reconnu par la loi française et répond probablement à des aspirations profondes, mais il demeure plus symbolique que réel. C'est là le problème, avec ce type de protection.

LE FRANÇAIS EN ONTARIO

Selon le recensement de 1981, on comptait 474 605 francophones en Ontario, soit 5,5 % de la population totale de cette province, qui était de 8,6 millions. Les Franco-Ontariens

2. Guy GAUTHIER, «La Corse de la dernière chance» dans *Langue dominante, langues dominées*, Paris, Edilig, 1982, p. 115.

constituent donc, en chiffres absolus, la plus importante minorité francophone hors Québec puisqu'on n'en dénombre que 234 030 au Nouveau-Brunswick (33,6 % de la population de cette province).

L'Ontario n'a jamais été lié à l'article 133 de l'A.A.N.B. et n'a jamais reconnu le français comme langue officielle de la province. Les services consentis ont toujours eu un caractère de privilège et sont restés sujets aux aléas des gouvernements. Aussi, il n'est pas surprenant que les taux des transferts linguistiques (passage du français à l'anglais à la maison) soit élevé pour une population de près d'un demi-million; il était en 1981 de 33,9 %, soit 4 % de plus qu'en 1971. Même au cœur de la capitale nationale, les transferts linguistiques frappent le quart de l'effectif francophone. Selon le Commissaire aux langues officielles du Canada: «Voilà de quoi faire réfléchir tout planificateur linguistique[3]».

L'anglais a été de tout temps la seule langue de la législature, de la justice et de l'administration en Ontario. La politique de répression systématique du français dans cette province anglaise a été un fait marquant de la vie franco-ontarienne depuis plus de 100 ans. En 1885, le gouvernement ontarien faisait adopter une loi exigeant que l'on enseigne l'anglais dans toutes les institutions scolaires, même françaises. En 1912, le fameux règlement 17 est venu supprimer l'école française publique et n'a été abrogé qu'en 1944. Jusqu'en 1969, pas une seule école française de niveau secondaire n'a bénéficié d'une aide gouvernementale; l'enseignement primaire en français, avec l'anglais obligatoire, s'est maintenu entretemps comme un privilège accordé à la minorité.

UNE POLITIQUE PRUDEMMENT ÉTAPISTE

L'Ontario continue de refuser le statut de langue officielle au français, et ce, malgré la recommandation de la Commission Laurendeau-Dunton (1968), malgré la nouvelle Constitution canadienne (1982), malgré les pressions exercées par le gouvernement fédéral et malgré les rapports successifs des commissaires aux langues officielles. Le gouvernement ontarien préfère manifestement une approche «sans tambour ni trompette» et prudemment étapiste qui, il faut le reconnaître, a donné lieu à des progrès importants pour les francophones. On peut cependant déplorer l'extrême lenteur du gouvernement dans cette affaire. Robert Paris, président de l'Association des juristes d'expression française de l'Ontario, explique ainsi l'attitude du gouvernement:

> «Le gouvernement ne peut pas permettre ni se permettre de garantir nommément les droits linguistiques de la minorité franco-ontarienne. Le droit et la tradition l'interdisent. Sa survie et la survie de n'importe lequel autre gouvernement, peu importe son allégeance politique, en dépendent. C'est pourquoi tout gouvernement qui tente de faire justice dans ce domaine doit le faire sans qu'il n'y paraisse. *Justice must not appear to be done*[4].»

Adoptée par d'autres gouvernements (Pays-Bas, France), cette politique du statut juridique différencié, fondée sur des privilèges parcimonieux et facilement révocables, permet de satisfaire la minorité en ménageant la susceptibilité de la majorité; c'est une question de pragmatisme politique, qui distille les droits de la minorité au compte-gouttes. Cette politique a toujours favorisé jusqu'à maintenant le parti au pouvoir et permis d'éviter les problèmes éprouvés ailleurs, au Nouveau-Brunswick et au Manitoba par exemple.

3. *Rapport annuel 1984*, Ottawa, Approvisionnements et Services Canada, 1985, p. 200.
4. Cité par Sheila McLEOD ARNOPOULOS dans *Hors du Québec, point de salut?*, Montréal, Libre Expression, 1982, p. 117.

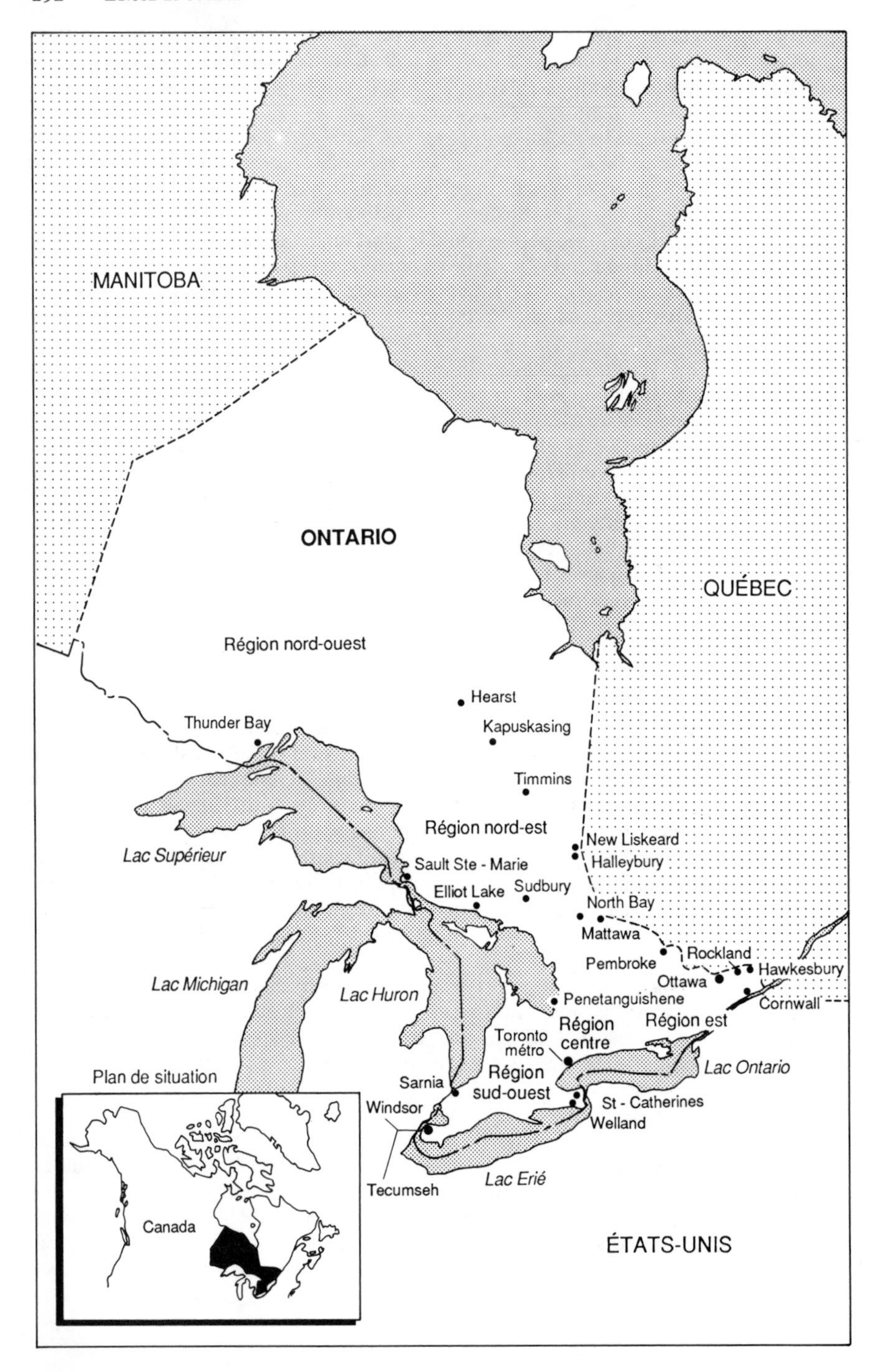

FIGURE 18.3 L'ONTARIO FRANCOPHONE

LES DROITS SCOLAIRES DES FRANCO-ONTARIENS

En 1968, l'Ontario modifie la *Loi sur l'administration des écoles* et la *Loi sur les écoles secondaires et les conseils scolaires*, de façon à permettre la création d'écoles et de classes françaises au primaire et au secondaire. L'enseignement du français s'est considérablement développé depuis 1969 et plus de 93 000 élèves étaient inscrits en 1984-1985 dans les classes françaises, réparties dans 350 écoles de la maternelle à la 10e année inclusivement; à compter de 1985-1986, des fonds publics seront disponibles pour les classes supérieures des 11e, 12e et 13e années. De plus, l'Université d'Ottawa dispense des cours en langue française à 60 % dans les facultés des Arts et des Sciences sociales.

Malgré les progrès inconstestables du français en Ontario, les francophones ne sont pas encore au bout de leurs peines. Même si les lois ontariennes garantissent l'enseignement en français «là où la demande le justifie», les tensions persistent. D'abord, les dispositions de la loi scolaire touchant le nombre d'élèves nécessaires pour que soit créée une classe francophone sont incompatibles avec l'article 23 de la Charte des droits de la Constitution canadienne; un jugement rendu en juin 1984 par la Cour d'appel de l'Ontario est venu confirmer les revendications de l'Association canadienne-française de l'Ontario à l'effet de réduire le nombre minimal d'élèves pour ouvrir une classe française. De plus, malgré la promesse du gouvernement à cet égard, les francophones ne disposent pas encore de leurs propres conseils scolaires; les commissions scolaires demeurent toujours sous le contrôle de commissaires anglophones et l'existence d'écoles entièrement francophones dépend du bon vouloir des commissions scolaires anglophones. Enfin, comme le souligne Sheila McLeod Arnopoulos, l'implantation de classes françaises au sein des écoles anglaises ne donne pas les résultats escomptés:

> «Le milieu scolaire perd rapidement son caractère français dès que les élèves doivent partager les mêmes locaux que ceux de la population étudiante de langue anglaise; l'anglais s'impose irrésistiblement comme langue d'usage dans tous les échanges entre étudiants[5].»

Dans plusieurs régions de l'Ontario, la majorité manifeste peu de compréhension face à ce problème, comme en témoignent les conflits scolaires à Penetanguishene, à Sturgeon Falls, à Cornwall et à Windsor. Dans le domaine postsecondaire, les progrès ont été tellement modestes que le Commissaire aux langues officielles du Canada a décerné son «prix citron 1984» au ministère des Collèges et universités de l'Ontario, estimant que les collèges et les universités ontariennes devraient «apprendre à ramer avec le courant[6]». Le Commissaire aux langues officielles a aussi accordé un «prix citron» à l'Ontario, qui continue «d'offrir aux professeurs de français une formation décousue[7]». Enfin, rappelons que les francophones de l'Ontario ne sont nullement tenus de fréquenter leurs institutions scolaires de langue française parce que l'enseignement du français demeure facultatif pour la minorité, ce qui discrédite encore l'enseignement en français.

LES SERVICES GOUVERNEMENTAUX

Dans le domaine de l'administration publique provinciale, les Franco-Ontariens disposent d'un éventail de plus en plus large de services en français. Le service Renseignements-Ontario répond aux besoins d'information en français sur les services et programmes provinciaux. De plus, le Bureau du coordonnateur provincial des services en français est chargé de veiller à l'application de la politique gouvernementale en la matière. Dans le domaine de la justice, une loi de 1984 sur les tribunaux garantit le droit de tout Franco-Ontarien à un procès dans sa langue dans les cours désignées à cette fin;

5. *Ibid.*, p. 107.
6. COMMISSAIRE AUX LANGUES OFFICIELLES, *Rapport annuel 1984*, p. 33-34.
7. *Ibid.*, p. 33.

des progrès sensibles ont été réalisés aussi sur le plan de la bilinguisation des formulaires, de la traduction des lois et de la formation des avocats. Voilà pour ce qui a trait à l'interprétation officielle des droits des francophones de l'Ontario en ces domaines.

La réalité présente un tout autre aspect relativement à ces mêmes droits. Selon le *Rapport annuel* (1984) du Commissaire aux langues officielles, les services gouvernementaux varient beaucoup qualitativement, allant «de passables à nuls», dans les domaines de la justice, de la santé et de l'administration publique. En ce qui concerne la justice, même si la plupart des cours provinciales et un certain nombre de cours municipales sont ouvertes en français depuis 1976, les francophones n'insistent pas pour faire valoir leurs droits. D'une part, ils ont encore l'impression que le français tombe dans la catégorie des «nuisances publiques», et d'autre part, ils se rendent bien compte des lacunes encore nombreuses dans le domaine de la justice; par exemple, la Cour suprême de l'Ontario n'offre des services français qu'à Ottawa, à Toronto et dans la région de Prescott-Russel (près du Québec). Aussi se contentent-ils généralement d'un procès en anglais. Sheila McLeod Arnopoulos cite un avocat de Sudbury, Me Richard Pharand, qui explique ainsi l'attitude des Franco-Ontariens:

> «Ils se sentent déjà vulnérables à cause de l'accusation qui pèse sur eux et ils s'imaginent solliciter une faveur en demandant un procès en langue française. Même s'ils parlent à peine l'anglais, ils vont se contenter d'un procès en anglais[8]».

Dans le domaine social et celui de la santé, selon le Commissaire aux langues officielles: «Les établissements du secteur ontarien souffrent depuis longtemps d'une pénurie de personnel spécialisé pouvant assurer les services en français[9]». Rares, en effet, sont les francophones qui demandent et peuvent recevoir facilement des services en français dans les hôpitaux et autres institutions du genre.

En ce qui concerne l'administration publique, la résistance au français semble augmenter au fur et à mesure que l'on se rapproche de l'administration locale. Pour ce qui touche d'abord les services gouvernementaux fédéraux, voici comment le Commissaire aux langues officielles décrit la situation:

> «Les services dans le Nord et l'Est sont à peine passables alors qu'ailleurs ils sont de bien piètre qualité. Enfin, si le client s'attend à une offre «active» en français à ces endroits, il risque d'être déçu[10].»

Quant aux services gouvernementaux provinciaux, le Commissaire aux langues officielles ne craint pas de déclarer que, dans les faits, «les services en français sont, le plus souvent, sporadiques et improvisés[11]». L'Ontario n'offre toujours pas à ses citoyens de langue française un ensemble de services bilingues comparable à celui dont jouissent les Anglo-Québécois. Au niveau municipal, selon Sheila McLeod Arnopoulos, les services «ne sont que symboliques[12]»; les divers services municipaux ne peuvent traiter avec le public dans les deux langues même dans une ville comme Sudbury, où les francophones constituent 40 % de la population. Il ne semble pas y avoir d'exception: dans toute ville francophone de l'Ontario, les assemblées municipales se déroulent en anglais parce qu'il s'y trouve toujours un unilingue anglais présent et que c'est sa langue qui prime[13].

L'introduction dans la Constitution des droits linguistiques des Franco-Ontariens dissiperait l'impression, répandue chez les francophones, que les services consentis ont un

8. Cité par Sheila MCLEOD ARNOPOULOS, *op. cit.*, p. 132.
9. COMMISSAIRE AUX LANGUES OFFICIELLES, *Rapport annuel 1984*, p. 80.
10. *Ibid.*, p. 202.
11. *Ibid.*, p. 81.
12. Sheila McLEOD ARNOPOULOS, *op. cit.*, p. 128.
13. *Ibid.*, p. 129-130.

caractère de privilège. C'est justement ce statut que le gouvernement de l'Ontario veut perpétuer à l'égard du français, comme on le fait d'ailleurs aux Pays-Bas et en France à l'égard du frison et des langues régionales.

APATHIE ET LASSITUDE

De toute façon, pour ce qui est des procès en français, des services fédéraux, provinciaux ou municipaux en français, des soins médicaux ou autres en français, non seulement la majorité des Franco-Ontariens ne se plaignent pas de la piètre qualité des services qu'ils reçoivent mais, comme le révélait un sondage de la firme CROP en 1983, ils se déclarent même satisfaits de ces services, dont ils ne se prévalent d'ailleurs qu'en anglais. De même, la plupart des francophones lisent des revues et des journaux en anglais, et syntonisent des stations de radio et de télévision de langue anglaise bien qu'ils aient accès à un quotidien (*Le Droit* d'Ottawa) et à une dizaine d'hebdomadaires en français ainsi qu'aux émissions françaises de Radio-Canada, de TV Ontario et, pour certains, de Radio-Québec et de TVA[14].

Blessés par les expériences désagréables et pénibles de même que par les conflits épuisants du passé, beaucoup de francophones préfèrent se cacher et éviter de s'afficher, de peur de soulever le ressentiment de la majorité anglophone. C'est ainsi que de nombreux Franco-Ontariens en viennent à considérer normal que le français appartienne à la famille, à l'école, à l'église et aux activités culturelles locales, tandis que l'anglais reste la langue omniprésente du travail, des affaires, de la technologie et de la vie publique.

***

Le principal obstacle à l'utilisation généralisée du français en Ontario demeure le gouvernement provincial, qui semble bien décidé à ne pas reconnaître à cette langue le statut de langue officielle. Aussi les Franco-Ontariens ont-ils l'impression justifiée de jouir de privilèges susceptibles de leur être retirés à tout moment plutôt que de droits permanents reconnus. Depuis près de 120 ans, les francophones de l'Ontario vivent dans une marginalité embarrassante. Plus d'un lorgne vers le Québec en pensant à la tranquillité dont ils pourraient jouir, tandis que d'autres, la plupart, aspirent à l'assimilation libératrice.

Dans quelque pays que ce soit, ce type de protection, essentiellement inégalitaire, ne vise surtout pas à protéger la minorité, mais à calmer ses revendications tout en évitant de froisser la majorité. En ce sens, l'expérience des Pays-Bas, de la France et de l'Ontario fournit de bons exemples de l'efficacité d'une telle politique. Nous verrons qu'il est beaucoup plus difficile d'avoir du succès avec une politique linguistique axée sur le bilinguisme institutionnel.

3 LE BILINGUISME INSTITUTIONNEL

Les solutions personnelles relatives à la non-discrimination et à la protection différenciée des minorités obligent les minoritaires à vivre une situation de bilinguisme diglossique. À l'opposé, la formule du bilinguisme institutionnel, dans le cadre des solutions personnelles, consiste à rendre les institutions bilingues et à permettre,

14. *Ibid.*, p. 203.

théoriquement du moins, l'unilinguisme des individus. Une telle formule implique que l'État accorde à deux ou plusieurs langues le même statut officiel et des droits égaux quant à leur emploi dans toutes ses institutions. Cela signifie que les individus peuvent recevoir des services dans leur langue n'importe où sur le territoire national, voire travailler dans la langue officielle qui est la leur. Il s'agit avant tout d'une égalité juridique entre deux ou plusieurs langues, qui devrait s'accompagner de la mise en place des instruments nécessaires pour traduire cette égalité dans les faits. Autrement, le bilinguisme institutionnel demeure symbolique et équivaut à une non-reconnaissance. Le problème, rappelons-le, c'est justement de traduire ce bilinguisme dans la réalité.

Les États bilingues dont nous citerons l'exemple ici (le Vanuatu, le Cameroun, le Nouveau-Brunswick, le Canada) ont choisi la solution d'un bilinguisme institutionnel fondé sur la formule de la PERSONNALITÉ, donc sur les droits personnels. Cependant, d'autres États peuvent recourir à un bilinguisme fondé sur la formule de la territorialité, c'est-à-dire séparer les langues sur le territoire comme en Belgique, en Suisse ou en Inde. Ce type d'aménagement linguistique fait l'objet d'une catégorie distincte, que nous aborderons au chapitre 19. Il s'agit pour le moment de comprendre que l'on peut adopter la solution du bilinguisme institutionnel à partir de formules bien différentes.

LE VANUATU: UN ÉTAT BILINGUE SANS BILINGUES

L'État du Vanuatu[15] (autrefois les Nouvelles-Hébrides) est un petit pays de 127 000 habitants. Situé à 1 500 km à l'est de l'Australie, il forme un archipel d'une quarantaine d'îles de la Mélanésie dans l'océan Pacifique du Sud-Ouest; il est entouré par les îles Salomon au nord, par les îles Fidji à l'est, par la Nouvelle-Calédonie française au sud, par l'Australie et la Papouasie à l'ouest.

Les ex-Nouvelles-Hébrides ont été découvertes par les Portugais en 1606, puis colonisées par les Français en 1768 et par les Anglais en 1774. Au XIXe siècle, Français et Anglais négocièrent un protocole (appelé «condominium franco-britannique») pour administrer conjointement l'archipel. Il en résulta deux États dans l'État: dans l'administration publique, la «Résidence française» ne fonctionnait qu'en français et la «British Residency» qu'en anglais. Pour l'enseignement, les Mélanésiens du Vanuatu ont dû «subir» deux systèmes séparés: l'un contrôlé par la France, l'autre par la Grande-Bretagne. Pour tous les habitants de l'archipel, la connaissance de «l'autre langue» est toujours demeurée sans intérêt. Cette situation, résultat des rivalités franco-britanniques, s'est perpétuée jusqu'à nos jours.

LA SITUATION LINGUISTIQUE

Le nouvel État du Vanuatu a accédé à l'indépendance en juillet 1980 dans des circonstances qui ont sérieusement compromis l'avenir des «francophones» au profit des «anglophones». La population est partagée, linguistiquement, entre 102 langues mélanésiennes, trois langues polynésiennes (wallisien, tahitien, tonga) et une langue chinoise (hakka); ces langues constituent quelques-unes des 106 véritables langues maternelles des habitants de l'archipel. Pour communiquer entre eux, les Mélanésiens utilisent le bichlamar ou pidgin bislama; cette langue est parlée par tous les habitants comme langue seconde. Par ailleurs, le français et l'anglais ont maintenu leur statut de langues officielles de l'État, mais seule une très faible minorité d'individus utilise le français ou l'anglais comme langue maternelle; il s'agit essentiellement des Français ou des Anglais qui sont demeurés au Vanuatu après l'indépendance. Encore plus rares sont ceux qui peuvent prétendre être bilingues français-anglais. Aussi peut-on dire que le bilinguisme français-anglais au Vanuatu n'est réservé qu'aux institutions.

15. Prononcer «va-nou-atou».

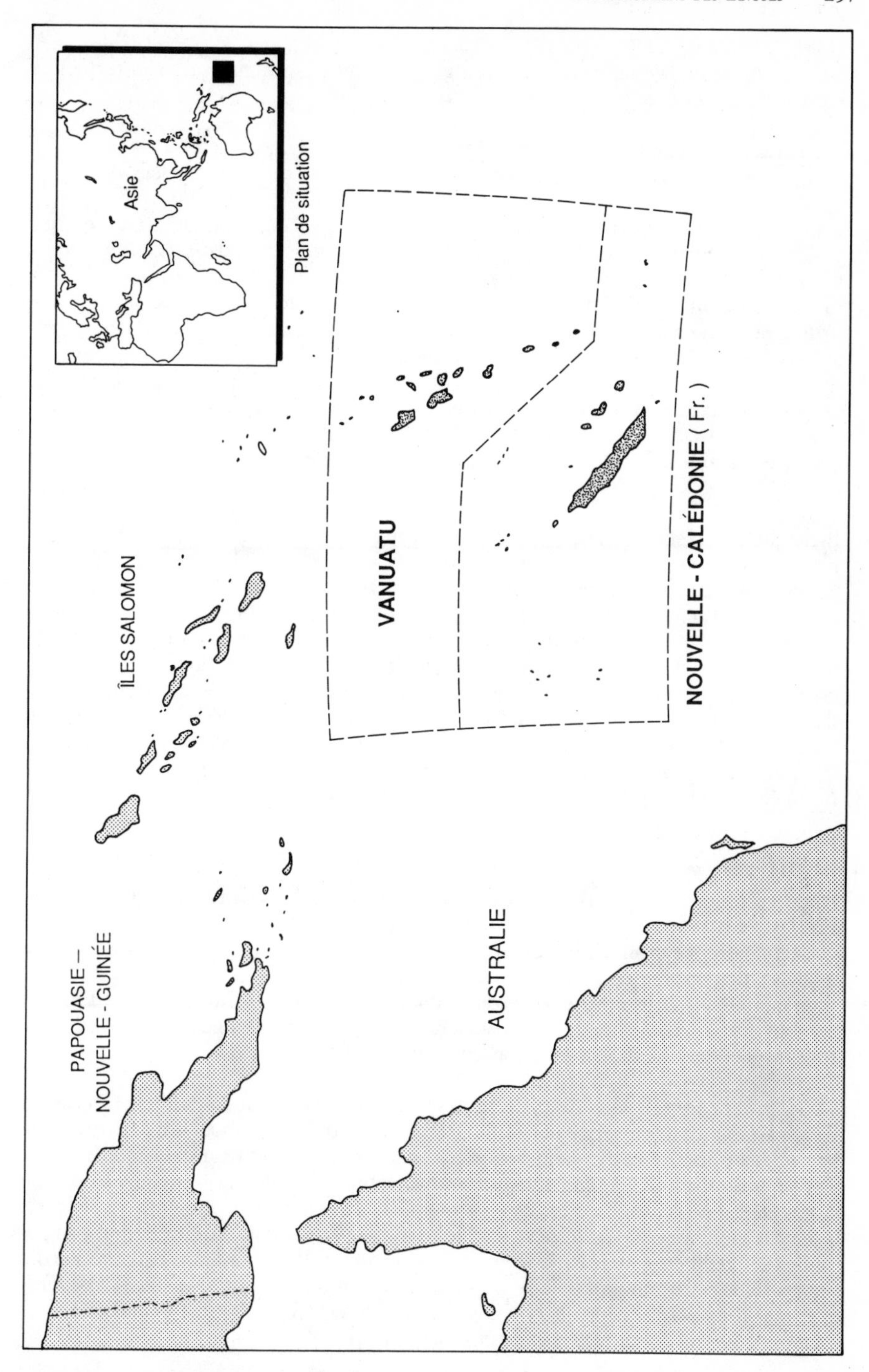

FIGURE 18.4 L'ÉTAT DU VANUATU

Source: Sheila MCLEOD ARNOPOULOS, *Hors du Québec, point de salut?*, Montréal, Libre Expression, 1982, p. 262.

LA POLITIQUE DU BILINGUISME INSTITUTIONNEL

Le Vanuatu est un État officiellement bilingue et même plurilingue, selon les termes de l'article 3 de sa Constitution:

> «La langue véhiculaire nationale de la République est le bichlamar. Les langues officielles sont l'anglais, le bichlamar, le français. Les langues principales d'éducation sont l'anglais et le français.»

Dans les faits, la place du bichlamar équivaut au statut de «langue officielle *parlée*», que ce soit au Parlement, au conseil des ministres, dans les ministères, dans l'administration, sur la place publique, etc. Afin d'être compris des masses «anglophones» et «francophones», les ministres font leurs discours en bichlamar. Néanmoins, privé d'une orthographe normalisée et codifiée, et exclu de l'école, le bichlamar joue un rôle subalterne et reste confiné à la communication orale.

Quant à l'anglais, il correspond à la «langue officielle *écrite*», c'est-à-dire celle des lois, des décrets, des règlements, des notes de service, des formulaires administratifs, etc. L'anglais est aussi prépondérant sur le plan de l'affichage et garde l'exclusivité dans les médias tant écrits qu'électroniques.

Bien que placé sur un pied d'égalité avec l'anglais dans la Constitution, le français n'occupe qu'une place très restreinte: celle de «langue officielle *traduite*». Tous les textes officiels (lois, règlements, formulaires, etc.) sont d'abord rédigés en anglais, puis traduits plus ou moins vite en français. On assiste à une véritable TRIGLOSSIE: les lois sont discutées en bichlamar, promulguées en anglais, traduites en français. Dans ces conditions, on ne s'étonnera pas que la langue française soit peu présente au niveau gouvernemental ou administratif et totalement absente dans les médias locaux. Cependant, on peut facilement capter Radio-Nouméa (en Nouvelle-Calédonie française) au Vanuatu; de plus, des études techniques ont été réalisées pour installer au Vanuatu des émetteurs destinés à l'implantation d'un réseau de télévision française provenant de Nouméa; il ne manquerait plus que les autorisations.

LES LANGUES D'ENSEIGNEMENT

Paradoxalement, le français a gardé ses positions privilégiées dans le système scolaire. En 1981, le nombre total des élèves dans le système francophone aux niveaux primaire et secondaire s'élevait à plus de 13 000, soit autant que dans les écoles de langue anglaise. Cette politique est appelée à changer et l'avenir du français demeure encore incertain. Pour faire suite aux accords de coopération franco-vanuatais (mars 1981), il semble que le gouvernement préconisera l'enseignement bilingue obligatoire pour tous, précédé d'une alphabétisation en langue mélanésienne.

Pour l'instant, le français et l'anglais, seules langues d'enseignement, servent de critères à l'appartenance linguistique et au bilinguisme. La population vanuataise se divise donc en «francophones» et en «anglophones», selon que les individus ont été inscrits à l'école française ou à l'école anglaise. Au Vanuatu, est «anglophone» toute personne ayant été à l'école anglaise ou qui est membre d'une église protestante, ou encore, sympathisante avec le *Vanuaaku Pati*, le parti gouvernemental culturellement anglophile. Le qualificatif «francophone» s'applique aux individus ayant fréquenté l'école française, aux catholiques et aux opposants du *Vanuaaku Pati*. Ne sont considérés comme bilingues que ceux qui connaissent l'anglais et le français, c'est-à-dire à peu près personne hormis quelques cadres et fonctionnaires.

LE FRANÇAIS AU VANUATU: UNE QUESTION DE GROS SOUS

Au Vanuatu, le bilinguisme institutionnel demeure symbolique: le français ne joue pas le rôle d'une véritable langue officielle, tenu actuellement par l'anglais. Tout au plus, le français partage avec l'anglais le rôle d'une langue de relations internationales:

«C'est dans cette optique que les dirigeants le maintiennent comme langue enseignée, espérant ainsi profiter à la fois des aides accordées aux pays membres du Commonwealth et de celles distribuées par les organismes francophones. Au Vanuatu, le maintien ou le renoncement à la langue française est un choix d'ordre politique et culturel, le français n'étant pas une nécessité absolue pour l'État en question[16].»

On en veut pour preuve la participation soutenue du Vanuatu aux instances internationales francophones dont le but est de solliciter l'aide financière principalement de la France et du Canada. La politique du bilinguisme institutionnel du Vanuatu ne vise pas à protéger les «francophones», mais à tirer profit de leur présence afin d'obtenir des ressources financières et culturelles des autres pays francophones, cela dans l'espoir d'un meilleur développement économique et technologique.

Bref, le Vanuatu proclame un bilinguisme institutionnel, mais il se trouve que, dans la pratique, c'est l'équivalent du statut juridique différencié qui prévaut. De plus, ce bilinguisme aboutit nécessairement à la discrimination linguistique. Comme on le constate, malgré l'adoption du bilinguisme officiel, le statut du français au Vanuatu ressemble beaucoup plus à celui du français en Ontario, lequel correspond effectivement au statut juridique différencié.

LE CAMEROUN

D'une superficie de 475 442 km^2 (Québec: 1,5 million de kilomètres carrés), la République unie du Cameroun est un État centralisé de 9,2 millions d'habitants. Protectorat allemand de 1884 à 1919, le pays fut occupé par les forces franco-britanniques pendant la guerre pour être ensuite partagé entre la France et la Grande-Bretagne, qui se vit octroyer une bande étroite limitrophe du Nigéria. Chacun des colonisateurs marqua sa partie de son empreinte. Le Cameroun français obtint son indépendance en 1960. Quant au Cameroun britannique, après un référendum, il se scinda en deux parties: le Nord s'unit au Nigéria, le Sud à l'ex-Cameroun français pour former, en 1961, la République fédérale du Cameroun. L'union des deux États fédérés prit fin en 1972. On forma alors une république centralisée et divisée en 10 provinces administratives, huit de langue française, deux de langue anglaise. La République unie du Cameroun d'aujourd'hui se trouve donc limitée au nord-ouest par le Nigéria, à l'est par le Tchad et la République centrafricaine, au sud par le Congo, le Gabon et la Guinée équatoriale, à l'ouest par le golfe de Guinée (Pacifique).

LA SITUATION LINGUISTIQUE

Les langues camerounaises sont à la fois si nombreuses (entre 250 et 300), si diverses (enchevêtrement de langues nigéro-congolaises, nilo-sahariennes, bantoues) et parlées par si peu de locuteurs qu'il paraissait plus fonctionnel de maintenir le français et l'anglais comme langues officielles de l'État. De toute façon, personne ne s'est intéressé aux langues nationales, qui s'écrivaient peu ou pas du tout.

La langue la plus parlée demeure encore aujourd'hui le *pidgin english*, qui sert de langue véhiculaire dans les deux provinces anglophones et dans les provinces francophones de l'Ouest et du littoral, contiguës aux provinces anglophones, ainsi que dans les grandes villes commerçantes telles Ebolowa, Mbalmayo, Yaoundé (la capitale), Douala, Batouri, Ngaoundéré (*voir la figure 18.5*): au total environ deux millions de locuteurs. La partie «francophone» du pays représente 67 % de la population, contre 33 % pour la partie «anglophone». Même si le français et l'anglais sont reconnus à égalité dans l'administration, l'éducation, le commerce et les médias, il est évident que la balance est plus lourde d'un côté que de l'autre, d'autant plus que Yaoundé, la

16. Jean-Michel CHARPENTIER, «La francophonie en Mélanésie: extension et avenir» dans *Anthropologie et sociétés*, vol. 6, n° 2, Québec, Université Laval, 1982, p. 125.

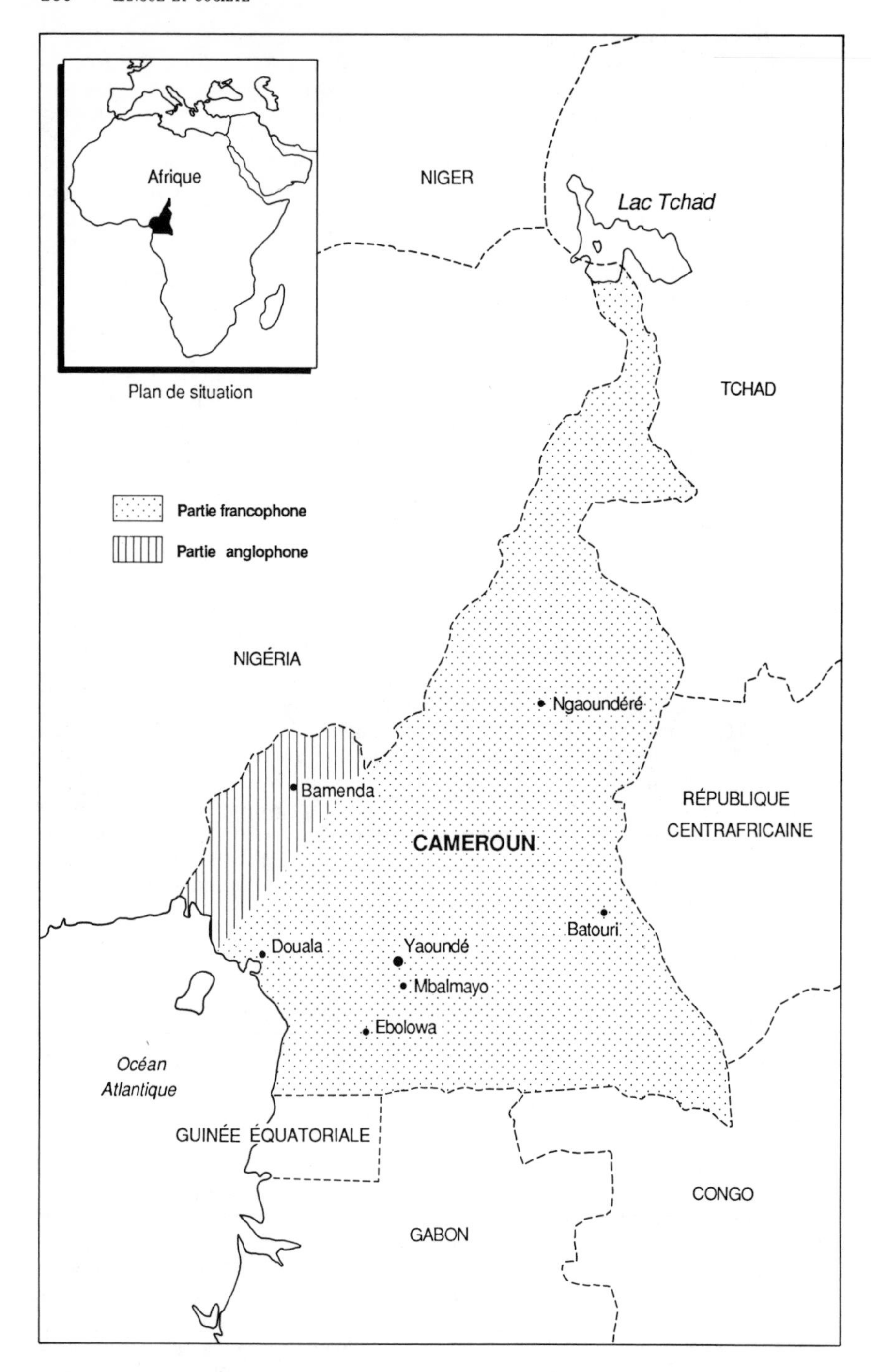

FIGURE 18.5 LE CAMEROUN

capitale politique, et Douala, la capitale économique, sont situées toutes deux dans la zone francophone.

UN BILINGUISME OÙ L'ÉGALITÉ EST PLUS LOURDE D'UN CÔTÉ

La politique linguistique du gouvernement camerounais est fondée sur les droits personnels reconnus seulement à ceux qui utilisent l'une ou l'autre des deux langues officielles: le français ou l'anglais. Au Parlement, chaque député s'exprime en français ou en anglais, mais la loi du nombre fait que les délibérations se déroulent le plus souvent en français; toutefois, les lois sont adoptées dans les deux langues. Le français occupe également une place prépondérante dans l'administration, où les bilingues sont rares même si le bilinguisme fait partie des critères d'embauchage des fonctionnaires; le bilinguisme institutionnel est plus visible sur les formulaires et la paperasserie administrative. Les anglophones ne peuvent recourir à des services dans leur langue à l'échelle du pays.

Dans le domaine de l'enseignement, les langues nationales demeurent interdites, mais tous les Camerounais qui s'instruisent sont assurés de recevoir un enseignement en français ou en anglais (au choix) du primaire à la fin du secondaire; l'enseignement de l'autre langue devient obligatoire en sixième année. Malgré les efforts du ministère de l'Éducation pour propager le bilinguisme chez les enfants, les résultats paraissent plutôt modestes, particulièrement chez les francophones; l'enseignement de l'anglais pour ces derniers reste académique, car ils ne trouvent à peu près personne à qui parler anglais; «On nous embête avec l'anglais», disent beaucoup d'élèves. À l'université, les étudiants reçoivent leurs cours en français ou en anglais, selon la langue que le professeur maîtrise le mieux. Ceux et celles qui maîtrisent les deux langues (la minorité des étudiants) sont avantagés; les autres s'installent, le temps d'un cours, à côté d'un «anglo» ou d'un «franco», pour recopier ses notes après.

Et les médias? Radio-Yaoundé diffuse 13 heures par jour en français et 7 heures en anglais; des flashes d'information sont donnés dans les deux langues au début de chaque heure. Le journal national, *Cameroun-Tribune*, paraît tous les jours en français, mais une seule fois par semaine en anglais.

Le bilinguisme institutionnel du Cameroun se veut égalitaire quand il s'agit des symboles de l'État (timbres, billets de banque, Parlement, rédaction des lois), mais il ne peut prétendre l'être sur le plan des services. Il ne dispense pas non plus la «minorité officielle» de la connaissance du français. Les anglophones doivent en effet faire beaucoup plus d'efforts pour parler et écrire le français que ne le font les francophones pour l'anglais. De plus, le bilinguisme du Cameroun ne laisse aucune place aux langues nationales; la personne qui ne parle que sa langue maternelle est prisonnière dans son propre pays. En dehors du village, point de salut! Pour savoir le français ou l'anglais, il faut aller à l'école; or 51,5 % des Camerounais étaient analphabètes en 1983.

***

La revanche du colonisé se traduit par l'utilisation du pidgin-english, langue de communication plus populaire que le français et l'anglais réunis dans tout le Sud-Ouest ainsi qu'à Yaoundé. C'est la langue camerounaise de tout le monde, celle qu'on utilise au marché, à l'église, chez le médecin, au commissariat de police et dans les conseils d'administration de la capitale. Certains politiciens n'hésitent même plus à s'adresser en pidgin-english à leurs électeurs potentiels et la radio d'État y a recours dans les situations d'urgence. Bien qu'interdit officiellement et détesté par plusieurs, cet «anglais de brousse» semble un «mal nécessaire» dans ce pays où règne un multilinguisme omniprésent.

LE NOUVEAU-BRUNSWICK: LA PROVINCE LA PLUS OFFICIELLEMENT BILINGUE DU CANADA

En 1981, le Nouveau-Brunswick comptait 696 403 habitants, dont 234 030 francophones. Les anglophones représentent 66,3 % de la population, contre 33,6 % pour les francophones. Ceux-ci ont toujours connu une histoire mouvementée, marquée d'incessants conflits: domination anglaise en 1713 (traité d'Utrecht), déportation en 1755, province britannique en 1784, province canadienne fédérée en 1867 malgré de vives oppositions. Dispersés au Québec, en Nouvelle-Angleterre, en Louisiane, en France et en Angleterre, les Acadiens ont progressivement réintégré leur territoire. Au nombre de 3 700 en 1801, ils constituaient une communauté de 45 000 habitants en 1871 et, 100 ans plus tard, ils étaient 215 725. Au fil des ans, la très grande majorité de la population acadienne (83 %) du Nouveau-Brunswick s'est concentrée dans cinq régions (*voir la figure 18.6*) du Nord et de la côte est: Gloucester, Kent, Madawaska, Restigouche et Westmorland. Cette concentration de la population sur le territoire a certes limité les effets de l'assimilation même si les transferts linguistiques se sont accentués au cours de la décennie 1971-1981, passant de 8,7 % à 9,7 %.

Dès son entrée dans la Confédération, le Nouveau-Brunswick (à l'instar de la Nouvelle-Écosse et de l'Ontario) a été soustrait à l'article 133 de l'A.A.N.B., qui prescrivait le bilinguisme au Parlement du Canada et à celui du Québec. De 1867 à la fin des années 1960, les gouvernements successifs du Nouveau-Brunswick se sont tellement peu préoccupés de leur minorité francophone qu'un étranger n'aurait jamais pu soupçonner son existence à la simple lecture des lois et règlements de la province. Les seuls privilèges consentis à la population acadienne concernaient la création d'écoles françaises privées, acquises d'ailleurs en dehors de toute législation linguistique. Mais la volonté d'affirmation linguistique, politique et économique du Québec, les travaux et les recommandations de la Commission Laurendeau-Dunton (1963-1967), la volonté d'agir du gouvernement fédéral ont modifié complètement la conjoncture sociopolitique du Nouveau-Brunswick.

LA LÉGISLATION LINGUISTIQUE

Le gouvernement provincial se résigna à adopter, en 1969, la *Loi sur les langues officielles du Nouveau-Brunswick*, dont l'application devait être progressive et prudente. Les principales clauses ne sont entrées en vigueur que le 1er juillet 1977, soit huit ans plus tard. En vertu de cette loi, l'anglais et le français sont devenus les langues officielles du Nouveau-Brunswick. L'article 3 permet l'usage des deux langues officielles dans les débats du Parlement et de ses comités; depuis l'établissement de la traduction simultanée, les députés francophones parlent plus fréquemment français à la législature, mais la plupart continuent d'utiliser l'anglais. L'article 10 stipule que dès qu'une personne «demande» des services dans l'une des langues officielles à un fonctionnaire provincial, ce dernier est obligé de veiller à ce qu'elle obtienne lesdits services dans la langue demandée.

Avant 1970, il était difficile d'obtenir des procès en français au Nouveau-Brunswick; l'article 13 «permet» l'usage du français, mais ne rend pas le bilinguisme obligatoire. Quant à l'enseignement, la loi (art. 12) scinde le système scolaire en deux systèmes parallèles, l'un sous la direction administrative d'un sous-ministre francophone, l'autre d'un sous-ministre anglophone. Contrairement à ceux de l'Ontario, les francophones du Nouveau-Brunswick contrôlent leurs propres commissions scolaires.

LES APPLICATIONS DE LA LOI PROVINCIALE

Que penser de la politique du gouvernement du Nouveau-Brunswick sur le plan des droits des Acadiens? Laissons la parole à un éminent juriste acadien, Me Gérard Snow:

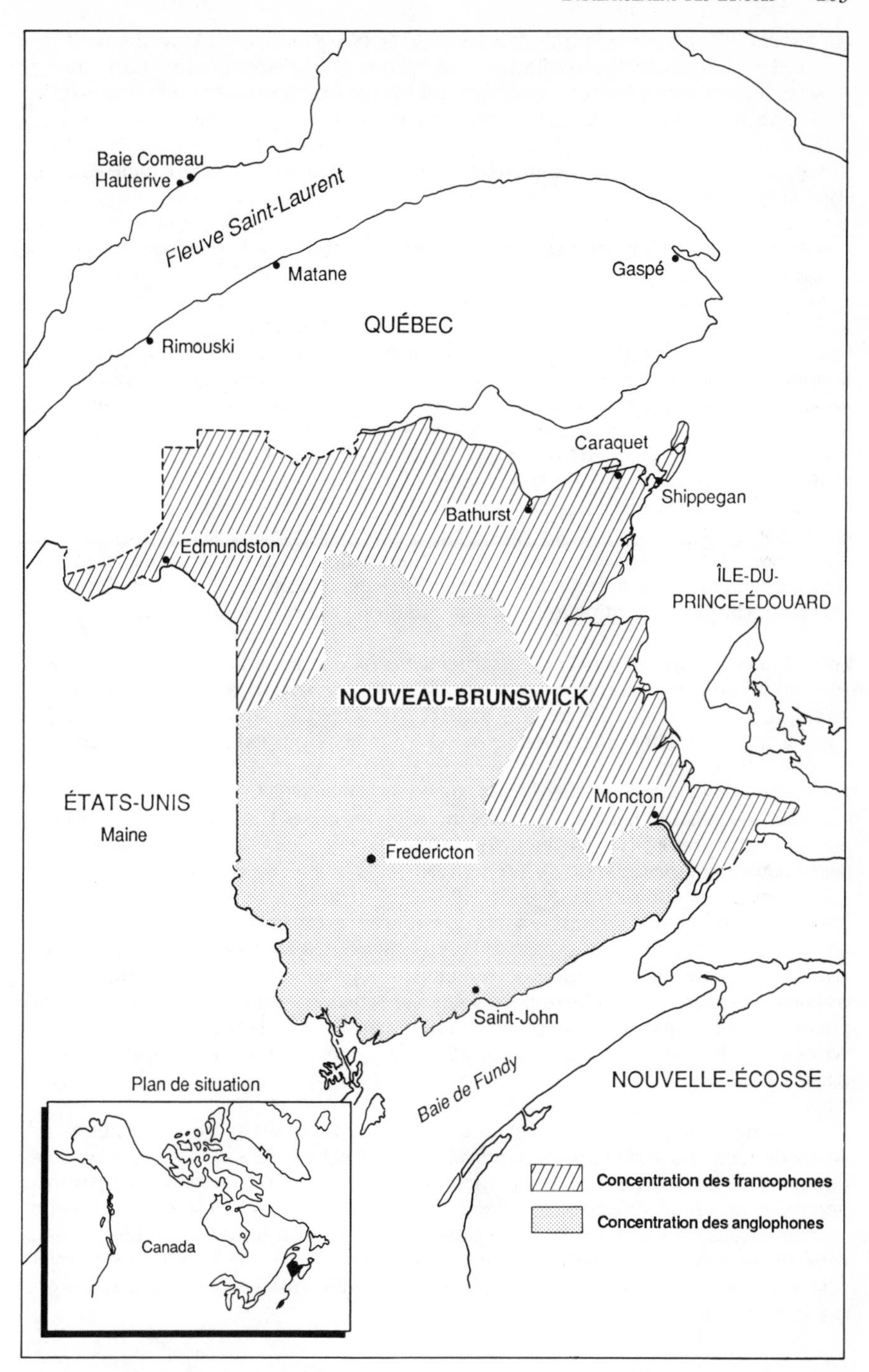

FIGURE 18.6 LE NOUVEAU-BRUNSWICK

«Jusqu'en 1977, la partie promulguée de la *Loi sur les langues officielles du Nouveau-Brunswick* s'étendait tout juste au bilinguisme officiel des débats législatifs et des textes de loi. La promulgation des autres articles n'a fait qu'ajouter quelques droits (ou privilèges, devrait-on dire) très limités dans la demande des services publics et de la procédure judiciaire[17].»

Le *Rapport annuel 1984* du Commissaire aux langues officielles, M. D'Iberville Fortier, abonde dans le même sens:

«Mais de l'adoption de la loi à son exécution, il s'est avéré qu'il y avait presque aussi loin que de la coupe aux lèvres[18].»

Au *Parlement provincial*, le français, langue maternelle de 31 % des députés, a gardé son statut de langue minoritaire: il est sous-utilisé par les députés et les ministres. Dans le domaine judiciaire, les *cours de justice* demeurent incapables de fonctionner dans les deux langues; selon des statistiques (1978-1979) du ministère de la Justice du Nouveau-Brunswick, seulement 8,3 % des causes entendues par la Cour provinciale et 3,8 % de celles entendues en Cour d'appel l'ont été en français, pour une communauté formant 34 % de la population[19]. Il faut noter aussi l'absence quasi complète du français dans les procédures écrites; après plus de 15 ans passés sous le régime des langues officielles, les Règles de la Cour (formulaires nécessaires à la rédaction des brefs et plaidoiries) et autres documents du genre ne sont toujours pas disponibles en français. De plus, le même ministère de la Justice fait face à une pénurie de personnel francophone ou simplement bilingue (procureurs, juges, greffiers, sténographes, etc.).

En ce qui concerne les *services gouvernementaux*, une enquête CROP indiquait en 1983 que le tiers des francophones ne pouvaient se prévaloir, dans leur langue, ni des services administratifs, ni des services sociaux et de santé[20]. En fait, la loi est formulée de façon à satisfaire, dans une certaine mesure, les gens qui exigent des services en français; elle n'assure pas que les services donnés seront de la même qualité, ni dispensés aussi rapidement que dans la langue de la majorité. De plus, malgré l'égalité officielle des langues, la proportion des francophones dans l'ensemble de la fonction publique se chiffre à 27 % et n'atteint que 10 % (excluant les Pêcheries et l'Éducation) dans l'administration centrale de Fredericton.

Quant aux *municipalités*, elles ne sont pas soumises au régime du bilinguisme institutionnel obligatoire. Bref, la politique linguistique du Nouveau-Brunswick peut être vraiment qualifiée de politique de bilinguisme officiel plutôt que de bilinguisme d'égalité. Le fait aussi que la loi ne prévoie aucune sanction pour la non-application de la politique linguistique demeure pour le moins scandaleux; cela témoigne de la nature symbolique de la démarche gouvernementale et du manque d'engagement politique dans cette affaire.

Heureusement, il existe un domaine où cette notion d'égalité a pu s'incarner assez harmonieusement: *le domaine scolaire*. La situation semble ici satisfaisante, à l'exception du régime des établissements communs (bilingues), qui existent encore, particulièrement au niveau secondaire; souvent, des élèves francophones sont contraints de fréquenter des écoles anglaises pour suivre leurs cours en français. Conflits ou pas, l'effectif des écoles de langue française s'établissait à 47 100 en 1984-1985 aux niveaux primaire et secondaire. Notons aussi que le Nouveau-Brunswick possède une université francophone à Moncton.

---

17. Gérard SNOW, *Les droits linguistiques des Acadiens du Nouveau-Brunswick*, Québec, Éditeur officiel du Québec, 1981, p. 71.
18. *Rapport annuel 1984*, Ottawa, 1984, Approvisionnements et Services Canada 1985, p. 198.
19. Voir Gérard SNOW, *op. cit.*, p. 64.
20. Voir COMMISSAIRE AUX LANGUES OFFICIELLES, *Rapport annuel 1984*, p. 198.

Si l'on fait exception du domaine de l'enseignement, on ne se surprendra pas d'apprendre que la *Loi sur les langues officielles du Nouveau-Brunswick* n'a pas apaisé pour autant les revendications et les protestations des Acadiens. Dans l'espoir de mettre fin aux débats, le premier ministre Hatfield a fait voter, en 1981, une loi confirmant l'engagement de son gouvernement à promouvoir le droit à l'égalité des deux communautés. Le gouvernement a même demandé que l'article 133 de la *Loi constitutionnelle de 1867* (ou A.A.N.B.) s'applique au Nouveau-Brunswick. Ce qui veut dire que le Nouveau-Brunswick est devenu la plus officiellement bilingue des provinces canadiennes. La même année, le comité Bastarache-Poirier publiait un volumineux rapport, où il affirmait que les plaintes des Acadiens étaient largement fondées; il proposait des mesures pour donner corps au principe de l'égalité linguistique.

UNE RÉFORME LINGUISTIQUE CONTROVERSÉE

Le rapport, qui porte le nom officieux de «Rapport Bastarache-Poirier», proposait de *traduire cette égalité dans les faits par divers moyens:* en augmentant les services bilingues dans la fonction publique, les cours de justice, les hôpitaux et les services sociaux; en donnant le droit formel aux Acadiens de travailler en français et de faire carrière dans cette langue au sein de la fonction publique; en assujettissant les municipalités, les services parapublics de même que les ordres professionnels au bilinguisme obligatoire. Le rapport préconisait également une participation équitable des francophones à la fonction publique ainsi que la régionalisation de l'administration.

De tels objectifs ne pouvaient que chambarder la bureaucratie provinciale et semer la panique dans les rangs des fonctionnaires, majoritairement anglophones. Fidèle à ses engagements, le premier ministre Richard Hatfield décida de poursuivre les audiences publiques sur le bilinguisme malgré les œufs et les insultes que les commissaires avaient reçus à Saint-Jean, à Newcastle et à Moncton. Pour certains milieux anglophones alarmistes, il s'agissait d'un «coup monté par un groupe d'Acadiens extrémistes» qui voulaient «leur enlever leurs emplois et arriver, un jour, à contrôler la province[21]». Ce mouvement de protestation a été attisé par la New-Brunswick Association of English Speaking Canadians, dont le président, Leonard Poore, était convaincu que le gouvernement «pro-acadien» de Hatfield avait déjà trop fait pour aider les francophones du Nouveau-Brunswick. Pour ce groupe, toute cette histoire n'était que conspiration venue du Québec et de France. La plupart des anglophones ne partagent pas nécessairement cette position extrémiste et ils acceptent le bilinguisme à condition que soit maintenu le statu quo; dans l'ensemble, ils rejettent les recommandations du rapport *Vers l'égalité des langues officielles au Nouveau-Brunswick*, et notamment le fameux système de la «dualité administrative». Selon les anglophones, créer des services parallèles à tous les niveaux serait trop onéreux pour une province dont le taux de chômage frôle les 20 pour cent. Mais l'ultime réserve face à cette dualité tiendrait à la perspective d'une province à tout jamais divisée, et on évoque «avec émotion» les exemples du Viet-nam et de l'Allemagne. Quant aux francophones, ils appuient les recommandations du rapport et le principe de la dualité.

***

Il ne faudrait pas croire que l'égalité linguistique est pour demain au Nouveau-Brunswick. Le seul véritable engagement qu'ait pris Richard Hatfield à ce chapitre a été de rendre public le rapport que le Comité consultatif sur les langues officielles devait remettre au gouvernement. Il ne faut pas oublier qu'une telle vision de l'équilibre linguistique n'a pas eu l'heur de plaire à la majorité anglophone; toute cette question laisse présager qu'il sera difficile d'obtenir un consensus sur la réforme linguistique. Le

21. Achille MICHAUD, «Le Nouveau-Brunswick a perdu son titre de province de l'harmonie», dans *La Presse*, Montréal, 22 décembre 1984.

premier ministre Hatfield a vu se dresser contre lui un nombre grandissant d'anglophones du Nouveau-Brunswick qui en ont assez de «Dicky», de ses politiques sur le bilinguisme et de son incapacité à stimuler l'économie de la province. Dans cette perspective, la guerre des langues risque de se perpétuer.

LE GOUVERNEMENT DU CANADA

Second pays du monde par sa superficie (9,9 millions de kilomètres carrés), le Canada n'en demeure pas moins un «petit» pays, avec une population de 24,3 millions d'habitants (1981). C'est un État fédéral composé de 10 provinces et de deux territoires fédéraux. Successivement colonisé par la France (jusqu'en 1760) et l'Angleterre (1763-1867), le Canada a été créé en 1867, lors de la fondation de la Confédération, laquelle comptait alors quatre provinces: l'Ontario, le Québec, le Nouveau-Brunswick et la Nouvelle-Écosse. Entre 1870 et 1949, sont entrées les six autres provinces. À l'origine, il s'agissait d'un fédéralisme bi-national (anglophones et francophones) conçu pour réduire les différences économiques et politiques avec les États-Unis. L'autonomie politique a été accordée au Canada en 1931 avec le Statut de Westminster.

LA SITUATION LINGUISTIQUE AU CANADA

Le Canada est un pays multilingue à prédominance anglaise. Le recensement de 1981 établit à 14,9 millions le nombre de Canadiens de langue maternelle anglaise, à 6,2 millions ceux de langue maternelle française et à 3,1 millions ceux de langue maternelle autre que l'anglais ou le français. Ces trois groupes forment respectivement 61,3 % (anglophones), 25,6 % (francophones) et 13,1 % (allophones) de la population canadienne. La diversité ethnique des allophones se reflète dans les nombreuses langues parlées à la maison (une cinquantaine), mais les statistiques révèlent que les allophones s'assimilent massivement à l'anglais.

La population francophone du Canada représente le quart (25,5 %) de la population du pays, mais seulement 2,3 % de celle de toute l'Amérique du Nord. Cette minorité est surtout concentrée au Québec (*voir la figure 18.7*), qui regroupe 85,4 % de tous les francophones du Canada. Les 942 000 francophones hors Québec sont répartis dans les neuf provinces à majorité anglaise et les deux territoires fédéraux; de ce nombre, près de 710 000 résident dans les provinces limitrophes du Québec, soit l'Ontario et le Nouveau-Brunswick (*voir le tableau 18.1*). Le Québec, l'Ontario et le Nouveau-Brunswick regroupent 96,2 % des francophones du Canada; il en reste donc seulement 3,8 % dispersés dans les sept autres provinces.

La situation des minorités francophones hors Québec ne saurait être que précaire: peu nombreuses, dispersées sur un immense territoire, exclues des pouvoirs politiques et économiques, ces minorités constituent presque une présence symbolique, bien que réelle. De fait, elles doivent faire face à une assimilation anglaise galopante causée par la dispersion géographique, l'immigration anglaise, les mariages mixtes et une situation socio-économique anémique. Il n'est guère surprenant de lire à la «Une» des journaux des manchettes comme: «Le français recule partout au Canada sauf au Québec[22]». Il ressort clairement des données de Statistique Canada que le taux d'assimilation augmente dans des proportions inquiétantes chez les francophones, sauf au Québec: le tableau 18.2 indique que le pourcentage de francophones qui ont adopté l'anglais comme langue parlée à la maison a augmenté dans huit provinces en dix ans (même au Québec, où il est passé de 1,5 % à 2 %). L'assimilation est particulièrement élevée dans les provinces anglaises; p. ex., en Colombie-Britannique (71,8 %), en Saskatchewan (63,4 %), à Terre-Neuve et en Alberta (57 %), au Manitoba (44 %), à l'Île-du-Prince-Édouard (42,1 %), en Nouvelle-Écosse (37,1 %) et en Ontario (33,9 %); l'assimilation a

22. Voir *La Presse*, Montréal, 26 janvier 1985.

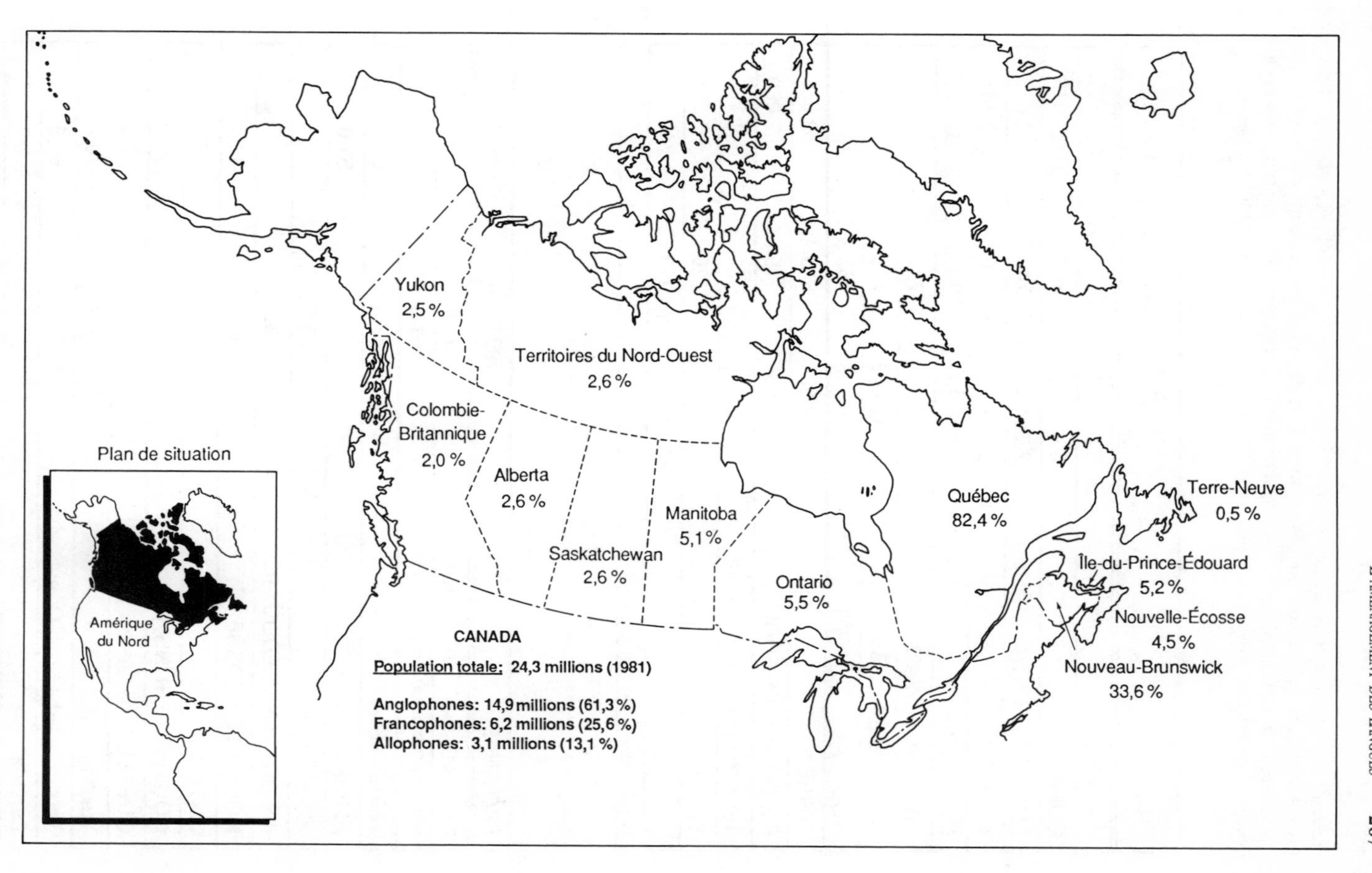

FIGURE 18.7 LA MINORITÉ FRANCOPHONE AU CANADA

également augmenté au Nouveau-Brunswick, passant de 8,7 % en 1971 à 9,7 % en 1981. En fait, ce phénomène n'est pas nouveau; si l'on examine les statistiques, on constate que, depuis le début du siècle, l'assimilation des francophones a toujours suivi une courbe ascendante au Canada, sauf au Nouveau-Brunswick et au Québec.

Province	Population totale	Anglais	Français
ONTARIO	8 625 107	6 678 770	475 605
QUÉBEC	6 438 403	706 115	5 307 010
COLOMBIE-BRITANNIQUE	2 744 467	2 249 315	54 615
ALBERTA	2 237 724	1 810 545	62 145
MANITOBA	1 026 241	735 920	52 555
SASKATCHEWAN	968 313	770 820	25 540
NOUVELLE-ÉCOSSE	847 442	793 170	36 030
NOUVEAU-BRUNSWICK	696 403	453 310	234 030
TERRE-NEUVE	567 681	560 465	2 655
ÎLE-DU-PRINCE-ÉDOUARD	122 506	115 045	2 080
Territoires du Nord-Ouest	45 741	24 755	1 235
Yukon	23 153	20 245	585
TOTAL	24 343 181	14 918 480	6 249 100

Source: Recensement 1981, Statistique Canada.

TABLEAU 18.1 LA POPULATION CANADIENNE SELON LA LANGUE MATERNELLE OFFICIELLE

PROVINCE	1971 (%)	1981 (%)
COLOMBIE-BRITANNIQUE	73,0	71,8
SASKATCHEWAN	51,9	63,4
TERRE-NEUVE	43,4	57,2
ALBERTA	53,7	57,0
MANITOBA	36,9	44,0
ÎLE-DU-PRINCE-ÉDOUARD	43,2	42,1
NOUVELLE-ÉCOSSE	34,1	37,1
ONTARIO	29,9	33,9
NOUVEAU-BRUNSWICK	8,7	9,7
QUÉBEC	1,5	2,0
Yukon	74,4	70,2
Territoires du Nord-Ouest	51,3	54,5
Canada	6,0	6,7
Canada moins le Québec	29,6	32,8

Source: Recensement de Statistique Canada, 1971 et 1981, dans le *Rapport annuel 1984* du Commissaire aux langues officielles, p. 189.

TABLEAU 18.2 TAUX D'ASSIMILATION DES FRANCOPHONES PAR PROVINCE OU TERRITOIRE

LA LOI IMPLACABLE DE LA DYNAMIQUE DES LANGUES

Comme on le voit, les pronostics en matière d'équilibre linguistique sont loin d'être rassurants. Dans son *Rapport annuel 1984*, le Commissaire aux langues officielles conclut:

> « Aux prises avec d'innombrables facteurs d'ordre social, politique et économique, les démographes hésitent à se prononcer sur l'avenir linguistique du Canada. Les plus prudents d'entre eux[23] prédisent cependant que, dans la meilleure des hypothèses, la population francophone hors Québec continuera de diminuer[24].»

La loi de la dynamique géographique des langues incite les individus à se regrouper dans des zones linguistiques homogènes; s'ils n'y parviennent pas, il y a peu de chances qu'ils résistent à l'assimilation. Le spectre de la «polarisation linguistique» hante les rapports de tous les commissaires aux langues officielles depuis 15 ans: l'anglais repousse graduellement le français vers l'est, le français repousse l'anglais vers l'ouest. Cette tendance s'observe particulièrement depuis une trentaine d'années: le Canada anglais devient de plus en plus unilingue anglais, le Québec de plus en plus unilingue français. De plus, la population québécoise de langue anglaise a diminué depuis 20 ans: de 13,3 % qu'elle était en 1961, elle est passée à 13,1 % en 1971, pour chuter à 11 % en 1981. En outre, 82 100 anglophones du Québec ont adopté le français comme langue parlée à la maison entre 1971 et 1981. Néanmoins, il ne faut pas oublier qu'au cours de la même période, 26 500 francophones du Québec sont passés à l'anglais et que 89 000 autres ont quitté la province, ce qui représente une perte nette de 33 400 individus. Enfin, la population totale du Québec a décliné par rapport à celle du Canada, passant de 28,8 % en 1961 à 26,4 % en 1981, alors que les données récentes révèlent que les Québécois ont le plus faible taux de natalité du Canada. Encore une fois, rien de rassurant.

LES LÉGISLATIONS LINGUISTIQUES DU GOUVERNEMENT CANADIEN

Bien que le Canada, en 1867, ait été l'un des premiers États du monde à légiférer en matière linguistique, il n'avait pas vraiment, à ce moment-là, de politique linguistique établie. Aucun des gouvernements qui se sont succédés ne s'est intéressé à cette question. Au lieu de faire preuve de leadership, ils ont toujours attendu que la situation se dégrade pour apporter des correctifs qu'on a souvent accueillis en disant que c'était «trop peu et trop tard[25]».

a) L'*Acte de l'Amérique du Nord britannique* (1867)

L'adoption de l'article 133 de l'*Acte de l'Amérique du Nord britannique* en 1867 par la majorité anglophone n'avait pour but que de rallier la députation francophone, divisée face à la question de l'adhésion à la fédération, et de protéger la minorité anglophone du Québec. C'est pour ces raisons que l'A.A.N.B. proclamait le bilinguisme institutionnel uniquement pour les Parlements du Canada et du Québec; l'Ontario, le Nouveau-Brunswick et la Nouvelle-Écosse n'étaient pas soumis à l'article 133. Cet article (*voir le texte encadré*) énonçait quatre principes, qui s'appliquaient au fédéral et au Québec:

1) Chacun peut faire usage de l'anglais ou du français dans les débats du Parlement du Canada et de la législature du Québec.

2) Les registres et les procès-verbaux doivent être rédigés dans ces deux langues.

23. Notamment, Réjean LACHAPELLE et Jacques HENRIPIN, *La situation démolinguistique au Canada: évolution passée et prospective*, 1980.
24. COMMISSAIRE AUX LANGUES OFFICIELLES, *Rapport annuel 1984*, p. 191.
25. Réjean PATRY, *La législation linguistique fédérale*, Québec, Éditeur officiel du Québec, 1981, p. 83.

3) Les lois des deux parlements doivent être imprimées et publiées dans les deux langues.

4) Chacun peut faire usage de l'une ou l'autre de ces langues devant un tribunal fédéral ou un tribunal du Québec.

Article 133 de l'A.A.N.B. (1867)
Dans les chambres du Parlement du Canada et les chambres de la Législature de Québec, l'usage de la langue française ou de la langue anglaise, dans les débats, sera facultatif; mais, dans la rédaction des registres, procès-verbaux et journaux respectifs de ces chambres, l'usage de ces deux langues sera obligatoire. En outre, dans toute plaidoirie ou pièce de procédure devant les tribunaux du Canada établis sous l'autorité du présent acte, ou émanant de ces tribunaux, et devant les tribunaux de Québec, ou émanant de ces derniers, il pourra être fait usage de l'une ou l'autre de ces langues. Les lois du Parlement du Canada et de la Législature de Québec devront être imprimées et publiées dans ces deux langues.

L'étude de l'histoire nous permet de dégager deux conclusions. La première, c'est que le français est demeuré pendant un siècle la langue de traduction des lois et des règlements sans que les autorités n'aient à fournir l'encadrement nécessaire pour favoriser un bilinguisme institutionnel authentique. Le droit d'utiliser le français au Parlement fédéral demeurait symbolique parce que ce droit n'impliquait pas celui d'être compris par la députation anglophone; les francophones qui voulaient se faire comprendre devaient recourir à l'anglais. La seconde conclusion qui s'impose est que la majorité anglophone a toujours refusé de traduire dans la réalité le fait français; on n'a qu'à se rappeler les luttes épiques qu'il a fallu livrer pour obtenir des choses aussi élémentaires que les timbres-postes bilingues (1927), les billets de banque bilingues (1936), la traduction simultanée au Parlement fédéral (1958), les chèques fédéraux bilingues (1962), sans oublier la version française du manuel de procédure parlementaire ou un menu bilingue au restaurant du Parlement.

Quant à la langue des tribunaux fédéraux, des services gouvernementaux, du commerce, des affaires, bref, la langue des «patrons», il semble bien que les francophones de l'époque, comme ceux d'aujourd'hui dans les provinces anglaises, ont dû en prendre leur parti. Puisque cette situation a été subie sans récrimination, il était improbable que le législateur prenne l'initiative en ces domaines. Tous ces faits démontrent avec éloquence que, de la Confédération jusqu'à la décennie 1960, le gouvernement canadien s'en est tenu de façon systématique aux seules prescriptions constitutionnelles.

b) La *Loi sur les langues officielles* (1969)

Le gouvernement du Canada a commencé à élaborer une politique linguistique lors des travaux (1963) de la Commission royale d'enquête sur le bilinguisme, appelée officieusement la «Commission Laurendeau-Dunton» ou «Commission B.B.». Cette désormais célèbre commission a été créée à la suite des revendications autonomistes des Québécois, qui ne se satisfaisaient plus d'une demi-reconnaissance du français et de simples accommodements à la petite semaine. La Commission qualifiait la situation existante de «désordre linguistique» et proposait un bilinguisme officiel qui dépasserait le cadre de l'article 133 de l'A.A.N.B.:

«Nous croyons que des droits formels doivent dorénavant, remplacer les simples tolérances ou accommodements, et qu'à un bilinguisme de fait plus ou moins précaire, toujours discuté et inégalement accepté selon les régions, il faut substituer un bilinguisme officiel[26].»

Pour donner suite aux recommandations de la Commission, le Parlement canadien a adopté, en 1969, la *Loi sur les langues officielles*, qui donne un statut officiel à l'anglais et au français dans le cas des organismes et institutions relevant de la juridiction fédérale (art. 2):

«L'anglais et le français sont les langues officielles du Canada pour tout ce qui relève du Parlement et du gouvernement du Canada; elles ont un statut, des droits et des privilèges égaux quant à leur emploi dans toutes les institutions du Parlement et du gouvernement du Canada.»

Ensuite, la nouvelle loi décrète (art. 8) que «dans l'interprétation d'un texte législatif, les versions officielles font pareillement autorité». Dans le domaine de la justice, la Loi vient compléter les dispositions de l'article 133 en prescrivant que les jugements des cours fédérales soient émis dans les deux langues (art. 5) et que des services d'interprétariat soient disponibles dans ces causes. Mais là où la loi innove, c'est lorsque, à l'article 9, on requiert des ministères, départements ou autres organismes du gouvernement tels que les corporations d'État, de veiller à ce que «le public puisse communiquer avec eux et obtenir leurs services dans les deux langues officielles». Les articles 12 à 18 sont consacrés à la création et à l'administration de «districts bilingues» dans les cas où au moins 10 pour cent de la population concernée a pour langue maternelle l'une des langues officielles (art. 13). Enfin, les articles 19 à 34 concernent le rôle du Commissaire aux langues officielles, qui doit faire respecter la loi et recevoir les plaintes des citoyens.

Quelque 15 ans après l'adoption de la *Loi sur les langues officielles*, force est de constater que la politique linguistique du gouvernement canadien demeure inachevée. Le bilinguisme s'est certes amélioré au Parlement, mais beaucoup de députés et de ministres francophones continuent à s'exprimer en anglais ou sont encore les seuls bilingues dans les débats. Quant à l'article 9, qui impose aux organismes gouvernementaux fédéraux de veiller à ce que le public puisse communiquer dans les deux langues, il ne vaut présentement que pour «la région de la capitale nationale»; ailleurs, cette obligation est passablement diluée puisqu'elle ne s'applique que «dans la mesure où il leur est possible de le faire» ou bien lorsqu'il y a, de la part du public, «une demande importante». On ne s'étonnera pas que dans tous leurs rapports annuels les commissaires aux langues officielles déplorent la lenteur sinon le refus de respecter la loi, de la part de certains ministères (Emploi et Immigration, Transports, Agriculture) ou de certaines sociétés d'État (Air Canada, CN, Via Rail, Gendarmerie royale du Canada, Société canadienne des Postes). M. D'Iberville Fortier, l'actuel Commissaire aux langues officielles, déclarait dans son rapport de 1984:

«Au train où vont les choses, l'égalité dans les institutions fédérales pourra être atteinte, disons d'ici l'an 2000[27].»

Bon an mal an, le Commissaire enregistre plus de 1 500 plaintes. Quant aux districts bilingues, il n'y en a encore aucun; le *Rapport annuel 1978* faisait déjà allusion à la «notion moribonde de districts bilingues» et le *Rapport annuel 1984* recommandait de les remplacer. Cette notion de district bilingue correspondait à une dimension territoriale ajoutée à un régime fondé sur des droits essentiellement personnels, mais elle a servi jusqu'ici de prétexte pour justifier la médiocrité des services ou, pire encore, leur

---

26. *Les langues officielles*, Livre 1, Rapport de la Commission royale d'enquête sur le bilinguisme et le biculturalisme, Ottawa, Imprimeur de la Reine, 1967, p. 74-75.
27. COMMISSAIRE AUX LANGUES OFFICIELLES, *Rapport annuel 1984*, p. 50.

absence. Bref, la *Loi sur les langues officielles* s'est heurtée à des obstacles majeurs: d'une part, le texte législatif laisse trop de place à l'arbitraire et à l'interprétation; d'autre part, la majorité anglophone n'a vraiment jamais accepté cette loi.

c) La *Loi constitutionnelle de 1982*

En 1982, le gouvernement canadien a fait adopter une nouvelle Constitution accompagnée d'une Charte des droits. Il s'agit de la *Loi constitutionnelle de 1982* ou *Charte canadienne des droits et libertés*. Cette loi constitutionnelle est venue modifier considérablement le fédéralisme canadien parce qu'elle touche le domaine de l'éducation, traditionnellement de juridiction provinciale, et limite les pouvoirs des parlements provinciaux. D'après cette loi (art. 20.2), sont reconnues institutions bilingues: le gouvernement du Canada, le gouvernement du Québec, le gouvernement du Nouveau-Brunswick et le gouvernement du Manitoba (suite à un jugement de la Cour suprême du Canada). Les sept autres provinces ne sont pas soumises au bilinguisme institutionnel des lois, du parlement provincial et des tribunaux.

Par contre, toutes les provinces doivent se conformer à l'article 23 de la *Loi constitutionnelle de 1982* relativement à l'enseignement dans la langue de la minorité; lire à ce sujet l'article 23 reproduit en encadré. La nouvelle Constitution oblige donc toutes les provinces canadiennes à donner un enseignement en français ou en anglais à tout citoyen canadien qui veut faire instruire ses enfants aux niveaux primaire et secondaire dans la langue dans laquelle il a reçu lui-même son instruction.

Si la politique linguistique du gouvernement canadien se voulait une politique de bilinguisme et d'égalité *from coast to coast*, elle a remarquablement échoué même si des progrès indéniables ont été réalisés. La *Loi constitutionnelle de 1982* n'a pas été conçue pour secourir le français au Canada, mais pour secourir l'anglais au Québec. Le régime de l'inégalité continue de prévaloir dans le domaine de l'enseignement malgré l'article 23 de la Constitution. À l'exception de la minorité anglophone du Québec et de la minorité francophone du Nouveau-Brunswick, aucune minorité n'assume encore l'administration et le contrôle de ses écoles. Les francophones hors Québec peuvent effectivement suivre des cours en français dans leur province, mais ce droit est limité aux régions d'une province «où le nombre le justifie». En outre, à l'exception de ceux de l'Ontario et du Nouveau-Brunswick, la plupart des élèves francophones suivent leurs cours dans le cadre de programmes d'immersion destinés avant tout aux anglophones. C'est la façon qu'ont trouvée les provinces anglaises de contourner la Charte canadienne des droits: ces programmes d'immersion aident particulièrement les anglophones de niveau socio-économique aisé ou moyen tout en dépannant les francophones. Il est clair que ces programmes d'immersion, où le français est enseigné comme langue seconde, ne sauraient convenir aux besoins scolaires spécifiques des francophones. Les communautés francophones revendiquent à juste titre des écoles françaises homogènes et autogérées. Il n'existe encore qu'une seule «vraie» école française en Alberta et en Saskatchewan, et deux ou trois au Manitoba. Dans toutes les provinces anglaises, le Nouveau-Brunswick et l'Ontario exceptés, le nombre d'élèves anglophones inscrits dans les classes françaises d'immersion dépasse de beaucoup celui des francophones. Enfin, la Cour suprême a reconnu elle-même que l'article 23 de la *Loi constitutionnelle de 1982* a été adopté pour empêcher le Québec de recourir à l'unilinguisme territorial avec sa loi 101; le traditionnel rejet des solutions territoriales par les divers gouvernements canadiens et la proclamation des droits linguistiques individuels prétendument égalitaristes n'expliquent pas autrement la présence de cet article qui ne semble pas déranger les provinces autres que le Québec: l'expérience semble démontrer qu'elles s'en servent à l'avantage de la majorité anglophone.

Enfin, le bilinguisme institutionnel n'a pas eu davantage d'effets aux niveaux des législatures et des tribunaux provinciaux, sauf au Québec. Par exemple, au Manitoba (officiellement bilingue), il faut un avis de 24 heures pour qu'un député francophone puisse s'exprimer en français, c'est-à-dire le temps de mobiliser un traducteur. Pour ce qui concerne les autres provinces, seuls l'Ontario et le Nouveau-Brunswick permettent l'usage du français à leur Parlement et dans certaines cours de justice; ailleurs, les francophones ont le droit de demander la présence d'un interprète. Quant au droit de recevoir des services en français ou en anglais de la part d'un gouvernement provincial, seuls le Québec et le Nouveau-Brunswick accordent ce droit bien que l'Ontario assure certains services dans certaines régions. La loi fédérale reconnaît aussi aux minorités le droit d'avoir recours à des réseaux nationaux de radio et de télévision. Outre le fait que les images de Radio-Canada en français soient souvent de très mauvaise qualité dans l'Ouest, les francophones hors Québec se plaignent de la quasi-absence de programmation locale (trois heures/semaine); pour eux, la télévision française de Radio-Canada est une télévision québécoise, voire montréalaise, qui ne répond pas à leurs besoins.

On ne peut pas dire que sur le plan du bilinguisme institutionnel au Canada, «tout est pour le mieux dans le meilleur des mondes», pour utiliser une expression fort répandue, même si un certain *French power* s'exerce toujours à Ottawa, même si le référendum tenu au Québec en 1980 a connu une fin supposément «heureuse», même si les droits linguistiques sont maintenant inscrits dans la Constitution, même si le nationalisme québécois s'est quelque peu atténué. Ceux qui croient que le Bon Dieu continue de régner au paradis des langues feraient mieux de guetter, dans le ciel, un éventuel retour des nuages; il risque d'y avoir encore de l'orage au Nouveau-Brunswick, peut-être au Manitoba ou en Ontario et, pourquoi pas encore un jour, au Québec!

La Loi constitutionnelle de 1982

Article 23

(1) Les citoyens canadiens:

a) dont la première langue apprise et encore comprise est celle de la minorité francophone ou anglophone de la province où ils résident,

b) qui ont reçu leur instruction, au niveau primaire, en français ou en anglais au Canada et qui résident dans une province où la langue dans laquelle ils ont reçu cette instruction est celle de la minorité francophone ou anglophone de la province,

ont, dans l'un ou l'autre cas, le droit d'y faire instruire leurs enfants, aux niveaux primaire et secondaire, dans cette langue.

(2) Les citoyens canadiens dont un enfant a reçu ou reçoit son instruction, aux niveaux primaire ou secondaire, en français ou en anglais au Canada ont le droit de faire instruire tous leurs enfants aux niveaux primaire et secondaire, dans la langue de cette instruction.

(3) Le droit reconnu aux citoyens canadiens par les paragraphes (1) et (2) de faire instruire leurs enfants, aux niveaux primaire et secondaire, dans la langue de la minorité francophone ou anglophone d'une province:

a) s'exerce partout dans la province où le nombre des enfants des citoyens qui ont ce droit est suffisant pour justifier à leur endroit la prestation, sur les fonds publics, de l'instruction dans la langue de la minorité;

b) comprend, lorsque le nombre de ces enfants le justifie, le droit de les faire instruire dans des établissements d'enseignement de la minorité linguistique financés sur les fonds publics.

***

Si l'on dresse le bilan des politiques linguistiques fondées sur les droits personnels, il faut bien admettre qu'elles n'assurent pas une protection très efficace aux minorités, encore moins l'égalité. La non-discrimination et le statut juridique différencié appliqué aux Pays-Bas, en France et en Ontario servent davantage à calmer les minorités sans contraindre la majorité. Le bilinguisme institutionnel, tel celui décrété au Vanuatu, au Cameroun, au Nouveau-Brunswick et au Canada, accorde des droits juridiques égaux qui ne se transforment pas nécessairement en espèces sonnantes pour les minorités; tout porte même à croire que le bilinguisme institutionnel est conçu pour avantager le groupe dominant.

Dans la pratique, l'égalité se révèle impossible dans tous les domaines, même avec la solution du bilinguisme institutionnel (officiel). Dans ce cas, il semble que l'égalité soit plus facile à obtenir sur le plan des symboles de l'État (billets de banque, timbres-postes, langue du Parlement, rédaction des lois) et de l'enseignement (primaire et secondaire) que sur celui des services gouvernementaux (incluant l'accès à la fonction publique), du commerce, des affaires, des médias, etc., secteurs où l'inégalité paraît plutôt courante.

Les situations égalitaires ne seraient possibles que dans la mesure où un État accorderait des inégalités compensatoires aux minorités. L'histoire dira s'il convient d'intégrer dans un même système politique des groupes linguistiques que l'on mélange sur le plan du territoire. En tout cas, les exemples rapportés ici démontrent encore une fois que le fait d'accorder des droits égaux à des langues inégales ne peut produire des situations égalitaires.

Celles-ci ne seraient possibles que dans la mesure où un État accorderait des inégalités compensatoires aux minorités. Ainsi on aurait pu, au Canada, reconnaître aux minorités francophones le droit de déterminer leur langue d'enseignement sur leur territoire (et non à la minorité anglophone du Québec), ou encore, permettre aux francophones de garder leur langue lorsqu'ils quittent le Québec, mais ne pas étendre ce droit aux anglophones de l'extérieur qui viennent s'y installer. C'est évidemment un type de solution inacceptable pour la majorité. L'uniformité des statuts entre majorité et minorité produit des effets contraires aux buts visés: on minimise les droits de la minorité et on maximalise ceux de la majorité. On peut s'en étonner ou le déplorer, mais c'est ainsi que le principe fonctionne. En témoignent tous les États qui ont adopté des solutions personnelles, bilinguisme institutionnel ou pas.

LES SOLUTIONS TERRITORIALES

Les solutions territoriales dérivent du principe que les langues en concurrence doivent être séparées, autant que possible, sur des territoires distincts. Comme les solutions personnelles, les SOLUTIONS TERRITORIALES ne sont pas uniformes. Certains États, par exemple, accorderont des droits personnels localisés; d'autres, des droits collectifs localisés dont les frontières linguistiques peuvent être fixes ou poreuses. Ces droits peuvent être transportables pour la majorité, non transportables pour la minorité. L'aboutissement ultime du principe de la territorialité est l'unilinguisme territorial, comme en Suisse. En règle générale, les solutions territoriales ont comme objectif de séparer les langues à l'aide de frontières sécurisantes afin d'éviter qu'elles se concurrencent.

Les solutions territoriales peuvent s'appliquer dans des États tant officiellement unilingues (Espagne, Italie) que multilingues (Finlande, Suisse, Belgique, Yougoslavie, Inde). Les États officiellement unilingues qui ont recours aux solutions territoriales utilisent la formule de l'«autonomie régionale»; cette formule reconnaît l'usage de la langue minoritaire à l'intérieur de frontières linguistiques délimitées, mais n'oblige en rien l'État central à adopter la langue minoritaire dans la mesure où il demeure farouchement unilingue (langue majoritaire). Les États multilingues peuvent aller jusqu'à l'unilinguisme territorial comme en Suisse ou en Belgique, mais plusieurs adoptent des mesures qui allient SOLUTIONS PERSONNELLES et solutions territoriales: la Finlande, la Yougoslavie et l'Inde, par exemple. Cela signifie que certains États ont recours à la fois au bilinguisme ou au multilinguisme institutionnel et à l'unilinguisme territorial, voire au bilinguisme territorial; se superposent alors les droits linguistiques personnels. Bref, plusieurs combinaisons sont possibles.

1 LA FINLANDE: LES DROITS INDIVIDUELS LOCALISÉS

Une politique fondée sur les droits individuels localisés consiste à donner aux locuteurs d'une langue minoritaire le droit à leur langue seulement dans les régions où ils sont en concentration suffisante, même lorsque ces régions ne sont pas contiguës. L'un des modèles les plus intéressants de ce type de protection envers une minorité est la solution finlandaise. Nous ne retiendrons que cet exemple pour illustrer un tel type d'aménagement des langues en concurrence.

La Finlande est un État unitaire de 4,8 millions d'habitants limité au nord par la Norvège, à l'est par l'URSS, à l'ouest par la Suède et le golfe de Botnie, au sud par la mer Baltique. La Finlande comprend aussi un archipel de 6 500 îles (22 000 habitants), à l'entrée du golfe de Botnie, dont la plus grande est appelée Aaland.

Entre 1154 et 1809, la Finlande et la Suède constituaient un seul et même État; on parlait du *Sveriges och Finlands folk*, c'est-à-dire du «peuple de la Suède et de la Finlande». Unis, Suédois et Finnois[1] surent se hisser au rang de grande puissance aux XVIIe et XVIIIe siècles. Bien que soumis à la domination suédoise, les Finnois ont pu conserver une

1. On emploie le terme «Finnois» pour désigner la communauté de personnes qui parlent le finnois, et le terme «Finlandais» pour désigner la nationalité finlandaise; Suédois et Finnois de la Finlande sont des Finlandais.

certaine indépendance jusqu'à ce que le tsar de Russie, Alexandre Ier, décide en 1809 d'annexer la partie finlandaise à son empire. L'URSS reconnut l'indépendance de la Finlande en 1918. Durant tous ces siècles, la langue la plus parlée par les dirigeants et la bourgeoisie en Finlande a été le suédois.

Ce petit État (337 010 km^2) présente beaucoup d'analogies avec le Québec: outre le fait qu'il a connu une longue domination étrangère (la Suède) et qu'il demeure à l'ombre d'une super-puissance (l'URSS), il possède en commun avec le Québec un nombre équivalent d'habitants (cinq millions), une minorité (suédoise) qui a jadis été puissante, de grandes forêts et une forte industrie forestière, un climat rigoureux, des conflits de travail et des grèves périodiques dans les secteurs publics et parapublics, des clubs de hockey en grand nombre et. . . des maringouins à revendre durant la période estivale! Une différence: les Finlandais parlent une «petite» langue qui ne deviendra jamais une langue internationale, ce qui n'empêche pas ce «petit» peuple de produire annuellement 60 % plus de publications que tous les pays arabes réunis et d'occuper une position fort honorable dans le domaine des productions scientifiques écrites.

LA SITUATION SOCIOLINGUISTIQUE

Aujourd'hui, 92,4 % des Finlandais parlent le finnois comme langue maternelle. Cette langue fait partie de la famille ouralienne et a des liens de parenté avec le lapon, l'estonien, le hongrois et de nombreuses langues parlées en Sibérie soviétique. Il existe des minorités de langue finnoise en Suède (Nord-Est) et en URSS (*voir la figure 19.1*). Les Suédois de Finlande ne forment que 7,4 % de la population, mais n'en constituent pas moins une minorité encore très puissante, comprenant deux classes sociales: d'une part, des petites gens, pêcheurs et agriculteurs, installées le long du golfe de Botnie et dans les îles d'Aaland; d'autre part, une élite jouissant de revenus élevés et regroupant des membres de professions libérales ou du milieu des affaires, qui habitent le long de la mer Baltique ou à Helsinki (*voir la figure 19.1*). Par tradition, cette minorité suédoise s'est toujours assuré une présence constante dans la hiérarchie finlandaise, y compris au cabinet ministériel; elle possède même son propre parti politique, qui défend la langue suédoise. Une telle minorité pourrait sans doute paraître irritante dans d'autres pays; mais, en Finlande, les Suédois ont réussi à se faire accepter comme partie intégrante de la société en participant à tous les niveaux et en n'hésitant pas à soutenir publiquement la minorité finnoise de Suède. Quant aux Lapons et aux Russes, ils forment moins de 1 % de la population et leurs droits sont complètement ignorés.

LA POLITIQUE DES DROITS PERSONNELS LOCALISÉS

Selon la Constitution de 1919, le finnois et le suédois sont les deux langues officielles de l'État. Tous les citoyens finlandais sont égaux devant la loi (art. 5), mais la législation donne à la minorité suédoise un traitement en proportion de la fraction de la population du pays qu'elle représente.

Sur le plan de l'appareil gouvernemental, le finnois et le suédois sont utilisés dans les débats au Parlement, pour la rédaction et l'adoption des lois, et pour les communications écrites des différentes commissions. L'administration gouvernementale est obligée de répondre dans la langue dans laquelle on s'adresse à elle. En matière judiciaire, chaque citoyen peut utiliser la langue officielle de son choix. Dans ces domaines, c'est donc la formule des DROITS PERSONNELS qui régit, comme au Canada, l'usage des langues.

Cependant, au niveau des administrations locales, de même qu'en matière d'enseignement, c'est le régime des DROITS TERRITORIAUX qui prévaut. Ces droits sont définis par la règle des 10 % et des 8 %. Le long des côtes, Suédois et Finnois habitent encore dans les agglomérations séparées; dans les communes (municipalités) où la minorité forme au moins 10 % de la population locale, elle a droit à tous les services dans sa langue: administration, commerce, affichage, écoles primaires et secondaires, etc. Un recense-

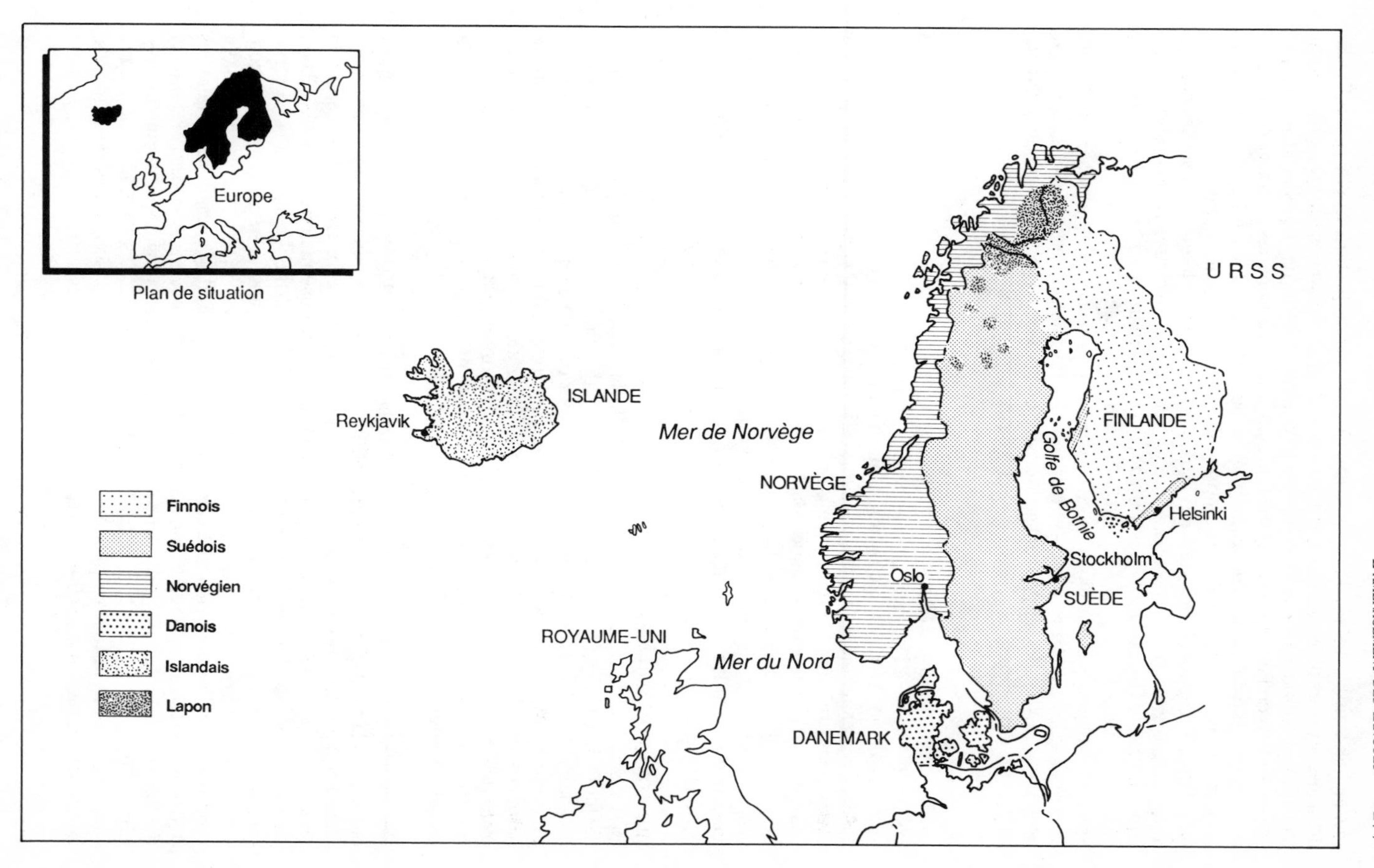

FIGURE 19.1 LES PAYS SCANDINAVES

ment a lieu tous les dix ans. Lorsque la minorité forme moins de 8 %, elle cesse d'avoir droit aux services dans sa langue. Il s'agit donc d'un droit territorial temporaire sujet à modification selon les fluctuations des mouvements migratoires régionaux. On compte présentement en Finlande environ 87 % de communes unilingues finnoises contre 7 % de communes unilingues suédoises et 6 % de communes officiellement bilingues. Dans les communes bilingues, le nombre minimal nécessaire pour que l'enseignement soit offert en langue minoritaire suédoise ou finnoise est de 18 élèves. Tous les enfants finlandais doivent apprendre une langue seconde dès le primaire; ils ont le choix entre l'une des deux langues officielles ou l'anglais. La plupart optent pour l'anglais.

Enfin, à l'Université d'Helsinki, tous les citoyens ont le droit de communiquer en finnois ou en suédois. L'enseignement est dispensé en finnois ou en suédois, au choix du professeur; les étudiants peuvent passer toutes les épreuves, aux examens, dans la langue de leur choix.

LE STATUT DES ÎLES D'AALAND

Les îles d'Aaland, à l'entrée du golfe de Botnie, bénéficient d'un statut particulier qui leur a été octroyé en 1920 par un traité international. Ce sont des Suédois qui peuplent ces îles et le suédois est l'unique langue officielle des 22 000 insulaires sur tous les plans: administration, enseignement, affichage, travail, etc. Le finnois ne peut être enseigné comme langue seconde sans le consentement de la communauté intéressée. Depuis 1956, les îles d'Aaland jouissent d'une autonomie régionale: elles ont leur propre drapeau et siègent au Conseil nordique des pays scandinaves tout en déléguant leurs députés au Parlement d'Helsinki. Une sorte de souveraineté-association!

MIEUX QU'EN ONTARIO MAIS...

Que penser de la politique linguistique de la Finlande à l'égard de ses minorités? Excluons le cas des trois ou quatre mille individus qui parlent le lapon ou le russe puisque la loi ne prévoit aucune protection pour eux. En ce qui concerne la minorité suédoise, l'application des solutions à la fois personnelles (gouvernement, administration centrale, université) et territoriales (administration locale, enseignement, église) offre des avantages certains pour une si petite minorité. Quand on compare cette situation à celles des francophones de l'Ontario ou même du Nouveau-Brunswick, il y a de quoi s'interroger!

Néanmoins, la connaissance du finnois reste la condition d'accès aux emplois importants; aussi la moitié des 355 000 suédophones parlent-ils le finnois, particulièrement dans les agglomérations urbaines, près de la Baltique, et à Helsinki. De plus, la protection territoriale dont ils bénéficient n'est malheureusement pas immuable: la loi ne garantit pas indéfiniment l'unilinguisme ou le bilinguisme territorial à la minorité puisque ce statut est soumis aux modifications relevées lors de recensements décennaux. Les frontières linguistiques ne sont pas rigides et les Finnois peuvent facilement rendre les Suédois minoritaires à la longue. De fait, l'assimilation gagne lentement ces derniers, surtout dans le Sud et dans la capitale; en revanche, le suédois des pêcheurs et des agriculteurs des îles d'Aaland, protégé par des frontières rigides, se maintient aussi bien qu'en Suède. Dans l'ensemble, toutefois, la situation des Finlandais de langue suédoise semble beaucoup plus enviable que celle des francophones de n'importe quelle province anglaise au Canada.

2 LA FORMULE DE L'AUTONOMIE RÉGIONALE

La formule de l'autonomie régionale accorde une forme d'autogouvernance aux groupes concentrés sur un territoire continu, au sein d'un État unifié. Il s'agit moins d'une sorte de décentralisation que d'un mode d'organisation institutionnelle du régionalisme, destiné à préserver, en principe, les caractères distinctifs d'un groupe minoritaire. Cette formule, par laquelle on essaie de concilier le principe d'unité de l'État et le principe d'autonomie, est une notion élastique dont le contenu varie beaucoup d'un État à l'autre, sinon d'une région autonome à l'autre à l'intérieur d'un même État. En effet, le statut de région autonome diffère sensiblement selon qu'il est appliqué en Chine (cinq régions autonomes), en Finlande (îles d'Aaland), en Espagne (Catalogne), en Italie (cinq régions) ou en URSS (20 républiques). Au Canada, dans le cadre de négociations constitutionnelles, le gouvernement canadien a tenté sans trop de succès d'accorder aux autochtones une autonomie politique et de leur reconnaître des «institutions gouvernementales autonomes», dont la portée reste encore à préciser.

De façon générale, les collectivités dites autonomes disposent d'un appareil gouvernemental doté de pouvoirs plus ou moins étendus pour assurer la mise en œuvre de leur autonomie. Ce sont en quelque sorte des Assemblées ou des Parlements régionaux, appelés la Diète provinciale aux îles d'Aaland, le Conseil régional en Italie, la *Generalitat* ou Généralité en Catalogne, etc. Si l'État accorde assez facilement aux régions autonomes des compétences étendues en matière d'administration et de finances, il les limite davantage en ce qui touche la langue et la culture; de même, sur le plan législatif, les compétences sont restreintes à des domaines précis. De toute façon, lorsque l'État national estime qu'une loi régionale porte atteinte à l'intérêt du pays, il se donne ordinairement les moyens d'intervenir et d'annuler, au besoin, les actes législatifs ou réglementaires des parlements régionaux. Ce qui, on le devine, constitue inévitablement une source de conflits entre les deux niveaux de gouvernement.

LA CATALOGNE: LA DIFFICILE RESTAURATION DU CATALAN

Du XIIe au XVIe siècle, la Catalogne a constitué un État indépendant. Puis, rattachée à la Couronne d'Espagne, la Catalogne a réussi à conserver une relative autonomie jusqu'au début du siècle. Cette autonomie lui fut rendue en 1936 avec la proclamation de la République catalane, État indépendant de l'Espagne. L'indépendance fut cependant de courte durée, car le général Franco prit Barcelone, la capitale, trois ans plus tard. Dès lors, le rideau tomba pour 40 ans sur l'autonomie catalane; furent interdits le drapeau catalan, l'enseignement du catalan, les livres, publications et journaux en catalan, et même les disques; furent dissous aussi le Parlement et les partis politiques catalans. Jusqu'à récemment, les Catalans n'écrivaient plus en catalan bien que la plupart le parlent encore.

La mort de Franco, en 1975, a mis fin à une longue dictature et a amorcé le rétablissement de la démocratie à Madrid. Dès 1977, le Parlement catalan, la *Generalitat*, était rétabli et, en 1979, l'État espagnol accordait à la Catalogne le statut de région autonome. Bien qu'elle ne dispose pas de tous les pouvoirs qu'elle détenait en 1939, la Catalogne a entrepris de restaurer le catalan, langue de cinq millions de citoyens.

Selon la loi catalane (1983), le catalan est la langue officielle de la Catalogne. Cette loi prévoit que tous les citoyens ont le droit de traiter leurs affaires en catalan, que ce soit sur le plan des services gouvernementaux (catalans), des procédures judiciaires, du commerce, de l'enseignement, etc. Bref, une véritable «loi 101» catalane, qui vise à promouvoir partout et pour tous le catalan! Les responsables politiques prévoient atteindre leurs objectifs vers la fin du siècle. La réalité montre qu'on est loin du compte; les difficultés sont nombreuses.

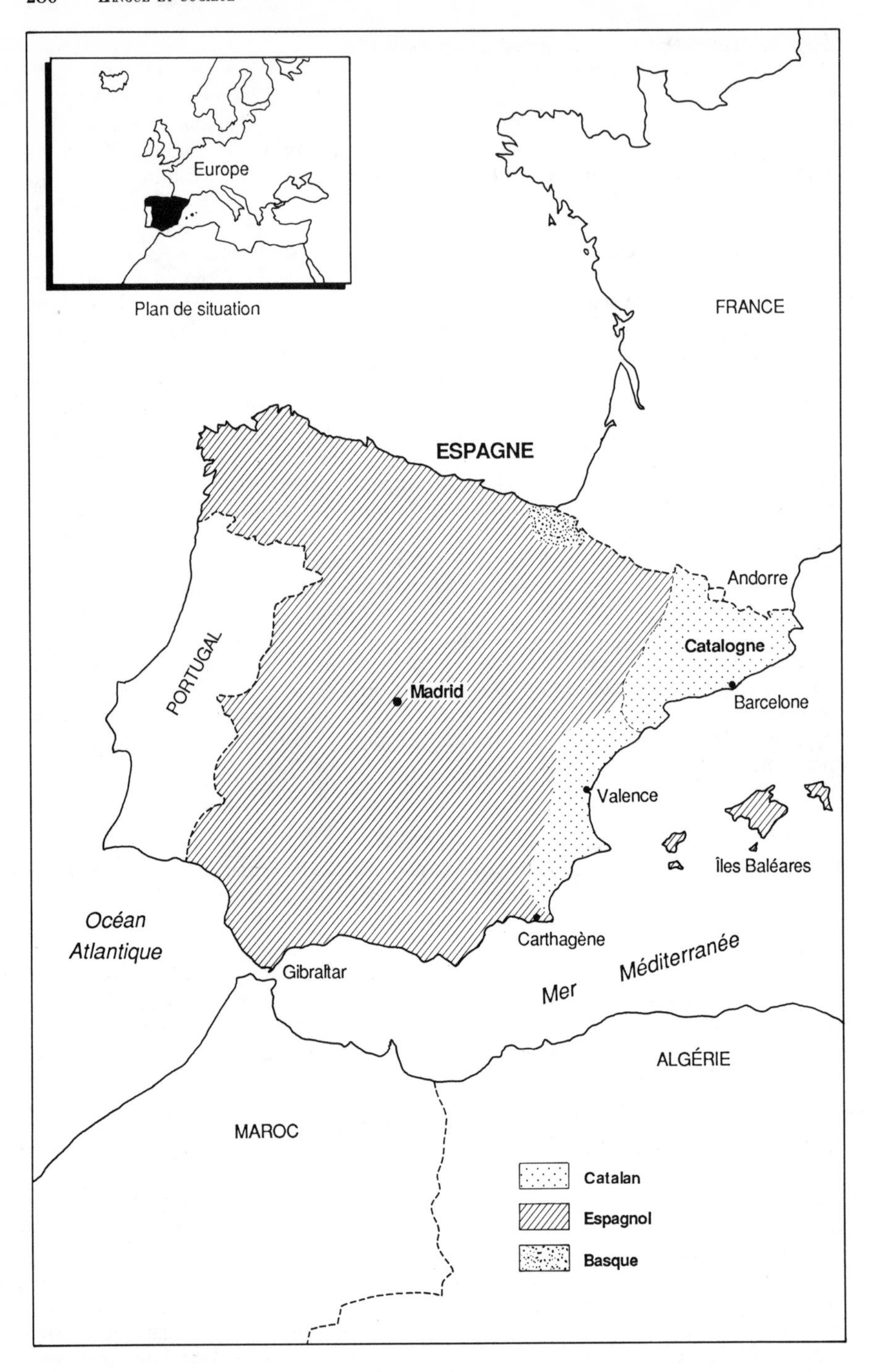

FIGURE 19.2 LA CATALOGNE

L'Espagne ne constitue pas une fédération comme le Canada et la langue officielle des 35 millions d'Espagnols demeure l'espagnol, selon la Constitution adoptée à Madrid. Étant donné que la Catalogne fait toujours partie de l'État espagnol, des conflits surgissent, d'autant plus que 40 à 45 % des citoyens de la Catalogne viennent d'un peu partout en Espagne et refusent l'imposition du catalan; d'ailleurs, en tant que citoyens espagnols, ils ont droit à la langue espagnole. Dans les agglomérations où les deux communautés cohabitent, il arrive que la majorité impose le catalan à la minorité espagnole à l'école; le même phénomène se produit parfois à l'inverse. Une telle situation ne peut qu'engendrer des frictions entre Catalans et Espagnols.

Dans les services gouvernementaux, une bonne partie des fonctionnaires dont a hérité la Catalogne sont d'origine espagnole et ont été nommés par l'administration du général Franco; il n'est donc pas aisé de les mettre à l'étude du catalan et leur bilinguisation peut prendre encore de nombreuses années. En attendant, les services en catalan laissent à désirer. En matière d'enseignement, la loi catalane impose la connaissance des deux langues et les élèves n'obtiennent pas de diplôme à la fin du secondaire s'ils ne démontrent pas une connaissance suffisante du catalan et de l'espagnol. Faute d'enseignants catalans, la loi ne peut s'appliquer et seulement 20 % des enfants du primaire reçoivent un enseignement en cette langue.

Une autre difficulté provient du Parlement de Madrid. Si le Parlement catalan de Barcelone dispose de pouvoirs réels, notamment en matière de culture et d'enseignement, il doit, dans certains domaines (économie, relations de travail, prisons, aéroports, etc.), appliquer les lois espagnoles prises à Madrid et, dans d'autres domaines (mines, pêches, expropriations, environnement, etc.), décider des modalités d'application locale des lois cadres du gouvernement espagnol. D'ailleurs, le gouvernement central ne s'est pas privé pour contester et annuler la légalité de nombreuses législations catalanes.

***

Finalement, il ne faudrait pas oublier que les frontières linguistiques de la Catalogne ne sont pas rigides. Les Catalans perdent leurs droits linguistiques en dehors de leur région autonome alors que les Espagnols ont toujours droit à la langue espagnole n'importe où en Espagne, Catalogne comprise. Déjà, la majorité catalane demeure fragile (elle est de 55 à 60 %); il suffirait d'un afflux migratoire espagnol pendant quelques années en Catalogne pour rendre les Catalans minoritaires. C'est peut-être là leur plus grande faiblesse malgré la protection réelle dont ils bénéficient en Espagne.

L'ITALIE ET SES RÉGIONS AUTONOMES

L'Italie possède plusieurs langues sur son territoire. Il existe d'abord une douzaine de grandes variétés dialectales: le sicilien, le vénitien, le lombard, l'émilien, le napolitain, le romagnol, etc.; on compte aussi plusieurs langues distinctes: le français dans le Val d'Aoste, le sarde en Sardaigne, le frioulan[2] dans le Frioul (province d'Udine), le ladin et l'allemand dans le Trentin, le slovène en Vénétie.

L'égalité est garantie devant la loi en vertu de l'article 3 de la Constitution italienne: «Tous les citoyens ont une même dignité sociale et sont égaux devant la loi, sans distinction de sexe, de race, de langue.» On peut s'interroger sur le sens d'une telle déclaration lorsqu'on lit à l'article 6: «La République protège par des mesures convenables les minorités linguistiques.» Quelles sont ces mesures dites «convenables», alors que l'italien demeure la langue officielle de l'Italie?

2. Le frioulan et le ladin font partie des langues romanches, comme le surselvan et l'engadinois en Suisse.

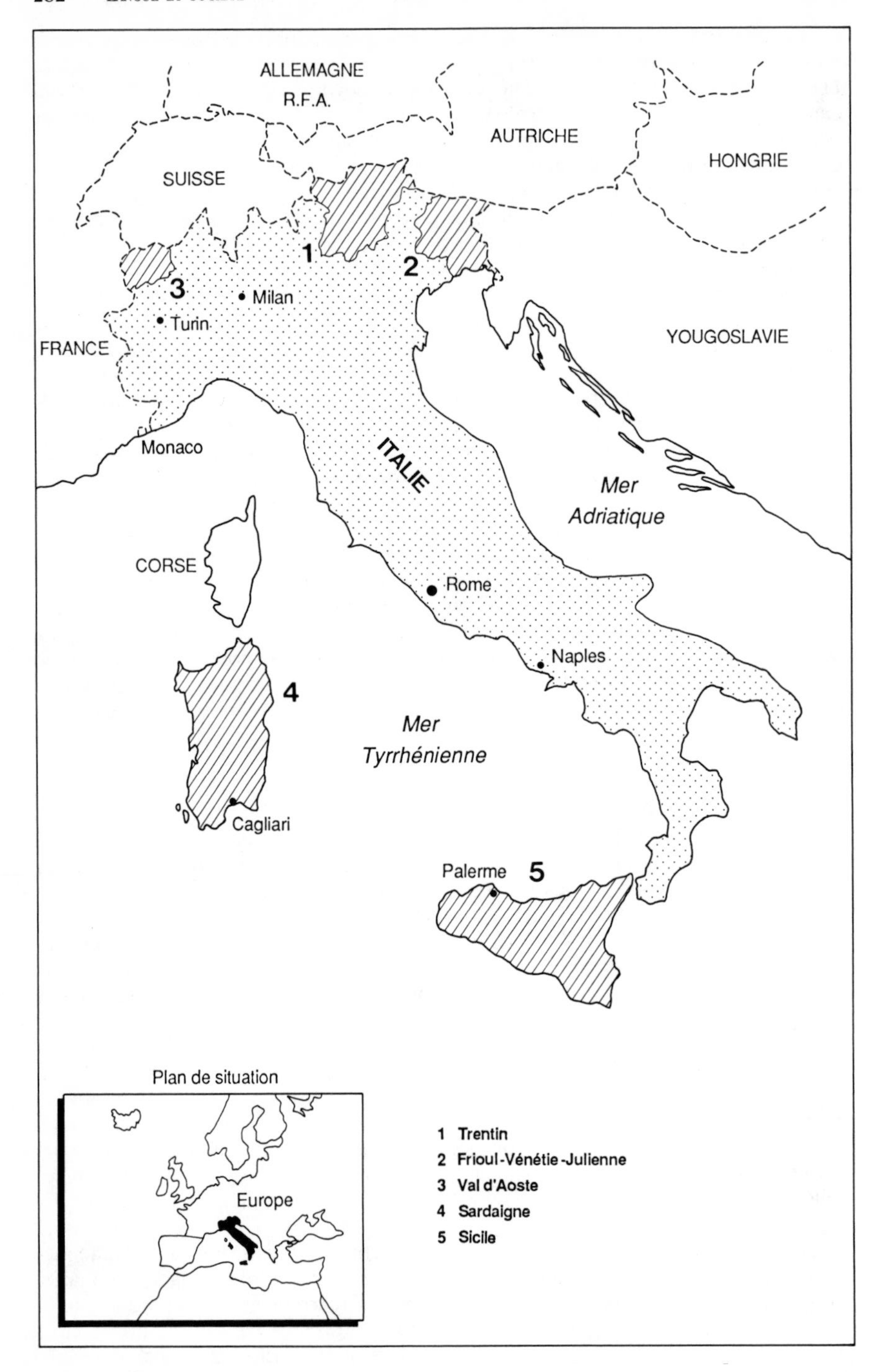

FIGURE 19.3 LES RÉGIONS AUTONOMES DE L'ITALIE

Le gouvernement italien a accordé le statut de région autonome à cinq régions (*voir la figure 19.3*) dont la culture et la langue sont demeurées vivaces: le Val d'Aoste, la Sardaigne, le Trentin—Haut-Adige, la Sicile et le Frioul-Vénétie-Julienne. Nous allons examiner le cas de trois d'entre elles.

LA RÉGION AUTONOME DU TRENTIN—HAUT-ADIGE

Cette région, formée par les provinces de Trente et de Bolzano, a été enlevée à l'Autriche et donnée à l'Italie en 1919 lors du traité de Saint-Germain-en-Laye; cette annexion fut confirmée dans le traité de Paris, en 1947. Aux termes de l'accord, l'Italie s'engageait à assurer l'égalité des droits de ses citoyens de langue allemande et de ceux de langue italienne. Ayant acquis le statut de région autonome en 1948, le Trentin—Haut-Adige dispose d'une Assemblée régionale et l'allemand y est reconnu comme langue officielle avec l'italien. Sur une population de 428 000 habitants, 63 % sont de langue allemande, 30 % de langue italienne et 6 % de langue ladine.

Les citoyens germanophones peuvent utiliser leur langue dans les communications orales et écrites avec l'administration régionale, et les fonctionnaires sont obligatoirement bilingues. Ils ont également droit à un système d'enseignement complet en allemand, du primaire au secondaire; mais l'enseignement de la langue seconde — l'italien — demeure obligatoire dès la 3e année du primaire. Il est permis aussi d'utiliser la toponymie allemande et d'afficher dans cette langue. Dans le domaine judiciaire, les germanophones ont la possibilité d'employer leur langue dans les procès, les services judiciaires, les procès-verbaux, les actes notariés, etc.; cependant, les sentences des juges sont toujours rendues en italien, la langue officielle de la justice. Enfin, la minorité allemande possède un quotidien, quelques hebdomadaires et plusieurs périodiques. La RAI (Radio-Télévision Italienne) diffuse des émissions en langue allemande quelques heures par semaine.

Dans la même région, vivent environ 28 000 citoyens de langue ladine, une langue d'origine romane (6 % de la population de la région). Les Ladins n'ont droit qu'à un enseignement partiel dans leur langue au primaire et au secondaire (une seule école); la moitié du temps alloué à l'enseignement est en ladin, le reste est partagé en nombre d'heures égal entre l'italien et l'allemand.

LA RÉGION AUTONOME DU FRIOUL-VÉNÉTIE-JULIENNE

Cette région près de la frontière yougoslave a dû attendre 1963 avant de se voir conférer le statut de région autonome. Elle comprend les provinces de Gorizia, d'Udine et de Trieste, avec une population totale de 1,3 million d'habitants. Il existe deux minorités: une communauté slovène de plus de 80 000 locuteurs et une minorité romande parlant le frioulan (500 000 locuteurs).

Les Frioulans et les Slovènes disposent d'un réseau d'enseignement complet (primaire, secondaire, professionnel) dans leur langue. Cependant, seuls les Slovènes peuvent utiliser leur langue avec l'administration régionale; dans les faits, même si le slovène demeure peu employé dans ce contexte, les Slovènes ont le droit de recevoir une réponse écrite des autorités dans leur langue. Par ailleurs, les deux communautés possèdent leur presse et leurs imprimeries. Sur le plan de la justice, seul l'italien est permis. La minorité slovène bénéficie de ces droits en vertu d'une protection internationale du Conseil de l'Europe, imposée à l'Italie en 1954.

LA RÉGION AUTONOME DU VAL D'AOSTE

La Val d'Aoste a appartenu à la Savoie de l'an 1025 à 1800 et à la France de 1800 à 1860, date où il fut intégré à l'Italie, qui pratiqua dès lors une politique d'assimilation systématique à l'égard des Valdotains. Après la Seconde Guerre mondiale (1945), l'Italie rendit l'autonomie à la vallée d'Aoste. Les 115 000 Valdotains (en majorité francophones) ont le droit d'utiliser la langue française avec les autorités régionales sur les plans politique, administratif, judiciaire et scolaire. Le français et l'italien sont les deux langues officielles de la région. Selon la *Loi constitutionnelle de 1948*, le bilinguisme est obligatoire pour les fonctionnaires, qui doivent être capables de s'exprimer en français. Tous les actes publics et les actes notariés peuvent être rédigés dans les deux langues, mais seul l'italien demeure officiel dans le domaine judiciaire. Dans les écoles primaires et secondaires, les francophones du Val d'Aoste peuvent recevoir un enseignement (facultatif) dans leur langue, mais l'italien est obligatoire, comme langue d'enseignement, en nombre d'heures égal. Pour le reste, les Valdotains captent les émissions de la radio et de la télévision française en provenance de la France.

UNE PROTECTION «À LA CANADIENNE»

L'autonomie dont bénéficient les régions autonomes en Italie n'assure pas à leurs citoyens l'égalité proclamée par les lois constitutionnelles. C'est une égalité boiteuse, qui ressemble à celle des francophones de l'Ouest canadien vis-à-vis de la majorité anglaise. Depuis quelques années, les cinq régions autonomes italiennes revendiquent plus d'autonomie. La Sardaigne, le Trentin—Haut-Adige et le Val d'Aoste sont particulièrement mécontents de leur sort. La minorité allemande du Trentin est même allée jusqu'à demander récemment son rattachement à l'Autriche, sa patrie d'origine. Au grand dam des dirigeants politiques italiens, les cris de «Débarrassons-nous de l'Italie» lancés devant le Parlement de Vienne ont réussi à émouvoir le gouvernement autrichien, qui n'a pu cacher sa sympathie pour ces «Tyroliens du Sud».

Toutes les minorités d'Italie se font italianiser malgré une politique linguistique que l'État croit libérale. Les services gouvernementaux, même régionaux, laissent grandement à désirer; beaucoup de fonctionnaires italiens ignorent simplement les droits des minorités. L'enseignement en langue minoritaire comporte énormément de lacunes et la disparité des droits règne partout, même entre groupes minoritaires; par exemple, l'écart entre les droits de la minorité allemande et de la minorité ladine dans le Trentin est manifeste. Le statut de région autonome ne dispense pas de l'obligation d'apprendre l'italien dans les écoles, où la pratique de l'enseignement bilingue est généralisée. Les minoritaires continuent toujours d'être les seuls citoyens bilingues dans leur région, où la majorité a tous les droits.

***

Si l'on en juge par les cas rapportés ici, le statut de région autonome ne préserve pas les caractères distinctifs des minorités. Que ce soit en Espagne, en Italie, en Iraq ou en Chine (*voir le chapitre 17*), on doit admettre que cette formule constitue une solution médiocre comme moyen de protection d'une minorité.

Les principales faiblesses de cette formule proviennent: 1) de la pression de l'État unitaire, qui exerce un contrôle centralisateur sur une région prétendument autonome; 2) de l'attraction continue de la langue dominante sur le territoire «protégé»; 3) des migrations internes, qui favorisent le groupe dominant. Entre le principe d'unité et le principe d'autonomie, c'est le principe d'unité de l'État qui prévaut. Les cinq millions de Catalans disposent de moins de protection que les 22 000 Suédois des îles d'Aaland de la Finlande, dont les frontières linguistiques restent imperméables à l'intrusion de la langue dominante. Il suffirait de décréter l'unilinguisme territorial dans ces régions autonomes et d'éviter ainsi que les langues se concurrencent, ce qui est évidemment contradictoire avec les structures d'un État unitaire. Dans la situation actuelle, l'autonomie régionale ne fait que retarder l'assimilation des minorités en favorisant l'expansion géographique de la langue dominante.

3 LE MODÈLE YOUGOSLAVE

Royaume de la diversité et de la décentralisation, la Yougoslavie est un véritable casse-tête dont il n'est pas facile de rassembler les pièces pour en faire un tout reconnaissable. La terre de ces «Slaves du Sud» est une fédération de 22,7 millions d'habitants constituée de six républiques et de deux régions autonomes. Les six républiques (*voir la figure 19.4*) regroupent les six peuples slaves de la fédération: les Serbes en Serbie, les Croates en Croatie, les Bosniaques en Bosnie-Herzégovine, les Monténégrins dans le Monténégro, les Slovènes en Slovénie, les Macédoniens en Macédoine. Quant aux deux régions autonomes, la Vojvodine et le Kossovo, elles font partie de la république de Serbie et servent de «patrie» aux deux peuples non slaves: les Hongrois en Vojvodine et les Albanais dans le Kossovo. L'État yougoslave ne renferme pas moins d'une trentaine de nationalités réparties en trois grandes religions (orthodoxe, 41 %; catholique, 32 %; islamique, 12 %); il a adopté deux alphabets (latin et cyrillique). Fondée en 1946, la Yougoslavie reste un véritable défi à l'histoire et à la géographie. Elle a pour bases l'autogestion et une forte décentralisation du pouvoir aux niveaux régional et local. Même le Parti communiste est dissous dans l'hétérogénéité complexe du pays.

Pour ces raisons, la Yougoslavie constitue un terrain privilégié en ce qui concerne l'étude de l'aménagement des langues en contact. Non seulement de nombreuses langues cohabitent sur un territoire relativement restreint (255 800 km^2), mais plusieurs régions sont aux prises avec une imbrication d'ethnies sans précédent en Europe; on compte, par exemple, 24 nationalités pour la seule région autonome de Vojvodine. L'originalité de la politique linguistique repose essentiellement sur l'égalité et le respect des minorités dans un mélange de SOLUTIONS PERSONNELLES et TERRITORIALES. On distingue trois niveaux de juridiction: l'État central, la république ou la région autonome, la commune. Avant de voir comment chacun de ces trois pouvoirs élabore sa politique linguistique dans un ensemble si complexe, nous aborderons brièvement la question de la langue «serbe + croate», appelée «serbo-croate».

POURQUOI UNE LANGUE SERBO-CROATE ?

Les Serbes et les Croates forment deux peuples distincts en Yougoslavie, bien qu'à l'origine ils représentaient une seule et même ethnie. Serbes et Croates ont été séparés pendant quelques siècles au cours de l'histoire: les Serbes ont été dominés par les Turcs alors que les Croates l'ont été par les Autrichiens et les Hongrois. Comme il arrive inévitablement dans ces cas-là, Serbes et Croates en sont venus à parler différemment leur langue commune, qui s'est différenciée pour devenir le serbe et le croate.

On parle aujourd'hui du «serbo-croate». En réalité, on n'a jamais pu réaliser une langue standard unifiée. Le serbo-croate forme deux variantes officielles acceptées de plein droit en Yougoslavie. Le serbo-croate parlé par les Serbes est le «serbe» et s'écrit en alphabet cyrillique; le serbo-croate parlé par les Croates est le «croate» et s'écrit en alphabet latin. On compte 7 806 000 Serbes (incluant les Bosniaques) contre 4 294 000 Croates. Depuis quelques années, les Croates ont réussi à susciter un fort mouvement nationaliste dans le but de faire reconnaître le croate comme langue distincte du serbe. La langue serbo-croate est considérée par les Croates comme une fiction imaginée par les Serbes pour les «serbiser».

À la diversité des langues, s'ajoute la complexité de deux alphabets pour écrire la «même» langue. Dans certaines républiques, l'affichage et le journal officiel doivent être rédigés dans les deux alphabets: un serbo-croate pour les Serbes en cyrillique, et un serbo-croate pour les Croates en alphabet latin.

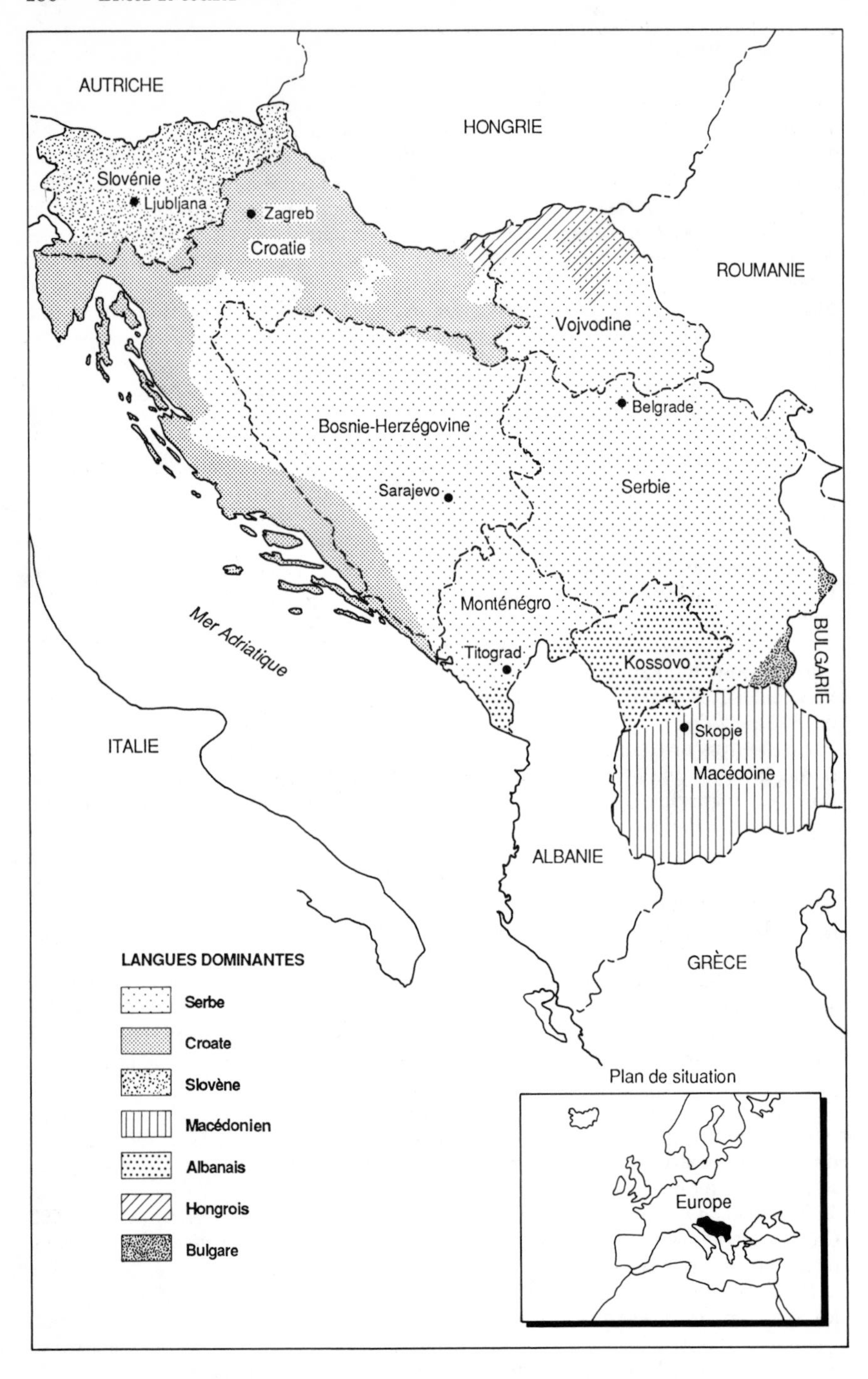

FIGURE 19.4 LA YOUGOSLAVIE

LA POLITIQUE LINGUISTIQUE DE L'ÉTAT CENTRAL

Les responsabilités de l'État central sont limitées: elles consistent principalement à veiller au maintien et au développement du pays ainsi qu'à assurer la sécurité et la défense nationale. Dans le domaine linguistique, l'État fédéral ne fixe pas une ou plusieurs langues officielles pour chacune des républiques sur son territoire. Selon la Constitution de 1963, réformée en 1971 et en 1974, il élabore plutôt des lois cadres, qui garantissent les droits des minorités, et prévoit des sanctions très sévères à l'endroit des républiques ou des communes qui dérogeraient à ces principes. L'appareil juridique est conçu pour garantir ces droits, assurer les conditions nécessaires à leur maintien et à leur développement. Il devient donc plus difficile d'assimiler les minorités. Selon la Constitution, chacune des six républiques et chacune des deux régions autonomes doit fixer elle-même sa ou ses langues officielles à la condition de respecter les particularités régionales des différents groupes; chacune des communes doit aussi définir sa ou ses langues officielles, selon les mêmes principes.

Dans le cadre de ses juridictions, l'État fédéral reconnaît officiellement trois langues. Ce sont celles des peuples slaves de la République socialiste fédérative de Yougoslavie: le serbo-croate parlé par 66 % de la population, le slovène (6,6 %) et le macédonien (5,6 %). Au niveau fédéral, c'est la formule de la PERSONNALITÉ qui prévaut. Les débats du Parlement de Belgrade se déroulent dans l'une des trois langues officielles, au choix de l'orateur, et toutes les lois sont rédigées dans ces mêmes langues avec les deux alphabets. Tous les citoyens sont assurés de recevoir des services en serbo-croate, en slovène ou en macédonien lorsqu'ils s'adressent à l'administration centrale de Belgrade ou à une cour de justice fédérale (à Belgrade). Des accommodements sont prévus pour les Hongrois de Vojvodine et les Albanais du Kossovo. D'autres modalités s'appliquent pour ce qui relève de la juridiction des républiques ou des communes.

L'AMÉNAGEMENT DES LANGUES DANS LES RÉPUBLIQUES ET LES RÉGIONS AUTONOMES

Chacune des républiques et chacune des régions autonomes a son Parlement, doté de pouvoirs considérables et couvrant des champs de juridictions dont certains seraient impensables au Canada: les postes, la radio et la télévision, les transports (incluant les chemins de fer), l'électricité, l'enseignement, etc. Les républiques légifèrent en matière de langue et peuvent reconnaître officiellement des langues sans statut au niveau fédéral. Quant aux régions autonomes, elles sont dotées des mêmes pouvoirs que les républiques bien qu'elles relèvent administrativement de la république de la Serbie; on ne saurait comparer les pouvoirs de ces régions autonomes à ceux dont disposent les régions autonomes en Italie.

La *Serbie* est la plus importante des républiques (*voir le tableau 19.1*) tant par sa superficie que par sa population et sa position stratégique: Belgrade est à la fois la capitale de la république et de la fédération. La Serbie proprement dite, c'est-à-dire sans les régions autonomes qui y sont rattachées, est peuplée de Serbes à plus de 90 %; le reste de la population est constitué de Croates, d'Albanais, de Roumains et de Bulgares. La république pratique un unilinguisme territorial pour le serbo-croate et l'albanais à la frontière du Kossovo, mais un bilinguisme fondé sur les droits personnels pour les Roumains et les Bulgares. Autrement dit, le serbo-croate est la seule langue officielle, bien que l'albanais partage ce statut au Sud et que le roumain et le bulgare soient reconnus égaux au serbo-croate dans certaines agglomérations.

La *Croatie* est la seconde république (*voir le tableau 19.1*) en importance avec 4,5 millions d'habitants en majorité croates (plus de 80 %). Outre les 15 % de Serbes, on retrouve des minorités hongroise, italienne et tchèque. La langue officielle est le croate, écrit en alphabet latin, mais Serbes, Italiens, Hongrois et Tchèques ont droit à des services et à un enseignement dans leur langue.

République	Superficie (km²)	Population	Capitale
Serbie	88 361	8 921 000	Belgrade
Croatie	56 538	4 532 000	Zagreb
Bosnie-Herzégovine	51 129	4 075 000	Sarajevo
Macédoine	25 713	1 826 000	Skopje
Slovénie	20 251	1 793 000	Ljubljana
Monténégro	13 812	571 000	Titograd
Région autonome			
Vojvodine	21 506	1 970 000	Novi Sad
Kossovo	10 887	1 366 000	Prichtina

TABLEAU 19.1 LES RÉPUBLIQUES ET LES RÉGIONS AUTONOMES DE LA YOUGOSLAVIE

La *Bosnie-Herzégovine* est essentiellement peuplée de Serbes, de Bosniaques et de Croates. La seule langue officielle de la république est le serbo-croate et les deux alphabets sont de rigueur: cyrillique pour les Serbes, latin pour les Croates et les Bosniaques.

La *Slovénie* (1,7 million), située dans le nord du pays, est peuplée à 90 % par les Slovènes. Il existe des minorités locales d'origine italienne (3 000) et hongroise (10 000). Le slovène est la langue officielle pour l'ensemble du territoire, mais les minorités acquièrent le même statut dans les régions où elles sont concentrées; elles ont donc droit à l'administration publique, l'école, l'affichage, etc., dans leur langue.

La *Macédoine* (1,8 million), au Sud, reconnaît trois langues officielles: le macédonien parlé par 73 % de la population, le serbo-croate écrit en alphabet cyrillique, et l'albanais. Les deux premières langues sont officielles sur l'ensemble du territoire et l'albanais ne l'est que localement dans le nord de la république (*voir la figure 19.4*).

La région autonome de *Vojvodine*, rattachée à la Serbie, ne compte pas moins de cinq langues officielles: le serbo-croate (en cyrillique), le hongrois, le slovaque, le roumain et l'ukrainien. C'est la formule des droits personnels qui prévaut pour les Serbes, mais celle des droits territoriaux pour les autres communautés, qui jouissent de tous les droits inhérents à leur langue sur les territoires qui leur sont assignés.

Dans la région autonome du *Kossovo*, majoritairement peuplée d'Albanais (73 %), les trois langues officielles sont l'albanais et le serbo-croate (en cyrillique) sur l'ensemble du territoire ainsi que le turc localement.

Au point de vue linguistique, quatre langues peuvent être considérées comme des langues majoritaires à l'échelle d'une des entités constitutives de ce pays: le serbo-croate, le slovène, le macédonien et l'albanais. Par comparaison, le hongrois, l'italien, le tchèque, le turc, le slovaque, le roumain, le bulgare et l'ukrainien sont les langues minoritaires. Parmi celles-ci, la communauté de langue hongroise se détache nettement comme groupe minoritaire, tant par son importance numérique (514 000) que par sa compacité.

Toutes les langues officielles de chacune des républiques (ou régions autonomes) sont admises au Parlement régional; ainsi, le Parlement de la Vojvodine utilise ses cinq langues officielles et a recours à la traduction simultanée. L'administration de la république doit respecter localement toutes les langues qui n'ont pas de statut officiel; on publie le journal de la république dans toutes les langues officielles. Les autres langues nationales sont obligatoirement enseignées au primaire; il suffit d'un minimum de 15 enfants pour avoir une classe dans une langue donnée. À l'école, on maintient le plus possible le cloisonnement entre les ethnies en évitant de les mélanger dans une même école. En résumé, à tous les niveaux de l'enseignement (au primaire, au secondaire et à l'université), le principe de l'utilisation des langues minoritaires est de rigueur. Dans la pratique, à l'université, seuls les Slovènes, les Macédoniens, les Albanais et les Hongrois sont assurés d'un enseignement partiel dans leur langue, la plupart des cours se donnant en serbo-croate.

L'AMÉNAGEMENT LINGUISTIQUE DANS LES COMMUNES

En Yougoslavie, une commune correspond à une unité administrative regroupant plusieurs villages ou villes pour une population variant entre 30 000 et 50 000 habitants. On peut compter plusieurs villages ou petites villes pour former une commune administrative, comme une grande ville peut en comprendre plusieurs. Il existe présentement plus de 500 administrations communales en Yougoslavie.

Chaque commune définit elle-même sa ou ses langues officielles. Les statuts de la commune doivent indiquer les langues officielles et les situations dans lesquelles l'usage de ces langues est assuré: le conseil communal, les formulaires administratifs, les registres d'état civil, l'affichage, l'enseignement de la langue maternelle et celui de la langue seconde, etc. Évidemment, toute commune peut reconnaître officiellement une ou plusieurs langues qui n'ont aucun statut à l'intérieur de la république ou de la région autonome. Par exemple, une commune peut reconnaître l'allemand, le turc ou le bulgare alors que ces langues n'ont généralement aucun statut au niveau des républiques.

C'est en matière d'enseignement que les communes pratiquent le plus le système d'autogestion locale. Lorsque les minorités sont suffisamment concentrées sur un territoire, la commune offre un enseignement primaire dans leur langue pour renforcer l'identité ethnique, et ce, pendant six ans. L'enseignement de la langue majoritaire est intégré progressivement, au secondaire, dans les petites communautés. Cependant, lorsque l'enseignement bilingue devient nécessaire en raison du manque de personnel ou du nombre d'élèves, le bilinguisme est obligatoire pour tous: minoritaires comme majoritaires. C'est un système qui familiarise le groupe majoritaire avec la langue de la minorité et qui évite que le bilinguisme soit exclusivement réservé à la minorité. L'enseignement bilingue n'est permis que dans les «écoles bilingues»; dans les «écoles ordinaires» (pour majoritaires) et dans les «écoles pour minoritaires», il faut se contenter de l'enseignement d'une langue seconde.

En ce qui concerne l'enseignement des langues secondes dans les diverses écoles, les communes fonctionnent généralement sur la base de la réciprocité. Par exemple, à l'intérieur d'une même commune, si une école hongroise (langue maternelle) enseigne le serbo-croate comme langue seconde, l'école serbo-croate (langue maternelle) enseignera le hongrois comme langue seconde. Une commune peut même conclure des ententes avec une commune voisine: une commune ukrainienne s'engage à enseigner le slovaque à la condition que la commune slovaque enseigne l'ukrainien; sans réciprocité, pas d'enseignement de la langue du voisin. Une question d'égalité!

***

Le modèle yougoslave semble unique au monde. Avec plus de 30 nationalités, la Yougoslavie a su relever le défi du multilinguisme sans entraîner le pays vers la désintégration nationale. Au contraire, cette reconnaissance du multilinguisme contribue à l'équilibre et la paix sociale. L'originalité de la politique linguistique de la Yougoslavie tient au fait qu'on a savamment combiné la formule de la personnalité à celle de la territorialité pour maintenir une certaine égalité entre les divers peuples.

Cette égalité est bien réelle entre les Slaves, c'est-à-dire entre Serbes, Croates, Bosniaques, Slovènes, Monténégrins et Macédoniens, qui se partagent trois langues: le serbo-croate, le slovène et le macédonien.

Les dirigeants politiques ne préconisent pas un prétendu rapprochement entre les diverses nationalités; un tel rapprochement ne serait perçu que comme une tentative d'absorption des minorités par la majorité. L'assimilation est impossible entre les trois groupes linguistiques principaux, qui sont protégés par des frontières linguistiques sécurisantes. Pour les plus petites communautés, l'assimilation se révèle également rigide et assez difficile dans la mesure où elles bénéficient de frontières linguistiques locales relativement sécurisantes et parce que le bilinguisme ne leur est pas exclusif.

En Yougoslavie, les particularités régionales ou ethniques ne sont pas considérées comme des phénomènes qu'il faut éliminer à tout prix. Le système connaît évidemment ses faiblesses. Il peut arriver, par exemple, qu'un Serbe, normalement majoritaire dans l'ensemble du pays, se retrouve minoritaire dans une commune majoritairement turque. De plus, une telle politique axée sur le multilinguisme ne peut que coûter très cher financièrement à l'État; mais elle permet une paix sociale qui ferait l'envie de bien des pays aux prises avec un tel multilinguisme. Cela n'empêche pas des conflits de se manifester périodiquement, car la coexistence d'autant de langues ne peut pas ne pas présenter des situations conflictuelles. Que ce pays ait tenu le coup depuis sa création relève déjà du prodige. Le secret de toute politique en Yougoslavie, c'est la décentralisation. La politique linguistique de chacune des constituantes de ce pays complexe en donne un bon reflet.

4 LA SÉPARATION TERRITORIALE

Dans le cadre des solutions territoriales, il existe une formule qui consiste à fixer des frontières linguistiques rigides sur une base régionale. La Yougoslavie applique ce principe, mais en y combinant la formule des droits personnels. Dans le cas que nous étudierons, le système a pour but de rendre les frontières le plus étanches possible pour tendre vers l'*unilinguisme territorial*. Nous en avons vu un exemple avec les îles d'Aaland (*voir* p. 278) en Finlande, où l'unilinguisme suédois triomphe sur le bilinguisme officiel de l'État. L'objectif d'une telle formule est d'éliminer la concurrence entre les langues en les séparant sur le territoire. Nous retiendrons trois exemples: l'Inde, la Belgique et la Suisse.

L'INDE

L'Inde (*voir la figure 19.5*) est un grand État (3,2 millions de km²) de 730 millions d'habitants limité à l'ouest par la mer d'Oman et le Pakistan, au nord par la Chine, le Népal et le Bhoutan, à l'est par le Bengladesh, la Birmanie et le golfe du Bengale, au sud par le Sri Lanka et les îles Maldives. L'Inde comprend aussi les îles Laccadive à 300 km des côtes de l'État du Kerala, de même qu'un archipel au sud de la Birmanie, les îles Andaman (partie nord) et Nicobar (partie sud).

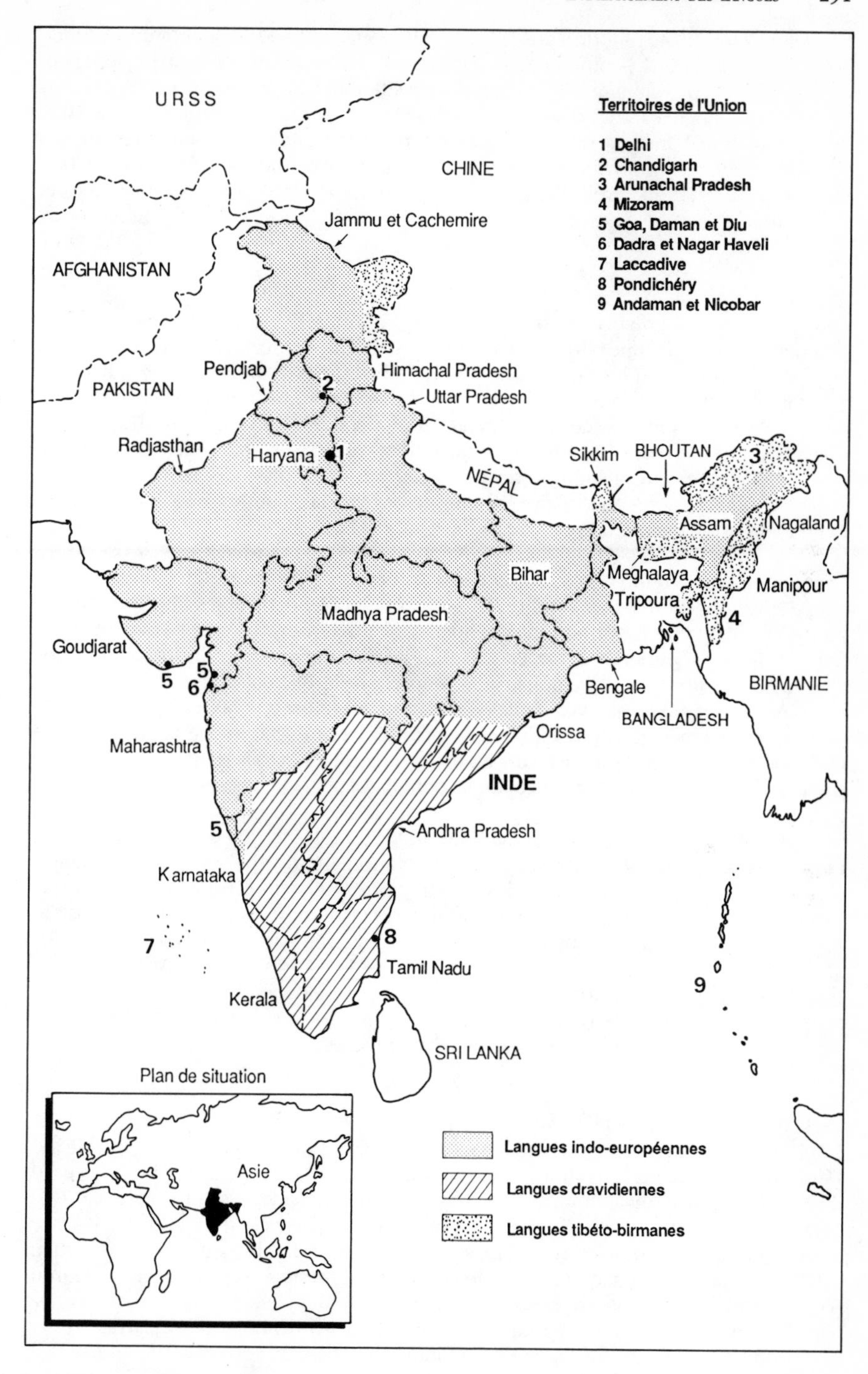

FIGURE 19.5 L'UNION INDIENNE

Rappelons qu'il existe plus de 4 000 langues et dialectes en Inde. De ce nombre, plus de 300 ont fait l'objet de compilations statistiques significatives. Cependant, on peut estimer qu'une quarantaine de langues sont réellement importantes; parmi ces dernières, les 16 langues dites «constitutionnelles» regroupent à elles seules plus de 90 % de la population. L'Inde est divisée linguistiquement en deux grandes aires: les langues indo-européennes au Nord et les langues dravidiennes au Sud (*voir la figure 19.5*). À l'intérieur de ces deux aires, il existe un certain nombre de langues sino-tibétaines et austro-asiatiques (*voir le chapitre 9*).

UNE FÉDÉRATION LINGUISTIQUE

Cette ancienne colonie britannique (1799-1947) obtint son indépendance en 1947 au prix de la sécession d'une partie du pays: le Pakistan. L'Inde forma alors une fédération, l'Union indienne, dont les limites des États membres furent calquées sur les divisions arbitraires de l'ancien régime. Il en résulta un plurilinguisme enchevêtré dans la plupart des États fédérés, ce qui engendra des conflits sanglants entre les ethnies. L'agitation linguistique provoqua des mouvements de redistribution des États sur une base linguistique. La Constitution de 1956 créa une véritable fédération linguistique pour résoudre la non-concordance des limites territoriales et des aires linguistiques. On adopta un principe: une langue = un État.

La nouvelle Constitution n'a pas éliminé les conflits entre les différentes communautés; année après année, d'autres conflits aigus apparaissent ici ou là et les interventions du gouvernement central ont eu plutôt tendance à provoquer des crises entre les États fédérés. Il faut régulièrement opérer des redistributions territoriales parce que les mouvements autonomistes régionaux demeurent omniprésents. En fait, les luttes entre les communautés ainsi que la difficile conciliation des intérêts contradictoires des États et du gouvernement central semblent des constantes inévitables de la vie politique indienne. Ces problèmes n'ont rien d'étonnant dans un tel État (le deuxième du monde par la population), dont les dimensions sont analogues à celles de l'Europe.

L'Union indienne est une république fédérale de 22 États et de neuf territoires fédéraux. Afin d'avoir une idée précise de cette fédération linguistique, on peut consulter le tableau 19.2, qui présente la liste des États membres avec leur population et leur(s) langue(s) respective(s). Quant aux territoires de l'Union, ils sont administrés par le gouvernement central; ce sont des districts (Delhi, Chandigarh, Goa, Pondichéry), des archipels (Laccadive, Andaman et Nicobar) ou des États non fédérés (Arunachal Pradesh, Mizoram). Dans le cadre de notre étude, il a paru judicieux de nous restreindre à un simple résumé de la politique linguistique du gouvernement central et à une description globale pour l'ensemble des États fédérés.

LA POLITIQUE LINGUISTIQUE DE L'UNION

En vertu du paragraphe 343.1 de la Constitution (1950), l'hindi est la langue officielle de l'Union et doit être écrit en alphabet devanagari. Nonobstant cette disposition à l'égard de l'hindi, la clause suivante stipule que «pendant une période de quinze ans à partir de l'entrée en vigueur de cette Constitution, la langue anglaise continuera d'être utilisée pour toutes les fins officielles de l'Union». Cette seconde clause revient à dire que l'anglais est la seconde langue officielle du gouvernement fédéral. L'anglais et l'hindi sont donc utilisés lors des débats au Parlement de Delhi et aux conseils des ministres, dans l'administration centrale, pour les formulaires et les symboles de l'État (timbres et billets de banque), et pour l'affichage à l'intérieur des neuf territoires fédéraux.

Un quart de siècle d'efforts législatifs n'ont pas encore réussi à faire remplacer l'anglais par l'hindi. Les rapports de force ont fait que les choses se sont passées autrement. L'hindi a l'avantage d'être parlé comme première langue par une partie importante de la population, c'est-à-dire 35 %, mais il a l'inconvénient majeur d'être associé à l'ethnie dominante et à la religion hindoue. Lorsque le gouvernement fédéral a tenté de remplacer l'anglais par l'hindi en 1967, tous les États du Sud se sont soulevés d'un seul bloc. Cette décision a donné lieu à des révoltes sanglantes, puis les démissions ont succédé aux démissions tant au gouvernement central que dans les gouvernements régionaux; enfin, toutes les universités de l'Inde ont manifesté vivement leur opposition tandis que les mouvements autonomistes ont explosé partout dans le pays.

Le gouvernement a dû faire volte-face. Non seulement il a conservé l'anglais comme l'une des langues officielles, mais il a été contraint de créer d'autres États linguistiques. En Inde, il est plus facile de garder l'anglais que de promouvoir l'hindi, qui heurte les susceptibilités régionales. La promotion de l'hindi est vue comme une forme de domination centripète et un facteur de dévalorisation des langues régionales. L'anglais, langue néo-coloniale, pénètre plus volontiers les structures des États régionaux parce qu'il ne représente pas une menace centralisatrice. Il favorise au contraire le maintien des langues régionales en gardant l'hindi dans un rôle subordonné. Aujourd'hui, l'hindi se répand dans les villes du Nord, mais il cède la place à l'anglais dans les villes du Sud pendant que le gouvernement continue à privilégier cette langue néo-coloniale jusqu'au conseil des ministres.

LA POLITIQUE LINGUISTIQUE DES ÉTATS

L'article 345 de la Constitution précise que chaque État choisit une ou plusieurs langues officielles pour son Parlement, son administration publique, ses cours de justice, l'enseignement et l'affichage. Partout l'usage de l'anglais reste possible, même lorsqu'il s'agit de communiquer entre États.

Bien que chaque État soit découpé selon une base linguistique, le multilinguisme est généralement la règle au sein d'un même État. Seuls les États de Haryana (ourdou) et de Kerala (malayalam) ainsi que le district fédéral de Delhi sont unilingues à 90 %; sont unilingues à 80 % les États du Bengale occidental (bengali), du Goudjarat (goudjarati), de l'Uttar Pradesh (hindi), d'Orissa (oriya) et du Tamil Nadu (tamoul). Les autres États sont bilingues ou maintiennent concurremment une langue secondaire comme en Assam, au Kashmir, en Himachal Pradesh, au Manipour ou au Tripoura (*voir le tableau 19.2*).

L'administration publique régionale fonctionne dans la ou les langues officielles de l'État sauf lorsqu'elle communique avec le gouvernement fédéral (hindi ou anglais nécessaire). L'affichage se fait également dans la langue de l'État avec l'alphabet correspondant; il existe une douzaine d'alphabets en Inde. La langue de travail est celle de l'État, mais la connaissance de l'hindi et/ou de l'anglais constitue un atout pour obtenir un poste important; le problème devient plus complexe lorsqu'il y a deux ou trois langues officielles au sein d'un même État.

Dans le domaine de l'enseignement, l'article 350A oblige tout État à assurer l'enseignement de la langue maternelle aux enfants durant le primaire; pour les langues minoritaires, il suffit d'une demande de 10 élèves sur 40 pour que l'État soit obligé de fournir un enseignement dans une langue donnée. Au premier cycle du secondaire, il est obligatoire d'enseigner une ou plusieurs langues secondes: la deuxième langue régionale et/ou l'hindi; au second cycle, l'anglais devient obligatoire. Tout cela constitue un système extrêmement compliqué et fort coûteux:

> «Il n'est pas rare de rencontrer des institutions scolaires où enseignants et apprenants communiquent dans une langue, les cours sont donnés dans une autre, les manuels écrits dans une troisième et les devoirs faits dans une quatrième[3].»

3. Lachaman M. KUBCHANDANI, cité par J.F. HAMERS et M. BLANC dans *Bilingualité et bilinguisme*, Bruxelles, Pierre Mardaga, 1983, p. 330.

	État membre	Population (en millions)	Langue(s) nationale(s)*
1	Uttar Pradesh	118,8	hindi*
2	Bihar	70,0	bihari*, santali
3	Maharashtra	62,2	marathi*
4	Bengale occidental	54,2	bengali*
5	Andhra Pradesh	53,4	telougou*
6	Madhya Pradesh	52,1	hindi, marathi* langues mounda, gond
7	Tamil Nadu	48,2	tamoul*
8	Karnataka	37,0	kannara*
9	Radjasthan	34,1	radjashatni*, hindi*
10	Goudjarat	26,6	goudjarati*
11	Orissa	26,2	oriya*
12	Kerala	25,6	malayalam*
13	Assam	14,6	assamais*
14	Pendjab	13,5	pendjabi*, hindi*
15	Haryana	12,8	ourdou*, hindi*
16	Kashmir	6,0	kashmiri*, pahari, ladakhi
17	Himachal Pradesh	4,2	pahari, hindi*
18	Tripoura	2,0	tripouri, bengali*
19	Meghalaya	1,3	khasi, garo
20	Manipour	1,0	manipouri
21	Nagaland	0,7	gondi, garo, sema, koniak
22	Sikkim	0,3	lepcha

* Les langues nationales «constitutionnelles» sont identifiées par un astérisque.

Tableau 19.2 Les États fédérés de l'Union indienne

Les langues régionales de l'Inde semblent bien protégées par le fédéralisme linguistique de l'Union, qui permet une séparation territoriale entre les langues (*voir la figure 19.5*). La seule menace reste la domination de l'hindi qui pourrait s'accentuer. Pour l'instant du moins, on ne voit pas comment l'hindi pourrait réussir à supplanter les langues régionales tant que l'anglais restera la langue dominante de l'État central. Bien que sous-étatiques, les langues régionales ont toutes les chances de se maintenir, dans de telles conditions.

BELGIQUE / BELGIË

La Belgique, en néerlandais *België*, est limitée par la mer du Nord et les Pays-Bas au nord, par la République fédérale allemande (RFA) à l'est, par le grand-duché de Luxembourg au sud-est, par la France au sud et à l'ouest. Avec une superficie très réduite de 30 507 km² (France: 550 000 km²) et une petite population de 9,9 millions d'habitants, la Belgique est un État multilingue: 56 % de Flamands parlant le néerlandais, 43 % de Wallons parlant le français et 0,66 % de la population parlant allemand (*voir la figure 19.6*).

FIGURE 19.6 LES RÉGIONS LINGUISTIQUES DE LA BELGIQUE

Depuis sa création en 1830, le royaume de Belgique a toujours été confronté aux querelles linguistiques, qui polarisent régulièrement la vie politique du pays. La suprématie du français a été imposée jadis par la bourgeoisie francophone lors de l'union de la Flandre et de la Wallonie; langue des banquiers, des patrons et des juges, le français a été l'unique langue officielle de la Belgique jusque vers les années 1930. Cette longue politique d'assimilation des néerlandophones par les francophones est restée profondément ancrée dans l'esprit des premiers, dont les revendications n'ont jamais cessé depuis. Le néerlandais n'a été introduit dans l'enseignement qu'en 1883. Entre 1932 et 1935, le principe de la territorialité a commencé à être appliqué en Flandre et en Wallonie, mais la loi traçant la frontière linguistique n'a été votée qu'en 1962: elle consacrait l'unilinguisme de la Flandre et de la Wallonie de même que le bilinguisme de la région de Bruxelles.

TERRITORIALITÉ ET RÉGIONALISATION

Les réformes constitutionnelles de 1970-1971 et de 1980 ont mis un terme à l'État unitaire et transformé la Belgique en un État communautaire et régionalisé. Le principe de la territorialité linguistique est confirmé dans la Constitution de 1970-1971; il existe en Belgique quatre régions linguistiques: *la région de langue française* (unilingue) au Sud, *la région de langue néerlandaise* (unilingue) au Nord, *la région de langue allemande* (unilingue) à l'Est, *la région bilingue de Bruxelles*. L'État reconnaît donc trois langues officielles (français, néerlandais, allemand), mais à l'intérieur de frontières délimitées qui consacrent l'existence de deux grandes communautés bien distinctes: les Flamands et les Wallons. Ces frontières correspondent à celles des anciennes principautés (c'est-à-dire les provinces administratives actuelles) sauf pour le Brabant, où l'on compte trois zones linguistiques et le Liège, où on en compte deux. Les régions néerlandaise (57 %), française (32,1 %) et allemande (0,66 %) pratiquent un unilinguisme territorial, tandis que la région bruxelloise (10,2 %) vit un régime de bilinguisme où le principe des droits personnels est prédominant.

La territorialité ne constitue qu'un aspect de la réforme constitutionnelle destinée à solutionner les conflits linguistiques séculaires entre Wallons et Flamands. Outre la création de quatre régions linguistiques, la Constitution de 1970 prévoyait la création de trois Communautés culturelles (française, néerlandaise, allemande) et de trois Régions géographiques (Flandre, Wallonie, Bruxelles). La loi de la régionalisation de 1980 est venue préciser ces nouvelles structures. Il s'agit d'un système extrêmement compliqué dont l'objectif est d'accorder une certaine autonomie aux Régions. Depuis 1980, la Belgique est donc gouvernée à partir d'institutions à trois paliers:

(1) National
- — le roi;
- — le gouvernement central (ou Exécutif);
- — le Parlement national (1re Chambre);
- — le Sénat (2e Chambre);

(2) Régional
- — l'Exécutif de la Région flamande et le Conseil flamand;
- — l'Exécutif de la Région wallonne et le Conseil wallon;
- — l'Exécutif de la Région bruxelloise et le Conseil de Bruxelles (à créer);

(3) Communautaire
- — l'Exécutif de la Communauté néerlandaise et le Conseil flamand;
- — l'Exécutif de la Communauté française et le Conseil de la Communauté française;
- — le Conseil culturel allemand (à créer).

Il faut bien comprendre que ce système gouvernemental à trois paliers regroupe les mêmes individus, c'est-à-dire que députés et sénateurs sont membres de trois institutions différentes: le Parlement national ou le Sénat, le Conseil régional, le Conseil communautaire. On peut imaginer aisément la bousculade et les contraintes horaires qu'occasionne un tel système pour les élus (députés et sénateurs), qui doivent siéger dans trois ou quatre parlements successifs, sans parler de l'Assemblée européenne de la CEE à Strasbourg... Chaque palier de gouvernement possède son champ de compétence défini par la Constitution de 1980.

LE GOUVERNEMENT NATIONAL ET LA LANGUE

Le gouvernement national a gardé toutes les institutions traditionnelles d'un État unitaire, avec son roi, son Parlement, son Sénat et son Exécutif (15 ministres et 10 secrétaires d'État). Conformément à leur représentation dans la population, les Flamands sont majoritaires au Parlement et au Sénat. Le néerlandais et le français sont les seules langues utilisées dans les débats des deux Chambres de même que dans l'adoption des lois; les arrêtés royaux et ministériels sont aussi rédigés dans les deux langues, mais ils peuvent être unilingues s'ils ne concernent qu'une Région ou une Communauté. C'est donc dire que l'allemand n'a aucun statut au gouvernement central.

Le système d'administration fonctionne par *réseaux linguistiques parallèles*. Les lois et les règlements de la fonction publique veulent que 40 % des fonctionnaires soient unilingues néerlandophones, 40 % unilingues francophones et 20 % bilingues mais répartis également entre Flamands et Wallons. Le réseau francophone ne travaille que dans sa langue, de même que le réseau néerlandophone. Pour communiquer d'un réseau à l'autre, le fonctionnaire francophone ou néerlandophone doit passer par le réseau des fonctionnaires bilingues.

Au niveau de l'administration locale, l'unilinguisme est la règle tant dans les accès à la fonction publique (sauf pour Bruxelles) que dans les services à la population. Quant aux ministères, plusieurs sont scindés en deux: l'Éducation nationale, la Justice, l'Intérieur. Dans les faits et malgré la déclaration d'égalité entre les langues, c'est le français qui continue d'être utilisé le plus fréquemment dans la plupart des autres ministères. Le cas belge nous permet de vérifier une conséquence normale du bilinguisme administratif: lorsqu'on mélange les langues sur le plan des services, l'une d'elles établit aussitôt sa dominance.

L'AMÉNAGEMENT LINGUISTIQUE DES RÉGIONS

Les Conseils des régions n'ont rien à voir avec le problème de la langue puisque leur juridiction a trait à l'aménagement du territoire, à l'environnement, à l'énergie, au logement, etc. En revanche, les Conseils des Communautés néerlandaise et française s'occupent des affaires culturelles, de l'emploi des langues dans l'administration, de certains aspects de l'enseignement, de la coopération culturelle, etc.

a) La Flandre et la Wallonie

L'aménagement des langues reste très simple dans les deux grandes régions linguistiques de la Flandre et de la Wallonie: c'est l'unilinguisme absolu à tous les niveaux. Cela concerne donc l'administration, l'enseignement, l'affichage, la langue de travail, etc. Les seuls accrocs à cet unilinguisme territorial: une vingtaine de municipalités le long de la frontière linguistique. Ces municipalités ont droit à des accommodements au sujet de la langue d'enseignement; par exemple, des francophones qui habitent en Flandre peuvent quand même envoyer leurs enfants à l'école française. Dans l'enseignement de la langue seconde, les élèves de la Flandre ont le choix entre le français et l'anglais, ceux de la Wallonie entre le néerlandais et l'anglais; beaucoup préfèrent l'anglais. Dans l'ensemble, la séparation territoriale a réglé de manière satisfaisante la question de la langue.

b) La région allemande

La région de langue allemande fait partie de la province francophone de Liège (*voir la figure 19.6*) et ne disposera jamais d'un Conseil régional allemand; la Constitution prévoit par ailleurs que la communauté allemande sera dotée d'un Conseil de la Communauté (le «Conseil culturel allemand») avec des pouvoirs limités à des domaines strictement culturels. C'est donc le Conseil wallon et l'Exécutif de la Région wallonne qui s'occupent des affaires des germanophones.

La communauté de langue allemande demeure par le fait même fortement influencée par la langue française. Facilement bilingues allemand-français, les 66 000 germanophones ont droit à tous les services en langue allemande, mais l'unilinguisme y est moins rigoureux qu'en Flandre ou en Wallonie. À titre d'indication, les enseignes des commerçants sont à 40 % unilingues allemandes, à 40 % unilingues françaises et à 20 % bilingues. Par ailleurs, l'administration locale fonctionne en allemand, de même que la justice et la police; il existe même des unités unilingues allemandes dans l'armée belge. L'enseignement est en allemand, mais le français, comme langue seconde, est obligatoire dès la 5e année du primaire. En outre, la RTB (radio-télévision belge) diffuse ses émissions en allemand même s'il est extrêmement facile de capter celles de la RFA.

c) Bruxelles

Il n'est pas facile d'être Bruxellois lorsqu'on vit en Belgique: la capitale est restée le théâtre des affrontements entre Flamands et Wallons parce que le statut de la Région de Bruxelles n'est pas encore établi. La Constitution prévoit, comme pour la Flandre et la Wallonie, un Exécutif de la Région bruxelloise et un Conseil de Bruxelles, mais ce statut n'a pu être adopté parce que la classe politique, majoritairement flamande, s'est toujours opposée à ce que le statut de Bruxelles soit voté.

La ville de Bruxelles (10 % de la population du pays) est officiellement une région bilingue, mais francophone à 85 %, et est située en territoire flamand (*voir la figure 19.6*). Les Flamands refusent que les francophones contrôlent majoritairement le futur Conseil bruxellois étant donné que la ville est en territoire flamand, où ils sont majoritaires. Les Wallons voudraient de plus étendre le territoire de Bruxelles. On comprendra que les Flamands s'y opposent farouchement du fait que la capitale se développerait nécessairement sur le sol flamand, au milieu duquel Bruxelles constitue une «île»; ils craignent une «tache d'huile francophone» et veulent la parité dans l'administration de la ville même s'ils ne forment que 15 % de la population. Les francophones considèrent qu'ils sont enfermés dans un carcan. Les Flamands pensent en termes de «communauté», les Wallons en termes de «région». C'est l'impasse!

En attendant, le contentieux pèse lourd et coûte cher. Faute de Conseil et d'Exécutif bruxellois, les affaires de la région de la capitale sont administrées par trois ministres du gouvernement national pendant que les Flamands pratiquent une politique de démoralisation. Majoritaires au gouvernement central, ils défavorisent les francophones par le biais des nominations politiques et des subventions gouvernementales. La solution du problème paraît d'autant plus difficile qu'elle devra être approuvée par une majorité des deux tiers de chaque groupe linguistique, tant au Parlement qu'au Sénat. Si certains considèrent la Belgique comme une tour de Babel, plusieurs trouvent que Bruxelles pourrait bien devenir une tour de Pise. Elle finira un jour par tomber du côté où l'attraction sera la plus forte. Dans le contexte actuel, les Flamands sont mieux placés pour faire tomber Bruxelles de leur côté.

TERRITORIALITÉ CONTRE DROITS PERSONNELS À BRUXELLES
Une telle situation ne favorise pas un aménagement harmonieux des langues. À défaut de séparer les langues sur le territoire, les Bruxellois ont favorisé le bilinguisme et les systèmes parallèles. Dans l'administration bruxelloise, le bilinguisme est obligatoire pour les fonctionnaires et les employés des services publics (autobus, taxis, restaurants, etc.). L'affichage bilingue est soigneusement respecté bien que la loi ne concerne pas les commerces privés. En matière d'enseignement, les enfants sont tenus d'étudier dans leur langue maternelle, mais l'expérience a démontré que cette partie de la loi se révèle inapplicable dans la mesure où il est impossible de contrôler l'identité linguistique de chaque enfant. On a finalement opté pour la politique du libre choix des parents; ce qui favorise la francisation des Flamands, c'est-à-dire le «grignotage francophone». L'enseignement du français pour les Flamands et du néerlandais pour les Wallons est obligatoire dès la troisième année du primaire. Quant à la langue de travail, la «flamandisation» a connu un succès mitigé; les Flamands ont riposté en faisant déplacer le siège social de nombreuses entreprises de Bruxelles en Flandre. C'est un exemple du triomphe du principe de la territorialité sur les droits personnels.

***

Pour conclure sur le cas belge, disons simplement que si la séparation en deux grands territoires a solutionné une partie du problème de façon satisfaisante, la question reste entière lorsque les langues cohabitent, comme à Bruxelles. Même l'orgie d'institutions dont s'est dotée la Belgique n'a pu mettre fin aux conflits. Cette expérience semble démontrer qu'il est à peu près impossible d'éviter la «guerre des langues» lorsqu'elles sont mélangées sur un même territoire. Chacune lutte pour la dominance: Bruxelles perpétue ainsi les affrontements séculaires en Belgique.

LA SOLUTION SUISSE

D'une superficie de 41 288 km², la Suisse est limitée au nord par l'Allemagne, à l'est par l'Autriche et la principauté du Liechtenstein, au sud par l'Italie, à l'ouest et au sud-ouest par la France (*voir la figure 19.7*). C'est en 1291 qu'est née la Suisse alors que trois cantons alpins (Uri, Schwytz, Unterwald) se sont liés par un pacte perpétuel de défense contre les Habsbourg d'Autriche, les Milanais au sud et la Savoie à l'ouest. Puis les cantons passèrent à huit en 1393, à treize en 1513, à dix-neuf en 1803, à vingt-deux après que la France eut cédé Genève, Neuchâtel, Vaud et le Valais en 1815; enfin, après une longue agitation autonomiste de la part des Jurassiens francophones du canton de Berne, un 23ᵉ canton a été créé en 1978: le Jura. La Suisse forme donc aujourd'hui une république fédérale composée de 23 cantons (*voir la figure 19.7*) et appelée officiellement la Confédération helvétique.

LA SITUATION SOCIOLINGUISTIQUE
La Confédération helvétique a toujours su échapper aux crises linguistiques qui ont secoué la plupart des États multilingues. De nos jours, la coexistence pacifique de plusieurs groupes linguistiques au sein d'une même communauté nationale constitue certainement l'un des traits caractéristiques de la Suisse contemporaine. Avec une population de 6,5 millions d'habitants, la Suisse est répartie en quatre groupes linguistiques; l'*allemand* (69,3 %), le *français* (18,9 %), l'*italien* (9,5 %) et le *romanche* (0,9 %). Chacun des groupes est réparti dans une région correspondante dont les frontières linguistiques sont restées à peu près inchangées depuis plus de 1000 ans; ces frontières sont donc antérieures à la Suisse.

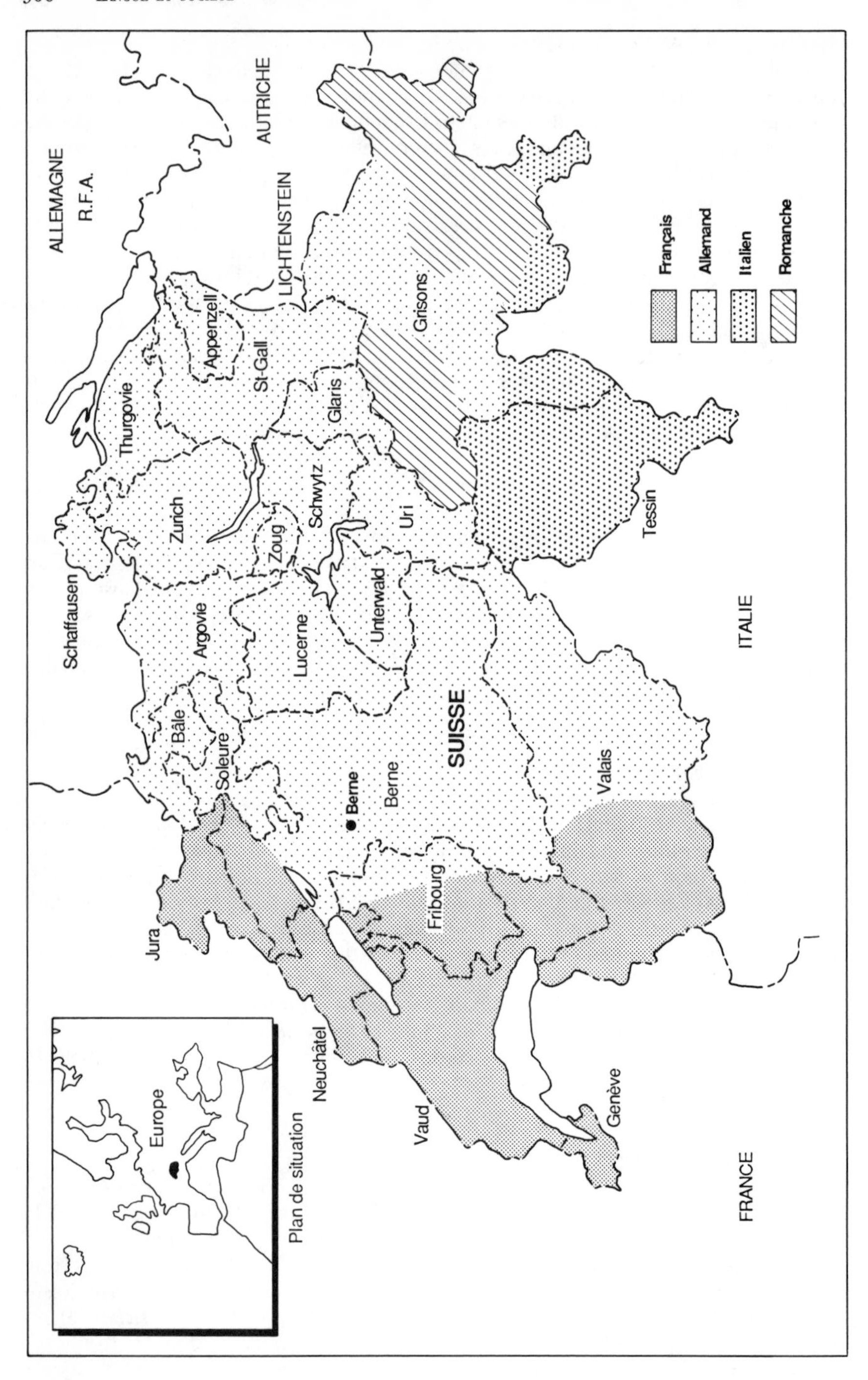

FIGURE 19.7 LA SUISSE LINGUISTIQUE

Majoritaires au point de vue démographique, les Suisses allemands maintiennent aussi leur prépondérance économique et politique au sein de la Confédération. Bien qu'officiellement de langue allemande, les Suisses «alémaniques» (de l'ancien royaume des Alamans) ont comme langue maternelle le *Schweizerdeutsch*, un suisse-allemand aux nombreuses variétés locales; le *Schweizerdeutsch* est parlé non seulement par tous les Suisses alémaniques à la maison, entre amis, dans la rue, mais aussi dans le domaine des affaires, de la politique et de l'éducation, en passant par les parlements cantonaux et jusque dans les commissions fédérales. Les Suisses alémaniques n'aiment pas s'exprimer en «allemand d'Allemagne»; d'après le Suisse François Dessemontet: «De toute manière, l'allemand écrit est en Suisse allemande une langue apprise par les enfants des écoles, dont l'apprentissage commence vers l'âge de 10 ans, et qu'ils pratiquent ensuite toute leur vie avec application mais sans bonheur[4]». Les Suisses alémaniques parlent l'allemand officiel lorsque les circonstances de la vie publique les y obligent.

Les minorités linguistiques parlent des langues romanes. En Suisse romande (cantons de Genève, Vaud, Neuchâtel, Jura et, partiellement, Berne, Fribourg, Valais), les francophones ne s'expriment qu'en français standard; lorsqu'ils sont bilingues, c'est l'allemand d'Allemagne qu'ils apprennent. La Suisse italienne (Svizzera) comprend le canton du Tessin et trois régions des Grisons; les Suisses italianophones parlent l'italien standard et, lorsqu'ils deviennent bilingues, ils apprennent généralement l'allemand d'Allemagne. Quant à la langue romanche, il s'agit d'une langue d'origine latine segmentée en cinq variétés intercompréhensibles. Menacé de disparition, le romanche est sans prestige, non écrit, parlé par seulement 35 000 locuteurs dispersés dans des communes peu peuplées et pauvres. Les Romanches sont tous bilingues (romanche-allemand) et les jeunes n'apprennent plus le romanche.

LE RÔLE DU GOUVERNEMENT FÉDÉRAL

L'article 116 de la Constitution fédérale de 1874, révisée en 1937, stipule que:

> «L'allemand, le français, l'italien et le romanche sont les langues nationales de la Suisse. Sont déclarées langues officielles de la Confédération, l'allemand, le français et l'italien.»

Dans les limites des compétences de la Confédération, l'allemand, le français et l'italien sont des langues officielles «à égalité de rang». Le romanche ne bénéficie pas de cette égalité; la reconnaissance de la parité avec les autres langues aurait entraîné des complications et des coûts jugés «disproportionnés» par rapport aux moyens d'un si petit État. Il appartient aux autorités de s'organiser pour faire respecter l'égalité entre les trois langues officielles et de prévoir leur maintien. Le droit constitutionnel non écrit, en Suisse, se base à cet égard sur deux principes: la territorialité des langues nationales et la liberté linguistique. La jurisprudence du Tribunal fédéral a toujours privilégié le principe de la territorialité des langues (quatre zones unilingues) et a toujours subordonné le second principe, la liberté linguistique, au premier.

Dans la pratique, même si le gouvernement fédéral n'admet que trois langues officielles, toutes les langues nationales ont droit de cité au Parlement de Berne; le romanche est évidemment très rarement employé. Presque tous les projets de loi sont d'abord rédigés en allemand; la traduction française vient plus tard et la traduction italienne tout à la fin. Il n'y a pas de textes de loi rédigés en romanche. Dans les communications avec ses citoyens, l'administration fédérale fonctionne selon la territorialité: c'est le lieu de résidence qui détermine la langue que l'on doit utiliser avec l'État fédéral. Néanmoins, chaque citoyen qui s'adresse à l'administration centrale de Berne dans l'une des trois langues officielles peut se faire répondre dans la langue qu'il a utilisée, et ce, n'importe où en Suisse; même au téléphone, on s'efforcera dans la mesure du possible de répondre dans la langue du citoyen, quitte à appeler un

4. Voir *Le droit des langues en Suisse*, Québec, Éditeur officiel du Québec, 1984, p. 42.

collaborateur capable de le faire. Par contre, dans ses contacts avec une administration décentralisée, donc hors de la capitale, le citoyen doit se plier au principe de la territorialité; ainsi, l'affichage fédéral demeure partout unilingue et on y utilise les langues reconnues dans les cantons. En matière judiciaire, tous les citoyens ont le droit d'utiliser leur langue maternelle, même le romanche, n'importe où en Suisse dans un tribunal fédéral. Dans l'attribution des postes, l'État pratique de façon générale la représentation proportionnelle entre les communautés allemande, française et italienne, qu'il s'agisse du Conseil fédéral, de l'Assemblée fédérale, du Tribunal fédéral, des services administratifs qui en dépendent comme les chemins de fer ou les postes. Les minorités sont donc représentées partout en fonction de leur nombre.

L'AMÉNAGEMENT DES LANGUES DANS LES CANTONS

Les frontières linguistiques ne coïncident pas nécessairement avec les frontières cantonales. Ainsi, les cantons de Berne, de Fribourg, du Valais et des Grisons sont multilingues. Si on consulte la figure 19.7, on constate que 14 cantons sont unilingues allemands, quatre sont unilingues français et un seul est unilingue italien (Tessin); de plus, trois cantons sont bilingues allemand-français (Berne, Fribourg, Valais) et un est trilingue italien-allemand-romanche (Grisons). Que les cantons soient unilingues, bilingues ou trilingues, ils appliquent tous l'unilinguisme territorial, à quelques exceptions près. Prenons comme exemple le canton de Berne (*voir la figure 19.7*), le plus important de la Confédération tant par sa population (un million d'habitants) que par sa superficie (après les Grisons) et par la ville de Berne, qui est le siège de la capitale fédérale. L'État cantonal ne reconnaît pas l'allemand et le français partout sur le territoire: les langues officielles sont le français dans le Jura bernois (au Nord-Ouest), l'allemand et le français dans la petite ville de Bienne à cheval sur la frontière linguistique[5], l'allemand dans le reste du canton. Le bilinguisme tel qu'on le connaît au Canada ou au Québec n'existe pas en Suisse; on devrait parler plutôt de juxtaposition d'unilinguismes.

La territorialité est tellement ancrée dans les us et coutumes de la Confédération helvétique que les frontières linguistiques sont fixées une fois pour toutes et demeurent rigides, cela pour éviter que l'unité d'une région soit mise en danger par l'immigration massive d'un autre groupe linguistique. En Suisse, le problème des minorités ne se pose pas: chaque groupe est majoritaire dans sa région et assimile ipso facto les minorités.

En ce qui concerne l'administration cantonale, c'est le lieu de résidence qui détermine la langue avec laquelle le citoyen doit communiquer avec le canton; les formulaires, décrets et arrêtés de l'administration et du Parlement cantonal sont envoyés en français dans une zone francophone, en allemand dans une zone allemande, etc.; parfois on distribue des documents bilingues. Les débats des parlements cantonaux se déroulent dans la ou les langues officielles du canton. Pour les tribunaux, c'est le principe de la territorialité qui prévaut devant les autorités de première instance et le citoyen a le choix de l'une ou l'autre des langues officielles du canton devant une cour d'appel. De même, la langue d'enseignement correspond à la langue du lieu sauf pour les communes à cheval sur la frontière comme à Bienne, Fribourg, Saanen, Sierre, etc., où le système est plus souple, c'est-à-dire que des classes de l'autre langue officielle peuvent être formées dans l'une ou l'autre des zones linguistiques. Dans tous les cantons, au moins deux des trois langues officielles de la Confédération sont enseignées obligatoirement comme langues secondes dans les écoles. L'affichage est unilingue sur le territoire du canton sauf dans les lieux de grande attraction touristique, où même l'anglais est permis.

5. Même dans ce cas, les rues et les numéros civiques des résidences et des commerces sont identifiés comme «francophones» ou «germanophones».

***

Contrairement à la plupart des pays du monde où cohabitent deux ou plusieurs langues sur le territoire national, la Suisse ne connaît pas de conflits linguistiques. En pratiquant la formule de la séparation territoriale absolue, la Confédération a su préserver les communautés linguistiques. Le système présente quand même des lacunes, notamment avec le romanche, qui ne jouit pas du même statut que les autres langues, d'où sa dévalorisation sur le plan social. Mais si l'on fait exception du romanche, les citoyens suisses sont assurés d'une protection absolue en matière de langue, à la condition de ne pas changer de lieu de résidence, ce qui impliquerait nécessairement un changement d'allégeance linguistique. Reste que la coexistence pacifique de plusieurs groupes linguistiques au sein d'un même État est l'une des réussites du régime fédéral helvétique. Comme on l'a vu jusqu'ici, les réussites de ce genre sont rarissimes. Néanmoins, il y a un prix à la *pax helvetica*: c'est d'être gouverné par une majorité allemande, par des politiciens, des chefs d'entreprise, des fonctionnaires qui pensent et ordonnent en suisse-allemand, tout préoccupés à gérer leur prospérité économique.

LES SOLUTIONS LINGUISTIQUES

Certaines interventions linguistiques portent avant tout sur le code. Bien que les exemples d'une telle planification soient relativement nombreux, notamment en arabe, en indonésien, en turc, en grec moderne, en norvégien, en malgache et en hébreu, nous nous limiterons à deux cas: celui de la Norvège et celui d'Israël. Le premier parce qu'il s'agit d'une des premières politiques d'envergure en ce sens, le second parce que l'hébreu constitue un exemple unique de résurrection réussie d'une langue dans le monde.

1 LE DIRIGISME LINGUISTIQUE EN NORVÈGE

État de l'Europe du Nord, la Norvège forme la bordure occidentale de la Scandinavie (*voir la figure 19.1*). Baignée par l'Atlantique à l'ouest et au nord, et par la mer du Nord au sud, elle est limitée à l'est par l'URSS, la Finlande et la Suède. Ce petit pays de 4,1 millions d'habitants aujourd'hui a été sous la domination du Danemark en 1397 à 1814. Pendant toute cette période, la langue de prestige a été le danois. C'est donc dire que durant plus de 400 ans, il s'est créé une tradition qui imposait le danois comme langue écrite pendant que les Norvégiens parlaient différentes variétés de norvégien. Dès l'Indépendance (1814), la Constitution stipulait que les affaires de l'État devaient être conduites en norvégien. Cette clause purement symbolique rédigée en danois ne pouvait être mise en pratique parce qu'il n'existait pas de langue norvégienne écrite. Il fallait donc une intervention pour répondre à la nécessité constitutionnelle de donner une langue écrite originale à la Norvège. On peut distinguer trois mouvements successifs entre 1814 et aujourd'hui: la libération du norvégien (1814-1909), la période de fusionnement (1909-1966), l'abandon du dirigisme linguistique (1966-).

LA LIBÉRATION DU NORVÉGIEN (1814-1909)

L'initiative du dirigisme linguistique en Norvège ne revient pas à l'État, mais à deux individus: Ivar Aassen (1813-1896) et Knud Knudsen (1812-1895). Dès les années 1830, de leur propre chef, Aassen et Knudsen se mirent à la tâche de créer la langue norvégienne écrite. Aassen entreprit un programme de recherche sur l'ensemble des dialectes ruraux et proposa un système général d'écriture fondé sur les formes les plus susceptibles d'être retenues entre les divers dialectes de l'Ouest et du Nord du pays. Il publia une grammaire (1864) et un dictionnaire (1873); une nouvelle langue était née: le *landsmaal*, la «langue du pays». Quant à Knudsen, il se fit le défenseur du dano-norvégien, une prononciation norvégienne du danois écrit utilisé surtout dans les occasions officielles. L'objectif de Knudsen était de faire correspondre l'orthographe danoise à la prononciation norvégienne des villes du Sud et de substituer le plus possible des mots norvégiens aux mots danois. Le travail de Knudsen aboutit au *riksmaal*, la «langue du royaume».

À la fin des travaux d'Aassen et de Knudsen, la Norvège héritait de deux codes orthographiques nouveaux. Ce fut le début d'une longue lutte entre deux langues norvégiennes concurrentes: le landsmaal et le riksmaal, la campagne contre la ville. En

1885, la Norvège devint un État officiellement bilingue en reconnaissant le landsmaal et le riksmaal comme les langues nationales officielles du pays.

LA POLITIQUE DE FUSIONNEMENT (1909-1966)

Il est apparu rapidement qu'aucune des deux langues norvégiennes n'arriverait à supplanter l'autre. Chacune bénéficiait de ses défenseurs et de ses organismes officiels, chacune était employée au Parlement et enseignée dans les écoles. Au plus fort de la controverse, le gouvernement décida de s'en mêler en lançant un appel en faveur de la fusion des deux langues. Dès lors, se succédèrent toute une série de commissions gouvernementales qui tentèrent de réunir le landsmaal et le riskmaal. Dans cette perspective, une politique de fusionnement consiste à introduire dans chacune des langues des éléments issus de l'autre et à proposer ou imposer un nouveau code partiellement commun.

PREMIÈRE TENTATIVE DE RÉFORME

En 1909, le premier comité de travail reçut comme mandat d'étudier les différences entre les deux langues et de proposer des moyens pour réduire ces divergences. Son rapport, publié en 1913, proposait des modifications orthographiques importantes pour le landsmaal et des transformations majeures d'ordre phonétique pour le riksmaal. Il souleva une tempête de protestations telle entre les tenants du landsmaal et ceux du riksmaal que le gouvernement préféra n'y donner aucune suite. D'une part, certaines transformations du riksmaal apparaissaient trop vulgaires parce qu'elles étaient trop apparentées au landsmaal; d'autre part, les modifications proposées pour ce dernier brisaient trop la tradition.

Un second comité de travail fut formé la même année et on le chargea «d'ouvrir la voie de l'unité nationale» à partir de «la vraie langue parlée par la population». Bien qu'un tel modèle soit difficilement identifiable dans un pays aux prises avec de nombreuses variétés linguistiques, le comité proposait de faire passer des formes linguistiques d'une langue à l'autre et suggérait également d'autres formes (issues des différentes variétés dialectales) qui ne faisaient partie d'aucun des deux codes officiels. Le gouvernement fit adopter la nouvelle réforme en 1917. L'ensemble des changements touchait à la fois l'orthographe, la grammaire et le lexique des deux langues; même si ces changements affectaient davantage le riksmaal, ils suscitèrent des discussions acrimonieuses dans les deux camps. Néanmoins, les écoles enseignèrent les nouvelles formes, les journaux les adoptèrent et le personnel de la fonction publique de tout le pays se mit à apprendre les deux langues. En 1929, une loi du Parlement changea le nom des deux langues officielles: le landsmaal devint le *nujnorsk*, c'est-à-dire le «nouveau norvégien», et le riksmaal s'appela le *bokmaal*, c'est-à-dire la «langue des livres».

DEUXIÈME TENTATIVE

La deuxième tentative de réunir les deux langues, dorénavant appelées le nujnorsk (landsmaal) et le bokmaal (riksmaal), coïncida avec des bouleversements politiques. En 1933, un parti d'inspiration socialiste prit le pouvoir en Norvège. L'année suivante, le nouveau gouvernement forma un autre comité de travail, dont le but était de rapprocher davantage les deux orthographes officielles avec comme point de référence la langue populaire, celle des travailleurs. Le rapport du comité, publié en 1936, fut fidèle à l'esprit socialisant et populiste du parti au pouvoir; il proposait des changements modérés pour le nujnorsk qui, rappelons-le, était parlé dans les régions rurales, et des transformations radicales pour le bokmaal, langue parlée dans les zones urbaines et identifiée à l'élite sociale.

Une inégalité des changements aussi flagrante entre les langues ne pouvait que susciter de violentes réactions chez les tenants du bokmaal, langue parlée par près de 80 % de la population à cette époque. Ce qui rendait cette réforme inacceptable pour les locuteurs du bokmaal, c'était surtout qu'elle introduisait dans cette langue des formes populaires incompatibles avec sa tradition élitiste d'origine dano-norvégienne; quant aux locuteurs du nujnorsk, ils refusaient de renoncer aux formes archaïques de leur langue. Même si cette deuxième réforme se solda par un échec, elle permit l'expansion du nujnorsk, dont le nombre de locuteurs passa, entre 1930 et 1949, de 20 % à 32 % de la population.

TROISIÈME TENTATIVE

Une nouvelle commission linguistique vit le jour en 1949; le nouveau comité de travail devait encore une fois «favoriser le rapprochement des deux langues, à partir de la langue norvégienne populaire», c'est-à-dire de certains modèles de la langue parlée (tant du nujnorsk que du bokmaal). Ce rapport, comme les précédents, fut l'objet d'une longue polémique. Les nouvelles normes orthographiques et grammaticales s'alignaient sur la langue familière populaire dans une sorte de compromis entre la langue familière de la classe supérieure (bokmaal) et les parlers ruraux (nujnorsk).

Malgré les résistances des défenseurs du bokmaal, le Parlement adopta la nouvelle réforme en 1959 sans être capable d'endiguer le radicalisme des tenants du nujnorsk et du bokmaal. À tel point que le président de la commission linguistique devait déclarer, le 2 mars 1962, que «la norme n'avait pas fait progresser d'un pas la cause de l'unité linguistique que l'on souhaitait ou que l'on craignait[1]».

Ce constat d'échec des politiques de fusionnement fut confirmé dans un rapport publié en 1966 par un nouveau comité linguistique qui préconisait d'abandonner la recherche de fusionnement et de préserver plutôt l'héritage culturel des langues officielles de la Norvège, à la ville comme à la campagne. Le diagnostic de 100 ans d'intervention sur le code paraît évident et André Martin a raison de dresser le bilan suivant:

> «Plus de cent ans d'intervention privée et publique dans le domaine linguistique n'ont pas conduit la Norvège, aujourd'hui encore, à résoudre entièrement le problème linguistique car l'on n'est pas parvenu à l'unification linguistique souhaitée pour ce qui est des formes écrites utilisées par les locuteurs des diverses variétés linguistiques[2].»

LA VOLTE-FACE ET LA POLITIQUE DE NON-INTERVENTION (1966-)

À partir de 1966, le gouvernement norvégien fit volte-face; non seulement il abandonna sa politique de fusionnement, mais il renonça à toute planification linguistique. Il se contenta de légiférer pour reconnaître la dualité linguistique. Comme nous le savons maintenant, l'absence d'intervention de l'État aboutit nécessairement à une planification linguistique dans les faits, ordinairement à une politique d'assimilation. Voyons ce qu'il en est aujourd'hui.

Au moment où le gouvernement a décidé de ne plus intervenir, la situation sociolinguistique était devenue radicalement différente de ce qu'elle avait été 20 ans auparavant. De 32 % de la population, les locuteurs du nujnorsk avaient chuté à 17,9 %: l'industrialisation et l'urbanisation avaient favorisé le bokmaal, langue traditionnellement parlée dans les villes, langue des intellectuels et des affaires par surcroît, donc langue de l'élite sociale de la Norvège. D'ailleurs, le nujnorsk et le bokmaal ont toujours eu des statuts très inégaux, tant par le nombre de leurs utilisateurs respectifs que par la valeur sociale accordée à chacune des langues.

---

1. Alf HELLVIK, cité par André MARTIN, «L'expérience de la planification linguistique en Norvège» dans *L'État et la planification linguistique*, tome 2, Québec, Éditeur officiel du Québec, 1981, p. 201-202.
2. *Ibid.*, p. 203.

Pendant un siècle, le nationalisme norvégien avait favorisé le nujnorsk aux dépens du bokmaal, trop apparenté à l'élite dano-norvégienne et, pour cette raison, frappé de discrédit par le reste de la population. Mais le développement économique de la Norvège a eu raison du nujnorsk, qui n'a cessé de perdre du terrain depuis la fin de la Seconde Guerre mondiale.

La politique de fusionnement était vouée à l'échec parce qu'elle reposait sur une conception exclusivement instrumentaliste de la langue. Les gouvernements successifs ont voulu ignorer la valeur sociale des langues dans l'élaboration de leur politique. Ils ont du reste constamment improvisé et n'ont pas su développer une stratégie de valorisation sociale pour le nujnorsk; leur politique nationaliste et populiste a simplement réussi à braquer les tenants du bokmaal contre ceux du nujnorsk.

Maintenant que le bokmaal est largement majoritaire, avec plus de 85 % de la population norvégienne, la politique du laisser-faire joue à l'avantage de cette langue malgré le bilinguisme institutionnel. Le bokmaal prédomine partout: au Parlement, dans les tribunaux et dans la fonction publique, dans les écoles (même si le nujnorsk est obligatoire comme langue seconde), dans les médias. Comme d'autres pays, la Norvège est aujourd'hui un État officiellement bilingue qui pratique un bilinguisme institutionnel inégal à l'égard de ses langues nationales.

De ce point de vue, la non-intervention va réussir à faire ce que l'intervention n'a pu réaliser: l'unification des deux langues. Cette fois-ci, la Norvège risque d'atteindre cette unification, non pas par la fusion des deux langues nationales, mais par l'assimilation d'une langue par l'autre. L'expérience norvégienne illustre bien que les langues ne sont pas de simples instruments de communication et qu'il est utopique de croire que l'État puisse intervenir sans tenir compte de la pression sociale et idéologique d'une langue. Si la politique de fusionnement s'est révélée un échec, la non-intervention a été un succès. Nous verrons qu'Israël, contrairement à la Norvège, a su tenir compte de cette donnée fondamentale et élaborer une politique linguistique qui, contre toute attente, a réussi admirablement.

2 L'HÉBREU OU LA RÉSURRECTION DE LAZARE

L'hébreu a cessé d'être utilisé comme langue orale vers l'an 200 de notre ère. Tombé en désuétude comme langue parlée, il a néanmoins continué à être employé comme langue écrite par certains Juifs instruits jusqu'au XIIe siècle, époque où il a connu une certaine renaissance littéraire. À la fin du XVIIIe siècle, des intellectuels juifs ont tenté, en Allemagne, de refaire de l'hébreu une langue VERNACULAIRE qui puisse rivaliser avec l'allemand; l'expérience se solda par un échec. L'hébreu resta une langue strictement écrite, comprise par quelques initiés et dotée d'un vocabulaire restreint, archaïque, essentiellement à base biblique et coupé des réalités modernes. Une langue qui n'est plus employée dans la vie de tous les jours est une langue morte; l'hébreu n'a pas fait exception à la règle.

LA RESTAURATION DE LA LANGUE

De jeunes Juifs, considérés à l'époque comme idéalistes, commencèrent à arriver en Palestine vers les années 1880. Parmi eux, un immigrant d'origine russe, Eliezer Ben Yehouda, entreprit de restaurer l'hébreu. Pendant des années, en intellectuel isolé, il se mit à moderniser cette langue liturgique inutilisée oralement depuis 1 700 ans. Il créa, en 1890, la *va'ad halashon*, la Commission de la langue hébraïque, qui allait devenir, en 1948, l'Académie de la langue hébraïque. Aidé d'une équipe, il inventa des milliers de mots, réadapta l'hébreu au monde moderne et publia enfin le *Thesaurus Totius Hebraitatis*, un énorme dictionnaire en 17 tomes. Ben Yehouda fut le premier Juif à parler hébreu à la maison et à élever ses enfants dans cette langue.

Entre 1881 et 1903, 30 000 Juifs arrivèrent en Palestine. L'inlassable artisan de la renaissance de l'hébreu fonda alors, en 1898, un réseau d'écoles hébraïques destinées à faire apprendre l'hébreu aux nouveaux immigrants. Entre 1910 et 1920, naquirent les premiers enfants dont les parents ne parlaient que l'hébreu à la maison, c'est-à-dire les premiers enfants juifs à ne connaître que cette langue, après un intervalle de 1 700 ans. Puis, lors de la période du mandat britannique qui suivit, Ben Yehouda réussit à faire en sorte que l'hébreu devienne l'une des trois langues officielles de la Palestine, avec l'anglais et l'arabe. La population juive tripla et passa à 1,9 million entre 1919 et 1947.

LA CRÉATION DE L'ÉTAT D'ISRAËL

À partir de la proclamation de l'indépendance de l'État d'Israël le 14 mai 1948, l'immigration juive prit des proportions considérables. Plus de 1,6 million de Juifs vinrent trouver refuge en Israël. Cet amalgame d'hommes et de femmes provenant de 102 pays parlaient cent langues diverses. Plusieurs langues parurent susceptibles d'unir le nouvel État, mais la diaspora juive choisit l'hébreu, langue jadis dispersée, dominée partout, puis disparue. Le choix de l'hébreu comme langue nationale parut tout désigné parce que la pleine possession de l'État passait par la possession de la langue ancestrale.

Ce n'est qu'en 1952 que la Knesset, le Parlement d'Israël, révisa la Constitution et adopta l'hébreu et l'arabe comme langues officielles, abrogeant ainsi la clause qui liait l'État à l'anglais. Vingt ans plus tard, l'hébreu était devenu l'instrument privilégié de toutes les fonctions de la communication, c'est-à-dire la langue de l'administration, de la justice, de l'enseignement (de la maternelle à l'université), des sports, des livres de cuisine, des manuels techniques, des ouvrages scientifiques, de l'injure comme de la prière.

Aujourd'hui, l'hébreu ressuscité par Eliezer Ben Yehouda est devenu un instrument précis d'expression littéraire, technique et scientifique. Israël, ce petit État de 3,7 millions d'habitants (1983), scolarise 700 000 enfants (primaire et secondaire) et dispose de 44 écoles normales pour former ses enseignants ainsi que de sept universités et instituts de recherches. Israël consacre 2 % de son PNB à la recherche scientifique, ce qui lui permet d'occuper le deuxième rang mondial pour le nombre de publications scientifiques produites par rapport à la population. Même la minorité arabe (15 %) peut prétendre être la plus scolarisée de tout le monde arabe puisque 97 % des garçons et 80 % des filles arabophones d'Israël terminent leurs études secondaires. Sur le plan des médias, on compte plus de 25 quotidiens et 400 périodiques de toutes sortes; avec une population presque deux fois plus nombreuse, le Québec ne dispose que d'une dizaine de quotidiens.

LA RÉUSSITE DE L'HÉBREU

Comment se fait-il qu'Israël ait réussi à ressusciter l'hébreu et à l'implanter en si peu de temps? Faire renaître une langue morte n'était pas une mince affaire avec une population de 13 millions de personnes dispersées dans 102 pays et ignorant tout de cette langue. Toutes les tentatives de résurrection d'une langue ont toujours échoué, sauf dans le cas de l'hébreu. Plusieurs raisons expliquent ce succès sans précédent. Compte tenu de toutes les difficultés inhérentes à la situation de l'hébreu dans le passé, il y a tout lieu de croire que l'idéologie a joué un rôle de premier plan; l'hébreu symbolisait la grande tradition commune à tous les Juifs par-delà l'hétérogénéité linguistique. Mais l'idéologie nationaliste et religieuse n'explique pas tout.

Sans les travaux de Ben Yehouda et de son équipe, menés pendant plus de 40 ans, la renaissance de l'hébreu aurait été impossible; l'expérience arabe actuelle démontre qu'une langue mal adaptée au monde moderne a beaucoup de difficulté à s'imposer. Aux travaux de modernisation et de normalisation, s'ajoute la concentration géographique, avec la création de l'État d'Israël: sans la prise de possession d'un État, l'expérience de restauration aurait échoué, comme l'ont prouvé toutes les tentatives précédentes. De plus, contrairement aux dirigeants norvégiens, la diaspora juive a su valoriser l'hébreu et en faire une langue de prestige; les études révèlent que 70 % des immigrants qui arrivent en Israël apprennent l'hébreu parce qu'il leur permet d'accéder au monde du travail[3]. Un autre facteur explique cette réussite: la politique d'accueil des immigrants. L'État ne ménage pas ses efforts pour promouvoir l'hébreu et aider les immigrants à apprendre cette langue. Il existe plus de 800 *oulpanim*, des écoles de langue hébraïque qui dispensent des cours intensifs; trois fois par jour, la radio et la télévision diffusent en «hébreu simplifié» des nouvelles à l'intention des immigrants; il existe même un quotidien en hébreu simplifié. Enfin, en guise de stimulation, l'État distribue plus de 15 prix littéraires et scientifiques pour souligner la valeur des publications en hébreu.

***

L'État d'Israël a démontré qu'il était possible d'intervenir pour promouvoir une langue que tous les dictionnaires et encyclopédies classaient parmi les langues mortes. Pour y arriver, il a fallu intervenir sur deux plans: le code et le statut. Les responsables juifs de la planification n'ont jamais improvisé: un long travail lexicographique préliminaire a dû être entrepris pendant qu'on élaborait des stratégies pour valoriser et faire apprendre la langue. Le cas de l'hébreu ne fait pas exception à la règle: la main de Dieu n'a jamais contribué à sauver une langue à moins que la main de l'être humain n'ait donné son petit coup de pouce.

3. Voir Robert L. COOPER, «Un cadre analytique pour l'étude de la diffusion des langues: l'hébreu moderne» dans *Revue internationale des sciences sociales*, vol. XXXVI, n° 1, Paris, Unesco, 1984, p. 108.

CHAPITRE 21

L'AMÉNAGEMENT LINGUISTIQUE AU QUÉBEC

Après avoir passé en revue les politiques linguistiques de plus d'une trentaine d'États à travers le monde, il est temps d'évaluer le cas du Québec, dont l'expérience en ce domaine est relativement récente bien qu'il ait toujours été plongé dans un psychodrame linguistique. Le fait d'avoir observé ce qui se fait ailleurs permettra d'objectiver davantage la politique linguistique du Québec. Sans références et sans points de comparaison, il est difficile d'évaluer objectivement ce qui se passe chez soi.

1 UNE MAJORITÉ MENACÉE

Rappelons brièvement, comme pour les cas précédents, quelques données fondamentales. Le Québec constitue l'une des dix provinces de la Confédération canadienne. Son originalité découle du fait qu'il est le seul État majoritairement francophone de toute l'Amérique du Nord. En 1981, le Québec comptait 6 438 405 habitants, dont 5 307 010 (82,4 %) étaient de langue maternelle française et 706 115 (11 %) de langue maternelle anglaise; à ce nombre, il faut ajouter 425 280 (6,6 %) «allophones», c'est-à-dire des citoyens dont la langue maternelle n'est ni le français ni l'anglais. Ces derniers forment un bloc composite de quelque 25 nationalités; parmi celles-ci, les Italiens viennent en tête (100 865), suivis des Grecs (37 800), des autochtones (31 825), des Portugais (20 935), des hispanophones (15 780), des Indochinois (13 085), des Chinois (12 390), etc. La plupart des allophones sont concentrés dans la région de Montréal.

Il est normal que les majorités linguistiques ne se préoccupent pas trop de leur sort, mais les francophones du Québec semblent l'exception qui confirme la règle. Voilà une majorité qui ressent le besoin de se protéger par rapport à l'ensemble canadien et américain, dont elle ne forme que 2,3 %. Depuis la conquête anglaise, les Franco-Québécois sont hantés par un sentiment d'insécurité linguistique; c'est pourquoi ils en sont venus à s'attaquer à la source même de leur inquiétude. Depuis le milieu des années 1960, les francophones du Québec ne se considèrent plus comme une minorité canadienne, mais comme une majorité québécoise; ils sont apparemment passés du statut de minoritaires à celui de majoritaires.

À l'instar de beaucoup d'autres peuples, les Québécois ont décidé d'utiliser l'État comme moyen d'accéder à leur nouveau statut. À cet effet, les interventions législatives ont commencé à se succéder; elles sont devenues de plus en plus coercitives et protectionnistes, traduisant le besoin croissant d'une plus grande sécurité linguistique. Celle-ci paraissait d'autant plus menacée que la situation du français se trouvait confrontée à des transformations structurelles et démographiques importantes: la dominance économique de l'anglais, la dénatalité chez les francophones, l'attraction exercée par l'anglais auprès des immigrants, le choix de l'école anglaise par de nombreux francophones, l'anglicisation plus ou moins marquée de la langue française. La concomitance de tous ces facteurs a donc incité les gouvernements à intervenir pour protéger le français au Québec.

2 LA LÉGISLATION LINGUISTIQUE

De la naissance de la Confédération jusqu'à la disparition de Maurice Duplessis, la non-intervention s'est révélée une constante de la vie politique québécoise si l'on fait exception de la loi Lavergne de 1910, loi timide et fort contestée à l'époque, qui obligeait «les compagnies de services d'utilité publique» à rédiger en français et en anglais les billets des voyageurs, les bulletins d'enregistrement des bagages, les dépêches télégraphiques, les comptes d'électricité ou de téléphone, etc.; cette loi, qui constituait les articles *1682 c* et *1682 d* du Code civil du Québec (chapitre *Du louage d'ouvrage*, section *Des voituriers*), n'imposait aux contrevenants qu'une amende de «vingt piastres».

À part cette loi sans grande conséquence, il fallut attendre 1969, année qui inaugura «l'époque des lois linguistiques» au Québec. En moins de huit années, trois gouvernements différents ont fait adopter successivement la loi 63 (1969), la loi 22 (1974) et la loi 101 (1977). Ces interventions des pouvoirs publics en matière linguistique ont constitué des événements politiques majeurs à la fois pour la majorité francophone et la minorité anglophone. En l'espace de quelques années, les deux groupes ont inversé leur statut; les francophones accédant à celui de groupe majoritaire, les anglophones étant ramenés au rang de groupe minoritaire au sein de la province, même s'ils demeurent toujours largement majoritaires à l'échelle du Canada et du continent.

LA *LOI POUR PROMOUVOIR LA LANGUE FRANÇAISE AU QUÉBEC* (LOI 63)

La loi 63 a été adoptée en 1969 par l'Assemblée nationale alors que le gouvernement de l'Union nationale était au pouvoir. Il s'agissait d'une loi sectorielle limitée essentiellement à la langue de l'enseignement. Cette loi visait à assurer que les enfants québécois de langue anglaise et ceux des immigrants puissent acquérir une connaissance d'usage du français. Elle maintenait le droit des parents de choisir l'anglais ou le français comme langue d'enseignement pour leurs enfants. Enfin, elle assignait à l'Office de la langue française la responsabilité de promouvoir l'utilisation de la langue française au Québec.

On connaît le sort réservé à la loi 63, avec laquelle on a réalisé le tour de force de mécontenter tout le monde. Les anglophones ne se sont pas leurrés sur la portée électoraliste de la loi à leur égard; les francophones n'ont jamais compris comment un gouvernement avait pu appeler cette loi *Loi pour promouvoir la langue française au Québec* alors qu'elle permettait officiellement de diriger les enfants vers les écoles anglaises. La loi 63 était symptomatique de l'attitude des gouvernements québécois d'avant 1970 qui, pleins de bonnes intentions dans leurs discours, se montraient timorés lorsqu'il s'agissait de passer aux actes. Qui plus est, la force exécutoire de la loi 63 était nulle puisque le texte législatif ne prévoyait même pas de sanctions envers les contrevenants. De toute façon, la loi 63 fut abrogée en 1974 et remplacée par la loi 22.

LA *LOI SUR LA LANGUE OFFICIELLE* (LOI 22)

Sous le gouvernement du Parti libéral de Robert Bourassa, l'Assemblée nationale adopta la *Loi sur la langue officielle* ou loi 22 qui, pour la première fois, faisait du français la seule langue officielle du Québec (article 1). L'article 2 accordait même la priorité de la version française sur la version anglaise de la loi.

Contrairement à la loi 63, qui était limitée au secteur de l'enseignement, la loi 22 abordait la question de la langue du travail et de la qualité de la langue. En vertu de cette loi, le français devait devenir la langue des affaires sur tous les plans: administration publique, personnel des entreprises commerciales, raisons sociales, affichage, étiquetage, contrats, menus de restaurants, etc.

En résumé, l'originalité de la *Loi sur la langue officielle* reposait sur les aspects suivants:

1) *Un programme de francisation des entreprises.* Les entreprises devaient détenir un certificat de francisation si elles désiraient conclure des contrats avec le gouvernement québécois.

2) *Les immigrants.* La loi comportait des dispositions qui avaient pour but de diriger les enfants d'immigrants vers les écoles françaises; les écoles devaient administrer des tests de classement: si les enfants échouaient au test d'anglais, donc s'ils ne démontraient pas une connaissance suffisante de cette langue, on les dirigeait vers l'école française.

3) *La qualité de la langue.* La loi innovait sur le plan du code de la langue; la Régie de la langue française (ou Office) avait pour rôle de créer des commissions de terminologie et de normaliser le vocabulaire utilisé au Québec, d'approuver les expressions et les termes recommandés par les commissions de terminologie.

4) *Le respect de la Loi.* La Régie de la langue française devait veiller au respect de la loi, solliciter des avis, recevoir et entendre les requêtes et suggestions du public concernant le statut de la langue française.

Si la loi 63 pouvait presque être considérée comme un accident historique, la loi 22 relevait de l'événement par sa proclamation officielle du français. Toutefois, cette loi était assortie de tant de réserves que cela revenait à assurer à l'anglais la place qu'il avait toujours occupée. La loi 22 demeurait en effet fortement marquée par le principe de dualité linguistique prôné dans le contexte fédéral: les enfants d'immigrants pouvaient encore contourner la loi et accéder à l'école anglaise, les entreprises étaient simplement incitées à se franciser, l'affichage devait au moins être bilingue, etc. Quant à la force exécutoire des sanctions relatives à la francisation, on se rend compte que les mesures étaient beaucoup plus incitatives que coercitives. Malgré les progrès appréciables qu'elle faisait faire à la langue en matière de planification, la loi 22 souleva un tollé de protestations: les anglophones se croyaient trahis par le Parti libéral alors que les francophones ne se sentaient guère plus protégés qu'avec la défunte loi 63. De plus, cette loi se révéla presque inapplicable et ses carences en matière de sanctions ne laissèrent pas indifférentes les personnes qui croyaient à un redressement de la situation du français au Québec. Finalement, la loi 22 fut abrogée en 1977 et remplacée par la loi 101.

LA *CHARTE DE LA LANGUE FRANÇAISE* (LOI 101)

Le gouvernement du Parti québécois de René Lévesque fit adopter une troisième loi en août 1977; il s'agissait de la *Charte de la langue française*, communément appelée loi 101. Les francophones ont salué comme un événement historique cette loi qui venait modifier complètement les règles du jeu entre l'anglais et le français. Dès le titre I de la Loi, le citoyen est renseigné sur les intentions du législateur: *Le statut de la langue française*. L'article 1 stipule que «le français est la langue officielle du Québec». Quant aux articles 2 à 6, que nous reproduisons en encadré, ils énoncent les conditions relatives aux «droits linguistiques fondamentaux» sans lesquels l'affirmation du statut du français demeurerait lettre morte.

La loi 101 va beaucoup plus loin que la loi 22, tant par l'affirmation du statut de la langue française dans tous les domaines que par son caractère coercitif. Le français devient la langue de la législation et de la justice, de l'administration publique, des organismes parapublics et des ordres professionnels, du travail, du commerce, des affaires, de l'enseignement, bref, c'est la langue pour tous, pour tout, partout.

Charte de la langue française

CHAPITRE II

LES DROITS LINGUISTIQUES FONDAMENTAUX

2. Toute personne a le droit que communiquent en français avec elle l'Administration, les services de santé et les services sociaux, les entreprises d'utilité publique, les ordres professionnels, les associations de salariés et les diverses entreprises exerçant au Québec.

3. En assemblée délibérante, toute personne a le droit de s'exprimer en français.

4. Les travailleurs ont le droit d'exercer leurs activités en français.

5. Les consommateurs de biens ou de services ont le droit d'être informés et servis en français.

6. Toute personne admissible à l'enseignement au Québec a droit de recevoir cet enseignement en français.

LA LANGUE DE LA LÉGISLATION ET DE LA JUSTICE

Les articles 7 à 13 stipulent que le français est la langue de la législation et de la justice au Québec. Selon les termes de la Charte, les lois doivent être rédigées et sanctionnées dans la langue officielle. Devant les tribunaux, les personnes morales plaident dans la langue officielle et les jugements sont rendus en français: «Seule la version française du jugement est officielle» (art. 13).

On connaît le sort que la Cour suprême du Canada a réservé à ce chapitre de la Charte. Dans l'affaire Blaikie, elle a estimé que le chapitre III de la loi 101, faisant du français la seule langue officielle de la législature et des tribunaux, était contraire à l'article 133 de l'A.A.N.B., qui exige le bilinguisme dans ces institutions au Québec (mais pas en Ontario). Pourtant, les procès en anglais demeuraient permis pour les individus ou personnes physiques en vertu de la Charte, et le gouvernement s'engageait à publier une version anglaise des lois et règlements adoptés par l'Assemblée nationale. Mais le fait de déclarer que seul le français est officiel a réduit à néant l'initiative du gouvernement provincial en ce domaine.

LA LANGUE DE L'ADMINISTRATION

Avec la langue de l'Administration, on entre dans un domaine plus sûr puisqu'il s'agit de la langue du gouvernement, de ses ministères et autres organismes d'État. Les articles 14 à 29 décrètent l'unilinguisme officiel dans ces cas: «Le gouvernement, ses ministères et les autres organismes de l'Administration utilisent uniquement la langue officielle, dans leurs communications écrites entre eux» (art. 17). La loi prévoit cependant des exceptions (art. 15): les personnes physiques peuvent s'adresser dans une autre langue à l'Administration et les organismes municipaux ou scolaires, les services de santé ainsi que les services sociaux ont le droit d'utiliser une autre langue s'ils fournissent leurs services à des personnes en majorité autres que françaises. Enfin, seule la langue officielle est permise dans la signalisation routière (article 29).

LA LANGUE DES ORGANISMES PARAPUBLICS

Les 11 articles du chapitre V portant sur la langue des organismes parapublics s'adressent essentiellement aux «ordres professionnels»: médecins, dentistes, optométristes, infirmiers ou infirmières, ingénieurs, etc. En vertu de l'article 35, «les ordres professionnels ne peuvent délivrer de permis au Québec qu'à des personnes qui ont de la langue officielle une connaissance appropriée à l'exercice de leurs fonctions». Il est possible toutefois de délivrer des permis temporaires aux personnes venant de l'extérieur du Québec «pour une période d'au plus un an»; l'Office de la langue française peut autoriser des renouvellements.

LA LANGUE DU TRAVAIL

Le chapitre VI (art. 41 à 50) de la loi fixe des conditions et des normes de francisation poussées en matière de communications, d'offres d'emploi, de conventions collectives, de sentences arbitrales, le tout accompagné d'une batterie d'interdictions[1] et de sanctions destinées à décourager les contrevenants aux dispositions du chapitre VI. Non seulement un employeur ne peut refuser d'embaucher une personne sous prétexte qu'elle ne connaît que la langue officielle, mais dans le cas où la connaissance d'une autre langue est nécessaire, il incombe à l'employeur d'en faire la preuve devant l'Office de la langue française qui «a compétence pour trancher le litige, le cas échéant» (art. 46). On admettra que l'intention du législateur est sans équivoque et qu'elle se conforme à l'un des droits fondamentaux énoncé à l'article 4 (*voir l'encadré p. 313*) et stipulant que les travailleurs québécois ont le droit de travailler en français.

LA LANGUE DU COMMERCE ET DES AFFAIRES

Le chapitre VII est la suite logique de celui portant sur la langue du travail: il fixe le cadre linguistique dans lequel s'effectuent le commerce et les affaires. Il s'agit de 21 articles détaillés couvrant toutes les données écrites offertes aux consommateurs de biens et services: inscriptions sur les produits, catalogues, brochures, dépliants, contrats d'adhésion, bons de commande, certificats de garantie, modes d'emploi, formulaires de demande d'emploi, menus de restaurants, cartes des vins, etc. La loi oblige de fournir toutes ces données en français.

Que dit-on au sujet de l'affichage public et de la publicité commerciale? «. . . l'affichage public et la publicité commerciale se font uniquement dans la langue officielle» (art. 58). Cet article ne s'applique pas aux organes d'information (radio, télévision, journaux) diffusant dans une autre langue, ni aux entreprises employant au plus quatre personnes, ni aux organismes sans but lucratif. Enfin, les raisons sociales doivent être uniquement en langue française (art. 63). On constatera que l'entreprise de francisation dans les domaines du travail, du commerce et des affaires est d'envergure compte tenu de l'emprise traditionnelle de l'anglais dans ces secteurs.

L'affichage unilingue a fait toutefois l'objet d'une autre bataille judiciaire. Dans un jugement rendu le 28 décembre 1984, le juge Pierre Boudreault de la Cour supérieure du Québec a invalidé les articles de la loi 101 interdisant l'affichage dans les langues autres que le français. Donnant raison à cinq marchands anglophones de Montréal, le juge a soutenu que ces articles violaient la liberté d'expression consacrée dans la *Charte québécoise des droits et libertés de la personne*. Le gouvernement du Québec a porté la cause devant la Cour d'appel, estimant que la liberté d'expression ne va pas jusqu'au choix de la langue d'expression.

1. Ainsi à l'article 45: «Il est interdit à un employeur de congédier, de mettre à pied, de rétrograder ou de déplacer un membre de son personnel pour la seule raison que ce dernier ne parle que le français ou qu'il ne connaît pas suffisamment une langue donnée autre que la langue officielle».

LA LANGUE DE L'ENSEIGNEMENT

Le chapitre VIII (art. 72 à 88) est consacré à la langue de l'enseignement, domaine qui a souvent donné lieu dans le passé aux réactions les plus passionnées de la part de tous les groupes linguistiques au Québec. Le premier paragraphe de l'article 72 énonce de façon manifeste le principe de l'enseignement en français: «L'enseignement se donne en français dans les classes maternelles, dans les écoles primaires et secondaires sous réserve des exceptions prévues au présent chapitre.» L'article 73 prévoit quatre exceptions à ce principe universel:

a) les enfants dont le père ou la mère a reçu un enseignement primaire en anglais au Québec;

b) les enfants dont le père ou la mère, domicilié au Québec au moment de l'adoption de la loi (27 août 1977), a reçu hors du Québec un enseignement primaire en anglais;

c) les enfants qui recevaient légalement l'enseignement en anglais dans une école publique du Québec avant l'adoption de la loi;

d) les frères et soeurs cadets des enfants visés au paragraphe c.

Rappelons encore une fois le sort réservé par la Cour suprême, le 26 juillet 1984, à la «clause Québec» de l'article 73 de la loi 101. La Cour suprême du Canada a déclaré cette clause (l'école anglaise uniquement pour les enfants de ceux qui ont étudié en anglais *au Québec*) rétroactivement inconstitutionnelle, parce qu'elle était contraire à la Charte des droits enchâssée dans la *Loi constitutionnelle de 1982*. Depuis cet autre jugement, c'est la «clause Canada» qui s'applique au Québec: l'école anglaise est ouverte aux enfants de ceux qui ont fréquenté une école primaire anglaise *au Canada*.

3 L'APPLICATION DE LA POLITIQUE LINGUISTIQUE

Une politique linguistique se révèle inopérante si on ne dispose pas de moyens de contrôle pour veiller à son application. Nous commencerons donc par décrire brièvement ces moyens, pour dresser ensuite un bilan de la politique. Il conviendra alors de comparer les résultats obtenus avec les objectifs visés par le législateur. Comme pour toute intervention de ce type, on peut s'attendre à trouver des failles ou des obstacles, d'autant plus que nous manquons de recul pour évaluer pleinement tous les effets de ces législations linguistiques. De toute façon, il serait surprenant qu'en une quinzaine d'années d'efforts législatifs tous les objectifs aient été atteints. C'est trop peu de temps dans l'histoire d'un pays.

LES MOYENS DE CONTRÔLE

La timidité des moyens de contrôle ainsi que l'absence de sanctions appropriées avaient rendu les lois 63 et 22 presque inopérantes. Le législateur en a tiré une leçon puisque la loi 101 prescrit et impose des sanctions. On y a prévu la création de trois organismes chargés de l'application de la politique linguistique: l'Office de la langue française, la Commission de protection de la langue française, le Conseil de la langue française.

L'OFFICE DE LA LANGUE FRANÇAISE

L'Office de la langue française est celui des trois organismes qui dispose des ressources les plus importantes. Il a été institué «pour définir et conduire la politique québécoise en matière de recherche linguistique et de terminologie et pour veiller à ce que le français devienne, le plut tôt possible, la langue des communications, du travail, du commerce et des affaires dans l'Administration et les entreprises» (art. 100). Cet organisme est en réalité le maître d'œuvre de l'application concrète de la politique linguistique.

Le premier devoir de l'Office est de «normaliser et diffuser les termes et expressions qu'il approuve» (art. 113). Cette fonction de NORMALISATION correspond à celle qu'exerce en France l'Académie française lorsqu'elle impose des termes ou des expressions aux employés de l'État. Au Québec, l'Office de la langue française peut rendre obligatoire l'utilisation des termes et expressions normalisés dans l'Administration, dans l'affichage et dans certains documents utilisés dans les industries; depuis 1983, ce processus s'applique à l'Administration et à l'enseignement (article 118). Le travail de l'Office a parfois suscité des controverses touchant certains termes normalisés; p. ex.: centre commercial, boeuf mariné (smoked meat), racinette (root beer), soda mousse (cream soda), mazout (huile à chauffage), parc de stationnement (parking), etc. Depuis 1974, l'Office a créé de nombreuses commissions de terminologie, qui ont accompli un travail gigantesque: publication de 125 lexiques spécialisés et constitution d'une banque de terminologie traitant aujourd'hui plus de trois millions de termes français-anglais et anglais-français, ce qui en fait la plus grande banque de données terminologiques de toute la francophonie. Ces travaux sont d'une extrême importance parce qu'ils permettent la francisation des entreprises, dont plus de 250 sont reliées par modem à la Banque de terminologie du Québec (B.T.Q.).

Une autre des fonctions de l'Office consiste à définir la procédure de délivrance, de suspension ou d'annulation des certificats de francisation dans les entreprises (art. 113). Selon la loi 101, toutes les entreprises employant 50 personnes ou plus doivent posséder un certificat de francisation. Une entreprise qui ne possède pas un tel certificat est passible d'une amende allant de 100 $ à 2 000 $ «pour chaque jour où elle poursuit ses activités sans certificat» (art. 205 et 206). L'Office de la langue française accorde ou annule un certificat de francisation après avoir évalué le programme de francisation de l'entreprise, programme qui a pour but de généraliser l'utilisation du français au travail, à tous les échelons de l'entreprise.

LA COMMISSION DE PROTECTION DE LA LANGUE FRANÇAISE

L'article 158 de la loi a prévu la création d'une Commission de protection de la langue française pour traiter des questions se rapportant au défaut de respect de la loi. La principale fonction de la Commission est de procéder aux enquêtes prévues par la loi (art. 169 et 171). En cas de contravention à la loi, les commissaires-enquêteurs peuvent mettre un contrevenant présumé en demeure de se conformer dans un délai donné (art. 182) et, le cas échéant, transmettre le dossier au procureur général pour que celui-ci intente les poursuites pénales appropriées. Au cours des cinq années qui ont suivi l'adoption de la loi, 11 947 entreprises ont fait l'objet de plaintes. La réalité a démontré que seulement 10 d'entre elles ont effectivement été condamnées, les autres s'étant rapidement conformées à la loi. De ces 10 entreprises, une a été condamnée à deux amendes de 500 $ et les neuf autres, qui ont toutes plaidé coupables, se sont vu imposer des amendes de 25 $ ou de 50 $. Plus de 90 % des plaintes traitées concernent l'affichage et la raison sociale des entreprises. Les peines sont donc peu importantes.

LE CONSEIL DE LA LANGUE FRANÇAISE

Le Conseil de la langue française a été institué «pour conseiller le ministre sur la politique québécoise de la langue française et sur toute question relative à l'interprétation et à l'application de la présente loi» (art. 186). Malgré le caractère consultatif de cet organisme, son influence et son action n'ont cessé de croître depuis sa création. Le Conseil a à son actif une liste impressionnante de publications et d'avis résultant de sondages, d'analyses, d'études scientifiques et de consultations diverses auprès de tous les milieux. On ne peut sous-estimer l'influence d'un tel organisme qui a le mandat de «conseiller le ministre sur la politique québécoise de la langue française», de «surveiller l'évolution de la situation linguistique au Québec», d'attirer l'attention du gouvernement sur les points névralgiques et d'«informer le public».

Avec la création de ces trois organismes, le législateur a doté l'État de moyens réels pour mettre en œuvre l'entreprise de francisation. Sur ce point également, la Charte se distingue considérablement des lois précédentes. Il reste à voir maintenant quels sont les résultats obtenus.

LES RÉSULTATS POSITIFS

On peut résumer ainsi les grands objectifs de la politique linguistique québécoise:

a) Franciser la structure socio-économique du Québec.

b) Contrôler l'évolution démographique par l'immigration et l'éducation.

c) Concrétiser le caractère français du Québec dans l'affichage et les raisons sociales.

C'est sans doute ce dernier objectif qui a donné les résultats les plus visibles, suivi du second objectif et finalement du premier. Aussi évaluerons-nous le succès de ces objectifs dans l'ordre inverse de leur énumération.

L'AFFICHAGE ET LES RAISONS SOCIALES: UN VISAGE TRANSFORMÉ

Dans la logique de vouloir rendre le Québec aussi français que l'Ontario est anglais, la loi 101 avait pour but de transformer le visage du Québec, particulièrement celui de Montréal. Il faudrait être aveugle pour ne pas constater le changement radical opéré dans l'affichage, non seulement à Montréal, mais aussi à Sherbrooke, à Hull, sur la côte de Beaupré, sinon au cœur même de la ville de Québec. À part certaines affiches datant de l'âge des cavernes, malgré un certain nombre de calques de l'anglais (*Helen's Motel*) et un peu de mauvais goût (*La Ouèrâsse*), Montréal et le Québec présentent maintenant un visage massivement français sur le plan de l'affichage et des raisons sociales. Cependant, il s'agit encore d'une victoire fragile: pour peu que l'on relâche le soutien à la francisation, les affiches bilingues, voire unilingues anglaises, refont surface à Montréal et dans la banlieue.

UN CERTAIN CONTRÔLE DE L'ÉVOLUTION DÉMOGRAPHIQUE

Le Québec a fortement réagi à l'évolution démographique, notamment dans le domaine de l'immigration et de l'éducation. Après avoir créé un ministère de l'Immigration (1968), le Québec a ouvert une dizaine de bureaux d'immigrations à l'étranger et mis en place des Centres d'orientation et de formation des immigrants (COFI ou cours de français intensif). Il fallait prendre des mesures susceptibles d'attirer des immigrants culturellement plus enclins à s'intégrer à la société francophone; plutôt que d'inviter des immigrants d'origine anglo-saxonne, le Québec a favorisé ceux d'origine francophone ou latine. Le résultat a été manifeste: le nombre des immigrants parlant le français a sensiblement augmenté. Entre 1968 et 1974, la proportion des immigrants parlant uniquement le français n'était que de 21 %; en 1981, elle était passée à 31 %[2]. De plus, la moitié des immigrants ne parlaient ni français ni anglais à leur arrivée.

Du côté du secteur névralgique de l'école anglaise, des points ont également été marqués. L'objectif était de faire en sorte que les enfants d'immigrants passent graduellement à l'école française. En 1976-1977, plus de 80 % des enfants allophones s'inscri-

2. Voir Michel PLOURDE, «Bilan de l'application des politiques linguistiques des années 70 au Québec» dans *Actes du congrès «Langue et société au Québec»*, tome 1, Québec, Éditeur officiel du Québec, 1984, p. 42.

vaient à l'école anglaise; ce taux avait chuté à moins de 50 % en 1983-1984. Le pourcentage des élèves fréquentant l'école anglaise au Québec a aussi diminué pour passer de 15 % en 1969-1970 à 16,6 % en 1976-1977, puis à 13,1 % en 1981-1982 et à 11,8 % en 1983-1984; ce qui est encore supérieur à la proportion réelle d'enfants de langue maternelle anglaise (9 %). On peut donc dire que la loi 101 a réussi à endiguer pour le moment le mouvement des immigrants vers l'école anglaise et que les objectifs ont été atteints à cet égard.

LA LANGUE DU TRAVAIL: AMÉLIORATION MODESTE

En milieu de travail, on constate aussi des progrès appréciables en faveur du français. Une première phase a été réalisée sur le plan de la francisation des entreprises. Sur un total de 1 528 grandes entreprises de plus de 100 employés, 552 certificats de francisation ont été délivrés (janvier 1985); la francisation devrait être complétée, pour les autres, en 1988. Dans le cas des 2 086 PME du Québec employant de 50 à 99 personnes en janvier 1985, on comptait 969 certificats de francisation et 957 programmes de francisation en cours. Les chiffres semblent donc encourageants même s'il est encore trop tôt pour évaluer pleinement l'«opération francisation».

La seconde phase de la francisation est moins fulgurante: elle touche la langue des travailleurs. La proportion de ceux qui n'utilisent que le français est passée, à Montréal, de 48 % en 1971 à 55 % en 1979, pour chuter à 52 % en 1982 et remonter à 57 % en 1983; pour l'ensemble du Québec, l'augmentation est encore moins sensible bien que le taux soit plus élevé au départ: 66 % en 1971, 69,4 % en 1979, 66 % en 1982, 70 % en 1983. Chez les travailleurs anglophones, on observe que l'unilinguisme a perdu du terrain au profit du bilinguisme.

C'est toutefois dans les services publics, le commerce et les affaires que le caractère français s'est le plus affirmé. Michel Plourde résume ainsi la situation:

> «Les sondages ont démontré que la clientèle francophone réussit mieux qu'il y a dix ans à se faire aborder et servir en français dans les restaurants, les hôtels, les grands magasins, les services municipaux et hospitaliers et les moyens de transport public. Le français a fait des progrès remarquables dans les formulaires et autres documents écrits, comme les factures, les modes d'emploi, les bons de commande, les catalogues et les dépliants publicitaires[3].»

Certes, le visage extérieur du Québec est devenu plus français qu'il ne l'était. En témoignent l'affichage public, la publicité commerciale et les raisons sociales. S'il est vrai que des progrès notables ont aussi été réalisés sur le plan de la francisation des entreprises et de l'accès des enfants allophones à l'école française, il ne faut pas pavoiser pour autant: le volet négatif pèse lourd.

LE VOLET NÉGATIF

Malgré des progrès indéniables, force est de constater que dans certains secteurs la loi est loin d'avoir atteint tous ses objectifs et que certains obstacles viennent compromettre ceux-ci.

LES ÉCHECS

Les échecs de la politique linguistique québécoise concernent surtout le français en milieu de travail: perpétuation du bilinguisme, sous-utilisation du français, sous-représentation des cadres francophones, méconnaissance des terminologies françaises. Effectivement, le monde du travail continue de soumettre les francophones à une forte exigence de bilinguisme:

3. Voir «La langue française au Québec, bilan d'une décennie» dans *La Presse*, Montréal, le 14 février 1983.

«Ajoutons que le pourcentage des travailleurs francophones qui se sont vus exiger le connaissance de l'anglais pour obtenir leur premier emploi n'a pas diminué depuis 1970: la proportion atteint les 20 % en dehors de Montréal et dépasse les 40 % pour Montréal. Par contre, le pourcentage des anglophones de qui on exigeait le français n'attteint pas les 30 %[4].»

Malgré les dispositions de la loi (art. 45-46) relatives à l'embauchage et au congédiement, nombre d'employés francophones sont congédiés à cause de leur méconnaissance de l'anglais. Selon le président de la Commission de protection de la langue française, M. Gaston Cholette, la protection de la loi à l'égard des francophones victimes de ces abus n'est que théorique[5]. La loi ne s'applique qu'aux entreprises de plus de 50 employés. Ces entreprises, au nombre de 4500, ne touchent qu'un million de travailleurs, c'est-à-dire un sur trois. En revanche, la loi laisse à eux-mêmes encore 2,4 millions d'autres travailleurs, soit des non-syndiqués œuvrant dans des entreprises de moins de 50 employés, soit des syndiqués non soumis à la loi, comme les employés des sociétés du gouvernement fédéral ou des compagnies de transport interprovincial. Si le législateur avait été conséquent avec les articles 4 et 45 de la Charte, il aurait prévu une aide juridique appropriée à toutes les victimes de renvoi pour cause d'unilinguisme français. En réalité, l'article 47 autorise les travailleurs, syndiqués ou non, à faire valoir leurs droits auprès d'un commissaire du travail, mais l'expérience a démontré que fort peu vont jusque-là. En conséquence, deux travailleurs sur trois sont laissés sans véritable protection et sans recours.

On observe aussi, dans les entreprises, une sous-représentation des francophones dans les postes de commande (69,1 %), un accroissement de l'utilisation de l'anglais chez les francophones et une sous-utilisation du français (seulement 40 %) dans les communications verbales entre anglophones et francophones, les francophones préférant passer à l'anglais. Concluons avec M. Michel Plourde que le français n'occupe pas la place qui lui permettrait de perdre son image de langue dominée en milieu de travail:

«Force est de constater aussi que, si la langue française est largement utilisée dans les postes subalternes, elle n'occupe pas encore, loin de là, toute la place qui lui revient, comme langue de la majorité, parmi ceux qui décident[6].»

Sur le plan de la francisation des entreprises, une enquête du Centre de linguistique de l'entreprise (CLE) a démontré que l'usage des terminologies françaises n'est pas très répandu en milieu de travail: on ne change pas du jour au lendemain des habitudes de toute une vie, voire de plusieurs générations! Beaucoup d'ouvriers sont encore incapables de nommer en français les instruments qu'ils utilisent ou les objets qu'ils fabriquent. Pour bon nombre de francophones, travailler en français équivaut encore à apprendre une langue étrangère. En conclusion, selon le CLE, les grandes entreprises constatent «qu'une large part de la société québécoise demeure invisible, sinon inactive dans les questions de francisation[7]». On ne pourra se bercer longtemps de l'illusion que la prochaine génération fera ce que ses aînés n'auront pu accomplir.

En outre, il reste des dizaines de milliers de petites entreprises de moins de 50 employés qui risquent de ne jamais êre touchées par la loi et qui contribueront à hypothéquer lourdement la francisation du milieu de travail. Il faut y ajouter environ 260 centres de recherches et sièges sociaux qui continueront de fonctionner surtout en anglais, et ce, dans le cadre de la loi 101, en vertu d'ententes particulières négociées

4. Michel PLOURDE, «Bilan de l'application des politiques linguistiques des annés 70 au Québec» dans *La langue française au Québec*, Québec, Éditeur officiel du Québec, CLF, 1985, p. 76-77.

5. Jean-Pierre BONHOMME, «La Charte de la langue ne protège guère les ouvriers francophones» dans *La Presse*, Montréal, 1er novembre 1984.

6. «La langue française au Québec, bilan d'une décennie» dans *La Presse*, Montréal, 14 février 1983.

7. Cité par Jean-Pierre PROULX, «Travailler en français équivaut encore trop souvent à apprendre une langue étrangère», dans *Le Devoir*, Montréal, 15 janvier 1985.

avec l'Office de la langue française. Ceux qui croient encore à la force absolue de la *Charte de la langue française* se leurrent parce que c'est un mythe qui dépasse grandement la réalité de son applicabilité:

> «Les politiques linguistiques n'ont pas encore réussi, à elles seules, semble-t-il, à donner aux francophones la confiance nécessaire pour s'affirmer suffisamment et prendre toute la place qui leur revient dans le monde du travail et les activités socio-économiques du Québec[8].»

Pourtant, un sondage du Conseil de la langue française nous apprend que 90 % des francophones croient que la loi 101 permettra d'améliorer la situation du français au Québec et que 74 % croient à l'efficacité de cette loi.

LES OBSTACLES

Un certain nombre d'obstacles viennent retarder, voire compromettre la réalisation des objectifs de la politique linguistique du Québec. Selon le Conseil de la langue française, le premier obstacle, ce sont les attitudes des francophones eux-mêmes:

> «Un sondage a révélé pourquoi les francophones n'utilisent pas davantage le français en milieu de travail. Les trois raisons données sont les suivantes: la crainte de compromettre ses chances d'avancement (55 %), la gratification qu'on éprouve à parler anglais (45 %), la crainte de représailles au plan des relations humaines[9].»

Un second obstacle a trait à l'effritement du consensus social. Devant les accusations d'intolérance et les revendications soutenues de la minorité anglophone, les francophones reculent. Une partie des francophones favorise maintenant le bilinguisme institutionnel alors qu'il a toujours joué contre eux; comme nous l'avons vu précédemment, c'est une situation normale dans tous les pays qui appliquent cette formule. Plusieurs sondages révèlent aussi qu'une majorité de Québécois appuie le bilinguisme dans l'affichage; d'autres croient que le français nuit au développement économique du Québec. Pourtant, tous veulent absolument un Québec français, mais à la condition que cela ne bouscule personne, ni ne fasse mal à qui que ce soit. L'expérience des autres pays démontre que de telles attitudes sont irréconciliables et relèvent de l'utopie.

Une enquête[10] du Conseil de la langue française nous apprend aussi qu'entre 23 % et 40 % des jeunes Québécois francophones du secondaire estiment que «vivre en français pour eux n'est pas nécessaire à leur épanouissement personnel». Selon le Conseil de la langue française, l'effritement de la conscience linguistique chez les jeunes et l'attraction exercée sur eux par l'anglais sont particulièrement préoccupants: les jeunes considèrent que le fait français est acquis et s'inquiètent moins que leurs aînés de la survie de la langue française. Malgré l'attachement qu'ils disent vouer à leur langue (60 %), le tiers des francophones des cégeps affirment qu'il est plus important pour eux d'apprendre l'anglais que de perfectionner leur français[11]; de 59 % à 73 % d'entre eux se montrent tolérants ou indifférents devant le fait de se faire servir en anglais dans les commerces et les services publics; leur consommation des produits culturels se fait à 50 % en anglais pour la radio et la télévision, à 96 % pour les disques et cassettes. C'est évidemment un terrible déficit pour les agents culturels francophones et un bon coup de pouce à la dominance de l'anglais au Québec.

---

8. Michel PLOURDE, «Bilan de l'application des politiques linguistiques des années 70 au Québec» dans *Actes du congrès «Langue et société au Québec»*, tome 1, Québec, Éditeur officiel du Québec, 1984, p. 50.
9. Michel PLOURDE, «La langue française au Québec, les conditions de l'avenir» dans *La Presse*, Montréal, 15 février 1984.
10. Voir *Conscience linguistique des jeunes Québécois*, tomes I à IV, Québec, 1981, 1983, Éditeur officiel du Québec.
11. Une vaste enquête menée par le ministère de l'Éducation auprès de 3 200 élèves du secondaire II révèle que les élèves font en moyenne une faute à tous les six mots, c'est-à-dire 50 fautes dans un texte d'environ 300 mots.

Un autre obstacle de taille: l'effet cumulatif des jugements de cour contre la loi 101. Ces différents jugements ont commencé à miner la force de la loi et ont produit un effet d'entraînement social de recul. Pendant que le gouvernement s'est contenté d'encaisser les coups, beaucoup de francophones ont mis en doute la légitimité de la politique de redressement linguistique; ils en sont venus à croire que le statut du français au Québec a besoin d'être revu et corrigé «à la baisse», ce qui contribue à affaiblir le statut du français comme langue officielle du Québec. Il y a de quoi rester sceptique quand on compare la rapidité avec laquelle les tribunaux ont réagi aux griefs des Anglo-Québécois et leur extrême lenteur (plus de 100 ans) dans le cas des Franco-Manitobains!

Un dernier obstacle important provient de l'attitude des dirigeants politiques. Si le gouvernement du Parti québécois s'est toujours contenté d'encaisser les coups, le nouveau gouvernement libéral de Robert Bourassa semble vouloir pousser sous le tapis la question de la protection de la langue, comme si c'était devenu une opération désormais inutile. On espère que les tribunaux et la pratique courante viendront régler le problème.

Lorsqu'on dresse le bilan des résultats de l'intervention linguistique au Québec, que l'on compare les résultats positifs et négatifs, on est bien forcé de conclure que la situation linguistique actuelle reste précaire. Elle fait remettre en question de façon sérieuse la politique linguistique et les moyens mis en œuvre. Comme l'affirme le Commissaire aux langues officielles du Canada: «La préservation et l'épanouissement du français, même au Québec, seront toujours une source d'inquiétudes, nous le savons pertinemment»[12]. Le contexte anglo-américain, la faiblesse de la représentation francophone dans cet ensemble, l'omniprésence de l'anglais rendront toujours le statut du français fragile au Québec. Dans le domaine de la vie des langues, nous le savons, rien n'est acquis une fois pour toutes. Quand on traite du Québec, on ne devrait jamais parler d'acquis, mais d'un inévitable processus permanent de francisation[13].

LES DROITS DE LA MINORITÉ ANGLOPHONE

S'il n'existait qu'une seule minorité au Canada avant 1970, il faut en compter deux aujourd'hui: la minorité francophone du Canada et la minorité anglophone du Québec. Celle-ci s'est toujours comportée en majorité au Québec, jouissant de droits et de privilèges qu'on ne retrouve généralement que dans les situations coloniales ou post-coloniales. Aussi les anglophones ont-ils réagi fortement à toutes les législations linguistiques qu'a connues le Québec depuis une quinzaine d'années.

L'arrivée au pouvoir du Parti québécois et l'adoption de la loi 101 ont apparemment convaincu plusieurs anglophones de quitter le Québec plutôt que d'accepter leur nouveau statut de minoritaires. Durant les années qui ont suivi l'adoption de la loi 101, la presse anglophone du Québec est devenue un amplificateur de l'humeur populaire de ses lecteurs, renforçant leurs préjugés et leurs peurs. Le Québec français apparaissait, pour de nombreux anglophones, comme «une société intolérante, oppressive et inhospitalière où s'agite une importante minorité de fanatiques désireux de détruire les libertés personnelles et la démocratie[14]». Voyons quels sont les droits que leur laissent la *Charte de la langue française* et la Constitution canadienne.

---

12. *Rapport annuel 1984*, Ottawa, ministère des Approvisionnements et Services Canada 1985, p. 197.
13. Michel PLOURDE, «Un regard sur la situation linguistique actuelle» dans *La langue française au Québec*, Québec, Éditeur officiel du Québec, CLF, 1985, p. 206.
14. Dominique CLIFT et Sheila McLEOD ARNOPOULOS, *Le fait anglais au Québec*, Montréal, Libre Expression, 1979, p. 171.

LES DROITS CONSTITUTIONNELS

Contrairement à la plupart des minorités francophones hors Québec, les Anglo-Québécois jouissent depuis l'entrée du Québec dans la Confédération de garanties linguistiques inscrites dans l'Acte constitutionnel de 1867. L'anglais est reconnu juridiquement à l'Assemblée nationale du Québec, qui doit adopter ses lois en français *et en anglais*; cette langue est également permise dans les débats de la Chambre. En outre, les anglophones sont assurés de recevoir de la part de tous les tribunaux du Québec des services dans leur langue, et ce, sur tout le territoire. Enfin, la Constitution canadienne leur garantit le droit à l'enseignement en anglais au primaire et au secondaire.

De fait, les anglophones bénéficient d'un réseau d'enseignement complet de la maternelle à l'université, disposant de cégeps et d'universités non prévus dans la Constitution canadienne et subventionnés par l'État québécois au même titre que les institutions francophones. Rappelons aussi que, contrairement aux francophones hors Québec, les anglophones ont à leur disposition de «vraies» écoles anglaises et non de simples classes d'immersion destinées surtout à une élite de la majorité qui voudrait se bilinguiser.

LES DROITS «LÉGISLATIFS»

La *Charte de la langue française* a reconnu les droits des anglophones à un enseignement dans leur langue, mais a limité ce droit aux seuls véritables anglophones du Québec, privant ainsi la minorité de l'arrivée du sang neuf qui venait régulièrement augmenter ses effectifs. La *Loi constitutionnelle de 1982* a cependant étendu ce droit à tous les anglophones du Canada et le gouvernement du Québec a récemment[15] élargi l'accès à l'école anglaise aux enfants de résidents temporaires pour une admissibilité de cinq ans avec une prolongation possible d'un an.

Dans leurs communications avec l'administration publique, les anglophones sont assurés de recevoir tous les services gouvernementaux dans leur langue (art. 15); ce droit s'étend aux municipalités comptant plus de 50 % d'anglophones. Ils jouissent des mêmes droits dans les services de santé et les services sociaux. Aucune minorité francophone au Canada ne bénéficie d'un tel traitement, même pas au Nouveau-Brunswick, où le français est l'une des deux langues officielles.

C'est uniquement sur le plan de l'affichage que les droits des anglophones sont limités. En vertu de l'article 58, l'affichage public se fait uniquement en français. Néanmoins, la loi a prévu des exceptions à la règle: les articles 22, 24, 59, 60, 62, 70. En bref, il s'agit des organismes municipaux à majorité anglophone, des institutions scolaires, des services de santé, des services sociaux, des petites entreprises de moins de quatre employés, des organisations religieuses, politiques, humanitaires et idéologiques. Dans tous ces cas, l'affichage anglais est permis. Rappelons que le jugement Boudreault a invalidé les articles de la Loi imposant l'unilinguisme français dans l'affichage, en vertu de la liberté d'expression reconnue dans la Charte québécoise des droits. Les anglophones espèrent un retour au bilinguisme.

À part ce seul point, on constatera que la loi 101 n'a rien enlevé aux anglophones. Ceux-ci jouissent encore des droits qui font l'envie de toutes les minorités francophones hors Québec, lesquelles d'ailleurs n'en demandent pas autant.

LES DROITS «DE FAIT»

Abstraction faite des lois, les Anglo-Québécois ont conservé leur dominance sur les ondes et à la télévision, particulièrement dans la région de Montréal. Bien que minori-

15. Le 1er février 1984.

taires (20 % de la population métropolitaine), ils ont accès à la moitié des stations de radio et à une dizaine de chaînes de télévision alors que les francophones doivent se contenter de quatre seulement. Les faits révèlent aussi que ce sont les francophones qui font vivre la plupart des stations radiophoniques anglaises, contribuant à assurer la suprématie de l'anglais sur les ondes.

Sur le plan du travail, du commerce et des affaires, les anglophones continuent à se faire servir dans leur langue à peu près n'importe où dans la région métropolitaine. Ils peuvent exercer leur métier ou leur profession en anglais sans être inquiétés ni contestés. Les faits démontrent aussi qu'il est relativement facile de vivre uniquement en anglais à Montréal, sans inconvénients majeurs. Soulignons enfin que l'anglais n'a toujours pas perdu sa puissance d'attraction, tant auprès des allophones que des francophones. Une étude de Statistique Canada[16] portant sur la décennie 1971-1981 révèle que, même au Québec, les transferts linguistiques vers l'anglais ont été plus nombreux que les transferts vers le français. Bref, on peut conclure que les Anglo-Québécois constituent une minorité assez bien nantie.

Comme l'admet lui-même le Commissaire aux langues officielles:

> «Si on met en parallèle les situations vécues par les Anglo-Québécois et leurs homologues francophones des autres provinces, on ne peut s'empêcher de noter que les assises institutionnelles des Anglo-Québécois ont tout, ou presque, pour faire envie à la plupart des minorités de langue française[17].»

Bien que les anglophones du Québec demeurent les mieux nantis de toutes les minorités officielles au Canada, il est évident que l'évolution politique, linguistique, sociale et démographique des dernières années a profondément modifié le caractère de leur communauté. Plusieurs se sont adaptés à la nouvelle situation et ont appris le français: 55 % des anglophones sont aujourd'hui bilingues. Par contre, beaucoup manifestent des réticences à l'égard de la francisation; ils ont même tendance à raidir leurs positions contre la loi 101. Aiguillonnés par les différents jugements de cours et le retour du Parti libéral au pouvoir, ils sont enclins à prendre tous les moyens pour faire en sorte que l'anglais au Québec devienne aussi habituel que le français et réclament le bilinguisme institutionnel. Un tel régime pratiqué dans d'autres pays favorise nécessairement le groupe dominant. Dans le contexte anglo-américain, ce n'est pas le français qui peut gagner à ce petit jeu du bilinguisme nécessairement asymétrique.

***

Par rapport à celle de beaucoup d'États dans le monde, la politique linguistique du Québec se révèle assez originale. Bien que se proclamant officiellement de l'unilinguisme *territorial*, le Québec accorde des droits *personnels* étendus à sa minorité anglophone. En regard de la loi, ces droits personnels correspondent au statut juridique différencié, mais les faits démontrent que les droits de la minorité équivalent ou surpassent souvent ceux accordés par les solutions du bilinguisme institutionnel: bilinguisme au Parlement et dans la rédaction des lois; dualité et autonomie du système d'enseignement de la maternelle à l'université; accès en anglais aux services gouvernementaux, sociaux, de santé, etc.. Le statut juridique différencié ne survit plus que dans l'affichage et la langue de travail. Le Québec a donc adopté la formule de la PERSONNALITÉ pour les anglophones, voire les allophones et les autochtones, mais a choisi l'unilinguisme territorial pour la majorité francophone.

La politique linguistique québécoise est surtout axée sur la protection de la langue de la majorité: le français. Les pays qui adoptent une orientation semblable le font pour deux raisons: assimiler les minorités lorsque la langue majoritaire n'est pas en danger ou,

16. Statistique Canada, *La situation linguistique au Canada*, Ottawa, n° 99-935, janvier 1985.

17. *Rapport annuel 1984*, Ottawa, Approvisionnements et Services Canada 1985, p. 197.

dans le cas contraire, se libérer d'une langue coloniale. Au Québec, il s'agirait plutôt d'une tentative de libération nationale qui passe par la restauration de la langue française. L'expérience d'un certain nombre de pays tels l'Indonésie, Madagascar, l'Algérie, le Sénégal et Israël, démontre qu'il est extrêmement long et difficile de réussir la restauration d'une langue longtemps dominée. Quelques pays réussissent, mais la plupart échouent ou piétinent en espérant qu'un jour ils seront au bout de leurs peines.

Il peut paraître excessif d'associer la politique linguistique du Québec à un processus de «décolonisation linguistique». Pourtant l'expression, bien que choquante peut-être, exprime réellement la démarche entreprise par le Québec. L'interventionnisme du Québec en matière de langue correspond à toutes les caractéristiques d'une décolonisation linguistique: affranchissement d'une langue impériale et maintien d'une certaine dépendance, valorisation de la langue nationale par le statut socio-économique et la restauration du code, étapisme, prudence parfois, demi-échecs ou demi-réussites. Il est impossible de parvenir rapidement à une décolonisation linguistique: patience et longueur de temps sont nécessaires. Il s'agit d'un véritable projet de société, qui connaît inéluctablement ses hauts et ses bas; le plus difficile est de maintenir le cap sur les objectifs fondamentaux et de garder éveillée la conscience linguistique des citoyens. Telle est bien la situation du Québec.

LES POLITIQUES DE «DÉCOLONISATION LINGUISTIQUE»

Plusieurs États d'Asie et d'Afrique ont obtenu leur indépendance depuis les années 1960. L'indépendance politique n'a pu empêcher la plupart d'entre eux d'entretenir des liens de dépendance économique et linguistique avec leur ancien maître. Plusieurs essaient de s'affranchir notamment de la tutelle linguistique, mais ils y réussissent avec plus ou moins de succès, il faut l'avouer; les échecs ou les demi-réussites demeurent la règle. Parmi les États qui pratiquent une politique de décolonisation linguistique et, par voie de conséquence, une politique de valorisation de la ou des langues nationales, nous examinerons trois cas distincts qui représentent les principales tendances actuelles: le Sénégal, les pays du Maghreb, Madagascar. La meilleure façon de comprendre la véritable politique linguistique de ces États, c'est encore d'observer comment les choses se passent dans la réalité. Souvent la différence est grande entre le discours officiel et les faits.

1 LE SÉNÉGAL: PRUDENCE ET ATTENTISME

D'une superficie de 196 200 km², la république du Sénégal (*voir la figure 22.1*) est limitée par l'Atlantique à l'ouest, la Mauritanie au nord, le Mali à l'est et la Guinée-Bissau au sud. Les 6,1 millions de Sénégalais sont répartis entre une vingtaine de LANGUES NATIONALES, dont les six plus importantes sont le wolof, le peul, le sérère, le diola, le malinké et le soninké. Le wolof est parlé comme langue maternelle par 36 % de la population, mais près de 80 % parlent et comprennent le wolof, qui est employé comme LANGUE VÉHICULAIRE. Quant au français, il demeure, 25 ans après l'Indépendance, une langue étrangère parlée par 15 % à 20 % des Sénégalais et seulement 1 % à 2 % des Sénégalaises; il est la langue maternelle d'une toute petite élite constituant environ 0,2 % de la population du pays.

AU LENDEMAIN DE L'INDÉPENDANCE

Au moment de son accession à l'indépendance, le Sénégal, comme la plupart des États africains francophones, a choisi la langue française comme langue officielle. Les dirigeants politiques ont alors privilégié la langue qui leur paraissait la plus immédiatement disponible et opérationnelle: la langue du colonisateur. Toute la politique linguistique écrite du Sénégal, à cette époque, tenait essentiellement à l'article 1 de la Constitution, qui faisait du français la langue officielle. Cette clause constitutionnelle signifiait que le français devenait la langue de la présidence de la République, de l'Assemblée nationale, de l'administration publique, des cours de justice, des forces armées et policières, de l'enseignement à tous les niveaux, de l'affichage, des médias, etc. Le français prenait toute la place dans l'espace politique et socio-économique.

LA VALORISATION DES LANGUES NATIONALES

Devenu chef de l'État sénégalais en 1960, Léopold Sédar Senghor a multiplié les déclarations officielles soulignant la nécessité de recourir aux langues nationales de son pays. Il s'est mis lui-même à la tâche en participant pendant vingt ans aux travaux des différentes commissions chargées d'élaborer les alphabets officiels et les terminologies sénégalaises. Le Sénégal est probablement le seul État au monde à avoir eu à sa tête à la fois un linguiste et un poète. C'est grâce à Senghor si les six langues les plus importantes du Sénégal se sont dotées d'un alphabet et d'une CODIFICATION. En 1971, le décret présidentiel n° 71566 du 21 mai retenait six langues promues au rang de «langues nationales»: le wolof, le peul, le sérère, le diola, le malinké et le soninké.

Par la suite, Senghor choisit pour son pays une politique d'éducation bilingue comprenant le français, d'une part, et les six langues «nationales», d'autre part. Dans son décret de mai 1971, il expose les motifs de son choix:

> «Tout d'abord remplacer le français, comme langue officielle et comme langue d'enseignement, n'est ni souhaitable, ni possible. Si du moins nous ne voulons pas être en retard au rendez-vous de l'An 2000. En effet, il nous faudrait au moins deux générations pour faire d'une de nos langues nationales, un instrument efficace pour l'enseignement des sciences et des techniques. Et à condition que nous en eussions les moyens financiers et humains, c'est-à-dire des savants et des techniciens assez qualifiés. Or, en cette seconde moitié du XXe siècle, quarante à cinquante ans de retard, cela ne se rattrape pas[1].»

Dans la pratique, l'enseignement des langues nationales n'a pu commencer qu'en 1978 et il s'est limité aux deux premières années du primaire; en 1980-1981, on ne comptait encore qu'une quinzaine de classes, toutes en wolof, à une exception près: une classe expérimentale de sérère avait été permise par le ministre de l'Éducation «pour calmer certains esprits inquiets de la prééminence accordée au wolof[2]».

Lorsqu'on observe les faits, on constate que les autorités sénégalaises ne songent pas du tout à remettre en question le statut privilégié du français, qui sert avant tout leurs propres intérêts. On semble s'acheminer vers un enseignement trilingue qui consiste d'abord à alphabétiser l'enfant dans sa langue maternelle, puis à lui enseigner le wolof, c'est-à-dire la langue nationale dominante, avant de passer au français pour le reste des études. Dans cette perspective, les langues sénégalaises ne seraient, selon l'hypothèse de Pierre Aumont, «qu'un moyen pédagogique supplémentaire destiné à améliorer l'enseignement du français[3]». Plusieurs indices permettent de croire que telle est effectivement la politique linguistique des autorités sénégalaises:

- — l'alphabétisation des enfants en français a donné jusqu'ici de piètres résultats;
- — toutes les études démontrent que seule l'alphabétisation en langue maternelle est efficace;
- — le wolof est déjà employé comme langue véhiculaire par au moins 80 % de la population et est donc tout indiqué comme langue importante à l'école;
- — la plupart des travaux terminologiques portent sur le wolof;
- — la majorité des parents n'approuvent pas que l'on enseigne à l'école une langue (sa langue maternelle) que l'on parle déjà;
- — 86,6 % des Sénégalais analphabètes veulent apprendre le français pour obtenir une bonne situation;
- — l'État ne peut se passer du français au point de vue administratif, commercial, technologique et scientifique;
- — un enseignement intensif des langues sénégalaises entraînerait une réforme complète et trop coûteuse du système d'enseignement;
- — les recherches terminologiques en wolof ne sont pas achevées: doivent être élaborés quantité de manuels et grammaires scolaires, dictionnaires monolingues, études sociolinguistiques sur les variétés du wolof;
- — les recherches terminologiques dans les autres langues sont à peine amorcées.

1. Cité par Pierre AUMONT, *Le français et les langues africaines au Sénégal*, Paris, Karthala et A.C.C.T., 1983, p. 207.
2. A.K. FALL, cité par Pierre AUMONT, *ibid.*, p. 266.
3. Pierre AUMONT, *op. cit.*, p. 210.

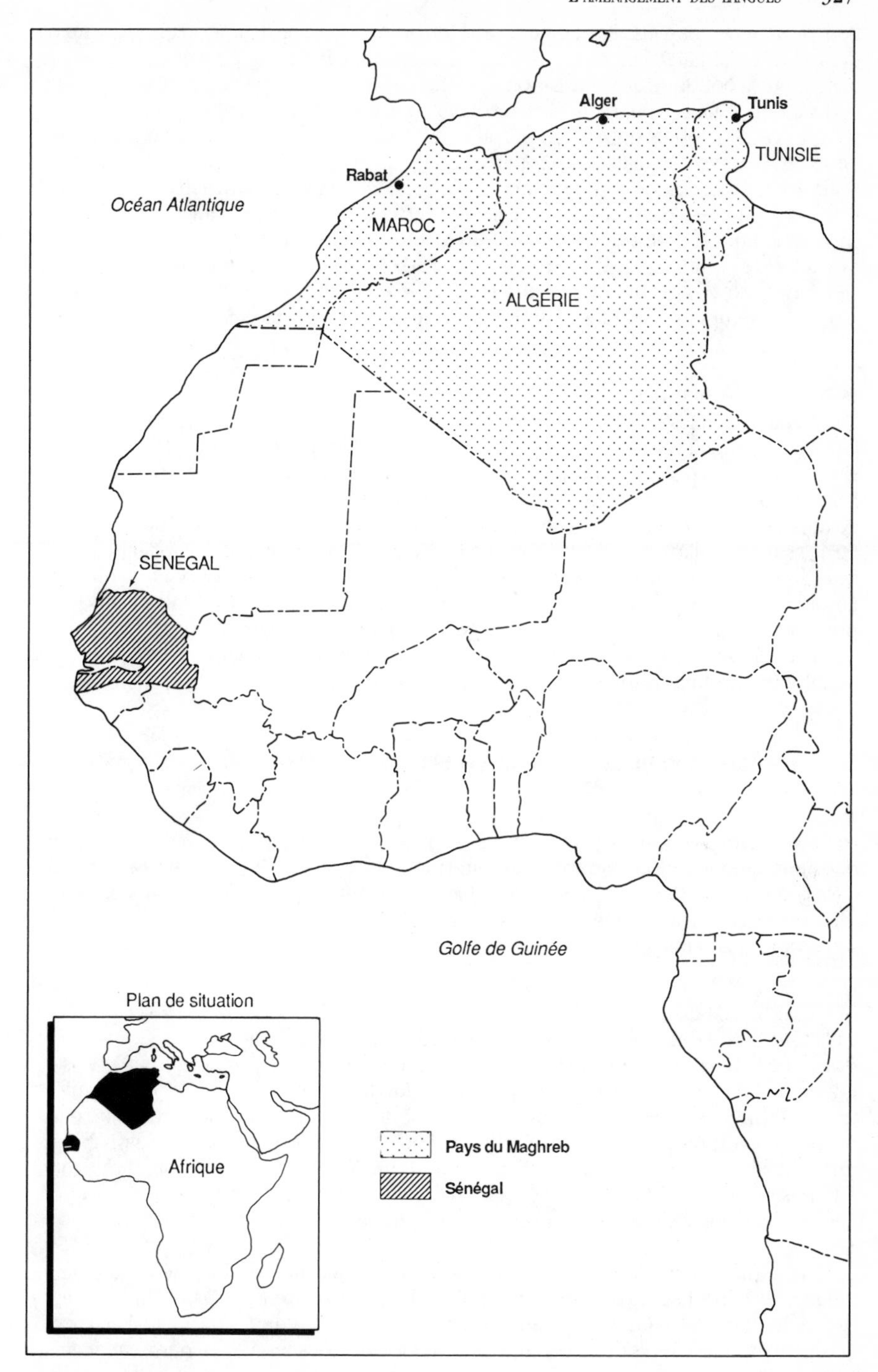

FIGURE 22.1 LE SÉNÉGAL ET LE MAGHREB

Pour toutes ces raisons, la perspective d'introduire comme langue d'enseignement l'une des six langues nationales, voire les six, est donc bien lointaine. Jusqu'à maintenant, toute la politique de valorisation des langues nationales a porté exclusivement sur l'éducation; il faut avouer que les résultats sont encore bien maigres même si des progrès considérables ont été faits depuis une vingtaine d'années. Quant à croire que l'une des langues sénégalaises remplacera un jour le français, c'est une autre histoire! D'abord, il faudrait que tout le système d'enseignement soit «sénégalisé» ou «wolofisé», ce qui n'est pas fait; ensuite, il faudrait choisir l'une des langues nationales (probablement le wolof) pour en faire un instrument de communication dans l'administration, le commerce, les affaires, au travail, dans les sciences, au Parlement, etc. Or, rien ne laisse croire, bien au contraire, que les autorités sénégalaises veulent aller jusque-là. Remplacer le français irait contre leurs propres intérêts!

LA COEXISTENCE PACIFIQUE

Quels que soient les efforts entrepris sur le plan de l'éducation, le français ne deviendra jamais une langue véhiculaire nationale entre les Sénégalais. Le wolof a déjà supplanté le français sur ce plan et son expansion semble maintenant irréversible. On apprend le français au Sénégal parce que c'est le seul moyen efficace de se faire une place dans le système. À la lumière de ces observations, la politique linguistique du Sénégal semble être la suivante: harmoniser à long terme la coexistence des langues sénégalaises et du français pour assurer à la fois la paix sociale et le développement économique du pays. Le jour où le wolof permettrait d'accéder au pouvoir, le français ne deviendrait utile que pour les relations internationales. En ce cas, les perspectives d'avenir du français seraient réduites à celles d'une langue seconde. Mais le Sénégal n'en est pas là: sa décolonisation linguistique vient à peine de s'amorcer.

2 L'ARABISATION DU MAGHREB: LA RÉCUPÉRATION DU POUVOIR

Le mot «Maghreb» désigne un ensemble de pays — Maroc, Algérie, Tunisie — formant une unité géographique (entre la Méditerranée et le Sahara), ethnique (composée d'Arabes et de Berbères), religieuse (l'Islam), culturelle et politique (trois ex-colonies françaises). Pour les données relatives à la population, à la superficie et aux langues, on se reportera au tableau 22.1.

LA SITUATION LINGUISTIQUE

La langue arabe dite classique est la langue dans laquelle fut transmise le Coran. C'est donc une langue essentiellement écrite bien qu'elle serve à la prédication et à l'enseignement. Elle n'est jamais utilisée comme langue maternelle ni dans les communications informelles, et ce, où que ce soit dans le monde arabe. L'arabe officiel adopté dans 32 États correspond à une langue écrite, peu ou pas connue des masses analphabètes, encore mal adaptée à la technologie contemporaine et réservée à une élite dirigeante, administrative et intellectuelle. Pour un habitant du Maghreb, la compréhension de l'arabe classique à partir de son seul dialecte arabe est à peu près impossible.

La langue maternelle des Maghrébins est soit un arabe dialectal, soit une variété de la langue berbère. Les variétés d'arabe dialectal sont nombreuses. Dans chaque pays, différents parlers urbains s'opposent à différents parlers ruraux: toutefois, le dialecte de la capitale tend à exercer une certaine dominance sur tous les autres, permettant ainsi une intercompréhension entre les habitants d'un pays. Parfois utilisé dans les médias électroniques (p. ex., en Tunisie), l'arabe dialectal ne s'écrit pas et ne s'enseigne pas. Quant au berbère, c'est aussi une langue essentiellement orale, fragmentée en de nombreuses variétés dialectales. La proportion généralement admise de berbérophones par rapport à l'ensemble de la population maghrébine est de 40 % à 60 % pour le Maroc, de 15 % à 20 % pour l'Algérie et de moins de 1 % pour la Tunisie. On estime entre 6 et 12 millions le nombre de Berbères au Maghreb; les parlers berbères sont en régression partout, surtout depuis les politiques d'arabisation entreprises par les gouvernements qui, comme en Algérie, pratiquent la discrimination, l'interdiction et même la répression à leur endroit.

Dès le début de la colonisation, soit en 1830 pour l'Algérie, 1811 pour la Tunisie et 1912 pour le Maroc, le français est devenu la seule langue officielle dans tout le Maghreb, occupant une place quasi exclusive dans l'enseignement, l'administration et l'affichage. Pour cette raison, aucun pays n'a pu remplacer du jour au lendemain le français par l'arabe lors de l'avènement de l'indépendance. Bien que l'arabe classique soit devenu la langue officielle des pays du Maghreb, le français conserve encore des positions privilégiées, qui contribuent à faire de la connaissance de cette langue un facteur important de réussite sociale.

L'ARABISATION DE L'ENSEIGNEMENT

Le Maroc, l'Algérie et la Tunisie ont mis un accent particulier sur l'arabisation du monde de l'enseignement. La première année du primaire a été entièrement arabisée en 1961 au Maroc, en 1964 en Algérie et en 1971 en Tunisie. D'après les statistiques de 1980, l'arabisation dans les trois niveaux de l'enseignement est assez avancée bien que variant d'un pays à l'autre du Maghreb. Dans le secteur primaire, au Maroc, l'enseignement est entièrement arabisé pour les quatre premières années, les 5e, 6e et 7e années se faisant moitié en arabe, moitié en français; en Algérie, tout est arabisé et le français est enseigné comme langue seconde dès la 3e année; en Tunisie, les trois premières années sont arabisées et l'enseignement se fait moitié en arabe, moitié en français par la suite. Au secondaire, au Maroc, l'enseignement en arabe compte pour 30 % à 50 %, le reste étant en français; l'Algérie a arabisé tout son enseignement et le français est utilisé comme langue seconde; en Tunisie, seules l'histoire, la géographie et la philosophie sont enseignées en arabe, le reste est en français. À l'université, dans tous les pays, l'arabisation n'est que partielle et restreinte à des domaines comme la philosophie, l'histoire, la géographie, le droit; toutes les sciences sont généralement enseignées en français.

On remarquera que c'est en Algérie que l'arabisation est le plus poussée et au Maroc qu'elle l'est le moins. Le Maroc impose aux élèves un examen d'entrée pour le secondaire, qui comporte trois épreuves dont deux en français. Dans tous les pays du Maghreb, l'arabisation des universités a été ralentie depuis que les étudiants se sont révoltés parce que leurs diplômes arabes ne leur offraient pas de débouchés sur le marché du travail.

	MAROC	ALGÉRIE	TUNISIE
Population	22,9 millions	20,7 millions	6,8 millions
Superficie	447 000 km²	2 376 400 km²	164 150 km²
Colonisation française	1912-1956	1830-1962	1881-1955
Langue officielle	arabe	arabe	arabe
Langues utilisées	arabe dialectal berbère arabe classique français	arabe dialectal berbère arabe classique français	arabe dialectal arabe classique berbère français

TABLEAU 22.1 DONNÉES SUR LE MAGHREB

L'ARABISATION DE L'ADMINISTRATION

Tous les gouvernements ont tenté sans succès d'arabiser la fonction publique et l'administration. Au Maroc, le français exerce partout son hégémonie; les formulaires sont imprimés en français et en arabe, mais la version arabe n'est à peu près jamais utilisée. En Tunisie, on observe le même phénomène, sauf aux ministères de la Justice et de l'Intérieur, qui sont complètement arabisés. Quant à l'Algérie, 20 ans d'efforts sont parvenus à arabiser seulement la Défense, l'Éducation et la Justice. Bref, dans les trois pays du Maghreb, les fonctionnaires résistent farouchement à l'arabisation en maintenant l'hégémonie du français malgré les politiques linguistiques de l'État; tous les gouvernements ont dû capituler devant la résistance tenace de leurs fonctionnaires. Même si ces derniers travaillent en français, ils peuvent répondre en arabe dialectal dans les communications orales au niveau local. Bien que le français se maintienne partout comme langue opérationnelle dans l'administration gouvernementale, l'arabe demeure la seule langue du Parlement dans chacun des pays.

L'ARABISATION DE L'ENVIRONNEMENT

Entendons par «environnement» toutes les situations véhiculées par les médias, la signalisation routière, l'affichage public et commercial, l'étiquetage et les activités culturelles telles que le cinéma et le théâtre. C'est uniquement en 1976 que le gouvernement algérien a commencé à prendre des mesures draconiennes pour faire de l'Algérie un pays qui ait une apparence arabe. L'opération ne s'est pas effectuée sans heurts (p. ex., à Alger, en une nuit, on a remplacé toutes les inscriptions françaises), mais l'objectif a été atteint dans l'ensemble du pays, avec des résultats inégaux, il est vrai: les campagnes sont presque complètement arabisées, mais les villes du Nord résistent davantage. En Tunisie et au Maroc, l'arabisation de l'environnement n'a jamais été un objectif prioritaire, ni pour les autorités, ni pour la population; l'affichage en langue arabe est beaucoup plus avancé en Tunisie qu'au Maroc, où le français occupe encore une place prépondérante. En matière d'état civil? Aucun pays n'a réussi à arabiser ce secteur; le passage du français à l'arabe soulève un océan de difficultés et de problèmes sur le plan de la transcription des noms français en alphabet arabe. Pour l'instant, les registres de décès et d'inhumation sont encore rédigés en français dans les cimetières, particulièrement en Tunisie et au Maroc.

Dans les médias, le bilinguisme est tenace à travers tout le Maghreb. Les journaux paraissent en arabe classique et en français; la radio diffuse également dans ces deux langues, mais aussi en arabe dialectal en Tunisie et en berbère au Maroc. En raison du fort taux d'analphabétisme (53,9 % en Tunisie, 58,5 % en Algérie, 65 % au Maroc), la majorité de la population de ces pays n'a aucun accès à l'information parce qu'elle ne comprend ni l'arabe officiel, ni le français. La Tunisie fait exception, car elle diffuse aussi en arabe tunisien (dialectal), langue parlée par 100 % des habitants.

LE RAPPORT LANGUE-POUVOIR AU MAGHREB

La colonisation a introduit au Maghreb une langue étrangère; celle-ci a acquis un statut de prépondérance qu'elle a conservé après l'indépendance. S'il veut se maintenir, le pouvoir politique se doit de restaurer le statut de la langue arabe en tant que langue nationale légitime. La classe moyenne, celle des petits salariés, des commerçants, des agriculteurs, etc., profite de l'arabisation et appuie ses dirigeants politiques. Par contre, la grande bourgeoisie technocratique, c'est-à-dire les industriels, les financiers, les grands propriétaires terriens, l'élite des carrières libérales, et les employés de l'État dont le pouvoir est solidement établi depuis longtemps tirent profit du bilinguisme franco-arabe; leur pouvoir a même tendance à se renforcer avec la poursuite du développement économique. L'expérience des vingt dernières années démontre que la forte résistance de ces milieux à l'arabisation rapide et totale n'est pas prête de s'atténuer; au contraire. Le pouvoir politique est pris entre deux feux; dans la phase actuelle, le discours officiel contraste avec les entreprises concrètes pour restaurer la langue arabe comme outil de travail et de promotion sociale. Pour le moment, rien ne laisse croire que la prédiction de l'ex-président de l'Algérie, Houari Boumedienne, va se réaliser bientôt: «Le jour où la langue arabe sera un outil de travail et de communication dans les usines pétro-chimiques de Skida et au complexe sidérurgique d'El Hadjar, elle sera la langue du fer et de l'acier. . .[4]».

UN COMPROMIS: EFFICACITÉ ET PLURALISME

De tous les pays du Maghreb, la Tunisie semble représenter le stade le plus avancé de ce qui risque d'être le sort futur des langues dans cette région du monde. Contrairement à l'Algérie et au Maroc, la Tunisie ne compte pratiquement plus d'éléments berbères traditionnellement réfractaires à l'arabisation; il lui est donc plus facile de réaliser l'homogénéisation du pays. Mais l'originalité de la solution tunisienne réside dans son parti pris pour un pluralisme culturel sans complexe et sans dépendance excessive à l'égard d'aucune des cultures, fût-elle arabe[5]. Loin de poursuivre une politique d'arabisation totale, la Tunisie s'achemine vers l'adoption généralisée de l'arabe dialectal tunisien, qui ne craint pas de puiser à la fois dans l'arabe classique et dans le français.

Les déclarations des dirigeants politiques sont révélatrices; déjà en 1968, le président de la Tunisie, Habib Bourguiba, déclarait: «Non, vraiment, l'arabe classique n'est pas la langue du peuple[6]». Son ministre de l'Éducation nationale, pourtant un militant de l'arabisation, rappelait aux étudiants, en 1971: «La tunisification des programmes doit être liée intimement à la réalité nationale. Il faut penser tunisien et éviter l'imitation aveugle d'autrui[7]». L'évolution de la situation tunisienne montre qu'effectivement les dirigeants ne poursuivent plus une arabisation totale et préfèrent promouvoir la langue parlée tunisienne tout en accordant une place de choix au français; il reste à savoir comment on règlera le problème épineux de la version écrite de l'arabe tunisien. Pour le moment, la Tunisie a choisi la voie de l'efficacité et du pluralisme culturel. Au Maroc, l'arabisation totale n'entre pas davantage dans les objectifs du pouvoir, car elle affaiblirait le pays en mécontentant les Berbères; on se sert de l'arabe classique pour maintenir la monarchie et du français pour former l'élite, en évitant toujours d'opposer le berbère à l'arabe. En Algérie, l'intolérance à l'égard du berbère et le nationalisme revendicateur des arabisants trahissent l'incapacité partielle du pouvoir à construire la nation en tenant compte de son triple héritage arabe, berbère et occidental.

***

Il est trop tôt pour prédire de quoi seront faites les langues de demain au Maghreb. Si les politiques linguistiques des pays du Maghreb visaient l'arabisation complète, elles ont échoué; si elles poursuivaient une démarche où l'arabe et la langue française devaient cohabiter au sein de l'État pour assurer un plus grand développement économique, l'entreprise a en partie réussi. Mais il est permis de douter que tel était l'objectif de départ; le réalisme politique a fait en sorte que le Maghreb en est venu à un compromis qui sauve l'orgueil national tout en permettant à l'État de fonctionner. Si, par contre, les États visaient la décolonisation linguistique, tout porte à croire que celle-ci n'est pas pour demain. Les pays du Maghreb font face à de nombreux problèmes à cet égard: l'omniprésence de la langue coloniale, la faiblesse des recherches terminologiques en arabe classique, une langue officielle réservée à l'élite et, par-dessus tout, la mise à l'écart des langues vernaculaires. On ne pourra pas, à long terme, tenir les peuples maghrébins à l'écart de cette entreprise de restauration linguistique. La démarche tunisienne est peut-être un signe avant-coureur de ce qui se passera demain à l'échelle de tout le monde arabe, mais les politiques linguistiques actuelles des autres

4. Cité par Gilbert GRANDGUILLAUME, *Arabisation et politique linguistique au Maghreb*, Paris, Éditions G.-P. Maisonneuve et Larose, 1983, p. 127.
5. *Ibid.*, p. 68.
6. *Ibid.*, p. 63.
7. *Ibid.*, p. 65.

pays ne semblent pas pour le moment s'engager dans cette voie. C'est ce qui explique en partie l'échec des politiques arabes de décolonisation linguistique. Le résultat dépendra de la synthèse qui sera faite des richesses léguées par un pluralisme restitué grâce à l'arabisation.

3 MADAGASCAR: LA RÉAPPROPRIATION D'UNE LANGUE NATIONALE

Madagascar est un État constitué par une grande île (587 041 km²) de l'océan Indien que le canal de Mozambique sépare de l'Afrique (*voir la figure 22.2*). Le peuplement est d'origine africaine mais, à la fin du Moyen Âge, l'île fut dominée par les Merinas venus de l'archipel indonésien. Ceux-ci y ont exercé leur prépondérance sur les populations d'origine, qui se trouvent aujourd'hui refoulées dans les plaines côtières; les Merinas, eux, se sont installés sur les hautes terres de l'intérieur autour de la capitale, Tananarive. Les rivalités sont toujours restées importantes entre le groupe dominant et les côtiers.

DU FRANÇAIS AU MALGACHE

Colonie française de 1895 à 1960, Madagascar a utilisé le français comme seule langue officielle durant toute cette période. Au lendemain de l'Indépendance, le français et le malgache sont devenus les deux langues officielles de la République malgache, engendrant une véritable situation néo-coloniale, où les firmes françaises et les Français conservaient la plupart de leurs privilèges. En 1972, un régime d'orientation socialiste plus radicale s'est installé au pouvoir et a entrepris la nationalisation des grandes compagnies françaises. Le nouveau gouvernement proclama ensuite la malgache seule langue officielle de la République.

UNE POLITIQUE LINGUISTIQUE ÉTAPISTE

L'imposition du malgache ne s'est pas réalisée sans difficultés. C'est la langue des Merinas qui sert de malgache officiel; d'où les revendications violentes de la part des populations côtières, une cinquantaine d'ethnies malgaches, qui considèrent le malgache officiel comme une tentative de «merinisation». La situation est devenue tellement explosive qu'il est apparu plus sage de maintenir un peu de français sur une base provisoire, la langue coloniale ayant l'avantage d'être plus acceptée par les côtiers que le malgache officiel.

Si le français n'a plus le statut de langue officielle, il continue d'être utilisé avec le malgache dans les débats du Parlement ainsi que dans les réunions du Conseil des ministres; les lois continuent d'être rédigées dans les deux langues. L'enseignement est entièrement malgachisé au primaire et au secondaire; on enseigne le français comme langue seconde dès le premier cycle du secondaire et le français est permis comme langue d'enseignement au deuxième cycle pour les professeurs étrangers qui ne connaissent pas suffisamment le malgache. Le français demeure encore très largement utilisé à l'université. Là aussi, la malgachisation paraît irréversible à long terme et les commissions terminologiques préparent la relève.

Dans le domaine de l'information, le résultat de la malgachisation est plus ambigu: la presse écrite nationale ne paraît qu'en malgache et la radio ne diffuse en français que deux heures par jour, entre 22 h et 24 h. En revanche, la télévision et le cinéma fonctionnent presque uniquement en français parce que Madagascar n'a pas les moyens de réaliser ses propres émissions et ses films en langue malgache; on achète, dans une proportion de 95 %, des productions réalisées en France, en Belgique, en Suisse ou au Canada.

L'administration publique s'est «malgachisée» sur le plan des communications verbales avec les citoyens, mais la langue de travail et les communications écrites se font en français. C'est la concession que les autorités ont dû faire pour calmer les côtiers. Pour les tribunaux, le malgache est de rigueur, mais le français est toléré, sinon courant, dans les hautes cours de justice.

En résumé, Madagascar se dirige vers un unilinguisme malgache en assimilant les groupes ethniques qui ne parlent pas le merina. Le français sert de mesure provisoire pour ne pas nuire au bon fonctionnement de l'État et pour contenter les nationalistes malgaches, qui refusent de se faire imposer le merina. Le maintien du français sert aussi à former l'élite du pays, ce qui semble paradoxal pour les Merinas, dont l'endoctrinement patriotique a conduit à la «malgachisation» et à l'élimination du français. On constate en effet que les dirigeants merinas envoient leurs enfants dans les écoles françaises, eux qui ont tout fait pour éliminer cette langue. Cela entraîne des protestations chez les populations côtières, qui considèrent que leurs enfants seront défavorisés s'ils ne savent pas le français. À plus ou moins long terme, le français ne devrait toutefois plus servir qu'à assurer les échanges commerciaux et scientifiques sur le plan international. Bien que le français soit bien placé pour remplir ce rôle, le sentiment anti-français est demeuré si tenace qu'il n'est pas impossible que Madagascar bascule dans l'aire anglo-saxonne, car l'attraction de l'anglais est très forte dans ce pays.

***

Comme on le constate, les politiques de décolonisation n'aboutissent pas au même résultat. La réappropriation de la langue nationale s'est faite contre le français à Madagascar comme elle s'était réalisée contre le néerlandais en Indonésie. En revanche, l'arabisation du Maghreb, surtout au Maroc et en Tunisie, semble favoriser davantage le pluralisme; il est probable que le Sénégal, comme d'autres pays d'Afrique noire francophone, s'acheminera vers une solution relativement semblable: promouvoir une langue nationale sans rejeter tous les apports de la langue coloniale. On ne se débarrasse pas aisément d'une langue coloniale à moins que le consensus social ne soit suffisamment fort pour qu'on puisse imposer une langue nationale dans toutes les sphères du pouvoir. Encore faut-il avoir une langue nationale, et que cette langue ait bénéficié d'importants travaux de restauration terminologique. Ces facteurs font présentement défaut dans la plupart des pays arabes, mais ils ont joué pour l'hébreu en Israël et l'indonésien en Indonésie; ils jouent peu au Sénégal, beaucoup plus à Madagascar et au Québec. De la coexistence de tous ces facteurs, dépend la réussite ou l'échec de la politique linguistique de libération.

***

Quand on observe les différentes politiques linguistiques, on est bien forcé d'admettre que la plupart sont planifiées pour assurer la dominance de la langue majoritaire. Les politiques de non-intervention, les politiques d'assimilation et les politiques de bilinguisme institutionnel sont particulièrement favorables à la langue dominante et celle-ci est presque toujours sûre de l'emporter.

Quant aux politiques visant à protéger les langues minoritaires, comme la non-discrimination, le statut juridique différencié ou encore le bilinguisme institutionnel, les faits démontrent qu'elles ont pour résultat de maximaliser les droits de la majorité et de minimiser ceux des minorités. Les politiques qui consistent à utiliser des solutions territoriales plutôt que des solutions personnelles semblent supérieures pour ce qui est de la protection des langues, dans la mesure où on arrive à séparer les langues, sur un territoire, par des frontières rigides et sécurisantes. En somme, seul l'unilinguisme territorial permet ce type de protection parce qu'il élimine la concurrence entre les langues, c'est-à-dire l'affrontement pour la dominance.

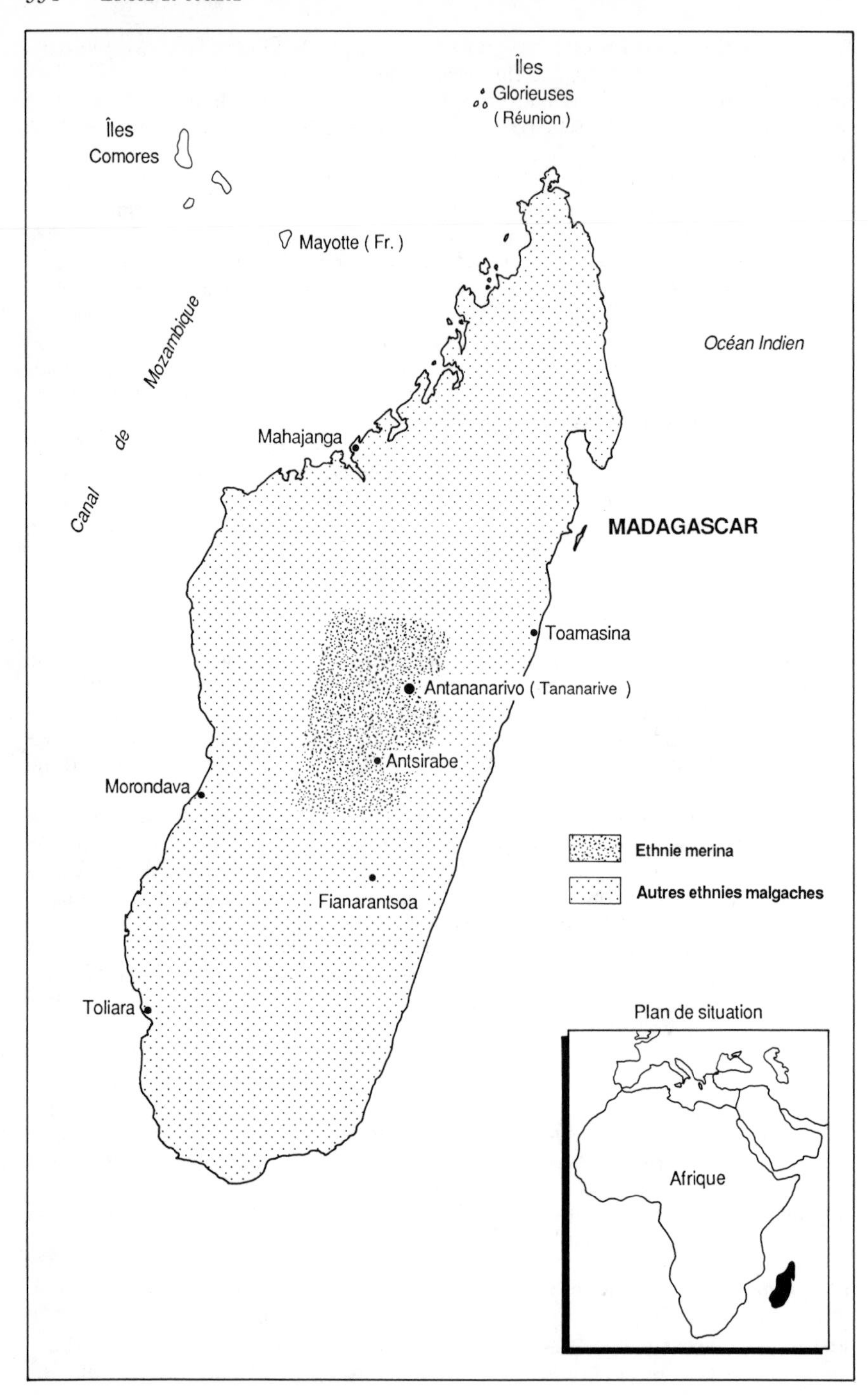

FIGURE 22.2 MADAGASCAR

Par ailleurs, les politiques de décolonisation ou de libération linguistique semblent particulièrement difficiles à appliquer parce qu'elles doivent renverser un ordre établi parfois depuis plusieurs siècles. Ces entreprises, pourtant légitimes, peuvent réussir à force de patience et de détermination, surtout si elles ont pour objectif la primauté de la langue parlée par l'ensemble de la population. La difficulté est de concilier les exigences de la libération nationale et le développement économique du pays.

De façon générale, les politiques linguistiques élaborées dans la plupart des États ne cherchent pas à protéger les langues minoritaires; tout au plus servent-elles à éviter les conflits ouverts en attendant que la langue dominante prenne éventuellement tout le terrain. Sinon, les États feraient tout en leur pouvoir pour adopter des solutions territoriales qui empêcheraient la glottophagie naturelle à l'égard des langues minoritaires. Peu d'entre eux se résignent à utiliser des solutions territoriales qui permettent l'établissement de frontières sécurisantes pour la minorité. C'est pourtant la seule façon d'assurer une égalité de fait entre des groupes le moindrement disproportionnés. Autrement, les États ne font que se donner bonne conscience en adoptant des solutions utopiques comme le seul bilinguisme institutionnel, l'autonomie régionale, la non-discrimination ou toute autre solution de type personnel.

À RETENIR

La planification ou l'aménagement linguistique consiste en un effort délibéré pour modifier l'évolution normale d'une langue ou l'interaction entre des langues; la planification peut porter sur le code (la langue) ou sur le statut (son rôle social), ou encore, sur les deux aspects à la fois.

Un État qui improvise ou qui néglige de tenir compte de certaines modalités d'aménagement linguistique court fatalement à un échec dont les coûts financiers, politiques et sociaux peuvent être considérables; une mauvaise planification linguistique peut engendrer d'intolérables frustrations et attiser davantage les conflits plutôt que de les résoudre.

L'interventionnisme de l'État a ses limites: il faut miser sur le consensus social, tenir compte du poids de ceux qui ont intérêt à maintenir le statu quo, se méfier des clauses constitutionnelles qui garantissent une égalité juridique sans la traduire dans les faits, être conscient de la relativité de l'égalitarisme entre des communautés linguistiques inégales, reconnaître que les domaines de l'intervention se restreignent aux domaines que contrôle l'État.

Toute politique de non-intervention selon laquelle on choisit la voie du laisser-faire équivaut à une politique d'assimilation en douce non déclarée, à l'avantage de la langue dominante; en témoignent l'expérience des États-Unis, du Mexique, de la quasi-totalité des États d'Amérique du Sud et d'un grand nombre d'États d'Afrique ou d'Asie, sans oublier la plupart des provinces anglaises du Canada.

Les politiques d'assimilation existent dans à peu près tous les États à un degré ou à un autre; cependant, certains utilisent des moyens d'intervention particulièrement centralisateurs et répressifs pour accélérer le processus d'élimination des langues minoritaires. Les politiques du Brésil, de la Chine, de l'Indonésie et des États du Kurdistan montrent l'efficacité et les limites d'une telle intervention.

La formule de la non-discrimination linguistique comme moyen de protection, telle que pratiquée dans des États comme l'Autriche et plusieurs pays socialistes, favorise dans les faits l'assimilation des minorités; cette formule n'assure aucune autonomie et permet encore moins une égalité entre les groupes.

Certains États accordent des privilèges à leurs langues minoritaires par la formule du statut juridique différencié; cette formule efficace et facile à appliquer, adoptée aux Pays-Bas, en France et en Ontario, consiste à calmer les renvendications des minoritaires tout en évitant de froisser ou d'indisposer la majorité.

La formule du bilinguisme institutionnel vise en principe l'égalité entre deux groupes linguistiques; l'expérience du Vanuatu, du Cameroun, du Nouveau-Brunswick et du gouvernement du Canada démontre qu'en donnant des droits égaux à des langues inégales, on ne peut produire des situations égalitaires; le bilinguisme institutionnel seul ne peut servir à protéger les minorités mais, associé à d'autres formules de type territorial, il peut être efficace.

Le mélange des formules de bilinguisme institutionnel et de droits personnels localisés, en Finlande, offre des avantages certains par rapport à d'autres formules; cependant, le modèle finlandais présente l'inconvénient d'un statut soumis aux modifications des recensements décennaux.

L'autogouvernance dont jouissent les minorités selon la formule de l'autonomie régionale (en Espagne et en Italie) constitue une solution médiocre comme moyen de protection d'une minorité; entre le principe de l'unité et celui de l'autonomie, c'est le principe d'unité de l'État qui prévaut: les migrations internes défavorisent le groupe minoritaire et l'attraction de la langue dominante risque de s'accroître avec le temps.

L'originalité de la solution yougoslave est qu'on a su combiner la formule de la personnalité (ou droits personnels) à celle de la territorialité pour maintenir une certaine égalité entre une trentaine de nationalités; la protection est quasi absolue entre le serbo-croate, le slovène et le macédonien, et plus relative pour les petites communautés, qui bénéficient néanmoins de frontières linguistiques locales assez sécurisantes.

Les solutions territoriales appliquées en Inde, en Belgique (à l'exception du cas du Bruxelles) et en Suisse semblent des cas réussis de protection linguistique; les groupes minoritaires importants de ces pays ont toutes les chances de se maintenir grâce à la séparation des langues à l'intérieur de frontières linguistiques rigides et sécurisantes.

Les solutions linguistiques pratiquées par la Norvège et Israël montrent que ce type d'intervention ne peut réussir que si l'on tient compte de la pression sociale et idéologique d'une langue: les langues ne sont pas de simples instruments de communication.

L'aménagement linguistique au Québec est axé sur les droits personnels pour la minorité anglophone et l'unilinguisme territorial pour la majorité francophone; les résultats sont positifs pour la langue de la majorité, mais le statut du français au Québec demeure toujours fragile et, dans le contexte anglo-américain, risque de rester une source permanente d'inquiétudes; en revanche, les droits personnels accordés à la minorité anglophone ne lui ont pas fait perdre son pouvoir d'attraction tant le contexte actuel la favorise; bref, même le principe de l'inégalité compensatoire ne procure pas une sécurité certaine à la majorité, ce qui démontre sa faiblesse.

Les politiques de décolonisation ou de libération linguistique appliquées au Sénégal, au Maroc, en Algérie, en Tunisie, à Madagascar, voire au Québec, révèlent qu'un tel projet de société connaît immanquablement ses hauts et ses bas, et que l'on ne se débarrasse pas aisément d'une langue impériale; toutefois l'entreprise demeure possible, comme l'on démontré les expériences de l'Indonésie, d'Israël et, dans une moindre mesure, celle de Madagascar.

En résumé, on est bien forcé d'admettre que la plupart des interventions linguistiques sont planifiées pour assurer d'abord la suprématie de la langue dominante; dans le domaine de la protection des langues, seul l'unilinguisme territorial se révèle efficace parce qu'il élimine la concurrence entre langue(s) forte(s) et langue(s) faible(s).

BIBLIOGRAPHIE

ABOU, Sélim. «Portée et limites de l'État dans la planification linguistique», dans *L'État et la planification linguistique*, tome I, Québec, Éditeur officiel du Québec, 1981, p. 153-175.

ALLONY-FAINBERG, Yaffa. «Les mises en œuvre des ressources disponibles en vue de la création et de l'implantation d'une terminologie», dans *L'État et la planification linguistique*, tome I, Québec, Éditeur officiel du Québec, 1981, p. 133-152.

AUGER, Michel C. «La situation des minorités francophones demeure fragile», dans *La Presse*, Montréal, 23 mars 1983.

AUGER, Michel C. «Loi 101 et affichage: la liberté d'expression donne-t-elle le droit de choisir la LANGUE d'expression?», dans *La Presse*, Montréal, 14 janvier 1985.

AUGER, Michel C. «Le français recule partout au Canada sauf au Québec», dans *La Presse*, Montréal, 26 janvier 1985.

B., Anaïs. «La Grande langue russe ou l'anti-Babel», dans *L'Alternative*, Paris, n°s 27-28, mai-août 1984, p. 33-35.

BARBAUD, Philippe. «La langue de l'État — l'état de la langue», dans *La norme linguistique*, Québec/Paris, Gouvernement du Québec/Le Robert, 1983, p. 395-414.

BÉDARD, Édith et Daniel MONNIER. *Conscience linguistique des jeunes Québécois*, tome I, Québec, Éditeur officiel du Québec, 1981, 164 p.

BIBEAU, Gilles. *L'éducation bilingue en Amérique du Nord*, Montréal, Guérin, 1982, 201 p.

BISSONNETTE, Lise. «L'Ouest francophone: la Constitution n'a encore rien changé», dans *Le Devoir*, Montréal, 17 février 1983.

BOUTHILLIER, Guy. «Aux origines de la planification linguistique québécoise», dans *L'État et la planification linguistique*, tome II, Québec, Éditeur officiel du Québec, 1981, p. 7-22.

BOUTHILLIER, Guy. «La loi 101: une peau de chagrin», dans *Actes du congrès «Langue et société au Québec»*, tome II, Québec, Éditeur officiel du Québec, p. 405-409.

BRIGOULEIX, Bernard. «La mosaïque belge», dans *Le Monde diplomatique*, Paris, novembre 1983.

BRUGUIÈRE, Michel. *Pitié pour Babel: un essai sur les langues*, Paris, Nathan, 1978, 125 p.

BRUHAT, Jean. *Histoire de l'Indonésie*, Paris, P.U.F., coll. «Que sais-je?», n° 801, 1976, 126 p.

CALVET, Louis-Jean. «L'alphabétisation ou la scolarisation: le cas du Mali», dans *L'État et la planification linguistique*, tome II, Québec, Éditeur officiel du Québec, 1981, p. 163-172.

CALVET, Louis-Jean. *Les langues véhiculaires*, Paris, P.U.F., coll. «Que sais-je?», n° 1916, 1981, 128 p.

CASTONGUAY, Charles. «De plus en plus le Canada s'anglicise», dans *La Presse*, Montréal, 4 juillet 1983.

CHARPENTIER, Jean-Michel. «La francophonie en Mélanésie, extension et avenir», dans *Anthropologie et sociétés*, vol. 6, n° 2, Québec, Département d'anthropologie de l'Université Laval, 1982, p. 107-126.

CHEVRIER, Richard. *Le français au Canada, situation à l'extérieur du Québec*. Québec, Conseil de la langue française, Notes et documents n° 32, 1983, 61 p.

CHOURAQUI, André. *L'État d'Israël*, Paris, P.U.F., coll. «Que sais-je?», n° 673, 1984, 127 p.

CLIFT, Dominique et Sheila McLEOD ARNOPOULOS. *Le fait anglais au Québec*, Montréal, Libre Expression, 1979, 277 p.

COMMISSAIRE AUX LANGUES OFFICIELLES. *Rapport annuel 1984*, Ottawa, ministère des Approvisionnements et Services Canada, 1985, 263 p.

CONSEIL DE LA LANGUE FRANÇAISE. *Avis du Conseil de la langue française sur la situation linguistique actuelle*, Québec, Conseil de la langue française, 25 janvier 1985, 47 p.

COOPER, Robert L. «Un cadre analytique pour l'étude de la diffusion des langues: le cas de l'hébreu moderne», dans *Revue internationale des sciences sociales*, vol. XXXVI, n° 1, Paris, Unesco, 1984, p. 87-114.

CORBEIL, Jean-Claude. «Défis linguistiques de la francophonie», dans *Langages et collectivités: le cas du Québec*, Ottawa, Leméac, 1981, p. 269-281.

CORBEIL, Jean-Claude. «Éléments d'une théorie de la régulation linguistique», dans *La norme linguistique*, Québec/Paris, Gouvernement du Québec/Le Robert, 1983, p. 281-303.

CORBEIL, Jean-Claude. *L'aménagement linguistique du Québec*, Montréal, Guérin, 1980, 154 p.

CREISSELS, Denis. «Multilinguisme et politique linguistique en Yougoslavie et en particulier dans la région autonome de Voïvodine», dans *L'État et la planification linguistique*, tome II, Québec, Éditeur officiel du Québec, 1981, p. 213-236.

DAOUST-BLAIS, Denise. «La planification linguistique au Québec: un aperçu des lois sur la langue», dans *Revue québécoise de linguistique*, vol. 12, n° 1, Montréal, Université du Québec à Montréal, 1982, p. 9-75.

DAOUST-BLAIS, Denise et André MARTIN. «La planification linguistique au Québec: aménagement du corpus linguistique et promotion du statut du français», dans *L'État et la planification linguistique*, Québec, Éditeur officiel du Québec, 1981, p. 43-69.

DEPREZ, Kas. «Comparaison sociolinguistique du flamand en français canadien», dans *Langages et collectivités: le cas du Québec*, Ottawa, Leméac, 1981, p. 181-200.

DESSEMONTET, François. *Le droit des langues en Suisse*, Québec, Éditeur officiel du Québec, 1984, 150 p.

DE VOS, Pierre. «Les querelles communautaires: Babel-gique», dans *Le Monde diplomatique*, Paris, novembre 1983.

DION, Léon. «L'État, la planification linguistique et le développement national», dans *L'État et la planification linguistique*, tome I, Québec, Éditeur officiel du Québec, 1981, p. 13-35.

DION, Léon. *Pour une véritable politique linguistique*, Québec, Gouvernement du Québec, ministère des Communications, 1981, 52 p.

DONNEUR, André. «La solution territoriale au problème du multilinguisme», dans *Les États multilingues, problèmes et solutions*, Québec, Presses de l'Université Laval, CIRB, 1975, p. 209-226.

DUMONT, Pierre. *Le français et les langues africaines au Sénégal*, Paris, Karthala et A.C.C.T., 1983, 380 p.

FALCH, Jean. *Contribution à l'étude du statut des langues en Europe*, Québec, Presses de l'Université Laval, CIRB, 1973, 280 p.

FÉDÉRATION DES FRANCOPHONES HORS QUÉBEC. *Les héritiers de Lord Durham*, vol. 1, Ottawa, La Fédération des francophones hors Québec, 1977, 125 p.

FISHMAN, Joshua et Haya FISHERMAN. «The Official languages of Israel: Their Status in Law and Police Attitudes and Knowledge Concerning Them», dans *Les États multilingues, problèmes et solutions*, Québec, Presses de l'Université Laval, CIRB, 1975, p. 497-535.

GAUTHIER, Guy. «La Corse de la dernière chance», dans *Langue dominante, langues dominées*, Paris, Edilig, 1982, p. 109-121.

GÉMAR, Jean-Claude. *Les trois états de la politique linguistique du Québec*, Québec, Éditeur officiel du Québec, 1983, 201 p.

GEORGE, Pierre. *Géopolitique des minorités*, Paris, P.U.F., coll. «Que sais-je?», n° 2189, 1984, 127 p.

GEORGEAULT, Pierre. *Conscience linguistique des jeunes Québécois*, tome II, Québec, Éditeur officiel du Québec, 1981, 158 p.

GRANDGUILLAUME, Gilbert. *Arabisation et politique linguistique au Maghreb*, Paris, Éditions G.-P. Maisonneuve et Larose, 1983, 214 p.

GRAU, Richard. *Le statut juridique de la langue française en France*, Québec, Éditeur officiel du Québec, 1981, 154 p.

GRAU, Richard. *Les langues et les cultures minoritaires en France*, Québec, Éditeur officiel du Québec, CLF, 1985, 471 p.

HAMEL, Rainer Enrique. «Conflit socioculturel et éducation bilingue: le cas des Indiens otomi au Mexique», *Revue internationale des sciences sociales*, vol. XXXVI, n° 1, Paris, Unesco, 1984, p. 115-131.

HASQUIN, Hervé. *Historiographie et politique, essai sur l'histoire de la Belgique et la Wallonie*, Charleroi, Institut Jules Destrée, 1981, 139 p.

HAVEL, J.E. *La Finlande et la Suède*, Sherbrooke (Qué.), Naaman, 1978, 175 p.

HERREMANS, M.-P. «L'impossible modèle linguistique», dans *Langages et collectivités: le cas du Québec*, Ottawa, Leméac, 1981, p. 201-214.

HUMBLET, Jean E. «Le problème des langues dans les organisations internationales», *Revue internationale des sciences sociales*, vol. XXXVI, n° 1, Paris, Unesco, 1984, p. 149-161.

JOY, Richard-J. «Les langues officielles parlées au Canada», dans *Le Devoir*, 1er septembre 1984.

KATRE, S.M. «The Case for India», dans *Les États multilingues, problèmes et solutions*, Québec, Presses de l'Université Laval, CIRB, 1975, p. 553-591.

KHAN, Jooneed. «Le Pundjab sous la botte», dans *La Presse*, Montréal, 20 novembre 1984.

KHELLIL, Mohand. «Le trilinguisme des Kabyles: une richesse et une menace», dans *Anthropologie et sociétés*, vol. 7, n° 3, Québec, Département d'anthropologie de l'Université Laval, 1983, p. 97-108.

KHUBCHANDANI, Lachman M. «La modernisation des langues dans le Tiers Monde», dans *Revue internationale des sciences sociales*, vol. XXXVI, n° 1, Paris, Unesco, 1984, p. 175-194.

KLINKENBERG, Jean-Marie. «Français et parlers germaniques en Belgique orientale», dans *Langages et collectivités: le cas du Québec*, Ottawa, Leméac, 1981, p. 215-235.

KLOSS, Heinz. *Les droits linguistiques des Franco-Américains aux États-Unis*, Québec, Presses de l'Université Laval, CIRB, 1970, 83 p.

LAMARCHE, Ginette. «À quand le bilinguisme de demain?», dans *La Presse*, Montréal, 28 avril 1985.

LAPONCE, Jean A. «Relating Linguistic to Political Conflicts: The Problem of Language Shift in Multilingual Societies», dans *Les États multilingues, problèmes et solutions*, Québec, Presses de l'Université Laval, CIRB, 1975, p. 185-207.

LAPONCE, Jean A. «La distribution géographique des groupes linguistiques et les solutions personnelles et territoriales aux problèmes de l'État bilingue», tome I, Québec, Éditeur officiel du Québec, 1981, p. 83-106.

LAPONCE, Jean A. *Langue et territoire*, Québec, Presses de l'Université Laval, CIRB, 1984, 265 p.

LAVOIE, Gilbert. «Le bilinguisme institutionnel ne doit pas être imposé à l'Ontario», dans *La Presse*, Montréal, 5 mars 1985.

LAVOIE, Gilbert. «Ottawa doit donner des dents à la Loi sur les langues officielles», dans *La Presse*, Montréal, 27 mars 1985.

LEBLANC, Gérald. «La saga de la loi 101», dans *La Presse Plus*, Montréal, 26 janvier 1985.

LENGYEL, Catherine et Dominic WATSON. *La situation de la langue française en Colombie-Britannique*, Québec, Éditeur officiel du Québec, 1983, 99 p.

LESSARD, Denis. «Les francophones plus anglicisés qu'il y a dix ans», dans *La Presse*, Montréal, 17 octobre 1983.

LÉVESQUE, Lia. «Une loi souple malgré les apparences», dans *La Presse*, Montréal, 28 novembre 1983.

LINZ, Juan J. «Politics in a Multi-Lingual Society with a Dominant World Language: The Case of Spain», dans *Les États multilingues, problèmes et solutions*, Québec, Presses de l'Université Laval, CIRB, 1975, p. 367-444.

LISÉE, Jean-François. «La Catalogne, l'autre Québec», dans *La Presse Plus*, Montréal, 16 juillet 1983.

LOBELLE, Jan. «Le Québec et la Flandre, étude comparative de situations sociolinguistiques», dans *Anthropologie et sociétés*, vol. 6, n° 2, Québec, Département d'anthropologie de l'Université Laval, 1982, p. 131-140.

LOCHER, Uli. *Conscience linguistique des jeunes Québécois*, tome III, Québec, Éditeur officiel du Québec, 1983, 219 p.

LOCHER, Uli. *Conscience linguistique des jeunes Québécois*, tome IV, Québec, Éditeur officiel du Québec, 1983, 158 p.

LOPEZ-ARELLANO, Jose. «Diglossie et société au Mexique», dans *Anthropologie et sociétés*, vol. 7, n° 3, Québec, Département d'anthropologie de l'Université Laval, 1983, p. 41-61.

MACKEY, William F. «L'irrédentisme linguistique: une enquête témoin», dans *Plurilinguisme: normes, situations, stratégies*, textes réunis et présentés par G. MANESSY et P. WALD, Paris, l'Harmattan, 1979, p. 257-284.

MACKEY, William F. *Bilinguisme et contact des langues*, Paris, Klincksieck, 1976, 539 p.

MAMMERI, Mouloud, «L'expérience vécue et l'expression littéraire en Algérie» dans *Dérives*, Montréal, n° 49, 1985, p. 7-24.

MARTIN, André. «L'expérience de la planification linguistique en Norvège», dans *L'État et la planification linguistique*, tome II, Québec, Éditeur officiel du Québec, 1981, p. 173-212.

McLEOD ARNOPOULOS, Sheila. *Hors du Québec, point de salut?*, Montréal, Libre Expression, 1982, 287 p.

MEISEL, John. «L'identification du problème linguistique: données socio-linguistiques et commissions d'enquête», dans *L'État et la planification linguistique*, tome I, Québec, Éditeur officiel du Québec, 1981, p. 57-82.

MICHAUD, Achille. «Le Nouveau-Brunswick a perdu son titre de province de l'harmonie», dans *La Presse*, Montréal, 22 décembre 1984.

MONBEIG, Pierre. *Le Brésil*, Paris, P.U.F., coll. «Que sais-je?», n° 628, 1983, 128 p.

MORE, Christiane. *Les Kurdes aujourd'hui*, Paris, L'Harmattan, 1985, 310 p.

MYHUL, Ivan. «La politique des nationalités en URSS, de Brejnev à Tchernenko», dans *L'Alternative*, n°s 27-28, Paris, mai-août 1984, p. 27-32.

NGA MINKALA, Alice. «Le difficile équilibre du bilinguisme au Cameroun», dans *La Presse Plus*, Montréal, 8 septembre 1984.

NOËL, André. «L'affichage unilingue contrevient à la Charte québécoise des droits», dans *La Presse*, Montréal, 3 janvier 1985.

NOËL, André. «Les jeunes se soucient peu de la survie du français», dans *La Presse*, Montréal, 18 avril 1985.

PATRY, André. «L'Inde au pluriel», dans *Le Devoir*, Montréal, 29 avril 1985.

PATRY, Réjean M. *La législation linguistique fédérale*, Québec, Éditeur officiel du Québec, 1981, 108 p.

PAVAO, Joao Bosco. *Le Brésil linguistique* (à paraître), Québec, Éditeur officiel du Québec.

PLOURDE, Michel. «La langue française au Québec, bilan d'une décennie», dans *La Presse*, Montréal, 14 février 1983.

PLOURDE, Michel, «La langue française au Québec, les conditions de l'avenir», dans *La Presse*, Montréal, 15 février 1984.

PLOURDE, Michel. «Bilan de l'application des politiques linguistiques des années 70 au Québec», dans *Actes du congrès «Langue et société au Québec»*, Québec, Éditeur officiel du Québec, 1984, p. 41-66.

POULIN, Richard. *La politique des nationalités en République populaire de Chine*, Québec, Éditeur officiel du Québec, 1984, 210 p.

PROULX, Jean-Pierre. «La bataille du français au Manitoba», dans *Le Devoir*, Montréal, 3 février 1984.

PRUJINER, Alain. «Contraintes juridico-politiques inhérentes à l'intervention étatique», dans *L'État et la planification linguistique*, tome I, Québec, Éditeur officiel du Québec, 1981, p. 37-56.

QUIX, Marie-Paule et Peter H. NELDE. «La planification linguistique en Belgique», dans *L'État et la planification linguistique*, tome II, Québec, Éditeur officiel du Québec, 1981, p. 117-140.

RUBIN, Joan. «Bilan des différents types de mise en œuvre de la planification linguistique», dans *L'État et la planification linguistique*, tome I, Québec, Éditeur officiel du Québec, 1981, p. 107-132.

RUBIN, Joan et Roger SHUY. *Language Planning: Current Issues and Research*, Washington, Georgetown University Press, 1973.

SCHWAB, Wallace. *Recueil des textes législatifs sur l'emploi des langues*, Québec, Éditeur officiel du Québec, CLF, 1979.

SENELLE, Robert. *La réforme de l'État belge*, tome II, Bruxelles, ministère des Affaires étrangères, du Commerce extérieur et de la Coopération au développement, 1979, 490 p.

SENELLE, Robert. *La réforme de l'État belge*, tome III, Bruxelles, ministère des Affaires étrangères, du Commerce extérieur et de la Coopération au développement, 1980, 291 p.

SNOW, Gérard. *Les droits linguistiques des Acadiens du Nouveau-Brunswick*, Québec, Éditeur officiel du Québec, 1981, 123 p.

TAILLEFER, Jean. «Vers une Wallonie nouvelle: 1. D'abord, un monstre politique à mâter», dans *La Presse*, Montréal, 1er novembre 1982.

TAILLEFER, Jean. «Vers une Wallonie nouvelle: 2. Un peuple qui se prend en main», dans *La Presse*, Montréal, 2 novembre 1982.

TAILLEFER, Jean. «Vers une Wallonie nouvelle: 3. Bruxelles, tour de Babel, tour de Pise», dans *La Presse*, Montréal, 3 novembre 1982.

TOURET, Bernard. *L'aménagement constitutionnel des États du peuplement composite*, Québec, Presses de l'Université Laval, CIRB, 1973, 259 p.

TURCOTTE, Denis. «Analyse comparée de la planification linguistique en Côte d'Ivoire et à Madagascar», dans *L'État et la planification linguistique*, tome II, Québec, Éditeur officiel du Québec, p. 141-162.

TURCOTTE, Denis. *La politique linguistique en Afrique francophone*, Québec, Presses de l'Université Laval, CIRB, 1981, 219 p.

TURCOTTE, Denis. «La francophonie océanienne: situation actuelle et évolution future», dans *Québec français*, n° 45, Québec, mars 1982, p. 23-25.

TURCOTTE, Denis. *Lois, règlements et textes administratifs sur l'usage des langues en Afrique occidentale française (1826-1959)*, Québec, Presses de l'Université Laval, CIRB, 1983, 117 p.

TURI, Giuseppe. *Les dispositions juridico-constitutionnelles de 147 États en matière de politique linguistique*, Québec, Presses de l'Université Laval, CIRB, 1977.

VERDOODT, Albert. *Les droits linguistiques des immigrants*, Québec/Bruxelles, Conseil de la langue française/Institut Jules Destrée, 1985, 107 p.

YALDEN, Maxwell. «Les langues officielles: un bilan», dans *Le Devoir*, Montréal, 28 juillet 1984.

ZOLBERG, Aristide R. «Transformation of Linguistic Ideologies: The Belgian Case», dans *Les États multilingues, problèmes et solutions*, Québec, Presse de l'Université Laval, CIRB, 1975, p. 445-472.

L'état du monde 1985, Paris / Montréal, La Découverte / Boréal Express, 1985, 636 p.

***

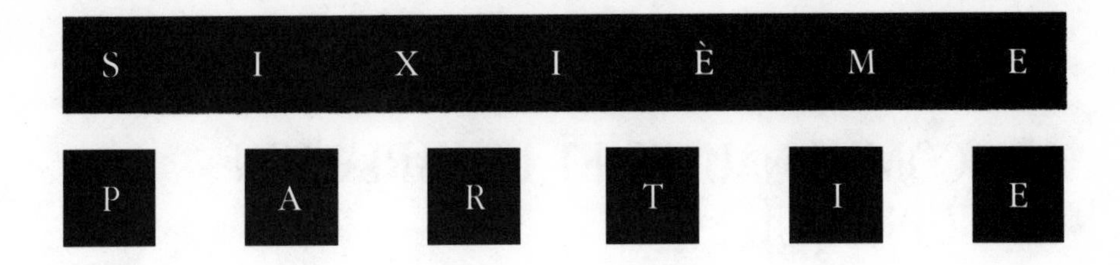
SIXIÈME PARTIE

LA VARIATION LINGUISTIQUE DANS LES SOCIÉTÉS MONOLINGUES

LES COMMUNAUTÉS ET LA VARIATION LINGUISTIQUE: LA VARIATION GÉO-LINGUISTIQUE, TEMPORELLE, SOCIALE, SITUATIONNELLE ○ LA HIÉRARCHISATION ET LES FONCTIONS DES VARIÉTÉS LINGUISTIQUES ○ LA NORME ET LA SOCIÉTÉ: LA TRADITION DE LA NORME, TENDANCES ACTUELLES, JUSTIFICATIONS DE LA NORME ○ UNE RÉCUPÉRATION POLITIQUE: NORME ET POUVOIR, LES FORCES DE RÉGULATION LINGUISTIQUE

LES COMMUNAUTÉS ET LA VARIATION LINGUISTIQUE

Communication sous-entend *communauté*. C'est en effet à l'intérieur d'une communauté que les individus utilisent un code commun: la langue. Cependant, il ne faudrait pas tenir pour homogène la langue d'une même communauté linguistique; la notion de langue unique est une abstraction. Contrairement à une croyance assez répandue, les sociétés, même unilingues, ne sont pas homogènes linguistiquement: l'uniformité, loin d'être la règle, est une exception, un phénomène marginal. C'est la diversité qui forme la règle dans ce double mouvement de convergence et de divergence inhérent à toute réalité linguistique. Cette différenciation se manifeste évidemment sur plusieurs plans.

Ainsi, aux variations sociales telles que l'âge, le sexe, la profession, l'instruction, etc., correspondent des variations linguistiques particulières auxquelles chaque catégorie sociale s'identifie. Comme nous l'avons précisé au chapitre 6 (*voir L'identification sociale*), les groupes s'identifient à leur *variété*, qui est un *marqueur d'affiliation au groupe*. C'est pourquoi tous les membres d'une communauté sont capables d'identifier «socialement» les productions linguistiques enregistrées chez des personnes dont le sexe, l'âge et les conditions sociales diffèrent.

Malheureusement, cette perception s'accompagne généralement de jugements de valeur: une variété de langue est considérée *grossière, barbare* ou, au contraire, *pédante, affectée*. Une telle attitude n'a évidemment rien d'objectif et il convient d'abandonner ce genre de jugement pour décrire les différentes variétés coexistant à l'intérieur d'une communauté linguistique, ainsi que les rapports de force qu'elles entretiennent.

Le terme *variété* se veut donc neutre et dégagé de toute subjectivité. Qu'est-ce qui caractérise une variété? D'une part, elle présente un nombre minimal de traits linguistiques; d'autre part, elle sert à assurer certaines fonctions sociales de communication. Parler d'une variété linguistique, c'est reconnaître en même temps l'existence d'un ou de plusieurs autres ensembles différents, d'une ou de plusieurs autres variétés, sans établir entre ces variétés une hiérarchie. Il n'en demeure pas moins que, dans les faits, l'une des variétés est habituellement reconnue par l'ensemble des locuteurs comme *langue de référence*. Mais ce sont des raisons parfaitement extralinguistiques qui font que l'une des variétés sert de modèle idéal aux autres et est éventuellement promue à des fonctions symboliques pour l'ensemble de la nation: prestige social, unification nationale, préservation culturelle, etc. Cette variété subira un processus de CODIFICATION et de NORMALISATION; elle deviendra une institution étatique parmi d'autres et exercera une domination sociale sur les autres variétés. Elle aura tendance à constituer la seule et unique NORME.

1 LA COMMUNAUTÉ

Une communauté linguistique ne coïncide pas nécessairement avec une unité géographique ou une unité politique Deux groupes séparés géographiquement (par exemple, le Québec et la France) et parlant la même langue peuvent constituer une même communauté linguistique. De même, plusieurs communautés linguistiques distinctes peuvent coexister au sein d'un État constitué. De plus, une communauté linguistique démembrée au profit de plusieurs grands corps politiques ou totalement englobée par l'un d'eux, peut être niée (non reconnue) par l'État lui-même; pourtant, les communautés linguistiques kurde (URSS, Turquie, Syrie, Iraq, Iran), mongole (URSS, Chine), quechua (Colombie, Équateur, Pérou), bretonne ou corse (France), catalane ou basque (Espagne), hispanophone (États-Unis), etc., existent sans constituer des États. Enfin, un individu appartenant à une communauté linguistique peut appartenir en même temps à plusieurs groupes linguistiques; il lui suffit d'être au moins bilingue.

La notion de communauté linguistique ne sous-entend ni des dimensions spécifiques, ni une base de rassemblement bien définie. Selon le sociolinguiste américain Joshua A. Fishman:

> «Une communauté linguistique existe dès l'instant où tous ses membres ont au moins en commun une seule variété linguistique, ainsi que les normes de son emploi correct[1].»

La définition de Fishman repose non pas sur la langue-code mais sur la variété linguistique, ce qui suppose que la communauté linguistique est hétérogène et qu'elle se subdivise en de nombreuses autres communautés linguistiques internes: la famille, le cercle d'amis, le groupe professionnel, la ville, la région, le pays. Un Québécois francophone peut parler plusieurs variétés linguistiques utilisées au Québec et appartenir à autant de communautés qui, elles-mêmes, forment avec celles des Français de France ou d'ailleurs une communauté linguistique élargie: la francophonie. Cependant, pour qu'il y ait communication, il faut que les moyens employés (phonèmes, vocabulaire, structures syntaxiques, grammaire) présentent une certaine uniformité et une certaine correspondance. Il n'est pas nécessaire que l'uniformité soit totale: il existe une marge de tolérance à l'intérieur de laquelle les divergences sont possibles. La communication linguistique se révèle donc avant tout un moyen particulier, propre aux êtres humains, d'organiser la communauté.

2 La variation linguistique

Le concept de communauté implique simplement que soient réunies certaines conditions spécifiques de communication remplies à un moment donné par tous les membres d'un groupe. Le groupe peut être stable ou instable, permanent ou temporaire, à base sociale, géographique, ethnique, politique, etc. Mais dans tous les cas, le groupe ou la communauté linguistique dispose de plusieurs variétés linguistiques. Toutes les études récentes faites sur ce sujet montrent qu'«il n'existe pas de société qui ne disposerait que d'une seule variété linguistique» et qu'«il n'existe pas d'individu qui ne maîtriserait qu'une seule variété de langue[2]». Qu'il s'agisse de l'anglais de New York, de l'espagnol de Californie, du français de Montréal, des langues indiennes de l'Inde ou des langues papoues, micronésiennes ou polynésiennes de l'Océanie, le phénomène de la diversité des usages, à l'intérieur d'une même langue, dans le processus social de la communication est présent et se manifeste sur plusieurs plans: géo-linguistique (ou géographique), temporel, social, situationnel. Nous allons maintenant examiner chacun de ces plans.

1. Joshua A. FISHMAN, *Sociolinguistique*, Paris/Bruxelles, Nathan/Labor, 1971, p. 43.
2. Voir Claire LEFEBVRE, «Une ou plusieurs normes», dans *Actes du congrès «Langue et société au Québec»*, t. 3, Québec, Éditeur officiel du Québec, 1984, p. 292.

variation ling

LA VARIATION GÉO-LINGUISTIQUE

La diversité linguistique dans l'espace, ou variation géo-linguistique, apparaît comme une première manifestation évidente de l'hétérogénéité de la langue. Ferdinand de Saussure le faisait lui-même remarquer:

> «Ce qui frappe tout d'abord dans l'étude des langues, c'est leur diversité, les différences linguistiques qui apparaissent dès qu'on passe d'un pays à l'autre, ou même d'un district à un autre. Si les divergences dans le temps échappent souvent à l'observateur, les divergences dans l'espace sautent tout de suite aux yeux; les sauvages eux-mêmes les saisissent, grâce aux contacts avec d'autres tribus parlant une autre langue. C'est même par ces comparaisons qu'un peuple prend conscience de son idiome[3].»

On a mis bien du temps à étudier ce qui semblait évident aux «sauvages» eux-mêmes. Pendant des siècles, les Occidentaux ont désigné par le terme «barbare» la langue des personnes qui ne parlaient pas le grec, le latin ou l'hébreu, comme en témoigne cette affirmation d'un auteur du XVIe siècle:

> «On appelle barbares toutes les langues à l'exception du latin et du grec. Nous en exceptons également l'hébreu, parce que c'est la langue la plus ancienne et comme l'ancêtre des autres: c'est en outre une langue sacrée inspirée de Dieu[4].»

De même, il y a plus de 2 000 ans, l'Empire chinois se voyait comme le centre du monde; pour cette raison, le nom chinois de la Chine est *Zhongguo*, c'est-à-dire l'«Empire du milieu». Aussi tous les autres peuples voisins ont-ils toujours été considérés comme des peuples barbares. Encore aujourd'hui, l'ethnie dominante, les Han, se considère officiellement plus avancée et qualifie les peuples non han de la Chine (quelque 55 ethnies différentes) de «peuple-chien», de «peuple-requin»; les Han n'ont même pas hésité, en 1951, à baptiser des villages non han de noms tels que «ville-chien»[5].

Ces jugements péremptoires et ethnocentriques sont révélateurs du mépris que les dominants ont pour les dominés, pour ceux qui ne partagent pas la même culture ou qui n'ont pas adopté le même système de pratiques économiques et sociales. Les Égyptiens, les Grecs, les Romains, les Occidentaux de la Renaissance, les anciens empires coloniaux (France, Espagne, Portugal, Grande-Bretagne, etc.) et les impérialistes contemporains (Chinois, Russes, gouvernements latino-américains) n'ont pas fait exception à la règle.

Il n'en demeure pas moins que l'éloignement dans l'espace favorise les différenciations linguistiques. La variation se manifeste soit sur le plan phonétique sous la notion d'accent, lorsque les variantes ne semblent pas trop importantes, soit sur le plan du vocabulaire et, plus rarement, sur les plans grammatical ou syntaxique. Par exemple, la région de Québec est caractérisée par le fait que ses locuteurs ont tendance à grasseyer les [r] alors que ceux de la région de Montréal sont plutôt portés à les rouler; les Britanniques, eux ne prononcent pas les [r] à la fin des mots (ex.: *fire* prononcé *faiə*), tandis qu'en Amérique du Nord, le [r] final se prononce à peu près partout. Un autre exemple, concernant le vocabulaire cette fois: ce qui est appelé *pelle à poussière* en France (région de Paris), s'appelle *ramassette* en Belgique, *ramassoire* en Suisse, *porte-poussière* à Montréal et *porte-ordures* à Chicoutimi.

Ce n'est pas l'espace seul qui crée des différences linguistiques. Même si on n'est jamais arrivé à prouver scientifiquement l'influence directe des faits de géographie physique sur la nature des changements linguistiques, on sait, en revanche, que l'isolement d'une communauté durant une longue période de temps favorise les différenciations; moins, cependant, à cause du relief ou du climat que par l'influence des peuples voisins et les

3. Ferdinand de SAUSSURE, *Cours de linguistique générale* (1916), Paris, Payot, 1969, p. 271.
4. Conrad GESSWER, *Mithridates*, cité par Louis-Jean CALVET dans *Linguistique et colonialisme*, Paris, Payot, 1974, p. 19.
5. Richard POULIN, *La politique des nationalités en République populaire de Chine*, Québec, Editeur officiel, 1984.

structures sociales, économiques et politiques. C'est pourquoi, comme le souligne Ferdinand de Saussure: «La diversité géographique doit être traduite en diversité temporelle[6]». L'espace seul ne peut exercer une action déterminante sur la langue sauf si le facteur temps intervient. Ainsi, les Français qui arrivèrent en Nouvelle-France aux XVIIe et XVIIIe siècles parlaient exactement la même langue au port de Québec que lors de leur départ de la mère patrie. C'est l'éloignement géographique dans le temps qui favorisa les différenciations linguistiques par la suite.

Par contre, les jugements de valeur que l'on porte sur les différences géo-linguistiques ne reposent pas nécessairement sur cette double variable espace-temps. Lorsqu'un groupe qualifie la langue ou la variété linguistique des autres de «barbare», de «patois», de «dialecte», de «jargon» ou de «charabia», ces termes indiquent bien que les variations géo-linguistiques sont facilement perceptibles, mais ils caractérisent en plus une attitude méprisante et ethnocentrique d'un groupe dominant placé devant un comportement différent du sien.

LA VARIATION TEMPORELLE

La variation temporelle est d'ordre historique et elle se manifeste notamment par les quelques différences plus ou moins marquées d'une génération à l'autre: une jeune fille de 18 ans ne s'exprime pas comme sa grand-mère. Après plusieurs générations, la langue a subi encore davantage de transformations; sur une très longue période de temps, on peut évaluer les grands états successifs d'une langue. Par exemple, le mot *roi* vient du latin *rex/regis*; au XIe siècle, on prononçait *rei (ré-i)*, au XIIe *rôi (rô-i)*, au XIIIe *roé (rô-é)*, au XVIe *rwé*, au XVIIIe *rwa* (ou *roi*). On trouve des réminiscences de cette prononciation en *-wé* dans certaines variétés de français, non seulement au Québec, mais aussi en France et aux Antilles. Le fait que la prononciation en *-wé* se soit transformée en *-wa* dans des mots comme *roi, loi, moi, toi,* n'a rien d'exceptionnel. Il ne s'agit là que d'un des innombrales exemples de changements linguistiques inhérents à toute langue vivante.

De même, plusieurs mots considérés comme des variations géographiques régionales correspondent en fait à de vieux mots français conservés au Québec ou dans certaines campagnes françaises alors qu'ils ne sont plus en usage dans la langue commune. On les appelle des *archaïsmes*; c'est le cas des mots suivants: *amanchure, barguinage, bavasser, bébelle, champlure, garrocher, motton, poigner, safre, zigonner.*

On aurait tort toutefois de considérer le temps (à l'instar de l'espace) comme le facteur fondamental du changement dans la variation linguistique: «Le passage du temps ne fait que permettre à divers facteurs d'agir les uns sur les autres[7]», de dire John Lyons. Il faut tenir compte également des transformations sociales

LA VARIATION SOCIALE

Marquées par l'espace, évoluant dans le temps, les langues constituent avant tout des réalités sociales. Une langue change socialement dans la mesure où elle fonctionne socialement; c'est pourquoi toute langue est hétérogène, conflictuelle, dynamique.

Nous savons qu'aux différentes variables sociales correspondent des variations linguistiques. Les travaux de William Labov[8] à ce sujet sont révélateurs. L'emploi de certaines variantes linguistiques serait, selon lui, un indice très sûr de la situation sociale des locuteurs, situation reliée au revenu, au niveau d'instruction ou au métier. Par exemple, à New York, la prononciation du [r] en fin de syllabe (*sources*: sources) ou en fin de mot

---

6. Ferdinand de SAUSSURE, *op. cit.*, p. 271.

7. John LYONS, *Linguistique générale: une introduction à la linguistique théorique*, Paris, Larousse, 1970, p. 40.

8. Voir *Sociolinguistique*, Paris, Minuit, 1976.

(*for*: pour) serait le propre des classes économiquement plus aisées, alors que l'absence de prononciation de ce [r] caractériserait les groupes les moins élevés dans la hiérarchie sociale. De même, ceux-ci prononceraient moins souvent la forme fricative (constrictive) du *th (thing, through)* que les locuteurs de la classe ouvrière, et ces derniers l'articuleraient davantage, mais moins que la classe moyenne supérieure.

On utilise généralement l'expression *niveaux de langue* pour désigner la perception que l'on a des variétés selon la stratification sociale. On parle ainsi de *langue soutenue, langue correcte, langue familière, langue populaire, langue vulgaire*, lesquelles sont censées caractériser un groupe par rapport à un autre. Plus le locuteur serait instruit, plus la mobilité d'un niveau à l'autre serait grande[9].

À quelques exceptions près, les linguistes ne se sont jamais beaucoup préoccupés de cette question et l'ont laissée aux littéraires; leurs connaissances en ce domaine sont restées fragmentaires et réduites. Le problème vient du fait que, d'une part, on ne possède pas de critères véritablement scientifiques pour distinguer ces niveaux et que, d'autre part, la relation entre un niveau de langue et un niveau social est infiniment plus complexe que ne le laissent croire les essais simplistes de théorisation sur ce sujet.

En ce qui concerne les critères de distinction entre les niveaux, rien ne permet en effet de déterminer objectivement ce qu'est le niveau littéraire, le niveau correct, le niveau familier, le niveau populaire, etc., ni même d'inventorier la totalité des niveaux possibles d'une langue donnée. De plus, cette notion de niveau de langue apparaît quelque peu hybride, car elle renvoie à la fois à des distinctions sociales (niveau populaire) et à des situations de communication (niveau familier, niveau littéraire), quand ce n'est pas à des jugements de valeur (niveau vulgaire); la notion de niveau de langue n'est donc pas une notion linguistique pertinente.

Quant aux relations entre la hiérarchie sociale et la langue, on a tendance à présenter les faits comme si les formes linguistiques étaient vidées de leur contenu social et qu'elles ne pouvaient s'appliquer que dans un seul type de situation de communication. Or, des études récentes démontrent que l'emploi des formes linguistiques est hautement variable, celles-ci pouvant prendre différentes valeurs selon le contexte social et le contexte situationnel dans lesquels elles apparaissent.

Ainsi un locuteur dit «cultivé» peut devenir subitement «non cultivé» s'il est mis en situation de maîtriser la langue de la plomberie ou de la médecine, s'il doit s'exprimer en public avec conviction, s'il doit embobiner son employeur, etc. Un fait dont on est sûr, c'est que la diversité des réalités à transmettre conduit à la formation de divergences linguistiques, notamment dans les tâches relatives à la division du travail dans la société. La division du travail reste un facteur décisif dans la variation sociolinguistique et se conjugue avec le contexte situationnel (ou situation de communication) dans lequel la communication se déroule.

LA VARIATION SITUATIONNELLE

Quel que soit son niveau socio-culturel, une personne ne s'adresse pas de la même façon à ses enfants, à son conjoint, à son employeur et aux téléphonistes d'Hydro-Québec. Les locuteurs adoptent des formes linguistiques adaptées au contexte. La situation de communication correspond aux circonstances physiques, psychologiques, culturelles, etc., qui entourent l'échange verbal au moment de l'acte d'énonciation; en voici une définition:

9. Voir Jean-Claude CORBEIL, *L'aménagement linguistique du Québec*, Montréal, Guérin, 1980, p. 87.

«L'ensemble des conditions physiques, ethniques, historiques, sociales, psychologiques, culturelles, etc., directement observables ou pas — linguistiquement repérables ou pas — qui, à un moment donné, en un lieu et en un milieu, déterminent et définissent l'échange verbal[10].»

La situation de communication influe à la fois sur les interlocuteurs, sur la forme du message et sur la fonction et le sens des éléments linguistiques. Toute communication est nécessairement *en situation*; si l'on ignore tout de la situation et si l'on ne connaît que l'énoncé employé, la plupart des actes d'énonciation deviennent presque impossibles à interpréter. En effet, comment répondre aux questions suivantes sans contexte situationnel?

— *Êtes-vous libre?*

— *Ta chemise est propre?*

— *Veux-tu le rouge?*

— *Non?*

— *Est-ce qu'on commence?*

— *Quoi?*

— *Veux-tu?*

Lorsqu'on parle de variation situationnelle, on utilise l'appellation *registre de langue*. Tous les membres d'une communauté possèdent plus d'un registre de langue. Le maniement d'une de ces variétés reflète les droits et les obligations des interlocuteurs entre eux. Ainsi, même les enfants apprennent très tôt le maniement syntaxique des pronoms ainsi que les règles sociales d'utilisation du *tu* et du *vous*.

En choisissant de s'exprimer dans un registre plutôt que dans un autre, un locuteur communique une grande quantité d'informations non linguistiques; ces informations portent sur lui-même d'abord, puis sur la situation dans laquelle il se trouve, sur le type d'effet qu'il veut produire et, aussi, sur la relation qu'il veut entretenir avec son ou ses interlocuteurs. Par exemple, l'ancien Premier ministre du Québec, Maurice Duplessis, a donné toutes ces informations lorsqu'il a lancé au secrétaire de la Chambre, M. Rivard, son célèbre «*Toé, tais-toé*»; il aurait pu dire «*Auriez-vous l'obligeance de vous taire*», mais le résultat n'aurait pas été le même. Le «*Toé, tais-toé*» de Duplessis était facilement interprétable par tous, en contexte, de la même façon: il exprimait l'impatience, l'agressivité, l'intolérance, l'autorité, etc.

Il n'est pas possible d'énumérer toutes les situations contextuelles éventuelles. Retenons simplement les suivantes, à titre d'exemples:

1) Le sujet traité ou le contenu du message.

2) La situation hiérarchique de la communication: âge, rapport d'égalité, de pouvoir, etc.

3) La tâche linguistique imposée: une communication spontanée ou contraignante, une communication orale ou écrite.

4) Une épreuve scolaire.

10. Joseph DONATO, «La variation linguistique ou la langue dans l'espace, le temps, la société et les situations de communication», dans *Linguistique*, Paris, P.U.F., 1980, p. 348.

Il semble évident que le sujet traité peut obliger le locuteur à adopter un registre précis: on ne s'exprime pas de la même façon lorsqu'on raconte une histoire à un enfant et lorsqu'on traite de physiothérapie à ses amis ou devant une assemblée de spécialistes (ici, en plus, se superpose la situation hiérarchique). Une épreuve scolaire oblige celui ou celle qui la subit à une performance linguistique très particulière. Le plus difficile semble de s'ajuster à la tâche linguistique imposée dans un contexte situationnel donné. Pour sa part, Jean-Claude Corbeil[11] ne fait état que de deux sources principales dans les variations de registre: l'écart entre la langue parlée et la langue écrite, la distinction entre la COMMUNICATION INSTITUTIONNALISÉE et la COMMUNICATION INDIVIDUALISÉE. Arrêtons-nous un peu sur ces deux aspects.

LA LANGUE PARLÉE ET LA LANGUE ÉCRITE

Ces deux modalités d'expression sont extrêmement différentes. Dans la langue parlée, le locuteur est en contact direct avec le(s) récepteur(s); il construit ses énoncés spontanément au fur et à mesure de son message, au vu et au su de tous, sans possibilité de retour en arrière. Soumis à la succession inévitable des mots et des phrases, il improvise en étant un peu sur la corde raide. En revanche, le locuteur bénéficie de l'apport des moyens de communication non linguistiques (geste, mimique, intonation) et de la «solidarité instinctive» des récepteurs, généralement moins critiques à l'égard de la forme d'un message en langue parlée.

Dans la langue écrite, l'individu dispose habituellement du temps voulu pour réfléchir et construire ses énoncés. Il peut se reprendre aussi souvent qu'il le juge nécessaire, fignoler son message, recourir à de la documentation, recommencer, revenir en arrière, etc. Étant donné que le message écrit est avant tout le fruit d'un travail, le récepteur se montre généralement plus critique devant la forme d'un tel message.

Pour toutes ces raisons, il paraît malaisé de transcrire un message oral en langue écrite, comme un message écrit lu en public peut devenir vite fastidieux à écouter. Bref, le registre de la langue parlée fonctionne selon un système différent de celui de la langue écrite parce que le contexte situationnel de l'oral est différent de celui de l'écrit et qu'il ne répond pas aux mêmes besoins.

LA COMMUNICATION INDIVIDUALISÉE ET LA COMMUNICATION INSTITUTIONNALISÉE

Jean-Claude Corbeil définit la communication individualisée comme «l'acte personnel par lequel un individu entre en relation avec un autre au moyen du langage[12]». La communication individualisée se fait le plus souvent en langue parlée, mais on peut la trouver dans certaines formes d'écriture comme la correspondance, la poésie, le roman, le théâtre, la chanson, etc. Dans tous les cas, il s'agit d'une communication personnalisée et marquée d'une connotation affective. En situation de communication individualisée, le locuteur jouit d'une liberté relativement grande. En principe, il utilise les potentialités de la langue à sa guise mais, dans la pratique, il doit quand même tenir compte du contexte social dans le choix de ses énoncés ainsi que des ressources langagières de son ou de ses interlocuteurs; sinon, il risque la non-compréhension ou le rejet.

Quant à la communication dite institutionnalisée, Corbeil la définit ainsi:

> «Nous entendons par communication institutionnalisée l'acte, le plus souvent anonyme ou impersonnel, par lequel une institution communique avec des personnes ou avec d'autres institutions, pour les fins de ses activités[13].»

---

11. Voir *L'aménagement linguistique du Québec*, Montréal, Guérin, 1980, p. 86-87.
12. *Ibid.*, p. 78.
13. Voir «Éléments d'une théorie de la régulation linguistique», dans *La norme linguistique*, Québec/Paris, Éditeur officiel du Québec/Le Robert, 1983, p. 292.

Les maisons d'enseignement, l'administration publique, les entreprises et les médias sont les principales institutions dont parle Corbeil. Ils imposent aux citoyens ou à leurs membres un type de langue déterminé et les obligent à s'y conformer. La communication institutionnalisée se fait le plus souvent en langue écrite et elle exige un apprentissage, une technique, voire un style caractéristique; lorsqu'elle se déroule en langue parlée, elle devient facilement dépersonnalisée, car l'individu a tendance à faire usage de la langue à titre public.

En résumé, la variation linguistique montre qu'une langue se caractérise par la possibilité de dire la même chose de différentes façons et qu'il n'y a pas lieu d'en choisir une seule. On se doit de reconnaître le pluralisme des usages d'une langue et l'importance des facteurs non linguistiques dans la communication, tout en prenant conscience que les divers moyens linguistiques pour exprimer des messages n'ont pas tous la même valeur sociale selon la situation. C'est pourquoi on peut postuler que les locuteurs d'une communauté donnée possèdent plusieurs variétés de langue et qu'ils passent de l'une à l'autre de manière à accorder leur parler à la situation dans les limites de leur compétence.

3 LA HIÉRARCHISATION ET LES FONCTIONS DES VARIÉTÉS LINGUISTIQUES

Utiliser une variété linguistique, c'est témoigner de son affiliation à un groupe, que ce soit une classe d'âge, une couche sociale, une communauté locale ou régionale, une association professionnelle ou politique, etc. Nous savons aussi que les divers groupes sociaux se répartissent inégalement les rôles, les tâches, le travail et les pouvoirs. Les jugements que l'on porte sur le plan social sont ainsi accompagnés de jugements similaires sur le plan linguistique. Il faut toujours garder en mémoire cette constatation: *même si toutes les formes se valent linguistiquement, elles ne se valent pas socialement*. Comme le souligne P. Bourdieu:

> «Les débats sur la valeur relative des langues ne peuvent être tranchés sur le plan linguistique: les linguistes ont raison de dire que toutes les langues se valent linguistiquement; ils ont tort de croire qu'elles se valent socialement[14].»

Les différentes variétés linguistiques d'une langue ne sont pas posées comme équivalentes et on établit une hiérarchie. Dans toutes les sociétés, une classe dominante propose ou impose *sa* variété à ses concitoyens, par le biais de l'État ainsi que des institutions économiques et culturelles: cette variété est alors présentée comme la plus belle, la plus logique et la seule apte à véhiculer la culture. Considérées sous cet angle, les variétés linguistiques ainsi hiérarchisées sont apparentées aux niveaux socioculturel et politique; elles sont donc régies par des lois sociales plutôt que linguistiques.

LA LANGUE ÉCRITE, L'ACTIVITÉ JURIDIQUE ET LE DISCOURS LITTÉRAIRE

On associe souvent langue orale et langue écrite comme s'il s'agissait de deux niveaux de langue dont l'un (l'oral) serait synonyme de langue familière, populaire et vulgaire, et l'autre (l'écrit), synonyme de langue choisie, cultivée et littéraire. Rien n'est plus injustifiable en réalité, car il s'agit de deux réalisations distinctes, de deux systèmes différents à l'intérieur d'une même langue, qui correspondent à des besoins différents.

14. Cité par Denise DESHAIES, «Une norme, des normes ou pourquoi pas autre chose?», dans *Actes du congrès «Langue et société au Québec»*, t. 2, Québec, Éditeur officiel du Québec, 1984, p. 282.

ÉCRIRE: UN PRIVILÈGE DANS L'ANTIQUITÉ

La sur-valorisation de l'écrit par rapport à l'oral s'explique en grande partie par des raisons historiques. L'écriture a toujours été associée au pouvoir, pouvoir politique bien sûr, mais aussi pouvoir judiciaire, pouvoir économique et parfois pouvoir religieux. Les scribes professionnels de l'ancienne Babylonie (il y a 4 000 ans) jouissaient déjà d'un très grand prestige; c'est grâce au scribe que le monarque régnant adressait ses ordres aux administrateurs des provinces lointaines, pendant que ses collecteurs d'impôt comptabilisaient les taxes et que ses sujets, les marchands, passaient leurs commandes, qu'ils facturaient à leurs clients. Savoir écrire permettait de s'élever dans la hiérarchie sociale; plusieurs scribes occupaient ainsi des fonctions importantes dans l'administration et certains pouvaient même accéder au poste privilégié de conseiller royal. Toutes les vieilles civilisations de l'écriture — Babylone, l'Égypte, Rome, Athènes — ont été placées sous le signe de la loi: une transaction, pour devenir légale, devait être enregistrée par un écrit officiel.

LA LANGUE ÉCRITE ET L'ACTIVITÉ JURIDIQUE

Dans un article portant sur le procès général de NORMALISATION linguistique, Jean-Marcel Paquette[15] montre bien le lien étroit qui a toujours uni l'univers de l'écriture à celui de l'activité juridique. Depuis les derniers empereurs romains, les *chanceliers* (du latin *cancellarius*: huissier de l'empereur) de toutes les cours d'Europe ont dû rédiger les textes des législations et ont nécessairement joué un rôle linguistique déterminant dans la diffusion des langues nationales. Ainsi le premier document dit «français», les *Serments de Strasbourg*[16] (en 842), est justement un acte juridique; le même document écrit en langue germanique marquera aussi le début de l'histoire de l'allemand écrit. En Italie, ce sont les jugements de cours de Capoue (960) et de Teano (964) qui marquent le début du *toscan* (appelé plus tard l'*italien*); en Angleterre, c'est la charte de 1216 des *Rotuli Chartarum* pour l'anglais et, en Espagne, la charte de la chancellerie d'Alphonse X (1252) pour le castillan (espagnol).

Comme on peut le constater, le juridique a joué un rôle de premier plan dans la valorisation de la langue écrite, qui correspondait toujours à la langue du monarque régnant. C'est pour cette raison que François 1er, dans sa fameuse *Ordonnance de Villers-Cotterêts* en 1539, ordonna de rédiger dorénavant tous les actes juridiques en «*langaige maternel françois, et non autrement*». À l'article 110, il est même précisé:

> «En afin qu'il n'y ait cause de doutes sur l'intelligence desdits arrêts, nous voulons et ordonnons qu'ils soient faits et écrits si clairement qu'il n'y ait ni ne puisse avoir aucune ambiguïté ou incertitude ni lieu à demander interprétation[17].»

De là découle la valorisation idéologique de la *clarté de la langue française*; cette supposée clarté vient moins de la volonté des grammairiens et des rois que du besoin d'un langage juridique clair, c'est-à-dire *droit, à l'équerre, nivelé, régulier, codifié*. Ces expressions font justement partie du vocabulaire juridique et servent à qualifier la langue écrite valorisée: *norme*, du lat. *norma*: équerre; *niveau*, du lat. *libella*: petite balance; *règle*, du lat. *regula*: règle droite. Comme le souligne J.-M. Paquette:

> « Ce n'est pas sans raison si c'est précisément dans ces milieux qui gravitent autour des chancelleries que nous voyons apparaître les premières «grammaires», tel cet *Esclarissement de la langue françoyse* de John Palsgrave en Angleterre (1530), et si celles-ci se présentent encore jusqu'à nos jours sous la forme

15. Jean-Marcel PAQUETTE, «Procès de normalisation et niveaux/registres de langue», dans *La norme linguistique*, Québec/Paris, Éditeur officiel du Québec/Le Robert, 1983, p. 367-381.

16. Après la mort de Charlemagne, ses petits-fils, Charles le Chauve et Louis le Germanique, s'allièrent contre leur troisième frère Lothaire et scellèrent leur alliance par des serments (les *Serments de Strasbourg*), l'un en langue romane rustique ou «français», l'autre en langue germanique. Louis s'adressa aux soldats de Charles en employant la langue romane et Charles s'exprima en langue germanique.

17. Jean-Marcel PAQUETTE, *op. cit.*, p. 373.

d'un véritable code de droit, avec la règle, les paragraphes, les articles, les exceptions; quant aux illustrations tirées des auteurs, elles ont plus ou moins une fonction analogue à celle de la jurisprudence[18].»

Il n'est pas étonnant que la langue écrite institutionnalisée puisse jouer un rôle capital dans la dynamique de la NORME linguistique. La langue écrite jouit d'un prestige certain parce qu'elle est associée au pouvoir, à la légitimité, à la clarté, à la complexité technique. La langue écrite est avant tout le résultat d'un *travail* et, pour cette raison, elle est perçue comme étant d'une complexité plus grande que l'oral, donc supérieure à lui.

LA PRODUCTION LITTÉRAIRE

Les chanceliers du Moyen Âge ne faisaient pas que rédiger les textes juridiques; il devaient également surveiller la production littéraire, pour voir à ce qu'elle respecte les règles grammaticales d'usage élaborées par les grammairiens juristes. De toute façon, écrivains et juristes écrivaient dans la même langue: celle du roi. De plus, ils faisaient partie et font encore partie de l'élite cultivée, unie par ses pratiques intellectuelles ainsi que par son capital scolaire et universitaire.

Quel est le critère de la qualité littéraire? C'est, encore aujourd'hui, la notoriété des écrivains, associée à la diffusion de leurs œuvres. Pour éviter le piège des gloires éphémères, on a tendance à s'en remettre aux valeurs sûres, particulièrement aux générations antérieures d'écrivains, dont les mérites sont mieux établis. D'où le prestige accordé à la langue littéraire, symbole de la qualité de la langue à l'état pur.

Le Québec connaît cette situation; elle est même particulièrement marquée ici. Que penser de la langue effectivement représentée par les écrivains? Ceux-ci doivent-ils écrire en joual, en québécois, en français ou en zoulou? La langue parlée par les Québécois est le français, un français fortement marqué parfois par des particularismes, mais incontestablement du français. Dans la mesure où l'écrivain met en scène des personnages, des milieux, des groupes sociaux, il doit se servir de la variété linguistique de ces milieux et de ces groupes.

Prenons le cas de l'œuvre de Michel Tremblay, où se trouvent mêlés le français international du narrateur et le joual des personnages. Comment réagit un Français lorsqu'il se trouve confronté avec des imparfaits du subjonctif ponctués de *paroles* joualisantes? Trouve-t-il cette pratique drôle ou de mauvais goût? Il ne convient pas de généraliser à partir de ce cas, mais Tremblay n'est pas le seul à procéder de cette façon; citons Jacques Renaud, Gérard Bessette, Roch Carrier. D'autres (Anne Hébert, Marie-Claire Blais, Jacques Godbout) n'ont recours qu'au français dit international, parsemé ici et là de rares régionalismes lexicaux.

Le cas de la littérature québécoise révèle l'incertitude dans laquelle on se trouve ici face à la langue. Les Québécois sont déchirés entre un modèle idéal abstrait et des modèles réels, entre deux ou plusieurs variétés dont les marques sociales donnent lieu à des stéréotypes: la force attractive de l'anglais, «bon pour les affaires»; la supériorité culturelle de la France, dont la langue est considérée plus belle et plus riche; la langue populaire, charmante et «défoulante», témoin cependant d'une indigence linguistique en même temps que d'un droit sacré.

Comment s'y reconnaître lorsque l'on court ainsi après sa langue? Déchirés par le plurilinguisme social, plusieurs Québécois ont délaissé leur littérature pour choisir un monde linguistique plus douillet, celui des romans d'amour Harlequin ou celui des best-sellers traduits de l'anglo-américain. Au moins, il faut reconnaître que ce compor-

18. *Loc. cit.*

tement, par ailleurs symptomatique, montre qu'il n'y a pas une seule langue autorisée à s'exprimer et à faire parler le Québec.

Il reste que le prestige du discours littéraire en prend pour son rhume et que ce n'est malheureusement pas souvent la valeur intrinsèque d'une œuvre qui incite les gens à la lire. Chacun sait que dans notre société contemporaine, la valeur est fabriquée en partie par les responsables de la publicité et du marketing, lesquels sélectionnent les œuvres à partir de critères de rentabilité.

LA VARIÉTÉ STANDARD

Si la représentativité des textes écrits (juridiques, administratifs ou littéraires) aboutit à une forme langagière socialement marquée, il va de soi que la forme orale correspondante sera tout aussi marquée socialement et, par voie de conséquence, plus valorisée que toutes les autres variétés orales moins élevées dans la hiérarchie sociale. Ce qui distingue la variété standard des autres variétés n'est pas d'ordre linguistique, mais d'ordre social, économique et, à un stade ultérieur, politique. La variété linguistique parlée par le groupe social dominant économiquement et politiquement devient la variété standard. Celle-ci n'est donc au départ qu'une variété sociale (ou régionale) dont la première «chance» a été d'être parlée et promue par un groupe devenu socialement dominant. Le développement de la langue standard se réalise donc en étroite corrélation avec le développement social.

Dès lors, la variété standard exerce un rapport social de domination. Elle devient la variété première pour un nombre croissant de locuteurs, car elle sert de modèle pour véhiculer la culture et les formes institutionnalisées de la communication: l'enseignement, l'administration, les institutions économiques et les médias. Reconnue comme modèle idéal, la variété standard tend à éliminer socialement les autres variétés linguistiques, particulièrement les variétés populaires, et à être perçue comme le seul modèle valable. Comme la langue standard finit toujours par devenir la langue de l'État, c'est-à-dire la langue officielle de la communauté à qui elle sert également de langue de référence, et comme elle exerce alors une fonction d'intégration symbolique pour la communauté, elle devient nécessairement prépondérante, élitiste et impérialiste.

Cette situation a des effets sur le développement de la communauté elle-même. Dans les situations à caractère officiel, on privilégie les modes d'expression propres à la langue standard et calqués sur le modèle écrit; même sur le plan de la langue parlée, on a tendance à réprimer les traits à caractère régional ou populaire. Or, pour ce qui est des relations sociales du sujet parlant, il est des variétés qui ont même davantage à offrir, en fait de potentiel de communication, que la variété standard. Il est donc indispensable que le processus de socialisation fasse également appel au potentiel d'autres variétés. Le problème vient du fait que si les formes de communication s'acquièrent en général spontanément, celles relevant de la langue standard écrite s'acquièrent exclusivement à l'école. Il ne faut pas oublier que, malgré la très grande valorisation de la langue standard, celle-ci n'est pas la seule à résoudre les problèmes de communication. Pour cette raison, les autres variétés de langue paraissent tout autant nécessaires pour intégrer l'individu dans son environnement social.

LES NIVEAUX DE LANGUE

Les niveaux de langue sont définis par rapport à ce modèle-référence que constitue la variété standard. La notion de niveau de langue est donc liée à la différenciation sociale en classes; elle se fonde sur une hiérarchie des classes sociales conçue comme inaliénable.

Il suffit de consulter les dictionnaires courants pour s'en rendre compte. Que signifient les marques «trivial», «vulgaire», «populaire», «familier», «argotique», «littéraire», etc.? Ainsi, si nous cherchons le mot «cul» dans *Le Petit Robert*, nous apprendrons que ce mot est populaire, c'est-à-dire qu'il est «employé par le peuple et n'est guère en usage (?) dans la bourgeoisie et parmi les gens cultivés[19]». Dans le même article du dictionnaire, on trouve aussi l'expression «en avoir plein le cul», expression considérée cette fois comme vulgaire, c'est-à-dire employée par «le commun des hommes[20]», donc une expression plus qu'ordinaire qui «manque d'élévation ou de distinction[21]». Mais les expressions «cul-de-jatte», «cul-de-sac», «cul-de-lampe», au contraire, sont reconnues comme non vulgaires puisqu'elles ne comportent aucune indication à ce sujet. Dans le même ordre d'idées, si quelqu'un emploie «toutou» pour désigner un chien, le terme sera jugé familier, donc réservé à la «conversation courante[22]», mais on l'évitera dans la communication institutionnalisée et les ouvrages qui se veulent sérieux. «Trivial», «populaire» ou «argotique» ne signifient pas «condamné par le dictionnaire», mais bien «noté comme condamné par la convention sociale et les institutions» parce que s'écartant du «normal», c'est-à-dire du niveau dit correct ou standard.

La présence de telles marques dans les dictionnaires reflète la complexité de la situation linguistique et la confusion de ces références à l'appartenance sociale. En réalité, seule la marque «populaire» correspond à un critère social et elle devrait s'opposer aux marques «bourgeois», «intellectuel», «ouvrier», etc., marques inexistantes dans les dictionnaires. Quant aux termes «vulgaire» et «trivial», ils se réfèrent à des jugements de valeur dépréciatifs qui devraient s'opposer à «pédant», «prétentieux» ou «snob», autres marques également inexistantes. Enfin, la marque «familier» se rapporte à une situation de communication et pourrait s'opposer à «soutenu», terme généralement absent dans les dictionnaires; «familier» est souvent opposé à «littéraire», qui privilégie une communication écrite et qui obéit à des critères autres que référentiels, notamment des critères esthétiques.

Rappelons le caractère hybride de cette notion de niveaux de langue, qui ne repose pas sur des critères du même ordre. S'y trouvent mêlés des critères d'ordre social («populaire») et esthétique («littéraire»), des critères liés à des situations de communication («familier», «littéraire») et des jugements de valeur («trivial», vulgaire»). Une telle classification, confuse et arbitraire, montre que les dictionnaires décrivent tout en fonction de la partie dominante de la société, produisant une morale et une esthétique qui font juger les productions linguistiques en fonction d'une norme unique.

Dans cette optique, la langue est considérée comme uniforme, coïncidant presque parfaitement avec la langue écrite dont le modèle idéal, à son tour, coïncide avec les formes littéraires. Pourtant, ces distinctions de niveaux de langue, bien que confuses, révèlent, par leur seule présence, l'illusion de l'unicité de la langue; la pluralité des variétés linguistiques s'y reflète, confirmant la complexité de ce réel multiforme. Indice de situation sociale, la langue sert à justifier l'ordre social: il est naturel que le «bon parler» caractérise les classes «supérieures» et le «mauvais parler» les classes «inférieures». Nous verrons comment cette idéologie influe sur les comportements linguistiques même s'il ne saurait y avoir une seule bonne façon de parler, mais plutôt des stratégies plus ou moins adaptées aux finalités des situations de communication en société.

19. *Le Petit Robert*, Société du Nouveau Littré, 1979, p. 1483.
20. *Ibid.*, p. 2121.
21. *Loc. cit.*
22. *Ibid.*, p. 756.

C H A P I T R E 24

LA NORME ET LA SOCIÉTÉ

Les forces de différenciation sociale contribuent à maintenir la pluralité des variétés linguistiques au sein de la communauté. Si, en dépit de cette pluralité de pratiques linguistiques, les sujets d'une communauté parviennent à se comprendre, c'est qu'il existe des forces de convergence ou forces d'unification qui permettent la communication. Celle-ci n'est possible que parce qu'il existe des parties communes à toutes les pratiques linguistiques et de larges convergences entre ces pratiques. C'est toute la question de la NORME qui est en jeu ici.

On pourrait définir la norme comme une sorte de loi linguistique à laquelle les sujets parlants doivent se conformer pour communiquer entre eux. Cette loi a son fondement dans la nécessité pour les usagers de communiquer de façon efficace et d'employer, pour ce faire, à peu près les mêmes sons, les mêmes mots, les mêmes structures. En contrecarrant les fantaisies individuelles et les forces de divergence, la norme linguistique correspond à un *usage nécessaire*; elle désigne un *modèle culturel de comportement linguistique* au sein de la communauté.

La norme est nécessaire et toutes les langues, toutes les variétés d'une même langue, en ont une. Là où la question de la norme devient problématique, c'est dans ses acceptions, ses applications et ses justifications. Comment peut-on décider de ce qui doit et de ce qui ne doit pas se dire? Selon quel(s) critère(s) acceptera-t-on ou condamnera-t-on telle ou telle forme linguistique? Répondre à ces questions, c'est rappeler le long débat qui a eu cours au Québec entre les partisans du joual et les tenants du français parisien, où pourfendeurs et défenseurs s'invectivaient à qui mieux mieux.

Comme nous voulons, dans le présent chapitre, apporter un certain nombre de réponses au débat sur la norme, il nous est apparu important d'en présenter une brève synthèse à caractère historique et théorique, et de rappeler le rôle de l'intervention étatique dans la norme.

1 LA TRADITION DE LA NORME

Pour ce qui touche le domaine de la grammaire, la pensée occidentale a toujours reposé sur l'héritage de l'Antiquité classique, notamment la tradition gréco-latine. Pourtant, une autre tradition normative, propre à l'Inde, s'était développée parallèlement dès les Ve et IVe siècles avant notre ère, par la grammaire de Pānini, l'*Aṣṭādhyāyī*, la plus ancienne grammaire connue du monde. Pānini voulait établir les règles de la langue védique de l'époque afin de préserver les textes sacrés et de veiller à ce que les mots utilisés dans le rituel soient correctement prononcés. Les travaux de Pānini, d'une grande puissance explicative, étaient si avancés pour l'époque que ce n'est qu'au XIXe siècle de notre ère que la science linguistique occidentale put les égaler; l'œuvre de Pānini n'a été découverte par les Occidentaux qu'à la toute fin du XVIIIe siècle. Pendant tout ce temps, notre pensée traditionnelle s'est modelée sans originalité sur celle de la civilisation grecque et latine.

L'HÉRITAGE GRÉCO-LATIN

La *Grèce* n'a jamais connu une véritable unité linguistique. De multiples DIALECTES ont cohabité et plusieurs d'entre eux se sont imposés comme langues communes, notamment la langue ionienne-attique, qui est apparue prépondérante seulement après la mort d'Alexandre le Grand (323 av. J.-C.). Du XVe siècle av. J.-C. jusqu'en 336, date de la première campagne d'Alexandre, le grec se caractérise par ses variétés: il y a autant de dialectes grecs que de cités grecques. Malgré tout, les Grecs se comprennent entre eux, mais les variétés de grec sont incompréhensibles pour les *Barbares*[1] (βαρβαροζ).

Dans ces conditions, le concept de norme ne préoccupe pas beaucoup les Grecs. Les écrivains tels Xénophon, Plutarque, Hérodote, Thucydide, écrivent surtout en ionien et en attique d'Athènes, mais aussi en dorien et en éolien; Homère, le plus grand poète grec, écrit *L'Iliade* et *L'Odyssée* dans une langue très particulière, un mélange de divers grecs étendus sur plusieurs époques, habillés d'un «vernis» ionien.

Cependant, après les conquêtes d'Alexandre (336-330), le grec s'étend «depuis la Sicile jusqu'aux frontières de l'Inde, depuis l'Égypte jusqu'aux rives septentrionales de la mer Noire[2]». Dès lors que le grec commun devient une LANGUE VÉHICULAIRE internationale, parlée non seulement pas les Grecs, mais aussi par de nombreux étrangers (Barbares), il apparaît nécessaire de *fixer la langue*, qui ne cesse de se répandre en se modifiant. Denys le Thrace rédige la première grammaire du monde occidental (fin IIe siècle av. J.-C.). Ce traité de grammaire décrit les différents constituants de la langue grecque, généralement *celle des poètes et des prosateurs*; Denys le Thrace enseigne aussi la *correction linguistique*, visant un certain *idéal de pureté de la langue littéraire* de la «belle époque». Casevitz et Charpin résument bien la conception de la norme grecque, laquelle exercera une énorme influence chez les grammairiens ultérieurs, grecs ou latins:

> «Ainsi, la norme dans la grammaire grecque, née du sentiment de l'unité de la langue malgré sa diversité et d'une certaine conscience de sa régularité, s'est développée dans un effort pédagogique pour fixer la langue dans un certain état de pureté et pour permettre l'étude des écrivains de la *belle époque*[3].»

La norme naît à *Rome*, sous l'influence de Denys le Thrace qui connaît un succès exceptionnel chez la plupart des grammairiens latins: Varron, Diomède, Sergius, Audax, Quintilien. Peu philosophes, incapables d'une pensée originale, ceux-ci s'alignent sur le concept de la norme héritée du grand grammairien grec. Le plus illustre représentant des grammairiens latins est Marcus Fabius Quintilianus dit Quintilien (Ier siècle de notre ère); son ouvrage le plus important demeure *De institutione oratoria* ou «De l'institution oratoire».

Globalement, la norme latine écrite s'appuie sur *l'imitation de la langue littéraire des Anciens*, parmi lesquels on trouve Virgile (vers 70-19 av. J.-C.), Térence (vers 190-159 av. J.-C.), Cicéron (106-43 av. J.-C.), Horace (65-8 av. J.-C.), Lucain (39-65 av. J.-C.), Plaute (254-184 av. J.-C.). Les grammairiens latins s'intéressent moins à la langue latine qu'à un Panthéon romain dédié aux écrivains de la glorieuse époque impériale. Dans cette perspective, l'usage décrit devient intemporel: plus de trois siècles séparent le poète Plaute du poète Lucain; peu de Romains devaient se reconnaître dans cet usage hétéroclite. Quant à la grammaire, elle devient simplement une nomenclature, un inventaire, une collection de procédures axées sur les parties du discours héritées des Grecs (le nom, le verbe, l'adverbe, l'adjectif, etc.), un savoir-faire, un conglomérat de techniques et de commentaires de textes destinés à reproduire les œuvres littéraires

---

1. βαρβαρσ· est une notion linguistique chez les Grecs; le mot désigne «l'étranger», particulièrement les Mèdes et les Perses, parce que leur langue n'est pas intelligible.
2. Antoine MEILLET, cité par CASEVITZ et CHARPIN dans «L'héritage gréco-latin», dans *La norme linguistique*, Québec/Paris, Éditeur officiel du Québec/Le Robert, 1983, p. 52.
3. *Loc. cit.*

des grands écrivains romains du passé. Loin d'expliquer les mécanismes de la langue, la norme grammaticale cède le pas à la *Vertu de l'Exemple, à la langue musée, objet de contemplation*. Cette conception de la grammaire se perpétuera jusqu'à nos jours.

Les grammairiens latins ont également une conception de la norme *parlée*. Quintilien méprise la langue du peuple, considérée comme des «façons de parler vicieuses» et des «exclamations barbares»:

> «Si nous appelons ainsi ce que fait la majorité, nous donnerons un conseil très dangereux, non seulement pour le langage, mais, ce qui est plus grave, pour la vie. D'où nous viendrait, en effet, tant de bonheur que ce qui est bien obtienne le suffrage de la majorité? Par suite, de même que s'épiler, porter des cheveux taillés en gradins, boire avec excès dans le bain, usages très répandus dans notre ville, ne sont pas l'usage, parce que toutes ces pratiques sont blâmables en quelque point, et que nous nous baignons, nous faisons couper nos cheveux et prenons nos repas conformément à l'usage, de même dans le langage, si des façons de parler vicieuses sont communément répandues, ce n'est pas une raison pour y voir la règle du langage. Car, sans parler de la façon dont les ignorants s'expriment communément, nous savons que, souvent, au théâtre, tout le public, et, au cirque, toute la foule poussent des exclamations barbares. Donc, pour le langage, j'appellerai usage l'accord des gens cultivés et pour la vie, celui des honnêtes gens[4].»

Ainsi le grammairien Quintilien, comme tous ceux de son époque, identifie le bon usage parlé à celui des «honnêtes gens» et des «gens cultivés», donc des Romains riches associés aux pouvoirs économique, culturel, politique, postulant le *caractère élitiste et social de la norme* pour des siècles à venir.

LE BON USAGE OU LA NOSTALGIE DE LA LANGUE PERDUE

La tradition héritée des Grecs et des Latins se perpétuera intégralement jusqu'au Moyen Âge et influera, à la Renaissance, sur les auteurs des premières grammaires en LANGUES VERNACULAIRES. Étant donné le prestige du latin et son utilisation quasi universelle sous la forme écrite, il était inévitable que les premières grammaires de langues vivantes soient calquées sur les modèles latins (eux-mêmes déjà calqués sur les modèles grecs).

Au XVe siècle, on tient les langues vivantes pour corrompues et inaptes à l'étude grammaticale. Tous les pays d'Europe ont leur grand grammairien du latin dont la tâche est de restituer, pour l'essentiel, la *latinité perdue* à des langues comme le français (ou francien), le castillan (ou espagnol), le toscan (ou italien). Dans son *Introductiones Latinae* (1492), le grammairien espagnol A. Nebrija préconise que le castillan doit se conformer aux cadres de la grammaire latine, car la tâche du grammairien est de «préserver l'usage d'être corrompu par l'ignorance[5]», d'où il s'ensuit que «l'usage des savants doit toujours l'emporter[6]». Tous les grammairiens de l'époque, qu'ils soient italiens (L. Valla, Perotti, Sulpizio), français (J. Despautère, Geoffroy Tory, Estienne, J. Dubois, Meigret), anglais (W. Lily, W. Bullokar, C. Cooper, J. Palsgrave) ou allemands (P. Melanchthon), fournissent la camisole de force que les grammaires des langues vivantes devront porter pendant des générations. Tout doit être refait sur le modèle latin: les formes latines sont reconnues comme les «vraies» formes et le bon usage celui qui se rapproche le plus du latin. Toutes les grammaires sont faites sur le même moule: on soumet le français, le castillan, l'anglais, l'allemand à des catégories grammaticales latines et on invente des formes, au besoin, pour maintenir «de force» le parallèle avec le latin. C'est ainsi que le français se voit doté d'«articles de déclinaisons» comme dans la série *table, ô table, de table, à table, pour table*, formes censées correspondre au nominatif, au vocatif, à l'accusatif, au génitif, au datif et à l'ablatif latins; l'anglais se voit gratifié de cas, de genres et de modes inexistants dans la langue réelle. Qu'importe! Les

4. QUINTILIEN, *De institutione oratoria*, cité par Michel CASEVITZ et François CHARPIN, *op. cit.*, p. 57.
5. A. NEBRIJA, *Introductiones Latinæ*, cité par G.A. PADLEY dans «La norme dans la tradition des grammairiens», *La norme linguistique*, Québec/Paris, Éditeur officiel du Québec/Le Robert, 1983, p. 71.
6. *Loc. cit.*

langues vivantes vernaculaires (du lat. *vernaculus*: esclave, indigène, domestique) retrouvent ainsi un peu de noblesse.

Puis des tentatives de révolte se dessinent. Plusieurs se mettent à secouer sérieusement le joug du modèle latin, notamment les Français Pierre de la Ramée (1543) et A. Matthieu (1560), et les Anglais P. Greaves (1594) et J. Wallis (1653). La Ramée essaie le premier de faire reposer la grammaire sur l'usage réel tout en tâchant, malgré tout, de la rendre conforme au système d'analyse linguistique destiné au latin; sa *Grammaire* (1543) demeure encore «un art de bien parler», mais le modèle à suivre n'est plus l'usage des savants ou des meilleurs écrivains:

> «Le peuple est souverain seigneur de sa langue (...) Lescolle de cette doctrine n'est point es auditoires des professeurs Hebreus, Grecs et Latins (...) elle est au Louvre, au Palais, aux Halles, en Grève, à la Place Maubert[7].»

Ce point de vue est tout à fait révolutionnaire pour l'époque. Pierre de la Ramée pose comme principe que le peuple est *juge et maître de l'usage* et qu'il se trouve, non pas dans les chaires universitaires de grec, de latin ou d'hébreu, mais aussi bien au palais du Louvre que dans les lieux *populaires* de Paris comme les Halles (marché public), la Grève (place publique devant l'hôtel de ville, où les chômeurs attendaient du travail), la Place Maubert (quartier populaire). Même le grand Vaugelas, un siècle plus tard, n'ira pas aussi loin que la Ramée et limitera sa conception du bon usage à «l'élite des voix» (voir *Vaugelas: du Bon Usage et du Mauvais Usage*, plus loin).

La Ramée sera suivi plus tard par A. Matthieu (1560), qui refuse de «faire parler le peuple de France en la langue patriote selon les règles des Latins[8]»; par C. Maupas (1607), qui veut inculquer la «naïve connoissance et pur usage» de la langue sans s'amuser à «esplucher les grammaires», car «je n'en ay leu pas-une[9]», se plaît-il à dire; par l'Anglais P. Greaves, dont le but est de décrire l'anglais «surtout dans la mesure où cette langue diffère du latin[10]»; par J. Wallis (1653), un autre Anglais, qui se propose de suivre «moins l'usage du latin que le caractère particulier de notre langue[11]». Malheureusement, cette façon de concevoir la grammaire et la norme ne s'imposera pas. L'obsession de la pureté de la langue va hanter les esprits et prendre le pas sur l'usage réel.

MALHERBE OU L'OBSESSION DE LA PURETÉ

Le XVIIe siècle laisse tomber définitivement le latin, supplanté par le français qui est devenu la LANGUE OFFICIELLE de la France. Désormais affranchis du latin, les gens de lettres vont chercher d'autres modèles puisés dans la littérature nationale et même dans la langue parlée. En France, c'est Malherbe (1555-1628) qui commence un travail d'épuration et de réglementation du «bon langage» fondé sur l'usage. Contrairement à Pierre de la Ramée un siècle plus tôt, Malherbe ne définit pas l'usage en fonction du peuple juge et maître, mais en fonction de la pureté et de la clarté. C'est au nom de la pureté que Malherbe condamne les mots «nouveaux», les mots «techniques» et «bas», comme c'est au nom de la clarté qu'il exige des mots «justes», «non équivoques», «bien définis dans leur emploi[12]». Le poète grammairien se bâtit ainsi une solide réputation de «docteur ès négative», de «regratteur» et de «tyran des mots[13]».

7. *Grammaire* (1543), Paris, cité par G.A. PADLEY, *op. cit.*, p. 81
8. A. MATTHIEU, *Second devis et principal propos de la langue françoyse* (1560), Paris, cité par G.A. PADLEY, *op. cit.*, p. 76.
9. C. MAUPAS (1607), *Grammaire françoise contenant reigles tres certaines et addresse tres asseuree a la naive connoissance et pur usage de nostre langue*, cité par G.A. PADLEY, *op. cit.*, p. 76.
10. P. GREAVES (1594), *Grammatica Anglicana*, Cambridge, cité par G.A. PADLEY, *op. cit.*, p. 82.
11. J. WALLIS (1653), *Grammatica linguæ Anglicanæ*, Oxford, cité par G.A. PADLEY, *op. cit.*, p. 75.
12. G.A. PADLEY, *op. cit.*, p. 69 à 104.
13. *Op. cit.*, p. 69 à 104.

Les jugements de Malherbe comportent une restriction sociolinguistique dans le choix de l'usage devant servir de modèle. L'usage reconnu exemplaire est celui de la partie la plus élevée de l'échelle sociale; plus on descend dans l'échelle, plus on s'éloigne de ce que Malherbe appelle le bon usage. C'est pourquoi, autant que l'on puisse en juger, Malherbe préfère l'usage de la cour, plus précisément de la partie «dégasconnisée» de la cour; le gascon est, pour Malherbe, le symbole des mots «étrangers» ou des mots «patois». En réalité, Malherbe peut bien invoquer la pureté et la clarté, il n'en demeure pas moins que son choix est simplement arbitraire, car il ne repose pas sur des critères objectivement vérifiables. Obnubilé par la pureté poétique, Malherbe s'est fait un esthète de la langue, ce qui ne l'a pas empêché d'être considéré davantage comme un policier de la langue.

VAUGELAS: DU BON USAGE ET DU MAUVAIS USAGE

L'œuvre de Malherbe est continuée par Claude Fabre de Vaugelas (1585-1650), le plus illustre grammairien de l'histoire de la langue française après. . . Maurice Grevisse. Dès son arrivée à Paris et son entrée à la cour, Vaugelas prend l'habitude d'observer discrètement les conversations des «honnêtes gens» et de consigner ses observations par écrit, devançant ainsi les méthodes d'enquête linguistique du XXe siècle. À mesure que les années passent, il révise ses notes et, au besoin, les remanie. Il acquiert peu à peu la réputation d'un grand connaisseur en la matière, au point que la jeune Académie française, fondée par Richelieu en 1635, l'accepte dans ses rangs pour cette seule raison.

À la demande générale, Vaugelas accepte de publier, en 1647, un choix de ses observations sous le titre de *Remarques sur la langue française utiles à ceux qui veulent bien parler et bien écrire*. Le livre de Vaugelas n'est pas une grammaire: c'est une collection de notes sur des cas de langue, précédée d'une *Préface* importante où l'auteur discute la question de l'usage.

Vaugelas distingue deux sortes d'usage: «un bon et un mauvais». Le mauvais usage se forme à partir «du plus grand nombre de personnes», car «le peuple n'est le maître que du mauvais usage»; le bon usage, au contraire, est composé, «non pas de la pluralité, mais de l'élite des voix». Vaugelas innove en donnant la primauté à la langue parlée sur la langue écrite parce que «la parole qui se prononce est la première en ordre et en dignité, puisque celle qui est écrite n'est que son image, comme l'autre est l'image de la pensée». Vaugelas en arrive ainsi à définir le bon usage:

> «C'est la façon de parler de la plus saine partie de la cour conformément à la façon d'écrire de la plus saine partie des auteurs du temps. Quand je dis la *cour*, j'y comprends les femmes comme les hommes, et plusieurs personnes de la ville où le prince réside, qui par la communication qu'elles ont avec les gens de la cour participent à sa politesse[14].»

L'usage proposé par Vaugelas s'identifie à un usage réel bien que quasi exclusif à un groupe social précis: les «honnêtes gens» qui forment «la plus saine partie de la cour». Il s'agit d'un choix social dans la mesure où tout ce que dit la plus saine partie de la cour est, par définition, «beau», «élégant» et conforme à la pureté, à la clarté, à la bienséance. Cependant, l'usage de la cour ne suffit pas; il faut aussi le consentement des bons auteurs classiques:

> « Toutefois, quelque avantage que nous donnions à la cour, elle n'est pas suffisante toute seule pour servir de règle, il faut que la cour et les bons auteurs y concourent, et ce n'est que de cette conformité qui se trouve entre les deux que l'usage s'établit.

Le consentement des bons auteurs décide de ce qui est douteux; il est «comme le sceau, ou une vérification, qui autorise le langage de la cour, et qui marque le bon usage». La

14. Claude Fabre de VAUGELAS, *Remarques sur la langue française*, Préface, Paris, 1647, Éditions Champ Libre, 1981.

norme de Vaugelas se veut plus souple que celle de Malherbe, mais elle demeure confinée à une élite sociale tant dans l'écrit que dans le parler. Quant à la postérité, elle comprendra très mal Vaugelas et ne retiendra que ce qui lui plaira.

LORSQUE LE GRAMMAIRIEN EST LE MAÎTRE DE L'USAGE

Le «raffinement linguistique» atteint au XVIIe siècle par les grands écrivains est considéré après Vaugelas comme la perfection à son apogée. À partir de ce moment, les fondements de la norme ne reposent plus sur la langue réelle, mais encore une fois sur la langue passée: celle de Bossuet, Fénélon, Racine, Corneille, etc. Pendant près de trois siècles, les grammairiens français voient dans le raffinement des auteurs classiques la norme à imiter et à préserver, sinon la base de la grammaire. À titre d'exemple, citons *La grammaire des grammaires* de Pierre Girault-Duvivier (1811) qui, sous l'Empire, a été comme le Code Napoléon de la langue classique et de l'orthographe académique[15]. Voici un extrait révélateur de la préface de *La grammaire des grammaires*:

> «Peut-on accuser de faiblesse ou de pauvreté la langue dans laquelle ont écrit les Bossuet, les Fénélon, les Racine, les Voltaire, les deux Rousseau, les Buffon, les Delille, etc.? Une langue qui, sous leur plume, a su prendre tous les tons, toutes les formes; peindre toutes les affections, rendre toutes les pensées, animer tous les tableaux, toutes les descriptions; une langue enfin qui a prêté son harmonie à Racine et ses foudres à Bossuet, *est assez riche de son propre fonds, elle n'a pas besoin d'acquisitions nouvelles, il ne faut plus que la fixer*, au moins pour nous, au point auquel ces grands écrivains l'ont élevée[16].» (C'est nous qui soulignons.)

Quelque vingt siècles après les écrivains romains, les grammairiens français relèguent le temps aux oubliettes et défendent la langue française contre l'évolution en tentant de lui imposer un modèle fixe et définitif. Relisons Girault-Duvivier:

> «... le moyen le plus sûr de fixer le langage, était d'offrir, si j'ose m'exprimer ainsi, la collection de toutes les lois qui ont été portées par les Grammairiens et les auteurs classiques sur cette importante matière; ce code, dont je n'ai prétendu être que l'éditeur, est la seule digue qui puisse arrêter les efforts toujours renouvelés, et les envahissements successifs de l'esprit d'innovation[17].»

La méthode suivie par Girault-Duvivier consiste à dépouiller les écrits des grammairiens antérieurs ainsi que les avis et les décisions de l'Académie, à faire la synthèse des opinions de ces auteurs en ayant soin de dégager sous forme de règles les solutions les plus communément acceptées, et à trouver chez les meilleurs écrivains classiques des exemples qui illustrent les règles ainsi posées et en confirment l'exactitude. D'où un manque d'objectivité flagrant: Girault-Duvivier ne choisit chez les écrivains que ce qui coïncide avec la règle établie d'avance et considère comme mauvais tout ce qui ne se plie pas à la règle. Pour résumer en une formule, *c'est l'usage qui se plie à la volonté du grammairien, non le grammairien qui se plie à l'usage.*

La grammaire, à l'aube du XIXe siècle, est devenue une série de règles rigides, imperméables aux fluctuations possibles de l'usage. Les minuties des exceptions forment la plus grande partie de l'enseignement grammatical. Le formalisme de la description devient une longue énumération d'usages capricieux érigés en règlements. En 1823, Chapsal et Noël publient une *Grammaire française* qui connaîtra pas moins de 80 éditions successives jusqu'en 1889; elle couvre tout le XIXe siècle. Des millions de jeunes Français et autres francophones du Canada, des États-Unis et d'ailleurs ont appris cette grammaire qui identifie complètement la langue écrite littéraire à l'usage réel du français contemporain de l'époque.

15. Voir Marcel COHEN, *Histoire d'une langue: le français*, Paris, Éditions Sciences sociales, 1967, p. 242.
16. Pierre GIRAULT-DUVIVIER, *La grammaire des grammaires* (1811), s.l.
17. *Loc. cit.*

Le principe de Vaugelas, qui subordonnait la langue écrite à la langue parlée, est tombé dans l'oubli durant trois siècles, ce qui a entraîné une fixation de la langue écrite pendant que la langue orale s'en écartait de plus en plus. À un point tel que la langue écrite, surtout la langue littéraire traditionnelle, est devenue parfois une véritable langue étrangère pour la majorité des francophones du monde; il suffit de rappeler le peu d'intérêt que suscite la lecture des grands écrivains actuels. La norme, «déconnectée» de la réalité, correspond à un usage intemporel codifié dans le formalisme où la minutie des exceptions prend le pas sur les mécanismes réels de la langue. On n'apprend pas à communiquer ainsi; on réussit tout au plus à fabriquer des automates.

2 TENDANCES ACTUELLES

Les grammairiens contemporains ont heureusement coupé les liens avec le français des XVIIe et XVIIIe siècles. L'*usage actuel* semble avoir retrouvé ses droits après une longue période d'obscurantisme tout orientée vers le passé. Mais la position des grammairiens actuels ne peut se comparer à celle de Vaugelas, lequel ne s'intéressait pas au patrimoine culturel, considéré aujourd'hui comme une partie intégrante du présent. Dans cette perspective, des ouvrages comme *Le Bon Usage* de Maurice Grevisse et le *Dictionnaire alphabétique et analogique de la langue française* (ou *Petit Robert*) de Paul Robert évitent la rupture brusque avec le passé tout en décrivant l'usage réel de la langue. Grevisse et Robert veulent adopter la position du juste milieu; ils puisent généreusement dans la langue littéraire du XIXe siècle, largement dans celle du XXe siècle, usant parfois d'une regrettable prudence, sans proscrire ni autoriser toutes les licences. Lorsqu'il y a matière à hésitation, Grevisse, en particulier, se garde bien de se prononcer en faveur de telle ou telle solution. Pour celui qu'on a souvent surnommé «le Vaugelas du XXe siècle», le grammairien doit enregistrer l'usage plus qu'il ne le contrôle et tenir compte de l'évolution actuelle de la langue:

> «Le français est en perpétuel devenir. L'Académie n'y peut rien. Elle n'y peut surtout rien changer. Si son rôle conservateur agit sur l'usage à la façon d'un frein, il n'en reste pas moins vrai que l'usage demeure le souverain législateur dans un domaine où la vérité d'aujourd'hui diffère de la vérité d'hier et sera l'erreur de demain[18].»

En fait, grammairiens et linguistes contemporains ont renoué avec les critères de Vaugelas, mais chacun à leur façon. Les premiers mettent l'accent sur l'usage actuel appuyé par le consentement des «bons écrivains» et des «gens qui ont souci de bien s'exprimer»; les seconds accordent la primauté à la langue parlée et à la vérité des usages. De ces observations, découlent trois pôles majeurs: la perspective prescriptive, la perspective descriptive et la perspective fonctionnelle, c'est-à-dire trois façons de considérer la norme.

LA NORME PRESCRIPTIVE

La NORME *PRESCRIPTIVE* revêt un caractère contraignant marqué par l'autoritarisme et l'élitisme du XIXe siècle. Cette norme repose aujourd'hui sur la conception d'un code uniforme, intrinsèquement supérieur, dont les qualités immanentes sont la pureté, la logique ou cohérence interne, la clarté, l'esthétique et l'efficacité. Ce type d'usage, beaucoup plus répandu qu'on ne le croit, est idéalisé par ceux qui sont ordinairement doués pour l'écriture: écrivains, savants, juristes, journalistes, professeurs; d'où la primauté de l'usage écrit sur l'usage parlé et le recours à l'autorité des «bons auteurs» pour justifier ce mythe du bon français unique.

18. Maurice GREVISSE, *Le Bon Usage* (Préface), Gembloux, Duculot, 1953.

C'est une norme sélective essentiellement sociale, selon laquelle, à l'instar de Vaugelas, on affirme que le peuple n'est le maître que du mauvais usage; aussi ne reconnaît-on dans la norme parlée que l'usage de la classe cultivée. Même au Québec, un chroniqueur de langue comme Pierre Beaudry n'hésitait pas à écrire dans le journal *La Presse* que «c'est à la manière de Paris que tous les Français bien élevés s'expriment» (janvier 1973), bien que les Québécois, adeptes de la norme prescriptive, aient eu plutôt tendance à favoriser la «langue des journalistes de Radio-Canada», c'est-à-dire de ceux et celles qui lisent les bulletins de nouvelles.

La promotion d'un tel usage érigé en norme s'accompagne généralement de jugements et de condamnations morales ou sociales, avec exclusion de tous les usages non conformes au modèle idéal. Tant en France qu'au Québec, c'est de cette norme dont il est question lorsqu'on parle d'une langue correcte, qu'on associe à la clarté, à la précision, à la richesse, à la pureté, à la logique ou au respect de soi, comme en témoigne le bon vieux slogan québécois «Bien parler, c'est se respecter». Toutes les autres formes sont perçues comme déviantes et synonymes d'imprécision, de pauvreté, de corruption, d'illogisme, d'abâtardissement, etc. Comme si la logique, la clarté, la précision, la pureté n'étaient l'apanage que des «gens qui parlent bien»! Ces qualifications sont autant de jugements de valeur sur les individus eux-mêmes. Dire «s'enfarger» au lieu de «s'empêtrer», *spring* au lieu de «ressort», «dompe» (*dump*) au lieu de «dépotoir», etc., ne met pas du tout en jeu la clarté, la logique ou la pureté de la communication, mais réfère à des variétés linguistiques reliées elles-mêmes à des groupes sociaux différents et identifiables. Si «s'enfarger», *spring* ou «dompe» sont dévalorisés, c'est uniquement parce qu'ils ne sont pas admis dans les situations de communication formelles par les «bien parlants». Alors, qu'est-ce qui rend les mots populaires? Duneton et Pagliano ne craignent pas de donner cette réponse:

> «Le fait que le peuple les emploie. Le peuple c'est sale, ça travaille et ça pue. Alors les mots que le peuple emploie sont sales et ils puent; on les appelle des mots populaires[19].»

En revanche:

> «Si vous habitez une belle maison, dans un beau quartier, les mots de tous les jours sont de beaux mots, vous pouvez les écrire à l'école et dans les examens[20].»

Duneton et Pagliano expriment de façon sans doute provocante, mais avec beaucoup de lucidité, le concept de cette norme prescriptive essentiellement sociale, monolithique, absolutiste. Dans cette perspective, le seul usage dit de qualité est celui de la grammaire, des dictionnaires, de la littérature, de l'élite cultivée; la seule norme permise: la variété standard.

Qu'on valorise la variété standard et qu'on la prône dans les COMMUNICATIONS INSTITUTIONNALISÉES est conforme au système social dans lequel nous vivons: la maîtrise du français standard est essentielle à qui veut évoluer dans certaines sphères du pouvoir. Cependant, justifier la norme unique du français standard avec des arguments relatifs à la logique, à la clarté, à la richesse, etc., relève de la supercherie. Ce n'est pas une question de clarté ou de logique, mais une question de pouvoir.

Pour toutes ces raisons, la norme prescriptive tend de plus en plus à être rejetée, notamment par les linguistes. La langue n'est pas uniforme, elle correspond à de nombreuses variétés d'usages et l'on a tort de condamner ces usages sous prétexte qu'ils sont différents du «bon usage». Cela ne doit toutefois pas nous faire oublier, d'une part, que le code écrit est régi par des normes orthographiques et grammaticales que la société perpétue comme des standards de qualité; d'autre part, que la langue

19. Claude DUNETON et Jean-Pierre PAGLIANO, *Anti-manuel de français*, Paris, Seuil, 1978, p. 238.
20. *Ibid.*, p. 239.

orale ne sert pas à communiquer n'importe quoi, de n'importe quelle façon, à n'importe qui. Nonobstant ces deux observations, il ne faudrait pas croire que tout écart relatif à la langue orale ou écrite constitue une erreur linguistique, logique ou esthétique; il traduit au pire une maladresse sociale.

LA NORME DESCRIPTIVE

En opposition à l'absolutisme de la norme prescriptive, les linguistes ont proposé une NORME *DESCRIPTIVE*. La linguistique étant une science, le linguiste doit se contenter d'observer les faits sans prendre parti; il procède à des enquêtes afin de pouvoir analyser les matériaux qu'il veut observer. Étant donné le caractère non prescriptif de cette perspective, l'observation doit porter sur *tous* les faits de langue, ce qui empêche le linguiste de se limiter à la langue écrite et l'oblige à tenir compte de toutes les variétés linguistiques, de la langue populaire comme du «beau langage» ou des discours institutionnalisés. De plus, le linguiste doit éviter de recourir à des données extérieures à la langue, dont les jugements à valeur esthétique, sociale ou morale, pour se fonder plutôt sur des critères internes à la langue. Dans cette optique, il s'appuiera sur une pluralité d'usages correspondant à *autant de normes* — dans le sens de modèles à imiter — qu'il y a de variétés linguistiques. Ces différents usages témoignent d'un système cohérent que le linguiste peut décrire, et ils répondent à divers besoins géographiques, culturels et sociaux. Ils sont également justifiés par l'intercompréhension qu'ils permettent chez les usagers.

Dans la perspective descriptive, il devient acceptable de ne pas s'exprimer à l'oral comme à l'écrit, de ne pas parler de la même façon avec des amis et avec l'animateur d'une émission de variétés, de ne pas utiliser des termes rigoureusement identiques au Québec et en France. À cet égard, on distinguera l'*usage oral* de l'*usage écrit*, l'*usage familier* de l'*usage «institutionnalisé»*, etc. Dans tous les cas, on se pliera à la pression statistique de l'usage réel dans les diverses variétés linguistiques; c'est là une des justifications fondamentales de la norme descriptive: l'*usage statistique*. La fréquence des formes linguistiques constitue, dans la perspective descriptive, un critère d'acceptabilité incontestable.

Si l'observation révèle des cas d'alternance linguistique, on se refusera à faire des choix au nom d'un modèle unitaire et esthétique. Prenons les exemples ci-dessous opposant, d'une part, des faits de langue du français standard identifiés à la norme idéale (langue écrite, langue standard, langue commune) et, d'autre part, des faits de langue identifiés à d'autres normes (langue parlée, langue populaire, langue régionale) et correspondant à des comportements linguistiques d'individus vivant dans une société déterminée.

La perspective descriptive se divise ici en deux normes, l'une *passive*, l'autre *active*. La *norme passive* correspond à des usages connus des locuteurs, mais qu'ils utilisent peu ou pas; la *norme active*, au contraire, répond à des usages effectivement utilisés par les locuteurs. Les formes actives propres à la langue populaire sont statistiquement beaucoup plus fréquentes que les formes passives, confinées à la langue écrite ou aux situations de communication plus formelles. Ces formes ne doivent pas être considérées comme concurrentes, mais comme complémentaires et répondant les unes et les autres à des besoins spécifiques sans que la communication elle-même en soit gênée.

Des recherches effectuées dans le quartier populaire Centre-Sud de Montréal[21] ont démontré que les locuteurs n'ont aucune difficulté à comprendre des formes de la *norme passive* et que plusieurs d'entre eux possèdent même une compétence active des formes du français standard lorsqu'ils sont placés dans des situations de communi-

21. Voir Claire LEFÈBVRE, «Une ou plusieurs normes?», dans *Actes du congrès «Langue et société»*, t. 2, Québec, Éditeur officiel du Québec, 1984, p. 293.

Opposition langue écrite/langue parlée:

— *Nous* écrivons/*On* écrit
— *Il* parle/*I* parle
— *Elle* remarque/*A* r'marque
— Il *ne* veut *pas*/I veut *pas*
— Je *lui dirai*/J'*vais* y dire

Opposition langue standard/langue populaire:

— *Compréhensible*/*comprenable*
— Se faire *avoir*/se faire *fourrer*
— Il y a une chose *à laquelle* il faut faire attention/Il a une chose *qu'i* faut faire attention
— La compagnie *pour laquelle* je travaille/La compagnie *que* je travaille *pour*
— Une *mise au point*/un *tune-up*

Opposition langue commune/langue régionale:

— Des *chaussettes*/des *bas* (Québec)
— Un *clignotant* grillé/un *clignoteur* grillé (Belgique)
— Une *pelle à poussière*/une *ramassette* (Belgique)
une *ramassoire* (Suisse)
un *porte-poussière* (Québec)
un *porte-ordures* (Québec régional)
— *Abribus*/*aubette* (Belgique), *abri d'autobus* (Québec)

— ? /*tuque* (Québec)

cation appropriées. La norme passive est particulièrement connue dans les cas d'alternance langue parlée/langue écrite et langue populaire/langue standard, mais elle demeure possible parfois dans l'alternance langue régionale/langue commune. Ainsi «chaussette», «pelle à poussière» et «abribus» peuvent constituer des formes passives ou même être totalement ignorées, à la rigueur, sans que la communication en soit entravée dans les régions où seules les formes actives sont effectivement employées. Dans les cas où la langue commune n'a pas d'équivalent, la question ne se pose même plus; pensons à des mots comme «tuque» ou «rembourreur», lequel a un sens particulier au Québec, à des mots comme «pistolet» (petit pain rond), «caritatif» (adj.: charitable), «athénée» (école secondaire), «plumitif» (compte rendu d'une délibération) en Belgique.

Malgré sa valeur scientifique, la norme descriptive comporte néanmoins des «faiblesses». D'une part, on a tendance, si on l'adopte, à accorder beaucoup plus d'importance à la langue parlée et aux autres modèles réels, dont les formes régionales, au détriment parfois du code écrit et du modèle idéal standard. D'autre part, on remet en cause l'existence même de ce modèle idéal, la langue standard ou commune, c'est-à-dire le français dit international qu'on qualifie de *mythe flottant*, une espèce d'abstraction qui présiderait au comportement linguistique des locuteurs.

LA NORME FONCTIONNELLE

La troisième perspective, la NORME *FONCTIONNELLE*, fait porter l'éclairage sur les raisons pour lesquelles on utilise le code et sur l'usage approprié de différentes formes linguistiques en fonction des objectifs poursuivis par le locuteur. Cette vision de la norme permet d'utiliser une variété familière ou populaire même dans les situations de communication formelles, tout dépendant des objectifs poursuivis. Ainsi le «Toé, tais-toé» de Maurice Duplessis trouvait sa raison d'être à l'Assemblée législative du Québec parce qu'il était utilisé dans un contexte situationnel qui permettait au *boss* d'imposer le silence à un supposé impertinent. Un médecin peut paraître incompétent linguistiquement face à son plombier; un professeur de français peut passer pour snob et prétentieux face à son garagiste pour qui *tune-up, brake* et *tire* sont les termes «*normaux*» de son environnement linguistique, donc constituant *sa* norme.

Selon les tenants de la norme fonctionnelle, toutes les variétés d'une langue sont nécessaires selon le contexte situationnel et social dans lequel elles apparaissent, et c'est pour cette raison qu'elles existent. Constater simplement la réalité des variétés linguistiques ou des niveaux de langue ne donne rien sur le plan de la performance linguistique; tout le monde sait que ces variétés existent, même les enfants. Ceux-ci apprennent très tôt comment on s'adresse à ses parents, à ses amis, à des étrangers, etc. L'usage des formules de politesse en témoigne; les enfants savent qu'ils peuvent, par exemple, demander du lait à la table de différentes façons: «J'veux du lait», «Ch'peux-tu avoir du lait?», «Du lait, s'il vous plaît», «Peux-tu me passer le lait?», etc. La formulation abrégée «Du lait» sera jugée impolie, voire provocante, par la plupart des parents. Cependant, dans un contexte où l'enfant a demandé du lait *poliment* à trois ou quatre reprises sans que personne ne semble l'entendre, il lui suffira de crier «Du lait!» pour enfin se faire comprendre sans trop offusquer les autres.

Autre exemple? Deux jeunes filles et un jeune homme, étudiants au collégial, préparent un exposé sur le problème de la désertification des sols arables en Afrique. Au cours de leurs recherches, les trois s'interpellent à qui mieux mieux, mêlant syntaxe populaire, prononciation relâchée, mots familiers et mots techniques du français international. Quand ces étudiants se présenteront devant la classe, les formes phonétiques du français standard ne seront pas nécessairement de rigueur, et les formes syntaxiques à peine plus, tout simplement parce qu'ils s'adressent à leurs copains et copines; mais s'ils sont placés dans une vraie situation de communication formelle (par exemple, à la radio ou devant une assemblée publique), leur professeur lui-même risque d'avoir du mal à les reconnaître. Par ailleurs, s'il s'agit d'une assemblée contradictoire, certains écarts familiers, voire populaires, paraîtront même acceptables à un auditoire le moindrement solidaire.

Dans la perspective fonctionnelle, le bon usage, c'est celui qui est adapté aux situations de la vie en société. Par exemple, dans le domaine de la prononciation, la bonne prononciation, c'est celle qui passe inaperçue là où l'on est, celle qui se laisse oublier, celle qui n'attire pas l'attention, celle qui ne suscite ni surprise, ni désapprobation, ni admiration, celle qui n'est rejetée d'aucune façon, bref, celle qui assure la communication sans accrocs. Il en est de même pour les autres domaines de la langue: le «bon» mot, la «bonne» tournure, la «bonne» règle, c'est ce qui passe inaperçu dans le contexte situationnel.

La «bonne» norme concorde avec un comportement linguistique qui ne donne lieu à aucune réaction de surprise, de désapprobation ou d'admiration de la part de ceux qui reçoivent le message. Dans la perspective fonctionnelle, parler «franglais» peut parfois être plus rentable sur le plan de la communication que parler français «francisant» au Québec. Pour reprendre une expression d'André Martinet et Henriette Walter, la première norme, «c'est apprendre à changer de norme[22]». Autrement dit, toutes les normes peuvent se révéler mauvaises si elles ne sont pas appropriées au contexte situationnel. Même s'il existe une pluralité de normes, elles ne sont pas toutes valables ensemble et partout à la fois, mais une seule à la fois et pas toujours de la même façon.

22. André MARTINET et Henriette WALTER, *Dictionnaire de la prononciation dans son usage réel*, Paris, France-Expression, 1973, p. 16.

Rappelons-le, la langue ne sert pas à communiquer n'importe quoi, de n'importe quelle façon, à n'importe qui. Elle permet de communiquer des informations, mais aussi de persuader, de choquer, d'embobiner, de blesser, de charmer, etc. Il existe bien des moyens d'atteindre l'objectif visé, mais certains sont certes plus rentables que d'autres. Il faut bien prendre conscience que, dans ces conditions, la langue exerce un *pouvoir* à travers ses multiples manifestations. La meilleure norme est celle qui nous permet d'user de ce pouvoir de la langue avec la plus grande efficacité possible dans la communication.

3 LES JUSTIFICATIONS DE LA NORME

Comme on peut le constater, les critères de justification de la norme sont nombreux et souvent contradictoires, car on peut justifier une forme linguistique pour une raison et la condamner pour une autre. L'essentiel est de bien voir les causes qui jouent réellement et d'effectuer un choix, consciemment, de façon souple, jamais unilatéralement, sous peine de devenir formaliste et intolérant.

LES CRITÈRES LINGUISTIQUES

On se sert de critères linguistiques lorsqu'on se fonde sur les règles d'organisation de la langue, sur ce qui fait, par exemple, que le français n'est ni de l'allemand ni du vietnamien. Il s'agit de la grammaire de la langue, dont les linguistes distinguent plusieurs composantes: la composante *phonologique* (étude des phonèmes et de leurs règles de combinaison), la composante *morphosyntaxique* (combinaison des formes et règles suivant lesquelles se moule la réalisation de la phrase), la composante *sémantique* (la structuration des éléments qui permet la formulation et l'expression de la pensée), la composante *lexicologique* (le lexique).

Les critères strictement linguistiques neutralisent les variantes géographiques, sociales et situationnelles pour s'en tenir exclusivement au fonctionnement interne du code. Le fait de refuser *la cerveza, *le banane* ou **la règle est droit* répond à des critères linguistiques, comme pour les phrases agrammaticales suivantes:

**Je ne l'ai vu pas.*
**Pierre la leur y apporte.*
**Aimer chocolat enfants.*

De même pour cette phrase inacceptable en français:

La soirée que le garçon... que l'ami que tu as rencontré, connaît... donnait... était une réussite.

La grammaticalité relève d'un système de règles générales intériorisées au cours de l'apprentissage de la langue. Aussi le respect absolu des critères linguistiques est-il nécessaire dans la problématique de la norme, sous peine d'entraver la communication. En revanche, on ne peut invoquer des critères linguistiques pour refuser les phrases suivantes, car la communication n'est pas remise en cause ici:

— *Où c'est qu'i va?*
— *Où qu'i va?*
— *Il m'insulte que je fais rien.*
— *Prendre une bonne draft rafraîchit.*

On ne peut recourir à des critères linguistiques lorsque les formes n'entravent pas la communication. Il faut se servir d'autres critères, surtout s'il s'agit d'une question de niveau de langue ou de registre de langue.

LES CRITÈRES SOCIOLINGUISTIQUES

Dans le choix de la norme, les critères sociolinguistiques sont les plus souvent invoqués. Ils se rapportent à l'ensemble des règles sociales qui guident la réalisation des usages linguistiques. Lorsqu'un individu dit au sujet d'un autre: «Lui, i parle bien», il fait référence à des critères sociolinguistiques: statut social du locuteur, aisance de celui-ci à aborder son sujet en public, contenu du discours, adhésion de l'auditeur aux idées formulées, etc.

On utilise des critères sociolinguistiques lorsqu'on se fonde sur la concurrence entre les variétés et qu'on privilégie la norme idéale. La maîtrise de la variété standard est essentielle à qui veut avoir accès à certaines sphères du pouvoir et cela fait partie, nous le savons, des règles du jeu en société. Mais le concept de norme sociale implique la notion du bon usage, comme Vaugelas le précisait lorsqu'il affirmait que le peuple n'était «le maître que du mauvais usage». Si le peuple avait détenu les leviers du pouvoir, c'est lui qui aurait imposé sa norme aux autres classes de la société et serait devenu «le maître du bon usage». Dire *moé* ou *toé* n'a rien d'illogique en soi; le roi Louis XIV le disait bien en son temps et c'était la norme aristocratique. Mais voilà, les temps ont changé et c'est *moi* ou *toi* qu'il faut dire maintenant dans la bonne société. Maurice Grevisse avait bien raison d'affirmer que la vérité d'aujourd'hui peut être l'erreur de demain.

Toute la langue écrite, toute la littérature, tous les ouvrages de références, les grammaires et les dictionnaires, la langue institutionnalisée, la langue de l'élite socio-économique s'attribuent l'autorité et la légitimité linguistiques. On peut invoquer illusoirement la pureté ou la clarté de la langue pour justifier cette autorité, mais, en réalité, c'est toujours la valorisation socio-économique de la langue dominante qui demeure la base de critères sociolinguistiques.

LES CRITÈRES ESTHÉTIQUES

Il faut distinguer deux types de critères esthétiques: ceux qui relèvent des créateurs dans leurs choix linguistiques et ceux qui concernent les jugements de valeur à connotations péjoratives. Dans le premier cas, il s'agit d'une norme essentiellement personnalisée, celle des créateurs de la littérature, de la chanson, de la publicité, etc. Dans cette catégorie, il est difficile et plutôt inopportun de rejeter des usages, car tout est permis: le créateur peut écrire comme il le veut au risque de ne pas être compris parce que trop hermétique, et au mépris même de la norme sociale dominante.

Dans le second cas, les critères esthétiques se traduisent par des jugements de valeur ayant trait à la pureté, à la clarté, à la précision, à la beauté, etc. La plupart des arguments d'ordre esthétique témoignent du goût de celui ou de celle qui les invoque. Malheureusement, «le goût ne se discute pas»; il relève d'une attitude personnelle; ce qui est beau et élégant pour les uns peut être considéré laid et méprisable par les autres. Qu'est-ce que la «belle musique»? Celle de Wolfgang Amadeus Mozart ou de Michael Jackson? Mieux vaut ne pas répondre.

Ces notions de pureté ou de beauté sont trop arbitraires pour prétendre devenir des notions le moindrement linguistiques. Voici un exemple de jugement esthétique tel qu'on trouvait souvent il y a quelques années:

> «Le soi-disant québécois est un langage sans vocabulaire arrêté, sans règles grammaticales, sans syntaxe, sans exigences d'aucune sorte. On le parle insoucieux de la moindre correction; les pires expressions

> comme *câlisser* et *crisser* sont valables. Et c'est ce jargon infect que l'on voudrait substituter à la si belle, si claire, si riche, si classique langue française, fruit de plusieurs siècles de raffinement[23].»

Par un formidable tour de passe-passe, l'auteure transforme un jugement de valeur en jugement de grammaticalité. Ceux qui glorifient le français standard sous le couvert de la richesse, de la beauté, de la clarté, trahissent leur souverain mépris envers des individus ou des groupes sociaux de même que leurs intentions répressives et leurs principes élitistes.

LES CRITÈRES MORAUX

Sous prétexte d'évaluer la langue, on utilise des arguments moraux qui servent, en fait, à condamner des comportements sociaux différents au nom de principes qui relèvent du snobisme, de l'arrogance, du mépris, du dégoût ou de la répulsion. Ainsi, un grammairien de Louis XIV, Hindret, écrivait en 1687, au sujet de la prononciation populaire parisienne des mots en *-oi* tels *loi, moi, roi,* etc.:

> «La plupart des Parisiens prononcent ces mots comme roa, boa. Cette prononciation est fort irrégulière et elle n'est pas bonne à imiter; car elle sent son homme grossier et paresseux qui ne daigne se contraindre en rien ni s'assujétir à la moindre règle[24].»

Le pauvre royal grammairien a dû se retourner dans sa tombe un siècle plus tard lorsque, à la Révolution française, la prononciation en *-wa* est devenue la prononciation valorisée et celle en *-wé* est tombée en désuétude.

En 1953, René Georgin écrivait à son tour, dans *Pour un meilleur français*, que «les fautes contre la langue sont graves parce qu'elles portent témoignage d'une décadence des mœurs et de l'esprit publics[25]». Il allait jusqu'à affirmer que «la mauvaise tenue de la langue» conduisait au «laisser-aller», à la «veulerie», à l'«anarchie», à la «barbarie». Rien de moins! De son côté, Roger Lemelin, l'auteur des *Plouffe*, déclarait en 1977, lors de la 42e soirée annuelle de la Société du bon parler français, que notre langue ne pouvait survivre «que si nous nous mettions vraiment à respecter notre génie français, notre plus grande ressource naturelle[26]». Et il ajoutait:

> «Mais cela ne donnera rien, si en même temps nous ne retrouvons pas une morale nourrie par nos plus belles qualités ethniques, si nous ne réapprenons pas les critères classiques de la beauté, pureté, dépouillement et harmonie, si nous ne cultivons pas le respect de la vie et si, enfin, nous ne retrouvons pas les grandeurs de la vie spirituelle[27].»

Qu'est-ce que le «génie français»? Que viennent faire dans la force d'attraction d'une langue la morale, le respect de la vie, les grandeurs de la vie spirituelle? Roger Lemelin oublie que les grandes langues ont souvent été parlées par les peuples les plus sanguinaires, les plus belliqueux, les plus répressifs, les plus impérialistes. Son allocution, qui porte le titre de *Langue, esthétique et morale*, illustre un type de discours alarmiste, belliqueux, qui parle d'«invasion», de «dégradation», de «dérive», de «fléau», de «naufrage», de «désarroi moral collectif», d'«agonie» et de «vague de torpeur suicidaire».

Les croisés de cet acabit deviennent vite virulents, fanatiques, intolérants, répressifs. Roger Lemelin ne faisait que reprendre, à sa manière, le slogan publicitaire lancé par le gouvernement québécois quelques années plus tôt: *Bien parler, c'est se respecter*. Même

23. Yvette MÉRAT, «Manifeste contre le joual», dans *La Presse*, Montréal, février 1973.
24. Cité par Anne COPPEL, «La norme», dans *Manuel de linguistique appliquée*, t. 4, Paris, Delagrave, 1975, p. 35.
25. Cité par Claude DUNETON et Jean-Pierre PAGLIANO, *op. cit.*, p. 237.
26. Roger LEMELIN, «Langue, esthétique et morale», dans *La Presse*, Montréal, 19 mai 1977.
27. *Loc. cit.*

le Premier ministre canadien de l'époque, Pierre Elliott Trudeau, à l'occasion d'une de ses déclarations retentissantes sur le Québec, a qualifié la langue de ses compatriotes de *lousy French*, expression dont la traduction approximative (le français pouilleux) a déclenché un tollé de protestations.

Bref, les arguments moraux nous permettent de déduire que pour parler convenablement dans la Belle Province, il faudrait parler le français d'ailleurs, le français parisien cultivé, au mépris de ce que nous sommes réellement.

LES CRITÈRES IDÉOLOGIQUES

Au cours de la Révolution tranquille, la langue est devenue facilement un symbole idéologique au Québec. Le problème de la langue a donné naissance à deux tendances principales exprimant une certaine aliénation collective. La première tendance, «européanisante», s'alignait sur le français international et n'admettait aucun compromis face aux différences linguistiques spécifiquement québécoises. Cette attitude de rejet des valeurs de notre collectivité exprimait une *idéologie défensive* à la recherche d'une purification imaginaire qui prétendait préserver la pureté de la langue menacée par la corruption. D'où la lutte à la contamination, notamment par l'anglais, et le retranchement vers les formes prestigieuses de langage, bouée de sauvetage pour les Québécois minoritaires en Amérique du Nord.

De ceste béate maladie: le Triomphalisme Joualeux

Mais Cruel paradoxe! plus nos auteurs s'adonnent à la parlure jouale pour mieux illustrer la détresse d'un peuple en vérité très magané, plus ils paraissent nous inviter à parler ceste sous-langue et semblent signer en beauté notre défaite définitive. Par un injuste retour des choses ou un malheureux hasard, l'introduction réussie mais si mal entendue du joual en nos Belles-lettres coïncide avec cette neuve attitude que je m'aventure à nommer: triomphalisme joualeux: qui consiste à se dire très fier de parler enfin une langue complètement de chez nous et surtout qui n'a rien à voir avec cette langue-à-mémére que des femmelettes fédéralistes comme Madame Claire Martin* ou Dame Kirkland-Casgrain** voudraient nous entendre parler. Mais qui se veut, à l'autre extrême, un idiome d'hommes libres, affirmés, forts, «américains», high, pop, in, c'est-à-dire ma foi, quasiment anglophones. . .

N.D.A.:

* Romancière ontarienne d'expression française, qui choisit d'aller finir ses jours en France, blâmant l'inculture et la mentalité québécoises actuelles.

** Ex-ministre des Affaires culturelles du Québec, qui refusa de faciliter l'exportation des *Belles-soeurs* à Paris.

Tiré de Michèle LALONDE, *Deffence et illustration de la langue Québecquoyse*, Montréal/Paris, L'Hexagone/Seghers-Laffont, 1979, p. 31-32.

La tendance opposée regroupait les tenants du *lousy French* qui reconnaissaient la légitimité, sinon la nécessité d'une langue québécoise. Cette prise de conscience du phénomène spécifiquement québécois secoua la société et révéla le malaise collectif des Québécois à travers la langue devenue le symbole de notre aliénation. Plusieurs intellectuels, des littéraires, des linguistes, des dramaturges, des journalistes, adoptèrent les formes de langue québécoises les plus méprisées. Le misérabilisme linguistique fut exploité, d'abord par les littéraires les plus politisés, notamment les intellectuels de la revue *Parti Pris*, puis par des romanciers tel Jacques Renaud dans *Le Cassé* (1964) et des dramaturges tel Michel Tremblay dans *Les Belles-soeurs* (1968). La *Deffence et illustration de la Langue Québecquoyse* (1973) de Michèle Lalonde venait célébrer le «Triomphalisme Joualeux» en même temps qu'elle en montrait les limites (voir le texte encadré *De ceste béate maladie: le Triomphalisme joualeux*).

Puis, sur le tard, Léandre Bergeron relança le débat avec son *Dictionnaire de la langue québécoise* (1980). Il invoquait des arguments «québécistes» pour mousser une norme «indigène» à base prolétarienne. Pour Bergeron, seul le peuple québécois parlait un français vivant, naturel, authentique; les pauvres Français, eux, avaient hérité de Vaugelas une langue d'eunuques, artificielle, corsetée, constipée.

En dernière analyse, que l'on fût pour un français «européanisant» ou un français «québécisant», cette recherche de la norme se rattachait essentiellement à des arguments idéologiques, parce qu'elle véhiculait une doctrine à propos de l'usage ou des usages de la langue d'ici. Dans les deux cas, on versait dans la «célébration linguistique» et la glorification nationaliste des Vertus de la Langue. Ce faisant, on tombait dans le piège de l'ethnocentrisme de la minorité dominée. C'est là aussi où le débat devenait politique.

LA RÉCUPÉRATION POLITIQUE

Les problèmes relatifs à la norme deviennent vite des problèmes politiques. Parce que la langue est perçue comme un bien collectif, elle revêt une valeur nationale que le pouvoir prend en main. Rappelons-le encore une fois: la langue est plus qu'un instrument de communication et elle représente bien davantage qu'une convention sociale; c'est aussi, selon les termes de Joshua A. Fishman, «un symbole culturel, un cri de ralliement et, à la fois, une cause à défendre et le noyau d'une causalité[1]». Dès lors, la question de la langue et, par-delà, celle de la norme, devient objet de récupération politique au profit de la classe dirigeante. Celle-ci utilise la langue comme une arme qui doit défendre l'identité de la collectivité et sa cohésion face aux prétendues forces subversives; à cette fin, elle recourt aux différents leviers de l'État: l'administration, la justice, l'enseignement, les médias et les activités socio-économiques. En réalité, sous prétexte de sauvegarder la langue, de l'empêcher de varier exagérément, de la protéger contre l'infiltration d'éléments étrangers et de lui garder sa pureté originelle, l'État la récupère pour que l'élite dirigeante conserve les privilèges accordés à sa propre variété.

1 LA NORME ET LE POUVOIR

L'accès à la culture des locuteurs de la langue standardisée passe forcément par la maîtrise de la langue normalisée (voir NORMALISATION); l'école devient le lieu d'apprentissage privilégié pour se hausser aux différentes sphères du pouvoir; sans la réussite scolaire, il est ordinairement inutile de prétendre s'élever dans la hiérarchie sociale. Selon plusieurs sociologues, l'école aboutit en fait à reproduire l'écart entre les couches favorisées et les couches défavorisées, car seuls les meilleurs réussiront à traverser toutes les étapes scolaires et à atteindre le niveau de performance linguistique approprié. Sur le plan strictement linguistique, cela se manifeste par une complexification toujours plus grande qui a pour fonction de réserver le pouvoir de la langue à un petit groupe d'initiés, les professionnels de la langue: juristes, linguistes, lettrés, journalistes, professeurs, etc. Cette langue devient la norme idéale par rapport à laquelle toutes les pratiques linguistiques sont objectivement mesurées:

> «Nul n'est censé ignorer la loi linguistique qui a son corps de juristes, les grammairiens, et ses agents d'imposition et de contrôle, les maîtres de l'enseignement, investis du pouvoir de soumettre *universellement* à l'examen et à la sanction juridique du titre scolaire la performance linguistique des sujets parlants[2].»

Le cas le plus extrême semble être la langue juridique. Nul n'est censé ignorer la loi, mais celle-ci est présentée aux citoyens en termes tellement hermétiques qu'il faut recourir à une armée d'experts pour comprendre les textes de loi, ce qui contribue à perpétuer la chasse gardée de «ceux qui savent». On pourrait citer aussi le cas de la langue médicale, le cas des contrats de vente ou d'assurance, etc.

---

1. Joshua A. FISHMAN, «Aménagement et norme linguistiques en milieux linguistiques récemment conscientisés», dans *La norme linguistique*, Québec/Paris, Éditeur officiel du Québec/Le Robert, 1983, p. 386.
2. Pierre BOURDIEU, *Ce que parler veut dire. L'économie des échanges linguistiques*, Paris, Fayard, 1982, p. 27.

2 LES FORCES DE RÉGULATION LINGUISTIQUE

Ce que l'on appelle la langue standard ou langue commune est une variété linguistique qui a eu la chance, pour des raisons non linguistiques — socio-culturelles, politiques, économiques, culturelles —, d'acquérir une importance particulière dans une communauté donnée[3].

LA PROMOTION SOCIO-ÉCONOMIQUE

Cette langue commune ne serait donc au départ qu'une variété comme les autres dont la première chance a été d'être parlée et promue par un groupe socialement dominant, c'est-à-dire par «les détenteurs de la compétence légitime, autorisés à parler avec autorité[4]», selon les mots de Bourdieu. Contrôlant l'organisation politique de l'État, la classe dirigeante se sert de sa variété comme d'un moyen privilégié de communication véhiculaire, moyen qui se transforme rapidement en instrument d'unification nationale par le biais notamment du système scolaire, qui remplit sa fonction déterminante: «Fabriquer les similitudes d'où résulte la communauté de conscience qui est le ciment de la nation[5]».

LE PROCESSUS DE CODIFICATION

Assurant son rôle de langue véhiculaire jusque dans le commerce et le monde du travail, la variété standardisée connaît une seconde chance, celle de subir un processus de CODIFICATION, c'est-à-dire l'élaboration d'un appareil de références des usages prescrits par le corps des spécialistes investis de l'autorité et de la légitimité en matière de langue. Tous ces professionnels de la langue que pratiquement seule la classe dominante est capable d'entretenir matériellement sont chargés de créer les modèles à enseigner et de rédiger les lois, les règlements et les documents administratifs. Codifié dans les grammaires, les dictionnaires et autres ouvrages de correction de la langue, de même que dans les textes littéraires, l'usage prescrit est le résultat d'une sélection rigoureuse, d'une épuration, puis d'une uniformisation, d'une stabilisation et, finalement, d'une diffusion sur de grandes distances. En stabilisant le système linguistique où ne sont permises que des divergences limitées, les documents écrits servent bien la codification du système en question, mais, de plus, «ils contribuent en même temps, et de façon très efficace, à l'unification politique que le ou les groupes devenant dominants mènent à leur profit[6]».

LE PROCESSUS DE NORMALISATION

La troisième chance que connaît une variété commune est de passer ensuite par un processus de NORMALISATION ou de standardisation. Normaliser une variété codifiée est facile pour le groupe dominant qui contrôle déjà l'État et l'appareil institutionnel; après avoir modifié l'usage linguistique des COMMUNICATIONS INSTITUTIONNALISÉES, il s'agit, par ricochet, d'étendre cette pratique jusque dans les COMMUNICATIONS INDIVIDUALISÉES. On développe alors des institutions normalisatrices[7] de la langue, c'est-à-dire un système et des établissements d'enseignement, mais aussi des académies et des commissions de terminologie chargées de veiller sur la langue. Lorsqu'on accorde légalement à la variété véhiculaire, codifiée et normalisée, le statut institutionnel dont elle jouit déjà depuis longtemps,

3. Voir J.-B. MARCELLESI et B. GARDIN, *Introduction à la sociolinguistique*, Paris, Larousse, 1974, p. 84.
4. Pierre BOURDIEU, *op. cit.*, p. 64.
5. Georges DAVY, *Éléments de sociologie*, cité par Pierre BOURDIEU, *op. cit.*, p. 32.
6. Juliette GARMADI, *La sociolinguistique*, Paris, P.U.F., 1981, p. 52.
7. À titre d'exemples: l'Office de la langue française au Québec, le Haut-Comité de la langue française et le Conseil international de la langue française à Paris, le British Council à Londres, le Centre de Linguistique Appliquée de Dakar (CLAD), l'Academia Española de Madrid, les Instituts Mahâtma Gandhi en Inde, etc.

cette variété devient ensuite la LANGUE OFFICIELLE, soit la langue que l'État impose à tous les citoyens, langue reconnue comme le seul modèle de pratiques souhaitable:

> «Cette langue est celle qui, dans les limites territoriales de cette unité, s'impose à tous les ressortissants comme la seule légitime et cela d'autant plus impérativement que la circonstance est plus officielle[8].»

***

La notion de langue unique n'existe pas. Même dans une communauté monolingue, chacun peut se rendre compte que sa langue n'est pas parlée par tous de la même manière. Il existe évidemment une certaine marge de tolérance à l'intérieur de laquelle les divergences sont possibles sans mettre en péril la communication entre les divers groupes de la société. Cette tendance à la diversification s'explique par la distribution géographique, la multiplicité des réalités à transmettre, la division du travail en société, l'apparition de moyens pratiques et expressifs de communiquer dans une situation donnée. Quant à l'uniformisation, elle résulte du rôle de la communication dans l'organisation sociale ainsi que de la fonction d'intégration et de cohésion qu'assure la norme imposée par le groupe dominant.

Entre la diversification et l'uniformisation, c'est cette dernière qui a toujours préoccupé davantage la société. D'où l'apparition de la langue standard, celle-ci étant liée à un processus d'intégration socio-économique et, à un stade ultérieur, politique, c'est-à-dire au niveau de l'État. La langue est donc manifestement devenue aujourd'hui une véritable institution d'État qui préoccupe au premier chef la vie nationale. C'est pourquoi *le choix d'une langue, d'une variété de langue ou d'une norme n'a rien de linguistique*. L'usage que l'on fait de la langue, d'une variété ou d'une norme ne concerne que très rarement la communication elle-même; il vise plutôt des objectifs sociaux, esthétiques, moraux ou carrément idéologiques (politiques). On pourra s'en étonner, mais c'est ainsi que le système fonctionne et l'on n'y peut rien.

Cependant, comme nous l'avons vu dans les chapitres 9, 10, 11 et 12, les problèmes linguistiques des sociétés en situation de monolinguisme paraissent relativement insignifiants en regard des problèmes du bilinguisme et du multilinguisme, lesquels sont susceptibles de susciter en permanence des perturbations sociales et politiques beaucoup plus considérables et ce, pour une très grande partie de l'humanité.

À RETENIR

La notion de langue unique est une abstraction; les sociétés, même dans une situation de monolinguisme, ne sont pas homogènes linguistiquement et c'est l'uniformité qui demeure plutôt marginale.

Le phénomène de la diversité des usages à l'intérieur d'une langue dans le processus de la communication est universel et il se manifeste sur les plans géo-linguistique, temporel, social, et situationnel.

Même si tous les usages se valent linguistiquement, ils ne se valent pas socialement; c'est pourquoi les différentes variétés linguistiques ne sont pas posées comme équivalentes et une hiérarchie est établie.

8. Pierre BOURDIEU, *op. cit.*, p. 27.

La variété standard exerce un rapport social de domination; reconnue comme le modèle idéal, elle tend à éliminer socialement les autres variétés linguistiques et à être perçue comme le seul modèle valable.

Dès l'Antiquité gréco-latine, le concept de «bon usage» est lié à ceux d'«honnêtes gens» et de «gens cultivés»; on consacre alors le caractère élitiste et social de la norme pour des siècles à venir.

La notion traditionnelle de la norme est liée à la langue écrite littéraire, modèle à garder intact et à imiter servilement.

La norme prescriptive découle de la notion traditionnelle de la norme; aussi repose-t-elle sur la conception d'un code uniforme, intrinsèquement supérieur, dont les qualités immanentes sont la pureté, la logique, la clarté, l'esthétique et l'efficacité.

En opposition à la norme prescriptive, la norme descriptive s'appuie sur la pluralité des usages correspondant à autant de normes qu'il y a de variétés linguistiques; à cet égard, on distinguera l'usage oral de l'usage écrit, l'usage familier de l'usage institutionnalisé, l'usage passif de l'usage actif.

Selon l'idéologie liée à la norme dite fonctionnelle, toutes les variétés sont nécessaires selon le contexte situationnel dans lequel elle apparaissent; c'est pourquoi la «bonne norme» coïncide avec un comportement linguistique qui ne donne lieu à aucune réaction de surprise, de désapprobation ou d'admiration.

Il faut se méfier des critères utilisés pour justifier une norme linguistique: on peut invoquer des arguments qui se prétendent linguistiques, esthétiques, moraux ou idéologiques, mais en réalité c'est toujours la valorisation socio-économique de la langue dominante qui joue.

Contrôlant l'organisation politique de l'État, la classe dirigeante se sert de sa variété comme d'un moyen privilégié de communication véhiculaire, moyen qui se transforme rapidement en instrument d'unification nationale par le biais notamment du système scolaire, qui remplit sa fonction déterminante: «Fabriquer les similitudes d'où résulte la communauté de conscience qui est le ciment de la nation» (Georges DAVY, *op. cit.*, p. 32).

BIBLIOGRAPHIE

ALÉONG, Stanley. «Normes linguistiques, normes sociales, une perspective anthropologique», dans *La norme linguistique*, Québec/Paris, Éditeur officiel du Québec/Le Robert, 1983, p. 255-280.

ALVAREZ, Gerardo. «L'enseignement des langues et les besoins nationaux», dans *Langues et linguistique*, vol. 1, Travaux du Département de langues et linguistique, Québec, Université Laval, 1975, p. 155-169.

AUDET, Noël. «Trouver une langue», dans *Actes du congrès «Langue et société au Québec»*, t. 3, Québec, Éditeur officiel du Québec, 1984, p. 170-173.

BARBAUD, Philippe. «La langue de l'État — L'état de la langue», dans *La norme linguistique*, Québec/Paris, Éditeur officiel du Québec/Le Robert, 1983, p. 395-414.

BÉDARD, Édith et Jacques MAURAIS. «Réflexions sur la normalisation linguistique au Québec», dans *La norme linguistique*, Québec/Paris, Éditeur officiel du Québec/Le Robert, 1983, p. 435-459.

BELLEAU, André. «Nationalisme et langue nationaliste», dans *Actes du congrès «Langue et société au Québec»*, t. 2, Québec, Éditeur officiel du Québec, 1984, p. 514-518.

BIBEAU, Gilles. «Joual en tête», dans *La Presse*, Montréal, 16 juin 1973.

BOURDIEU, Pierre. *Ce que parler veut dire. L'économie des échanges linguistiques*, Paris, Fayard, 1982, 244 p.

CALVET, Louis-Jean. *Langue, corps, société*, Paris, Payot, 1979, 176 p.

CALVET, Louis-Jean. *Linguistique et colonialisme*, Paris, Payot, 1974, 250 p.

CAPUT, Jean-Pol. «Naissance et évolution de la norme en français», dans *Langue française*, n° 16, Paris, Larousse, 1972, p. 63-73.

CASAVITZ, Michel et François CHARPIN. «L'héritage gréco-latin», dans *La norme linguistique*, Québec/Paris, Éditeur officiel du Québec/Le Robert, 1983, p. 45-68.

CHANTEFORT, Pierre. «Pour une définition de la qualité de la langue», dans *Actes du colloque «La qualité de la langue... après la loi 101»*, Québec, Éditeur officiel du Québec, 1980, p. 28-45.

COPPEL, Anne. «La norme», dans *Manuel de linguistique appliquée*, t. 4, Paris, Delagrave, 1975, p. 17-52.

CORBEIL, Jean-Claude. *L'aménagement linguistique du Québec*, Montréal, Guérin, 1980, 154 p.

CORBEIL, Jean-Claude. «Les choix linguistiques», dans *Actes du colloque «La qualité de la langue... après la loi 101»*, Québec, Éditeur officiel du Québec, 1980, p. 46-52.

CORBEIL, Jean-Claude. «Éléments d'une théorie de la régulation linguistique», dans *La norme linguistique*, Québec/Paris, Éditeur officiel du Québec/Le Robert, 1983, p. 281-303.

DESHAIES, Denise. «Une norme, des normes, pourquoi pas autre chose?», dans *Actes du congrès «Langue et société au Québec»*, t. 2, Québec, Éditeur officiel du Québec, 1984, p. 281-290.

DONATO, Joseph. «La variation linguistique ou la langue dans l'espace, le temps, la société et les situations de communication», dans *Linguistique*, Paris, P.U.F., 1980, p. 281-362.

DUNETON, Claude et J.-P. PAGLIANO. *Anti-Manuel de français*, Paris, Seuil, 1978, 290 p.

FISHMAN, Joshua A. «Aménagement et normes linguistiques en milieux linguistiques récemment conscientisés», dans *La norme linguistique*, Québec/Paris, Éditeur officiel du Québec/Le Robert, 1983, p. 383-394.

FISHMAN, Joshua A. *Sociolinguistique*, Paris/Bruxelles, Nathan/Labor, 1971, 160 p.

FORGET, Danielle. «Quel est le français standard au Québec?», dans *Le français parlé, études sociolinguistiques*, Edmonton (Alberta), Linguistic Research Inc., 1979, p. 153-161.

FRANÇOIS, Denise. «La notion de norme en linguistique», dans *De la théorie linguistique à l'enseignement des langues*, publié sous la direction de Jeanne MARTINET, Paris, P.U.F., 1972, p. 153-168.

GAGNÉ, Gilles. «Norme et enseignement de la langue maternelle», dans *La norme linguistique*, Québec/Paris, Éditeur officiel du Québec/Le Robert, 1983, p. 463-509.

GAGNÉ, Gilles. «Pédagogie de la langue ou pédagogie de la parole?», dans *Actes du colloque «La qualité de la langue... après la loi 101»*, Québec, Éditeur officiel du Québec, 1980, p. 79-95.

GARMADI, Juliette. *La sociolinguistique*, Paris, P.U.F., 1981, 226 p.

GESSINGER, Joachim et Helmut GLÜCK. «Historique et état du débat sur la norme linguistique en Allemagne», dans *La norme linguistique*, Québec/Paris, Éditeur officiel du Québec/Le Robert, 1983, p. 203-252.

GUEUNIER, Nicole, GENOUVRIER, Émile et Abdelhamid KHOMSI. «Les Français devant la norme», dans *La norme linguistique*, Québec/Paris, Éditeur officiel du Québec/Le Robert, 1983, p. 763-787.

HARTUNG, Wolfdietrich. «Aspects de la variation linguistique dans les sociétés monolingues», dans *Revue internationale des sciences sociales*, vol. XXXVI, n° 1, Paris, Unesco, 1984, p. 133-147.

KACHRU, Braj B. «Normes régionales de l'anglais», dans *La norme linguistique*, Québec/Paris, Éditeur officiel du Québec/Le Robert, 1983, p. 707-730.

KEMP, William. «Attitudes et politiques linguistiques: les bénéfices sociaux d'une évolution plus favorable du français québécois», dans *Actes du congrès «Langue et société au Québec»*, t. 2, Québec, Éditeur officiel du Québec, 1984, p. 51-64.

LABOV, William. *Sociolinguistique*, Paris, Minuit, 1976, 459 p.

LAFORTUNE, Monique. *Le roman québécois, reflet d'une société*, Laval, Mondia, 1985, 333 p.

LALONDE, Michèle. *Deffence et illustration de la langue Québecquoyse*, Montréal/Paris, L'Hexagone/Seghers-Laffont, 1979, 239 p.

LARA, Luis Fernando. «Activité normative, anglicismes et mots indigènes dans le *Diccionario del español de México*», dans *La norme linguistique*, Québec/Paris, Éditeur officiel du Québec/Le Robert, 1983, p. 571-601.

LECLERC, Jacques. *Qu'est-ce que la langue?*, Laval, Mondia Éditeurs, 1979, 173 p.

LEDUC-LE GUILLOU, Micheline. «Étude sur les préjugés sociolinguistiques», travail présenté à Jacques Leclerc, Montréal, Université de Montréal, avril 1978, 68 pages dactylographiées, inédit.

LEFÈBVRE, Claire. «Une ou plusieurs normes», dans *Actes du congrès «Langue et société au Québec»*, t. 2, Québec, Éditeur officiel du Québec, 1984, p. 291-295.

LEFÈBVRE, Gilles R. «Le problème de la norme linguistique au Québec», dans *Actes du congrès «Langue et société au Québec»*, t. 2, Québec, Éditeur officiel du Québec, 1984, p. 275-280.

LEMELIN, Roger. «Langue, esthétique et morale», dans *La Presse*, Monntréal, 19 mai 1977.

LEROND, Alain. «Les parlers régionaux», dans *Langue française*, Paris, Larousse, mai 1973, 135 p.

MARCELLISI, J.-B. et B. GARDIN. *Introduction à la sociolinguistique*, Paris, Larousse, 1974, 263 p.

MARTINET, André et Henriette WALTER. *Dictionnaire de la prononciation dans son usage réel*, Paris, France-Expression, 1973.

PADLEY, G.A. «La norme dans la tradition des grammairiens», dans *La norme linguistique*, Québec/Paris, Éditeur officiel du Québec/Le Robert, 1983, p. 69-104.

PAQUETTE, Jean-Marcel. «Procès de normalisation et niveaux/registres de langue», dans *La norme linguistique*, Québec/Paris, Éditeur officiel du Québec/Le Robert, 1983, p. 367-381.

POULIN, Richard. *La politique des nationalités en République populaire de Chine*, Québec, Éditeur officiel, 1984.

REBOUL, Olivier. *Langage et idéologie*, Paris, P.U.F., 1980, 228 p.

REY, Alain. «Norme et dictionnaire«, dans *La norme linguistique*, Québec/Paris, Éditeur officiel du Québec/Le Robert, 1983, p. 541-569.

REY, Alain. «Usages, jugements et prescriptions linguistiques», dans *Langue française*, n° 16, Paris, Larousse, 1972.

ROBINS, R.H. *Linguistique générale: une introduction*, Paris, Armand Colin, 1973, 394 p.

SAUSSURE (DE), Ferdinand. *Cours de linguistique générale* (1917), Paris, Payot, 1969, 331 p.

SMITH, John D. «La norme chez les grammairiens de l'Inde ancienne», dans *La norme linguistique*, Québec/Paris, Éditeur officiel du Québec/Le Robert, 1983, p. 21-44.

VALDMAN, Albert. «Normes locales et francophonie», dans *La norme linguistique*, Québec/Paris, Éditeur officiel du Québec/Le Robert, p. 667-706.

VAUGELAS (DE), Claude Fabre. *Remarques sur la langue française* (1647), Paris, Champ Libre, 1981, 363 p.

VION, Robert. «Les théories linguistiques», dans *Linguistique*, Paris, P.U.F., 1980, p. 67-85.

WOLF, Lothar. «La normalisation en France, de Malherbe à Grevisse», dans *La norme linguistique*, Québec/Paris, Éditeur officiel du Québec/Le Robert, 1983, p. 105-137.

***

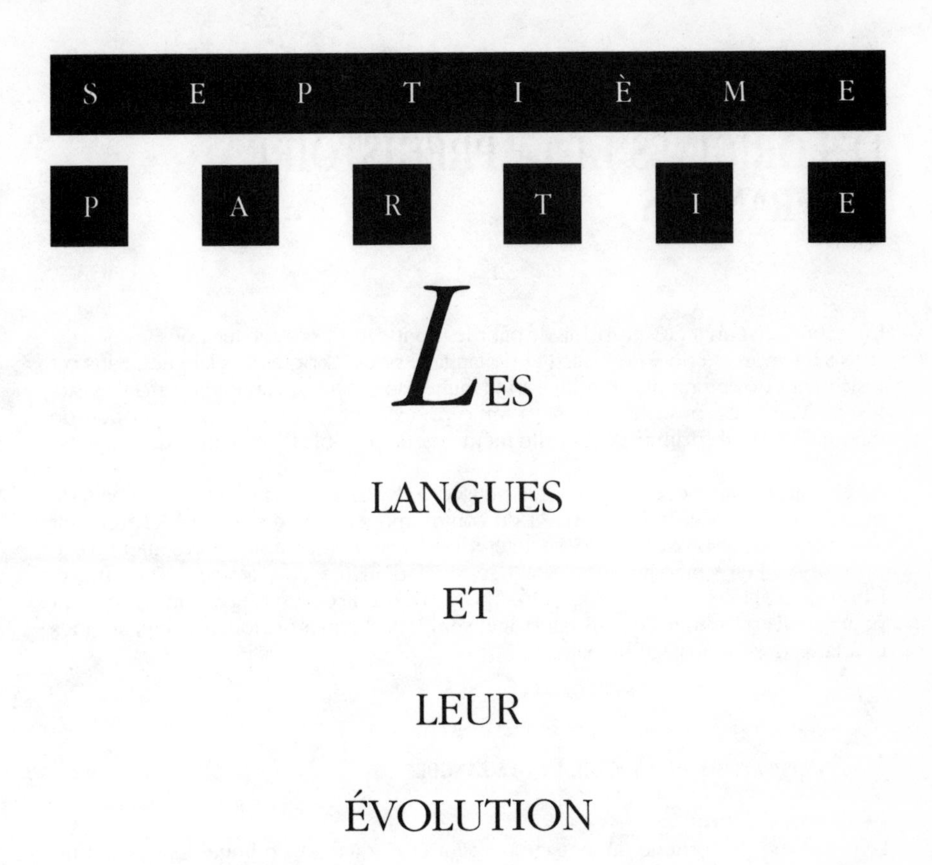

SEPTIÈME PARTIE

LES LANGUES ET LEUR ÉVOLUTION

LES ORIGINES: DE L'APPARITION DES LANGUES À LA NAISSANCE DES ÉTATS, L'EXPANSION DU LATIN ET SA FRAGMENTATION ○ L'HISTOIRE SOCIOLINGUISTIQUE DU FRANÇAIS: DE L'ANCIEN FRANÇAIS AU FRANÇAIS CONTEMPORAIN ○ LA QUESTION LINGUISTIQUE AU QUÉBEC: LA PÉRIODE DE LA NOUVELLE-FRANCE, LE QUÉBEC SOUS LE RÉGIME BRITANNIQUE, LE QUÉBEC SOUS L'UNION ET LA CONFÉDÉRATION, LA MODERNISATION DU QUÉBEC ET LE FRANÇAIS COMME LANGUE D'ÉTAT, LE FUTUR LINGUISTIQUE DU QUÉBEC

LES ORIGINES ET LA PRÉHISTOIRE DU FRANÇAIS

L'être humain aurait été incapable de bâtir le monde moderne tel que nous le connaissons s'il n'avait été doté de la faculté de langage pour fabriquer les langues. Sans cet instrument de communication qu'est la langue, nos sociétés n'auraient jamais existé. Joseph Vendryes[1] pose le langage comme préexistant à la très longue période de maturation sociale primitive, qui a elle-même rendu possible l'élaboration des langues.

À la fois instrument et auxiliaire de la pensée, le langage a permis à l'être humain de prendre conscience de lui-même et de communiquer avec ses semblables, rendant ainsi possible l'établissement des sociétés. Nous avons peine à nous représenter un état primitif où l'être humain aurait été dépourvu d'un moyen d'action aussi efficace. L'histoire de l'humanité, dès l'origine, suppose l'existence d'un langage organisé. C'est pourquoi il est légitime de nous interroger sur les problèmes qui touchent aux origines et à la nature du langage humain.

1 L'APPARITION DU LANGAGE ET DES LANGUES

Le problème de l'origine du langage ne peut être traité par le linguiste. Celui-ci ne travaille que sur des phénomènes attestés. L'étude historique du langage qui lui revient est celle des documents. Les plus anciens ne datent que du 4e ou 3e millénaire avant notre ère, alors que les premières manifestations de l'espèce humaine remontent à l'Australopithèque, il y a 1,7 million d'années. Nous savons peu de choses sur les premiers hominidés si ce n'est que le Pithécanthrope (500 000 ans) pouvait marcher debout et avait domestiqué le feu, et que les premiers Néandertaliens (150 000 — 50 000) fabriquaient des outils et des armes, pratiquaient des rites d'inhumation, vivaient de chasse et de cueillette. Quant à savoir si ces hominidés parlaient et utilisaient des langues, le linguiste ne peut apporter de réponse; il laisse la place au paléontologue, au biologiste et à l'historien.

Il faut faire appel à la paléontologie pour obtenir des indications concernant l'âge du langage humain. Certains paléontologues ont étudié des crânes de Néandertaliens adultes et les ont comparés à ceux de nouveau-nés modernes. Ils ont établi les comparaisons suivantes (traits communs): crâne relativement allongé, plus aplati, mandibule plus basse, position du larynx plus élevée, menton manquant, etc. La morphologie du nouveau-né moderne, comme celle du Néandertalien entraînerait une disposition particulière des muscles vocaux. La base du crâne serait fonctionnellement équivalente chez tous les hominidés fossiles et contrasterait fortement avec celle de l'adulte moderne, mais non avec celle du nouveau-né. Il n'y a pas lieu de donner ici tous les détails; qu'il suffise de dire que, d'après des données informatisées, le Néandertalien ne pouvait produire les voyelles [i], [u][2], [a], propres à toutes les langues du monde, ni les consonnes [g], [k]. Cela ne signifie pas que le Néandertalien, qui vécut entre 150 000

1. Joseph VENDRYES, *Le langage, introduction linguistique à l'histoire*, Paris, Albin Michel, 1968, p. 11.
2. Il s'agit de la voyelle *ou*, comme dans *fou*.

et 50 000 ans avant notre ère, ne pouvait communiquer avec ses semblables; il utilisait probablement des systèmes d'appels et d'échanges différenciés. Mais il semble qu'il n'ait jamais connu le langage articulé tel que nous le connaissons aujourd'hui.

Par contre, des paléontologues ont effectué des études identiques sur des crânes de fossiles Skhul V (Israël) datés de 40 000 ans; ces ancêtres de l'homme de Cro-Magnon présentent un canal vocal supralaryngien tout à fait semblable à celui de l'être humain moderne[3]; ils pouvaient donc parler. Des fossiles de Broken Hill (Australie), datant de 110 000 ans environ, montrent un état intermédiaire entre le canal vocal droit du Néandertalien et le canal vocal courbé de l'être humain moderne adulte. Ce sont ces constatations qui ont permis à Philip Lieberman[4] d'établir l'hypothèse de deux branches différentes, l'une conduisant au Néandertalien (qui n'aurait jamais parlé), l'autre conduisant à l'homme de Cro-Magnon et à l'*Homo sapiens* moderne (*voir la figure 26.1*), lesquels auraient formé les premières langues orales.

Ces études amènent à constater que l'apparition de l'être humain (il y a 1,7 million d'années) et celle du langage oral ne concordent pas: on est capable de dater à il y a 40 000 ans l'apparition des premières langues humaines. On ne saura probablement jamais quelles ont été ces langues puisque l'écriture n'est apparue que vers les 4e et 3e millénaires. Le début de l'écriture a coïncidé avec la naissance des premiers États.

2 LA NAISSANCE DES PREMIERS ÉTATS

Vers l'an 6000 avant notre ère, la plupart des êtres préhistoriques étaient encore à l'âge de pierre, vivant de chasse et de cueillette; ils enterraient leurs morts et formaient de petites communautés. L'âge du bronze commença vers 3500 au Moyen-Orient et bouleversa les conditions économiques: apparurent l'élevage et l'agriculture. Le développement progressif de la civilisation urbaine permit l'apparition de civilisations plus évoluées: on bâtit des villes, on organisa le gouvernement des cités et on inventa l'écriture. On assista alors à la naissance des premiers États: Sumer vers 3500, l'Égypte vers 2800, la Babylonie vers 2500. Il faudrait attendre encore 1 000 ans pour voir se former des États hors du Moyen-Orient; ce ne fut en effet que vers 1500 que naquirent la Grèce en Europe, la Chine en Orient, les Empires aztèque et inca en Amérique.

LES SUMÉRIENS ET LES ÉGYPTIENS

Les Sumériens étaient déjà installés en Mésopotamie depuis 900 ans, près du golfe Persique (Iraq actuel), lorsque furent fondées les premières dynasties égyptiennes en 2850 (*voir la figure 26.2*). Sumer et l'Égypte sont les deux plus anciens États que l'on connaisse et chacun a su développer une brillante civilisation intellectuelle. Vers 3400, les Sumériens avaient inventé l'écriture pour dresser les inventaires de leurs richesses et fixer les actes royaux. Ils vivaient dans des cités qui se faisaient perpétuellement la guerre et ils n'ont jamais constitué d'empire. Les Sumériens parlaient le sumérien, une langue du groupe asianique (dont les langues sont toutes disparues aujourd'hui). Fondé vers 2850, l'ancien Empire égyptien fut une puissance dominante pendant plus de 2 000 ans. Les Égyptiens parlaient l'égyptien, une langue du groupe chamite disparue depuis le VIe siècle, et utilisaient une écriture idéographique: les hiéroglyphes.

---

3. Régine LEGRAND-GELBER, «Le langage humain, sa nature», dans *Linguistique*, Paris, P.U.F., 1980, p. 21.
4. Philip LIEBERMAN, *On the origin of language*, Londres, Macmillan, 1975.

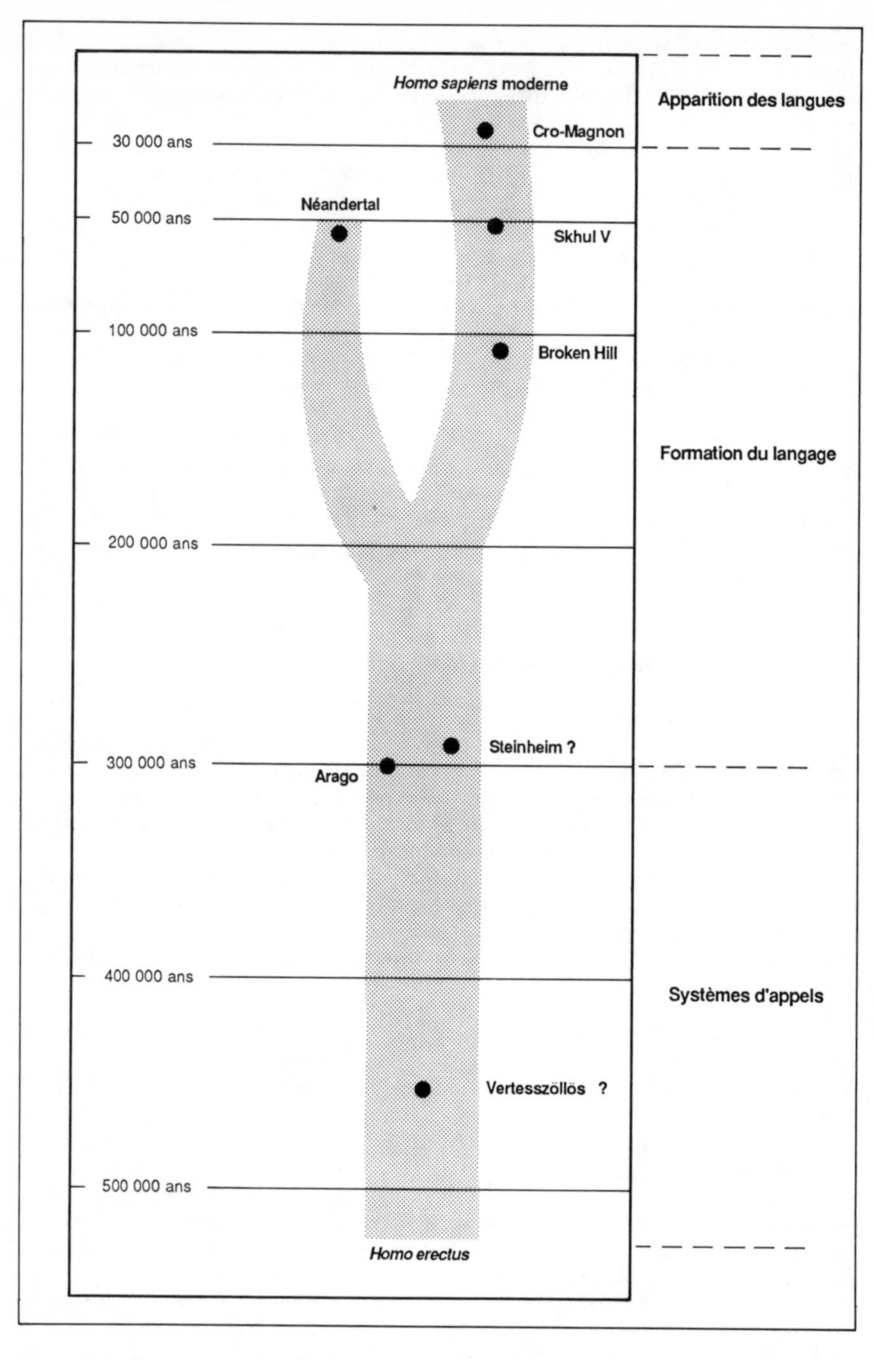

Les différents stades de l'évolution du langage chez les hominidés: l'homme de Cro-Magnon aurait parlé il y a environ 40 000 ans, soit après une longue période de formation du langage (300 000 ans) et de systèmes d'appels. D'après Philip LIEBERMAN, dans *Linguistique*, Paris, P.U.F., 1980, p. 20.

FIGURE 26.1 L'ÉVOLUTION DES HOMINIDÉS ET LE LANGAGE

L'ARRIVÉE DES PEUPLES SÉMITES

La carte de la figure 26.2 montre le monde vers l'an 2500, au moment où Sumériens et Égyptiens constituaient des puissances dominantes. Parallèlement, venant de l'Arabie au sud, commencèrent à arriver différents peuples sémites dont les Babyloniens ou Akkadiens, les Assyriens, les Cananéens, les Phéniciens, les Hébreux et les Araméens. Tous ces peuples nomades, qui parlaient des langues très voisines, poursuivirent leurs invasions militaires tout au long du second millénaire. Les Babyloniens imposèrent leur domination aux Sumériens et aux Assyriens qui, à leur tour, dominèrent Babylone, puis les Araméens, les Hébreux, les Phéniciens et les Égyptiens. Tous ces peuples finirent par perdre leur puissance au cours des siècles et, à l'exception des Hébreux, disparurent de l'histoire à partir du VIe siècle avant notre ère.

La langue sumérienne disparut au cours du second millénaire après s'être maintenue quelque temps comme langue religieuse. L'akkadien, la langue des Babyloniens, servit pendant plus de 1 000 ans de langue diplomatique internationale dans tout le Moyen-Orient, pendant que le phénicien et l'araméen demeurèrent des langues commerciales, le premier en Méditerranée, le second vers l'ouest jusqu'à la vallée de l'Indus (grand fleuve de l'Inde et du Pakistan). La langue égyptienne, qui ne s'imposa jamais hors de l'Empire, s'éteignit au VIe siècle de notre ère lors des conquêtes arabes.

L'AFFLUX DES INDO-EUROPÉENS

Tout au long du second millénaire, les peuples indo-européens firent leur entrée dans l'histoire, alors qu'ils parlaient déjà des langues différentes. Ces tribus nomades, supérieurement organisées, avaient domestiqué le cheval, utilisaient des chars de combat et connaissaient la métallurgie du fer. Grâce à leur armement et à leur mobilité, les Indo-Européens envahirent facilement les grandes aires de civilisation d'Asie et d'Europe. Les archéologues ont retrouvé le berceau de ces peuples dans les plaines de l'Ukraine, à l'intérieur d'une aire s'étendant de la mer Noire à la Volga, au nord. C'est de là que les Indo-Européens descendirent par vagues successives en Asie et en Europe (*voir la figure 26.2*).

Arrivèrent d'abord les *Aryens*, partis du nord de la mer Caspienne dès l'an 2000 environ. Parmi ces envahisseurs, les plus importants furent les Mèdes, qui s'installèrent dans le nord de l'Iran; les Perses, qui s'établirent dans le sud de l'Iran; et les Tokhariens, qui poussèrent vers la Chine. Seuls les Perses réussirent à former un empire durable qui s'étendit jusqu'au Pendjab, en Inde; l'Empire perse se décomposa quand Alexandre le Grand en entreprit la conquête, en 333. Toujours vers l'an 2000, un autre peuple indo-européen, les *Hittites*, répandit la terreur en Anatolie (Turquie actuelle), en Babylonie et en Égypte; les Hittites possédaient la plus forte armée du continent, car ils disposaient d'armes de fer, alors que les Égyptiens en étaient toujours au bronze. Les *Hittites* conquirent des territoires du pharaon Ramsès II et conclurent avec ce dernier un traité de paix (1272) qui mit fin aux combats meurtriers; ils disparurent en 1200, éliminés par l'un des «peuples de la mer», les Moushkis. Ces «peuples de la mer», nommés ainsi par les Égyptiens, étaient des Indo-Européens venus des îles grecques, qui débarquèrent en pirates vers 1200 sur les côtes de la Syrie; ils se signalèrent par leur efficacité destructrice: après avoir exterminé l'Empire hittite, ils s'attaquèrent à Ramsès III (1194), qui les décima.

Du côté de l'Europe, ce fut, vers 1700, l'arrivée des premiers groupes indo-européens, les *Grecs*, qui envahirent la Grèce: les Achéens d'abord, au sud, puis les Ioniens en Grèce centrale, les Éoliens au nord et les Doriens, qui conquirent finalement toute la Grèce. L'apogée de la Grèce eut lieu lors du règne d'Alexandre le Grand de Macédoine (336 — 330); le grec devint alors la LANGUE VÉHICULAIRE internationale jusqu'en 148, année où les Romains annexèrent la Grèce à leur empire. Entre 1800 et 1200, ce furent les *Celtes* qui, par vagues successives, envahirent la Gaule, puis la Grande-Bretagne, l'Espagne et l'Italie. Défaits par les armées de Jules César, ils n'imposèrent jamais leurs langues

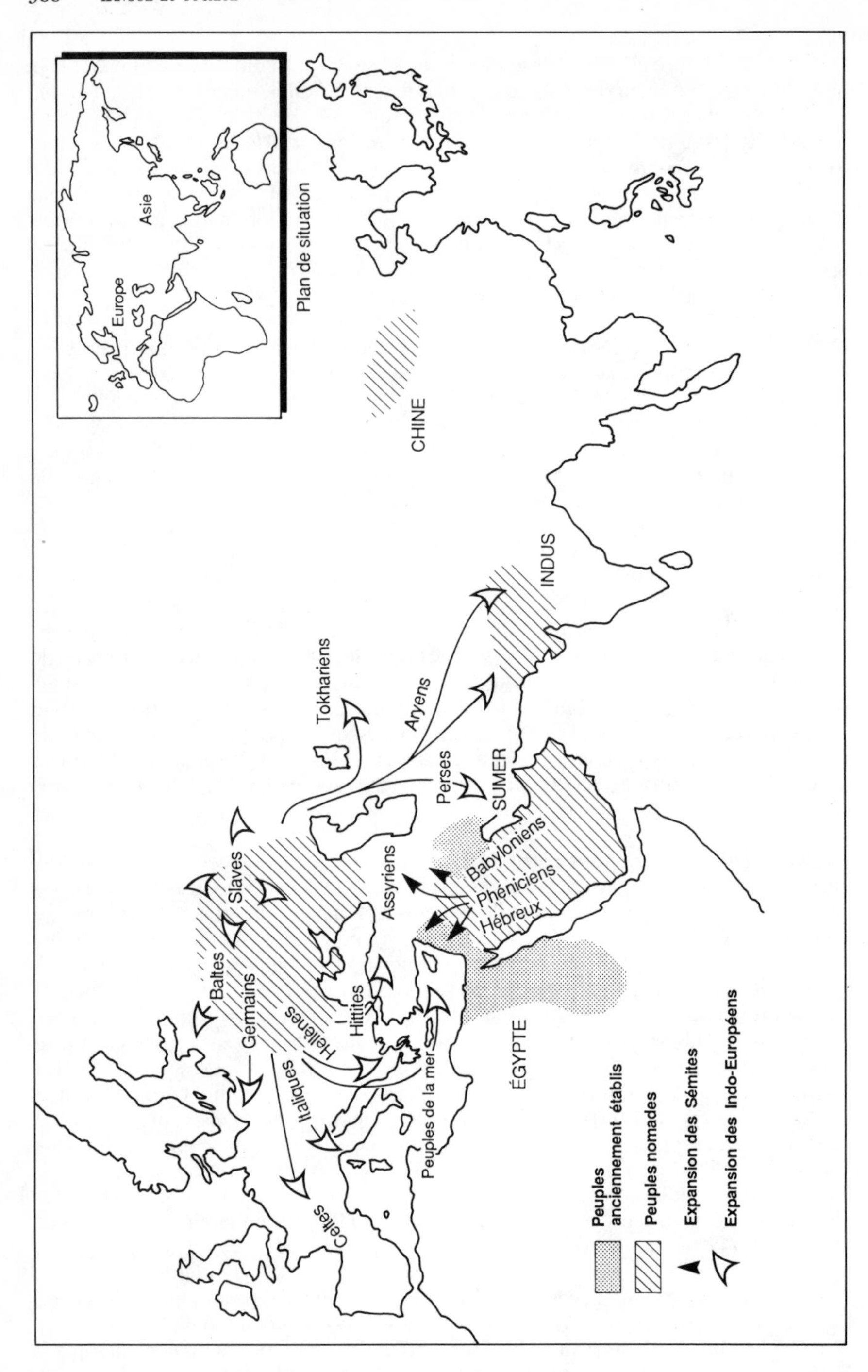

FIGURE 26.2 LE MONDE VERS 2500 AV. J.-C.

celtiques. Vers 1500, les *Italiques* immigrèrent en Italie; parmi les nombreux peuples qui vinrent trouver refuge dans cette région, on doit citer les Romains, qui finirent par établir leur domination et anéantir tous leurs voisins. Parallèlement, les *Germains* s'installèrent dans les pays scandinaves vers 1400 et réussirent à dominer les Gallo-Romains 1 000 ans plus tard. Enfin, vers l'an 1000 apparurent les *Baltes* près de la mer Baltique, puis les *Slaves* et les *Arméniens*; parmi ces derniers peuples, ce furent les Russes qui établirent leur dominance, à partir du XVIe siècle de notre ère.

De tous les peuples de l'Antiquité qui ont existé entre 2500 et 1000 avant notre ère, il n'en reste que quelques-uns aujourd'hui: les Hébreux, les Grecs, les Chinois, les Arabes. Les autres ont laissé parfois une langue qui, par diverses évolutions successives, s'est transformée et fragmentée, donnant naissance à de nouvelles langues: les langues indo-iraniennes, latines, germaniques, slaves et baltes. Parmi ces langues, nous retiendrons un cas: le latin, qui engendra le français. Le latin constitue la «préhistoire» du français.

3 L'EXPANSIONNISME LINGUISTIQUE DU MONDE ROMAIN

Entre 1000 et 500 avant notre ère, l'Italie était habitée par trois types de peuples différents: les Étrusques (un peuple d'Asie mineure) au nord de Rome, les Grecs au sud de Rome et en Sicile, ainsi qu'un grand nombre d'ethnies latines: Vénètes, Samnites, Osques, Ombriens, Sabins, Péligniens, Lucaniens, Bruttiens, Volsques, etc. Les Étrusques fondèrent Rome en 753 avec une coalition de Romains et de Sabins. Cette petite bourgade prit de l'expansion au point qu'après 800 ans de guerres, Rome avait réussi à soumettre à peu près toute l'Italie, la Corse, la Sardaigne et la Sicile. Entre 200 et 146, Rome avait acquis l'Espagne, la Celtibère, la côte adriatique, la Tunisie appelée alors «Afrique», la Turquie appelée «Asie», la Grèce et la Macédoine. Puis, en quelques années, les Romains acquirent la Syrie (64), Chypre (58), la Belgique (57), la Gaule (52) et l'Égypte (32); s'ajoutèrent, durant les 150 années suivantes, une grande partie de la Germanie, les Alpes, la Judée, la Grande-Bretagne, la Dacie (ou Roumanie), l'Arménie, la Mauritanie, la Mésopotamie, l'Assyrie et même une partie de l'Arabie. En somme, un empire colossal (*voir la figure 26.3*) qui, en 200 après J.-C., s'étendait de l'Europe à l'Arabie et de l'Arménie à l'extrémité de la Mauritanie (Maroc).

Pour administrer ce vaste empire, Rome s'inspira de la pratique grecque et établit, en 286, deux chancelleries: l'une d'expression latine à Rome, pour l'Occident, l'autre d'expression grecque à Constantinople, pour l'Orient. L'Empire romain se trouva donc partagé en deux (*voir la figure 26.3*): un empire latin et un empire grec. Constantinople, la nouvelle Rome, administra la partie grecque (incluant l'Asie, la Syrie, la Judée et l'Égypte), qui survécut près de 1 000 ans après l'Empire d'Occident (1453).

LES MÉTHODES ROMAINES DE LATINISATION

Les Romains implantèrent partout leur système administratif et transformèrent profondément les peuples conquis. Ils n'imposèrent pas vraiment le latin aux vaincus; ils ignorèrent simplement les langues «barbares» et s'organisèrent pour que le latin devienne indispensable.

a) Le latin: langue de la promotion sociale

Les personnes qui aspiraient à la citoyenneté romaine de plein droit devaient adopter les habitudes, le genre de vie, la religion et la langue de Rome. C'étaient là les conditions pour bénéficier de tous les avantages de la citoyenneté romaine, indispensable à qui voulait gravir les échelons de la hiérarchie sociale.

b) La langue de la puissance financière
La monnaie romaine s'imposa dans tout l'Empire; les compagnies financières géraient l'administration romaine, en employant uniquement le latin. Un nombre incroyable de percepteurs et d'employés subalternes étaient nécessaires: les «indigènes» qui voulaient accéder à des postes plus élevés apprenaient le latin.

c) La langue de l'armée
L'armée constituait un autre puissant moyen de latinisation. Les vaincus devaient payer un lourd tribut aux Romains en fournissant d'importants effectifs militaires, qui étaient commandés en latin.

d) Les colonies de peuplement
En guise de récompense pour services rendus, de nombreux Romains recevaient gratuitement des terres. Ces colons avaient droit aux meilleures terres, celles situées à des points stratégiques selon un plan déterminé. Les autochtones qui se révoltaient étaient simplement vendus comme esclaves. Ces colonies de peuplement furent importantes parce qu'elles contribuèrent à étendre le latin jusque dans les campagnes.

e) Un réseau routier efficace
Les Romains construisirent un vaste réseau routier fait de chaussées dallées qui permettaient d'atteindre rapidement les régions les plus reculées de l'Empire. Ces routes servaient au transport des troupes militaires, des marchandises et des messageries de la poste impériale. Un tel réseau nécessitait un ensemble complexe de relais disposant de chevaux, de mulets et de bœufs publics, ainsi que de voitures légères, de chariots lourds et d'ateliers de réparation. C'était un autre moyen efficace de propager le latin.

DES EXCEPTIONS À L'ASSIMILATION
Tout l'Empire romain connut une longue période de bilinguisme latino-celtique, latino-germanique ou gréco-latin (selon le cas), qui commença dans les villes pour gagner lentement les campagnes. Au Ve siècle, l'unilinguisme latin était atteint, et les langues celtiques toutes disparues. Seules les ethnies vassales associées à la défense de l'Empire purent conserver leur langue. Rome garantissait en effet l'autonomie administrative et linguistique à certains peuples en échange de leur participation à la défense militaire contre des ennemis insaisissables tels les pirates, les pillards et les nomades. Ainsi, les Gallois en Grande-Bretagne, les Bretons en Bretagne, les Basques en Espagne, les Berbères en Afrique, les Arméniens, les Albanais et les Juifs en Orient furent chargés de la police locale et purent ainsi conserver leur langue comme instrument véhiculaire. C'est ce qui explique la survivance des langues comme le gallois, le basque, le berbère, etc. Partout ailleurs, la latinisation s'accomplit, sauf en Orient où le grec remplaçait le latin (*voir la figure 26.3*). La majorité des populations conquises délaissèrent peu à peu leur propre langue pour adopter celle du vainqueur.

L'ÉMERGENCE DU LATIN POPULAIRE
Il ne faudrait pas croire cependant que c'est le latin de César et de Cicéron qui s'imposa partout. Le latin parlé par les fonctionnaires, les soldats, les colons romains, de même que celui des autochtones assimilés, se différencia peu à peu du latin classique du 1er siècle. Parallèlement à cette langue classique réservée à l'aristocratie et aux écoles, se développa un latin populaire dont les colorations régionales étaient très importantes en raison des contacts entre vainqueurs et vaincus. Progressivement, ce latin fut même employé par les clercs et les scribes pour la rédaction des actes publics et d'une foule de documents religieux ou civils. En fait, après l'effondrement de la gigantesque structure impériale, le latin populaire allait triompher définitivement du latin classique.

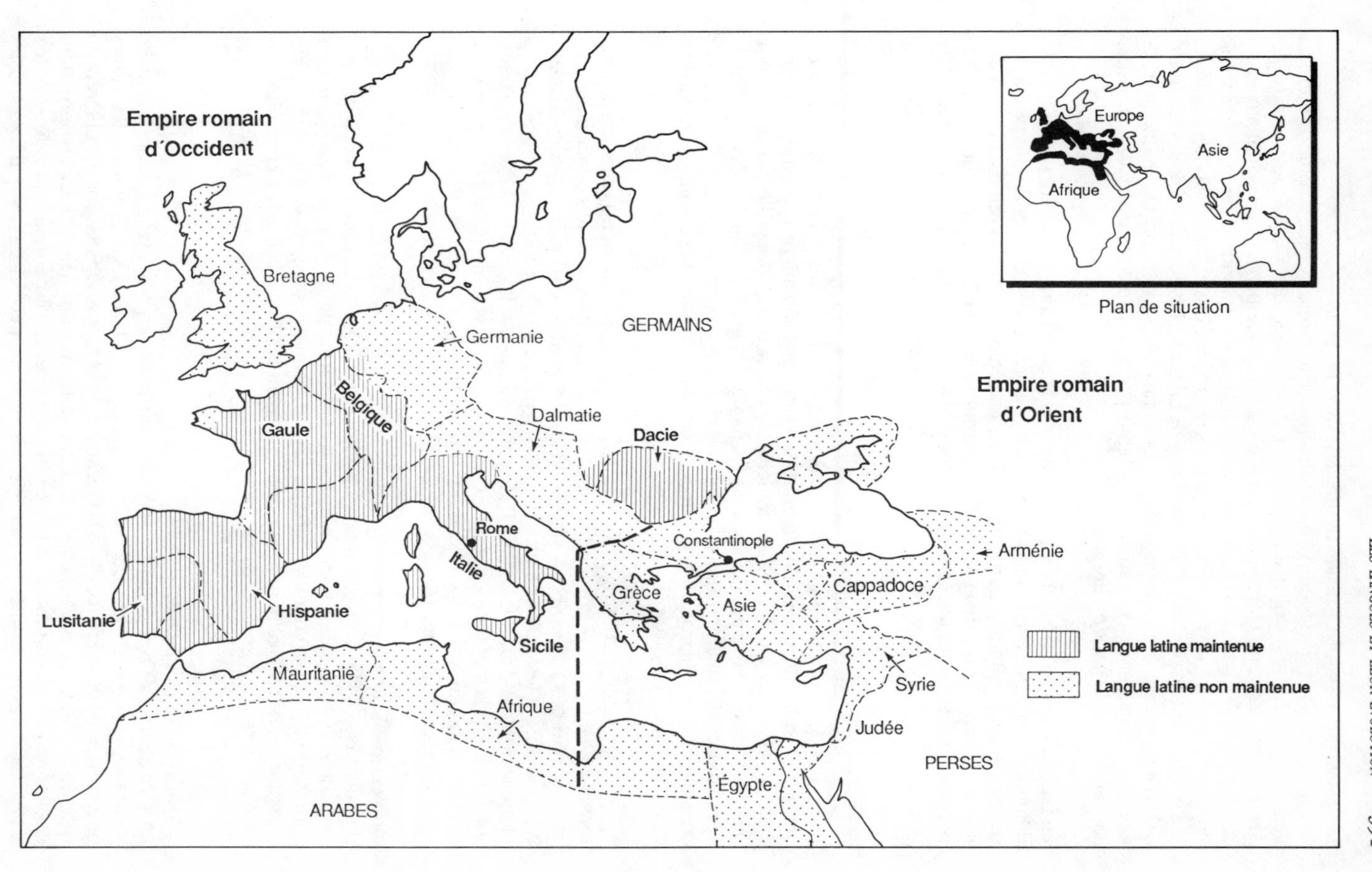

FIGURE 26.3 L'EMPIRE ROMAIN EN 200 APRÈS J.-C.

LA DÉSORGANISATION DE L'EMPIRE: LE MORCELLEMENT DU LATIN

Dès la fin du IIIe siècle, les empereurs romains accueillirent de plus en plus de Barbares germaniques comme soldats: on enrôlait des Francs, des Goths, des Saxons, des Alamans, etc., comme mercenaires pour grossir l'armée parce que les Romains d'origine se désintéressaient de la guerre. Ces soldats germaniques offraient évidemment une faible barrière de protection contre les incursions des autres tribus germaniques, qui pénétraient de plus en plus dans l'Empire. En outre, Rome concédait des territoires à des Germains agréés comme alliés pour des fins de colonisation. Graduellement, les Germains passèrent outre au statut accepté par Rome et fondèrent des royaumes souverains sur le sol de l'Empire.

En raison de la loi de réadaptation au milieu, la langue latine populaire parlée dans les différentes provinces de Rome se morcela peu à peu suivant des conditions politiques, sociales et géographiques particulières. Dans les régions particulièrement éloignées de Rome, comme le nord de la Gaule, et dans celles où il y avait contact avec des populations germaniques, se développera une forme de latin parlé encore plus différente.

LE DÉBUT DES GRANDES INVASIONS

Puis, en 375, se produisit le choc des Huns contre les Ostrogoths germaniques, qui vivaient au nord de la mer Noire entre le Danube et le Dniepr (Ukraine). Les Huns étaient des tribus guerrières qui avaient été chassées de Mongolie par les Chinois quatre siècles auparavant; établis dans l'actuelle Hongrie, ils avaient décidé de partir vers l'ouest et avaient soumis les Ostrogoths. C'est cette année de 375 que l'on considère comme marquant le début des grandes invasions et le commencement de la dislocation de l'Empire romain.

Après avoir vaincu les Ostrogoths, les Huns reprirent leur route vers l'ouest et s'attaquèrent aux Wisigoths, aux Burgondes, aux Alains, déclenchant ainsi des déplacements en cascades: Goths, Ostrogoths, Wisigoths, Vandales, Francs, Saxons, Burgondes, Alamans, etc., se butèrent les uns aux autres d'un coin à l'autre de l'Europe et se déversèrent sur l'Empire romain d'Occident. En 447, le roi des Huns, Attila (395 — 453), avait étendu son Empire de la mer Caspienne jusqu'en Gaule, après avoir mis l'Europe à feu et à sang et pillé l'Italie du Nord. Après sa mort, son Empire se disloqua et disparut, non sans avoir fait exploser toute l'Europe.

On peut comparer les grandes invasions des IVe et Ve siècles à un jeu de billard: la première boule (les Huns) dispersa le système en place et chaque boule en entraîna une autre. Il en fut de même avec les tribus germaniques qui, poussées par l'est, partaient vers l'ouest, contraignant ainsi le voisin à quitter son pays. À la fin du Ve siècle, l'Empire romain d'Occident avait disparu, laissant la place à la fondation de plusieurs empires germaniques (*voir la figure 26.4*).

L'EFFONDREMENT DE L'EMPIRE D'OCCIDENT

En Occident, les Ostrogoths s'installèrent en Italie, en Sardaigne et dans l'actuelle Yougoslavie; les Wisigoths occupèrent l'Espagne et le sud de la France; les Francs prirent le nord de la France et de la Germanie; les Angles et les Saxons traversèrent en Grande-Bretagne après avoir chassé les Celtes en Armorique (Bretagne); les Burgondes envahirent le centre-ouest de la France (Bourgogne, Savoie, Suisse romande actuelle); les Alamans furent refoulés en Helvétie, les Suèves en Galicie, alors que les Vandales conquirent les côtes du nord de l'Afrique et se rendirent maîtres de la mer par l'occupation des Baléares, de la Corse et de la Sardaigne. En cette fin du Ve siècle, l'Empire romain d'Occident se trouvait morcelé en une dizaine de royaumes germaniques. Mais la plupart de ces royaumes ne purent constituer d'États durables, à l'exception de ceux des Francs et des Anglo-Saxons. Néanmoins, ces invasions germaniques ont contribué à bâtir l'Europe moderne.

En Orient, les peuples hellénisés par les Romains furent balayés par les Goths, les Vandales, les Arabes et les Turcs; la langue grecque ne fut maintenue que dans son foyer d'origine: la Grèce aux montagnes arides et aux archipels isolés. Sur le continent africain, le passage des Vandales et surtout des Arabes est venu à bout des populations latinisées, qui se sont islamisées et arabisées.

LE MORCELLEMENT DU LATIN

Du point de vue linguistique, l'effondrement de l'Empire romain d'Occident accéléra le processus de morcellement du latin populaire, amorcé dès le IIe siècle. Les communications avec l'Italie étant coupées, les échanges commerciaux périclitèrent, les routes devinrent insécures, les écoles disparurent, le tout entraînant une économie de subsistance, rurale et fermée sur elle-même. Si bien qu'au VIIe siècle, la situation linguistique était extrêmement complexe dans l'ancien Empire romain: les langues germaniques étaient devenues indispensables aux populations qui voulaient jouer un rôle politique puisque tous les rois ne parlaient que l'une ou l'autre de ces langues; le latin n'était plus utilisé que pour les écrits: le peuple ne le parlait plus. Par ailleurs, le morcellement des royaumes germaniques et l'absence de centralisation bureaucratique empêchèrent les vainqueurs d'imposer leur langue aux populations conquises. Une sorte de fusion se produisit entre Germains et peuples romanisés: le peuple commença à parler le *roman*.

4 L'APRÈS-ROME: LA «LINGUA ROMANA RUSTICA»

Étant donné que les contacts entre les régions et les divers royaumes wisigoths, ostrogoths, burgondes, alamans, vandales, etc., étaient devenus très rares, les divergences linguistiques s'accentuèrent de plus en plus et donnèrent naissance à des idiomes romans distincts. La *lingua romana rustica*, ou «langue romane rustique», parlée dans le nord de la France (royaume des Francs), devint différente de celle parlée dans le sud du pays (royaume des Wisigoths) et de celle parlée en Italie (royaume des Ostrogoths) ou en Dacie (royaume des Gépides), etc. Tout le système du latin populaire se trouva modifié en passant au roman, qui se fragmenta selon les régions.

LA SUPRÉMATIE FRANQUE ET LA FRAGMENTATION DIALECTALE

Au cours des VIe et VIIe siècles, les royaumes s'affaiblirent: les Ostrogoths furent conquis par les Romains d'Orient, puis par les Lombards; les Wisigoths éliminèrent les Suèves avant d'être exterminés à leur tour par les Francs au nord et par les Arabes en Espagne; les Vandales subirent le même sort en Afrique du Nord et les survivants furent islamisés. Finalement, les Francs sortirent grands vainqueurs de ces affrontements en soumettant presque toute l'Europe romanisée à l'autorité de quelques monarques.

Affranchie de toute contrainte, favorisée par le morcellement féodal et soumise au jeu variable des lois phonétiques et sociales, la «langue romane rustique» se développa spontanément sur son vaste territoire; elle prit, suivant les régions, les formes les plus variées. C'est ainsi que sortit du sol de la Gaule toute une floraison de parlers régionaux, subdivisés en dialectes ou patois. Par ailleurs, les Francs donnèrent au roman de nouvelles tendances linguistiques en raison de leur accent nordique et de leur système vocalique[5], dans lequel les voyelles longues s'opposaient aux brèves; cela portait les

5. «Vocalique»: qui a rapport aux voyelles.

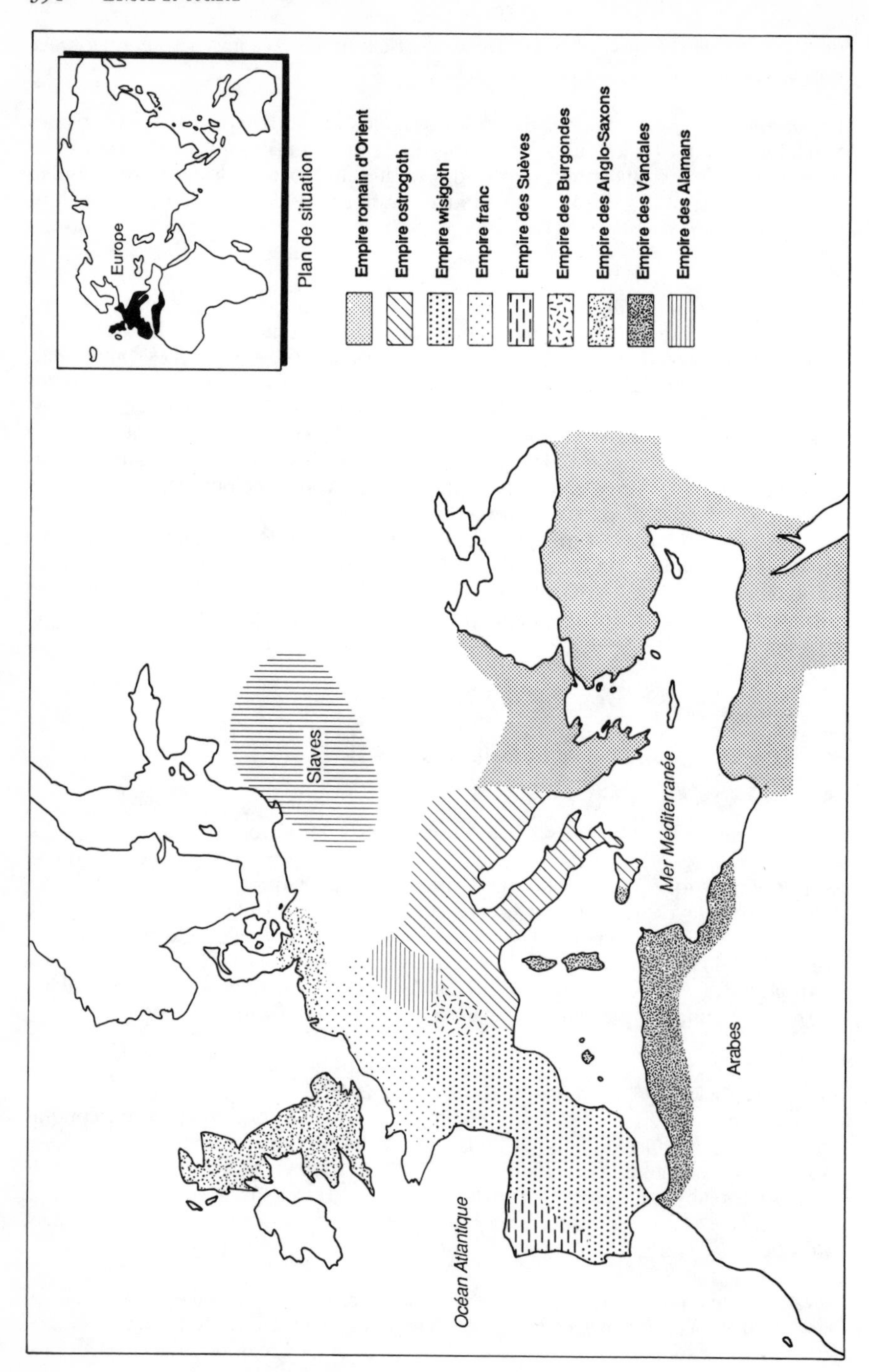

FIGURE 26.4 LA FONDATION DES EMPIRES GERMANIQUES AU Ve SIÈCLE

Francs à prononcer les voyelles romanes beaucoup plus fortement que ne le faisaient les populations autochtones.

Lorsque le royaume des Francs passa aux mains de Charlemagne en 760, celui-ci entreprit la réimplantation de l'ancien Empire romain. Il y réussit presque en Occident: lui échappèrent la Grande-Bretagne et l'Espagne, qui demeurèrent respectivement aux mains des Anglo-Saxons et des Arabes. Ses tentatives pour réunir l'Empire d'Orient (appelé Empire byzantin) échouèrent. Lorsqu'il se fit couronner empereur d'Occident en décembre 799, son royaume s'étendait du nord de l'Espagne jusqu'aux limites orientales de l'Allemagne actuelle, de l'Autriche et de la Slovénie (Yougoslavie). L'unification politique réussie par Charlemagne ne dura pas assez longtemps pour que celui-ci impose le francique, sa langue maternelle.

À la mort de Charlemagne, en 814, ses fils et ses petits-fils se disputèrent l'Empire. Finalement, ses petits-fils Charles le Chauve et Louis le Germanique scellèrent une alliance contre leur frère aîné, Lothaire, par les *Serments de Strasbourg* (842), rédigés pour la première fois en langue «vulgaire» (du latin *vulgus*: peuple). L'année suivante, le traité de Verdun divisa définitivement le royaume de Charlemagne en trois États (*voir la figure 26.5*): Louis reçut la partie est de l'Empire franc (la Francie orientale), Charles la partie ouest (la Francie occidentale) et Lothaire la partie du centre (la Lotharingie) avec la couronne impériale. Par la suite, chacun des royaumes se morcela encore au gré des héritiers et des changements de régimes. Les guerres féodales se succédèrent pendant que l'Europe souffrait d'une économie des plus rudimentaires.

LA ROMANISATION DES FRANCS

Tous ces événements politiques et militaires ont eu des conséquences déterminantes pour le destin des langues. L'expansion de l'Empire romain a provoqué l'extension du latin, qui n'a connu que des succès et des conquêtes jusqu'au Ve siècle; il n'a cependant pas pu survivre à l'éclatement de l'Empire et s'est morcelé en une multitude de dialectes. Les langues germaniques ont certes influencé les langues romanes, mais elles n'ont pu les assimiler. Plusieurs facteurs expliquent ce phénomène peu courant (les vaincus qui assimilent les vainqueurs): les envahisseurs germaniques se sont heurtés à une population beaucoup plus nombreuse qu'eux et ont dû pratiquer l'exogamie (mariages mixtes); de plus, ils n'ont pu constituer d'États durables et ont constamment morcelé leur puissance politique. Seule l'aristocratie franque a pratiqué le bilinguisme pendant quelques siècles avant d'adopter la langue des vaincus.

Lorsqu'on observe la figure 26.5, on constate que l'ancien territoire de la Francie occidentale coïncide aujourd'hui avec une aire linguistique exclusivement romane (exception faite de la Bretagne et des provinces basques), soit les deux tiers de la France actuelle; ce qui prouve l'assimilation de la langue franque. En revanche, l'ancienne Francie orientale a maintenu la langue franque, le francique, puisque ce territoire correspond aujourd'hui à des pays germaniques tels l'Allemagne, l'Alsace, la Suisse alémanique et l'Autriche. Quant à la Lotharingie, elle rassemble des aires germaniques au nord (Belgique flamande, Pays-Bas, Luxembourg) et romanes pour le reste (Belgique wallone, ouest de la France, Suisse romande, Italie). Là où les Francs ont été majoritaires, ils ont maintenu leur langue, qui s'est par la suite transformée et fragmentée en un grand nombre de dialectes; là où ils ont été minoritaires, ils se sont rapidement assimilés. Dans la Gaule romanisée, la langue romane rustique en usage au VIIe siècle donnera naissance au français.

L'ÉTAT DE LA LANGUE

Afin de se faire une idée de l'évolution du latin jusqu'à l'apparition du «français», le lecteur se reportera aux traductions des *Serments de Strasbourg* reproduites à la figure 26.6. Le texte original a été rédigé en *roman* pour Louis le Germanique, qui s'adressait

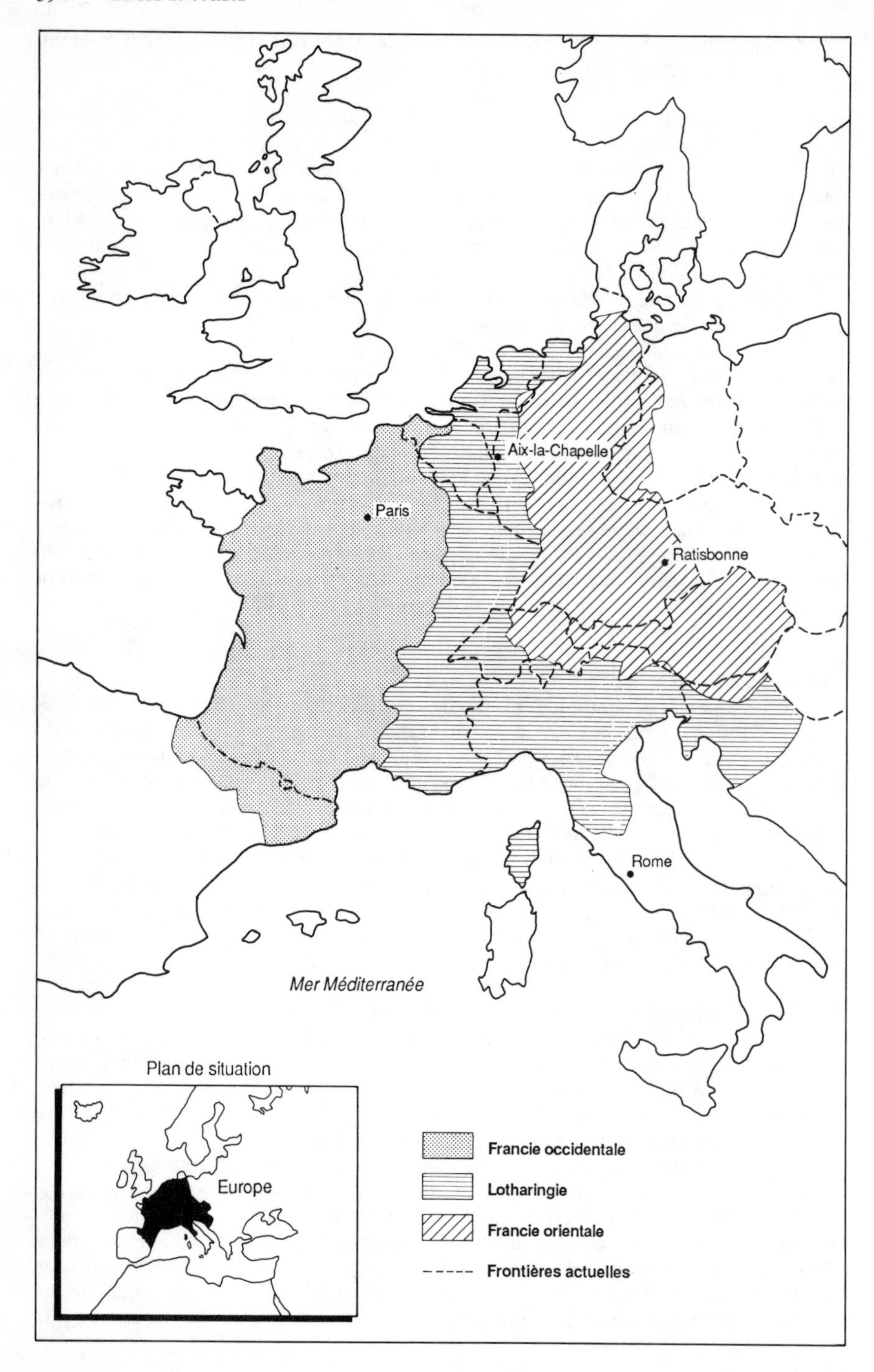

FIGURE 26.5 LES ROYAUMES FRANCS APRÈS LE TRAITÉ DE VERDUN (843)

Serment prononcé par Louis le Germanique

Texte 1: latin classique
(Ier siècle)

Per Dei amorem et per christiani populi et nostram commumem salutem, ab hac die, quantum Deus scire et posse mihi dat, servabo hunc meum fratrem Carolum, et ope mea et in quacumque re, ut quilibet fratrem suum servare jure debet, dummodo mihi idem faciat, et cum Clotario nullam unquam pactionem faciam, quæ mea voluntate huic meo fratri Carolo damno sit.

Texte 2: latin populaire
(VIIe siècle)

Por deo amore et por chrestyano pob(o)lo et nostro comune salvamento de esto die en avante en quanto Deos sabere et podere me donat, sic salvarayo eo eccesto meon fradre Karlo, et en ayuda et en caduna causa, sic qomo omo per drecto son fradre salvare devet, en o qued illi me altrosic fatsyat, et ab Ludero nullo plag(i)do nonqua prendrayo, qui meon volo eccesto meon fradre Karlo en damno seat.

Texte 3: roman
(842)

Pro deo amur et pro christian poblo et nostro commun saluament, d'ist di en avant, in quant Deus savir et podir me dunat, si salvarai eo cist meon fradre Karlo, et in aiudha et in cadhuna cosa, si cum om per dreit son frada salvar dift, in o quid il mi altresi fazet et ab Ludher nul plaid nunquam prindrai qui meon vol cist meon fradre Karle in damno sit.

Texte 4: ancien français
(XIe siècle)

Por dieu amor et por del crestiien poeple et nostre comun salvement, de cest jorn en avant, quan que Dieus saveir et podeir me donct, si salverai jo cest mien fredre Charlon, et en aiude, et en chascune chose, si come on par dreit son fredre salver deit, en ço que il me altresi façet, et a Londher nul plait onques ne prendrai, qui mien vueil cest mien fredre Charlon en dam seit.

Texte 5: moyen français
(XVe siècle)

Pour l'amour Dieu et pour le sauvement du chrestien peuple et le nostre commun, de cest jour en avant, quan que Dieu savoir et pouvoir me done, si sauverai je cest mien frere Charle, et par mon aide et en chascune chose, si comme on doit par droit son frere sauver, en ce qu'il me face autresi, et avec Lothaire nul plaid onques ne prendrai, qui, au mien veuil, à ce mien frere Charles soit à dan.

Texte 6: français contemporain

Pour l'amour de Dieu et pour le salut commun du peuple chrétien et le nôtre, à partir de ce jour, autant que Dieu m'en donne le savoir et le pouvoir, je soutiendrai mon frère Charles de mon aide et en toute chose, comme on doit justement soutenir son frère, à condition qu'il m'en fasse autant, et je ne prendrai jamais aucun arrangement avec Lothaire, qui, à ma volonté, soit au détriment de mon dit frère Charles.

Source: CAPUT, Jean-Pol, *La langue française, histoire d'une institution*, tome 1, Paris, Larousse, 1972, p. 24-25.

FIGURE 26.6 LES TRADUCTIONS DES SERMENTS DE STRASBOURG (842)

aux soldats de Charles le Chauve (*voir le texte 3*), et en *germanique* pour celui-ci, qui s'adressait aux soldats de son frère. Les textes 1, 2, 4, 5 et 6 sont donc des traductions reproduisant l'état de la langue à six époques.

En comparant les textes 1, 2 et 3, on peut relever d'énormes différences sur le plan phonétique; on notera, par exemple, l'apparition, en roman, du [z] et du [h], qui proviennent d'influences germaniques. Sur le plan morphologique, on est passé de trois genres (masculin, féminin, neutre) à deux, le neutre disparaissant; de plus, la déclinaison, initialement à six cas[6] en latin, est passée à deux (sujet et complément). Pour ce qui touche la syntaxe, les prépositions paraissent plus nombreuses et l'ordre des mots tend à rester assez libre. Dans le domaine du vocabulaire, la «langue romane rustique» a emprunté près d'un millier de mots aux langues germaniques, particulièrement des mots d'origine militaire et des mots relatifs à l'organisation sociale des Germains.

Nous avons jusqu'ici parcouru la préhistoire du français jusqu'aux *Serments de Strasbourg*, considérés comme les premiers textes écrits en français. Il est temps de passer maintenant au français lui-même.

6. Chacune des formes d'un mot qui présente des flexions: *bon-us, bon-i, bon-o, bon-os,* etc.

L'HISTOIRE SOCIOLINGUISTIQUE DU FRANÇAIS

On peut donc dire que les *Serments de Strasbourg* (842) constituent l'acte de naissance du français: tous les documents écrits antérieurement étaient rédigés uniquement en latin. Les *Serments* furent rédigés dans une langue que tous les soldats de l'armée de Charles le Chauve et de celle de Louis le Germanique pouvaient comprendre. Le document peut donc être considéré comme du «français», bien que l'on trouve ce nom appliqué à la langue seulement vers le XIIe siècle.

En plus de l'histoire interne de l'évolution de la langue elle-même, commence une double histoire parallèle qu'il convient de suivre si l'on veut se rendre compte de l'ensemble des faits: la lutte du français *contre les autres langues parlées* en France et la lutte du français écrit *contre le latin*. Comme toujours, ce sont des événements politiques et militaires qui finiront par assurer la suprématie du français. Les périodes de bouleversements ont entraîné des changements linguistiques alors que les périodes plus calmes ont permis à la langue de «digérer» ces transformations. Bref, l'état de la langue française reflète toujours l'état de la société, que ce soit sous le régime féodal, pendant la période de consolidation du pouvoir royal, pendant la Révolution française, ou pendant la période moderne ou contemporaine.

1 LA PÉRIODE FÉODALE: L'ANCIEN FRANÇAIS (IXe — XIIIe s.)

La dislocation de l'Empire de Charlemagne entraîne un grand nombre de conséquences qui auront des incidences sur la langue: règne de la féodalité, qui morcelle l'autorité royale; invasion des Normands en Angleterre, en France et en Italie; ère des Croisades, qui fait découvrir l'Orient; toute-puissance de l'Église de Rome, qui assujettit le monde chrétien. En même temps, deux grandes puissances font leur entrée: l'Islam turc, qui arrête l'essor des Arabes, et l'expansion mongole dans toute l'Asie, fermée alors aux contacts internationaux. La société médiévale reflète un monde dans lequel l'information est rare, les communications difficiles et les échanges limités. C'est dans ce cadre peu favorable que naît la langue française.

LES TEMPS DIFFICILES

Les caractéristiques principales du régime féodal sont le morcellement et la fidélité. Afin de s'assurer la fidélité de ses vassaux, un suzerain (seigneur) accorde à chacun d'eux un fief (une terre) qui leur servira de moyen de subsistance; en retour, les vassaux s'engagent à défendre leur seigneur en cas d'attaque extérieure. Conséquences politiques de ce système? Le morcellement du pays et la constitution de grands fiefs, eux-mêmes divisés en une multitude de petits fiefs; les guerres entre seigneurs sont très fréquentes parce qu'elles permettent aux vainqueurs d'agrandir leur fief. Chacun vit par ailleurs relativement indépendant dans son fief, sans contact avec l'extérieur.

Dans un tel système, la monarchie demeure à peu près sans pouvoir. Au cours du Xe siècle, les rois sont souvent obligés de mener une vie itinérante sur leur petit domaine morcelé et pauvre. Incapable de repousser les envahisseurs normands (ces «hommes du Nord» — Northmans — venus de la Scandinavie), Charles III (le Simple) leur concède en 911 une province entière, la Normandie, dont le suzerain réussira à être plus puissant que le roi de France: le duc de Normandie devient roi d'Angleterre en 1066, après avoir vaincu Henri Ier de France en 1054.

L'impact linguistique

Dans de telles conditions, les divergences qui existaient déjà entre les parlers locaux se développent et s'affirment. Chaque village et chaque ville a son parler distinct: la langue évolue partout librement, sans contrainte. Ce que nous appelons l'ancien français correspond à une langue essentiellement orale, hétérogène géographiquement, non normalisée et non codifiée. Les dialectes se multiplient et se divisent en trois grands ensembles assez nettement individualisés: les langues d'oïl au nord, les langues d'oc au sud, le franco-provençal en Franche-Comté, en Savoie et dans l'actuelle Suisse romande (*voir la figure 27.1*). Au Xe siècle, le francien n'occupe encore qu'une base territoriale étroite parmi les langues d'oïl: il n'est parlé que dans les régions de Paris et d'Orléans, par les couches supérieures de la population. Les rois de France parlent encore le germanique (francique). Les langues d'oc du sud correspondent à la partie de la Gaule la plus profondément romanisée, qui n'a pas fait partie du domaine des Francs, mais a été soumise un temps à la domination wisigothe, laquelle n'a toutefois pas laissé de traces directes dans la langue. Quant aux langues franco-provençales, elles correspondent plus ou moins à des anciennes possessions des Burgondes, puis de l'empereur germanique. Durant cette époque, les gens du peuple sont tous unilingues et parlent l'un ou l'autre des 600 ou 700 dialectes en usage en France et hors de France (*voir la figure 27.1*).

LE FRANCIEN GAGNE DU TERRAIN

En 987, Hugues Capet est élu et couronné roi de France; c'est le premier souverain à ne savoir s'exprimer qu'en francien (français). La dynastie des Capétiens réussit à renforcer l'autorité royale et entreprend la tâche d'agrandir ses domaines. Contrairement aux rois précédents qui transportaient leur capitale d'une ville à l'autre, les Capétiens se fixent à Paris; l'existence d'une capitale stable contribue à donner du prestige au dialecte du seigneur le plus puissant et du pouvoir politique le plus considérable (*voir la figure 27.1*). L'aristocratie, les clercs, les juristes et la bourgeoisie commencent à utiliser le francien. Lorsque Louis IX (saint Louis) accède au trône (1226-1270), l'unification linguistique est en partie gagnée et la prépondérance du francien définitivement assurée. Après de nombreuses victoires militaires royales, le francien remplace progressivement les autres langues d'oïl et s'infiltre dans les principales villes du sud. À la fin de son règne, Louis IX est devenu le plus puissant monarque de toute l'Europe, ce qui assure un prestige certain à sa langue, que l'on appelle désormais le *français*.

Bien que le français ne soit pas alors une langue officielle imposée, il est utilisé comme LANGUE VÉHICULAIRE dans les couches supérieures de la population et dans l'armée royale qui, lors des croisades, le porte en Italie, en Espagne, à Chypre, en Syrie et à Jérusalem. Au cours du XIIe siècle, on commence à utiliser le français à l'écrit, particulièrement dans l'administration royale, qui l'emploie parallèlement au latin. Mais c'est au XIIIe siècle qu'apparaissent des œuvres littéraires en français. À la fin de ce siècle, le français s'écrit en Italie (en 1298, Marco Polo rédige ses récits de voyages en français), en Angleterre (depuis la conquête de Guillaume le Conquérant), en Allemagne et aux Pays-Bas. Évidemment, le peuple ne connaît rien de cette langue, même en Île-de-France (région de Paris), où les dialectes locaux continuent de subsister.

Comme on le constate, au fur et à mesure que s'affermit l'autorité royale et que s'affirme la centralisation du pouvoir, la langue du roi de France gagne du terrain, particulièrement sur les autres langues d'oïl. Mais, pour quelques siècles encore, le latin gardera ses prérogatives à l'écrit et dans les écoles.

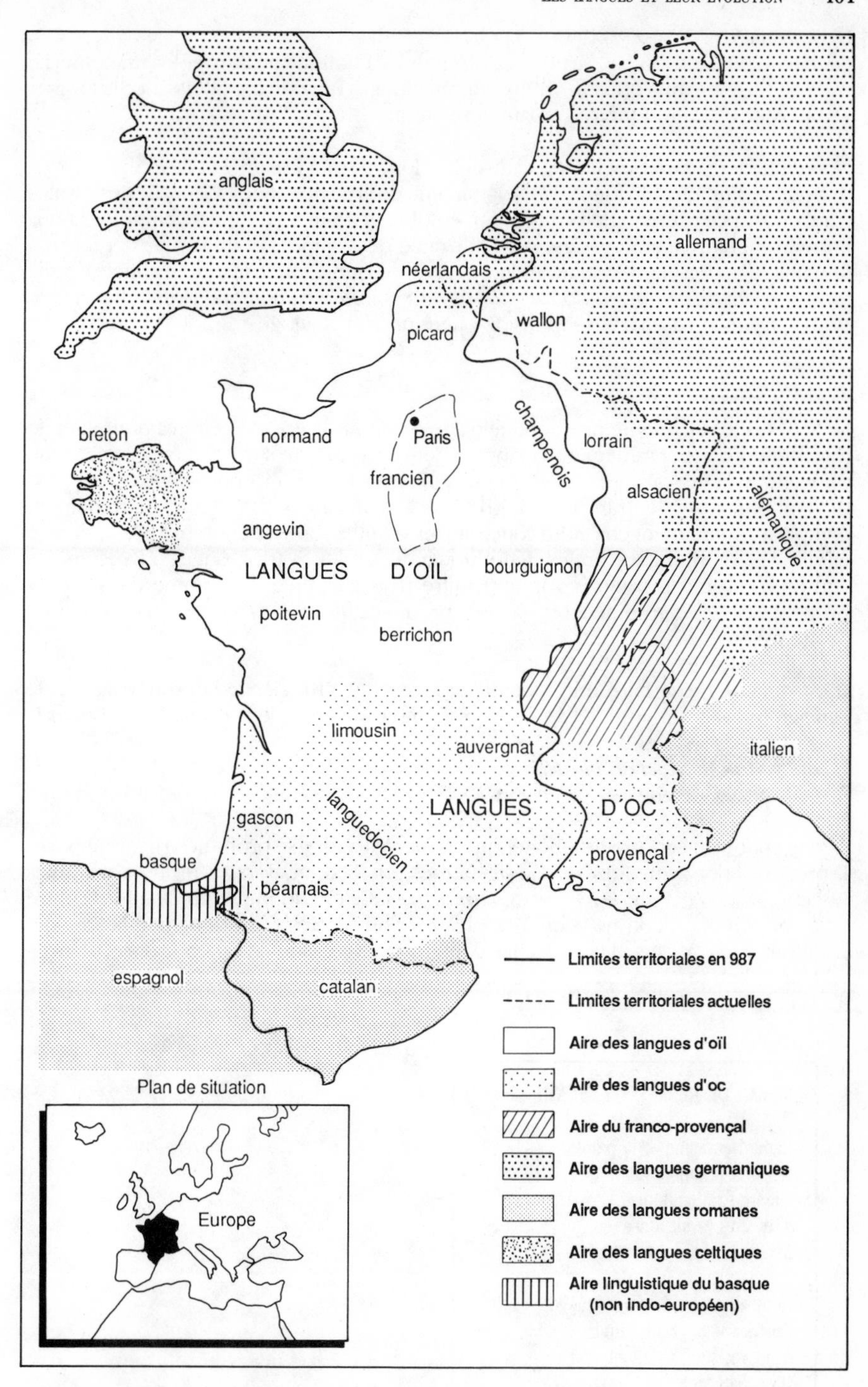

FIGURE 27.1 LA FRANCE LINGUISTIQUE EN 987

LE LATIN MAINTIENT SA DOMINANCE CULTURELLE

Pendant la période féodale, le prestige de l'Église catholique en Europe est immense. Le pape agit comme un véritable arbitre supranational à qui doivent obéissance les rois et l'empereur du Saint-Empire romain germanique.

Non seulement le latin est la langue du culte, donc de tout le clergé et des abbayes, mais il demeure l'unique langue de l'enseignement, de la justice et des chancelleries royales (sauf en France et en Angleterre, où l'on emploie le français pour les communications entre les deux royaumes); c'est aussi la langue des sciences et de la philosophie. Les gens instruits doivent nécessairement se servir du latin comme langue seconde: c'est la *langue véhiculaire internationale dans tout le monde catholique*. Hors d'Europe, le *turc*, *l'arabe*, le *chinois* et le *mongol* jouent un rôle analogue.

L'ÉTAT DE L'ANCIEN FRANÇAIS

Le XIIIe siècle représente une époque d'âge d'or pour la France, ce qui a pour effet de transformer considérablement la langue. Celle-ci s'enrichit surtout aux points de vue phonétique et lexical, alors qu'elle se simplifie sur le plan morpho-syntaxique. Sur le plan phonétique, le français du XIIIe siècle constitue un système extrêmement complexe, notamment en ce qui concerne les voyelles; on en dénombre 33: 9 orales, 5 nasales, 11 diphtongues orales, 5 diphtongues nasales, 3 triphtongues. Du côté des consonnes, l'ancien français voit apparaître trois affriquées: *ts* comme dans «cent» prononcé *tsent*, *dž* comme dans «jambe» prononcé *djambe, tch* comme dans «cheval» prononcé *tcheval*.

Il est difficile de se faire une idée de ce qu'est, au XIIIe siècle, la prononciation de l'ancien français; en guise d'exemple, prenons ce vers tiré de la *Chanson de Roland*:

> *des peaux de chievres blanches*
> (des peaux de chèvres blanches)

À cette époque, l'écriture est phonétique: *toutes* les lettres se prononcent. Par rapport à la prononciation actuelle *dé po d'chèvr' blanch'*, on dit donc alors, en prononçant toutes les lettres: *déss pé-awss de tchièvress blan-ntchess*. Ce qui donne 26 articulations contre 13 aujourd'hui, où l'on ne prononce plus les *s* du pluriel. C'est donc une langue qui paraîtrait rude à plus d'une oreille contemporaine, sans compter la «truculence» verbale courante à l'époque. À cet égard, on aura intérêt à lire le petit extrait du *Roman de Renart* reproduit dans l'encadré:

ROMAN DE RENART (fin du XIIIe siècle)

Dame Hermeline ot la parole
Respond li conme dame fole
jalouse fu & enflamee
q'ses sires lavoit amee
& dist: ne fuce puterie
& mauvestie & lecherie
Grant deshonor & grant putage
Feïstes vos & grant outrage
q'ant vos soufrites monbaron
Q'vos bati vostre ort crepon.

TRADUCTION

Dame Hermeline prit la parole,/Elle lui répond en femme folle;/elle était jalouse et enflammée/parce que son mari Hersant l'avait possédée./Et elle dit: ne fut-ce conduite de putain/et mauvaiseté et dévergondage?/Un grand déshonneur et une grande putinerie,/voilà ce que vous avez fait avec grand outrage/ quand vous avez laissé mon mari/vous frotter votre sale croupion./

Sur le plan morpho-syntaxique, l'ancien français conserve encore sa déclinaison à deux cas et l'ordre des mots demeure assez libre dans la phrase, généralement simple et brève. Dans le vocabulaire, l'ancien français compte encore une soixantaine de mots gaulois, un fonds important de mots romans populaires, quelques centaines de mots occitans, un millier de mots germaniques et quelques dizaines de mots d'origine arabe. La masse du vocabulaire est encore puisée dans le latin, avec des adaptations phonétiques. Le français de cette époque n'est pas une langue de culture et ne peut rivaliser avec le latin ou l'arabe, dont la civilisation est très en avance sur celle des Occidentaux.

2 UNE PÉRIODE SOMBRE: LE MOYEN FRANÇAIS (XIVe — XVe s.)

Avec les XIVe et XVe siècles, s'ouvre une période sombre pour la France, qui tombe dans un état d'anarchie et de misère. C'est l'une des époques les plus agitées de l'histoire au point de vue socio-politique: Guerre de Cent ans avec l'Angleterre, guerres civiles, pestes, famines. Pour la langue, qui est en pleine mutation, cette période constitue une phase de transition entre l'ancien français et le français moderne. Hors de France, l'Église est compromise par des abus de toutes sortes et des désordres scandaleux qui lui font perdre son crédit, pendant que l'Empire ottoman met fin à l'Empire romain d'Orient.

LES REVERS DE LA GUERRE DE CENT ANS

En 1328, le dernier des Capétiens (Charles IV) meurt sans héritier; le roi d'Angleterre fait valoir ses droits à la succession, mais Philippe VI de Valois est préféré par les princes français (1337). Dès lors, deux rois de langue française se disputeront le royaume de France jusqu'en 1453. Les guerres se succéderont et s'éterniseront. Cette longue Guerre de Cent ans affaiblit la monarchie française, qui perd plusieurs provinces au profit de l'Angleterre jusqu'à ce que les interventions du connétable Du Guesclin (1320-1380), sous Charles V, et plus tard de Jeanne d'Arc (1412-1431), sous Charles VII, redonnent définitivement l'avantage au roi de France; ce dernier reprend progressivement Paris (1436), la Normandie (1450), la Guyenne (1453), etc.

La France a payé très cher sa victoire sur les Anglais pour récupérer son territoire. Les guerres ont ravagé le pays tout entier et ruiné l'agriculture, occasionnant la famine et la peste, décimant le tiers de la population. La noblesse elle-même a perdu près des trois quarts de ses effectifs, permettant ainsi aux bourgeois enrichis par la guerre d'acheter des terres et de s'anoblir. La vieille société féodale se trouve ébranlée et un nouvel idéal social, moral et intellectuel commence à naître. La Guerre de Cent ans contre les Anglais a fait naître un fort sentiment nationaliste tant en France qu'en Angleterre. Depuis 1363, l'anglais remplace le français au parlement de Londres et les Français instruits n'écrivent plus en français dialectal, c'est-à-dire dans les langues d'oïl.

LA LANGUE: ENTRE LA LIBERTÉ ET LA CONTRAINTE

Cette longue période d'instabilité politique, sociale et économique a favorisé un mouvement de relâchement linguistique. Tout le système de l'ancien français se simplifie. Les nombreuses diphtongues et triphtongues disparaissent, se réduisant à des voyelles simples dans la langue parlée; seule la langue écrite conserve les traces de la prononciation de l'époque précédente dans des mots comme *oiseau, peau, fou, fleur, cœur* et *saoul*. On observe aussi l'effritement des consonnes finales (par exemple, «grand» prononcé antérieurement *gran-ntt* devient *gran*) et la contraction des mots (*serment* pour *serement*). La déclinaison issue du latin et réduite à deux cas en ancien français tombe également, favorisant ainsi une stabilisation de l'ordre des mots dans la phrase (sujet + verbe + complément); les prépositions et les conjonctions se développent beaucoup, ce qui rend la phrase plus complexe. Les conjugaisons verbales se régularisent et se simplifient. Par rapport à l'ancien français, de nombreux mots disparaissent, notamment les termes locaux.

Si la langue parlée est laissée à elle-même, il n'en est pas ainsi pour la langue écrite. Les traits les plus marquants du moyen français concernent le lexique et l'orthographe. Le français s'est répandu de plus en plus en France et a gagné des positions réservées naguère au latin, mais celui-ci prend sa revanche en envahissant la langue victorieuse. Dès le XIIIe siècle, le latin savant fait son apparition dans le vocabulaire français, mais, au XIVe siècle, c'est une véritable invasion de latinismes. Au terme de ce siècle, les emprunts au latin sont devenus tellement nombreux que les termes français paraissent ensevelis sous la masse des latinismes. Un grand nombre de ces mots n'ont qu'une existence éphémère (*intellectif, médicinable, suppécliter*), mais d'autres réussissent à demeurer (*déduction, altercation, incarcération, prémisse*).

Il faut voir, dans cette période du français, l'influence des clercs et des scribes instruits et puissants dans l'appareil de l'État ainsi que dans la vie économique de la nation. Ces gens, imprégnés de latin, éblouis par les chefs-d'œuvre de l'Antiquité et désireux de rapprocher la langue parlée, c'est-à-dire celle des «ignorants», de celle représentant tout l'héritage culturel du passé, dédaignent les ressources dont dispose alors le français. Ces «écumeurs de latin» connaissent un succès retentissant auprès des Grands, qui leur prodiguent maints encouragements. Ces savants latiniseurs «translatent» les textes anciens en les accommodant à l'état du français. Ce faisant, ils éloignent la langue française de celle du peuple: c'est le début de la séparation entre la langue écrite et la langue parlée. Le français perd la prérogative de se développer librement, il devient la chose des lettrés, des poètes et des grammairiens. Voici comment se justifie un latiniste de l'époque, Nicolas Oresme:

> «Une science qui est forte, quant est de soy, ne peut pas estre bailliee en termes legiers à entendre, mès y convient souvent user de termes ou de mots propres en la science qui ne sont pas communellement entendus ne cogneus de chascun, mesmement quant elle n'a autrefois esté tractée et exercée en tel langage. Parquoi je doy estre excusé en partie, si je ne parle en ceste matière si proprement, si clarement et si adornéement, qu'il fust mestier[1].»

Le français s'est développé librement entre les IXe et XIVe siècles; mais le XVe siècle annonce déjà l'époque du dirigisme linguistique, caractéristique du français moderne.

3 LA RENAISSANCE: L'AFFIRMATION DU FRANÇAIS

En dépit des guerres d'Italie et des guerres de religion qui ravagent la France tout au long du XVIe siècle, le pays vit une période d'exaltation sans précédent: la Renaissance, la fascination pour l'Italie, les nouvelles inventions, la découverte de l'Amérique ouvrent une ère de prospérité pour l'aristocratie et la bourgeoisie. Pendant que la

1. Nicolas ORESME, *Éthiques*, cité par Jean-Pol CAPUT, *La langue française, histoire d'une institution*, tome 1, Paris, Larousse, 1972, p. 82.

monarchie consolide son pouvoir et que la bourgeoisie s'enrichit, le peuple croupit dans la misère et ignore tout des fastes de la Renaissance.

LA PRÉPONDÉRANCE DE L'ITALIE

Le XVIe siècle est marqué par la prépondérance de l'Italie dans presque tous les domaines: la richesse économique, la puissance militaire, l'avance technologique et scientifique, la suprématie culturelle. Aussi n'est-il pas surprenant que les Français aient été fascinés par ce pays et qu'ils aient cédé à une vague d'italomanie, que la langue reflète encore aujourd'hui.

À peine maîtres de leur royaume unifié, les rois de France se lancent dans les conquêtes extérieures: les guerres d'Italie, qui s'étalent de 1494 à 1559. À l'origine, ces conflits mettent en scène le roi de France, qui veut faire valoir ses droits sur les royaumes de Naples et du Milanais, mais on peut penser aussi que les Français sont attirés par les richesses et la civilisation brillante d'au-delà des Alpes, eux qui accusent un net retard économique et culturel sur l'Italie, une séquelle de la Guerre de Cent ans. Mais le conflit s'élargit et l'Italie devient le théâtre de rivalités entre la France de François Ier et l'empereur romain-germanique, Charles-Quint (1500-1558), qui est en même temps roi d'Espagne.

Les conflits finissent par s'atténuer entre Français et Italiens au point que des contacts étroits et pacifiques s'établissent. De nombreux Italiens viennent vivre à la cour du roi de France et les mariages diplomatiques, comme celui de Catherine de Médicis avec Henri II, amènent à la cour des intellectuels, des artistes et des scientifiques italiens. Régente de France pendant près de 20 ans, Catherine de Médicis sait régner avec une poigne de fer et favorise le développement des arts... italiens. La cour de France se raffine en s'italianisant.

Cette influence culturelle se reflète nécessairement dans la langue française. Des milliers de mots italiens pénètrent le français, notamment des termes relatifs à la guerre (*canon, alarme, escalade, cartouche,* etc.), à la finance (*banqueroute, crédit, trafic,* etc.), aux mœurs (*courtisan, disgrâce, caresse, escapade,* etc.), à la peinture (*coloris, profil, miniature,* etc.) et à l'architecture (*belvédère, appartement, balcon, chapiteau,* etc.), sans compter les domaines du vêtement, de l'alimentation, de l'équitation, de la musique, etc. Bref, une véritable invasion de quelque 8 000 mots, dont environ 10 % sont utilisés encore aujourd'hui. Beaucoup d'écrivains s'élèvent alors en vain contre cette intrusion dans la langue française et cette manie de s'italianiser à tout prix.

LES GUERRES DE RELIGION (1562-1598)

Le XVIe siècle est aussi l'époque des guerres de Religion, contrecoup de la réforme d'Henri VIII en Angleterre (protestantisme), de Luther en Allemagne et de Calvin en Suisse. Ces guerres sont liées à la mentalité du temps; il semble n'y avoir que deux possibilités pour ceux qui confessent une autre religion: se convertir ou périr («Crois ou meurs»). Catholiques (papistes) et protestants (huguenots) se font apparemment la guerre pour assurer par la force le triomphe de la «vraie foi», mais ces conflits servent en réalité les intérêts des grandes familles princières, qui lorgnent vers le trône en faisant appel, les unes à l'Angleterre, les autres à l'Espagne. Pendant ce temps, les guerres de Religion livrent le pays à la famine et au pillage, entre les batailles rangées, les massacres, les tortures et les assassinats des Grands du royaume.

Par leur brassage d'hommes et d'idées, ces campagnes militaires contribuent plus que toute autre cause à faire entrer dans la langue française un certain nombre de mots anglais et espagnols. Ce sont surtout des termes relatifs à la guerre et aux produits exotiques dus à la découverte de l'Amérique et de l'Asie par les Anglais et les Espagnols.

Cependant, l'Espagne n'a jamais exercé une influence aussi grande que l'Italie sur le français, et l'anglais n'établira son influence qu'au XIXe siècle pour l'Angleterre et qu'après la Seconde Guerre mondiale pour les États-Unis.

L'EXPANSION DU FRANÇAIS

À la fin de ce siècle de conflits militaires, l'expansion du français se trouve renforcée. Le roi a désormais une armée permanente et ces immenses brassages de la population mâle par les guerres n'ont pu que favoriser le français auprès des soldats. Avec ses 15 millions d'habitants, la France reste le pays le plus peuplé d'Europe et les impôts rendent le roi de France plus riche que ses rivaux; ce qui contribue à asseoir son autorité et à promouvoir sa langue.

Une autre cause explique également l'expansion du français à cette époque: pour la première fois en France, une importante ordonnance royale, celle de Villers-Cotterêts (1539), traite de la langue. En effet, François 1er impose ainsi le français dans tous les écrits de l'administration royale. Cette mesure fait du français *la langue de l'État*. Dès lors, les jours du latin sont comptés, bien que l'Église catholique continue à tenir au latin dans le culte et l'enseignement. De plus, l'imprimerie favorise la diffusion du français: il paraît plus rentable aux imprimeurs de publier en français qu'en latin en raison du nombre plus important des lecteurs en cette langue.

Enfin, de plus en plus de savants écrivent en français, notamment des mathématiciens, des chimistes, des médecins, des historiens et des astronomes, et plusieurs écrivains revendiquent en faveur de cette langue: Du Bellay, Ronsard, Rabelais, Montaigne. À la fin du XVIe siècle, le français est devenu une langue littéraire et un instrument acceptable pour la transmission des connaissances scientifiques. Bien qu'encore assez différente du français d'aujourd'hui, la langue de cette époque peut se lire sans qu'il soit nécessaire de passer par la traduction; il s'agit presque de français moderne. Cependant, le peuple continue d'ignorer à peu près tout de cette langue qui commence à se codifier; dans la région de Paris, il parle un autre type de français qui ne s'embarrasse pas des latinismes, des italianismes et des hispanismes, lesquels ne préoccupent que les lettrés, les bourgeois et les nobles.

4 LE FRANÇAIS AU SIÈCLE DE L'AUTORITÉ (1594-1715)

Le français moderne naît à l'époque du Grand Siècle, longue période de stabilité sociale et de prospérité économique qui permet à la France d'atteindre un prestige jusqu'alors inégalé dans les domaines politique, littéraire et artistique. La France est, au XVIIe siècle, la plus grande puissance démographique et militaire de l'Europe; de plus, le pays est gouverné avec autorité par des fortes personnalités: Henri IV, puis Richelieu, Mazarin et Louis XIV, qui dominera son époque pendant plus de 50 ans.

L'ABSOLUTISME ROYAL

Le mérite d'Henri IV (1594-1610) est de rétablir la paix et l'unité du royaume. Sous le règne de Louis XIII (1610-1643), Richelieu s'emploie à restaurer l'autorité royale au moyen d'une centralisation renforcée, d'une réorganisation de l'armée et de la marine, de la création d'une police omniprésente; à l'extérieur, le ministre de Louis XIII encourage l'établissement de la prépondérance française en Europe et celui d'un empire colonial. Pendant la minorité de Louis XIV, Mazarin (1643-1661) poursuit la même politique que son prédécesseur et prépare le règne de Louis XIV, qu'il a lui-même formé.

En 1661 commence le règne personnel de Louis XIV, dont la figure dominera tout le siècle tant en France que sur la scène européenne. Tout le pouvoir est concentré entre les mains de Louis XIV: celui-ci est persuadé que le pouvoir absolu est légitime et représente Dieu en France. Le roi impose son autorité à la noblesse enfin matée, pendant que son ministre Colbert gère avec efficacité une économie prospère et que Louvois contrôle une formidable armée de 300 000 hommes; la flotte française devient l'une des plus puissantes d'Europe avec 200 vaisseaux de guerre. La soif du pouvoir pousse Louis XIV à rechercher et à obtenir en partie l'hégémonie en Europe, ce qui fait que son long règne est une suite ininterrompue de guerres. La France acquiert ainsi de nouvelles provinces: Bretagne, Lorraine, Alsace, Roussillon, Artois, Flandre, Franche-Comté. Par ses acquisitions territoriales, par le prestige de ses victoires, par l'influence qu'elle exerce en Europe, la France devient la plus grande puissance du continent. La bourgeoisie est la grande bénéficiaire de l'état de paix intérieure et elle s'enrichit à la condition de rester dans l'ombre et de ne réclamer aucune prérogative. Quant au peuple, il ne compte pas comme puissance au sein de l'État. Pressurisé par les impôts et affamé durant les mauvaises années, il subit avec aigreur les revers des guerres extérieures perpétuelles. Il reste à la population la possibilité de s'expatrier dans les nouvelles colonies, notamment au Canada, en Louisiane et aux Antilles.

LE FRANÇAIS: UNE LANGUE DE CLASSE

À cette époque, le français est encore une langue de classe. C'est une langue officielle, essentiellement courtisane, aristocratique et bourgeoise, littéraire et académique, parlée peut-être par moins d'un million de Français sur une population totale de 20 millions. Les nobles comptent environ 4 000 personnes à la cour, le reste étant constitué de bourgeois.

En ce siècle d'organisation autoritaire et centralisée, ce sont les grammairiens qui façonnent la langue à leur goût; le règne de Louis XIV aurait produit plus d'une centaine de ces censeurs professionnels. À l'image du roi, la langue vit une époque de «distinction» et de consolidation. Selon les grammairiens, le français est parvenu au comble de la perfection et a atteint un idéal de fixité. Ils préconisent l'usage d'un vocabulaire choisi et élégant; préoccupés d'épurer la langue par crainte d'une corruption éventuelle, ils proscrivent les italianismes, les archaïsmes, les provincialismes, les termes techniques et savants, les mots «bas». L'Académie française, fondée en 1635 par Richelieu, veille à la pureté de la langue et publie la première édition de son dictionnaire en 1694. Tout comme les sujets de Louis XIV, les mots sont regroupés par classes; le vocabulaire ne comprend que les termes permis à l'«honnête homme» et s'appuie sur la tradition du «bon usage» de Vaugelas.

LE CONSERVATISME LINGUISTIQUE

Les écrivains eux-mêmes s'alignent et se soumettent au conservatisme de la langue distinguée, sinon à cet «art de dire noblement des riens». En dépit de leurs qualités et du prestige dont ils jouissent en France et à l'étranger, les écrivains du Grand Siècle, tels Bossuet, Corneille, Racine, Boileau, Molière, La Fontaine, Pascal, La Rochefoucauld, La Bruyère, etc., ne créent pas eux-mêmes le français de leur temps, et n'essaient même pas d'imposer leur façon de voir. La langue littéraire de cette époque semble moins une entreprise individuelle qu'une œuvre collective, amorcée par Malherbe, puis continuée par une élite aristocratique et bourgeoise au sein de laquelle les grammairiens ont le premier rôle. Tous ces gens font de la langue une forme d'art qu'ils imposent à la société cultivée de Paris.

Placée entre les mains des habitués des salons et de la cour de Louis XIV, la langue littéraire finit par être celle du monde élégant et cultivé, soit 1 % de la population. Son vocabulaire, appauvri par un purisme (souci exagéré de la pureté de la langue) irréductible, ne s'enrichit pas, sauf par un certain nombre d'emprunts à l'italien (188 mots), à l'espagnol (103 mots), au néerlandais (52 mots) et à l'allemand (27 mots). Quant à la phrase, elle se raccourcit et se simplifie dès le début du règne de Louis XIV; on délaisse les longues phrases guindées de Corneille. Dans la grammaire, il n'y a pas de faits nouveaux remarquables, sauf la disparition du «s» du pluriel dans la prononciation, lequel reste, depuis, uniquement un signe orthographique.

L'ÉTAT DE LA PRONONCIATION

Même si la langue écrite de cette époque fait partie du français moderne du fait que les textes nous sont directement accessibles sans traduction, l'état de la prononciation aristocratique n'est pas encore celui d'aujourd'hui. Le féminin des participes, par exemple, est distinguable à l'audition: *aimée* au féminin se prononce avec un «é» allongé, alors que le «é» du masculin *aimé* est bref; l'infinitif *aimer* a un «é» encore plus allongé. De plus, la chute des consonnes finales continue: *mouchoi, plaisi, couri, i faut, i(l)s ont* [izɔ̃], *not(r)e* [nɔt] constituent la norme plutôt que *mouchoir, plaisir, courir, il faut, ils ont, notre* [nɔtr], qui font «peuple» et «bas». De même, on supprime les «e» inaccentués dans des mots comme *désir, désert, secret,* prononcés [dzir], [dzɛr], [sgré]. Un autre phénomène intéressant concerne la prononciation de l'ancienne diphtongue *oi*; les mots en *oi* sont prononcés *wé* ou *wè*. On dit *mwé* (moi), *twé* (toi), *rwé* (roi), mais *crwère* pour *croire*, *bwèr* pour *boire*, *françwè* pour le prénom *François*, *françès* pour *français* (écrit *françois*) et langue *françwèse* pour langue *française*. Ainsi la langue française de l'Académie se distingue alors de l'horrible prononciation vulgaire du peuple, qui est passée au *wa* que nous avons maintenant.

UNE LANGUE INTERNATIONALE

Au XVIIe siècle, c'est cette langue sublime qui est parlée dans presque toutes les chancelleries de l'Europe et employée comme langue des tractations diplomatiques; elle a détrôné le latin même si celui-ci demeure encore courant. L'extension de la langue «françwèse» est alors considérable, en raison des conquêtes royales et de l'exode des protestants hors de France. Cette langue est particulièrement diffusée en Angleterre et aux Pays-Bas, mais aussi en Allemagne, en Suisse, en Italie, dans les pays scandinaves (Danemark et Norvège), en Hongrie, en Pologne, en Russie tsariste et jusque dans les Amériques.

LA LANGUE DU PEUPLE

Cette langue française choisie et parlée par l'élite pénètre à pas de tortue la langue du peuple, qui ignore tout des règles d'ordre, de pureté, d'élégance et d'harmonie. L'analphabétisme se situe autour de 99 % en France comme d'ailleurs à peu près partout en Europe. Le peuple est gardé dans l'ignorance totale; l'essentiel de l'enseignement demeure celui de la religion, qui se fait en patois, sinon en latin.

En dehors de l'administration, la langue n'est pas une affaire d'État pour la royauté; il faudra attendre la Révolution française. Les nouvelles provinces annexées au royaume sont même dispensées d'appliquer l'ordonnance de Villers-Cotterêts. Lors de ses déplacements, Louis XIV se voit souvent harangué en picard, en flamand, en alsacien ou en occitan. Malgré les velléités du ministre Colbert, aucune politique d'assimilation linguistique n'est entamée.

On pourrait préciser la situation linguistique en disant que le peuple se divise alors en trois catégories de locuteurs: le locuteur dit francisant, le locuteur semi-patoisant et le locuteur patoisant. Les *francisants* correspondent aux individus qui ont une connaissance active de l'une ou l'autre des variantes du français populaire, plus ou moins marqué de provincialismes, d'expressions argotiques et d'archaïsmes; ces parlers ont leur centre à Paris et dans la région environnante. Au fur et à mesure que l'on s'éloigne de Paris, les locuteurs deviennent des *semi-patoisants* (*voir la figure 27.2*). Ceux-ci n'ont tout au plus qu'une connaissance passive du français populaire; ils parlent normalement leur patois maternel, mais comprennent le français. Les semi-patoisants se retrouvent principalement dans les régions d'oïl du nord de la France: la Normandie, la Champagne, la Picardie, la Loire, le Poitou, la Bourgogne; ils vivent surtout dans les villes, car le patois local demeure la règle à la campagne. Dans les régions d'oc, c'est-à-dire au sud, même les classes cultivées ne parlent guère le français bien qu'elles le comprennent. Bref, pour la masse du peuple des provinces du sud et des provinces éloignées comme la Bretagne, la Flandre ou l'Alsace, le français demeure une langue encore plus étrangère qu'à Moscou. Partout, on ne retrouve que des *patoisants* unilingues qui n'ont aucune connaissance active ou passive du français. Un grand spécialiste du parler rural, Albert Dauzat, a inventorié jusqu'à 636 patois différents dans la France du XVIIe siècle.

Racine a fait un récit détaillé de ses déboires, à ce sujet, lors d'un voyage de Paris à la Provence: il se plaint de ne pas être compris; on lui apporte un réchaud de lit ou une «botte d'allumette», alors qu'il demande un «pot de nuit» ou des «petits clous à broquettes». Il ne rencontre même pas un seul curé ni un seul maître d'école qui sachent répondre, par autre chose que des «révérences», à son «françès» inintelligible pour eux. Paradoxalement, à la même époque, le français est davantage parlé en Nouvelle-France, en Angleterre, aux Pays-Bas et à Moscou qu'en France même.

5 LE FRANÇAIS AU SIÈCLE DES LUMIÈRES (1715-1789)

Cette période débute au lendemain de la mort de Louis XIV, en 1715, et prend fin à l'avènement de la Révolution française (1789). Elle se caractérise, d'une part, par un fort mouvement de remise en question ainsi que par l'établissement d'une plus grande tolérance et, d'autre part, par l'affaiblissement de la monarchie, suivi de la fin de la suprématie française en Europe et du début de la prépondérance anglaise.

UN RÉÉQUILIBRAGE DES FORCES EN PRÉSENCE

La situation politique et sociale tend à se modifier en France et ailleurs en Europe en ce début du XVIIIe siècle. Sur le plan intérieur, la situation financière est devenue catastrophique sous les règnes du régent Philippe d'Orléans, de Louis XV et de Louis XVI; ces rois faibles, aux prises avec un régime de fêtes et d'intrigues de cour, n'ont pu faire face aux difficultés financières croissantes, qui aboutiront à l'impasse et susciteront la haine du peuple envers la monarchie. Parallèlement, la bourgeoisie riche et aisée poursuit son ascension maintenant irréversible, devient une force politique et s'exprime publiquement. La monarchie et la noblesse ne sont plus qu'une façade sans crédibilité. Le règne de la bourgeoisie financière, commerçante et manufacturière est commencé.

Sur le plan extérieur, la royauté tente sans succès de poursuivre ses luttes contre l'Angleterre, la Prusse et l'Autriche. La France n'intervient plus en Europe et, après avoir perdu son empire colonial au Canada et en Inde (1763), elle finit par être écartée de la scène internationale au profit de l'Angleterre, qui accroît sa richesse économique et sa prépondérance grâce à la maîtrise des mers et à sa puissance commerciale. Par ailleurs, Frédéric II de Prusse a remplacé le roi de France comme arbitre de l'Europe, et c'est le début de la montée de la Russie tsariste.

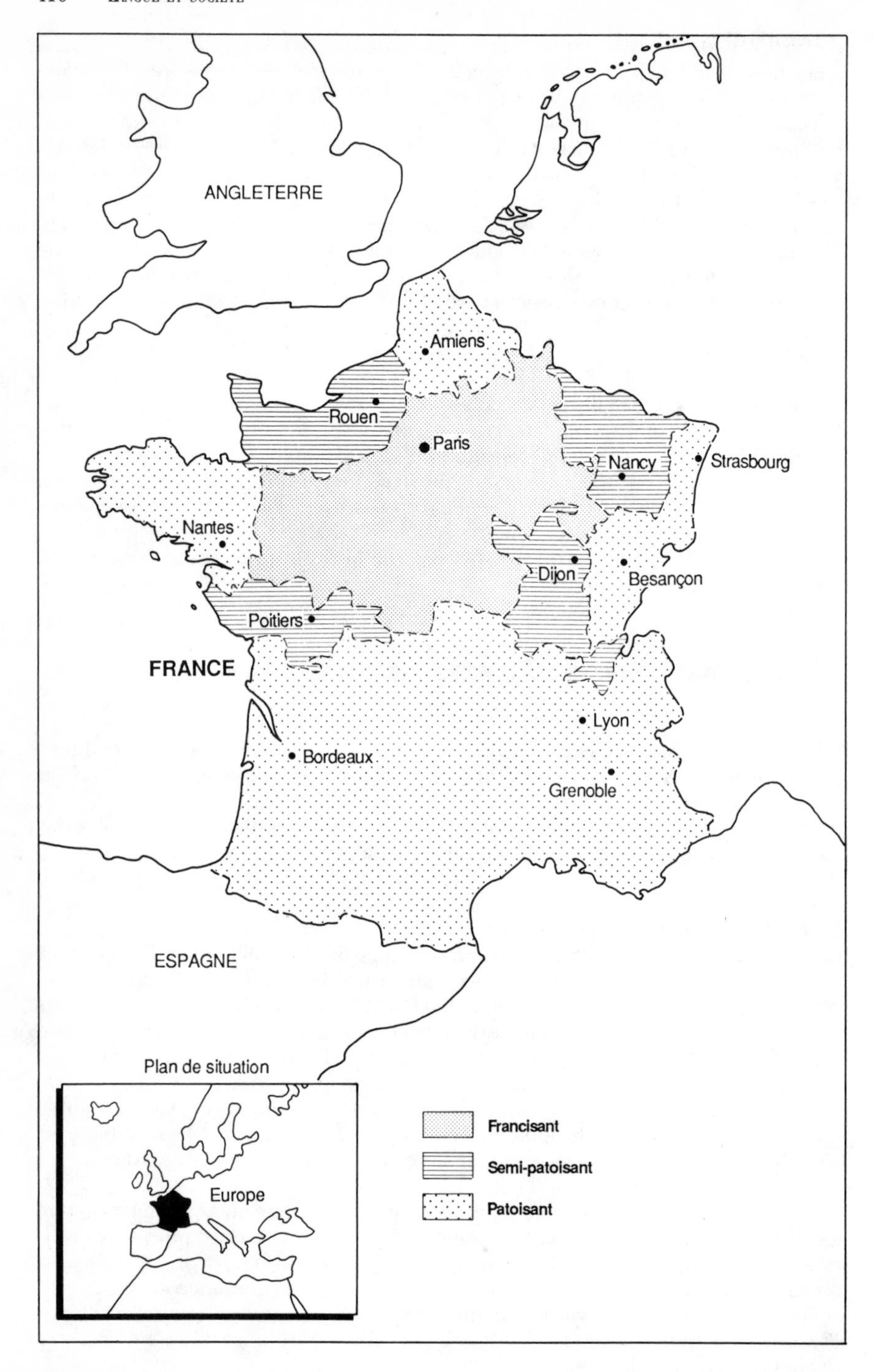

FIGURE 27.2 LES LIMITES PROVINCIALES DES FRANCISANTS, SEMI-PATOISANTS ET PATOISANTS AU XVIIIe SIÈCLE

UNE CIVILISATION NOUVELLE

Au XVIIIe siècle, on assiste au commencement du capitalisme, au développement du commerce, au début de l'industrialisation, à un engouement pour les sciences, à la découverte de nouvelles techniques, à des inventions de toutes sortes, à l'amélioration de la médecine et à l'adoption d'une meilleure alimentation. Cette atmosphère de progrès matériels va modifier profondément les valeurs de la société. Les philosophes rationalistes et les écrivains de premier plan se rendent indépendants de la royauté et de l'Église; de grands seigneurs pactisent avec les représentants des idées nouvelles et n'hésitent pas à les protéger contre la police associée aux forces conservatrices. Fait nouveau, la lutte des idées est dirigée surtout contre l'Église et la religion catholique elle-même; on combat agressivement en faveur de la tolérance au nom de la *raison*. De plus, la société s'ouvre aux influences extérieures, particulièrement à celles venant de l'Angleterre, devenue la première puissance mondiale. Le parlementarisme et le libéralisme anglais attirent l'attention, de même que la guerre de l'Indépendance américaine (1775-1782).

Parallèlement, les journaux (surtout mensuels) scientifiques, techniques et politiques se développent, se multiplient rapidement et sont diffusés jusque dans les provinces, alimentant la soif de lecture chez un public de plus en plus étendu et sensibilisé au choc des idées. Le développement de la presse est à la fois la conséquence et la cause de cette curiosité générale ainsi que de la contestation qui se répand graduellement dans la société. Vers le milieu du siècle paraît même une littérature de type populacier, dite «poissarde» (par analogie avec les marchands de poissons des Halles), destinée aux gens du peuple. Tous ces faits contribuent au mouvement de révolte qui explosera en 1789.

LE DÉVELOPPEMENT DU FRANÇAIS EN FRANCE

L'État ne se préoccupe pas plus au XVIIIe siècle qu'au XVIIe de franciser le royaume. Les provinces nouvellement acquises, de même que les colonies d'outre-mer (Canada, Louisiane, Antilles), ne nécessitent pas de politique linguistique. L'unité religieuse et l'absence de troubles inquiètent davantage les dirigeants: l'administration du pays ne va pas jusqu'à la francisation des citoyens. On estime qu'à cette époque moins de trois millions de Français peuvent parler ou comprendre le français, alors que la population atteint les 25 millions. Néanmoins, la langue française progresse considérablement au XVIIIe siècle, comme en fait foi la carte linguistique de la figure 27.2. Cette carte indique les limites provinciales des francisants, des semi-patoisants et des patoisants à la toute fin du siècle alors que la Révolution est commencée.

LES FRANCISANTS

À cette époque, le peuple francisant ne parle pas «la langue du roi», mais un français populaire non normalisé, encore parsemé de provincialismes et d'expressions argotiques. Seules les provinces de l'Île-de-France, de la Champagne, de la Beauce, du Maine, de l'Anjou, de la Touraine et du Berry sont francisantes. Par contre, la plupart des gens du peuple qui habitent la Normandie, la Lorraine, le Poitou et la Bourgogne sont des semi-patoisants; les habitants de ces provinces pratiquent une sorte de bilinguisme: ils parlent entre eux leur patois, mais comprennent le français. Dans le midi de la France, les patois demeurent d'usage universel dans les campagnes durant tout le XVIIIe siècle; nobles et bourgeois, initiés au français durant le siècle précédent, continuent d'employer leur patois dans leurs relations quotidiennes. Pour eux, le français reste la langue du dimanche, la langue d'apparat des grandes cérémonies religieuses ou civiles. La situation est identique en Bretagne et en Flandre, dans le nord-est, ainsi qu'en Alsace et en Franche-Comté, dans l'est.

Il n'en demeure pas moins que, comme nous l'avons dit, le français progresse au cours du XVIIIe siècle, notamment dans les pays d'oïl, en raison, entre autres, de la qualité, exceptionnelle pour l'époque, du réseau routier en France. En effet, grâce à cet instrument de centralisation desservant même les villages, les communications sont facilitées et favorisent le brassage des populations et des idées. La langue bénéficie de cette facilité; les usines et les manufactures voient affluer du fond des campagnes des ouvriers qui se francisent dans les villes; les marchands et les négociants voyagent facilement d'une ville à l'autre, ce qui rapproche leur parler local du français; un système de colporteurs se développe, et ceux-ci voiturent périodiquement des livres et des journaux français jusque dans les campagnes les plus reculées.

LE RÔLE DE L'ÉCOLE

Le grand obstacle à la diffusion du français concerne l'école. L'État et l'Église estiment que l'instruction est non seulement inutile pour le peuple, mais même dangereuse. Voici à ce sujet l'opinion d'un intendant de Provence (1782), opinion très révélatrice de l'attitude générale qu'on a alors face aux écoles:

> «Non seulement le bas peuple n'en a pas besoin, mais j'ai toujours trouvé qu'il n'y en eût point dans les villages. Un paysan qui sait lire et écrire quitte l'agriculture sans apprendre un métier ou pour devenir un praticien, ce qui est un très grand mal[2].»

Dans l'esprit de l'époque, il est plus utile d'apprendre au paysan à obtenir un bon rendement de la terre ou à manier le rabot et la lime que de l'envoyer à l'école. Pour l'Église, le désir de conquérir des âmes à Dieu ne passe pas non plus par le français; au contraire, le français est considéré comme une barrière à la propagation de la foi et il faut donc s'en tenir aux patois intelligibles au peuple. Sermons, instructions, confessions, exercices de toutes sortes, catéchismes et prières doivent être prononcés ou appris en patois.

De toute façon, il n'y a pas ou fort peu de maîtres capables d'enseigner le français. La plupart des maîtres d'école sont de pauvres hères, des miséreux qui travaillent moyennant une très faible rétribution et qui doivent souvent servir la messe, sonner les cloches ou faire office de sacristains, voire accomplir des tâches ménagères; s'ils connaissent le français, cela ne veut pas nécessairement dire qu'ils peuvent l'écrire. De plus, les manuels en français sont rares et consistent plutôt en livres de piété. On n'introduit réellement l'enseignement de la grammaire, de l'écriture et de la lecture qu'en 1738, tout en conservant un système pédagogique complètement démodé: l'enfant doit se plier à la règle traditionnelle qui exige d'apprendre à lire *en latin d'abord*, avant de passer au français. Enfin, dans les collèges et universités, l'Église s'obstine à utiliser son latin comme langue d'enseignement, langue qui demeure encore au XVIIIe siècle la clé des carrières intéressantes. Dans de telles conditions, on ne se surprendra pas que l'école soit la source principale de l'ignorance du français chez le peuple.

L'AMORCE DES CHANGEMENTS LINGUISTIQUES

Quelques mots encore sur l'état de la langue standard, c'est-à-dire celle du roi. La NORME linguistique commence à changer de référence sociale. On est passé de «la plus saine partie de la Cour» de Vaugelas aux «honnêtes gens de la nation». L'usage des écrivains du XVIIIe siècle ne montre pas de changements par rapport au XVIIe siècle; la phrase s'est encore allégée. Peu de modifications également sur le plan de la prononciation, à l'exception de la restitution des consonnes finales dans des mots comme *finir, tiroir, il faut,* etc. L'appauvrissement du vocabulaire, noté au XVIIe siècle, ne répond plus à l'esprit encyclopédique du siècle des Lumières. C'est une véritable explosion de mots nouveaux, notamment de termes techniques savants, puisés abondamment dans le grec et le latin. De plus, l'infiltration étrangère déferle sur la France; la langue s'enrichit de

2. Cité par Jean-Pol CAPUT, *La langue française, histoire d'une institution*, tome II, Paris, Larousse, 1975, p. 55.

mots italiens, espagnols et allemands, mais cet apport ne saurait se comparer à la rage pour tout ce qui est anglais: la politique, les institutions, la mode, la cuisine, le commerce et le sport fournissent le plus fort contingent d'anglicismes. Curieusement, les censeurs de l'époque ne s'élèvent que contre les provincialismes et les mots populaires qui pénètrent le français; ils croient que la langue se corrompt au contact des gens du peuple.

LA GALLOMANIE DANS L'EUROPE ARISTOCRATIQUE

Le français, qui va devenir avec la Révolution la langue de la nation, n'est encore que la langue du roi, c'est-à-dire celle des classes privilégiées. Cette variété de français ne touche pas seulement l'élite de France: elle saisit l'ensemble de l'Europe aristocratique. Toutes les cours d'Europe utilisent le français: près de 25 États, de la Turquie au Portugal en passant par la Russie, la Yougoslavie, la Norvège, la Pologne et, bien sûr, l'Angleterre. Le français devient la langue diplomatique universelle (de l'Europe) et celle qu'on utilise dans les traités internationaux. Le personnage le plus prestigieux de toute l'Europe, Frédéric II de Prusse, écrit et s'exprime en français: toutes les cours l'imitent. Au XVIIIe siècle, un aristocrate qui se respecte se doit de parler le français et c'est presque une honte que de l'ignorer. Les Anglais ont inventé le mot *gallomanie* (du latin *Gallus*, Gaulois, et *manie*: tendance à admirer aveuglément tout ce qui est français) pour identifier cette mode qui saisit l'Europe aristocratique.

Voltaire explique ainsi l'universalité du français en son temps:

> «La langue française est de toutes les langues celle qui exprime avec le plus de facilité, de netteté, de délicatesse tous les objets de la conversation des honnêtes gens[3].»

Cette question de l'universalité de la langue française fait même l'objet d'un concours organisé par l'Académie de Berlin, auquel Antoine de Rivarol prend part; son *Discours sur l'universalité de la langue française* (1784) est couronné. Il y déclare notamment que «*ce qui n'est pas clair n'est pas français*; ce qui n'est pas clair est encore anglais, italien, grec ou latin[4]».

Nous savons aujourd'hui que l'expansion d'une langue n'a rien à voir avec ses qualités internes; les arguments de Rivarol ne résisteraient pas à l'analyse au XXe siècle. La position du français au XVIIe siècle a fasciné bien des esprits régnants et exerce encore au XVIIIe siècle une séduction certaine. Le latin étant tombé en désuétude, le français l'a remplacé comme langue de vulgarisation scientifique. Aucune autre langue ne peut rivaliser avec le français pour la quantité et la qualité des publications, traductions ou journaux. Non seulement le français sert comme instrument de communication international, au surplus normalisé et codifié, mais il constitue également un moyen d'identification pour les gens instruits. Connaître le français, c'est faire preuve de son appartenance au cosmopolitisme de son temps et, par le fait même, de son rang. Le français demeure donc, par-delà les nationalités, une *langue de classe* à laquelle toute l'Europe aristocratique s'identifie. Cette société privilégiée restera figée de stupeur lorsque explosera la Révolution française, qui mettra fin à l'«Europe francisante».

6 VERS LA LANGUE NATIONALE DES FRANÇAIS (1789-1870)

La période 1789-1870 en est une d'agitation et de changement de régimes; elle marque aussi le triomphe de la bourgeoisie, qui s'installe au pouvoir. Cette période d'instabilité

3. VOLTAIRE, *Le Siècle de Louis XIV*, cité par Jean-Pol CAPUT, *La langue française, histoire d'une institution*, tome II, Paris, Larousse, 1975, p. 61.
4. RIVAROL, *Discours sur l'universalité de la langue française*, Paris, Éditions Belford, 1966, p. 112-113.

commence avec la Révolution; après la dictature militaire de Napoléon, c'est le retour à la monarchie qui, cette fois, est établie sur des bases constitutionnelles. Puis c'est une deuxième République, suivie d'une autre dictature avec Napoléon III. La France se stabilisera avec la proclamation de la IIIe République en 1870. Pendant cette période, l'Angleterre exerce sa suprématie non seulement en Europe, mais en Asie, au Moyen-Orient et en Amérique. Ailleurs, on assiste à l'expansion de la Russie, à l'indépendance de la Belgique, de la Grèce (contre les Turcs), de la Bulgarie et de la Serbie, ainsi qu'à l'unification de l'Italie et à celle de l'Allemagne. Pendant que l'Amérique se décolonise, les grandes puissances européennes prennent possession de l'Afrique.

Par ailleurs, certaines innovations comme les chemins de fer, la navigation à vapeur, l'électricité, le téléphone, ont un effet considérable soit sur l'unification linguistique à l'intérieur des États, soit sur la pénétration des langues les unes par les autres; l'amorce de l'industrialisation et de l'urbanisation a des conséquences semblables.

LE FRANÇAIS SOUS LA RÉVOLUTION (1789-1799)

À la veille de la Révolution, la France est encore le pays le plus peuplé d'Europe (26 millions d'habitants) et l'un des plus riches. Néanmoins, tout ce monde est insatisfait; les paysans forment 80 % de la population et assument la plus grande partie des impôts royaux, sans compter la dîme due à l'Église et les droits seigneuriaux, alors qu'ils ont les revenus les plus faibles. La bourgeoisie détient à peu près tout le pouvoir économique, mais elle est tenue à l'écart du pouvoir politique. Pendant ce temps, la noblesse vit dans l'oisiveté et l'Église possède 10 % des terres les plus riches du pays.

Dans ces conditions, il n'est pas étonnant que les révoltes populaires éclatent, d'autant plus qu'elles ont été préparées par la classe bourgeoise depuis longtemps. C'est le peuple qui prend la Bastille le 14 juillet 1783, qui fait exécuter Louis XVI et, en définitive, qui fait la Révolution, mais c'est la bourgeoisie qui accapare le pouvoir.

SUS À LA TOUR DE BABEL DIALECTALE!

La période révolutionnaire met en valeur le sentiment national, renforcé par la nécessité de défendre le pays contre les armées étrangères appelées par les nobles en exil qui n'acceptent pas leur déchéance. Ce mouvement de patriotisme s'étend aussi au domaine de la langue; pour la première fois, on associe *langue* et *nation*. Désormais, la langue devient une affaire d'État: il faut doter d'une langue nationale la «République unie et indivisible» et élever le niveau des masses par l'instruction ainsi que par la diffusion du français. Or, l'idée même d'une «République unie et indivisible», dont la devise est «Fraternité — Liberté — Égalité pour tous», ne peut se concilier avec le morcellement linguistique et le particularisme des anciennes provinces. Les Révolutionnaires bourgeois y voient même un obstacle à la propagation de leurs idées; ils déclarent la guerre aux patois.

Barère, membre du Comité de salut public, déclenche l'offensive en faveur de l'existence d'une langue nationale:

> «La monarchie avait des raisons de ressembler à la tour de Babel; dans la démocratie, laisser les citoyens ignorants de la langue nationale, incapables de contrôler le pouvoir, c'est trahir la patrie... Chez un peuple libre, la langue doit être une et la même pour tous[5].»

En 1794, l'abbé Henri-Baptiste Grégoire publie son fameux *Rapport sur la nécessité et les moyens d'anéantir les patois et d'universaliser l'usage de la langue française*. Il dénonce la situation linguistique de la France républicaine qui, «avec trente patois différents», en est encore «à la tour de Babel», alors que, «pour la liberté», elle forme

5. Cité par R. BALIBAR et D. LAPORTE, *Le français national*, Paris, Hachette littérature, 1974, p. 94.

«l'avant-garde des nations». Il déclare à la Convention: «Nous n'avons plus de provinces et nous avons trente patois qui en rappellent les noms[6]». Il lui paraît paradoxal et pour le moins insupportable de constater que moins de trois millions de Français sur 25 parlent la langue nationale alors que celle-ci est utilisée et unifiée «même dans le Canada et sur les bords du Mississipi».

Dès lors, il devient nécessaire d'imposer le français par des décrets rigoureux à travers toute la France. Talleyrand, l'un des grands hommes politiques de l'époque, propose qu'il y ait une école primaire dans chacune des municipalités:

> «La langue de la Constitution et des lois y sera enseignée à tous; et cette foule de dialectes corrompus, dernier reste de la féodalité, sera contrainte de disparaître; la force des choses le commande[7].»

Puis le décret du 2 Thermidor (20 juillet 1794) sanctionne la «terreur linguistique». À partir de ce moment, les patois locaux sont pourchassés. Dans la mesure où ce décret marque la mise à l'ordre du jour de la «terreur linguistique», il nous a paru utile de le reproduire au complet; il donne, au surplus, une bonne idée des intentions des dirigeants révolutionnaires (*voir la figure 27.3*).

LES RÉSISTANCES

Mais la «terreur linguistique» ne réussit pas à détruire la tour de Babel dialectale. Outre les résistances, la sécularisation des lieux ecclésiastiques a entraîné la disparition de la plupart des écoles alors que l'État n'a pas les moyens de les remplacer; l'enseignement du français demeure une ambition que les petites écoles de village ne peuvent se permettre de satisfaire faute de moyens financiers et faute d'instituteurs. Même à Paris, les écoles publiques ne fonctionnent pas, sinon fort mal en raison du manque d'enseignants (salaires trop bas, recrutement déplorable, absence de formation, etc.). Dans les écoles qui arrivent à fonctionner, les administrations locales préfèrent traduire en patois ou en dialecte plutôt que d'utiliser le français; par souci de réalisme, le système de la traduction se poursuit tout au long de la Révolution, même sous la Terreur.

UNE LANGUE ENFIN NATIONALE

Malgré tout, cette période agitée et instable fait progresser considérablement le français. Les nouvelles institutions, plus démocratiques, font qu'un très grand nombre de délégués de tous les départements ou divers représentants du peuple se trouvent réunis dans des assemblées délibérantes où le français est la seule langue utilisée. Les populations rurales, désireuses de connaître les événements ainsi que leurs nouveaux droits et devoirs se familiarisent avec le français. Il s'agit souvent d'un français assez particulier, mais d'un français quand même, comme celui de ce paysan: «Depeu la revolutiun, je commençon de franciller esé bein[8]». Il faut ajouter aussi que la diffusion des journaux aide grandement à répandre la LANGUE NATIONALE jusque dans les campagnes les plus éloignées.

Une autre cause importante: la vie des armées. L'enrôlement obligatoire tire les hommes de toutes les campagnes patoisantes pour les fondre dans des régiments où se trouvent entremêlés divers patois, divers français régionaux et le français national, la seule langue du commandement. De retour dans leur foyer, les soldats libérés contribuent à l'implantation du français.

---

6. GRÉGOIRE, «Rapport sur la nécessité d'anéantir les patois et d'universaliser l'usage de la langue française», dans *Le français national*, annexe II, p. 198-215.
7. Cité par Jean-Pol CAPUT, *La langue française, histoire d'une institution*, tome II, Paris, Larousse, 1975, p. 102.
8. R. BALIBAR et D. LAPORTE, *Le français national*, Paris, Hachette littérature, 1974, p. 167.

La «terreur linguistique»

Art. 1. À compter du jour de la publication de la présente loi, nul acte public ne pourra, dans quelque partie que ce soit du territoire de la République, être écrit qu'en langue française.

Art. 2. Après le mois qui suivra la publication de la présente loi, il ne pourra être enregistré aucun acte, même sous seing privé, s'il n'est écrit en langue française.

Art. 3. Tout fonctionnaire ou officier public, tout agent du Gouvernement qui, à dater du jour de la publication de la présente loi, dressera, écrira ou souscrira, dans l'exercice de ses fonctions, des procès-verbaux, jugements, contrats ou autres actes généralement quelconques conçus en idiômes ou langues autres que la française, sera traduit devant le tribunal de police correctionnelle de sa résidence, condamné à six mois d'emprisonnement, et destitué.

Art. 4. La même peine aura lieu contre tout receveur du droit d'enregistrement qui, après le mois de la publication de la présente loi, enregistrera des actes, même sous seing privé, écrits en idiômes ou langues autres que le français.

FIGURE 27.3 LE *Décret du 2 Thermidor, an II*

En revanche, lorsque les guerres défensives deviennent offensives, les diverses nationalités prennent conscience d'elle-mêmes en réaction contre les invasions françaises. L'Espagne, l'Allemagne et l'Italie luttent même contre la prépondérance du français, dont le caractère supposément «universel» est dès lors contesté. À la fin de la Révolution, la «clientèle» du français en Europe a changé: ce n'est plus l'aristocratie, mais le monde scientifique.

Les conséquences de la Révolution sur le français concernent davantage le *statut* que le code lui-même. La langue fait désormais partie intégrante du concept d'une nation moderne. L'unité politique passe par l'unification linguistique; pour la première fois, l'État a une politique linguistique, mais ces dix années mouvementées n'ont pas suffi à donner des résultats sérieux.

UN FRANÇAIS BOURGEOIS

Quant au *code* lui-même, il ne change pas beaucoup au XVIIIe siècle. Le français populaire ne remplace pas la langue aristocratique. Tout vient d'en haut, de la bourgeoisie dont la variété de français n'est pas vraiment très différente de celle de l'Ancien Régime. La seule influence populaire concerne la prononciation de l'ancienne diphtongue *oi* qui, de *wé* (loi), passe à *wa*. Par ailleurs, le tutoiement «révolutionnaire» et le titre égalitariste de *citoyen/citoyenne* à la place de *monsieur/madame* ne persistent pas. Cependant, le vocabulaire subit un certain remue-ménage en raison des nouvelles réalités politiques et sociales. Tout le vocabulaire politique administratif se modifie avec la disparition des mots relatifs à l'Ancien Régime et la création de mots nouveaux ou employés avec un genre nouveau. Mais le français n'est pas envahi par des mots «populaires». Après tout, c'est la bourgeoisie qui dirige les assemblées délibérantes, qui oriente les débats, qui alimente les idées révolutionnaires et qui contrôle le pouvoir, dont le peuple est écarté.

Le retour au conservatisme sous Napoléon (1799-1815)

Par le coup d'État du 18 Brumaire, an VIII (9 novembre 1799), Napoléon Bonaparte veut mettre fin à l'anarchie et au chaos économique. Son premier souci est de restaurer l'ordre et l'autorité; il y réussit en instaurant une véritable dictature militaire: mise en place d'une administration extrêmement centralisée et surveillée, censure vigilante, contrôle de l'opinion publique, police omniprésente, racolage impitoyable pour le recrutement des armées. En maître autoritaire, Napoléon redresse la situation financière, stimule l'industrie et améliore les communications; mais la marche de l'empereur des Français vers l'hégémonie en Europe tient le pays en état de guerre permanent, jusqu'à la défaite de Waterloo (1815).

Ce Corse de petite noblesse ne peut qu'avoir des visées conservatrices en matière de langue. De langue maternelle corse, une langue italienne, Napoléon fait cesser tout effort de propagande en faveur du français. Par souci d'économie, il abandonne les écoles à l'Église, qui rétablit alors son latin anachronique. Quelques initiatives sont prises en faveur de l'enseignement du français, mais le bilan est négatif: le nombre d'écoles demeure inférieur aux besoins et la pénurie de maîtres qualifiés laisse l'enseignement de la langue déficient. Dans l'ensemble, la diffusion du français dans les écoles accuse même un recul; dans le sud de la France, on compte plus de maîtres de latin que de maîtres de français.

Comme au Grand Siècle, l'État crée un certain nombre d'organismes, tous d'inspiration conservatrice, chargés de veiller sur la langue: l'Institut, le Conseil grammatical, l'Athénée de la langue française, etc. C'est le retour au classicisme louis-quatorzien: le français doit être fixé de façon permanente; la sobriété et la distinction sont de rigueur; la langue de la science est objet de suspicion et attire la foudre des censeurs; le vocabulaire technique est jugé vulgaire. La vogue est à la grammaire traditionnelle et à la littérature du Grand Siècle. Une telle conjoncture ne favorise évidemment pas une évolution rapide de la langue. De fait, on n'enregistre pas de changement linguistique à cette époque, sauf dans le vocabulaire; les guerres napoléoniennes favorisent les contacts avec les armées étrangères, ce qui entraîne un certain nombre d'emprunts à l'anglais.

Malgré le mouvement de conservatisme du Premier Empire, le français progresse inexorablement. Tout d'abord par la très grande centralisation, ensuite par les guerres, qui entraînent d'immenses brassages de population. Dorénavant, la langue française est celle de toute la nation bien qu'un bilinguisme patois-français se maintienne.

Hors de France, les conquêtes impérialistes de Napoléon achèvent de discréditer le français dans toutes les cours européennes; les nationalismes étrangers s'affirment partout. Le français continue d'être utilisé néanmoins à la cour du tsar de Russie, dans les traités de paix et dans les milieux scientifiques. En Amérique, la France perd deux possessions importantes: Saint-Domingue et surtout la Louisiane qui, vendue par Napoléon aux États-Unis pour 15 millions de dollars en 1803, représente un immense territoire (Arkansas, Dakota, Iowa, Kansas, Missouri, Montana, Nebraska, Oklahoma). De plus, en France même, le pays rétrécit avec la perte de la Wallonie, de la Lorraine et de l'Alsace.

Des forces contradictoires: conservatisme et libéralisme (1815-1870)

Cette période est caractérisée par les conflits entre les forces conservatrices et les forces libérales. Ces dernières tentent de s'affranchir des contraintes et cherchent le changement; les forces conservatrices, au contraire, tiennent au statu quo et à leurs privilèges, et cèdent alors à l'autoritarisme. À l'exemple de la vie publique, la langue reflète ces tiraillements: d'un côté, la grammaire s'alourdit de règles; de l'autre, le vocabulaire et la langue littéraire s'affranchissent des barrières de l'Ancien Régime.

La Restauration (1815-1830) ramène une monarchie constitutionnelle non démocratique avec Louis XVIII (1815-1824) et Charles X (1824-1830). C'est le retour à l'Ancien Régime conservateur et réactionnaire; le renforcement de la politique réactionnaire et autoritaire par Charles X cause même la perte de celui-ci lors de la révolution de 1830. La bourgeoisie d'affaires libérale porte alors au pouvoir le roi Louis-Philippe (1830-1848), un partisan des idées révolutionnaires et du système capitaliste. Habile, le «roi-citoyen» finit par s'imposer malgré les agitations politiques entre royalistes de l'Ancien Régime, bonapartistes et républicains. Sous son règne, le progrès économique s'accélère, l'industrialisation se généralise avec l'apparition du chemin de fer et des grandes compagnies, le pays retrouve son prestige avec l'expansion coloniale en Algérie, en Afrique noire et dans le Pacifique. Cependant, à partir de 1840, le régime devient de plus en plus conservateur alors que les mouvements réformistes deviennent plus agressifs; Guizot, le chef du gouvernement, peu sensibilisé aux idées libérales et socialistes, pratique une politique autoritaire qui déclenche le mouvement insurrectionnel populaire de 1848. C'est la proclamation de la IIe République.

LE CONSERVATISME SCOLAIRE

Du côté de la langue, l'action de l'État reflète les forces contradictoires de l'époque. La création d'un système d'enseignement primaire d'État (non obligatoire) en 1830 relève d'un esprit libéral; cet enseignement s'adresse à tous et prescrit l'usage de manuels en français (non plus en latin). Cette mesure s'inscrit dans une politique générale des nations modernes pour lesquelles l'enseignement de la langue nationale constitue le ciment de l'unité politique et sociale. En revanche, la politique des programmes est foncièrement conservatrice.

Tout l'enseignement de la langue française repose obligatoirement sur la grammaire codifiée par Noël et Chapsal (*Grammaire française*, 1823) ainsi que sur l'orthographe de l'Académie. Les élèves apprennent une énumération d'usages capricieux érigés en règlements qui ne tiennent pas compte des fluctuations possibles de la langue usuelle et où la minutie des exceptions forme l'essentiel de l'enseignement grammatical. Comme la connaissance de l'orghographe est obligatoire pour l'accession à tous les emplois publics, chacun se soumet. La «bonne orthographe» devient une marque de classe, c'est-à-dire de distinction sociale. Évidemment, les enfants de la bourgeoisie réussissent mieux que ceux de la classe ouvrière, qui montrent des réticences à adopter une prononciation calquée sur l'orthographe. Les nombreuses réformes pour simplifier l'orthographe échouent toutes les unes après les autres. Progressivement, vers 1850, se fixe la norme moderne du français: la prononciation de la bourgeoisie parisienne s'étend à toute la France, expansion facilitée par la centralisation et le développement des communications (chemin de fer, journaux).

LE LIBÉRALISME LITTÉRAIRE

Si les forces conservatrices règnent dans le domaine scolaire, la libéralisation gagne la langue littéraire et le vocabulaire de la langue commune. Contrecoup retardé de la Révolution française, le mouvement romantique révolutionne la langue littéraire et rompt avec l'humanisme classique sclérosé. L'autorité doit cesser d'appartenir aux grammairiens et être rendue aux écrivains: plus de dogmes, plus de mots interdits; «tous les mots sont égaux en droit», de proclamer Victor Hugo. À la fixité doit se substituer le mouvement; c'est l'explosion de la poésie lyrique, sentimentale et pittoresque (Lamartine, Vigny, Hugo, Musset), l'avènement de la peinture des mœurs dans le roman, avec Hugo, Dumas, Stendhal, Sand, Balzac, etc., lesquels n'hésitent pas à employer la langue populaire et argotique. La plupart des romans de cette époque sont publiés en feuilletons dans les journaux et connaissent ainsi une énorme diffusion.

Quant à la langue commune, elle se charge d'encyclopédisme: les découvertes et les inventions dans tous les domaines se succèdent de plus en plus rapidement et mettent en circulation des mots techniques, voire des systèmes entiers de nomenclature dont tout le monde a besoin.

L'ENRICHISSEMENT DU VOCABULAIRE

Cette période agitée, constamment partagée entre le conservatisme et le libéralisme, se poursuit encore après la révolte populaire de 1848 qui proclame la IIe République. Celle-ci est aussitôt noyautée par les éléments les plus conservateurs de la bourgeoisie. Devant l'incapacité du gouvernement de maintenir la paix sociale, le président de la République, Louis-Napoléon Bonaparte (neveu de Napoléon 1er), prépare et réussit un coup d'État (1851), et se fait nommer empereur des Français (1851) sous le nom de Napoléon III; c'est le Second Empire. Se présentant comme le champion du suffrage universel, le protecteur du monde ouvrier et de la religion, Napoléon III se transforme rapidement en véritable dictateur: il supprime la liberté de presse, exclut les opposants au régime, exerce une politique extérieure belliqueuse, suscitant ainsi partout la révolte. Entraîné dans une guerre avec la Prusse, il est fait prisonnier à Sedan (1870) et doit abdiquer, tandis que les forces ennemies marchent sur Paris, qui se rend en 1871. C'est la fin du Second Empire et le début de la IIIe République, qui stabilisera enfin la France.

Bilan linguistique? Ces deux dernières décennies ont surtout été bénéfiques pour l'enrichissement du vocabulaire. L'oppression intellectuelle du Second Empire a favorisé un vigoureux brassage idéologique des mouvements d'opposition; le vocabulaire libéral, socialiste, communiste, voire anarchiste, a gagné la classe ouvrière. Les applications pratiques des découvertes en sciences naturelles, en physique, en chimie et en médecine ont apporté beaucoup de mots nouveaux nécessaires à tout le monde. De nouvelles sciences sont apparues, avec leur lexique: l'archéologie, la paléontologie, l'ethnographie, la zoologie, la linguistique, etc. Les ouvrages de vulgarisation, les journaux, les revues et, une nouveauté, la publicité, diffusent partout les néologismes. Littré et Larousse consignent chacun ces nouveautés dans leur dictionnaire.

À la fin du Second Empire, le français concerne tout le monde en France; même si l'unité linguistique n'est pas encore réalisée complètement, elle est devenue irréversible et imminente. Phénomène significatif: les patoisants voient leur parler local envahi par les mots du français moderne.

7 LE FRANÇAIS CONTEMPORAIN

À la fin du XIXe siècle, le français est à peu près tel que nous le connaissons aujourd'hui. Le vocabulaire a continué de s'enrichir avec le parlementarisme de la IIIe République (1870-1940) et la création des partis politiques, la naissance des syndicats, de la grande finance et du grand capitalisme, la renaissance des sports, l'amélioration des moyens de transport: apparition de l'avion, de l'automobile, de l'autobus et du tramway électrique. Les emprunts à l'anglais d'outre-Manche pénètrent massivement dans la langue française.

L'UNIFICATION RÉALISÉE

Avec l'adoption de la loi Ferry (1881), qui institue l'école obligatoire et gratuite, le français s'impose sur tout le territoire de la France et se démocratise. Les patois ne peuvent résister aux méthodes de répression et aux techniques de refoulement, de délation ou d'espionnage, qui marquent des générations d'enfants. Ce mépris pour les langues locales se manifestera jusque dans les années 1960 dans les punitions infligées à ceux et à celles qui sont «surpris» à *parler patois*. Un jeune Breton ayant fréquenté l'école dans les années 1960 en donne ce témoignage:

> «À cette époque, le symbole était un morceau de fer pour mettre sous les sabots des chevaux. On le donnait au premier qui arrivait et qui parlait breton et ensuite, quand celui-ci trouvait un autre qui parlait breton, il le lui donnait. Comme ça toute la journée. À la fin de la journée, le dernier attrapé par le symbole était mis en pénitence et il devait écrire en français: «Je ne parlerai plus jamais en breton», cinquante ou cent fois. Celui qui était pris souvent restait à l'école après 16 h 30, pendant une heure ou une demi-heure dans le coin de la salle[9].»

De tels procédés semblent heureusement avoir été abandonnés et l'on ne retrouve plus d'affiches du genre: «Il est interdit de cracher par terre et de parler patois.» Il s'agit, en fait, de techniques d'assimilation que la France a largement utilisées, à partir de la fin du XIXe siècle, dans son empire colonial: au Maghreb, en Afrique noire, dans l'océan Indien et dans le Pacifique.

La Première Guerre mondiale jette les hommes de France pêle-mêle dans toutes les directions, colonies comprises. On n'a jamais vu un tel brassage de populations, qui favorise nécessairement l'uniformisation linguistique. Le traité de Versailles (1919) marque la cessation du privilège du français comme langue diplomatique: il est rédigé en anglais et en français. L'après-guerre entraîne de profonds changements sociaux par l'urbanisation généralisée, l'amélioration du niveau de vie des classes ouvrière et rurale, la force d'organisation des travailleurs. Les classes sociales s'interpénètrent et démocratisent la langue.

Il faut souligner aussi le rôle des moyens de diffusion dans l'évolution du français contemporain. Depuis l'expansion des médias électroniques, on remarque l'importance *retrouvée* de la langue parlée par rapport à la langue écrite; l'efficacité et la spontanéité de la langue parlée préoccupent davantage les contemporains que la «pureté» du français. Même la presse écrite tend à la simplification de la syntaxe par l'emploi de formules-chocs et de slogans. L'omniprésence de la publicité favorise le goût de l'intensité et de l'expressivité ainsi que la recherche quasi systématique de l'effet.

LA LANGUE D'ÉTAT

Notre époque subit l'influence de la suprématie de l'anglais dans le monde. Le français ne fait pas exception à la règle; l'industrie du spectacle, les produits industriels, les nouvelles technologies et les mœurs des États-Unis enrichissent la langue. À l'instar de plusieurs pays, le gouvernement français a institué de nombreux organismes chargés de créer une terminologie française et d'assurer la défense et l'expansion de la langue: l'Académie française rend obligatoires certains mots nouveaux; le Haut-Comité de la langue française veille à la qualité de la langue; l'Association française de terminologie, qui agit conjointement avec l'Office de la langue française du Québec, s'occupe de néologie en recensant les besoins et en créant de nouveaux mots; le Conseil international de la langue française réunit des spécialistes de tous les pays francophones et publie des travaux terminologiques importants; il coordonne également le travail de certaines commissions de terminologie. Une loi du Parlement (1975) interdit même l'emploi exclusif d'une langue étrangère en France dans la présentation des produits de consommation.

De son côté, l'Office de la langue française du Québec fait un travail identique avec une compétence et un savoir-faire indéniables, transformant le handicap du Québec (démographique et géographique) en un atout pour la vitalité du français dans le monde.

9. Cité par André MEURY, «Le nouveau chant des Binious», dans *Le monde de l'éducation*, Paris, septembre 1979, p. 7.

La profusion terminologique gagne la langue commune, qui présente des traits techniques évidents, voire technocratiques. Parallèlement, la publicité apporte sa contribution: des mots ou expressions plus populaires sont diffusés à l'échelle de pays entiers. Bon an mal an, le français s'enrichit de 60 000 à 70 000 mots nouveaux, provenant de sources diverses telles que les milieux scientifiques, industriels, commerciaux, publicitaires et journalistiques. C'est là le signe manifeste du dynamisme de la langue.

L'ENSEIGNEMENT DE LA LANGUE

Si le français semble capable de résoudre ses difficultés terminologiques, il n'en est pas de même sur le plan de son enseignement, particulièrement en ce qui concerne l'orthographe. Toutes les réformes de l'orthographe ont avorté, et ce, depuis plus de deux siècles: la complexité du système reste intacte. On dénonce en vain le caractère arbitraire de l'orthographe, qui ne correspond plus à la réalité linguistique contemporaine.

L'usager moyen respecte de moins en moins les normes écrites et hésite à consacrer un temps qu'il croit disproportionné à l'apprentissage de la langue écrite. Plusieurs voient même, dans le maintien de l'orthographe actuelle, un moyen de discrimination sociale. Abstraction faite des prises de position idéologiques en cette matière, la détérioration de la langue écrite se généralise et met celle-ci dans une situation critique en France, au Québec, en Belgique et en Suisse romande. La «crise des langues[10]» touche aussi d'autres pays industrialisés comme les États-Unis, la Grande-Bretagne, l'Allemagne, la Hongrie, la Chine, la Corée, la Yougoslavie, etc., sans atteindre toutefois des proportions aussi endémiques que dans les pays francophones, particulièrement au Québec. Pour le linguiste Alain Rey: «La crise des langues n'est qu'un aspect de la crise, permanente, des sociétés, et peut-être une manière d'en masquer en partie la nature essentiellement politique[11]». Que le problème soit pédagogique, social ou politique, il faudra bien un jour trouver des solutions. Après tout, les Italiens, les Espagnols, les Hollandais et les Norvégiens ont réformé leur orthographe. En France, il aurait fallu s'y mettre au XVIe siècle alors que peu de gens savaient lire et écrire. Aujourd'hui, plusieurs croient qu'il est trop tard. Pendant ce temps, les francophones ont mal à leur orthographe.

LA COEXISTENCE DES USAGES

Autre trait caractéristique de notre époque: la coexistence des normes et des usages français. Alors que jamais le nombre des locuteurs francophones n'a été aussi élevé et que jamais un aussi grand nombre d'États ne se sont intéressés au français, l'Autorité traditionnelle semble être morte. L'Académie française a perdu beaucoup de sa crédibilité; devenue une espèce de fantôme, elle est le vestige d'une époque révolue. Les nouveaux «maîtres» de la langue sont davantage les médias et les publicitaires, dont l'influence est autrement plus considérable que celle des académiciens ou des terminologues. Dans ces conditions, les normes se modifient au gré des modes.

De plus, dans chaque région du monde où l'on parle le français, s'est développée une prise de conscience de la langue comme instrument d'identification nationale. Les Wallons, les Suisses romands, les Québécois francophones, les Maghrébins, les Sénégalais, les Ivoiriens, les Antillais, etc., ne veulent pas parler exactement comme les Français. Chaque pays a tendance à cultiver sa propre norme locale, c'est-à-dire une variété de français qui a conservé un certain nombre de traits originaux. Nos contemporains se permettent de moins en moins d'ignorer la langue commune, mais ils ne

10. Voir à ce sujet *La crise des langues*, Québec/Paris, Gouvernement du Québec/Le Robert, 1985, 490 pages.
11. Alain REY, «Pour une critique de la crise», *Ibid.*, p. 452.

semblent plus hantés par les questions relatives à la «pureté», à la «distinction» et à la «qualité». La spontanéité et l'aspect fonctionnel comptent davantage, sans mettre en péril la communication.

***

Le français contemporain est le résultat d'une évolution divergente. D'une part, l'orthographe, la syntaxe fondamentale et la morphologie n'ont à peu près pas changé depuis deux siècles, probablement parce que les usagers n'en ont pas ressenti le besoin. D'autre part, la phonétique et le lexique ont subi de profondes transformations. Alors que les différences phonologiques ont encore tendance à se réduire depuis le début du siècle, le vocabulaire est devenu de plus en plus complexe.

Contrairement aux siècles passés, du moins dans les pays de langue maternelle française (France, Belgique, Suisse, Québec), le français n'est plus l'apanage des classes privilégiées; toutes les couches de la population s'expriment maintenant dans une même langue et avec le minimum d'aisance nécessaire. Il est possible que ce phénomène s'accentue en même temps que se maintiendront et se développeront différentes variétés de français. Lorsque l'unité linguistique est atteinte, il n'est plus nécessaire de poursuivre une uniformisation minutieuse. Mais aujourd'hui, maintenant que le français comme langue maternelle n'a jamais été aussi vivant, il doit relever le défi de hausser son statut comme langue seconde sur le plan international et faire face à la concurrence étrangère.

LA QUESTION LINGUISTIQUE AU QUÉBEC

Après avoir retracé l'évolution sociolinguistique de la langue française, il convient maintenant de poursuivre la même démarche avec l'un de ses rameaux: le français du Québec. L'objectif est ici de faire comprendre les fondements historiques de la question linguistique au Québec. Ce retour au passé est nécessaire si l'on veut interpréter les véritables enjeux du Québec et du Canada, enjeux qui ont plongé le Québec dans le psychodrame linguistique.

Nous croyons qu'une connaissance approfondie de l'évolution de la situation linguistique au Québec devrait susciter une plus grande prise de conscience face à ce projet de société que constitue la langue. Au moment où la conscience linguistique des jeunes Québécois francophones se révèle moins développée que jamais, il nous paraît nécessaire de les informer sur cette question de façon qu'ils puissent se situer par rapport à leur langue. Cet éveil pourrait provoquer l'adoption d'attitudes plus conformes à la responsabilité sociale de chaque individu dans l'avenir de la langue française au Québec.

1 LA PÉRIODE DE LA NOUVELLE-FRANCE: L'ÉMERGENCE DU FRANÇAIS

La période de la Nouvelle-France s'étend de 1534 à 1760. Jaloux des richesses que l'Espagne et le Portugal retirent de leurs colonies, François Ier nomme Jacques Cartier à la tête d'une première expédition en 1534: il doit découvrir de nouveaux territoires et fonder éventuellement un empire colonial. Les voyages de Cartier (1534, 1535-1536, 1541-1542) se soldent par des échecs; au début du XVIIe siècle, aucun Français n'est encore installé sur le territoire de la Nouvelle-France. Champlain fonde Québec en 1608 et tente d'établir des colons; les succès se révèlent minces puisqu'en 1627, lors de la création de la Compagnie de la Nouvelle-France ou Compagnie des Cent-Associés, on ne compte encore qu'une centaine d'habitants dispersés en deux groupes, l'un à Québec, l'autre à Port-Royal (en Acadie, Nouvelle-Écosse). Durant ce premier siècle, le peuplement de la Nouvelle-France est donc un échec.

Il faut dire que l'image de la Nouvelle-France qui circule alors dans la mère patrie ne motive en rien les Français à venir au Canada. L'imagination populaire ne peut être attirée par un pays au climat sévère, exposé en plus à l'hostilité des Amérindiens, puis des Anglais de la Nouvelle-Angleterre. Il aurait sans doute fallu une série de cataclysmes en France ou de vastes opérations de racolage étendues sur plusieurs années pour drainer un grand nombre d'émigrants vers le lointain Canada. Si un certain nombre de mesures, surtout à partir de 1663, n'étaient venues redresser la situation, on n'aurait probablement jamais parlé de la Nouvelle-France par la suite.

LE PEUPLEMENT ET LA POPULATION SOUS L'ANCIEN RÉGIME

En 1627, la Nouvelle-France ne compte encore qu'une centaine d'habitants. Il s'agit d'un tout petit pays qui revendique, au surplus, une grande partie du territoire nord-américain (*voir la figure 28.1*). Il n'y a pas de quoi impressionner face à la Nouvelle-Hollande, qui compte déjà 10 000 habitants, et face aux colonies anglaises qui ont

80 000 habitants. De plus, tout fonctionne mal en Nouvelle-France, que ce soit sur le plan des institutions civiles, des autorités religieuses ou de l'économie. Jusqu'en 1660, la France parle d'abandonner le Saint-Laurent.

LES PROVINCES D'ORIGINE

Néanmoins, entre 1627 et 1663, la population passe de 100 habitants à quelque 2 500. En 35 ans, environ 1 250 immigrants français viennent augmenter la petite population d'origine; la natalité double le contingent. Déjà à cette époque, les immigrants viennent de la plupart des provinces de France, soit de 29 sur 38. Certaines provinces jouent un rôle prépondérant: la Normandie (282), l'Aunis (204), le Perche (142), Paris et l'Île-de-France (130), le Poitou (95), le Maine (65), la Saintonge (65), l'Anjou (61), etc. Ces données proviennent des études de Marcel Trudel[1]; par contre, le tableau 28.1 renvoie aux statistiques de Stanislas A. Lortie[2], qui portent sur tout le XVIIe siècle. Les provinces pépinières demeurent fondamentalement les mêmes, mais la Bretagne, la Champagne et la Guyenne augmentent leur contingent après 1663. Il n'y a pas de réelle contradiction entre les deux sources, mais il nous a paru préférable de donner ici celles de Lortie parce qu'elles portent sur tout le siècle. Enfin, en 1663, les différents groupes sociaux représentés sont répartis ainsi: 68 % de paysans et d'artisans, 26,3 % de fonctionnaires, de commerçants et de militaires, 3 % de nobles et 2,5 % d'ecclésiastiques.

LES IMMIGRANTS

De la fondation de Québec en 1608 jusqu'à 1663, le Canada vit une phase d'enracinement: seuls les hommes les plus forts, les plus expérimentés, les travailleurs d'âge moyen ont leur place. On n'accepte que des gens en bonne santé, habitués à un climat rude et qui peuvent être utiles: défricheurs, laboureurs, maçons, menuisiers, charpentiers, etc. Ainsi, en 1651, le Conseil de Québec demande l'envoi «d'hommes de travail normands parce qu'ils ne boivent pas de vin et viennent d'un pays plus froid que le Poitou[3]». En 1663, le gouverneur de Mézy recommande de choisir «des Normands, Percherons, Picards et du voisinage de Paris, qui sont dociles, laborieux et industrieux et qui ont de la religion[4]». Les paysans et les artisans arrivent parfois avec leur famille, les plus riches avec leurs animaux et leurs outils de travail; en retour, les paysans reçoivent une terre et les artisans, de fort bons salaires compte tenu des conditions sociales de l'époque. Lorsque les autorités civiles françaises relâchent leurs critères de sélection dans le choix des émigrants, gouverneur et intendant réagissent aussitôt et se plaignent de «ceux qui ne concourent pas au bien du service» (Talon). En 1663, un arrêt du Conseil souverain rapporte que «plusieurs inhabiles au travail seraient renvoyés en France aux dépens du roi[5]». On n'apprécie pas beaucoup les immigrants trop jeunes, ces «petits enfants qui ne sont bons que pour garder les vaches[6]» (Denonville). Bref, il fallait des gens productifs pour le travail, c'est-à-dire jeunes (entre 16 et 40 ans) et en parfaite santé.

À partir de 1663, la Nouvelle-France connaît une phase d'expansion décisive et les immigrants arrivent beaucoup plus nombreux. D'abord, Louis XIV décide l'envoi de tout un régiment, le Carignan-Salières, d'environ 1 200 hommes (1665). Pour hâter le peuplement, l'État oblige les capitaines de navires marchands à transporter des colons et à instaurer le système seigneurial. Une telle politique intensive de peuplement ne peut réussir que si elle s'appuie sur une politique de mariages. Entre 1665 et 1673, le roi fait donc passer près de 900 filles au Canada pour procurer des épouses aux colons,

1. Marcel TRUDEL, *La population au Canada en 1663*, Montréal, Fides, 1973, p. 35.
2. Cité par Philippe BARBAUD, *Le choc des patois en Nouvelle-France*, Sillery (Québec), Presses de l'Université du Québec, 1984, p. 20-21.
3. Cité par René LE TENNEUR, *Les Normands et les origines du Canada français*, Coutances (France), Ocep, 1973, p. 164.
4. *Ibid.*, p. 165.
5. *Loc. cit.*
6. *Loc. cit.*

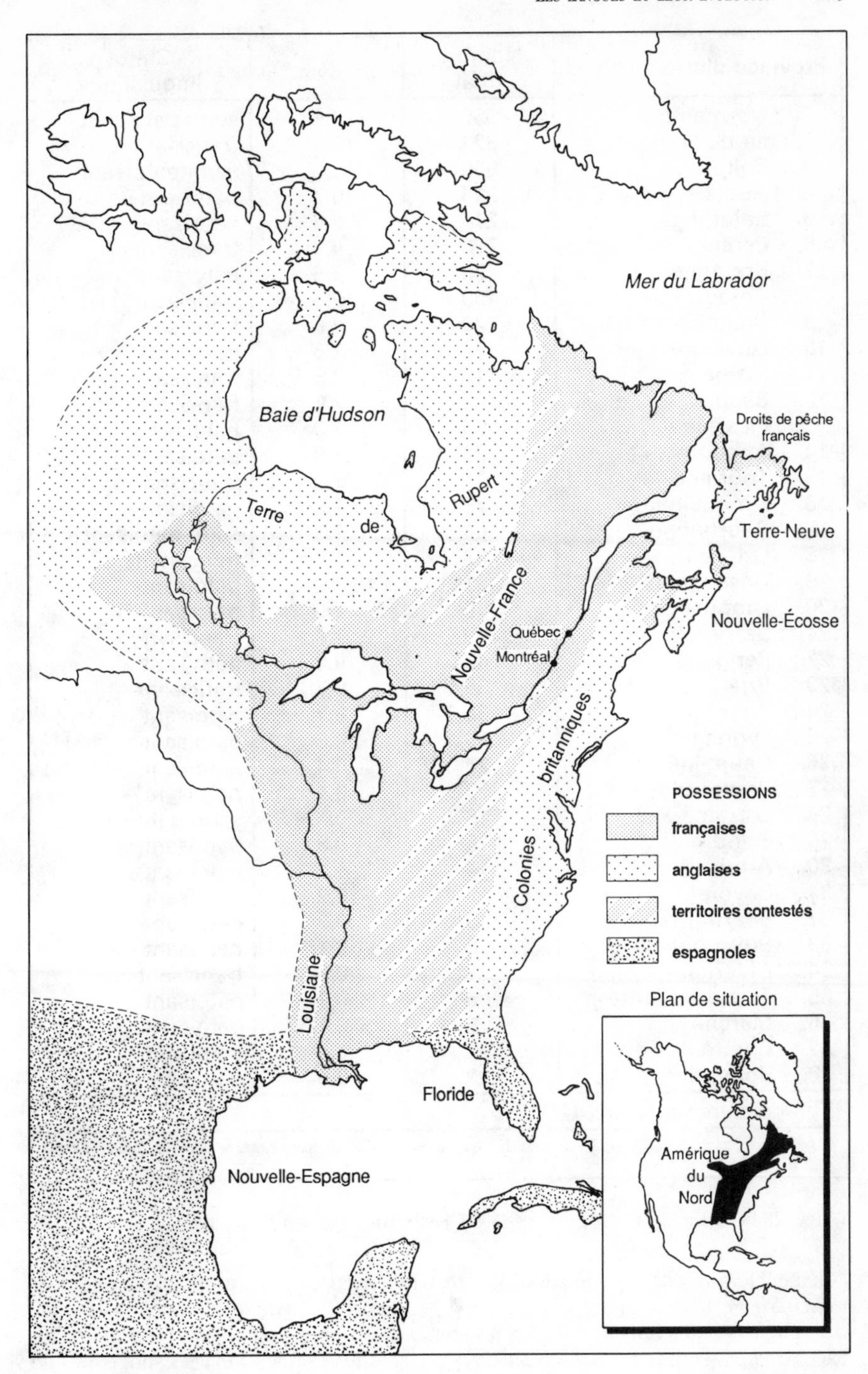

FIGURE 28.1 LA NOUVELLE-FRANCE EN 1713

Province d'origine	Nombre total	%	Statut linguistique
1. Normandie	958	19,6	semi-patoisant
2. Île-de-France	621	12,7	francisant
3. Poitou	569	11,6	semi-patoisant
4. Aunis	524	10,7	patoisant
5. Saintonge	274	5,6	patoisant
6. Perche	238	4,8	francisant
7. Bretagne	175	3,6	patoisant
8. Anjou	139	2,8	francisant
9. Champagne	129	2,6	francisant
10. Guyenne	124	2,5	patoisant
11. Maine	113	2,3	francisant
12. Beauce	105	2,1	francisant
13. Picardie	96	1,9	patoisant
14. Angoumois	93	1,9	patoisant
15. Touraine	91	1,8	francisant
16. Limousin	75	1,5	patoisant
17. Bourgogne	64	1,3	semi-patoisant
18. Orléanais	63	1,3	francisant
19. Gascogne	51	1,0	patoisant
20. Languedoc	50	1,0	patoisant
21. Berry	49	1,0	francisant
22. Périgord	45	0,9	patoisant
23. Brie	36	0,7	francisant
24. Auvergne	35	0,7	patoisant
25. Lyonnais	33	0,6	patoisant
26. Dauphiné	24	0,4	patoisant
27. Provence	22	0,4	patoisant
28. Lorraine	16	0,3	semi-patoisant
29. Flandre	15	0,3	patoisant
30. Artois	14	0,2	patoisant
31. Savoie	12	0,2	patoisant
32. Béarn	10	0,2	patoisant
33. Bourbonnais	8	0,16	patoisant
34. Nivernais	7	0,14	francisant
35. Franche-Comté	6	0,12	patoisant
36. Marche	6	0,12	patoisant
37. Comté de Foix	2	0,04	patoisant
38. Roussillon	2	0,04	patoisant
Total des immigrants: 4 894			

Source: D'après Philippe BARBAUD, *Le choc des patois en Nouvelle-France*, Sillery (Québec), Presses de l'Université du Québec, 1984, p. 20-21.

TABLEAU 28.1 L'ORIGINE DES IMMIGRANTS DE 1608 À 1700 D'APRÈS STANISLAS A. LORTIE

l'élément féminin de la population étant trop minoritaire (376) par rapport à l'élément masculin (639). Les futures épousées, les «filles du roi», sont des orphelines élevées par des religieuses aux frais du roi dans les grands couvents et les Maisons d'éducation de Paris, Dieppe, Honfleur, La Rochelle. Près de 90 % de ces filles à marier sont issues de familles de petits fonctionnaires, de militaires, d'artisans et de paysans (en petit nombre); le reste provient de la petite noblesse et de la bourgeoisie. Elles constituent, pour l'époque, une sorte d'élite «sagement élevée» et «formée aux travaux d'une bonne ménagère», et elles sont mieux instruites que la plupart de leurs contemporaines. Le problème avec les filles du roi vient du fait qu'elles paraissent en général «assez délicates», «peu robustes», «élevées en vue du service des grandes dames»; la plupart sont originaires de l'Île-de-France, dont une bonne partie de la Salpétrière (50 %), qui dépend de l'Hôpital Général créé par Louis XIV. Le ministre Colbert reçoit régulièrement des avis pour qu'on envoie plutôt des «filles de village», «propres au travail comme les hommes». Dans les faits, on a dirigé vers le Canada des Françaises (70 %) issues des centres urbains, donc peu initiées aux travaux agricoles ni à la tenue d'une maison d'habitants. De plus, pour favoriser les mariages et la natalité, on soumet à l'amende les hommes célibataires, on accorde des dots aux filles et des gratifications aux familles nombreuses; on favorise même les mariages entre Français et Amérindiens. Avantagée par un taux extraordinaire de natalité (7, 8 enfants par femme) et par une immigration abondante, la Nouvelle-France voit se multiplier sa population; de 2 500 habitants en 1663, elle passe à 20 000 en 1713 et à 55 000 en 1755.

Entre 1720 et 1750, l'éventail des immigrants s'élargit: des colons du sud de la France, des fils de famille qu'on exile, beaucoup de contrebandiers du sel et des braconniers; on laisse des militaires s'établir pour de bon dans la colonie; on ferme même les yeux sur l'arrivée de huguenots (protestants) et de fugitifs venus des colonies anglaises de la Nouvelle-Angleterre, sans oublier un certain nombre de Noirs (à la suite de commerce des esclaves). On peut donc dire que, dans l'ensemble, les immigrants en Nouvelle-France sont d'une qualité exceptionnelle.

Considérée en elle-même, la Nouvelle-France aura fait un progrès remarquable entre 1663 et 1754: l'Acadie française compte 10 000 habitants, le Canada 55 000, la lointaine Louisiane 4 000. La France contrôle un immense territoire (*voir la figure 28.1*) qui s'étend du Labrador au lac Winnipeg jusqu'à la Nouvelle-Orléans et dont l'économie, assez florissante, est axée sur la fourrure et les sociétés d'État (l'armée, les forges de Saint-Maurice, les chantiers navals). En regard des colonies anglaises toutefois, la Nouvelle-France se révèle peu de chose. Elle menace constamment d'être étouffée par des territoires anglais au nord et au sud, qui opposent une population globale d'un million d'habitants, à laquelle s'ajoute une main-d'œuvre de 300 000 esclaves.

L'ÉMERGENCE DU FRANÇAIS

Compte tenu de la situation de fragmentation linguistique qui prévaut en France sous l'Ancien Régime, la plupart des immigrants qui partent pour le Canada ne peuvent parler le français (*voir la figure 28.2*). À l'exception de ceux qui proviennent de Paris et de l'Île-de-France, les colons apportent avec eux leur patois local, soit le normand, le picard, l'aunisien, le poitevin, le breton, etc. Au cours de la première moitié du XVIIe siècle, la Nouvelle-France vit nécessairement ce que Philippe Barbaud appelle «le choc des patois[7]».

LE «CHOC DES PATOIS»

Pour s'en convaincre, il suffit de se reporter à la répartition des immigrants selon leur statut linguistique, entre 1608 et 1663. Le tableau 28.2 divise la population en trois groupes linguistiques: les francisants, les semi-patoisants, les patoisants. Vraisemblablement, les immigrants francisants comprennent et parlent l'une ou l'autre des variantes du français de l'Île-de-France; à part les nobles, les membres du clergé, les officiers militaires, les administrateurs et quelques grands négociants, les francisants ne parlent pas la «langue du roi», mais un français populaire parisien parsemé de provincialismes et d'expressions argotiques. Lorsqu'on étudie le tableau 28.2, on constate que les immigrants francisants forment 38,4 % de la population canadienne de l'époque.

7. Philippe BARBAUD, *loc. cit.*

Les locuteurs semi-patoisants (31,4 %) parlent leur patois maternel, soit le normand, le poitevin, le bourguignon ou le lorrain, mais ils peuvent comprendre assez bien l'une ou l'autre des variétés du français; leur connaissance passive du français permet donc une compréhension partielle. Quant aux patoisants (30,3 %), ils ignorent totalement et le «français du roi» et ses variantes; lorsqu'on leur parle en français, ils doivent recourir aux services d'un interprète.

PROVINCE D'ORIGINE	Immigrants francisants		Immigrants semi-patoisants		Immigrants patoisants	
	Perche	142	Normandie	282	Aunis	204
	Paris	90	Poitou	95	Saintonge	65
	Maine	65	Bourgogne	8	Bretagne	27
	Anjou	61	Lorraine	8	Angoumois	22
	Île-de-France	40			Picardie	22
	Orléanais	32			Guyenne	10
	Champagne	27			Auvergne	5
	Touraine	14			Gascogne	4
	Berry	4			Languedoc	4
	Nivernais	3			Flandre	3
					Lyonnais	3
					Limousin	2
					Provence	2
					Foix	2
					Béarn	1
					Marche	1
TOTAL	478		393		377	
%	38,4		31,4		30,3	

Source: Marcel TRUDEL, *La population du Canada en 1663*, Montréal, Fides, 1973, p. 29-43.

TABLEAU 28.2 LA RÉPARTITION DES IMMIGRANTS PAR STATUT LINGUISTIQUE

LE STATUT LINGUISTIQUE DES IMMIGRANTS

La répartition des immigrants par statut linguistique permet de constater l'infériorité numérique des sujets françisants (38,4 %) par rapport à la masse des semi-patoisants et des patoisants (61,7 %). Or, aucun de ces patois ou langues régionales ne survivra au Canada: ils s'éteindront tous, ici, entre 1680 et 1700. Le témoignage du contrôleur général de la Marine au Canada en 1698, le sieur de Bacqueville et de La Potherie, est assez significatif à cet égard: «On y parle ici parfaitement bien sans mauvais accent. Quoiqu'il y ait un mélange de presque toutes les provinces de France, on ne saurait distinguer le parler d'aucune dans les Canadiennes[8]». Comment se fait-il que l'unité linguistique se soit réalisée ici dans le dernier quart du XVIIe siècle? Que s'est-il donc passé au Canada?

Dans son livre *Le choc des patois en Nouvelle-France*, sous-titré «Essai sur l'histoire de la francisation au Canada», Philippe Barbaud réussit à répondre à ces questions. Aussi, l'essentiel de nos propos reposera sur cet essai d'explication.

Malgré l'infériorité numérique des parlants français (38,4 %), les semi-francisants (31,4 %), notamment les Normands et les Poitevins, ont orienté l'assimilation vers le français et les patoisants (30,3 %) ont appris à devenir bilingues. Aucun des groupes patoisants n'a pu prédominer au point de vue démographique, étant en plus dispersés

8. Cité dans *Bibliographie linguistique du Canada français*, Québec, Presses de l'Université Laval, 1966, p. 4.

La contribution des provinces de France à la population de 1663, d'après Marcel Trudel

FIGURE 28.2 LES PROVINCES PÉPINIÈRES

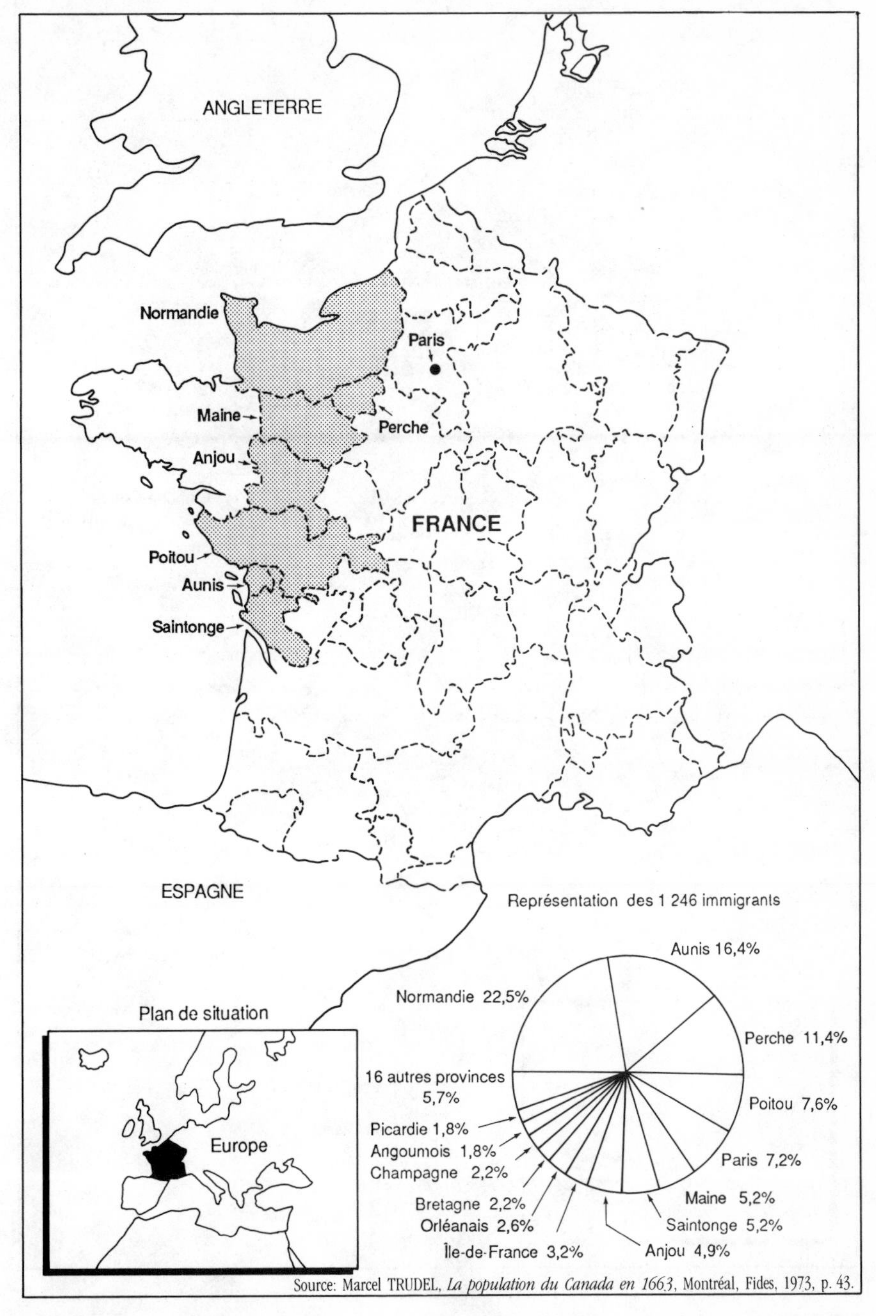

Source: Marcel TRUDEL, *La population du Canada en 1663*, Montréal, Fides, 1973, p. 43.

Les huit provinces ou régions de France qui ont fourni les 4/5 de la population non canadienne de 1663 (Marcel TRUDEL, *La population du Canada en 1663*, Montréal, Fides, 1973, p. 40)

FIGURE 28.3 LA REPRÉSENTATION DES 1 246 IMMIGRANTS

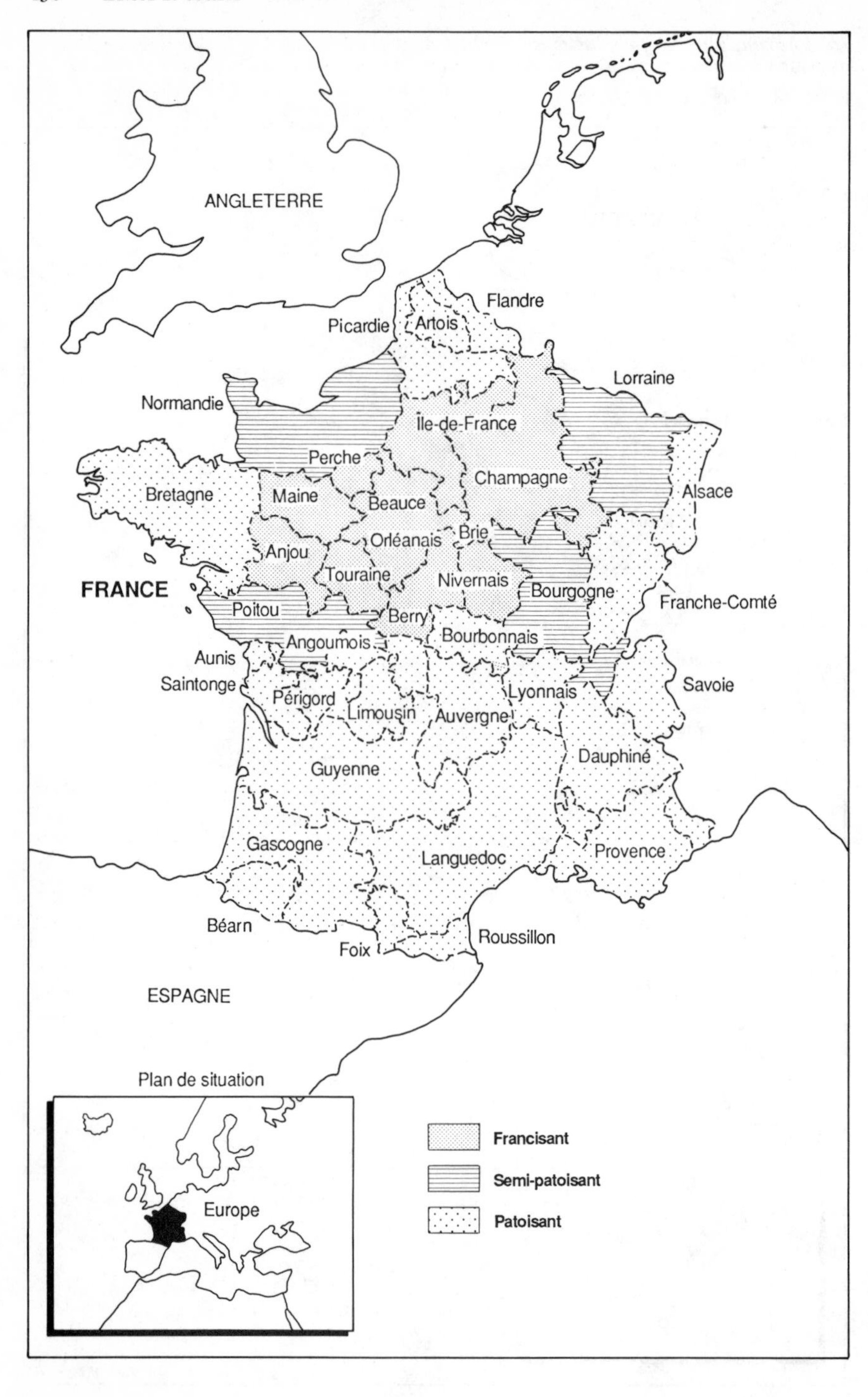

Source: Philippe BARBAUD, *Le choc des patois en Nouvelle-France*, Sillery (Québec), Presses de l'Université du Québec, 1984, p. 122.

FIGURE 28.4 L'ORIGINE DES COLONS FRANÇAIS (XVIIe SIÈCLE) PAR PROVINCE, SELON LE STATUT LINGUISTIQUE

entre une vingtaine de parlers régionaux (*voir la figure 28.3*). Très tôt, le français s'est assuré la dominance en Nouvelle-France sans qu'aucune politique linguistique n'ait été élaborée ni même pensée; ce n'était pas dans les habitudes de l'époque. Néanmoins, un certain nombre de facteurs, indéniables, ont favorisé cette unification.

LES CAUSES DE L'UNIFICATION LINGUISTIQUE

Parmi les causes qui ont assuré l'unification linguistique, certaines sont plus déterminantes que d'autres. Aussi est-il préférable de distinguer les facteurs secondaires des facteurs déterminants. Les premiers sont essentiellement externes aux usagers, les seconds concernent les sujets parlants eux-mêmes.

LES FACTEURS SECONDAIRES

Le français était la langue de l'administration royale, celle des administrateurs, des fonctionnaires, des officiers, des milices et de l'armée. Tous les documents étaient rédigés en français et les ordres étaient donnés en français aux soldats patoisants. C'était également la langue du clergé, premier ordre social de la colonie; les ecclésiastiques, hommes ou femmes, ne s'exprimaient qu'en français, à l'exception des missionnaires, qui évangélisaient les Amérindiens dans leur langue. Dans les écoles, on enseignait la religion, les mathématiques, l'histoire, les sciences naturelles et le français, lequel, rappelons-le, n'était pas encore enseigné, en France, aux «petites gens». Bien que peu poussée, cette instruction semble cependant «d'un degré remarquable pour l'époque[9]». En se fondant sur les greffes des notaires, on peut évaluer à 80 % la population de ceux et celles qui savaient lire et écrire le français, bien que fort mal il faut l'avouer. Cet enseignement primaire ouvert à tous les habitants, même dans les campagnes, constituait une première pour l'époque et a certes joué un rôle non négligeable dans le processus de francisation.

On ne peut toutefois prendre pour acquis que ces facteurs aient été déterminants pour l'unification. La même situation existait en France au même moment et cela ne suffisait pas à convaincre l'immense majorité des citoyens de changer leur allégeance linguistique. Au Canada, la répartition des forces sociales favorisait davantage le parler des petites gens, d'autant plus que la question de l'unification linguistique n'était pas dans les mœurs de l'époque. Colbert n'en a jamais parlé, ni aucun des grands commis de l'État, tant en France qu'au Canada. D'après Philippe Barbaud: «Ce ne sont ni l'Église ni le Roy ni l'armée qui furent les premiers responsables de la compétence linguistique des anciens Canadiens et de leurs comportements langagiers. Il n'y a que le sujet parlant qui le soit[10]». Bien qu'importants, les facteurs externes aux individus ne peuvent rendre compte de tout le processus d'unification, car ce sont les sujets parlants eux-mêmes qui ont contribué le plus à leur propre assimilation.

La thèse que développe Philippe Barbaud repose sur le fait que le français détenait déjà, en 1663, une avance sur la situation de concurrence qui l'opposait aux autres parlers. N'oublions pas que 38,4 % de la population pouvait s'exprimer en français, ce qui présentait une conjoncture favorable pour le français au sein même d'une population par ailleurs faible en nombre (quelque 2 500 habitants). De plus, comme tout immigrant qui s'installe dans un pays étranger, l'ancien Canadien acceptait implicitement de rompre avec ses habitudes linguistiques; il venait construire un nouveau pays et était prêt à tout. Aucun parler régional ne pouvait concurrencer les 38,4 % de francisants; le groupe patoisant le plus important était représenté par les Normands (11,3 % en 1663), déjà sensibilisés au français (*voir la figure 28.3*); quant aux autres, leur trop grande

9. Gérard FILTEAU, *La naissance d'une nation*, Montréal, L'Aurore, 1978, p. 145.

10. Philippe BARBAUD, *op. cit.*, p. 180.

dispersion les menait à l'extinction dans la mesure où la population se trouvait mélangée sur un territoire restreint: essentiellement Québec, Montréal et Trois-Rivières.

LE FACTEUR DÉTERMINANT: LES FEMMES

Barbaud apporte une autre explication au fait que les patois se soient complètement éteints avant la fin du XVIIe siècle, et c'est là l'aspect le plus original de sa thèse:

> «Une réanalyse de la question d'origine de notre parler s'impose donc puisque c'est maintenant aux femmes et aux filles que j'impute l'initiative du déroulement de la francisation[11].»

Ce sont en effet les femmes de la Nouvelle-France qui ont été les actrices principales de l'émergence du français et de sa suprématie au pays. Que pouvaient faire les 63 % d'hommes pour leur langue maternelle dans leur condition de célibataires forcés, entièrement occupés qu'ils étaient à défricher la terre, à faire la guerre aux Amérindiens, à courir les bois l'hiver et à découvrir de nouveaux territoires en été? Rien, et ce sont les femmes qui ont tout fait.

En dépit du fait que celles-ci ne formaient que 37 % de la population totale en 1663, plus de la moitié, soit 53,8 %, étaient des locutrices francisantes. L'effectif des femmes (mères et filles) parlant une des variétés de français était donc beaucoup plus important que celui des semi-patoisantes (22,9 %) et des patoisantes (23,2 %). En 1663, le français était donc le fait de 54 % de celles qui avaient charge de transmettre leur langue maternelle à leurs enfants; on peut croire que ce rapport de force a effectivement joué en faveur de la suprématie du français.

Les mariages exogames

De plus, lorsqu'on examine l'exogamie des couples, on comprend que le mariage a constitué un puissant vecteur dans ce brassage des immigrants provenant de toutes les provinces de France. Barbaud, après avoir analysé chaque couple recensé par l'historien Trudel, obtient un total de 324 couples sur 470 pour lesquels le français constituait la langue maternelle, soit du mari, soit de la femme, soit des deux: «C'est dont en réalité presque 70 % des foyers de la Nouvelle-France qui font déjà partie, en 1663, du domaine d'influence de la langue légitime[12]». Il n'y avait que 30 % des couples qui n'étaient pas atteints par l'infiltration du français au foyer. Dans ces conditions, on ne se surprendra pas que le «marché matrimonial» des habitants de la Nouvelle-France ait été un terrain de conquête presque entièrement gagné au français[13] au moment où s'ouvrait la décennie 1663-1673, marquée par l'arrivée massive de 900 filles du roi.

Les filles du roi

Les filles du roi n'ont pu qu'accélérer le processus d'assimilation des masses non francisantes. En effet, 57,4 % d'entre elles avaient déjà le français comme langue maternelle; parmi les Parisiennes (la moitié de l'effectif), certaines parlaient même le «français du roi», phénomène plutôt exceptionnel. Le reste du contingent était formé de 24,7 % de semi-patoisantes (surtout normandes) et de patoisantes (surtout de l'Aunis et de la Picardie). L'action conjuguée des femmes francisantes de la première génération, de leur progéniture et des filles du roi a provoqué l'extinction définitive des patois en Nouvelle-France vers les années 1680-1689[14]. À partir de ce moment, la population canadienne dispose d'une seule langue promue au rang de langue maternelle, qu'elle va façonner dorénavant à son image et à celle de l'Amérique. Il faut souligner aussi que

11. *Ibid.*, p. 50.
12. *Ibid.*, p. 173.
13. *Ibid.*, p. 174.
14. *Ibid.*, p. 182.

les anciens Canadiens ont constitué la première population francophone du monde à réaliser son unité linguistique, et cela, deux siècles avant la France, sans intervention étatique.

LE FRANÇAIS PARLÉ EN NOUVELLE-FRANCE

Le français parlé ici par les anciens Canadiens ne pouvait pas être très différent de celui utilisé en France à la même époque. La «langue du roi» devait être identique des deux côtés de l'océan: les nobles et les fonctionnaires de la colonie parlaient la même variété de français. Quant au peuple, une fois l'unité linguistique réalisée, il utilisait la même variété de français que les classes populaires de Paris. La variété parlée par les anciens Canadiens se caractérisait par une prononciation parisienne, influencée toutefois par les origines dialectales des habitants, une syntaxe simple apparentée à celle de Montaigne et de Marot, un vocabulaire légèrement archaïque, teinté de provincialismes de la Normandie et de la région du sud-ouest de la France. Bref, rien qui puisse vraiment distinguer le «francophone» de la Nouvelle-France de celui de la mère patrie.

D'ailleurs, les témoignages des contemporains de l'époque sont unanimes sur cette question. En 1691, le père Chrestien Le Clercq dit qu'«un grand homme d'esprit» lui a appris que le Canada possède «un langage plus poli, une énonciation nette et pure, une prononciation sans accent[15]». Le père Charlevoix est presque idyllique lorsqu'il écrit: «Nulle part ailleurs, on ne parle plus purement notre langue. On ne remarque ici aucun accent[16]». Un Suédois de passage au Canada en 1749, Pierre Kalm, fait rire de lui par «les dames canadiennes, celles de Montréal surtout» à cause de ses «fautes de langage» et il s'en montre fort choqué[17]. Jean-Baptiste d'Aleyrac, un officier français qui vit au Canada de 1755 à 1760, déclare que les Canadiens parlent «un français pareil au nôtre[18]». Quant au marquis de Montcalm, il ne peut s'empêcher de reconnaître en 1756 que «les paysans canadiens parlent très bien le français»; il ajoute: «Comme sans doute ils sont plus accoutumés à aller par eau que par terre, ils emploient volontiers les expressions prises de la marine[19]».

Ces témoignages paraissent toutefois un peu trop élogieux pour ne pas être suspectés de partialité. Non seulement ils n'attestent que des faits anecdotiques, mais on peut douter aussi de leur adéquation à un usage général qui se serait étendu à toute la population. Malgré ces réserves, ces témoignages demeurent précieux et utiles pour connaître l'état de la langue des anciens Canadiens.

2 LE RÉGIME BRITANNIQUE (1760-1840): LA TRAVERSÉE DU DÉSERT D'UNE MAJORITÉ MENACÉE

La Conquête anglaise entraîne non seulement une rupture politique, mais aussi une rupture économique, sociale et, comme il se doit, linguistique. La Nouvelle-France, en devenant une colonie britannique, se voit décapitée de sa classe dirigeante; elle transfère le pouvoir politique et économique aux conquérants anglais. On assiste à la réduction de l'univers économique des Canadiens français qui, pour survivre, se replient sur l'agriculture, l'artisanat et le petit commerce. En faisant le dur apprentissage de la vie commune avec ses conquérants, la société canadienne-française développe des réflexes de survivance axés sur la défense de sa religion, de sa langue et de ses

15. Cité dans *Bibliographie linguistique du Canada français*, Québec, Presses de l'Université Laval, 1966, p. 3.
16. *Ibid.*, p. 4.
17. *Loc. cit.*
18. *Loc. cit.*
19. *Ibid.*, p. 5.

droits. La Conquête marque le début de la traversée du désert qui entame le processus de détérioration du statut de la langue française au Canada. Malgré les visées assimilatrices des conquérants, les francophones survivront grâce à leur opiniâtreté, à leur isolement, à leur surnatalité et... aux erreurs de leurs maîtres.

LE RÉGIME MILITAIRE (1760-1763): LE STATU QUO PROVISOIRE

La défaite française sur les plaines d'Abraham (septembre 1759) entraîne immédiatement la prise de Québec, suivie de la capitulation de Montréal (1760). Pendant que se poursuit l'occupation militaire de la Nouvelle-France, le général Jeffery Amherst procède à l'organisation d'un régime administratif provisoire, car, tant que la guerre continue en Europe, le sort du pays demeure incertain. Néanmoins, quelque 2 500 soldats et administrateurs français quittent immédiatement la colonie et retournent en France; l'année suivante, environ un millier d'autres personnes que la situation inquiète font de même.

En 1761, les francophones forment 99,7 % de la population; le poids du nombre interdit aux Anglais de pratiquer une politique colonisatrice trop radicale. Pragmatique, le conquérant adopte le statu quo. Étant donné que le peuple ne peut obéir aux ordres que s'il les comprend, les autorités anglaises émettent leurs ordonnances en français et permettent aux Canadiens d'occuper de nombreux postes dans l'administration et la justice. De cette courte période, il y a donc peu à dire.

LE CARCAN INTOLÉRABLE DE LA PROCLAMATION ROYALE (1763-1774)

Par le traité de Paris de 1763, la Nouvelle-France devient officiellement une possession britannique; de son immense empire en Amérique du Nord, la France ne conserve que les îles de Saint-Pierre et de Miquelon au sud de Terre-Neuve. L'Angleterre assure aux habitants qui décident de rester au pays le droit de conserver leurs propriétés et de pratiquer leur religion catholique «en autant que le permettent les lois de la Grande-Bretagne».

LA PROCLAMATION ROYALE

La Proclamation royale (7 octobre 1763) délimite les frontières de la nouvelle colonie en la réduisant à la zone habitée, c'est-à-dire la vallée du Saint-Laurent, désormais connue sous le nom de «Province of Quebec» (*voir la figure 28.5*). Le premier gouverneur anglais de la province, James Murray, doit mettre en application la politique du gouvernement: faire du Québec une véritable colonie britannique en favorisant l'immigration anglaise et l'assimilation des francophones, en implantant la religion officielle de l'État — l'anglicanisme — et en instaurant de nouvelles structures politiques et administratives conformes à la tradition britannique.

Dès 1764, James Murray établit les premières institutions judiciaires et décrète que dorénavant on jugera «toutes les causes civiles et criminelles conformément aux lois d'Angleterre et aux ordonnances de cette province[20]». De plus, tout employé de l'État doit prêter le «serment du test», lequel comporte une abjuration de la foi catholique et la non-reconnaissance de l'autorité du pape; de telles mesures reviennent à écarter presque automatiquement les Canadiens français (à l'exception de quelques huguenots, donc protestants, restés au pays) des fonctions publiques. Commentant cette situation, André Vachon écrit dans son *Histoire du notariat canadien* (Québec, 1962):

> «L'on assista alors à ce spectacle insolite d'une population française de 70 000 âmes gouvernée par des conseillers de langue anglaise, représentants de quelque deux cents marchands et fonctionnaires anglais

20. *Rapport sur les travaux relatifs aux archives publiques*, Ottawa, 1913, cité par Réjean PATRY, *La législation linguistique fédérale*, Québec, Éditeur officiel du Québec, 1981, p. 24.

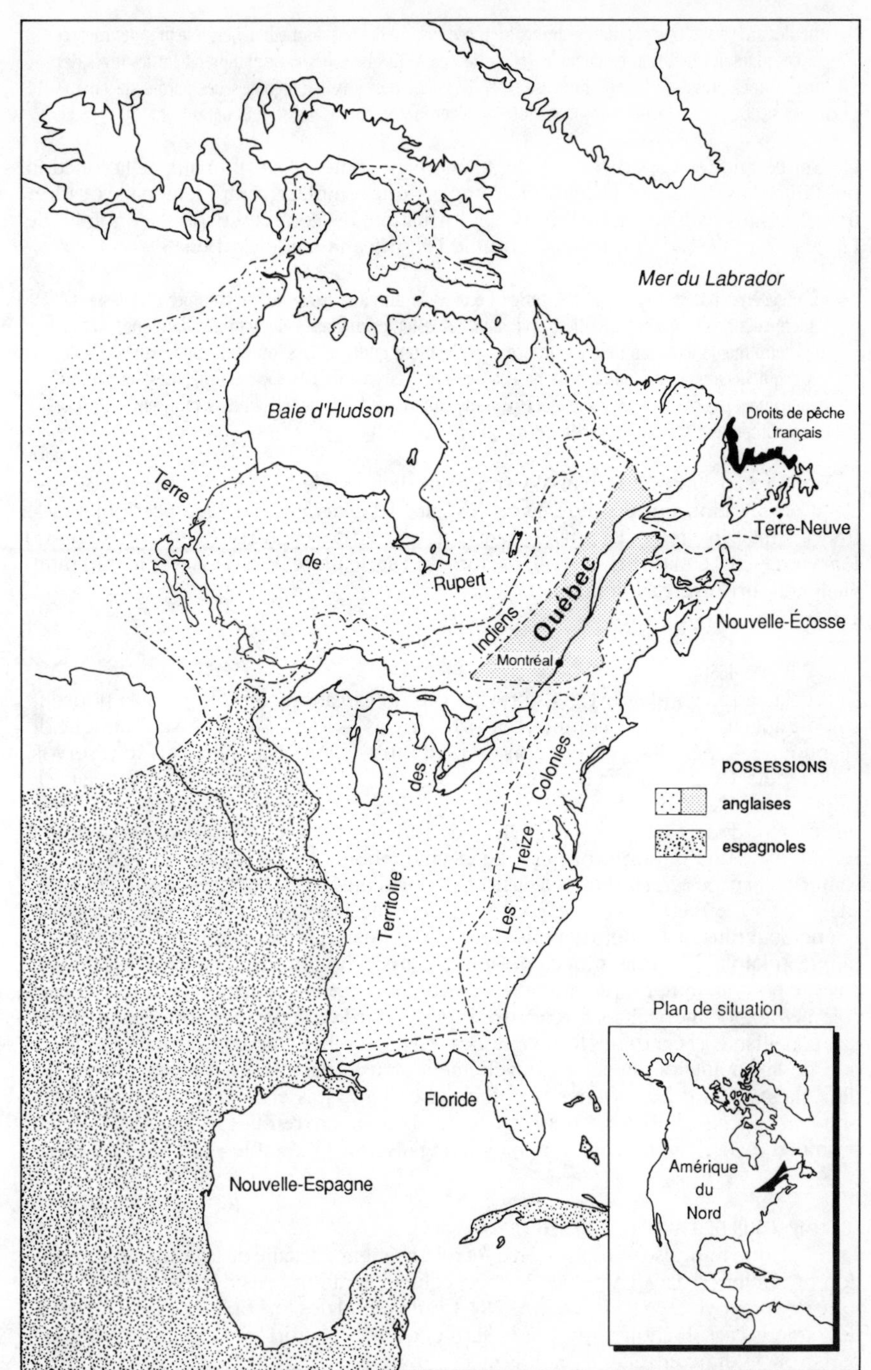

Source: Maurice SAINT-YVES, *Atlas de géographie historique du Canada*, Boucherville (Québec), Les Éditions françaises inc., 1982, p. 14.

FIGURE 28.5 LA «PROVINCE OF QUEBEC»: 1763-1774

installés au pays: d'une population française jugée suivant des lois dont elle ignorait le premier mot, et par des juges qui ne comprenaient pas les parties, pas plus que celles-ci ne comprenaient les juges; les jurés mêmes, aussi de langue anglaise, n'entendaient rien aux témoignages des parties de langue française. De tout cela ne pouvait résulter qu'incertitudes, confusion et quiproquos[21].»

Devant ce fait, les Canadiens boudent systématiquement les tribunaux et la fonction publique, laissant toute la place aux Anglais qui remplacent rapidement les cadres francophones dans les domaines de l'information, du commerce, de l'économie, de l'industrie et de l'administration. Comme l'écrit Jean-Claude Corbeil:

> «L'Angleterre, par ses représentants, dirige l'économie du pays, exige que le commerce se fasse par l'intermédiaire de sociétés installées soit dans les colonies anglaises du littoral atlantique, soit en Angleterre même. Les commerçants français, ou bien ont quitté le pays, ou sont ruinés par la défaite. Ceux qui persistent ne connaissent pas et ne sont pas connus des sociétés anglaises, ou encore n'obtiennent pas crédit de ces sociétés. Les commerçants des colonies américaines envahissent le Québec et s'y comportent comme en territoire conquis[22].»

C'est donc l'anglais qui, après 1763, sert naturellement de langue véhiculaire porteuse de la «civilisation universelle». Dans les faits, l'anglais ne remplace pas toujours le français, mais il le relègue certainement dans un rôle de second ordre. Propriétaires de leurs terres, les Canadiens se replient alors sur l'agriculture pour s'assurer le minimum vital: la nourriture et le logement.

UNE VOIE SANS ISSUE

La Proclamation royale de 1763 se révèle vite un carcan intolérable pour la nouvelle colonie anglaise. Même le commerce des fourrures — le secteur le plus dynamique de l'économie — périclite parce qu'on ne peut plus s'approvisionner dans le réservoir pelletier des Grands Lacs et du Nord. L'instauration des lois civiles anglaises menace la langue française et mine le fondement de la société canadienne-française. La prestation du serment du test exclut les Canadiens de l'administration publique et les soumet à l'arbitraire d'une minorité protestante et anglophone. Le fait de ne pas reconnaître l'autorité du pape rend impossible la nomination d'un successeur à l'évêque de Québec (décédé en 1760) et, par voie de conséquence, voue à l'extinction le clergé catholique, qui ne peut plus ordonner de nouveaux prêtres. Mais, l'immigration anglaise demeurant trop faible, les Britanniques ne sont pas assez nombreux (500 familles) dans la colonie pour assimiler rapidement les Canadiens. De plus, l'agitation grandissante des colonies anglo-américaines force Murray, et plus tard Carleton, à pratiquer une politique conciliante à l'égard des francophones et à rechercher leur appui malgré l'indignation de la population anglaise nouvellement arrivée dans la «province». Devant les difficultés de faire fonctionner la colonie avec leurs lois et leur langue, les Anglais finissent par se plier aux circonstances et battent en retraite. L'Acte de Québec, promulgué en 1774, rend la domination anglaise plus tolérable pour les Canadiens.

LE COMPROMIS DE L'ACTE DE QUÉBEC (1774)

La population française se montre en effet relativement satisfaite de la nouvelle constitution promulguée dans l'Acte de Québec: celui-ci agrandit considérablement le territoire de la «province» (*voir la figure 28.6*), qui s'étend dès lors du Labrador à la région des Grands Lacs. Il abolit en outre le serment du test, autorise le clergé catholique à percevoir la dîme et rétablit les lois civiles françaises.

21. Cité par Réjean PATRY, *op. cit.*, p. 124.
22. Jean-Claude CORBEIL, «Origine historique de la situation linguistique québécoise» dans *Langue française*, n° 31, septembre 1976, Paris, Larousse, p. 6-7.

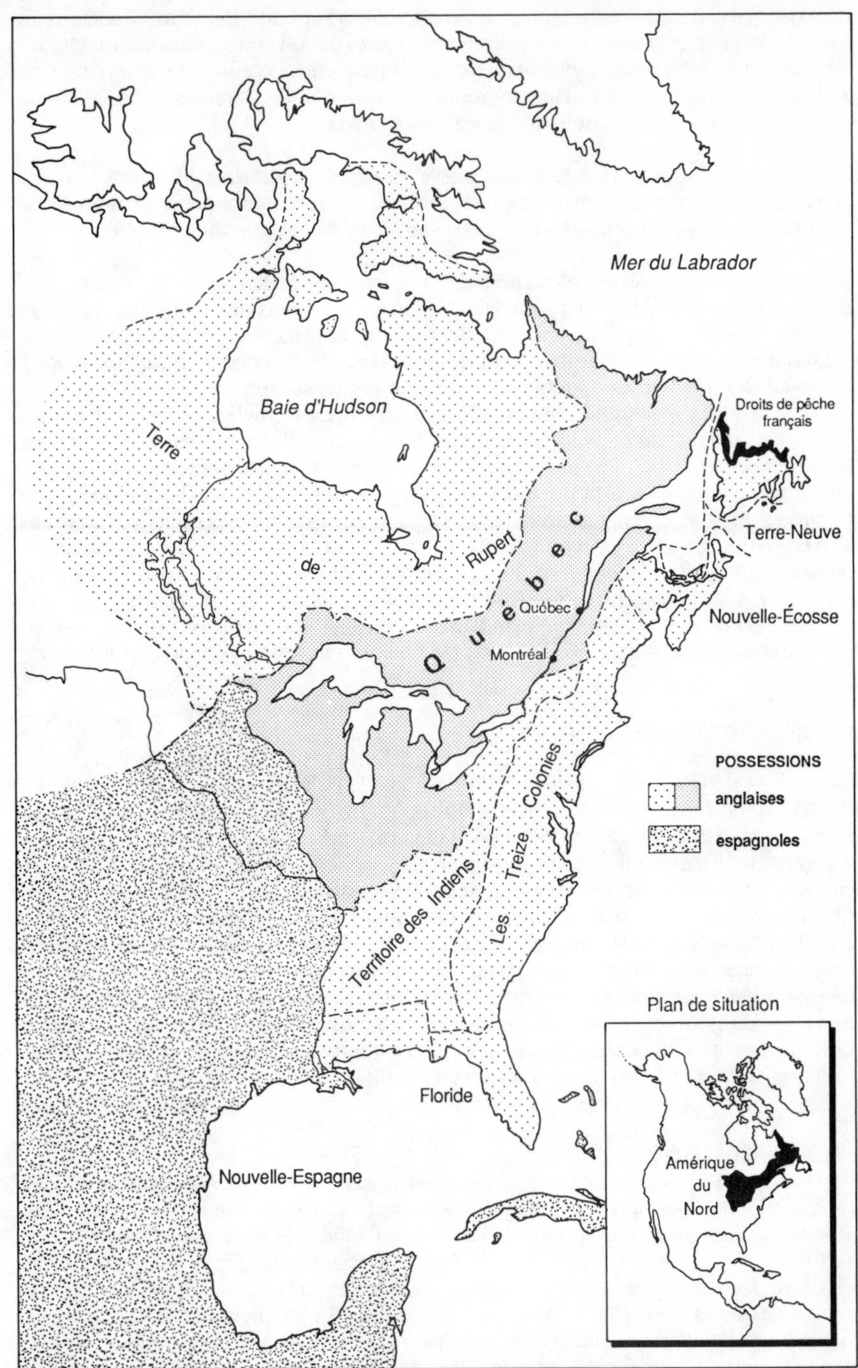

Source: Maurice SAINT-YVES, *Atlas de géographie historique du Canada*, Boucherville (Québec), Les Éditions françaises inc., 1982, p. 14.

FIGURE 28.6 LA PROVINCE DE QUÉBEC APRÈS L'ACTE DE QUÉBEC DE 1774

Bien que l'Acte de Québec, comme c'est la coutume à l'époque, demeure silencieux au sujet de la langue, il assure implicitement au français un usage presque officiel en rétablissant les lois civiles françaises. En tout cas, c'est principalement à partir d'un texte ambigu que s'autoriseront, dans les régimes ultérieurs, les défenseurs de la langue pour justifier les droits acquis du français au Canada:

> «Qu'il soit de plus décrété en vertu de l'autorité susdite, que tous les sujets canadiens de sa Majesté dans la province de Québec (...) pourront conserver la possession et jouir de leurs propriétés et biens et des coutumes et usages qui se rattachent à ceux-ci, ainsi que de leurs autres droits civils...[23]»

L'Acte de Québec soulève évidemment une vive opposition dans les colonies anglaises de la Nouvelle-Angleterre, qui protestent contre la reconnaissance du catholicisme et des lois civiles françaises dans cette partie de l'Empire britannique; de plus, les colons anglais n'acceptent pas l'élargissement des frontières du Québec (*voir la figure 28.6*). De toute façon, l'Acte de Québec connaît une existence éphémère en raison de la révolution américaine, qui éclate en 1775. La province de Québec est envahie par les Américains et perd définitivement la partie sud des Grands Lacs. À partir de 1783, les Loyalistes américains, qui veulent rester fidèles au roi d'Angleterre, viennent augmenter de façon soudaine la population anglaise du Québec. L'afflux de quelque 7 000 Loyalistes qui n'acceptent pas de vivre sous les lois civiles françaises oblige les autorités à trouver des solutions de compromis: les Anglais sont régis par des lois anglaises pendant que les Canadiens français conservent les lois françaises. Dans l'espoir de mettre fin aux luttes entre francophones et anglophones, le secrétaire d'État aux colonies, Lord Grenville, présente au Parlement britannique un projet de loi qui crée deux colonies distinctes: le Bas-Canada (le Québec) et le Haut-Canada (l'Ontario).

LA PÉRIODE TROUBLÉE DE 1791-1840

L'Acte constitutionnel, voté par le Parlement britannique en 1791, sépare la province de Québec en deux colonies distinctes: le Bas-Canada et le Haut-Canada (*voir la figure 28.7*). Le Bas-Canada compte environ 140 000 francophones et 10 000 anglophones alors que le Haut-Canada (aujourd'hui l'Ontario) ne compte que 10 000 Loyalistes anglophones. La nouvelle constitution marque l'avènement du parlementarisme; chacun des deux Canada possède son Assemblée législative, son Conseil législatif, son Conseil exécutif (créé en 1792) et son lieutenant-gouverneur; au sommet de la hiérarchie, Londres a nommé un gouverneur général qui dispose d'une autorité absolue sur les deux Canada: il peut opposer son veto aux lois adoptées par chacune des assemblées législatives. Quant aux conseils, ils peuvent disposer des budgets et contrôler les dépenses du gouvernement sans rendre de comptes aux élus; de ce fait, le rôle du Conseil consiste à rendre les lois adoptées par l'Assemblée compatibles avec les intérêts britanniques et ceux des marchands anglais du Bas-Canada (Québec).

UNE DÉMOCRATIE DE FAÇADE

Seuls les Loyalistes du Haut-Canada demeurent satisfaits du nouvel Acte constitutionnel parce qu'ils ne sont plus soumis aux lois françaises et contrôlent leurs institutions politiques. La minorité anglophone du Bas-Canada (Québec), bien qu'elle dispose de la majorité au Conseil exécutif et au Conseil législatif, accepte mal d'être mise en minorité à l'Assemblée législative, où elle ne compte que 15 députés sur 50. Quant aux francophones, ils ne tardent pas à comprendre les mécanismes de cette «démocratie de façade»: les députés sont élus par la population, mais ils n'ont pas de pouvoir réel au sein du gouvernement formé et contrôlé par la minorité anglophone. Dans ces conditions, il est normal que toute cette période de 1791-1840 connaisse des conflits permanents entre francophones et anglophones, conflits qui dégénéreront en lutte armée lors de la Rébellion de 1837.

---

23. Cité par Guy BOUTHILLIER et Jean MEYNAUD, *Le choc des langues au Québec 1760-1960*, p. 40.

LA LANGUE, SOURCE D'AFFRONTEMENTS

La question de la langue est l'objet des premiers affrontements entre francophones et anglophones. Comme l'Acte de Québec, la Constitution de 1791 ne fait pas allusion à la langue. Dès la première séance de la première législature du Bas-Canada (le 17 décembre 1792), le débat s'engage sur la question de la langue. Députés francophones et anglophones se chamaillent au sujet du choix du président de l'Assemblée; la majorité francophone propose la candidature de Jean-Antoine Panet, qui parle peu l'anglais, alors que la minorité anglophone lui oppose celles de William Grant, de James McGill et de Jacob Jordan, en faisant valoir qu'il est nécessaire que le président parle parfaitement la langue du souverain. Panet finit par être élu par 28 voix contre 18.

En janvier 1793, le débat sur la langue reprend de plus belle lorsque les députés du Bas-Canada décident de choisir la langue parlementaire. Les Canadiens désirent l'unilinguisme français, mais les Anglais refusent de reconnaître le français comme langue officielle. Au bout de trois longues journées, les députés finissent par adopter une loi qui stipule que les procès-verbaux seront rédigés dans les deux langues et que les lois seront rédigées soit en français, soit en anglais, selon qu'elles se rapporteront aux lois françaises ou aux lois anglaises. Cette disposition n'a pas l'heur de plaire aux autorités: en septembre de la même année, le gouvernement britannique décrète que l'anglais doit être *la seule langue officielle* du Parlement; le français n'est reconnu que comme langue de traduction. La langue française demeure donc, durant cette période, sans garantie constitutionnelle ni valeur légale, bien qu'elle continue à être employée dans les débats, les procès-verbaux et la rédaction des lois (comme langue traduite).

UNE LUTTE POUR LE POUVOIR

Les premières années d'application de l'Acte constitutionnel correspondent à une période économique relativement prospère. Le Bas-Canada exporte facilement ses excédents agricoles vers la Grande-Bretagne pendant que le commerce des fourrures et l'exploitation forestière connaissent un essor considérable. Cependant, ce ne sont pas les Canadiens français qui profitent le plus des entreprises commerciales. Les marchands anglais contrôlent 90 % de l'économie du Bas-Canada: ils dirigent le commerce du bois, comme ils monopolisent le commerce de la fourrure. Les députés anglais essaient de faire passer à l'Assemblée des lois favorables au commerce (qu'ils contrôlent), mais l'opposition de la majorité francophone finit par excéder la minorité, qui aspire à l'union des deux Canada dans l'espoir de récupérer totalement le pouvoir politique. Les intérêts économiques divergents entre les deux groupes linguistiques s'accentuent davantage au tournant du XIXe siècle et se transforment en conflits idéologiques qui contribuent à détériorer encore le climat sociopolitique.

L'ÉVEIL DU NATIONALISME

Le début du XIXe siècle est marqué par l'éveil du sentiment nationaliste, qui s'inscrit dans les mouvements internationaux de libération nationale, notamment en Europe et en Amérique du Sud; entre 1804 et 1830, accèdent à l'indépendance la Serbie, la Grèce, la Belgique, le Brésil, la Bolivie et l'Uruguay. Dans le Bas-Canada, ce mouvement prend la forme de luttes parlementaires. Les années 1805-1810 semblent capitales à cet égard; Craig, qui gouverne le pays à ce moment, raconte que les Canadiens français ne cessent de parler de la «nation canadienne» et de ses libertés. Il s'agit là d'une attitude nouvelle.

L'époque est caractérisée par les conflits entre le gouverneur, appuyé par les marchands anglais, et la majorité parlementaire francophone: querelles religieuses, velléités d'assimilation, crises parlementaires, guerre des «subsides», problèmes d'immigration, projets d'union, etc.

La première question à faire l'objet d'une lutte nationale est la loi de l'Institution royale. Le but de cette loi est de soumettre le système d'éducation au contrôle des autorités religieuses anglicanes anglaises par la création d'écoles gouvernementales, publiques et gratuites. Cette mesure, due à l'initiative de l'évêque anglican de Québec (Jacob Mountain) et de l'administrateur du Bas-Canada (Robert Shores Milnes), demeure sans effet: la population francophone refuse simplement d'envoyer ses enfants dans les écoles du gouvernement, n'hésitant pas à l'occasion à brûler ces écoles.

Les députés francophones deviennent de plus en plus agressifs et se regroupent dans un parti politique, le Parti canadien, tandis que les anglophones se rassemblent dans le Parti tory. Chaque groupe possède son propre journal: *Le Canadien* et le *Quebec Mercury*, qui s'invectivent à qui mieux mieux. Les antagonismes s'accroissent entre francophones et anglophones, les débats s'enveniment. Les Anglais réclament l'union des deux Canada et parlent ouvertement d'assimilation pendant que les Canadiens dénoncent le favoritisme, la corruption et l'arbitraire du gouverneur ainsi que des Conseils. Les francophones exigent un Conseil législatif élu, le contrôle des dépenses gouvernementales, le maintien du régime seigneurial, et ils menacent même de s'annexer aux États-Unis. Le gouverneur tente quelques coups de force et dissout arbitrairement certaines Chambres d'assemblée. Francophones et anglophones s'installent pendant plusieurs années dans une intransigeance opiniâtre qui a pour effet de paralyser totalement l'État. Lorsque Louis-Joseph Papineau et Robert Nelson commencent à galvaniser le peuple excédé par la crise économique, l'inflation, le chômage, les épidémies de choléra, les mauvaises récoltes et le pourrissement politique, le conflit est mûr pour l'affrontement armé.

LORD DURHAM

La révolte des Patriotes éclate à l'automne de 1837. L'armée britannique intervient aussitôt et écrase rapidement la Rébellion en répandant la terreur, pillant et brûlant plusieurs villages, pendant que le clergé catholique prêche la loyauté, la soumission et la résignation. Dépêché d'urgence par Londres, Lord Durham débarque à Québec en ayant pour mission d'enquêter et de faire rapport sur la situation au Canada.

Durham considère que les différences ethniques et linguistiques sont à l'origine des difficultés dans le Bas-Canada et que laisser subsister ces différences ne ferait qu'aggraver la situation. Aussi préconise-t-il une série de mesures assimilatrices (lire à ce sujet quelques-unes des recommandations de Durham que nous avons reproduites à la figure 28.7). D'après lui, le fait de mettre les francophones dans un état de subordination politique et démographique permettrait de les angliciser et d'assurer une majorité anglaise, donc loyale à Sa Majesté britannique. D'où la nécessité de peupler rapidement le Bas-Canada de «loyaux sujets de Sa Majesté» et d'unir les deux Canada, voire de former ultérieurement une fédération de toutes les colonies britanniques de l'Amérique du Nord dans laquelle les Canadiens de langue française seraient définitivement mis en état de sujétion.

L'échec de la Rébellion de 1837-1838 va entraîner des conséquences déterminantes pour le développement de la société canadienne-française. Profondément déçus et humiliés, les habitants se replient davantage sur eux-mêmes et se résignent à leur sort. Pendant plus d'un siècle, ils se retrancheront dans la soumission, la religion, l'agriculture et le conservatisme.

L'ÉTAT DE LA LANGUE FRANÇAISE SOUS LE RÉGIME ANGLAIS

Dans le domaine de la langue elle-même, il y a peu à dire sinon qu'après la Conquête, le français du Canada ne subit plus de dirigisme de la part de ses élites puisque celles-ci regagnent la France. Le français d'ici commence alors à évoluer dans un sens différent de celui de la mère patrie. Certains particularismes phonétiques et lexicaux, apportés par les colons des XVIIe et XVIIIe siècles et qui ont tout de même survécu malgré l'implantation du français commun, réapparaissent, libres désormais de toute entrave.

Le remède aux maux du Bas-Canada: l'assimilation des Canadiens français

(. . .) Je n'entretiens aucun doute au sujet du caractère national qui doit être donné au Bas-Canada: ce doit être celui de l'Empire britannique, celui de la majorité de la population de l'Amérique britannique, celui de la grande race qui doit, à une époque prochaine, être prédominante sur tout le continent de l'Amérique du Nord. Sans opérer le changement ni trop rapidement ni trop rudement pour ne pas froisser les sentiments et ne pas sacrifier le bien-être de la génération actuelle, l'intention première et ferme du gouvernement britannique doit à l'avenir consister à établir dans la province une population anglaise avec les lois et la langue anglaises, et à ne confier le gouvernement de cette province qu'à une Assemblée décidément anglaise.

(. . .) Et cette nationalité canadienne-française, en est-elle une que nous devrions chercher à perpétuer pour le seul avantage de ce peuple, même si nous le pouvions? Je ne connais pas de distinctions nationales qui indiquent et entraînent une infériorité plus irrémédiable. La langue, les lois et le caractère du continent nord-américain sont anglais. Toute autre race que la race anglaise (j'applique ce mot à tous ceux qui parlent la langue anglaise) y apparaît dans un état d'infériorité. C'est pour les tirer de cette infériorité que je veux donner aux Canadiens notre caractère anglais.

(. . .) On ne peut guère concevoir de nationalité plus dépourvue de tout ce qui peut vivifier et élever un peuple que celle des descendants des Français dans le Bas-Canada, du fait qu'ils ont conservé leur langue et leurs coutumes particulières. C'est un peuple sans histoire et sans littérature. La littérature d'Angleterre est écrite dans une langue qui n'est pas la leur et la seule littérature que leur langue leur rend familière est celle d'une nation dont ils ont été séparés par quatre-vingts ans de domination étrangère, et davantage par ces transformations que la Révolution française et ses suites ont opérées dans tout l'état politique, moral et social de la France.

(. . .) Mais je répète qu'il faudrait entreprendre immédiatement de changer le caractère de la province, et poursuivre cette fin avec vigueur, mais non sans ménagement; je réaffirme aussi que le premier objectif de tout plan qui sera adopté pour le gouvernement futur du Bas-Canada doit être d'en faire une province anglaise et qu'à cet effet il doit voir à ce que l'influence dominante ne soit jamais de nouveau placée en d'autres mains que celles d'une population anglaise. En vérité, c'est une nécessité évidente à l'heure actuelle. Dans l'état d'esprit où se trouve la population canadienne-française, état que j'ai décrit comme étant non seulement maintenant, mais pouvant aussi vraisemblablement durer longtemps, lui confier l'entière autorité de cette province ne serait de fait que faciliter la rébellion. Le Bas-Canada doit être gouverné maintenant, comme il doit l'être à l'avenir, par une population anglaise. Ainsi la politique que les exigences de l'heure nous imposent est conforme à celle que suggère une perspective du progrès éventuel et durable de la province.

Source: *Le Rapport Durham*, Montréal, Les Éditions Sainte-Marie, 1969, p. 118-126.

FIGURE 28.7 LE RAPPORT DURHAM (EXTRAIT)

C'est alors que la langue des Canadiens français s'imprègne de fortes influences normandes et poitevines, en raison de l'important apport démographique de ces deux provinces de France; parallèlement, son caractère populaire s'accentue alors que les emprunts à l'anglais commencent à l'envahir. Par ailleurs, les Canadiens ne peuvent connaître les nombreuses transformations linguistiques qui ont lieu en France après la Révolution de 1789; celle-ci entraîne la montée de nouvelles classes sociales, qui introduisent peu à peu leurs normes. Les francophones du Canada ne se plient pas aux nouveaux usages parce qu'ils ne les connaissent pas.

UN FRANÇAIS DIFFÉRENCIÉ

Aussi, il n'est pas surprenant de constater qu'avant la fin du XVIIIe siècle, les différences entre le français de France et celui du Canada sont déjà prononcées. Lorsqu'on lit les témoignages relatifs à l'époque du régime britannique, il n'est plus question de «pureté» de la langue chez les Canadiens français. Les appréciations deviennent de plus en plus négatives après la Conquête et, au début du XIXe siècle, les opinions changent du tout au tout.

En 1803, C.-F. de Volney, un voyageur français venu au Canada, écrit: «Le langage des Canadiens de ces endroits n'est pas un patois comme on me l'avait dit, mais un français passable, mêlé de beaucoup de locutions de soldats[24]». Quelques hommes de lettres canadiens se mettent à rédiger des glossaires sur les mots «vulgaires» ou «bizarres», les «locutions vicieuses» et les anglicismes employés par les gens du peuple. À titre d'exemple, en 1810, le premier maire de Montréal, Jacques Viger, entreprend la rédaction d'une œuvre qu'il ne publiera jamais; le titre en est très significatif: *Néologie canadienne ou Dictionnaire des mots créés en Canada et maintenant en vogue, des mots dont la prononciation et l'orthographe sont différents de la prononciation et orthographe française, quoique employés dans une acceptation semblable ou contraire, et des mots étrangers qui se sont glissés dans notre langue*.

UN FRANÇAIS ANGLICISÉ

Voyageant en Amérique, Alexis de Tocqueville (1805-1859) vient passer quelques jours au Bas-Canada en août 1831. Il est particulièrement frappé par l'influence de l'anglais dans la vie des Canadiens. Après avoir lu le seul journal francophone, *Le Canadien*, il écrit: «En général le style de ce journal est commun, mêlé d'anglicismes et de tournures étrangères[25]». Ayant assisté à une plaidoirie dans un tribunal de Québec, il fait ce commentaire:

> «Les avocats que je vis là et qu'on dit les meilleurs de Québec ne firent preuve de talent ni dans le fond des choses ni dans la manière de dire. Ils manquent particulièrement de distinction, parlent français avec l'accent normand des classes moyennes. Leur style est vulgaire et mêlé d'*étrangetés* et de locutions anglaises.
>
> [...] L'ensemble du tableau a quelque chose de bizarre, d'incohérent, de burlesque même. Le fond de l'impression qu'il faisait naître était cependant triste. Je n'ai jamais été plus convaincu qu'en sortant de là que le plus grand et le plus irrémédiable malheur pour un peuple c'est d'être conquis[26].»

Il remarque également que les Anglais et les Canadiens forment deux sociétés distinctes au Canada:

24. C.-F. de VOLNEY, cité dans *Bibliographie linguistique du Canada français*, Paris/Québec, Presses de l'Université Laval/Klincksieck, 1966, p. 5.
25. Alexis de TOCQUEVILLE, cité par G. BOUTHILLIER et J. MEYNAUD, *op. cit.*, p. 140.
26. *Ibid.*, p. 141.

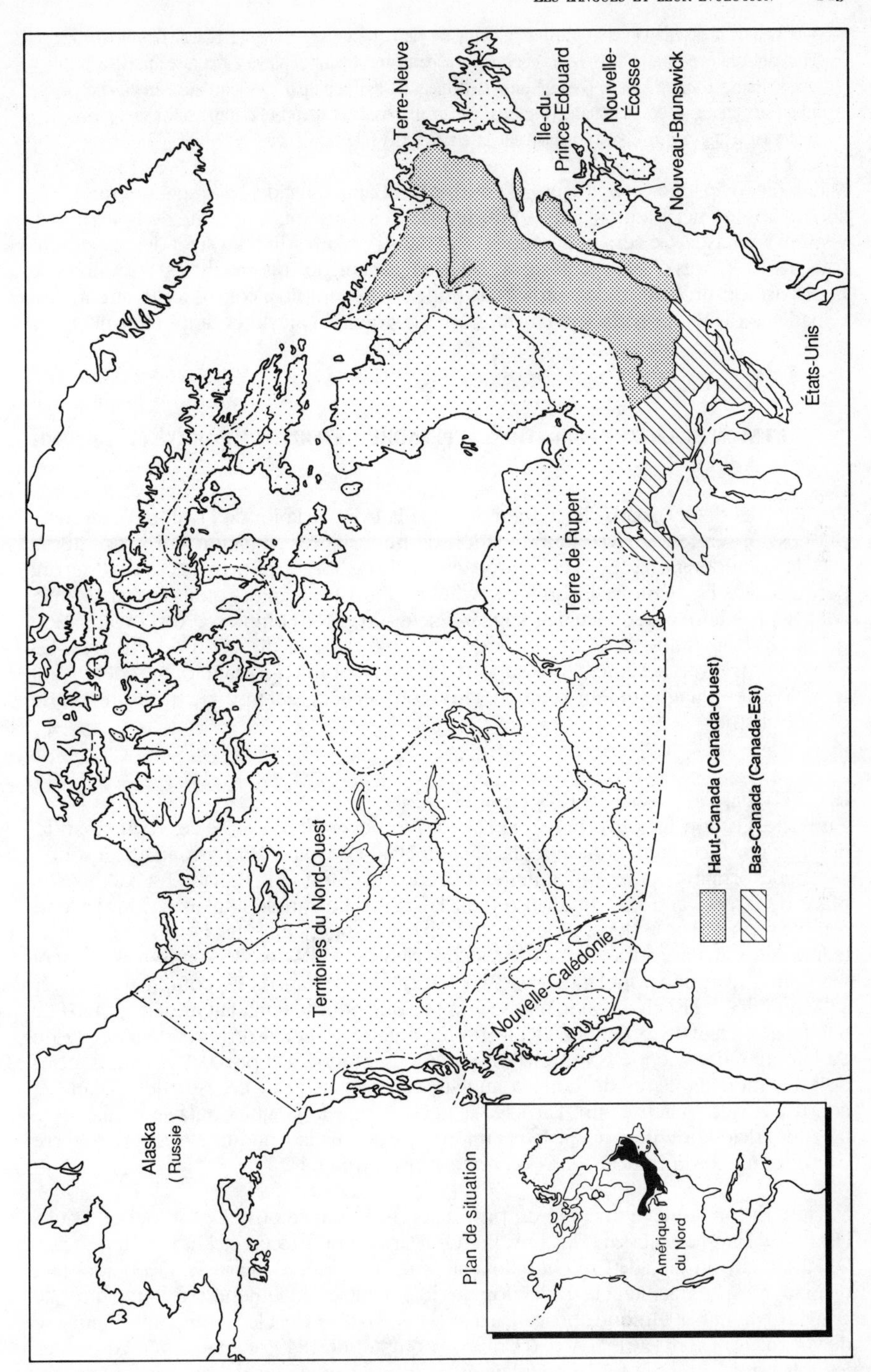

FIGURE 28.8 LE CANADA-UNI (1840-1867)

> «Le fond de la population et l'immense majorité est partout française. Mais il est facile de voir que les Français sont le peuple vaincu. Les classes riches appartiennent pour la plupart à la race anglaise. Bien que le français soit la langue presque universellement parlée, la plupart des journaux, les affiches, et jusqu'aux enseignes des marchands français sont en anglais. Les entreprises commerciales sont presque toutes en leurs mains. C'est véritablement la classe dirigeante au Canada[27].»

Malgré la sympathie qu'il affiche à l'endroit des Canadiens, de Tocqueville croit qu'ils sont voués inéluctablement à devenir minoritaires dans une Amérique du Nord massivement anglaise: «Ce sera une goutte d'eau dans l'océan», dit-il au sujet des Canadiens français. Bref, près d'une décennie avant Lord Durham, de Tocqueville est convaincu de la disparition prochaine des Canadiens français. Néanmoins, contre toute attente, les Canadiens du Bas-Canada survivront. C'est l'histoire du siècle et demi suivant.

3 L'UNION ET LA CONFÉDÉRATION: APPRENDRE À VIVRE EN MINORITÉ (1840-1960)

En 1840, les deux Canada deviennent le Canada-Uni par la loi de l'Union. Les francophones apprennent à vivre leur situation de minoritaires, situation qui s'accentuera avec la Confédération (1867) et l'entrée graduelle de six autres provinces. Ils resteront parqués dans l'agriculture jusqu'à la révolution industrielle alors qu'ils se transformeront en prolétaires au service de l'Anglais. Exclus du grand commerce, de l'exploitation primaire (bois, mines), des sources de capitaux et de la direction des affaires, les Canadiens français accepteront la subordination économico-sociale tout en défendant leurs lois, leur langue et leur religion. Plus d'un siècle de défense, de survivance et de conservatisme!

LE QUÉBEC DEVENU LE «CANADA-EST» (1840-1867)

Par l'Acte d'Union, le gouvernement britannique met en œuvre l'une des recommandations de Lord Durham: l'union législative du Haut-Canada et du Bas-Canada, lesquels seront désormais appelés officiellement le Canada-Ouest et le Canada-Est. La mise en place de la nouvelle Constitution réjouit la classe mercantile anglaise, dont l'avenir semble reposer sur le développement de l'axe laurentien. Elle suscite, en revanche, la colère des Canadiens français, car plusieurs clauses de l'Acte d'Union leur paraissent vexatoires. Avec une population de 650 000 habitants, le Canada-Est compte 42 députés à l'Assemblée législative, soit le même nombre que pour le Canada-Ouest avec 450 000 habitants; il s'agit de forcer une égalité parlementaire artificielle en attendant que le jeu de l'immigration vienne combler l'écart démographique. De plus, le Canada français doit assumer les dettes du Canada anglais, contractées pour creuser des canaux et construire des routes. Enfin, l'article 41 décrète que la langue anglaise est la seule langue officielle du pays. C'est la première fois depuis la Conquête que l'Angleterre proscrit l'usage du français dans un texte constitutionnel.

L'Acte d'Union soulève un tollé de protestations au Canada-Est. Dès le début, Louis-Hippolyte Lafontaine essaie de convaincre le Parlement d'accepter l'usage du français. Le Parlement du Canada-Uni cherche à atténuer la portée de l'article 41 en adoptant diverses mesures facilitant la traduction des lois et autres documents parlementaires; le gouvernement britannique abroge l'article 41 en 1848 et c'est le retour au bilinguisme de fait qui avait cours avant l'Acte d'Union. À compter de 1849, le texte officiel de toutes les lois est adopté à la fois en anglais et en français; dans les débats parlementaires toutefois, les députés qui s'expriment en français sont condamnés à n'être compris que de leurs collègues francophones.

27. Alexis de TOCQUEVILLE, *Œuvres complètes*, cité par G. BOUTHILLIER et J. MEYNAUD, *op. cit.*, p. 139.

À partir de 1852, les Anglais commencent à se sentir frustrés à leur tour de se voir obligés de faire élire un nombre égal de députés anglophones et francophones: le Canada-Ouest dépasse de plus de 60 000 habitants la population du Canada-Est. Avec l'immigration, qui accentue l'écart démographique entre le Canada-Est et le Canada-Ouest, la situation politique ne peut que se détériorer dorénavant; pris à leur propre piège, les anglophones exigent un changement constitutionnel qui leur assurera la représentation proportionnelle au Parlement. Étant donné l'instabilité continuelle qui s'installe au Parlement, on commence à songer à constituer une fédération.

L'AGRICULTURE-REFUGE ET L'ÉMIGRATION-EXUTOIRE

L'Acte d'Union a favorisé un essor économique important. La production agricole s'améliore de même que l'industrie du bois, ce qui entraîne le développement des moyens de communication (prolongement des canaux de construction, des chemins de fer). Pendant que les Anglais continuent de contrôler l'économie et les capitaux, les Canadiens français restent fidèles à leur terre, à leur curé et à leur langue, et fournissent parfois la main-d'œuvre nécessaire à l'industrie (bûcherons, draveurs, débardeurs, employés des manufactures). On peut rappeler cette observation du grand leader canadien-français, Louis-Joseph Papineau:

> «Nos gens ne veulent ni des Anglais ni du capital anglais, ils n'ont aucune ambition au-delà de leurs possessions actuelles, ils ne veulent jamais aller plus loin que le son des cloches de leurs propres églises[28].»

Exclus de l'empire commercial passé aux Anglais, les Canadiens n'ont d'autre choix que de se replier sur les bords du Saint-Laurent et de se consacrer à l'agriculture, seul débouché pour la main-d'œuvre francophone. Le problème, c'est que les possibilités d'expansion de l'agriculture commencent à être limitées, à partir de 1830, par suite de l'accroissement démographique et de la révolution industrielle; d'une part, le surpeuplement des terres interdit dorénavant l'expansion de l'agriculture; d'autre part, les nouvelles industries de la Nouvelle-Angleterre constituent un débouché commode pour l'accroissement de la population. Bien que déjà minoritaires au pays, les Canadiens se mettent à émigrer vers les villes manufacturières des États-Unis, et ce, malgré les interdits du clergé qui considère ces villes comme des «lieux de perdition», c'est-à-dire d'assimilation au monde anglo-saxon.

Les ravages de l'émigration francophone sont particulièrement considérables dans la seconde moitié du XIXe siècle et jusqu'en 1930, au moment où le gouvernement américain ferme la frontière canado-américaine. Le Québec, province à faible population, vient d'assister impuissant à une véritable saignée: durant un siècle, soit entre 1840 et 1930, il a vu passer outre-frontière près de 1,2 million de ses effectifs, soit de 5 à 10 % de sa population, *chaque année*[29]. On n'a pas fini d'évaluer les répercussions de cette saignée, qui a privé la province d'une fraction importante de sa population active. Le Québec aurait aujourd'hui une population francophone de plus de 12 millions; un tel poids démographique au sein de la Confédération actuelle modifierait sensiblement les rapports de force entre anglophones et francophones.

Pendant que l'émigration francophone, donc, vide le Québec, l'immigration anglaise comble le déficit et vient augmenter la population anglophone de Québec et de Montréal, occupant tous les postes administratifs, gérant le commerce et l'industrie. Jusqu'à la Révolution tranquille, jamais les francophones n'ont pensé utiliser le pouvoir de l'État pour modifier l'ordre des choses. Après l'Acte d'Union, ils assistent, impuissants, au déterminisme qui joue contre eux; aidés par une attitude de soumission

---

28. L.-J. PAPINEAU, cité par Fernand DUMONT dans «Idéologie et conscience historique dans la société canadienne-française au XIXe siècle» (1966), dans *Les idéologies québécoises au 19e siècle*, Montréal, Boréal Express, 1973, p. 66.

29. Yolande LAVOIE, «Les mouvements migratoires des Canadiens entre leur pays et les États-Unis au XIXe et au XXe siècle: étude quantitative», dans Hubert CHARBONNEAU, *La population du Québec, études rétrospectives*, Montréal, Boréal Express, 1973, p. 73-88.

entretenue par le clergé, les francophones croient à leur destinée spirituelle grandiose pendant que les anglophones accaparent l'économie et les capitaux pour réaliser le processus d'industrialisation et d'urbanisation.

Les effets sur la langue

On devine l'effet de tous ces événements sur la langue, tant sur le plan du statut du français que sur celui du code lui-même. Bien que reconnu presque sur un pied d'égalité avec l'anglais au Parlement de Kingston[30], le français se trouve très dévalorisé dans les faits. Les lois sont rédigées en anglais, puis traduites en français; les députés qui s'expriment en français ne peuvent être compris des anglophones, pas plus qu'ils ne comprennent les interventions de ces derniers. Au Canada-Est, l'anglais reste la langue de l'administration, des affaires, de l'économie, du commerce et de l'industrie. Pendant que les habitants, les ouvriers et les bûcherons demeurent unilingues, l'élite francophone, qui gravite autour des Anglais, s'abandonne à l'anglais. En 1864, un député français, Ernest Duvergier de Hauranne, vient passer quelque temps au Canada: il remarque que «les familles françaises de la classe élevée commencent à copier les mœurs et le langage des conquérants[31]». Il ajoute: «Presque toutes les familles de l'aristocratie de Québec ont contracté des alliances avec les Anglais et parlent plus souvent la langue officielle que la langue natale. Le gouvernement en est plein[32].» En 1865, l'abbé Thomas-Aimé Chandonnet prononce un sermon à la cathédrale de Québec, à l'occasion de la Saint-Jean-Baptiste; il s'insurge contre ceux qui cèdent ainsi à l'anglais:

> « Partout, sur nos places publiques, dans nos rues, dans nos bureaux, dans nos salons, vous entendez résonner l'accent envahisseur d'une langue étrangère. [...] On va même jusqu'à infliger à sa langue maternelle la tournure de l'étrangère, jusqu'à traduire son nom propre, le nom de sa famille, le nom de ses ancêtres, à le traduire par un son étranger, quelquefois à la lettre[33].»

Rien de surprenant à ce que le fougueux évêque de Trois-Rivières, Mgr Louis-François Laflèche, déplore lui aussi, en 1865, que ses compatriotes parlent trop souvent la langue anglaise:

> «Je le dis donc de nouveau, la plus lourde taxe que la conquête nous ait imposée, c'est la nécessité d'apprendre l'anglais. Payons-la loyalement, mais n'en payons que le nécessaire. Que notre langue soit toujours la première[34].»

Retranchés dans l'agriculture, les habitants parlent français, mais un français qui devient de plus en plus archaïque depuis la rupture avec la France. Un autre Français, Théodore Pavie (1850), écrit à propos du français des paysans canadiens:

> «Ils parlent un vieux français peu élégant; leur prononciation épaisse, dénuée d'accentuation ressemble pas mal à celle des Bas-Normands. En causant avec eux on s'aperçoit bien vite qu'ils ont été séparés de nous avant l'époque où tout le monde en France s'est mis à écrire et à discuter[35].»

En fait, Théodore Pavie constate simplement, avec ses préjugés, que le français du Canada n'a pas évolué depuis la Conquête. On retrouve cette constatation dans les écrits de plusieurs voyageurs français tout au long du XIXe siècle. Deux témoignages méritent d'être retenus; celui de J.-F.-M. Arnault Dudevant (1862):

30. Kingston est, à l'époque, la capitale du Canada-Uni.
31. Ernest DUVERGIER DE HAURANNE, *Huit mois en Amérique*, cité par G. BOUTHILLIER et J. MEYNAUD, *op. cit.*, p. 168.
32. *Ibid.*, p. 170.
33. Thomas-Aimé CHANDONNET, cité par G. BOUTHILLIER et J. MEYNAUD, *op. cit.*, p. 188.
34. Louis-François LAFLÈCHE, *Œuvres oratoires de Mgr Louis-François Laflèche, évêque de Trois-Rivières*, cité par G. BOUTHILLIER et J. MEYNAUD, *op. cit.*, p. 192.
35. Théodore PAVIE, cité dans *Bibliographie linguistique du Canada français*, Québec/Paris, Presses de l'Université Laval/Klincksieck, 1966, p. 12.

«L'esprit canadien est resté français. Seulement on est frappé de la forme du langage, qui semble arriéré d'une centaine d'années. Ceci n'a certes rien de désagréable, car si les gens du peuple ont l'accent de nos provinces, en revanche, les gens du monde parlent un peu comme nos écrivains du XVIIIe siècle, et cela m'a fait une telle impression, dès le premier jour, qu'en fermant les yeux je m'imaginais être transporté dans le passé et entendre causer les contemporains du Marquis de Montcalm[36].»

Et celui de H. de Lamothe (1875):

«Un isolement de cent ans d'avec la métropole a pour ainsi dire cristallisé jusqu'à ce jour le français du Canada, et lui a fait conserver fidèlement les expressions en usage dans la première moitié du XVIIIe siècle[37].»

Si les voyageurs étrangers de la seconde moitié du XIXe siècle s'imaginent entendre parler les contemporains de Montcalm, qui a vécu 100 ans plus tôt, cela signifie simplement que, pour rappeler les mots de Lord Durham:

«Les Canadiens français sont restés une société vieille et retardataire dans un monde neuf et progressif. En tout et partout, ils sont demeurés français, mais des Français qui ne ressemblent pas du tout à ceux de France. Ils ressemblent aux Français de l'Ancien Régime[38].»

Quant aux Canadiens français qui ont émigré en Nouvelle-Angleterre, s'ils ont pu conserver pendant quelque temps leur langue, l'accélération de l'industrialisation et de l'urbanisation a fini par entraîner l'assimilation de la plupart d'entre eux. En réalité, ces francophones ont choisi de faire passer leurs intérêts économiques avant leur langue. Le prix à payer? Un changement d'allégeance linguistique.

LE QUÉBEC DANS LA CONFÉDÉRATION (1867-1960)

La promulgation de l'Acte de l'Amérique du Nord britannique crée en 1867 la Confédération du Canada, qui réunit le Canada-Ouest (l'Ontario), le Canada-Est (le Québec), le Nouveau-Brunswick et la Nouvelle-Écosse. Dès lors, les Canadiens français se trouvent relégués au rang de minorité permanente au sein du «Dominion of Canada»; la minorisation des francophones s'accentuera encore davantage avec l'entrée dans la fédération du Manitoba (1870), de la Colombie-Britannique (1871), de l'Île-du-Prince-Édouard (1873) et, plus tard, de l'Alberta (1905), de la Saskatchewan (1905) et de Terre-Neuve (1949). À partir de 1867, les droits et les pouvoirs des Canadiens de langue française seront toujours soumis à la volonté de la majorité anglaise.

L'INÉGALITÉ DES LANGUES

Dans le but de rallier la députation francophone divisée sur l'adhésion à la fédération, l'article 133 de l'A.A.N.B. proclamait un «embryon» de bilinguisme officiel à l'égard du Parlement du Canada et des tribunaux fédéraux. En principe, l'article 133 accordait à l'anglais et au français des droits et des privilèges égaux dans ces deux secteurs où l'État se manifestait plus particulièrement: la législation et la justice. Jusqu'à la fin des années 1960, l'égalité des langues n'a existé qu'en théorie et le gouvernement fédéral s'en est toujours tenu aux seules prescriptions constitutionnelles: le français est demeuré la langue de la traduction; les députés francophones qui voulaient se faire comprendre ont dû recourir à l'anglais; les anglophones ont toujours gardé les portefeuilles économiques importants du cabinet fédéral ainsi que la vaste majorité des postes de commande au sein de la fonction publique; l'adoption des timbres-postes bilingues

36. Jean-François-Maurice ARNAULT DUDEVANT, cité dans *Bibliographie linguistique du Canada français*, Québec/Paris, Presses de l'Université Laval/Klincksieck, 1966, p. 12.

37. *Ibid.*, p. 21.

38. LORD DURHAM, *Rapport sur les affaires de l'Amérique du Nord britannique*, cité par Guy FRÉGAULT et Marcel TRUDEL, *Histoire du Canada par les textes*, tome 1, Montréal, Fides, 1963, p. 211.

(1927), des billets de banque bilingues (1936) et des chèques fédéraux bilingues (1962) ne s'est effectuée respectivement que 60 ans, 69 ans et 95 ans après la Confédération. En somme, la proclamation de l'égalité juridique n'a pas empêché l'unilinguisme anglais dans la pratique.

UNE AUTONOMIE PROVINCIALE LIMITÉE

L'État du Québec de 1867 se révélait bien peu de chose. Non seulement l'A.A.N.B. imposait le bilinguisme au Parlement et dans les tribunaux à cette seule province, mais cette dernière était tenue solidement en laisse par le gouvernement fédéral. En vertu de la Constitution canadienne, le Parlement central avait le pouvoir de désavouer toute loi votée par le Parlement de Québec; les députés pouvaient siéger aux deux parlements, ce qui permettait l'influence fédérale jusqu'au sein du gouvernement provincial; le Québec était maintenu en état de sujétion financière puisque 60 % de ses revenus provenait du gouvernement central. Il n'est pas exagéré de dire que le Québec de 1867 était une sorte de colonie du gouvernement canadien; Sir John A. Macdonald (1815-1891) aimait comparer les provinces à de «grandes municipalités[39]» complètement soumises au gouvernement «national». Dans ces conditions, la question de l'autonomie provinciale est rapidement devenue un cri de ralliement repris par plusieurs premiers ministres dont Honoré Mercier (1887-1891), Maurice Duplessis (1936-1959) et, plus tard, Jean Lesage (1960-1966) et Daniel Johnson (1966-1968).

Dans les faits, la lutte pour l'autonomie provinciale contre l'envahissement du fédéral dans les affaires québécoises a pratiquement toujours été avant tout de nature verbale. Lorsqu'elle a donné quelques résultats concrets, comme sous Mercier, Duplessis, Lesage ou Johnson, les gains «autonomistes» sont demeurés provisoires. Jamais le Québec n'a réussi à bloquer très longtemps les visées expansionnistes du fédéral, ni exercé des prérogatives antérieurement fédérales. Paradoxalement, ce sont même des premiers ministres francophones qui ont dirigé les gouvernements fédéraux les plus centralisateurs: Wilfrid Laurier (1896-1911), Louis Saint-Laurent (1948-1957) et Pierre Elliot Trudeau (1968-1984). Depuis 1867 jusqu'à nos jours, Ottawa n'a jamais cédé de pouvoirs significatifs aux provinces, mais celles-ci ont souvent vu le gouvernement central envahir leur champ de juridiction: l'assistance sociale, les affaires municipales, l'éducation, la langue, la culture, les lois du travail, l'agriculture, l'environnement, etc.

LA POLITIQUE DE LA NON-INTERVENTION

Habitué à se défendre davantage par la parole que par les actes politiques, le Québec n'a jamais cru au pouvoir de l'État pour promouvoir la langue nationale de sa majorité. Les deux seuls cas où un gouvernement québécois s'est permis de légiférer en matière de langue sont révélateurs de l'attitude timorée des dirigeants québécois sur cette question. Nous allons donc les rappeler.

N'eût été de la ténacité ou plutôt de l'entêtement du député Armand Lavergne, jamais le gouvernement québécois n'aurait adopté la «Loi Lavergne» de 1910, loi qui, rappelons-le, obligeait les entreprises de services publics à s'adresser en anglais *et en français* à leurs clients. Lavergne avait soulevé une vive polémique durant deux ans dans toute la province et avait fini par déposer une pétition forte de 1,7 million de signatures. Devant l'ampleur du mouvement d'opinion en faveur de la loi, c'est-à-dire toute la population du Québec y compris les anglophones, le gouvernement céda et fit adopter la loi. Fait troublant, la loi Lavergne n'a pas empêché le gouvernement d'émettre ses chèques uniquement en langue anglaise jusqu'en 1925.

En 1937, le premier ministre Duplessis décida de faire voter une loi donnant priorité au texte français dans l'interprétation des lois et règlements du Québec. Il lui paraissait

39. Michel BRUNET, *Québec Canada anglais, deux itinéraires/un affrontement*, Montréal, HMH, 1969, p. 244.

sans doute normal d'accorder la préséance au français, langue de la majorité au Québec. La *Loi relative à l'interprétation des lois de la province* (20 mai 1937) a tellement mécontenté la minorité anglaise que, moins d'un an plus tard (le 31 mars 1938), Duplessis avait reconnu publiquement son «erreur», déposé un projet de rappel et fait abroger sa loi. Cette capitulation linguistique est passée à l'époque pour un acte de courage politique et a valu à Duplessis les félicitations de toute la communauté anglophone.

Ces deux «interventions» linguistiques révèlent non seulement jusqu'à quel point les gouvernements québécois étaient tributaires de la minorité anglophone pour traiter de leurs propres affaires, mais aussi qu'ils n'avaient pas encore acquis l'habitude d'agir, du moins en ce domaine, comme les représentants de la majorité du Québec. Pire encore: le législateur était totalement dépendant de la langue anglaise elle-même dans la rédaction de ses propres lois. En effet, toutes les lois québécoises étaient d'abord rédigées en anglais ou calquées sur des textes votés antérieurement par des législatures canadiennes-anglaises ou anglo-américaines. La version française des lois pouvait être rédigée dans un français tellement incorrect ou confus qu'il valait mieux, pour comprendre le sens des textes de loi, recourir à la version anglaise, écrite dans une langue grammaticalement plus correcte. Il ne faut pas oublier que jusqu'à la fin des années 1950, beaucoup de fonctionnaires du gouvernement du Québec étaient unilingues anglais, particulièrement les juristes, les hauts fonctionnaires et les économistes du «département de la trésorerie». Cette dépendance linguistique ne faisait que refléter un état de dépendance généralisée, dont la subordination économique.

LA DÉPENDANCE ÉCONOMIQUE ET SON IMPACT LINGUISTIQUE

L'État du Québec a également pratiqué la politique du laisser-faire dans le domaine de l'économie. Durant toute cette période, l'économie québécoise est demeurée entièrement tributaire de l'économie anglo-américaine. Jusqu'en 1930, l'État a laissé les capitalistes anglo-saxons mettre en valeur les richesses naturelles de l'Ontario et développer le secteur manufacturier de la Nouvelle-Angleterre en se contentant de fournir une main-d'œuvre à bon marché ou de rendre accessibles de nouvelles terres à la colonisation (Gaspésie, Saguenay—Lac-St-Jean, Abitibi-Témiscamingue). Alors que l'agriculture avait cessé de constituer la base de l'économie québécoise, l'État, appuyé par l'Église, continuait de promouvoir l'agriculturisme; à 85 % rurale en 1867, la même population était déjà passée à 66 % en 1891, puis à 44 % en 1921, à 33 % en 1951 et à 25 % en 1961.

Une série d'événements extérieurs ont provoqué une transformation accélérée de l'économie québécoise: la crise des années 1930, la Seconde Guerre mondiale (1936-1945) et la reconstitution de l'Europe (1946-1949), qui s'approvisionnera en Amérique. C'est à ce moment que les grandes compagnies américaines ont commencé à faire main basse sur les richesses naturelles du Québec, encouragées par la politique de laisser-faire de Maurice Duplessis, qui leur accorda un appui inconditionnel. L'industrialisation et l'urbanisation transformaient la société traditionnelle de façon irréversible sans que l'État n'intervienne; celui-ci continuait de rester un simple instrument de défense et de préservation de l'ordre économique existant. Pendant que l'État québécois sacralisait l'agriculture, l'industrialisation et l'urbanisation se poursuivaient irrémédiablement en fonction des intérêts des capitalistes anglophones.

Cette domination de l'économie par les anglophones a nécessairement entraîné des conséquences dans le domaine de la langue. Les anglophones ont occupé toutes les positions de commande dans l'économie pendant que les francophones ont été relégués aux postes subalternes; en 1951, la présence des cadres francophones dans les entreprises n'était encore que de 6,7 %. Les grandes compagnies réservaient ordinairement leurs principaux emplois aux *Canadians*; l'historien Michel Brunet rappelle que certaines compagnies du début du siècle allaient même jusqu'à afficher l'avis suivant:

«French need not to apply[40]». La discrimination s'est poursuivie avec plus de discrétion par la suite, mais elle n'en demeurait pas moins efficace.

LA TRILOGIE INDUSTRIALISATION-URBANISATION-ANGLICISATION

Dans la plupart des villes du Québec, l'anglais s'est imposé comme la langue du travail, du commerce, de l'innovation, donc de la promotion sociale. C'est aussi naturellement vers l'anglais que se sont dirigés les milliers d'immigrants qui arrivaient chaque année au Québec (un demi-million entre 1900 et 1950). À force de vivre dans un univers qui ne leur appartenait pas et qu'ils ne contrôlaient pas, les Canadiens français en sont arrivés à ne plus pouvoir nommer cet univers. Les termes anglais se sont introduits massivement dans la langue de la population ouvrière urbanisée, qui ne connaissait pas les équivalents français. Pierre Daviault (1951) explique ainsi l'anglicisation du parler populaire des villes.

> «Vinrent l'industrialisation, vers la fin du 19e siècle, et la formation véritable des villes. Les ruraux français devinrent en grand nombre prolétaires citadins, employés des usines appartenant à des anglophones, travaillant selon des techniques apprises d'anglophones, se servant d'outils et de machines fabriqués et nommés par des anglophones. Procédés, techniques, méthodes, outils, machines, tout portait des appellations anglaises. Personne ne songeait à les désigner en français. Cela atteignit le paroxysme avec la diffusion de l'auto. La langue professionnelle des ouvriers est anglaise (sauf dans les métiers traditionnels peu mécanisés). La vogue des sports exerça une influence analogue. Ce fut la naissance du parler populaire des villes[41].»

Selon le linguiste Jean-Claude Corbeil, l'industrialisation a implanté au Québec une langue technique, semi-technique et scientifique très anglicisée. Il décrit ainsi l'ampleur de cette anglicisation:

> «Il importe de noter qu'il ne s'agit pas, effectivement, de mots isolés, mais de vocabulaires entiers. À l'intérieur de l'usine, le vocabulaire anglais est omniprésent tant sur les plans de la fabrication et sur les cartes de travail des employés que sur les modes d'emploi ou d'entretien des machines, outils ou encore dans les catalogues de pièces et d'accessoires et sur les tableaux de contrôle[42].»

En situation industrielle, de nombreux ouvriers ou techniciens francophones étaient incapables de dire en français ce qu'ils faisaient, de nommer en français les outils qu'ils manipulaient ou les opérations qu'ils exécutaient. Il s'agissait d'une anglicisation totale des secteurs entiers de l'activité humaine. Comme le souligne Jean-Claude Corbeil: «La notion d'emprunt ne peut plus désigner ce phénomène[43]».

Il en fut ainsi parce que c'était un milieu que les francophones n'avaient jamais contrôlé eux-mêmes ni dominé. Durant toute cette période, les gouvernements ne sont jamais intervenus et n'ont jamais compris que *l'industrialisation anglicisait la population*. Ils ont simplement abandonné la classe ouvrière urbaine à son sort.

Il ne faudrait pas croire que la langue française était incapable d'exprimer les nouvelles réalités. Pendant la même période, le français de France s'était donné les moyens de nommer les produits industriels de la technologie et de la science. En fait, pendant tout le XIXe siècle et la première moitié du XXe siècle, l'essentiel de l'évolution collective des francophones du Québec a échappé complètement à l'influence de la France et de la francophonie.

---

40. *Ibid.*, p. 194.
41. Pierre DAVIAULT, «La langue française au Canada» dans G. BOUTHILLIER et J. MEYNAUD, *op. cit.*, p. 995.
42. Jean-Claude CORBEIL, *L'aménagement linguistique du Québec*, Montréal, Guérin, 1980, p. 30.
43. *Ibid.*, p. 30.

LE RÔLE DE L'ÉGLISE DANS LE DESTIN LINGUISTIQUE

La plus grande partie de cette période (1867-1940) fut marquée par la toute-puissance de l'Église catholique. Comme l'écrivaient Hamelin et Provencher:

> «L'Église est l'instance suprême qui légitime les idéologies, le lieu où la nation se définit, la police qui freine la transformation des mœurs engendrée par l'industrialisation. Elle a un projet de société centré sur un Canada biculturel, un Québec transformé en une chrétienté hiérarchisée suivant l'ordre naturel des choses, où un peuple composé d'une majorité d'agriculteurs s'épanouirait dans la ligne de son destin catholique et français[44].»

Le destin des Canadiens français fut incarné dans l'idéologie dominante de l'époque: la trilogie religion-langue-agriculture. Cette idéologie faisait appel à la mission divine spirituelle d'un peuple d'agriculteurs voué à propager la foi catholique et la langue française en Amérique du Nord. Ce projet de société à perspective messianique fut bien tracé par Mgr Louis-Adolphe Paquet (1859-1942) dans un discours prononcé le 23 juin 1902:

> «Notre mission est moins de manier des capitaux que de remuer des idées; elle consiste moins à allumer le feu des usines qu'à entretenir et à faire rayonner au loin le foyer lumineux de la religion et de la pensée. Pendant que vos rivaux revendiquent, sans doute dans des luttes courtoises, l'hégémonie de l'industrie et de la finance, nous ambitionnons avant tout l'honneur de la doctrine et les palmes de l'apostolat[45].»

LA LANGUE, GARDIENNE DE LA FOI

On ne peut être plus clair: aux Anglais l'économie et la richesse matérielle, aux Canadiens français la possession de la vie céleste. Dans cette perspective, la langue française était considérée comme une protection contre l'hérésie protestante liée à l'anglais; reprenant un vieux thème développé trois décennies plus tôt par Henri Bourassa, Mgr Paul-Émile Gosselin associa ainsi la survivance linguistique à la survivance religieuse, dans un article daté de 1936:

> «La langue française est chez nous gardienne de la foi en cet autre sens — plutôt négatif celui-là — qu'elle nous maintient dans une atmosphère entièrement, sinon intensément catholique: le climat religieux de la race à laquelle nous appartenons, alors que l'anglais présente ce danger de nous mettre en relation avec les cent millions de protestants et de libre-penseurs qui vous entourent sur ce continent[46].»

Contrairement à ce que craignaient les Anglais partisans du «One Nation, One Language», la défense du français ne débouchait pas sur une remise en cause des structures politiques. Bien au contraire, le clergé et les élites francophones soutenaient en général l'ordre établi et acceptaient la domination anglophone comme allant de soi. La question de la survivance linguistique et culturelle ne semblait pas liée au pouvoir économique et politique. La défense de la langue française passait par le traditionalisme et le conservatisme des valeurs rurales: l'exaltation des archaïsmes, l'apologie de la langue louis-quatorzienne, le recours au thème de la «langue des ancêtres», la phobie de la langue et de la littérature de la France révolutionnaire, républicaine, laïque, contemporaine.

UN COMBAT D'ARRIÈRE-GARDE

Ce genre de combat pour la survivance de la langue était nécessairement voué à l'échec. Les grandes campagnes de refrancisation menées par l'Action française, la Société du bon parler français ou la Société Saint-Jean-Baptiste ont connu moins de succès que les

---

44. Jean HAMELIN et Jean PROVENCHER, *Brève histoire du Québec*, Montréal, Boréal Express, 1981, p. 131-132.
45. Louis-Adolphe PAQUET, cité par Denis MONIÈRE, *Le développement des idéologies au Québec, des origines à nos jours*, Montréal, Québec-Amérique, 1977, p. 227.
46. Paul-Émile Gosselin, «La Langue gardienne de la foi», cité par G. BOUTHILLIER et J. MEYNAUD, *op. cit.*, p. 500.

campagnes publicitaires pour diffuser les albums *Tintin* au Québec. L'idéologie officielle de l'Église, qui avait défini les Canadiens français comme un peuple catholique, français et rural, ne correspondait plus à la réalité à la fin des années 1930. En 1941, seulement 35 % de la population de la province (3,3 millions) vivait dans des régions rurales et moins de 30 % vivait de l'agriculture. Le peuple demeurait attaché à sa religion, mais il devenait manifeste que la religion n'avait pu enrayer l'état de déchéance où végétait la langue française, signe de la servitude individuelle et collective des Canadiens français.

Après la Seconde Guerre mondiale, le discours officiel de la vieille idéologie de conservation ne correspondait plus à la réalité. L'Église continuait à contrôler l'éducation et le bien-être, mais elle ne pouvait plus prétendre rester le seul rempart de la nation canadienne-française. La philosophie du laisser-faire ou de la soumission était de plus en plus contestée, à la fois par le mouvement syndical qui se radicalisait et critiquait les politiques du régime Duplessis, par une certaine élite intellectuelle qui n'acceptait plus l'autoritarisme de l'Église et le conservatisme de la société, et même par certains prêtres catholiques (Gérard Dion, Louis O'Neill et le père Lévesque de l'Université Laval), qui proposaient de nouvelles valeurs.

Le siècle qui avait suivi l'Acte d'Union (1840-1950), celui de l'impuissance et de la soumission, celui d'un Québec essentiellement rural et catholique, était révolu. Pour plusieurs, il devenait nécessaire que l'État québécois intervienne enfin pour assurer la protection et la défense des citoyens sur les plans social, économique, éducationnel et linguistique. La mort de Maurice Duplessis en 1959 donna le signal de départ du processus de modernisation ou d'évolution accélérée du Québec.

4 LA MODERNISATION DU QUÉBEC (1960-1980): VERS LE FRANÇAIS, LANGUE D'ÉTAT

La modernisation du Québec constitue un phénomène à la fois politique, économique, social, culturel et, comme il se doit, linguistique. À partir de 1960, le Québec passa du conservatisme clérico-politique et de l'immobilisme socio-culturel à l'ère du modernisme, du changement, de la revalorisation politique, en fonction des intérêts économiques de la nation. Ces changements n'avaient rien de révolutionnaire en soi, mais ils permirent au Québec de rattraper son retard et de prendre place au sein des sociétés industrialisées et post-industrielles. L'État québécois mit ainsi fin à une longue tradition de non-interventionnisme et devint, au cours des deux décennies suivantes, le principal moteur du développement collectif.

La langue française, quant à elle, se transforma en une arme de combat et en symbole de libération d'une société qui n'acceptait plus son statut de minorité aliénée. Cette nouvelle vision de la langue, passée du stade défensif au stade offensif, a engendré «l'époque des lois linguistiques», c'est-à-dire la loi 63 (1969), la loi 22 (1974) et la Charte de la langue française (1977). Du statut de langue nationale des Canadiens français, le français accéda au statut de langue étatique, aboutissement ultime d'un long processus de libération nationale.

LE RATTRAPAGE DE LA RÉVOLUTION TRANQUILLE (1960-1966)

En juillet 1965, le Parti libéral, dirigé par Jean Lesage, prit le pouvoir et entreprit la réalisation de son programme sous le thème «C'est le temps que ça change». Commença alors la Révolution tranquille, période exaltante de déblocage caractérisée par l'avènement de l'État moderne et l'action socio-économique, l'affirmation de l'identité québécoise, la prise de conscience linguistique. Mais avant d'aborder la question linguistique, il convient de rappeler les grandes lignes de force de cette période, lesquelles sont nécessaires pour comprendre la politique de la langue française que s'est donnée le Québec par la suite.

L'AVÈNEMENT DE L'ÉTAT MODERNE

Désirant revaloriser le rôle de l'État, le gouvernement réorganisa la fonction publique, qui vit grossir ses effectifs de 53 % pendant que les employés des secteurs parapublics s'accroissaient de 93 %. L'État put alors compter sur un corps de technocrates et de spécialistes pour effectuer l'entreprise de rattrapage.

Les priorités allèrent d'abord aux services sociaux et à l'éducation, lesquels se décléricalisaient au profit de l'État. Du côté des services sociaux, ce fut l'assurance-hospitalisation, le régime des rentes, l'aide sociale, le relèvement du salaire minimum, le nouveau régime d'assurance-chômage, etc.; du côté de l'éducation, ce fut la création du ministère de l'Éducation (1964) et l'institution des cégeps (1967), ce qui permit d'augmenter les effectifs scolaires de 101 % au secondaire, de 82 % au collégial et de 169 % à l'université.

L'État intervint également dans l'économie. Pour stimuler la participation des francophones au développement économique, on créa des entreprises publiques telles que Hydro-Québec, la SGF (Société générale de financement), Sidbec-Dosco pour la sidérurgie, SOQUEM pour les mines, la Caisse de dépôt et de placement, etc.; ajoutons aussi la construction de l'infrastructure autoroutière et les grands projets hydro-électriques. Ces mesures témoignaient de la nouvelle conception capitaliste de l'État, devenu pourvoyeur de capitaux et créateur d'emplois pour les francophones.

Cet effort de modernisation accélérée exigea cependant de nouvelles sources de revenus. Après d'intenses négociations avec le fédéral, le Québec obtint certains avantages fiscaux lui permettant de poursuivre ses objectifs sociaux et économiques.

L'AFFIRMATION DE L'IDENTITÉ QUÉBÉCOISE

L'affirmation de l'identité québécoise constitue l'un des traits caractéristiques de cette période. Les mots *nation* et *Québec* devinrent synonymes; on ne se définissait plus comme des Canadiens français, mais comme des Québécois. Secouant leur vieux complexe d'infériorité, ceux-ci passèrent du nationalisme défensif au nationalisme offensif et progressiste; ils devinrent ainsi conscients qu'ils pouvaient prendre en main leur propre destin. À l'instar de nombreuses autres minorités dans le monde, la fièvre autonomiste gagna le Québec, qui vit naître plusieurs mouvements indépendantistes dont le RIN, le RN et le MSA (qui allait devenir le Parti québécois).

Tout ce rattrapage institutionnel, économique, social et idéologique a favorisé un essor sans précédent de la vie intellectuelle et de la production culturelle. Axés sur la spécificité québécoise, la chanson, la télévision, la littérature, le théâtre et le cinéma exprimèrent la nouvelle société urbaine et industrialisée, qui sortait d'une longue torpeur. Parallèlement, le Québec quitta son isolement et reprit contact avec la France: Délégation générale du Québec à Paris, ententes de coopération franco-québécoise, visites officielles, etc. Cette politique d'ouverture sur le monde montrait que le Québec n'était pas seulement un État fédéré parmi les autres, mais l'instrument politique d'un peuple distinct dans la grande Amérique du Nord.

LA PRISE DE CONSCIENCE LINGUISTIQUE

Les événements de la Révolution tranquille projetèrent à l'avant-scène la question linguistique. Celle-ci cessa d'être une question de langue pour devenir à la fois une question idéologique, démographique, scolaire, économique et politique. Dans les faits, les gouvernements ne sont pas intervenus dans le domaine linguistique, mais toutes les idées-forces d'une politique de la langue sont apparues à cette époque et ont préparé «l'époque des lois linguistiques» qui suivit.

a) Le conflit idéologique autour du «joual»

La société québécoise traditionnelle avait pris du retard sur le reste du monde occidental et il lui fallait le rattraper. Sur le plan linguistique, cela s'est traduit par une recrudescence du purisme à l'égard du français, c'est-à-dire par un souci excessif de la pureté de la langue. Le français parlé au Québec paraissait tellement «arriéré», «dégradé» et «corrompu» par l'anglais qu'il était urgent de renouer le cordon ombilical avec la mère patrie, seule force capable de faire échec à cette «contamination» endémique et de bloquer l'assimilation[47].

D'où le phénomène du «joual-mépris», dont le Frère Untel se fit le champion en 1960. Le joual était pour lui une «décomposition» qu'il considérait comme le symbole de l'aliénation collective des Québécois: «Cette absence de langue qu'est le joual est un cas de notre inexistence, à nous, les Canadiens français[48]». On allait retrouver le même discours pendant plus d'une décennie, comme en fait foi cet éditorial paru dans *La Presse* en 1973:

> «Si l'on entend par là un mélange d'anglais et de français largement farci de jurons ou d'expressions ordurières... on ne peut hésiter un instant. Il faut l'empêcher de triompher, car il s'agit alors d'un jargon pour initiés, d'un dialecte tribal quelconque qui ne saurait prétendre véhiculer une réelle culture. C'est un langage plus près de l'animal que de l'homme[49].»

La conception dominante de la NORME que se faisait la société à cette époque fut exposée dans l'une des premières publications de l'Office de la langue française intitulée *Norme du français écrit et parlé au Québec*. Il s'agissait d'une norme idéalisée qui n'admettait que peu de différences morphologique, syntaxique et phonétique par rapport à la variété des classes instruites et bourgeoises de Paris:

> «L'Office estime que, pour résister aux pressions énormes qu'exerce sur le français du Québec le milieu nord-américain de langue anglaise, il est indispensable de s'appuyer sur le monde francophone: cela veut dire que l'usage doit s'aligner sur le français international, tout en faisant sa place à l'expression des réalités spécifiquement nord-américaines[50].»

Dans le domaine du vocabulaire, l'Office n'admettait, toujours dans cette publication, que les canadianismes «qui se rapportent à des réalités canadiennes pour lesquelles le français n'a pas d'équivalents» (*maskinongé, sucre d'érable, banc de neige, ceinture fléchée*), ou «les seuls anglicismes qui se justifient», c'est-à-dire «ceux qui comblent des lacunes».

Cette conception de la norme «européanisante» ne pouvait faire l'unanimité à une époque centrée sur la québécité. D'autres croyaient au contraire à la légitimité d'une langue «québécoise». Au «joual-mépris» s'opposa donc le «joual-fierté», qui prenait ses racines dans la valorisation de la spécificité québécoise et exprimait à sa façon la contestation d'une société dépendante. Un courant littéraire[51] important adopta même le joual comme instrument d'expression privilégié. Michel Tremblay, l'auteur des *Belles-Soeurs*, justifia ainsi sa position:

47. Denise DAOUST, «La planification linguistique au Québec: un aperçu des lois sur la langue» dans *Revue québécoise de linguistique*, vol. 12, n° 1, Montréal, Université du Québec, p. 21.
48. *Les Insolences du Frère Untel*, Montréal, Les Éditions de l'Homme, 1960, p. 24.
49. Vincent PRINCE, «Le français ou le joual» dans *La Presse*, Montréal, 22 septembre 1973.
50. Cité par Guy BOUTHILLIER et Jean MEYNAUD, *op. cit.*, p. 694-699.
51. Voir à ce sujet, au chapitre 25, *Les critères idéologiques*.

> «On n'a plus besoin de défendre le joual, il se défend tout seul. Cela ne sert à rien de se battre ainsi. Laissons les détracteurs pour ce qu'ils sont: des complexés, des snob ou des colonisés culturels. Laissons-les brailler, leurs chialements n'empêcheront pas notre destin de s'accomplir. Le joual en tant que tel se porte à merveille; il est plus vivace que jamais... Quelqu'un qui a honte du joual, c'est quelqu'un qui a honte de ses origines, de sa race, qui a honte d'être québécois[52].»

Cette controverse entre les tenants du français et ceux du joual a pris fin lorsque ces derniers ont fini par déposer les armes, mais elle témoignait éloquemment du sentiment d'aliénation collective propre à cette époque.

b) L'évolution démographique des francophones
L'avenir démographique des francophones souleva bien des inquiétudes au cours de la décennie 1960. Grâce à leur surfécondité (8,3 enfants par femme aux XVIIIe et XIXe siècles), les francophones avaient réussi à compenser le jeu des mouvements migratoires favorables aux anglophones; ils avaient ainsi toujours maintenu leur équilibre démographique, qui oscillait autour de 80 % au Québec. Or, le recensement de 1961 révéla que cet équilibre traditionnel se trouvait rompu avec la fin de la surnatalité des francophones. De plus, l'immigration canadienne favorisait une augmentation des anglophones dans une proportion de 23 % contre 1 % seulement en faveur des francophones[53]. Étant donné que l'immigration continuait de grossir le groupe anglophone au Québec, la question linguistique se présentait désormais sous un nouvel angle. En effet, quelque 15 ans plus tard, les démographes Charbonneau, Henripin et Légaré déclaraient qu'il était possible qu'en l'an 2000 le pourcentage de francophones tombe à 71 % pour l'ensemble du Québec et à 53 % pour la région métropolitaine de Montréal[54]. Montréal pourrait éventuellement perdre sa majorité francophone.

En 1967, le *Rapport du Comité interministériel sur l'enseignement des langues aux Néo-Canadiens* révélait que «la communauté franco-québécoise n'avait pratiquement aucun pouvoir assimilateur[55]» auprès des immigrants venant s'installer sur son territoire. Entre 1946 et 1966, le Québec avait accueilli environ 500 000 immigrants; de ce nombre, 50 000 étaient francophones. Or, les immigrants optaient dans une proportion de 90 % pour la langue dominante, l'anglais. Dans le rapport interministériel, on constatait également que les Néo-Québécois et les francophones constituaient environ 80 % des effectifs scolaires du secteur anglo-catholique de la CECM et ceux du PSBGM. Les immigrants contribuaient ainsi à l'anglicisation du Québec et amorçaient même un processus de minorisation de la majorité francophone:

> «À moins d'attendre un hypothétique miracle, on doit bien convenir qu'une immigration nombreuse jouant à 90 % ou à 95 % en faveur de la minorité anglophone ne peut aboutir qu'à réduire constamment l'importance de la langue française au Québec et à amorcer un processus de «minorisation» de la communauté francophone au Québec[56].»

Toute cette question relative au problème scolaire allait être à l'origine de la première loi linguistique votée à l'Assemblée nationale, en 1969. En attendant, la question alimentait les controverses et les revendications des francophones.

c) La domination socio-économique de l'anglais
La Commission royale d'enquête sur le bilinguisme et le biculturalisme (Commission Laurendeau-Dunton) publia un *Rapport préliminaire* en 1965, après avoir reçu au-delà

52. Cité par Jean-Claude TRAIT, «Tremblay: le joual se défend tout seul», dans *La Presse*, Montréal, 16 juin 1973.
53. Michel PLOURDE, «La politique et la législation linguistique du Québec» dans *La langue française au Québec*, Québec, Éditeur officiel du Québec, 1985, p. 121.
54. H. CHARBONNEAU, J. HENRIPIN et J. LÉGARÉ «L'avenir démographique des francophones au Québec et à Montréal en l'absence de politiques adéquates» dans *La population du Québec: études rétrospectives*, Montréal, Boréal Express, 1976, p. 102-110.
55. *Rapport du comité interministériel sur l'enseignement des langues aux Néo-Canadiens*, Québec, 1967, cité par G. BOUTHILLIER et J. MEYNAUD, *op. cit.*, p. 704.
56. *Ibid.*, p. 709.

de 400 mémoires; les autres tranches du rapport s'échelonnèrent jusqu'en 1970. Certaines révélations eurent l'effet d'une véritable douche froide sur les francophones. Tout le monde savait que l'anglais était la véritable langue du travail au Québec, de même que celle de la promotion sociale, du commerce, des affaires et de l'affichage: la Commission ne révéla rien de neuf à ce sujet. Mais on ignorait que:

83 % des administrateurs et cadres du Québec étaient anglophones;

les francophones du Québec avaient un revenu moyen inférieur de 35 % à celui des anglophones;

les francophones arrivaient au 12e rang dans l'échelle des revenus selon l'origine ethnique, avant les Italiens et les Amérindiens;

à instruction égale, les francophones gagnaient moins que tous les autres groupes linguistiques;

les anglophones unilingues gagnaient plus que les bilingues anglophones ou francophones;

même assimilé, un francophone ne réussissait pas mieux;

depuis 30 ans, la situation n'avait fait qu'empirer.

Ces faits étalés et révélés par une enquête fédérale furent considérés comme une véritable provocation chez les francophones, qui constataient que le Québec représentait, au point de vue du revenu, un «paradis» pour les anglophones. Même le bilinguisme tant exalté ne paraissait pas avoir une forte influence sur les revenus. La connaissance du français ne présentait aucun avantage économique pour les anglophones; la connaissance de l'anglais, pour un francophone, entraînait un très faible avantage financier, et celui-ci était dû au fait que les bilingues étaient plus instruits et exerçaient des professions mieux rémunérées.

Les termes *bilinguisme* et *unilinguisme* firent fureur au cours de la décennie 1960-1970. On considérait le bilinguisme pratiqué au Québec comme un suicide collectif parce qu'il était assumé par les seuls francophones et qu'il entraînait la contamination linguistique. On revendiquait un «visage français» pour le Québec et certains n'hésitaient pas à parler d'unilinguisme, à exiger que le français devienne la langue du travail, de l'affichage, de la signalisation routière, des raisons sociales. De plus en plus, l'idée d'adopter des mesures législatives à cet égard se répandait dans la population. Mais les politiciens de la Révolution tranquille n'osèrent pas intervenir, jugeant que la question était trop explosive.

L'ÉPOQUE DES LOIS LINGUISTIQUES

Tout commença avec la «crise de Saint-Léonard» en 1968. Conscients de l'adhésion massive des immigrants à la langue anglaise et du phénomène de dénatalité chez les francophones, les commissaires scolaires de Saint-Léonard adoptèrent, le 27 juin 1968, une résolution rendant obligatoire l'inscription des nouveaux immigrants dans les écoles françaises de leur territoire.

La décision de Saint-Léonard reçut immédiatement l'appui des milieux nationalistes, déjà exaspérés par la domination socio-économique de la langue anglaise. Les commissaires scolaires venaient simplement combler un vide politique, mais, ce faisant, ils soulevèrent un tollé de protestations chez les Anglo-Québécois qui, alimentés par leurs quotidiens, organisèrent un mouvement de boycottage et saisirent les tribunaux de l'affaire. Durant ces événements, l'Union nationale perdit son chef, Daniel Johnson, qui mourut subitement; Jean-Jacques Bertrand devint Premier ministre du Québec, pendant que Pierre Elliot-Trudeau prenait le pouvoir à Ottawa.

LE PROJET DE LOI 85 ET LA LOI 63: UN BANC D'ESSAI

Devant le climat social qui se détériorait, le nouveau Premier ministre du Québec fit préparer un projet de loi, le «bill 85», destiné à annuler la décision des commissaires de Saint-Léonard et à assurer aux immigrants le droit à un enseignement dans la langue de leur choix, c'est-à-dire en anglais. Ce projet de loi ne pouvait que susciter de vives réactions au sein de la majorité francophone. Devant le mécontentement populaire, le ministre de l'Éducation, Jean-Guy Cardinal, profita de l'absence temporaire (pour raisons de santé) de son chef pour renvoyer le projet de loi à une commission parlementaire. Ce n'était que partie remise pour lancer la véritable offensive du gouvernement: la loi 63.

La rentrée de septembre 1969 s'effectua dans un climat d'affrontements violents entre les francophones et la coalition «anglophone» (incluant les italophones); cette violence conduisit même le gouvernement à adopter la Loi de l'émeute. C'est dans un contexte de passion et de violence que le Parlement adopta, le 20 novembre 1969, la loi 63 appelée paradoxalement *Loi pour promouvoir la langue française au Québec.*

Cette loi visait avant tout à annuler la décision de la Commission scolaire de Saint-Léonard et à accorder officiellement le libre choix de la langue d'enseignement aux immigrants. Elle obligeait également les écoles anglaises à assurer «une connaissance d'usage de la langue française aux enfants à qui l'enseignement est donné en langue anglaise».

Cédant à la pression de l'opinion publique anglophone, le gouvernement avait tenté ainsi un «grand coup»: satisfaire tout le monde en accordant aux parents le droit d'envoyer leurs enfants à l'école qu'ils voulaient. Cette loi reflétait encore l'attitude timorée d'un gouvernement qui désirait avant tout s'allier l'électorat anglophone; sans attendre les recommandations de la Commission Gendron chargée d'enquêter sur la situation linguistique, le gouvernement du Québec avait fait voter une loi improvisée et sectorielle, c'est-à-dire limitée à la langue d'enseignement. Cette loi allait à contre-courant de l'évolution démographique et des transferts linguistiques réalisés au profit de la minorité. Elle était calquée sur la politique du multi-culturalisme prônée par le gouvernement fédéral et ramenait le Québec 10 ans en arrière. Enfin, les anglophones ne se leurrèrent pas sur la portée électoraliste de la loi 63 à leur égard. La loi 63 fut certainement l'une des causes de la défaite du gouvernement de l'Union nationale aux élections de 1970.

LA LOI 22: UNE INCITATION À LA REFRANCISATION

L'arrivée de Robert Bourassa à la tête du gouvernement lors des élections de 1970 suscita de grands espoirs en raison de ses objectifs axés sur la relance de l'économie. Le gouvernement fut cependant vite secoué par la crise d'octobre provoquée par le FLQ (1970), par l'échec de la conférence constitutionnelle de Victoria (1971) et par les grèves du secteur public (1972).

Robert Bourassa prêcha le «fédéralisme rentable» et la «souveraineté culturelle», mais il ne réussit pas à obtenir d'Ottawa des transferts de pouvoirs et de ressources financières. Reporté au pouvoir aux élections de 1973, le gouvernement Bourassa décida de s'attaquer à la question linguistique. Il ne pouvait plus ignorer les revendications de la majorité francophone, qui le pressait d'agir: les résultats du recensement fédéral de 1971 sur la situation du français au Canada et au Québec avaient fait l'effet d'une bombe au sein de la population francophone, qui se voyait de plus en plus menacée de MINORISATION.

Grâce au rapport Gendron, publié en 1972, le gouvernement avait à sa disposition les éléments d'analyse et de réflexion nécessaires pour satisfaire la majorité et faire taire les milieux indépendantistes sans s'aliéner la minorité anglophone. Les 15 000 pages dactylographiées des travaux de la Commission ont été résumées dans un volumineux rapport de trois tomes: *Livre premier, La langue de travail* (379 pages); *Livre deux, Les droits linguistiques* (474 pages); *Livre trois, Les groupes ethniques* (570 pages). Les recherches effectuées par la Commission Gendron confirmaient ce que tout le monde savait déjà: la prépondérance de l'anglais dans les communications administratives et techniques des travailleurs, dans les communications verbales et dans les exigences linguistiques du marché du travail. Au terme d'une description très détaillée de la question, le rapport concluait ainsi:

> «Il ressort que si le français n'est pas en voie de disparition chez les francophones, ce n'est pas non plus la langue prédominante sur le marché du travail québécois. Le français n'apparaît utile qu'aux francophones. Au Québec même, c'est somme toute une langue marginale, puisque les non-francophones en ont fort peu besoin, et que bon nombre de francophones, dans les tâches importantes, utilisent autant, et parfois plus l'anglais que leur langue maternelle. Et cela, bien que les francophones, au Québec, soient fortement majoritaires, tant dans la main-d'œuvre que dans la population totale[57].»

Le gouvernement tint compte d'un certain nombre de recommandations de la Commission relativement à l'usage du français dans l'administration publique, le monde du travail et celui de l'économie (voir à ce sujet le chapitre 21). Finalement, la *Loi sur la langue officielle* (loi 22) fut adoptée par le Parlement en juillet 1974.

La loi 22 constituait le premier effort véritable d'un gouvernement québécois en vue d'une intervention globale dans le domaine de la langue et elle rendait le français seule langue officielle du Québec, mais elle ne réussit qu'à mécontenter tout le monde. Les anglophones se livrèrent à un concert de protestations, conscients de perdre certains privilèges (comme l'affichage anglais unilingue), et ils réclamèrent le bilinguisme officiel. Pourtant, la loi demeurait encore fortement imprégnée du principe de la dualité linguistique prônée dans le contexte fédéral; malgré l'affirmation du fait français, la loi reconnaissait officiellement à l'anglais la place qu'il avait toujours occupée.

Quant à la majorité francophone, elle se sentait lésée par les demi-mesures de la loi 22 à l'égard de la promotion du français. Le gouvernement n'obligeait pas les enfants d'immigrants à fréquenter l'école française et reconnaissait le principe du libre choix de la langue d'enseignement; les seuls enfants d'immigrants dirigés vers l'école française étaient ceux qui ne réussissaient pas au test de compétence en anglais, c'est-à-dire les «moins bons». En apparence, le gouvernement ne semblait pas prendre parti pour les revendications des francophones. En ce qui concerne les dispositions relatives à l'usage du français dans le milieu de travail, elles se trouvaient réduites à un simple système de certificats de francisation que devaient se procurer les entreprises désirant transiger avec le gouvernement québécois. De plus, les carences de la loi 22 en matière de sanctions laissèrent croire que le gouvernement demeurait inféodé aux entreprises privées et refusait de protéger réellement les intérêts de la majorité des travailleurs.

En fait, comme le soulignent McRoberts et Posgate: «Le gouvernement Bourassa refusait de se servir des pouvoirs du gouvernement du Québec pour renforcer le fait français[58]». En ce sens, la loi 22 ne réglait rien: elle n'endiguait pas le processus d'assimilation des francophones et des nouveaux immigrants à la minorité anglophone; elle n'empêchait pas plus la prépondérance socio-économique de l'anglais. Bref, comme la loi 63, la loi 22 n'améliorait pas fondamentalement la situation du français au Québec. Au contraire, ces lois n'avaient fait qu'aggraver le ressentiment et l'hostilité entre les groupes linguistiques.

---

57. *Rapport Gendron*, Livre 1, 1972, p. 111.
58. Kenneth McROBERTS et Dale POSGATE, *Développement et modernisation du Québec*, Montréal, Boréal Express, 1983, p. 193.

LA LOI 101: LA PROMOTION SOCIO-ÉCONOMIQUE DU FRANÇAIS

La victoire électorale du Parti québécois au soir du 15 novembre 1976 marqua un tournant décisif dans la politique linguistique du Québec. Héritier des réformes amorcées par la Révolution tranquille, le gouvernement de René Lévesque poursuivit la politique de l'État interventionniste, non seulement dans le domaine de la langue, mais dans de nombreux autres secteurs: assainissement des finances publiques, redressement de l'économie, financement des municipalités, lutte contre le chômage, question énergétique, assurance-automobile, protection du territoire agricole, etc.

Mais la première année de pouvoir du gouvernement fut complètement absorbée par la question de la langue. Le gouvernement élabora sa politique linguistique en fonction de son idéal de souveraineté, aboutissement logique de la dynamique nationaliste des années 1960. Cette fois-ci, le gouvernement savait qu'il pouvait compter sur l'appui majoritaire des francophones puisque ces derniers représentaient 54 % de sa base électorale; de plus, n'étant pas lié par l'électorat anglophone ni par l'élite économique, le gouvernement se sentait libre d'agir comme il l'entendait.

L'objectif principal du Parti québécois était d'affirmer la prédominance du français au Québec, d'en faire la langue commune pour tous, partout, pour tout; bref, de faire un Québec aussi français que l'Ontario était anglais. Dès lors, le français devait devenir plus qu'un moyen de communication: il devait correspondre à l'expression d'un milieu de vie pour *tous* les Québécois, c'est-à-dire être la langue normale et habituelle du travail, de l'enseignement, du commerce et des affaires. Mais, pour y parvenir, il fallait l'équivalent d'une «thérapie de choc», qui permettrait aux francophones de retrouver le sens de leur identité et ramènerait la communauté anglophone à ses proportions réelles. Cette thérapie collective fut la *Charte de la langue française* (ou loi 101).

La stratégie linguistique de cette loi reposait sur trois principes généraux visant à corriger les problèmes qui traînaient en longueur depuis plusieurs décennies:

a) *Endiguer le processus d'assimilation et de minorisation des francophones*

C'est pour cette raison que la loi a été conçue: fermer complètement, à l'avenir, l'accès des immigrants et des francophones à l'école anglaise. Avec la «clause Québec», on utilisait les frontières du Québec comme point de référence, adoptant ainsi une solution de type territorial, plus imperméable à l'intrusion de l'anglais provenant de l'extérieur. Cette mesure trouvait sa justification dans la volonté ferme du gouvernement de montrer que la communauté première des francophones était le Québec, non le Canada. Une telle position aurait été impensable de la part des gouvernements précédents.

Nous savons depuis ce qu'il est advenu de la «clause Québec». La Loi constitutionnelle de 1982 a fait remplacer la «clause Québec» par la «clause Canada», ouvrant ainsi l'accès à l'école anglaise à de nouvelles catégories de citoyens et rendant perméables les frontières linguistiques du Québec. Pourtant, l'expérience d'autres pays démontre éloquemment que seules des frontières linguistiques rigides — imperméables — assurent la sécurité des langues menacées de minorisation. Quoi qu'il en soit, la Loi n'accorde dorénavant le choix de la langue d'enseignement qu'aux enfants dont les parents ont fait leurs études primaires en anglais *au Canada*. Il n'en demeure pas moins que les mesures élaborées à l'origine réglaient de façon nettement supérieure aux lois précédentes la question de l'accès à l'école anglaise.

b) *Assurer la prédominance socio-économique du français*

La simple justice sociale élémentaire commandait de remettre aux francophones les secteurs du travail, du commerce et des affaires, conformément à leur représentation linguistique au sein de la population québécoise; en somme, rien de très révolutionnaire. D'où le nombre impressionnant de mesures destinées à accorder aux francophones la prise du pouvoir économique, exercé jusqu'ici par les anglophones.

En partant du principe que tous les travailleurs ont le droit d'exercer leurs activités en français au Québec (article 4 de la loi 101), le gouvernement obligeait toutes les entreprises de plus de 50 employés à détenir un certificat de francisation, à former un comité de francisation de l'entreprise (pour celle ayant 100 employés et plus) et à augmenter la présence des francophones à tous les niveaux (conseils d'administration, cadres, politiques d'embauchage, etc.).

La loi fixait aussi des conditions et des normes de francisation très poussées en matière de communications (internes et externes): on exigeait la maîtrise de la langue parlée et écrite en milieu de travail, le tout assorti de sanctions à l'égard des contrevenants. Enfin, la francisation supposait la généralisation du français dans la terminologie, dans les manuels, les catalogues, etc. Bref, des mesures normales appliquées dans la plupart des pays du monde.

c) *Réaliser l'affirmation du fait français*

Le législateur partait du postulat que le Québec est une nation dont plus de 80 % de la population parle le français. Cette langue devait donc devenir la seule langue officielle de la nation et le principal facteur de cohésion nationale pour tous les Québécois. Cette nation québécoise est composée d'une majorité francophone et de plusieurs minorités de langue différentes: 10,9 % d'anglophones et 6,6 % d'allophones. C'est pourquoi la majorité devait obtenir plus de droits que les minorités.

Réaliser l'affirmation du fait français au Québec, c'était faire en sorte que le français plutôt que l'anglais devienne la *langue commune de tous les Québécois* lorsqu'ils ont à communiquer entre eux. C'est pourquoi il fallait que le Québec présente un visage français dans l'affichage, les raisons sociales et la publicité, surtout à Montréal, qui prétendait détenir le titre de «deuxième ville française du monde». Selon l'ex-président du Conseil de la langue française, M. Michel Plourde:

> « Au Québec, c'est le français. Le français est la langue commune de tous les Québécois: francophones, anglophones et allophones. C'est la langue que tous les Québécois ont le droit de posséder, de savoir et d'utiliser. Voilà la règle fondamentale de notre aménagement linguistique: le français d'abord, pour tout le monde[59].»

D'où le rejet du bilinguisme généralisé ou officiel dont l'expérience passée avait démontré qu'il constituait la plus grande menace à la vitalité de la langue française au Québec, parce qu'il entraînait la dégradation du français (traduction systématique, interférences linguistiques, emprunts massifs), favorisait l'unilinguisme des anglophones et assurait la suprématie de l'anglais dans tous les secteurs. Accorder le même statut à l'anglais et au français équivaudrait à redonner la dominance à l'anglais, car des droits égaux appliqués à des langues inégales (2 % de francophones en Amérique du Nord) ne produisent jamais des situations égalitaires. Au contraire, il fallait que le Québec recoure au principe de l'inégalité compensatoire en vertu de laquelle le français doit avoir plus de droits que l'anglais pour contrebalancer la puissance de ce dernier en cette terre d'Amérique. Il n'est pas possible de vouloir que le Québec affirme résolument son caractère français et de favoriser en même temps le bilinguisme généralisé.

Cependant, le rejet du bilinguisme officiel ne signifiait pas un unilinguisme aveugle et irréaliste dans le contexte nord-américain. La législation québécoise reconnut des

---

59. Michel PLOURDE, «Un regard sur la situation linguistique actuelle» (1985) dans *La langue française au Québec*, Québec, CLF, Éditeur officiel du Québec, 1985, p. 191-192.

droits à d'autres langues, droits reconnus selon le principe du statut juridique différencié[60]. En raison de son caractère historique, on accorda d'abord plus de droits à la communauté anglaise, qui conservait ainsi tous ses droits dans la législation, les tribunaux, l'enseignement (du primaire à l'université), les services sociaux et culturels. Non seulement les anglophones continuaient de bénéficier d'un réseau parallèle d'institutions qu'ils contrôlaient, mais l'anglais demeurait obligatoire comme langue seconde dans toutes les écoles françaises du Québec dès la quatrième année du primaire, et l'usage de l'anglais était admis chaque fois que la nécessité le justifiait (compétitions sportives, colloques et congrès, communications avec l'extérieur, etc.).

Dans la loi 101, on reconnut également certains droits plus limités à d'autres langues minoritaires. D'abord, les droits antérieurs des Amérindiens et des Inuit, dont l'enseignement en langue maternelle, puis des droits accordés à toutes les autres minorités linguistiques dans certains secteurs d'activités publiques. Pouvaient se faire en n'importe quelle langue, y compris en anglais: l'affichage commercial des petites entreprises employant au plus quatre personnes, les conférences, les séminaires, les expositions, les activités spécifiques des communautés culturelles, les messages humanitaires, politiques, culturels, l'étiquetage pour les produits typiques d'une nation étrangère.

***

On admettra que le législateur s'est montré relativement généreux envers ses minorités, compte tenu de la situation précaire du français en Amérique du Nord. Bien qu'une partie de la communauté anglaise ait souvent considéré cette législation comme discriminatoire, intolérante, autoritaire, vindicative et axée sur le repliement, les francophones sont majoritairement satisfaits de la *Charte de la langue française*. Un sondage commandé par le Conseil de la langue française[61] révélait, en 1983, que 67 % des francophones appuyaient la Charte; parmi les 22 % qui s'opposaient plus ou moins à cette législation, on comptait surtout des hommes d'âge mûr, bilingues et financièrement plus aisés. En fait, la loi 101 est toujours demeurée pour les francophones la loi la plus populaire du gouvernement péquiste. Plus qu'une loi, elle est devenue un *symbole*.

Par ailleurs, deux universitaires torontois, Kenneth McRoberts et Dale Posgate, n'hésitent pas à déclarer que «la loi 101 constitue... l'exemple le plus frappant de la modération des réformes péquistes[62]». De fait, un an après l'adoption de la loi, «l'attention des cadres anglophones était plutôt retenue par l'augmentation de l'impôt provincial sur les revenus élevés[63]». Selon eux, l'impact d'une hausse des impôts serait «pire» que celui de la loi 101. Le fait que les rédacteurs légistes aient eu à présenter au gouvernement pas moins de 14 versions différentes de cette loi démontre bien la prudence du législateur à intervenir dans ce domaine. Fait significatif, au cours de toute cette période, les Canadiens anglais des autres provinces n'ont manifesté aucune solidarité envers les anglophones du Québec; ils se sont contentés de jouer le rôle de spectateurs passifs, comme s'ils se résignaient à voir le Québec devenir aussi unilingue français que les provinces anglaises étaient unilingues anglaises. Au risque de paraître machiavélique, on pourrait affirmer que, somme toute, «cet arrangement symétrique, si l'on peut dire, satisfait le plus grand nombre tout en incommodant le moindre[64]».

De toute façon, cette intervention dans le domaine de la langue était nécessaire et légitime, car elle contribuait enfin à enrayer l'assimilation, à redonner le contrôle de

60. Voir à ce sujet le chapitre 18.

61. Daniel MONNIER, *La question linguistique: l'état de l'opinion publique*, Québec, Conseil de la langue française, Notes et documents, n° 42, n° 42, 1983, p. 52-53.

62. Kenneth McROBERTS et Dale POSGATE, *Développement et modernisation du Québec*, Montréal, Boréal Express, 1983, p. 230.

63. *Ibid.*, p. 233.

64. Dominique CLIFT et Sheila McLEOD ARNOPOULOS, *Le fait anglais au Québec*, Montréal, Libre Expression, 1979, p. 107.

l'économie à la majorité, à lui faire retrouver le sens de son identité et à lui rendre sa fierté collective.

5 RÉORIENTATIONS ET NOUVELLES STRATÉGIES (1980-)

En moins de 25 ans, l'État du Québec s'est structuré, développé et modernisé en profondeur. L'éducation à tous les niveaux couvre l'ensemble du territoire, des institutions de santé sont implantées dans tous les centres importants, les sociétés d'État se sont multipliées, tous les grands services publics (police, routes, énergie, administration locale) sont assurés partout. À défaut d'être indépendant, l'État du Québec est devenu apparemment français, entraînant dans une nouvelle révolution culturelle une transformation marquée du milieu des affaires et de l'industrie, milieu jusque-là traditionnellement anglophone et rébarbatif à la langue de la majorité. Le Québec a même favorisé le développement du bilinguisme au sein de l'État fédéral.

Pareille réussite aurait dû normalement devenir une source de fierté et d'assurance pour l'avenir. Au contraire, la désillusion, l'essoufflement et le doute ont suivi. Une nouvelle ère s'amorce: elle ne sera plus centrée sur l'État, outil et moteur du développement collectif. La Révolution tranquille est terminée, le Québec ne peut plus rien ajouter à son État à moins qu'une éventuelle révision constitutionnelle ne lui accorde de nouveaux pouvoirs. Le nationalisme québécois axé sur l'indépendance n'a pas réussi à s'imposer, pas plus d'ailleurs que le nationalisme canadien n'a pu susciter un sentiment d'identification au sein de la population francophone. Signe des temps, les leaders charismatiques tels Pierre Elliot-Trudeau ou René Lévesque ont laissé la place à des leaders plus «conciliants», ceux de la race des super-prudents qui ne s'embarrassent pas des drames, des rendez-vous historiques, des grands projets collectifs et des appels à la foi. Après des années de lutte, le Québec s'essouffle et semble s'installer pour quelque temps dans une période de transition.

LE RÉFÉRENDUM ET LA CONSTITUTION: LA FIN D'UN DÉBAT

Le 20 décembre 1979, le gouvernement du Parti québécois fit connaître à l'Assemblée nationale le contenu de la question référendaire portant sur la souveraineté-association. Le gouvernement estimait avoir besoin de plus de pouvoirs que ne lui en donnait la Constitution canadienne; c'est pourquoi il proposait aux Québécois la souveraineté politique assortie d'une association économique avec le Canada, c'est-à-dire une nouvelle entente fondée sur le principe de l'égalité des peuples. De son côté, le Premier ministre fédéral, Pierre Elliot-Trudeau, promettait un changement constitutionnel si le Québec votait «non». Au soir du 20 mai 1980, le «non» l'emportait avec 59,6 % alors que le «oui» n'obtenait que 40,4 %. L'issue du référendum décidait évidemment du sort de la souveraineté-association, mais affaiblissait aussi le pouvoir du Québec de négocier avec Ottawa. Paradoxalement, il est possible que le gouvernement péquiste ait lui-même affaibli la cause de la souveraineté en exploitant un peu trop «vigoureusement» les pouvoirs de l'Assemblée nationale; comme dans le cas de la loi 101, où le Québec prouvait en quelque sorte les «vertus» du fédéralisme canadien, à l'intérieur duquel il paraissait possible de satisfaire l'un des besoins essentiels des francophones: une plus grande sécurité linguistique.

LE RAPATRIEMENT DE LA CONSTITUTION

Donnant suite à sa promesse, le Premier ministre du Canada convoquait, dès juin 1980, les 10 premiers ministres provinciaux pour entamer les négociations constitutionnelles. Celles-ci aboutirent à l'impasse entre le fédéral et les provinces: Trudeau annonça alors qu'il procéderait au rapatriement unilatéral de la Constitution. Le Manitoba, Terre-Neuve et le Québec en appellèrent à la Cour suprême, qui se prononça (28 avril 1981) sur la validité de ce rapatriement unilatéral; celui-ci fut déclaré «légal» bien que «le procédé en lui-même enfreigne le principe du fédéralisme». Au cours d'une réunion, dans un hôtel d'Ottawa, qui dura toute la nuit et dont le Québec fut exclu, un accord intervint entre le gouvernement fédéral et les neuf autres premiers ministres provinciaux. Québec refusa de signer l'Accord constitutionnel qui limitait les pouvoirs de son Assemblée nationale en matière d'éducation et de langue. La Loi constitutionnelle fut promulguée le 17 avril 1982 sans le consentement du Québec.

AU LENDEMAIN DU RAPATRIEMENT

La Loi constitutionnelle de 1982 est venue changer radicalement la situation politique au Canada et marque la fin d'une époque. Après la Seconde Guerre mondiale, le Québec avait progressivement bâti un État en pleine expansion qui aspirait à étendre ses pouvoirs; au lieu de s'accroître, ces pouvoirs se sont retrouvés diminués. Curieux retour de l'histoire: un gouvernement fédéral à majorité de langue anglaise qui, avec l'appui de neuf provinces de langue anglaise, demande à un Parlement étranger de langue anglaise (Londres) de réduire, sans son consentement, les compétences du seul gouvernement de langue française en Amérique du Nord!

Le choix de la langue d'enseignement sur le territoire du Québec, une question qui avait soulevé des controverses depuis une vingtaine d'années, recevait une contre-solution imposée par Ottawa et neuf gouvernements provinciaux, dont l'histoire témoigne qu'ils ne s'étaient jamais souciés d'accorder à leurs minorités francophones des droits que la loi 101 avait consentis à la minorité anglophone du Québec. La Loi constitutionnelle de 1982 ou *Charte canadienne des droits* ayant préséance sur la *Charte de la langue française*, le Québec ne pouvait plus imposer aux citoyens canadiens venus d'autres provinces une langue d'enseignement autre que la leur. Spécialement conçu pour neutraliser la *Charte de la langue française*, le paragraphe 23.2 de la *Charte canadienne des droits* empêche ainsi le Québec de se doter d'une protection efficace de type territorial et rétablit le caractère bilingue de la société québécoise. Désormais, les frontières linguistiques du Québec sont de nouveau perméables à l'afflux des citoyens anglophones des autres provinces; ceux-ci pourraient continuer à grossir la population scolaire anglaise du Québec d'un nombre variant entre 5 000 à 20 000 élèves par année[65]. Toute cette opération que l'on pourrait qualifier de «sabotage» de la part du gouvernement central à l'endroit du Québec privera la majorité francophone d'un apport normal de nouveaux francophones par le truchement des transferts linguistiques interprovinciaux.

On peut s'interroger sur le sens de la justice distributive du gouvernement fédéral quand il s'acharne à contrer les aspirations démographiques et linguistiques du groupe francophone au Québec. N'oublions pas qu'entre 1971 et 1981, les Anglo-Canadiens ont recruté plus d'un million et demi de nouveaux anglophones par voie d'assimilation linguistique, dont 115 000 recrutés au Québec même; au cours de cette période, l'anglicisation a infligé aux Franco-Canadiens une perte nette d'un quart de million[66]. En vertu de quel principe les anglophones auraient-ils seuls le «droit» d'assimiler les citoyens du Canada?

Il est clair que, dans cette opération qui visait à court-circuiter la loi 101, l'objectif du gouvernement fédéral et des neuf provinces anglaises n'a jamais été de protéger la langue française au Québec, mais de protéger plutôt la langue anglaise en imposant un

65. Selon le rapport du groupe de travail interministériel, *Effets démolinguistiques de l'article 23 du projet fédéral de Charte des droits et libertés*, Québec, Conseil de la langue française, notes et documents, n° 8, 1981, p. 32.
66. Voir à ce sujet l'étude du démographe Charles CASTONGUAY, «Le dilemme démolinguistique du Québec» dans *Douze essais sur l'avenir linguistique au Québec*, Québec, Éditeur officiel du Québec, 1984, p. 13-33.

caractère bilingue à la société québécoise tout en sachant très bien que le bilinguisme avait dans le passé avantagé les anglophones aux dépens des francophones. La nouvelle Constitution n'avait pas non plus pour objectif la protection du français dans les provinces anglaises puisqu'on n'a pas voulu imposer le bilinguisme à l'Ontario, où survit la plus importante minorité française du Canada: 475 605 (recensement 1981) francophones.

LA DÉSILLUSION ET L'IMPUISSANCE

La loi 101 avait stimulé la fierté et donné satisfaction au plus grand nombre, au Québec. L'entente constitutionnelle de novembre 1981, prélude à la Loi constitutionnelle de novembre 1982, est venue changer cet ordre des choses. Dans les mois et les années qui ont suivi l'entente, on a vu monter l'indignation, l'humiliation, la désillusion, puis l'impuissance, la déroute et le recul. Ces attitudes ont d'abord gagné le gouvernement du Québec pour se transmettre par la suite à la population.

LES VOLTE-FACE DU GOUVERNEMENT

L'amertume de la défaite se manifesta au sein du gouvernement péquiste par l'indignation verbale: «un coup de poignard dans le dos», «la nuit des longs couteaux», «une trahison honteuse», du «banditisme», «du mépris à l'égard du Québec». Au soir du 4 décembre 1981, s'ouvrit un tumultueux congrès du Parti québécois; révoltés, les délégués votèrent une résolution par laquelle ils rejetaient la souveraineté-association en faveur de l'indépendance pure et simple. On assista ensuite à une longue série de volte-face idéologiques: on passa tour à tour de l'indépendance au «beau risque» du fédéralisme, jusqu'à l'éclatement du parti après l'élection fédérale qui porta au pouvoir Brian Mulroney et le Parti conservateur. La démission de René Lévesque, la campagne au leadership du Parti québécois et la victoire du Parti libéral marquèrent la fin du courant indépendantiste comme force susceptible de mobiliser les énergies.

LE LAISSER-FAIRE

Brisé par la double défaite du référendum et du rapatriement de la Constitution, le gouvernement du Parti québécois est demeuré impuissant face aux coups qui continuaient de l'assaillir. À deux reprises, il s'est contenté d'encaisser les coups portés à la *Charte de la langue française*: d'abord en juillet 1984, lorsque la Cour suprême a invalidé l'article 73 de la loi 101 qui n'accordait l'accès à l'école anglaise qu'aux enfants dont les parents avaient fait leurs études en anglais *au Québec*; puis en décembre 1984, lorsque la Cour supérieure du Québec a invalidé l'article 58 de la loi 101 interdisant l'affichage dans une autre langue que le français en raison de la liberté d'expression consacrée dans la *Charte québécoise des droits et libertés de la personne*. L'impuissance manifestée par le gouvernement après ce dernier jugement de cour est particulièrement inquiétante parce que les deux Chartes sont sous sa juridiction exclusive. Cette attitude de laisser-faire a affaibli la cause de la francisation et a laissé planer le doute sur la légitimité de cette francisation.

LA COMBATIVITÉ ANGLOPHONE

Un autre événement mérite d'être souligné: la fondation d'Alliance-Québec en mai 1982. Alliance-Québec est une association vouée à la défense des droits des anglophones; dès le lendemain de l'entente constitutionnelle, la combativité au Québec a changé de camp: ce sont les anglophones qui occupent maintenant l'avant-scène du «front linguistique» et qui accusent les francophones d'intolérance. Ceux-ci veulent se montrer conciliants et n'opposent plus beaucoup de résistance; oubliant la précarité de leur situation en Amérique du Nord, ils semblent même prêts à certains compromis dont, par exemple, un retour au bilinguisme.

La position d'Alliance-Québec paraît très claire. D'une part, l'association demande pour la communauté anglophone la garantie de ses services sociaux et de ses institutions scolaires; d'autre part, elle exige des modifications substantielles au chapitre de la langue de l'affichage. De plus, beaucoup d'anglophones voudraient bien qu'on mette la hache dans les mécanismes de protection que s'est donnée la majorité francophone et souhaitent un retour au bilinguisme généralisé, c'est-à-dire l'égalité entre les deux langues et non plus le statut juridique différencié. Pourtant, la réalité nord-américaine démontre que l'anglais n'a pas besoin de ce statut pour survivre au Québec; mais le français, en revanche, a tout à perdre.

LE SYMBOLE TRAGIQUE D'UNE DÉSILLUSION

La fusillade du 8 mai 1984 qui a fait trois morts et 13 blessés à l'Assemblée nationale peut être interprétée comme le signe tragique d'une désillusion profonde suscitée par le contexte politique. Le geste du tireur était une attaque délirante contre le gouvernement du Québec, René Lévesque et le Parti québécois; à partir d'un enregistrement remis au poste de radio CJRP de Québec, on pouvait entendre le message suivant:

> «Ce que je fais, ce n'est pas pour moi mais pour vous, le monde à plaindre de la langue française (...) J'ai trouvé depuis que ce parti est au pouvoir, il a fait beaucoup de mal... aux Français qui voyagent dans le Canada. Je me suis aperçu que les autres personnes les trouvaient stupides... Je respecte ma langue. C'est correct, je parle anglais pour me débrouiller, mais je ne renie pas ma langue (...) Je sais bien qu'ils veulent faire un Québec indépendant. Il ne réussira point. Je vais le détruire avant ça...[67].»

Dès le lendemain, la station radiophonique CFCF de Montréal demandait à ses auditeurs s'ils étaient d'accord avec les mobiles du tireur; à la surprise générale, 76 % des 1 268 répondants anglophones et francophones se sont dit d'accord. Certains propos laissent songeurs: «Quel dommage que des personnes innocentes soient mortes à la place des politiciens[68]». Fraser interprète cet événement comme:

> «... le symbole grotesque de la médiocrité des réalisations du Parti québécois comparée à la grandeur des attentes qu'il avait fait naître. Il s'était montré incapable de concrétiser l'idéal qu'il avait projeté au départ[69].»

Peu importe les multiples réalisations du Parti québécois, notamment au chapitre de la langue, on ne constate qu'un résultat: de la promesse d'un État québécois fort, moteur du développement collectif et du rêve d'indépendance, on est passé à un État amoindri, diminué. Humilié de faire rire de lui à cause de son anglais médiocre, le jeune tireur de l'Assemblée nationale a manifesté sa colère contre le plus faible, le gouvernement du Québec et son rêve d'indépendance, plutôt que contre le plus fort, c'est-à-dire le gouvernement central et son rêve de bilinguisme.

LE NOUVEAU GOUVERNEMENT BOURASSA

L'ambiguïté et l'inaction ont aussi gagné le nouveau gouvernement Bourassa. Celui-ci avait déjà perdu des plumes en 1974 avec une législation linguistique équivoque: la loi 22. On aurait pu espérer que, fort de cette expérience, il miserait sur la clarté et la fermeté. Au contraire, le gouvernement Bourassa deuxième manière semble lui aussi laisser traîner les problèmes. Ainsi, on regarde se multiplier les accrocs à la loi 101 en matière d'affichage bilingue ou unilingue anglais sans intervenir, on n'intente plus de poursuites contre les contrevenants, on semble aussi passer l'éponge sur la présence des fameux enfants «illégaux» à l'école anglaise.

---

67. Propos cités par Graham FRASER dans *Le Parti québécois*, Montréal, Libre Expression, 1984, p. 372-373.
68. *Ibid.*, p. 374.
69. *Loc. cit.*

Le laisser-faire du gouvernement sème le doute sur l'utilité de poursuivre la francisation au Québec. Nombreux sont les Québécois, francophones et anglophones, qui s'attendent à ce que l'on modifie «à la baisse» la politique linguistique. Pendant ce temps, la situation se transforme de semaine en semaine et l'on assiste à un phénomène nouveau: le recul du français, particulièrement sur le plan de l'affichage et en milieu de travail.

Cet immobilisme de la part du gouvernement reflète une méconnaissance flagrante de la problématique de la langue au Québec. C'est une situation qui risque de faire ressurgir les vieux démons linguistiques. Pour le moment, les francophones se montrent tolérants et croient qu'ils n'ont plus besoin de protection maintenant que le français paraît acquis.

LES PERCEPTIONS ET LES COMPORTEMENTS DES QUÉBÉCOIS

Un nombre grandissant de Québécois croient en effet que la question linguistique est maintenant réglée, que la situation est sous contrôle grâce à la loi 101 et que la langue française a atteint un niveau de sécurité désormais garanti[70]. Cette croyance est particulièrement prononcée chez les jeunes, eux qui n'ont pas participé aux débats linguistiques des 20 dernières années. Ils ne sentent pas le besoin de se battre et vivent comme si la suprématie du français au Québec était un fait acquis. Au surplus, cette attitude s'accompagne d'un désintérêt pour la question politique et nationale. C'est oublier que dans le domaine des langues, rien n'est acquis une fois pour toutes; dans le cas du Québec plus particulièrement, les faits démontrent que la partie est loin d'être gagnée... si elle l'est jamais un jour!

En réalité, il s'agit d'une fausse sécurité que celle que semble procurer la loi 101; elle est plus qu'une loi, plus qu'un symbole: elle a maintenant atteint le stade du *mythe*. Nous savons que le mythe repose sur des faits déformés ou amplifiés par l'imagination collective; on attribue ainsi à la loi 101 une force qu'elle n'a pas. D'ailleurs, un sondage[71] du Conseil de la langue française révélait en 1983 que cette loi était perçue comme étant plus sévère qu'elle ne l'était en réalité. Beaucoup de Québécois francophones, anglophones ou allophones n'ont qu'une vision approximative, parfois déformée ou totalement fausse, de la loi et de certaines de ses dispositions particulières. Certains, par exemple, vont jusqu'à croire que la loi 101 défend de parler anglais au Québec, que les anglophones n'ont plus aucun droit ou que le gouvernement n'offre plus de services en anglais. Tel n'est pas le cas évidemment!

Ces perceptions n'ont rien à voir avec la réalité, pas plus que celle voulant que la question linguistique soit maintenant réglée. Rien n'est plus faux! Les nombreux jugements des tribunaux ont réussi à mettre en pièces la *Charte de la langue française*. À l'exception de l'article 57 (relatif au droit pour le client d'avoir une facture ou un reçu en français), plus rien ne peut désormais être tranché par les tribunaux en faveur de la langue française; aucun article ne peut s'appliquer intégralement pour faire respecter la loi. La loi 101 est bien devenue un mythe et ne correspond guère au pouvoir que la ferveur populaire lui attribue.

Rappelons que malgré des progrès indéniables, force est de constater que la loi 101 est encore loin d'avoir atteint tous ses objectifs relatifs à la francisation; de plus, certains obstacles viennent compromettre la réalisation de ces objectifs. On observe depuis quelque temps des résistances à la francisation, parfois des craintes, des indices de relâchement et d'effritement du consensus social, voire de l'indifférence à l'égard de la langue.

---

70. D'après le Conseil de la langue française, *Avis du Conseil de la langue française sur la situation linguistique actuelle*, Québec, 1985, p. 10.

71. Rapport de SONDAGEX INC., *Sondage sur la connaissance de certaines dispositions de la loi 101*, Québec, Conseil de la langue française, dossier n° 35, 1983.

LA PERSISTANCE DE CRAINTES SÉCULAIRES

Malgré l'appui de la majorité francophone à l'égard de la loi 101, plusieurs croient qu'elle peut nuire à l'économie québécoise et qu'elle fait fuir les capitaux anglophones[72]. D'autres francophones craignent de compromettre leurs chances d'avancement en utilisant le français au travail ou évoquent les représailles possibles sur le plan des relations humaines[73]. Dans ses communications verbales avec un anglophone, «le francophone baisse pavillon facilement et adopte beaucoup plus vite la langue de son interlocuteur, surtout si celui-ci est un patron[74]».

En somme, plusieurs Québécois francophones craignent de perdre la place à laquelle ils ont droit en vertu même de la loi. Comme le déclare Michel Plourde: «Ils obéissent encore à la crainte et n'ont pas encore réussi à se libérer d'un certain sentiment de sujétion[75]». Cette peur de se mettre à dos les anglophones est tenace chez un certain nombre de Québécois francophones et constitue l'une des causes importantes de la résistance de certains d'entre eux à la francisation.

LA TENTATION DU BILINGUISME GÉNÉRALISÉ

Bien qu'ils reconnaissent que la loi 101 était nécessaire pour les francophones, la majorité des anglophones n'acceptent pas que le français soit la langue de travail au Québec et demeurent fortement opposés à l'affichage unilingue français; ils continuent de croire que «le Québec devrait être un État bilingue[76]». Il est compréhensible que les anglophones désirent préserver la situation privilégiée dont ils ont toujours bénéficié historiquement face à la majorité.

Les francophones sont eux-mêmes divisés sur cette question. Certains croient que la promotion du bilinguisme généralisé assurerait mieux l'affirmation du fait français que l'unilinguisme officiel; d'autres sont convaincus que, maintenant que le français «est acquis», il n'est plus nécessaire de se défendre contre le bilinguisme; plusieurs pensent aussi que le fait de promouvoir le bilinguisme officiel au Québec favoriserait la reconnaissance officielle du français dans les provinces anglaises. Certains francophones se présentent comme des défenseurs des droits des anglophones et préconisent un retour au bilinguisme généralisé pour ne pas brimer les droits de ces derniers; dans le domaine de l'affichage, le bilinguisme est préconisé par 53 % des Montréalais alors que 62 % d'entre eux trouvent que la loi limite trop l'usage de l'anglais à ce chapitre[77].

Si une partie des francophones se laisse tenter par le bilinguisme généralisé, en revanche, une autre partie s'y oppose. Les opposants au bilinguisme ne croient pas qu'une telle mesure favorise le caractère français de la société québécoise en Amérique du Nord. Ils craignent de redonner à l'anglais sa suprématie au Québec et de compromettre ainsi leurs chances de survie en français.

LE RELÂCHEMENT DANS LE SOUTIEN À LA FRANCISATION

L'effet cumulatif des contestations judiciaires et des jugements de cour a porté atteinte au soutien accordé à la francisation. Ces interventions ont ébranlé les convictions de certains Québécois qui perçoivent la législation linguistique actuelle comme injuste

72. Michel PLOURDE, «L'avenir de la langue française au Québec» dans *La langue française au Québec*, Québec, Éditeur officiel du Québec, 1985, p. 35.
73. Michel PLOURDE, «Bilan de l'application des politiques linguistiques des années 70 au Québec», *Ibid.*, p. 98.
74. *Loc. cit.*
75. *Loc. cit.*
76. CONSEIL DE LA LANGUE FRANÇAISE, *Avis du Conseil de la langue française sur la situation linguistique actuelle*, Québec, Conseil de la langue française, 1985, p. 13.
77. Selon un sondage CROP d'avril 1985 dont les résultats ont été publiés dans *La Presse* du 27 avril 1985.

pour les anglophones ou inadéquate: «Si la loi 101 est attaquée, c'est parce qu'elle n'est pas bonne», pensent plusieurs. Peu comprennent qu'il s'agit simplement d'un rapport de forces entre deux groupes linguistiques qui luttent pour la dominance. L'affaire du rapatriement de la Constitution a clairement démontré encore une fois que le groupe majoritaire fait normalement tout en son pouvoir pour imposer ses volontés à la minorité. C'est peut-être là l'une des explications du relâchement de la part d'un grand nombre de Québécois face à la francisation: aussi bien se résigner!

La fermeté linguistique s'amenuise au profit d'une forme de tolérance souvent incompatible avec le processus d'affirmation du français. Des textes ou des affiches rédigés uniquement en anglais réapparaissent au centre-ville de Montréal, dans la banlieue ouest et sur la Rive-Sud. Des produits unilingues anglais sont réintroduits dans des commerces. Dans un certain nombre d'entreprises, les comités de francisation fonctionnent au ralenti: on restreint l'implantation terminologique sous prétexte que les travailleurs ne s'en soucient à peu près pas, et on sacrifie un poste de traducteur ou de linguiste lorsqu'il faut couper dans les dépenses. D'autres entreprises se contentent d'accrocher au mur leur certificat de francisation et refusent de prendre des mesures concrètes; le nombre des gens d'affaires qui suivaient des cours de français a même chuté de 40 % (depuis l'élection du Parti libéral).

L'attitude des jeunes francophones est aussi très révélatrice d'un certain relâchement. Une étude[78] auprès des élèves du secondaire IV et V démontre que si 60 % des jeunes se disent très attachés à leur langue, entre 59 % et 73 % manifestent de l'indifférence ou de la tolérance («Je ne dis rien») devant le fait de se faire servir en anglais dans les commerces; entre 15 % et 21 % seulement des élèves insistent pour se faire servir en français. La situation est à peu près identique chez les cégépiens.

LA CONSCIENCE LINGUISTIQUE DES JEUNES

Les études portant sur la conscience linguistique des jeunes Québécois montrent que ceux-ci s'identifient peu à la cause de leur langue, et ce, bien qu'ils affirment y être attachés dans une proportion de 60 %. Certaines données[79] paraissent particulièrement inquiétantes:

> Environ 35 % à 40 % des jeunes francophones croient que «tous les débats sur le français au Québec sont de vains débats».
>
> Environ 35 % à 40 % disent même que «vivre en français n'est pas nécessaire à leur épanouissement personnel».
>
> Entre 30 % et 40 % croient qu'il serait plus utile que leurs enfants (éventuels) fréquentent l'école anglaise.
>
> Environ 38 % des jeunes croient qu'on accorde trop d'importance à la question de la qualité du français au Québec.
>
> Entre 31 % à 39 % estiment qu'il est plus important pour eux d'apprendre l'anglais que de perfectionner leur français.

Bien qu'entre 80 % et 86 % des jeunes disent qu'«il ne faudrait, pour rien au monde, abandonner nos efforts pour garder au Québec le français de nos pères», ils baignent dans un univers culturel où le français est relativement absent (radio, télévision, journaux) et ne connaissent à peu près pas la problématique linguistique qui secoue le Québec depuis plus de deux siècles.

78. D'après une étude d'Édith BÉDARD et Daniel MONNIER, *Conscience linguistique des jeunes Québécois*, tome I, CLF, Québec, Éditeur officiel du Québec, 1981, p. 64-65.
79. *Ibid.*, p. 68 et 71.

Lors d'un colloque tenu dans un cégep de Montréal[80] et dont le thème était: «Le français: une question d'amour ou d'argent?», les étudiants ont avoué garder un attachement profond à leur langue. Néanmoins, la plupart de leurs interventions ont porté sur la «défense et illustration» de la langue anglaise, c'est-à-dire qu'elles constituaient un véritable plaidoyer en faveur de l'anglais, langue de l'argent. Manifestement, les jeunes n'ont pas perçu l'inadéquation entre leur attachement à leur langue et leurs comportements. Ils admettaient aussi leur ignorance face au processus de francisation des entreprises et face à la situation sociolinguistique en général au Québec et au Canada. Quelques-uns déploraient d'ailleurs que l'école ne les informe pas à ce sujet.

Le manque d'information chez les jeunes constitue une lacune immense parce qu'il est en relation directe avec l'éveil et la formation de leur conscience linguistique. Selon É. Bédard et D. Monnier, «le facteur information agirait ici dans le sens d'un meilleur degré de conscience dans les milieux où l'interaction linguistique est plus forte[81]». Cela signifie qu'une bonne information sur les questions linguistiques viendrait contrebalancer le poids que constitue l'usage de l'anglais dans une situation de multilinguisme. Dans le cas contraire, l'usager n'opposerait que peu de résistance ou ne disposerait que de peu de moyens pour contrer l'influence de la langue étrangère. Commentant le fait que l'école ne renseigne pas les étudiants sur les questions linguistiques, Michel Plourde déclarait lors d'une conférence à la Faculté des sciences de l'éducation de l'Université de Montréal (avril 1984):

> «Est-il étonnant, après cela, de constater que les jeunes Québécois francophones, une fois sortis de l'école, s'identifient peu à la cause de leur langue, sont indifférents devant le fait de se faire servir en français ou en anglais, n'affichent aucune fierté particulière pour les réalisations québécoises, ni même une fierté nationale tout court, et ne contribuent pratiquement pas au développement du fait français dans leurs comportements linguistiques et leur consommation de biens culturels?[82]»

LES LACUNES DU MILIEU DE L'ÉDUCATION

Contrairement à ce que l'on pourrait croire, la *Charte de la langue française* ne touche pas certains secteurs essentiels comme l'éducation, les communications (médias), la culture et la technologie. À l'exception du problème de l'accès à l'école anglaise, l'éducation a été tenue à l'écart du processus de francisation. Pourtant il s'agit là d'un domaine majeur dans une politique linguistique. Voilà une lacune sérieuse de la Charte: on a mis l'accent sur la francisation du monde du travail sans se préoccuper de l'éducation, notamment en ce qui concerne la qualité de l'enseignement.

Un sondage du Conseil de la langue française (automne 1985) nous apprend que la population québécoise dans son ensemble estime, dans une proportion de 87 %, que le français constitue la matière scolaire la plus importante pour les élèves. En revanche, ceux-ci ne lui accordent la première place que dans des proportions variant entre 4 % et 8 %, à l'exception de ceux de la région du Saguenay où le français est coté par 12 % en première position[83]. Pour la plupart des jeunes, la langue semble être essentiellement un outil de communication et l'outil leur importe peu «pourvu que ça marche». C'est la désaffectation générale à l'égard de l'enseignement de la langue maternelle.

Une vaste enquête du ministère de l'Éducation a révélé que les élèves du secondaire II font en moyenne «une faute à tous les six mots», c'est-à-dire 50 fautes dans des compositions françaises d'environ 300 mots[84]. Le nombre d'erreurs dans une dictée administrée en 1962 et en 1982 est passé, chez les garçons, de 2 à 18 et, chez les filles, de

80. Cégep du Bois-de-Boulogne, 1er novembre 1984.
81. Édith BÉDARD et Daniel MONNIER, *op. cit.*, p. 59.
82. Michel PLOURDE, «Éducation et avenir du français au Québec» dans *La langue française au Québec*, CLF, Québec, Éditeur officiel du Québec, 1985, p. 163.
83. Édith BÉDARD et Daniel MONNIER, *op. cit.*, p. 79.
84. André NOËL, «Chez les élèves du secondaire II: une faute à tous les six mots» dans *La Presse*, Montréal, 25 mars 1985.

1 à 14. Dans son rapport annuel de 1983-1984, le Conseil supérieur de l'éducation lançait un cri d'alarme devant «la détérioration de la langue maternelle» et concluait à «un constat général de piètre qualité» à ce sujet. Pour le Centre de linguistique de l'entreprise, le verdict est clair: «Il y a urgence de changement dans le milieu de l'éducation[85]». On parle de «crise de l'enseignement», d'«état lamentable» du français, de «situation catastrophique», de «régression», etc.

Certaines entreprises déplorent d'avoir à suppléer à la formation linguistique de leurs employés afin d'améliorer la langue écrite, base des communications du travail. Le vice-président du Conseil du patronat, Ghyslain Dufour, déclarait à la presse: «Pour certains emplois, des entreprises embauchent des personnes de 40 ans plutôt que de 20 ans parce que les jeunes ne savent pas écrire[86]».

Bien qu'il n'y ait pas lieu de généraliser, ces cris d'alarme sont certes le symptôme d'un malaise. Cette situation ne semble pas soulever beaucoup de réactions dans les milieux de l'éducation, sinon de l'indifférence ou de la résignation. Les enseignants ne savent plus quoi faire devant ce problème qui paraît «normal» pour plusieurs. De toute façon, pourquoi s'en ferait-on? Plus des deux tiers des élèves francophones se disent «assez» ou «très» satisfaits des cours de français qu'ils reçoivent. Or, l'enseignement de la langue est à la source même de la formation de la conscience linguistique chez les jeunes:

> «Si les écoles et les enseignants n'attachent qu'une importance relative à l'enseignement du français, à son apprentissage et à sa qualité, il y a fort à parier que les enfants ne seront pas beaucoup portés à lui accorder une certaine valeur sociale[87].»

Situation paradoxale: on a francisé les entreprises sans avoir francisé l'école avec le résultat qu'au niveau post-secondaire (collèges et universités), la terminologie scientifique et technique française est peu connue ou inutilisée. Les professeurs adoptent des ouvrages didactiques en langue anglaise (30 % au collégial et 50 % à l'université) même si les étudiants ne maîtrisent pas toujours suffisamment cette langue. D'après une enquête du CLF[88], les professeurs du collégial semblent avoir fait plus d'efforts que les professeurs de l'université pour traduire ou adapter des ouvrages de l'anglais au français, mais la qualité de ces derniers laisserait grandement à désirer: termes techniques anglicisés et de piètre qualité, erreurs syntaxiques, etc.

On ne saurait toutefois assurer l'avenir du français en dispensant un enseignement axé seulement sur le code. On n'apprend pas une langue parce qu'elle est bien enseignée ou qu'on y est attaché sentimentalement, mais pour des raisons fonctionnelles, c'est-à-dire la plupart du temps pour des motifs d'ordre économique. La conscience linguistique des individus se forme non seulement par la connaissance du code, mais aussi par la connaissance et la valorisation du *statut* de la langue. C'est pourquoi les propos suivants de Michel Plourde paraissent judicieux:

> «Si les enseignants de français et les autres enseignants se confinent strictement à leur enseigner la maîtrise de la langue française sans leur montrer la valeur et l'utilité de celle-ci pour la société québécoise et l'importance qu'elle occupe et peut occuper dans le monde, je ne donne pas cher de l'avenir de la langue française au Québec dans l'esprit des jeunes francophones, eux qui n'ont pas spontanément tendance à croire que le français a de l'avenir[89].»

---

85. Cité par Lise BISSONNETTE, «Pour cesser de se plaindre» dans *Le Devoir*, Montréal, 17 janvier 1985.
86. André NOËL, «Les entreprises embauchent des gens de 40 ans» dans *La Presse*, Montréal, 28 mars 1985.
87. Michel PLOURDE, «Éducation et avenir du français au Québec» dans *La langue française au Québec*, CLF, Québec, Éditeur officiel du Québec, 1985, p. 158-159.
88. Edmont BRENT, *L'utilisation des ouvrages didactiques en langue anglaise dans les universités et collèges francophones du Québec*, CLF, Notes et documents n° 24, 1982, 56 pages.
89. Michel PLOURDE, «Éducation et avenir du français au Québec» dans *La langue française au Québec*, CLF, Québec, Éditeur officiel du Québec, 1985, p. 162.

Ces perceptions et ces attitudes constituent un poids lourd dans la conjoncture actuelle en ce qui regarde l'affirmation du fait français au Québec. Les francophones ont tendance à laisser l'État s'occuper de la langue sans penser qu'ils ont eux-mêmes un rôle à jouer. Cette situation est inquiétante parce que l'État est en train de cesser de devancer les citoyens dans la promotion du français; la fermeté linguistique ne paraissant pas rentable électoralement, l'État a tendance à refléter les perceptions et attitudes des Québécois.

Ceux-ci devront développer de nouvelles attitudes plus conformes au choix sur lequel semble s'être arrêtée la société francophone. Ou bien l'on choisit de vivre en français et d'occuper tout l'espace économique, ou bien l'on choisit de le faire en anglais. Pour cela, il faut mettre fin à certaines ambivalences et à certaines incohérences: favoriser le français et le bilinguisme généralisé en même temps, vouloir un Québec français sans en payer le prix et sans déranger personne, implanter le français avec l'accord des anglophones, croire que l'état normal entre langues concurrentes c'est l'harmonie. C'est de l'«angélisme suicidaire» de croire que le Québec pourrait se passer d'une législation linguistique pour promouvoir le français, une langue très minoritaire en Amérique du Nord. Le Bon Dieu n'a malheureusement jamais régné au paradis des langues!

6 LE FUTUR LINGUISTIQUE DU QUÉBEC

Nous savons que la vitalité d'une langue dépend de la force du peuple qui utilise cette langue; cette force est avant tout démographique, mais aussi économique, culturelle, idéologique et politique. C'est de l'ensemble de ces rapports de force que dépend l'avenir de la langue.

LE FACTEUR DÉMOGRAPHIQUE

Avec une population de 6,4 millions d'habitants (1981), le Québec ne compte que pour 26,5 % de la population totale du Canada, et les francophones du Québec pour 21,8 % de l'ensemble. Par rapport à l'Amérique du Nord, les francophones ne comptent que pour 2 % de la population. La loi du nombre place nécessairement le Québec dans une position précaire pour ce qui est de la survie de la langue française sur ce continent, d'autant plus que les francophones affichent le plus faible taux de croissance démographique au Canada: 1,4 enfant par femme.

UNE MINORISATION ACCENTUÉE

Avec une telle sous-fécondité, la population du Québec atteindra son sommet (6,9 millions) en 2001 pour décliner par la suite, au moment où les décès vont l'emporter sur les naissances. Représentant aujourd'hui 26,5 % de la population canadienne, l'importance démographique québécoise devrait baisser à 23,8 % en 2006; le déclin se poursuivra après cette date[90], la fécondité du Canada anglais étant plus élevée que celle des Québécois.

La situation démographique du Québec est préoccupante par rapport à la situation du reste du Canada, car la sous-fécondité prolongée est aggravée par un déficit migratoire inter-provincial. En effet, depuis 1966 le Québec a perdu annuellement environ 30 000 de ses citoyens, qui ont émigré vers les provinces anglaises, et n'a accueilli que 16 000 à 17 000 migrants canadiens, accusant ainsi un déficit migratoire annuel de près de 10 000

---

90. Georges MATHEWS, *Le choc démographique*, Montréal, Boréal Express, 1984, p. 150.

personnes; cela signifie que, dans la période 1966-1981 par exemple, le Québec a perdu 446 220 citoyens pour une perte nette de 194 500 personnes. Les immigrants internationaux sont venus compenser quelque peu ce déficit avec un apport annuel de quelque 17 000 personnes; cet apport se révèle toutefois insuffisant pour maintenir la représentation québécoise par rapport au reste du Canada, qui en a accueilli proportionnellement beaucoup plus. Pour maintenir sa représentation au sein de la fédération, il faudrait que le Québec triple son nombre annuel d'immigrants internationaux et l'élève au moins à 30 000; s'il veut augmenter sa représentation, le nombre d'immigrants devrait atteindre même près de 60 000. Or, un tel afflux annuel est à peu près impossible à absorber économiquement pour le Québec.

Dans ce contexte démographique défavorable, le Québec va voir réduire son influence au sein de la Confédération: le poids démographique des francophones est appelé à diminuer, celui des anglophones à augmenter. Les conflits linguistiques ne risquent pas de s'apaiser au Canada, surtout lorsque les francophones du Québec commenceront à représenter moins de 20 % de la population canadienne; le rapport de forces diminuera entre francophones et anglophones. Donc, les projections démographiques interdisent d'imaginer pour le futur un renforcement de la vitalité du français au Canada. Par rapport à l'ensemble anglo-canadien, la minorisation des francophones du Québec est inéluctable. Il y a donc de quoi faire réfléchir ceux qui favorisent un assouplissement de la législation linguistique au Québec. Encore une fois, c'est de l'angélisme suicidaire de croire que le Québec pourrait se passer d'une telle législation.

UNE AMÉLIORATION DE LA COHÉSION LINGUISTIQUE AU QUÉBEC

En revanche, le Québec pourra compenser sa minorisation démographique graduelle dans la fédération par une plus grande homogénéité linguistique à l'intérieur de son territoire. Trois facteurs vont favoriser cette tendance: l'exode des anglophones vers le reste du Canada, celui des francophones des provinces anglaises vers le Québec, l'impact de la législation linguistique québécoise sur les immigrants internationaux.

Depuis plus de 100 ans, les anglophones du Québec ont vu leur importance relative diminuer régulièrement en même temps qu'ils se repliaient sur Montréal. Après avoir été majoritaires à Montréal (55 % en 1851) et dans les Cantons de l'Est (56 % en 1971), et après avoir constitué une minorité importante à Québec (40 % en 1840) et dans l'Outaouais (49,7 % en 1871), les anglophones se retrouvent très minoritaires partout sauf à Montréal, où ils forment aujourd'hui environ 20 % de la population. L'exode de la communauté anglaise s'est particulièrement accentué depuis 1966 puisque 303 000 anglophones ont quitté le Québec, soit une moyenne de 20 200 départs annuels. Cette tendance migratoire devrait se poursuivre au cours des prochaines décennies si bien que, selon le démographe Henripin[91], les anglophones du Québec ne représenteraient plus que 10,4 % de la population en 2001; ils se concentreront vraisemblablement dans la seule région de Montréal dont ils ne formeront qu'environ 16 %, soit 530 000 personnes.

Si beaucoup d'anglophones quittent le Québec, un nombre assez important de francophones du reste du Canada vient s'y établir; plus de 7 000 par année depuis 1966, soit plus de 100 000 au total. Cet afflux de francophones provenant des provinces anglaises ne compense pas les pertes encourues par les Québécois de langue française qui quittent la province (8 000 à 9 000 annuellement), mais il contribue à «annuler» le nombre des anglophones du Canada qui immigrent au Québec (de 5 000 à 8 000 par année).

91. D'après une étude de Jacques Henripin, citée par Angèle DAGENAIS, «Les anglophones pourraient ne représenter que 10,4 % de la population du Québec en 2001» dans *Le Devoir*, Montréal, 28 novembre 1984.

Enfin, grâce à l'impact actuel de la loi 101, les tendances qui avaient cours avant 1976-1977 ont été enrayées pour le moment. Alors que les enfants d'allophones s'inscrivaient à l'école anglaise dans une proportion de 85,1 % en 1969-1970, ce taux avait chuté à moins de 50 % en 1983-1984. Cela signifie que les francophones réussissent à assimiler environ 50 % des 17 000 immigrants internationaux annuels; cette tendance devrait s'accentuer considérablement si les dispositions relatives à la loi 101 continuaient de s'appliquer intégralement.

Dans le cas où les conditions socio-économiques ne s'amélioreraient pas dans les prochaines décennies, on peut croire que les migrations inter-provinciales occasionneraient des pertes nettes annuelles de 15 000 personnes pour la communauté anglophone et de 2 000 pour la communauté francophone. Celle-ci en sortirait doublement avantagée: elle perdrait moins de ses effectifs et tirerait profit des migrations internationales «francophonisables». Dès lors, il est probable que les francophones augmenteraient leur poids relatif à 83 % ou 84 % autour de l'an 2000; les anglophones baisseraient le leur à 10 % et les allophones se maintiendraient à environ 6 %. Les démographes Lachapelle et Henripin[92] croient même que le poids des francophones pourrait atteindre 86,5 % contre 9,1 % pour les anglophones si la situation socio-économique du Québec demeurait médiocre «pendant trente ans» et que les conditions sociolinguistiques des francophones devaient fortement s'améliorer; une telle éventualité semble peu probable cependant.

À l'opposé, si la situation socio-économique du Québec se révélait bonne et que les conditions sociolinguistiques se détérioraient (par exemple, l'abrogation de la loi 101), on assisterait à un afflux annuel considérable d'anglophones des autres provinces (peut-être jusqu'à 20 000 ou 25 000 par année) et d'allophones (de 25 000 à 30 000). Parallèlement, de 8 000 à 12 000 francophones pourraient quitter le Québec. En ce cas, la proportion détenue par les francophones pourrait diminuer à 79,3 % et celle des anglophones se hisser à 15,8 %[93].

Du point de vue démographique, la communauté francophone verra son importance diminuer au Canada et augmenter au Québec; à l'opposé, la communauté anglophone augmentera son poids au Canada, mais le réduira au Québec. Malgré tout, l'obstacle démographique continuera de peser lourdement sur l'avenir du français au Québec. À tout moment, l'avantage démographique dont jouira le français pourra régresser au profit de l'anglais pour peu que les lois linguistiques s'atténuent ou pour peu qu'un afflux considérable de Canadiens de langue anglaise se déverse sur le Québec, menaçant ainsi l'équilibre linguistique. Protégé par la Constitution canadienne, par le nombre de ses locuteurs au sein de la fédération et par sa forte attraction en Amérique du Nord, l'anglais n'est pas prêt de disparaître au Québec. Bref, malgré la minorisation lente et inexorable dont il sera l'objet au Canada, le Québec deviendra de plus en plus français dans la mesure où les francophones sauront demeurer vigilants, constants et cohérents.

LE FACTEUR ÉCONOMIQUE

L'intervention de l'État québécois en faveur de la langue française a grandement favorisé les francophones sur le plan économique. Elle a accru la gamme des emplois offerts aux francophones et leur a ouvert l'accès à des postes de commande détenus traditionnellement par des non-francophones. Si la tendance se maintient, la proportion des cadres francophones (69,1 % en 1981) augmentera de telle sorte que ce sont les francophones qui assureront dans l'avenir le développement de l'économie du Québec. Les anglophones détiendront probablement encore une position socio-

92. Réjean LACHAPELLE et Jacques HENRIPIN, *La situation démolinguistique au Canada: évolution passée et prospective*, Montréal, Institut de recherches politiques, 1980, p. XXVi.
93. *Loc. cit.*

économique privilégiée dans les prochaines décennies, mais le rattrapage économique et social des francophones devrait se poursuivre, si la législation linguistique continue d'épauler ce rattrapage. La reconquête du pouvoir économique de la langue française entraînera des bénéfices pour les francophones: une plus grande productivité, un accroissement de la dimension du marché du travail pour les unilingues francophones, un transfert de richesses des anglophones vers les francophones. En 2001, Montréal sera une ville française à 80 % et deviendra une métropole économique strictement québécoise; elle aura définitivement perdu son titre de métropole économique du Canada.

Mais vivre en français au Québec entraînera aussi des coûts, dans la mesure où l'on utilisera l'anglais partout ailleurs en Amérique du Nord. Bien qu'ils soient difficiles à évaluer, François Vaillancourt[94] estime ces coûts à une perte de revenu de 7 % à 8 %; ce seraient là les gains obtenus si les Québécois devenaient tous anglophones. Tant que les francophones seront prêts à en payer le coût, aussi longtemps qu'ils estimeront que les bénéfices sont plus grands que les coûts, on peut penser qu'il sera avantageux économiquement de vivre en français. L'intervention de l'État sera toujours nécessaire, car l'anglais demeurera dans une position de force sur le marché du travail, même au Québec.

Parallèlement, la vitalité économique du Québec risque de dépendre de plus en plus de décisions prises par le gouvernement du Canada. Plus les politiques économiques du fédéral vont favoriser les provinces anglaises, plus le Québec verra partir de ses citoyens. Rien ne laisse croire que le gouvernement du Canada changera les règles du jeu qu'il s'est toujours fixées. Selon toute probabilité, l'économie québécoise sera soumise aux aléas de certaines décisions prises à un autre niveau du gouvernement. C'est pourquoi la détermination des francophones à travailler en français au Québec pèsera lourd sur l'avenir de cette langue en Amérique du Nord.

LE FACTEUR POLITIQUE

Les Québécois sont régis par la Constitution canadienne. Ils ne disposeront que de pouvoirs politiques limités parce qu'ils ne peuvent contrôler entièrement leur État. À long terme, ils vont perdre de leur influence à Ottawa; après l'élection fédérale de 1988-1989, les députés du Québec ne pourront être que minoritaires au sein du parti au pouvoir: les députés anglophones des autres provinces augmenteront en proportion de leur représentation dans la population alors que les francophones vont stagner. À moins d'un hypothétique changement constitutionnel, le Québec ne récupérera plus de pouvoirs supplémentaires, au contraire.

En vertu de la Constitution canadienne, il sera impossible pour le Québec d'être aussi français que l'Ontario est anglais. Le Québec est tenu en effet d'être juridiquement bilingue au niveau de la législature et des tribunaux, ce qui n'est guère le cas pour l'Ontario. Au niveau politique, l'anglais conservera indéniablement un net avantage par rapport au français dans les provinces anglaises. Il dispose de droits accordés à la fois par la Constitution canadienne (législature, tribunaux, éducation primaire et secondaire, radio, télévision) et la législation québécoise (éducation à tous les niveaux, services sociaux et de santé) qui lui permettront de conserver des réseaux parallèles d'institutions. Cependant, le nombre d'anglophones s'amenuisant, ceux-ci pourraient perdre certains services non garantis par la Constitution canadienne.

Francophones et anglophones risquent d'être pris au piège de la dialectique permanente majorité-minorité et minorité-majorité. Le pouvoir politique évoluera de telle sorte que le Parlement fédéral deviendra de plus en plus anglais, le Parlement provin-

94. François VAILLANCOURT, «Un aperçu de la situation économique des anglophones et francophones du Québec, de 1961 à 1971, et de l'impact sur cette situation du projet de loi» (1977) dans *Économie et langue*, Québec, CLF, Éditeur officiel du Québec, 1985, p. 142.

cial de plus en plus français. Dans les limites de leur pouvoir, la majorité anglophone du Canada et la majorité francophone du Québec auront tendance à décider elles-mêmes du sort et de l'étendue des protections accordées à leur minorité. Les conflits linguistiques ne sont pas prêts de s'apaiser au Canada et au Québec. La question linguistique sera toujours susceptible de provoquer des explosions de passion à travers le pays.

LES FACTEURS CULTURELS ET IDÉOLOGIQUES

Seule la détermination des francophones dans leur volonté de vivre en français pourra contrebalancer certains facteurs qui leur sont défavorables. Vivre en français au Québec, c'est accepter de vivre dangereusement, c'est affirmer le droit à la différence et l'assumer. Nous demeurerons toujours des «irritants» en Amérique du Nord. D'où la nécessité de se battre perpétuellement pour garder sa place au soleil, car les forces extérieures pèseront toujours lourdement. Vivre en français dans ce pays, c'est un peu comme gravir un escalier mobile qui descend; dès que l'on s'arrête, on descend.

C'est pourquoi l'État devra tout mettre en œuvre pour développer chez tous ses citoyens une conscience nationale susceptible de contribuer à l'avenir de la langue française. Le contrôle de l'éducation devrait permettre de réaliser un tel objectif. Tout relâchement pourra être coûteux et les erreurs fatales. Sur le plan culturel, il sera de plus en plus onéreux de se doter de productions de qualité face à la concurrence anglo-saxonne. L'avenir du français au Québec dépend aussi de l'avenir du français ailleurs dans le monde, notamment au point de vue scientifique. C'est pourquoi il sera nécessaire de conserver et de développer des contacts avec la France; ceux-ci devront être aussi d'ordre économique, car seul l'intérêt économique permet de maintenir des liens durables entre les peuples.

LE DESTIN LINGUISTIQUE DU QUÉBEC ET DU CANADA

Compte tenu des tendances démolinguistiques observées au Canada et au Québec depuis plus d'un siècle, on peut croire que la dynamique géographique des langues se poursuivra et s'accentuera inexorablement dans les prochaines décennies: le Québec sera de plus en plus français, le reste du Canada de plus en plus anglais. Les causes de cette dualité territoriale inévitable sont relativement simples: le poids démographique des anglophones va augmenter partout au Canada sauf au Québec, où il diminuera pendant que celui des francophones va nécessairement régresser sauf au Québec, où il s'intensifiera. Depuis 1931, les anglophones quittent massivement le Québec alors que les francophones du reste du Canada y affluent continuellement. Même les immigrants internationaux ont tendance à choisir le Québec lorsqu'ils parlent français ou une langue d'origine latine (par exemple, l'espagnol ou le portugais) et semblent préférer le Canada anglais lorsqu'ils parlent anglais ou d'autres langues non latines. Selon toute vraisemblance, le Canada s'achemine vers une situation comparable à celle de la Belgique et de la Suisse. Malgré les politiques linguistiques de bilinguisme prônées par le gouvernement fédéral, le Canada se dirige implacablement vers la bipolarisation linguistique, c'est-à-dire la séparation linguistique sur une base territoriale:

> «L'Histoire suit son cours. La réalité territoriale indiscutable des deux nations relèvera bientôt de la banalité, et à l'intérieur des provinces les querelles linguistiques s'éteindront, faute de joueurs (au niveau du gouvernement central, ces querelles auront plutôt tendance à s'amplifier). Tel n'était pas le rêve des Pères de la Confédération, tel n'est pas le rêve des fédéralistes québécois, mais tel est le destin du Canada[85].»

C'est ainsi que les rapports de force aboutissent un peu partout dans le monde. La paix linguistique n'est possible que lorsque les langues en contact peuvent posséder chacune un territoire exclusif; sinon, elles cherchent tout naturellement à s'éliminer

95. Georges MATHEWS, *op. cit.*, p. 93.

mutuellement et à se vaincre. Promouvoir le bilinguisme généralisé au Canada ne peut qu'assurer la dominance de la langue anglaise; le promouvoir au Québec conduirait fatalement au même résultat compte tenu de la puissance d'attraction de l'anglais en Amérique du Nord. Si le gouvernement canadien avait vraiment comme objectif la protection de la langue française au Canada, il favoriserait nécessairement l'unilinguisme français au Québec et lui procurerait un statut égal *dans les faits*. De toute façon, au train où les tendances démolinguistiques évoluent au Canada, le bilinguisme deviendra bientôt inutile, car la loi de la dynamique géographique des langues ira à l'encontre du bilinguisme idéalisé et imposera l'unilinguisme territorial. Ne pas accepter cette réalité dictée par une loi implacable, millénaire et universelle, c'est se réfugier dans l'utopie.

***

À RETENIR

LA PRÉHISTOIRE ET L'HISTOIRE DU FRANÇAIS

L'espèce humaine remonte à 1,7 million d'années, mais les langues n'apparaissent qu'environ 40 000 ans avant notre ère; l'écriture suit, lors de la création des premiers États, c'est-à-dire avec les Sumériens vers 3400.

Au cours du second millénaire, les Indo-Européens arrivent des plaines de l'Ukraine et envahissent les grandes aires de civilisation: Aryens en Inde et au nord de l'Inde, Hittites en Anatolie, Hellènes en Grèce, Celtes en Europe de l'Ouest, Italiques en Italie, puis Germains, Baltes, Slaves, etc., dans le reste de l'Europe.

Un de ces peuples indo-européens, les Romains, l'une des ethnies italiques, crée un immense empire qu'il partage en deux administrations: l'une d'expression latine pour l'Occident, l'autre d'expression grecque pour l'Orient.

Entre le Ier et le IVe siècle, le latin devient la grande langue universelle de l'Europe; langue de la promotion sociale, de la puissance financière, des armées, le latin gagne progressivement les villes, puis les campagnes, éliminant toutes les autres langues à l'exception de certaines langues parlées par des ethnies vassales associées à la défense de l'empire (Gallois, Bretons, Basques, Berbères, Albanais, Arméniens, Juifs).

La dislocation de l'Empire romain commence avec le début des grandes invasions germaniques au IVe siècle et entraîne le morcellement linguistique dans toute l'Europe; pendant plusieurs siècles cohabitent au sein des empires germaniques les langues de ces peuples vainqueurs, le latin classique confiné à l'écriture et les multiples parlers romans utilisés par les populations autochtones.

Parmi les peuples germaniques, les Francs sortent grands vainqueurs de ces affrontements et imposent leur suprématie dans presque toute l'Europe qu'ils réunifient sous Charlemagne; l'unification politique ne dure pas assez longtemps pour imposer le francique, utilisé uniquement par l'aristocratie franque.

La préhistoire du français s'achève avec les *Serments de Strasbourg* (842), premier texte connu rédigé en langue «vulgaire», langue du peuple; Hugues

Capet (987) est le premier roi de France à ne savoir s'exprimer qu'en français; à la fin du règne de Louis IX (1226-1270), la langue du roi envahit progressivement le nord de la France et est connue hors du pays, même en Orient. Néanmoins, le latin demeure la langue internationale dans le monde catholique.

Les XIVe et XVe siècles constituent une période de mutation profonde pour le français, qui se transforme radicalement; les gens instruits exercent leur puissance sur la langue écrite pendant que la langue parlée commence à évoluer différemment, sans contraintes.

Pendant le XVIIe siècle et la plus grande partie du XVIIIe siècle, le français-langue-du-roi demeure encore une langue de classe ignorée totalement des gens du peuple; l'expansion du français s'accentue en raison des conquêtes royales: il est employé partout comme langue de la diplomatie et détrône définitivement le latin sur ce plan ainsi que dans le domaine scientifique.

La Révolution française marque la fin du français comme langue de l'aristocratie; les révolutionnaires déclarent la guerre aux parlers régionaux et tentent d'universaliser l'usage de la langue française par des décrets rigoureux; pour la première fois, l'unité politique de la nation passe par l'unification linguistique.

Le XIXe siècle rend cette unification irréversible grâce à la très grande centralisation, au brassage des populations, à l'école, à l'industrialisation; si le français s'étend partout en France, il voit son rôle diminuer considérablement sur le plan international à l'exception de l'Afrique, où il s'implante comme langue coloniale.

Le français d'aujourd'hui est la langue commune de tous les Français même si certains parlers régionaux subsistent encore; c'est aussi une langue employée officiellement par plus d'une trentaine d'États dans le monde. Enfin démocratisé, le français voit l'importance de son code parlé reconnue grâce aux médias électroniques; c'est aussi un instrument efficace pour véhiculer les connaissances scientifiques même s'il est supplanté par l'anglais et le russe dans ce domaine.

LA QUESTION LINGUISTIQUE AU QUÉBEC

Compte tenu de l'état de fragmentation linguistique qui prévaut en France aux XVIIe et XVIIIe siècles, la plupart des immigrants français qui partent pour le Canada ne peuvent parler le français; la Nouvelle-France connaît donc nécessairement le «choc des patois».

Ce ne sont ni l'Église, ni l'armée, ni le roi, ni les fonctionnaires qui sont les véritables responsables de l'unification linguistique de la Nouvelle-France, mais les sujets parlants eux-mêmes, en particulier les femmes: l'action conjuguée de 54 % des femmes francisantes de 1663 ainsi que de leur progéniture, les mariages exogames ou interlinguistiques et l'arrivée massive des filles du roi francisantes ou carrément de langue française provoquent l'extinction rapide des patois vers les années 1680-1689.

La Conquête anglaise de 1760 entraîne non seulement la rupture politique, mais aussi une rupture économique, sociale et, comme il se doit, linguistique; en faisant le dur apprentissage de la vie commune avec ses conquérants, la société canadienne-française développe des réflexes de survivance axés sur la défense de sa religion, de sa langue et de ses droits.

La Proclamation royale de 1763 se révèle vite un carcan intolérable pour les Canadiens de langue française: devant l'impossibilité de faire fonctionner la «Province of Quebec» en anglais et avec les lois anglaises, devant les difficultés à assimiler les vaincus, les Anglais se plient malgré eux aux circonstances et proclament l'Acte de Québec (1774), destiné à rendre plus tolérable la domination anglaise.

L'Acte constitutionnel de 1791 sépare la Province de Québec en deux colonies distinctes: le Bas-Canada (le Québec) et le Haut-Canada (l'Ontario actuel); le Parlement de Québec est massivement francophone, mais il est subordonné à un gouvernement exclusivement anglais: les conflits permanents entre francophones et anglophones paralysent l'État et aboutissent à la Rébellion armée de 1837, qui marque la fin du statut de majoritaires pour les francophones.

À partir de l'Acte d'Union de 1840, les francophones apprennent à vivre leur situation de minoritaires; parqués dans l'agriculture, exclus du grand commerce, de la direction des affaires, de l'administration publique, les Canadiens français vivent un siècle de défense, de survivance et de conservatisme, facteurs qui se reflètent dans une langue archaïsante, anglicisée et non adaptée aux réalités industrielles modernes.

La Confédération de 1867 ne change rien à la situation des Canadiens de langue française; la lutte pour l'autonomie provinciale contre l'envahissement du fédéral dans les affaires québécoises reste de nature essentiellement verbale: les gouvernements québécois n'utilisent pas le pouvoir de leur État pour modifier la situation de subordination économique et linguistique des francophones. Ils ne comprennent même pas que l'industrialisation a anglicisé la population francophone et ils l'abandonnent à son sort pendant que les anglophones occupent les postes de commande de l'économie.

La défense de la langue française est prise en charge par l'Église, qui poursuit un combat d'arrière-garde axé sur la langue-gardienne-de-la-foi et la protection-contre-le-protestantisme-anglais; ce qui n'enraie pas l'état de déchéance où végète la langue française, signe de la servitude individuelle et collective des Canadiens français.

À partir de 1960, le Québec se modernise; la langue se transforme en une arme de combat et en symbole d'une société qui n'accepte plus son sort de minorité dominée; la prise de conscience linguistique se précise grâce à la querelle autour du joual, à l'évolution de la situation démographique défavorable aux francophones et à la domination socio-économique de l'anglais.

L'année 1968 marque le début de l'interventionnisme de l'État dans le domaine de la langue. La loi 63 (1969) sert de banc d'essai avant l'adoption de la loi 22 (1974), qui constitue la première loi globale sur la langue; mais comme cette loi ne règle pas vraiment le processus d'assimilation des francophones et n'empêche pas plus la prépondérance socio-économique de l'anglais, il faut adopter une autre loi: la loi 101.

La loi 101, adoptée en 1977, vise à corriger les problèmes qui traînent en longueur depuis des décennies: endiguer le processus d'assimilation et de minorisation des francophones, assurer la prédominance socio-économique du français, réaliser dans les faits l'affirmation du français au Québec.

Le rapatriement de la Constitution canadienne (1981) vient court-circuiter certaines dispositions relatives à la loi 101 en imposant un caractère bilingue à la société québécoise et en réduisant les pouvoirs du Québec en matière de langue et d'éducation; le gouvernement du Québec s'enferme dans des crises internes et se contente d'encaisser les coups lors des contestations judiciaires pendant que les anglophones remplacent les francophones à l'avant-scène de la question linguistique.

Beaucoup de Québécois croient maintenant que la question linguistique est définitivement réglée et que la langue française a atteint un niveau de sécurité désormais garanti; certaines craintes séculaires à l'égard des anglophones sont même réapparues; plusieurs se laissent tenter par un retour au bilinguisme généralisé; l'effet cumulatif des jugements de cour à porté atteinte au soutien accordé à la francisation, l'absence de conscience linguistique chez les jeunes est particulièrement préoccupante, les différents milieux de l'éducation ne réagissent pas, sinon avec indifférence et résignation.

Si les tendances démolinguistiques actuelles se poursuivent, le futur linguistique du Québec se dessine ainsi: le poids démographique des francophones va diminuer au sein de la fédération, celui des anglophones va augmenter; en revanche, le Québec pourra vraisemblablement compenser sa minorisation graduelle par une plus grande cohésion linguistique sur son territoire: le Québec deviendra de plus en plus français. Selon toute probabilité, le Canada s'achemine vers une situation de séparation linguistique sur une base territoriale. Tel n'est pas le vœu de beaucoup de Canadiens, voire de Québécois; tel est cependant le destin linguistique du Canada: deux unilinguismes territoriaux où chaque faction exercera sa dominance. La paix linguistique est à ce prix.

BIBLIOGRAPHIE

LE FRANÇAIS ET LES ORIGINES

ALLIÈRES, Jacques. *La formation de la langue française*, Paris, P.U.F., coll. «Que sais-je?», n° 1907, 1982, 128 p.

ANGLADE, Joseph. *Grammaire élémentaire de l'ancien français*, Paris, Armand Colin, 1965, 248 p.

BALIBAR, Renée et Dominique LAPORTE. *Le français national*, Paris, Hachette, 1974, 224 p.

BARBAUD, Philippe. *Le choc des patois en Nouvelle-France*, Sillery (Québec), Presses de l'Université du Québec, 1984, 204 p.

BOSCH-GIMPERA, P. *Les Indo-Européens, problème archéologique*, Paris, Payot, 1980, 295 p.

BOURCIEZ, Édouard. *Précis historique de phonétique française*, Paris, 1958, Klincksieck, 235 p.

BRUNOT, Ferdinand et Charles BRUNOT. *Précis de grammaire historique de la langue française*, Paris, Masson et Cie, 1949, 642 p.

CAPUT, Jean-Pol. *La langue française, histoire d'une institution*, tome I, Paris, Larousse, 1972, 319 p.

CAPUT, Jean-Pol. *La langue française, histoire d'une institution*, tome II, Paris, Larousse, 1975, 288 p.

CHAURAND, Jacques. *Histoire de la langue française*, Paris, P.U.F., coll. «Que sais-je?», n° 167, 1969, 128 p.

CHERVEL, André. *. . . et il fallut apprendre à écrire à tous les petits Français*, Paris, Payot, Paris, 1977, 306 p.

COHEN, Marcel. *Histoire d'une langue, le français*, Paris, Éditions sociales, 1967, 513 p.

DELAGE, Raymond. *Introduction à l'ancien français*, Paris, Société d'édition d'enseignement supérieur, 1962, 174 p.

DENIS, Roland. *Les vingt siècles du français*, Montréal, Fides, 1949, 439 p.

DÉSIRAT, Claude et Tristan HORDÉ. *La langue française au 20e siècle*, Paris, Bordas, 1976, 252 p.

DUCHÉ, Jean. *Mémoires de Madame la Langue française*, Paris, Éditions Olivier Orban, 1985, 272 p.

GRENIER, Albert. *Les Gaulois*, Paris, Payot, 1970, 336 p.

GUIRAUD, Pierre. *L'ancien français*, Paris, P.U.F., coll. «Que sais-je?», n° 1056, 1965, 128 p.

GUIRAUD, Pierre. *Le moyen français*, Paris, P.U.F., coll. «Que sais-je?», n° 1086, 1966, 127 p.

GUIRAUD, Pierre. *Les mots étrangers*, Paris, P.U.F., coll. «Que sais-je?», n° 1166, 1965, 127 p.

HAUDRY, Jean. *Les Indo-Européens*, Paris, P.U.F., coll. «Que Sais-je?», n° 1965, 1981, 128 p.

HERMAN, Joseph. *Le latin vulgaire*, Paris, P.U.F., coll. «Que sais-je?», n° 1247, 1970, 127 p.

LEGRAND-GELBER, Régine. «Le langage humain, sa nature» dans *Linguistique*, Paris, P.U.F., 1980, p. 13-54.

PIÉMONT, Paul-A. *L'origine des frontières linguistiques en Occident*, Strasbourg, Piémont (compte d'auteur), 1981, 481 p.

PIGANIOL, André. *La chute de l'Empire romain*, Nouvelles Éditions de Marabout, Verviers (Belgique), 1982, 316 p.

PLOETZ, Karl. *Calendrier de l'histoire universelle*, Marabout, Université Verviers (Belgique), 1974, 349 p.

RIVAROL. *Discours sur l'université de la langue française*, Paris, Éditions Pierre Belford, 1966, 265 p.

THEVENOT, Émile. *Les Gallo-Romains*, P.U.F., Paris, coll. «Que sais-je?», n° 314, 1972, 126 p.

VENDRYES, Joseph. *Le langage, introduction linguistique à l'histoire*, Paris, Albin Michel, 1968, 444 p.

WOLFF, Philippe. *L'éveil intellectuel de l'Europe*, Seuil, Paris, 1971, 255 p.

LA QUESTION LINGUISTIQUE AU QUÉBEC

ALLARD, Michel et coll., *Histoire nationale du Québec*, Montréal, Guérin, 1982, 335 p.

BAILLARGEON, Mireille et Claire BENJAMIN. *Les futurs linguistiques possibles de la région de Montréal en 2001*, Québec, ministère de l'Immigration, 1981, 285 p.

BARBAUD, Philippe. *Le choc des patois en Nouvelle-France*, Sillery (Québec), Presses de l'Université du Québec, 1984, 204 p.

BÉDARD, Édith. *Conscience linguistique des jeunes Québécois*, tome I: *Influence de l'environnement linguistique chez les élèves francophones de niveau secondaire III et V*, Québec, CLF, Éditeur officiel du Québec, 1981, 164 p.

BÉLANGER, Noël et Arnaud SALES. *Décideurs et gestionnaires, étude sur la direction et l'encadrement des secteurs privé et public*, Québec, CLF, Éditeur officiel du Québec, 1985, 421 p.

BOULET, Jac-André. «Le développement économique de Montréal et la Charte de la langue française» dans *Actes du congrès «Langue et société au Québec»*, Québec, Éditeur officiel du Québec, 1984, p. 380-383.

BOURASSA, Henri. *La Langue Française au Canada*, Montréal, Imprimerie du *Devoir*, 1915, 52 p.

BOURASSA, Henri. *La langue, gardienne de la Foi*, Montréal, Bibliothèque de l'Action française, 1918, 53 p.

BOUTHILLIER, Guy et Jean MEYNAUD. *Le choc des langues au Québec, 1760-1960*, Montréal, Presses de l'Université du Québec, 1972, 768 p.

BOUTIN, André. «Les activités économiques et le français au Québec» dans *Actes du congrès «Langue et société au Québec»*, tome I, Québec, Éditeur officiel du Québec, 1984, p. 66-76.

BRENT, Edmond. *L'utilisation des ouvrages didactiques en langue anglaise dans les universités et collèges francophones du Québec*, Notes et documents n° 24, CLF, Québec, 1982, 56 p.

BRUNET, Michel. *Québec Canada anglais, deux itinéraires/un affrontement*, Montréal, HMH, 1969, 309 p.

BUREAU, Conrad. *Le français écrit au secondaire, une enquête et ses implications pédagogiques*, Québec, CLF, Éditeur officiel du Québec, 1985, 134 p.

CALDWELL, Gary et Éric WADDEL. *Les anglophones du Québec de majoritaires à minoritaires*, Québec, Institut québécois de recherche sur la culture, 1982, 479 p.

CASTONGUAY, Charles. «Le dilemme démolinguistique du Québec» dans *Douze essais sur l'avenir du français au Québec*, Québec, CLF, Éditeur officiel du Québec, 1984, p. 13-35.

CHARBONNEAU, Hubert, HENRIPIN, Jacques et Jacques LÉGARÉ. «L'avenir démographique des francophones au Québec et à Montréal en l'absence de politiques adéquates» (1970) dans *La population du Québec: études rétrospectives*, Montréal, Boréal Express, 1973, p. 103-110.

CHARBONNEAU, Hubert, HENRIPIN, Jacques et Jacques LÉGARÉ. «La situation démographique des francophones au Québec et à Montréal d'ici l'an 2000» dans *Le Devoir*, Montréal, 4 nov. 1969.

CLIFT, Dominique et Sheila McLEOD ARNOPOULOS. *Le fait anglais au Québec*, Montréal, Libre Expression, 1979, 277 p.

CONSEIL DE LA LANGUE FRANÇAISE. *Avis du Conseil de la langue française sur la situation linguistique actuelle*, Québec, CLF, adopté le 25 janvier 1985, 47 p.

CORBEIL, Jean-Claude. *L'aménagement linguistique du Québec*, Montréal, Guérin, 1980, 154 p.

CORBEIL, Jean-Claude. *Essai sur l'origine historique de la situation linguistique du Québec*, Éditeur officiel du Québec, 1974, 45 p.

DAOUST, Denise. «La planification linguistique au Québec: un aperçu des lois sur la langue» dans *Revue québécoise de linguistique*, vol. 12, n° 1, Montréal, Université du Québec à Montréal, 1982, p. 9-75.

DESBIENS, Jean-Paul. *Les insolences du Frère Untel*, Montréal, Les Éditions de l'Homme, 1960, 158 p.

DION, Léon. *Nationalismes et politique au Québec*, Montréal, Hurtubise HMH, 1975, 177 p.

DUCHESNE, Louis. «La situation démolinguistique du Québec, essai de synthèse» dans *La situation démolinguistique au Québec et la Charte de la langue française*, Québec, Éditeur officiel du Québec, 1980, p. 87-111.

DULONG, Gaston. *Bibliographie linguistique du Canada français*, Québec/Paris, Presses de l'Université Laval/Klincksieck, 1966, 167 p.

DUMAS, Silvio. *Les filles du roi en Nouvelle-France*, Québec, La Société historique de Québec, 1972, 382 p.

DUMONT, Fernand. «Idéologie et conscience historique dans la société canadienne-française du XIXe siècle (1966), dans Jean-Paul BERNARD, *Les idéologies québécoises au 19e siècle*, Montréal, Boréal Express, 1973, p. 61-82.

DURHAM, Lord. *Rapport sur les affaires de l'Amérique du Nord britannique* (1839), traduit et reproduit sous le titre *Rapport Durham*, Montréal, Les Éditions Sainte-Marie, 1969, 156 p.

FAUCHER, Albert et Maurice LA MONTAGNE. «Histoire de l'industrialisation» dans *Le retard du Québec et l'infériorité économique des Canadiens français*, Montréal, Boréal Express, 1971, p. 25-42.

FILTEAU, Gérard. *La naissance d'une nation*, Montréal, Les Éditions de l'Aurore, 1978, 286 p.

FRASER, Graham. *Le Parti québécois*, Montréal, Libre Expression, 1984, 432 p.

GÉMAR, Jean-Claude. *Les trois états de la politique linguistique du Québec*, Québec, Éditeur officiel du Québec, 1983, 201 p.

GEORGEAULT, Pierre. *Conscience linguistique des jeunes Québécois*, tome II: *Influence de l'environnement linguistique chez les étudiants francophones de niveau collégial I et II*, Québec, CLF, Éditeur officiel du Québec, 1981, 158 p.

GEORGEAULT, Pierre. «La conscience linguistique des jeunes: mythes ou réalité» dans *Actes du congrès «Langue et société au Québec»*, tome I, Québec, Éditeur officiel du Québec, 1984, p. 397-404.

GEORGEAULT, Pierre et Francine GAGNÉ. *Synthèse des opinions*, Notes et documents n° 36, CLF, Québec, 1983, 104 p.

GOUVERNEMENT DU QUÉBEC. *Rapport Gendron*, Livre 1: *La langue de travail*, Québec, 1972, 379 p.

GOUVERNEMENT DU QUÉBEC. *Rapport Gendron*, Livre 2: *Les droits linguistiques*, Québec, 1972, 474 p.

GOUVERNEMENT DU QUÉBEC. *Rapport Gendron*, Livre 3: *Les groupes ethniques*, Québec, 1972, 570 p.

GRENIER, Gilles. «Bilinguisme, transferts linguistiques et revenus du travail au Québec: quelques éléments d'interaction», dans *Économie et langue*, Québec, CLF, Éditeur officiel du Québec, 1985, p. 243-287.

GROULX, Lionel. *Le français au Canada*, Paris, Librairie Delagrave, 1932, 235 p.

HAMELIN, Jean et Jean PROVENCHER. *Brève histoire du Québec*, Montréal, Boréal Express, 1981, 169 p.

HARVEY, Pierre. «Pourquoi le Québec et les Canadiens français occupent-ils une place inférieure sur le plan économique» (1969) dans *Le retard du Québec et l'infériorité économique des Canadiens français*, Montréal, Boréal Express, 1971, p. 113-127.

HENRIPIN, Jacques et Réjean LACHAPELLE. *La situation démolinguistique au Canada: évolution passée et prospective*, Montréal, Institut de recherches politiques, 1980, 391 p.

HENRIPIN, Jacques et Yves PERON. «La transition démographique de la province de Québec» dans *La population du Québec: études rétrospectives*, Montréal, Boréal Express, 1973, p. 23-44.

HOMIER, Pierre. *La Langue Française au Canada*, Montréal, Ligue des droits du français, 1913, 93 p.

LANCTÔT, Gustave. *Filles de joie ou filles du Roi*, Montréal, Éditions du Jour, 1966, 156 p.

LAPONCE, Jean-A. *Langue et territoire*, Québec, Presses de l'Université Laval, CIRB, 1984, 265 p.

LATOUCHE, Daniel. *Une société de l'ambiguïté*, Montréal, Boréal Express, 1979, 263 p.

LAVOIE, Yolande. «Les mouvements migratoires des Canadiens entre leur pays et les États-Unis au XIXe et XXe siècle: étude quantitative» dans *La population du Québec: études rétrospectives*, Montréal, Boréal Express, 1973, p. 73-88.

LAVOIE, Yolande. *L'émigration des Québécois aux États-Unis de 1840 à 1930*, Québec, CLF, Éditeur officiel du Québec, 1981, 68 p.

LE TENNEUR, René. *Les Normands et les origines du Canada français*, Coutances (France), Ocep, 1973, 332 p.

LOCHER, Uli. *Conscience linguistique des jeunes Québécois*, tome III: *Le fait français vécu par des élèves étudiant en anglais en 4e et 5e secondaire et en 1re et 2e collégial*, Québec, CLF, Éditeur officiel du Québec, 1983, 219 p.

LOCHER, Uli. *Conscience linguistique des jeunes Québécois*, tome IV: *Étude comparative du vécu et de la perception du fait français dans les écoles françaises et anglaises (4e et 5e secondaire, 1re et 2e collégaial)*, Québec, CLF, Éditeur officiel du Québec, 1983, 158 p.

MATHEWS, Georges. *Le choc démographique*, Montréal, Boréal Express, 1984, 207 p.

McROBERTS Kenneth et Dale POSGATE. *Développement et modernisation du Québec*, Montréal, Boréal Express, 1983, 360 p.

MONIÈRE, Denis. *Le développement des idéologies au Québec*, Montréal, Québec/Amérique, 1977, 381 p.

MONNIER, Daniel. *L'usage du français au travail*, Québec, CLF, Éditeur officiel du Québec, 1983, 121 p.

MONNIER, Daniel. *La question linguistique: l'état de l'opinion publique*, Notes et documents n° 42, CLF, Québec, 1983, 68 p.

MONNIER, Daniel. *La situation de la langue française au Québec, statistiques récentes*, Notes et documents n° 40, CLF, Québec, 1984, 25 p.

MORIN, Claude. «L'expérience québécoise du fédéralisme canadien» dans *La modernisation politique du Québec*, Montréal, Boréal Express, 1976, p. 79-100.

NOËL, André. «La loi 101 a joué en faveur des cadres francophones» dans *La Presse*, Montréal, 17 mai 1985.

NOËL, Lise. «Le prix qu'il faut payer» dans *Douze essais sur l'avenir du français au Québec*, Québec, CLF, Éditeur officiel du Québec, 1984, p. 165-177.

PATRY, Réjean. *La législation linguistique fédérale*, Québec, Éditeur officiel du Québec, 1981, 108 p.

PLOURDE, Michel. «Bilan de l'application des politiques linguistiques des années 70 au Québec» dans *Actes du congrès «langue et société au Québec»*, tome 1, Québec, Éditeur officiel du Québec, 1984, p. 41-66.

PLOURDE, Michel. *La langue française au Québec, conférences et allocutions (1980-1985)*, CLF, Québec, Éditeur officiel du Québec, 1985, 307 p.

RAPPORT DE SONDAGEX INC. *Sondage sur la connaissance de certaines dispositions de la loi 101*, Notes et documents n° 35, CLF, Québec, 1983, 60 p.

RAPPORT DU GROUPE DE TRAVAIL INTERMINISTÉRIEL. *Effets démolinguistiques du projet fédéral de Charte des droits et libertés*, Notes et documents n° 8, CLF, Québec, 1981, 37 p.

RÉMILLARD, Gil. «Les Québécois au lendemain du rapatriement» dans *Actes du congrès «Langue et société au Québec»*, tome II, Québec, Éditeur officiel du Québec, 1984, p. 35-44.

RIOUX, Marcel. *La question du Québec*, Paris, Seghers, 1969, 184 p.

SAINT-YVES, Maurice. *Atlas de géographie historique du Canada*, Boucherville (Qué.), Les Éditions françaises inc., 1982, 96 p.

SÉGUIN, Maurice. «La Conquête et la vie économique des Canadiens» dans *Le retard du Québec et l'infériorité économique des Canadiens français*, Montréal, Boréal Express, 1971, p. 93-111.

SPARER, Michel. «Constitution et droit linguistique», dans *Actes du congrès «Langue et société du Québec»*, Québec, Éditeur officiel du Québec, 1984, p. 435-438.

TERMOTE, Marc. «Le bilan migratoire du Québec, (1951-1977) — l'évolution récente située dans une perspective de long terme» dans *La situation démolinguistique au Québec et la Charte de la langue française*, Québec, Éditeur officiel du Québec, 1980, p. 13-39.

TREMBLAY, Maurice. «Orientation de la pensée sociale», (1953) dans *Le retard du Québec et l'infériorité économique des Canadiens français*, Montréal, Boréal Express, 1971, p. 75-92.

TRUDEL, Marcel. *Initiation à la Nouvelle-France*, Montréal/Toronto, Holt, Rinehart et Winston Limitée, 1968, 323 p.

TRUDEL, Marcel. *La population du Canada en 1663*, Montréal, Fides, 1973, 368 p.

VAILLANCOURT, François. «Un aperçu de la situation économique des anglophones et francophones du Québec, de 1961 à 1971, et de l'impact possible sur cette situation du projet de loi» (1977) dans *Économie et langue*, CLF, Québec, 1985, p. 117-156.

WOEHRLING, José. «De l'effritement à l'érosion» dans *Actes du congrès «Langue et société au Québec»*, Québec, Éditeur officiel du Québec, 1984, p. 416-434.

HUITIÈME PARTIE

ACTIVITÉS

CHAPITRES 1, 2, 3 ET 4

L'UNIVERS DE LA COMMUNICATION

CONNAISSANCE DU CONTENU

1. Définissez en vos mots le terme *communication*. Chapitre **1**.

2. Dans quelle mesure la communication se révèle-t-elle efficace? Est-ce que la radio et la télévision constituent des lieux d'échanges? Expliquez. Chapitre **1**.

3. Quelle est la différence entre la communication individualisée et la communication institutionnalisée? Chapitre **1**.

4. Lorsque deux interlocuteurs ne se trouvent pas dans le même espace physique, la communication est-elle toujours *différée*? Expliquez. Chapitre **1**.

5. Parmi les fonctions du langage de Jakobson, qu'est-ce qui distingue la fonction référentielle de la fonction expressive? Chapitre **2**.

6. Expliquez pourquoi la fonction incitative est axée sur le destinataire. Chapitre **2**.

7. Comment fonction *poétique* et fonction *ludique* peuvent-elles correspondre? Chapitre **2**.

8. Est-ce un hasard si la publicité fait un grand usage des fonctions poétique et relationnelle? Chapitre **2**.

9. Pourquoi la fonction métalinguistique est-elle exclusive à la langue? Chapitre **2**.

10. Aux fonctions propres à la langue décrites par Jakobson, il faudrait en ajouter une septième. Laquelle? Expliquez. Chapitre **2**.

11. Qu'est-ce qui caractérise la communication «non linguistique» par rapport à la communication «linguistique»? Chapitre **3**.

12. Dans le contexte d'une théorie de la communication, les mots *symbole* et *icône* ont un sens très différent de celui de la langue courante. Expliquez ces différences de sens pour chacun de ces mots. Chapitre **3**.

13. Qu'est-ce qui distingue l'*indice* des trois autres systèmes non linguistiques? Chapitre **3**.

14. Donnez trois exemples de signaux graphiques, de signaux iconiques et de signaux mixtes. Chapitre **3**.

15. Quelles raisons permettent d'affirmer que la langue est le plus important des systèmes de communication? Chapitre **3**.

16. Peut-il arriver qu'un moyen de communication non linguistique, par exemple visuel, se révèle plus efficace que le code de la langue? Donnez trois exemples et justifiez votre réponse. Chapitre **3**.

17. Quels sont les obstacles à la communication? Décrivez-les. Comment peut-on contrer ces obstacles? Chapitre **4**.

COMPRÉHENSION

1. Parmi les six composantes du schéma de la communication proposé par Jakobson, laquelle pourrions-nous exclure dans une situation de communication? Expliquez. Chapitre **1**.

2. Identifiez la fonction prédominante dans les messages suivants et justifiez votre réponse. Chapitre **2**.

2.1. «Attention! Attention! Voici un message d'intérêt public»

2.2. «Acapulco: une destination pour vous!»

2.3. «Si je vous dis que j'ai transplanté un *rue*, comprenez bien qu'il ne peut s'agir d'une voie bordée de maisons dans une ville, mais d'une plante herbacée, c'est-à-dire ayant l'apparence d'une fleur.»

2.4. «À NOUS YORK!»

2.5. L'eau bout à 100°C.

2.6. «Y'a mangé toute une de ces claques, le maudit!»

2.7. Bambin TORTURÉ par un MANIAQUE SEXUEL!

2.8. Liban: Washington accroît sa pression sur les Israéliens

2.9. «T'as fini de nous emmerder à gratter le cul des virgules?»

2.10. Le super four de Sanyo

3. Imaginez qu'un gouvernement utilise la langue de la majorité pour assimiler les langues minoritaires sur son territoire. Est-il question de l'une des fonctions de Jakobson? Expliquez. Chapitre **2**.

4. Identifiez les types de moyens de communication utilisés dans les illustrations de la figure A. S'agit-il d'un *icône*, d'un *signal*, d'un *symbole*, d'un *code linguistique* ou de *codes mixtes* (si oui, lesquels)? Chapitre **3**.

FIGURE A Les moyens de communication visuels

5. Dans les illustrations de la figure A, isolez chacune des unités de signification et identifiez-les; ces unités vous paraissent-elles transmises de façon iconique ou arbitraire? Chapitre **3**.

6. Dans les exemples suivants, expliquez ce qui nuit à la communication ou l'empêche. Chapitre **4**.

6.1. Un Québécois en voyage à Bruxelles demande à un chauffeur de taxi le prix de la course. Celui-ci lui répond: «Ça fait septante-sept francs en tout.» Le Québécois lui remet un billet de 10 francs alors que le coût est de 77 FB.

6.2. Un père demande à son fils de sortir les ordures ménagères. Le fils répond au bout de quelques instants: «Oui, elle arrive à midi.»

6.3. «Passe-moi-le». — «Le quoi?»

6.4. Une vieille dame s'approche d'une jeune fille dans la rue et lui demande: «Would you please give me my umbrella?» La jeune fille répond: «Excusez-moi» en souriant et s'en va après lui avoir indiqué du doigt le feux de circulation rouge.

6.5. Un élève doit s'exprimer devant la classe. Il tremble, il bafouille et se mêle dans ses idées. Polis, les autres attendent patiemment qu'il termine; quand le professeur les questionne, ils ne se souviennent de rien.

PRODUCTION

1. Imaginez une situation de communication, par exemple entre deux inconnus, où la fonction prédominante est la fonction relationnelle. Produisez un texte d'une cinquantaine de mots. Chapitre **1**.

2. Choisissez un journal (quotidien ou hebdomadaire). Effectuez une recherche sur les *titres* (y compris les titres principaux, les sur-titres et les sous-titres) en les classant selon leur fonction prédominante. Établissez un relevé statistique de chacune des fonctions et identifiez les plus courantes à l'intérieur de 20 pages du journal. Chapitre **2**.

3. Procurez-vous une revue et isolez toutes les pleines pages publicitaires. Relevez chacun des messages et classez-les selon leur fonction prédominante. Chapitre **2**.

4. À l'intérieur de quelques articles de journal, trouvez une dizaine d'exemples de fonction métalinguistique. Dans quel contexte trouve-t-on ces exemples? Chapitre **2**.

5. Choisissez une page ou un paragraphe d'une vingtaine de lignes d'un roman écrit originellement en français (évitez les traductions). Relevez les mots ou expressions qui dépassent la fonction référentielle. Puis récrivez le texte pour qu'il corresponde à la fonction strictement référentielle. Chapitre **2**.

CHAPITRES 5 ET 6

LA LANGUE: UNE RÉALITÉ INSTRUMENTALE ET SOCIALE

CONNAISSANCE DU CONTENU

1. Avec Ferdinand de Saussure, la linguistique est devenue une discipline à caractère «scientifique». Expliquez ce que signifie une telle conception de la langue. Chapitre **5**.

2. Comment la langue peut-elle être à la fois une réalité instrumentale et une réalité sociale? Chapitre **5**.

3. Qu'est-ce qui distingue la *langue* de la *parole*? Chapitre **5**.

4. En quoi le lien qui unit le signifiant et le signifié dans le signe linguistique est-il arbitraire? Chapitre **5**.

5. Expliquez comment la diachronie peut être une succession de synchronies. Chapitre **5**.

6. Choisir de parler une langue plutôt qu'une autre dans une situation de bilinguisme est-il anodin? Justifiez votre réponse. Chapitre **6**.

7. Pourquoi la fonction d'identification est-elle la plus importante des fonctions sociales de la langue? Chapitre **6**.

8. Pourquoi les langues ou les variétés de langues ne sont-elles pas équivalentes sur le plan social? Chapitre **6**.

9. Dans quelle mesure la langue peut-elle constituer un instrument d'assimilation extrêmement efficace? Chapitre **6**.

10. Quelle est la principale raison qui pousse un État à utiliser la langue comme instrument d'unification nationale? Chapitre **6**.

11. Comment une langue peut-elle devenir un facteur de division pour un pays? Chapitre **6**.

COMPRÉHENSION

1. Les paroles suivantes peuvent-elles être celles d'un linguiste: «La langue des Québécois n'est qu'un vulgaire dialecte, sans règles, ni syntaxe.»? Développez. Chapitre **5**.

2. Est-il possible de penser sans recourir à la langue? Expliquez. Chapitre **5**.

3. À l'aide d'exemples personnels, montrez comment le signe linguistique est arbitraire, conventionnel et linéaire. Chapitre **5**.

4. Expliquez comment la relation entre le signifiant et le signifié peut être arbitraire dans les exemples de signaux de la page 14. Chapitre **5**.

5. Comment est-il possible d'affirmer à la fois que les onomatopées sont des signes arbitraires et des signes non arbitraires? Chapitre **5**.

6. Expliquez par des exemples que la langue peut devenir un signe d'exclusion sociale. Chapitre **6**.

7. Croyez-vous que les mesures assimilatrices vont de pair avec la prospérité? Justifiez votre réponse. Chapitre **6**.

8. Qu'arrive-t-il à une langue privée des fonctions de promotion sociale, d'assimilation et d'unification nationale? Chapitre **6**.

PRODUCTION

1. Discutez le bien-fondé de l'affirmation suivante à partir d'exemples concrets puisés dans la langue et la réalité sociale:

> «La langue française est manifestement sexiste. Elle infériorise et dévalorise la femme. Qu'on procède à des changements dans la langue et les mentalités sexistes disparaîtront.»
> Chapitre **7**.

2. Commentez cette affirmation et illustrez-la avec des exemples:

> «Les mots ne sont jamais neutres ou innocents. Ils veulent dire ce qu'on veut leur faire dire. Qu'est-ce qui fait qu'un mot est péjoratif? Uniquement l'intention du locuteur, laquelle repose sur un consensus social.»
> (Marina YAGUELLO, *Les mots et les femmes*, Paris, Payot, 1978, p. 75)

3. Expliquez et commentez cette affirmation:

> «La langue est une arme à deux tranchants et elle peut être aussi bien un facteur positif que négatif. Elle peut devenir à la fois un symbole d'unité et de division nationale ou un symbole d'inégalité et d'oppression.»
> Chapitre **6**.

4. Évaluez la véracité de cet énoncé: « Les peuples les plus prospères ont toujours été des peuples assimilateurs, voire sanguinaires.»

5. Faites une petite enquête sociolinguistique auprès de cinq citoyens et de trois compagnies de votre région: concevez un petit questionnaire d'enquête portant sur le français et l'anglais comme langue de promotion sociale. Rédigez un rapport. Chapitre **6**.

CHAPITRES 7, 8 ET 9

LES LANGUES DU MONDE

CONNAISSANCE DU CONTENU

1. Donnez trois raisons qui expliquent pourquoi il est si difficile de calculer exactement le nombre de langues parlées dans le monde. Chapitre **7**.

2. Combien y a-t-il de langues parlées par plus de 100 millions de personnes? par moins de 99 millions et plus de 20 millions? par moins de 19 millions et un million ou plus? par moins d'un million? Chapitre **7**.

3. Quelle est la différence entre une *langue* et un *dialecte*? Chapitre **7**.

4. Comment expliquez-vous que la majorité de la population du monde parle un tout petit nombre de langues alors qu'ils en existe plus de 6 000? Chapitre **7**.

5. Des deux méthodes de classification des langues, pourquoi la méthode génétique paraît-elle supérieure à la méthode typologique? Chapitre **7**.

6. Quelle est la différence entre une *famille* de langue, une *sous-famille* ou une *branche* de langue, et un *groupe* de langues? Chapitre **7**.

7. Que signifie le terme *langue indo-européenne*? Chapitre **8**.

8. Quelles sont les neuf plus importantes familles de langues dans le monde? Quelle proportion de la population mondiale représente l'ensemble des locuteurs de ces familles de langues? Chapitre **8**.

9. Combien compte-t-on actuellement de langues différentes pour chacune de ces neuf familles? Donnez le nombre de langues pour chacune de ces familles selon un ordre décroissant. Chapitre **8**.

10. Dressez la liste des neuf sous-familles indo-européennes et identifiez la langue numériquement la plus importante pour chacune de ces sous-familles. Chapitres **8** et **9**.

11. Citez les huit principales familles de langues amérindiennes en Amérique du Nord (*Figure 7.1*, p. 65. Ces langues ont-elles beaucoup de chances de survivre? Chapitres **8** et **9**.

12. Relevez six des principales familles de langues amérindiennes en Amérique du Sud (incluant l'Amérique centrale). Certaines de ces langues correspondent-elles à un grand nombre de locuteurs? Chapitres **8** et **9**.

13. Combien de langues compte la famille basque? la famille khoïsane? l'ensemble des familles papoues? Chapitre **8**.

14. Quelles sont les cinq langues *non* indo-européennes parlées sur le continent européen? Chapitre **9**.

15. Les langues créoles pourraient constituer une famille linguistique en soi. Comment expliquer cette hypothèse? Pourquoi ces langues ont-elles un statut généralement infériorisé? Chapitre **9**.

16. Pourquoi les langues artificielles ne connaissent-elles que fort peu de succès? Chapitre **9**.

COMPRÉHENSION

1. Expliquez comment fonctionne une langue agglutinante en vous servant d'exemples tirés de deux des langues suivantes: turc, quechua, swahili, créole haïtien. Chapitre **7**.

2. Démontrez par des exemples tirés du fox, du cree, du menomini et de l'ojibwa les liens de parenté génétique entre ces langues. Chapitre **7**, p. 62.

3. Comment expliquer la présence de langues *non* indo-européennes en Europe? (*Figure 9.1*, p. 89) Au besoin, aidez-vous d'un dictionnaire de noms propres ou d'une encyclopédie. Chapitre **9**.

4. Quelles sont les cinq langues les plus parlées sur le continent européen? (*Figure 9.1*, p. 89) Énumérez-les par ordre numérique décroissant et avec le nombre de leurs locuteurs. Chapitre **9**.

5. Quelles sont les six langues les plus parlées en URSS? (*Figure 9.2*, p. 92) Énumérez-les par ordre numérique décroissant avec le nombre de leurs locuteurs. Chapitre **9**.

6. Dans quels pays parle-t-on des langues turques (altaïques)? Chapitre **9**.

7. Quelles sont les familles de langues les plus représentées en République populaire de Chine? (*Figure 9.5*, p. 99) Nommez pour chacune d'elles les trois langues comprenant le plus grand nombre de locuteurs. Chapitre **9**.

8. Quelles sont les trois familles linguistiques comprenant le plus grand nombre de locuteurs en Asie? (*Figures 9.2, 9.3, 9.4, 9.5, 9.6*) Indiquez pour chacune d'elles les deux langues les plus représentées. Chapitre **9**.

9. Dans quelles régions du monde parle-t-on une langue chamito-sémitique? Quelles sont les deux langues les plus représentées pour chacune des sous-familles? Chapitre **9**.

10. Nommez les cinq langues austronésiennes les plus parlées dans le monde. Chapitre **9**.

11. Quelles sont les cinq langues de l'Afrique noire (*Figure 9.8*) ayant le plus grand nombre de locuteurs? Énumérez-les par ordre numérique décroissant et avec le nombre de locuteurs. Chapitre **9**.

12. La coexistence des langues dans les Amériques vous paraît-elle égalitaire, notamment en ce qui concerne les cinq langues indo-européennes officielles (identifiez-les), les langues des immigrants, les langues amérindiennes et les langues créoles? Chapitres **7** et **9**.

13. En quoi la carte *Les langues impériales dans le monde (Figure 7.1, p. 65)* donne-t-elle une fausse représentation de la réalité linguistique contemporaine? Trouvez au moins deux raisons. Chapitres **7** et **9**.

PRODUCTION

1. Expliquez le sens de l'affirmation suivante en vous référant aux langues des Amériques:

> «Plus une langue possède de fonctions sociales, plus elle augmente son statut et, par conséquent, son expansion et sa longévité». Chapitres **7, 8** et **9**.

2. Effectuez une petite enquête sociolinguistique portant sur la langue de certaines communautés culturelles au Québec: Haïtiens, Portugais, Grecs, Vietnamiens, Latino-Américains, etc. Constituez-vous un questionnaire d'enquête pour connaître l'opinion des Québécois sur le statut de la langue de ces immigrants et posez les mêmes questions à des représentants de ces communautés. Comparez les résultats et commentez. Chapitres **7** et **9**.

3. Remplissez la grille des mots croisés (*Figure B*) portant sur les langues du monde. Au besoin, utilisez un dictionnaire et consultez l'index à la fin du volume. Chapitres **7**, **8** et **9**.

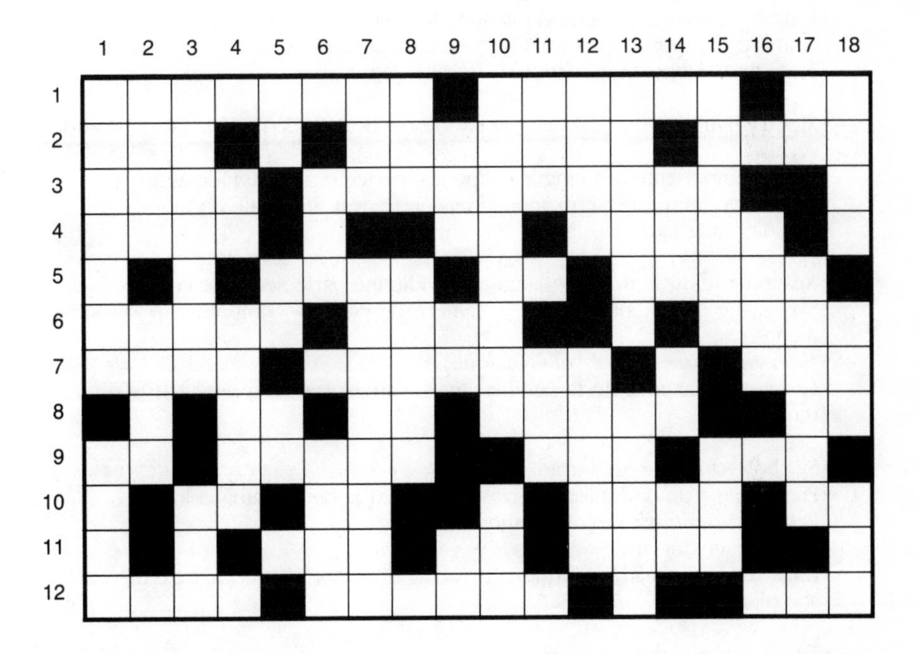

FIGURE B Grille des mots croisés

MOTS CROISÉS: LES LANGUES DU MONDE

HORIZONTALEMENT

1– • L'une des langues «constitutionnelles» de l'Inde parlée par 10 millions de personnes.
 • Langue nilo-saharienne du Soudan parlée par un million de personnes.
 • En français, terminaison verbale du pluriel.

2– • Interjection française exprimant l'indifférence.
 • Langue mongole parlée en URSS.
 • L'une des 28 langues maya.

3– • Langue iroquoise ayant donné son nom à l'un des cinq Grands Lacs de l'Amérique du Nord.
• Seule langue algonkine dont le nom est francisé et parlée sur la Côte-Nord au Québec.
• En langage mathématique, lettre servant à noter un nombre indéterminé.

4– • Première partie d'un mot composé qui désigne une famille d'une centaine de langues parlées principalement au Niger, au Tchad et au Soudan.
• Symbole du *watt*, unité de puissance.
• Mot français employé comme préposition, adverbe ou pronom personnel.
• Mot anglais signifiant «verre».
• Cinquième lettre de l'alphabet en français.

5– • Préfixe d'origine grecque exprimant l'idée d'absence ou de privation.
• Chez les Romains, désignait le chiffre 50.
• Langue chamito-sémitique du groupe tchadien.
• Numéro que porterait la loi 101 chez les Romains.
• Nom de l'aéroport international d'Osaka (Japon).

6– • Mot d'origine maori désignant la résine fossile utilisée pour la fabrication des vernis.
• La plus importante des langues papoues, parlée par 15 000 locuteurs.
• Voyelle écrite qui ne se prononce pas en français en finale de mot.
• Mot d'origine latine désignant «90 unités».

7– • Anagramme du nom d'une langue dravidienne parlée en Inde centrale.
• Synonyme de «point de vue», «manière de penser», «impression» ou «jugement».
• Nom anglais de la note *sol* (musique).
• Groupe de langues de la famille nigéro-congolaise comprenant le sénufo, le mossi, etc.

8– • Symbole chimique de l'uranium.
• Première partie d'un mot composé désignant la famille athabaskan.
• Personne qui réussit excellemment.
• «Pierre», en anglais.
• Dans le langage mathématique, représente le rapport du périmètre d'un cercle à son diamètre, soit 3,1416.

9– • Terminaison verbale des verbes en -ir.
• Élément du latin entrant dans la composition de quelques mots signifiant «Gaulois».
• Indique un lieu.
• Langue nigéro-congolaise du groupe kwa, parlée au Ghana.

10– • Particule courante devant les noms propres irlandais.
• Langue nigéro-congolaise du groupe kwa, particulièrement parlée au Ghana.
• Finale du verbe *ruer* au passé simple, troisième personne du singulier.
• En chiffre romain, vaut 1 000.
• Mot slave désignant les anciens souverains de la Russie.
• Deuxième syllabe d'un mot d'origine micronésienne désignant à la fois un atoll et un maillot de bain deux-pièces de dimensions réduites.

11– • Symbole de *watt*.
• Symbole chimique du *tungstène*.
• Langue indo-européenne de l'Inde parlée dans l'État de l'Arunachal Pradesh.
• En langage musical, sixième note de la gamme en *do*.

- Langue ouralienne du groupe finnois, parlée dans une république fédérée de l'URSS sur la Baltique.
- Jour où l'on doit déclencher une opération quelconque.

12– • Langue nigéro-congolaise du groupe kwa parlée par quatre millions de personnes au Ghana.
- Sous-famille des langues eskimo-aléoutes.
- Symbole chimique de l'*iode*.
- Langue sino-tibétaine parlée au sud de la Chine et au Viet-Nam par un peuple non sinophone de plus d'un million de personnes.

VERTICALEMENT

1– • Une langue algonkine parlée au Québec.
- Langue de la famille hoka-sioux qui a donné son nom à un État du centre des É.-U.

2– • Langue Chari-Nil de la famille nilo-saharienne.
- Empereur romain qui a donné son nom à l'un des mois de l'année.
- Symbole de *kilo*.

3– • Langue Chari-Nil du Soudan.
- Langue nigéro-congolaise du groupe kwa, parlée au Ghana.

4– • Nom d'une bombe.
- Élément du grec entrant dans la composition de termes géologiques, signifiant «aurore» à cause de la couleur.
- Langue maban de la famille nilo-saharienne.
- En mathématique, sert à désigner un nombre indéterminé.

5– • Adverbe employé comme préfixe et signifiant «qui est au milieu».
- Élément latin indiquant «deux», le redoublement ou la duplication.
- Abréviation de «alcoolique anonyme».
- Dans les chiffres romains, signifie 1.

6– • Symbole de l'*ampère*.
- Langue nigéro-congolaise du groupe mandingue.
- Quinzième lettre de l'alphabet.
- Langue de la famille ouralienne du groupe finnois, parlée en URSS.

7– • L'une des langues nigéro-congolaises les plus importantes du Nigéria, parlée par 10 millions de locuteurs (groupe kwa).
- Langue indo-iranienne employée comme langue officielle du Népal.

8– • Adjectif possessif singulier.
- Élément du grec signifiant «inégal» ou nom d'une plante servant à fabriquer une liqueur.
- Symbole du Kelvin.

9– • Langue de la famille uto-aztèque.
- Transcription de *géenne* au moyen de l'alphabet français.
- Langue sino-tibétaine du groupe thaï, parlée par 680 000 locuteurs au sud de la Chine.

10– • Langue indo-européenne de la branche romane, parlée comme langue maternelle par 80 millions de personnes.
- Une langue maya parlée par 340 000 personnes.

11– • Langue dravidienne de cinq lettres: respectivement les 2e, 5e et 1re lettres.
• En langage mathématique, unité dite «imaginaire».
• Élément du grec signifiant «oreille».
• Symbole chimique de l'*oxygène*.

12– • Au Québec, type de peuplement rural, perpendiculaire à une rivière ou à une route.
• Langue indo-iranienne minoritaire parlée dans l'État d'Arunachal Pradesh (Inde).

13– • Pays d'Europe, berceau des langues romanes.
• Langue indo-iranienne minoritaire parlée dans l'État d'Arunachal Pradesh (Inde).

14– • Voyelle muette dans la langue écrite en français.
• Finale d'un nom de langue synonyme d'*inuit* (famille eskimo-aléoute).
• Famille amérindienne formée de 47 langues au Brésil.
• Premières lettres du nom d'une famille amérindienne synonyme de *na-déné*.

15– • Nom d'un constructeur d'automobiles japonaises.
• Langue mélanésienne parlée aux îles Salomon, formée de deux mots répétés.

16– • Symbole de *tonne*, unité de mesure.
• Mot anglais désignant un épais brouillard résultant de la pollution.
• Dix-huitième lettre de l'alphabet français.
• Voyelle d'origine grecque correspondant faussement à *i*.

17– • Terminaison verbale, deuxième personne du pluriel.
• Langue eskimaude.
• Préposition indiquant la direction vers un lieu.

18– • Langue caucasienne parlée en URSS.
• Langue nigéro-congolaise du groupe kwa, parlée au Ghana.
• Langue nigéro-congolaise du groupe kwa, parlée au Nigéria.

CHAPITRES 10, 11, 12, 13, 14 ET 28

LA GUERRE DES LANGUES

CONNAISSANCE DU CONTENU

1. Que signifie cette assertion de Jean A. Laponce: «Entre langues, l'état normal, c'est la guerre»? Chapitre **10**.

2. Comment expliquez-vous que le multilinguisme soit un phénomène universel? Quelles sont les trois principales causes du multilinguisme dans le monde? Chapitre **10**.

3. Résumez les quatre causes de conflit entre langues en contact. Chapitre **10**.

4. Certains individus nourrissent une conception idéaliste de la force d'attraction d'une langue. Qu'entendons-nous par «conception idéaliste»? Chapitre **11**.

5. Peut-on affirmer objectivement que le français est une langue plus précise et plus claire que d'autres? Expliquez. Chapitre **11**.

6. La facilité apparente de l'anglais constitue-t-elle une cause de l'expansion de cette langue dans le monde? Chapitre **11**.

7. Quels sont les facteurs qui déterminent la vitalité et la force d'une langue? Donnez quelques exemples pour chacun de ces facteurs. Chapitre **11**.

8. Pourquoi la force démographique n'est-elle pas suffisante pour assurer la suprématie d'une langue? Chapitre **11**.

9. Quel est le rapport entre la puissance militaire et la puissance linguistique? Chapitre **11**.

10. Comment expliquer que les conflits linguistiques correspondent souvent à la fois à des conflits ethniques, religieux, politiques et idéologiques? Chapitre **11**.

11. Quelles sont les cinq langues qui vous paraissent les plus puissantes dans le monde actuel? Justifiez votre choix. Chapitre **11**.

12. Plus de 80 % des États du monde se déclarent officiellement unilingues. Qu'en est-il de cette réalité? Tenez compte des différentes catégories d'États unilingues. Chapitre **12**.

13. Les États officiellement bilingues ne pratiquent pas le bilinguisme au même degré. Expliquez ce phénomène et donnez des exemples. Chapitre **12**.

14. Quelles sont les raisons qui poussent une minorité d'États (20 %) à promouvoir le bilinguisme ou le multilinguisme officiel alors qu'ils ne peuvent s'empêcher de résister à la glottophagie naturelle et d'assurer la suprématie d'une seule langue? Chapitre **12**.

15. Décrivez les principaux facteurs reliés à la régression et à l'extinction des langues dans le monde. Chapitre **13**.

16. Dans quels cas le bilinguisme ne peut-il se révéler positif et dans quels cas se révèle-t-il négatif? Chapitre **13**.

17. Expliquez comment le bilinguisme étendu à toute une société amorce le processus de l'extinction de la langue surbordonnée. Chapitre **13**.

18. Parmi les facteurs de survivance linguistique, lesquels vous semblent plus efficaces pour maintenir les langues faibles? Pourquoi? Chapitre **13**.

19. Quels sont les moyens d'intervention dont disposent certaines minorités pour sauver leur langue? Quelles pourraient être les limites de cette intervention? Chapitre **13**.

20. Quelles seront les langues les plus puissantes, dans l'avenir? Comment imaginer le futur linguistique des pays du tiers monde par rapport à celui des pays industrialisés? Chapitre **14**.

COMPRÉHENSION

1. L'Amérique amérindienne, l'Afrique, le sud-est de l'Asie (Indonésie, Philippines, etc.) et l'Océanie comptent un très grand nombre de langues. Énoncez quelques hypothèses sur les causes de cet état de fait. Chapitres **9** et **10.**

2. Les bouleversements socio-économiques et politico-militaires favorisent le multilinguisme. Expliquez comment ces bouleversements pourraient favoriser aussi certaines formes d'unilinguisme. Chapitre **10**.

3. Il existe un rapport entre le développement économique et l'homogénéité linguistique. Expliquez pourquoi et montrez comment se manifeste ce rapport. Chapitre **10**.

4. Des six facteurs caractérisant la puissance linguistique, choisissez-en deux qui vous paraissent plus déterminants que d'autres pour assurer la suprématie d'une langue. Justifiez votre choix. Chapitre **11**.

5. Croyez-vous que l'assimilation des langues faibles va de pair avec la prospérité des langues fortes? Jusfifiez. Chapitres **10, 11** et **12.**

6. Montrez comment les conflits linguistiques au Canada ont toujours été le résultat de différents rapports de forces. Chapitres **11** et **28.**

7. Certains peuples sont prêts à se battre pour leur langue. Expliquez comment et et pourquoi un instrument de communication comme la langue peut susciter autant de passion, d'attachement et d'émotivité. Chapitre **13**.

8. Selon leur hiérarchie respective, quelles sont, par ordre décroissant, les cinq langues du monde qui vous paraissent en meilleure position? Justifiez votre choix. Chapitre **11**.

9. Parmi les 11 plus grandes langues du monde de par leur importance démographique, six sont utilisées à l'Assemblée générale des Nations unies (ONU): le chinois, l'anglais, l'espagnol, le russe, l'arabe, le français. Expliquez pourquoi on n'a pas tenu compte des langues numériquement plus importantes que le français: l'hindi, le bengali, le portugais et l'allemand. Chapitres **11, 12** et **13.**

10. Dans de nombreux États officiellement unilingues, c'est une langue étrangère qui assure toutes les fonctions sociales ou du moins qui exerce la dominance. Choisissez six de ces États et analysez pour chacun les causes de cette dominance (historiques, économiques, culturelles, etc.) Chapitres **11** et **12.**

11. Expliquez pourquoi les groupes majoritaires ont prix l'habitude de faire retomber le fardeau du bilinguisme sur les groupes minoritaires alors que la connaissance d'une autre langue devrait être un enrichissement? Chapitre **13**.

12. Quels sont les bénéfices et les coûts du bilinguisme pour un francophone et un anglophone au Québec? Chapitre **13**.

13. Quelles seraient, selon vous, les faiblesses de la langue française au Québec par rapport au reste du Canada? Quels seraient les moyens d'intervention les plus appropriés pour le Québec en vue d'assurer le maintien du français? Chapitre **13**.

PRODUCTION

1. Commentez et illustrez par des exemples ces affirmations du politicologue Jean A. Laponce:

1.1. «Le multilinguisme est la norme des civilisations primitives, des civilations orales; l'unilinguisme est la norme des civilisations industrielles, des civilisations urbaines, des civilisations de l'écriture.»
Jean A. LAPONCE, *Langue et territoire*, Québec, Presses de l'Université Laval, CIRB, 1984, p. 21.

Chapitre **10.**

1.2. «La meilleure façon pour une langue d'assurer sa survie sera toujours de se rapprocher le plus possible de l'unilinguisme; de s'assurer, si possible, la dominance de tous les rôles sociaux, ou du moins dans les plus importants; d'éviter en somme des conflits d'identités.»
Jean A. LAPONCE, *op. cit.*, p. 30.

Chapitres **10** et **11.**

1.3. «La normale veut que chaque langue établisse sa dominance et cherche l'exclusivité sur un territoire donné. Or, cette dominance et cette exclusivité s'obtiendront d'autant plus facilement qu'une langue aura le contrôle des instruments de gouvernement et en particulier le contrôle d'un État indépendant.»
Jean A. LAPONCE, *op. cit.*, p. 1.

Chapitres **10, 11** et **12.**

1.4. «Le bilinguisme est moins un privilège qu'un accident de l'histoire dont, selon le cas, bénéficient ou souffrent les États faibles.»
Jean A. LAPONCE, *op. cit.*, p. 104.

Chapitre **12.**

1.5. «Il n'est pas dû au hasard qu'aucune des grandes puissances militaires du monde actuel ne soit officiellement bilingue.»
Jean A. LAPONCE, *op. cit.*, p. 97.

Chapitres **11** et **12.**

2. Discutez et illustrez par des exemples ce propos de Gilles Bibeau:

«Les majorités fortes sont spontanément prêtes à bien peu de compromis envers les minorités. Elles ont le pouvoir, le droit, la justice, la force pour elles et ne sont pas disposées à en sacrifier la moindre parcelle à moins que ce ne soit absolument nécessaire.»
Gilles BIBEAU, *L'éducation bilingue en Amérique du Nord*, Montréal, Guérin, 1982, p. 163.

Chapitres **11, 12** et **13.**

3. Discutez du bien-fondé de l'assertion suivante en l'appliquant à la situation linguistique au Canada:

«La langue dominante parlera liberté et égalité, la langue dominée dira frontière, sécurité, exclusivité, privilège.»
Jean A. LAPONCE, *Langue et territoire*, p. 36-37.

Chapitres **11, 12** et **13**.

4. Commentez l'affirmation suivante de Michel Malherbe en vous référant à quelques États officiellement bilingues:

«Les rapports entre les langues sont des rapports de force semblables à ceux des peuples qui parlent ces langues.»
Michel MALHERBE, *Les langages de l'humanité*, Paris, Seghers, 1983, p. 406.

Chapitres **10** et **14**.

5. Expliquez et évaluez le bien-fondé de cet énoncé:

«Dans nos sociétés modernes, il est nécessaire de bien maîtriser sa langue maternelle. Mais il est néanmoins indispensable d'être parfaitement bilingue.»

Chapitres **10** et **14**.

6. Effectuez une petite enquête sociolinguistique auprès de vos parents, amis ou autres connaissances sur les causes de réussite de certaines langues. Établissez un questionnaire, comparez les réponses obtenues, évaluez les résultats. Chapitres **10** et **14**.

7. Expliquez pourquoi les États s'accommodent mal de la présence du multilinguisme sur leur territoire. Chapitre **12**.

8. Commentez et illustrez ce propos de Jacques Cellard du journal *Le Monde*:

«Le chiffre de trois cents millions de francophones dans le monde, lancé presque officiellement à Sassenage (Isère, France), correspond tout au plus à l'addition statistique un peu enflée des populations des États dans le monde dont le français est la langue officielle ou administrative.

À ce compte, le Zaïre est bien la seconde puissance francophone du monde, loin devant le Québec et la Wallonie, et Kinshasa la seconde des villes de langue française, devant Lyon et Liège. La réalité, diraient les diplomates, est plus nuancée.»
Jacques CELLARD, *Histoire de mots*, Paris, La Découverte/Le Monde, 1985, p. 101.

Chapitres **10, 11** et **12**.

CHAPITRES ***15, 16, 17, 18, 19, 20, 21*** *ET* ***22***

L'AMÉNAGEMENT DES LANGUES

CONNAISSANCE DU CONTENU

1. Que signifie l'expression *planification linguistique*? Nommez quatre synonymes. Chapitre **15**.

2. Pourquoi est-il toujours risqué d'intervenir dans les questions de langue? Chapitre **15**.

3. Quels sont les deux aspects d'une langue sur lesquels peut porter la planification linguistique? Expliquez et donnez des exemples. Chapitre **15**.

4. Les interventions gouvernementales en matière de langue constituent-elles un phénomène exceptionnel et essentiellement contemporain? Chapitre **15**.

5. Énumérez les quatre causes de l'interventionnisme linguistique. Donnez une explication globale. Chapitre **15**.

6. Le linguiste Jean-Claude Corbeil a établi trois principes préalables à tout projet d'aménagement (ou d'intervention) linguistique. Identifiez ces principes en prenant soin de mettre en relief les problèmes reliés à l'application de chacun d'eux. Chapitre **15**.

7. Pourquoi est-il si difficile d'harmoniser la cohabitation des langues sur un même territoire et, en particulier, d'assurer l'égalité entre des groupes linguistiques? Chapitre **15**.

8. Si l'on prend comme exemple la situation canadienne, on peut croire qu'il ne suffit pas d'accorder des droits égaux aux anglophones et aux francophones à travers le pays pour régler les conflits linguistiques. Montrez comment et pourquoi. Chapitre **15**.

9. Une intervention linguistique peut produire parfois des effets secondaires particulièrement négatifs. Comment expliquer ce fait? Qu'en pensez-vous? Chapitre **15**.

10. Certains États ont décidé de pratiquer une politique de non-intervention en matière de langue. Expliquez ce que cela signifie dans les faits en prenant comme exemples la situation du français en Colombie-Britannique et celle des langues autres que l'anglais aux États-Unis. Chapitre **16**.

11. Résumez les politiques linguistiques communes appliquées au Mexique, au Paraguay et dans les pays d'Amérique andine. Chapitre **16**.

12. Certains États comme le Brésil, la Chine, l'Indonésie et la Turquie adoptent une politique d'*assimilation planifiée*. Est-ce qu'une telle pratique aboutit toujours à des résultats identiques? Expliquez. Chapitre **17**.

13. En quoi les formules de la *non-discrimination*, du *statut juridique différencié* et du *bilinguisme institutionnel* correspondent-elles à des solutions dites «personnelles»? Chapitre **18**.

14. Les formules de la *non-discrimination* et du *statut juridique différencié* vous paraissent-elles des solutions appropriées pour protéger les minorités? Justifiez votre réponse à partir d'exemples concrets. Chapitre **18**.

15. Du point de vue de la protection accordée aux minorités linguistiques, préféreriez-vous être de langue hongroise en Autriche, de langue bretonne en France ou de langue française en Ontario? Justifiez votre choix. Chapitre **18**.

16. Le bilinguisme institutionnel pratiqué par le Vanuatu, le Cameroun et le Nouveau-Brunswick vous paraît-il équitable pour tous les groupes en présence? Expliquez. Chapitre **18**.

17. Le bilinguisme canadien vous semble-t-il efficace comme moyen de protection pour la minorité francophone hors Québec? Justifiez votre réponse. Chapitre **18**.

18. La Finlande, la Catalogne et l'Italie accordent une protection à leur(s) minorité(s). Préféreriez-vous être minoritaire en Finlande, en Espagne (Catalogne) ou en Italie? Justifiez votre premier, deuxième et troisième choix. Chapitres **18** et **19**.

19. Sur quoi repose l'originalité de la politique linguistique de la Yougoslavie? Que pensez-vous des résultats obtenus? Chapitre **19**.

20. Décrivez brièvement l'application de l'unilinguisme territorial dans les trois pays suivants: l'Inde, la Belgique et la Suisse. Mettez en relief les ressemblances et les différences entre la situation sociolinguistique de ces trois pays. Chapitre **19**.

21. Pourquoi les «solutions linguistiques» de la Norvège ont-elles échoué alors que celles d'Israël ont réussi? Chapitre **20**.

22. Qu'est-ce qui distingue, sur le plan des modalités (voir p. 212), la loi 63 adoptée au Québec en 1969 des lois ultérieures, c'est-à-dire des lois 22 (1974) et 101 (1977)? Chapitres **15** et **16**.

23. Sur le plan des moyens de contrôle, qu'est-ce qui distingue la loi 101 des lois précédentes (lois 63 et 22)? Chapitres **15** et **21**.

24. Pour ce qui concerne les francophones du Québec, croyez-vous que la loi 101 a été une loi efficace lorsqu'on compare les succès et les échecs? Justifiez votre réponse. Chapitre **21**.

25. Quels sont les droits linguistiques de la minorité anglophone du Québec? Leurs réactions face à la loi 101 vous paraissent-elles normales par rapport à la situation historique? Expliquez. Chapitre **21**.

26. Certains États s'efforcent d'appliquer une politique dite de «décolonisation linguistique». Expliquez le sens de cette expression, puis décrivez quels résultats ont été obtenus au Sénégal, en Algérie et à Madagascar. Chapitre **22**.

COMPRÉHENSION

1. Appliquez les quatre causes d'interventionnisme linguistique à la Colombie-Britannique, à l'Ontario et au Nouveau-Brunswick, et déterminez pourquoi chacune de ces provinces a choisi une politique linguistique différente. Chapitres **15, 16** et **18**.

2. Comparez la politique assimilatrice du Brésil à celle de la Chine. Quels sont les points de similitude et de différenciation? Quelle politique est la mieux planifiée? Expliquez. Chapitre **17**.

3. Comparez la situation des Franco-Ontariens à celle des Anglo-Québécois pour ce qui touche les points suivants: droits individuels (personnels), privilèges accordés, degré de militantisme linguistique, avenir prévisible. Chapitres **18** et **21**.

4. Analysez la situation du français au Vanuatu et au Cameroun. Quels sont les facteurs qui expliquent le statut du français dans chacun de ces pays? S'agit-il de facteurs différents? Expliquez. Chapitre **18**.

5. Faites une étude comparative de la situation des francophones dans les provinces anglo-canadiennes et de celle des francophones du Vanuatu (politique, économique, sociolinguistique). Dans lequel de ces pays ou États l'avenir des francophones semble-t-il le plus compromis? Chapitre **18**.

6. Qu'y a-t-il de commun entre la minorité anglophone du Québec et la minorité suédoise de Finlande? Tenez compte des domaines suivants: tradition historique, situation linguistique et socio-économique, droits linguistiques, comportement face à la majorité, avenir prévisible. Chapitres **19** et **21**.

7. Faites une étude comparative de la minorité suédoise de Finlande et de la minorité francophone de l'Ontario: situation sociolinguistique, poids politique, législation linguistique, conditions économiques, etc. Chapitres **18** et **19**.

8. Qu'y a-t-il de commun entre la situation sociolinguistique en Suisse et celle prévalant en Yougoslavie? Quels sont les traits de différenciation? Quelle situation vous semble la plus enviable et la plus équitable? Chapitre **19**.

9. Comparez la situation du français en Suisse, au Canada anglais et au Cameroun. Dans lequel de ces pays l'avenir du français semble-t-il le plus viable? Justifiez votre position. Chapitres **18** et **19**.

10. Comparez la politique linguistique des fédérations helvétique (Suisse), indienne (l'Inde), yougoslave et canadienne. Chapitres **18** et **19**.

11. Comparez la situation linguistique des Flamands de Belgique et celle des francophones du Québec. Montrez les ressemblances et les différences. Chapitres **19** et **21**.

12. Comparez le statut d'autonomie régionale de la Catalogne (Espagne), du Val d'Aoste (Italie), des îles d'Aaland (Finlande et du Tibet (Chine). Est-ce que cette formule résout de façon égale les conflits entre groupes linguistiques? Établissez vos choix selon un ordre de préférence croissante. Chapitres **17, 18** et **19**.

13. Procédez à une comparaison entre la situation de l'arabe au Maroc et celle du français au Québec: statut social et juridique, rapports avec la langue concurrente. Quelle est, selon vous, la situation linguistique la plus intéressante: celle du français au Québec ou celle de l'arabe au Maroc? Justifiez votre point de vue. Chapitres **21** et **22**.

PRODUCTION

1. À partir de vos observations personnelles et de vos lectures, vérifiez si le gouvernement du Québec a effectivement appliqué, avant la promulgation de la loi 101, les trois principes préalables à tout projet d'aménagement linguistique. Comment peut-on expliquer l'opposition farouche de certains groupes anglophones et même de certains Québécois francophones face à cette loi? Chapitres **15** et **21**.

2. Expliquez, illustrez et commentez cette affirmation:

> «Les États qui ont choisi la solution du bilinguisme institutionnel (ou officiel) minimisent les droits des minorités et maximalisent ceux de la majorité.»

Chapitre **18**.

3. Considérez les minorités suivantes:

a) les anglophones au Québec;

b) les francophones au Nouveau-Brunswick;

c) les Italiens en Suisse;

d) les Allemands en Belgique;

e) les Hongrois en Yougoslavie.

Tout en replaçant ces minorités dans leur contexte historique et sociolinguistique, indiquez à l'aide d'arguments lesquelles seraient, selon vous, les plus privilégiées et lesquelles seraient les plus défavorisées. Chapitres **18, 19** et **21**.

4. Sur le plan de l'*efficacité*, quels sont les pays qui ont le mieux réussi à solutionner le problème du multilinguisme: le Canada (gouvernement fédéral), la Chine, l'Indonésie, l'Inde ou la Belgique? Justifiez vos choix selon un ordre de préférence croissante. Chapitres **17, 18** et **19**.

5. Montrez les points communs entre la politique linguistique de l'Italie à l'égard du français (Val d'Aoste), celle de la Norvège à l'égard du nujnorsk, celle de la Côte d'Ivoire à l'égard des langues ivoiriennes et celle du Canada à l'égard du français hors Québec. Chapitres **17, 18** et **20**.

6. Pour régler le problème des inégalités linguistiques au Canada, on pourrait songer à la formule de l'inégalité compensatoire, c'est-à-dire accorder des droits inégaux à l'avantage des minoritaires pour leur procurer un statut égalitaire dans les faits. Que pensez-vous de cette position? Est-elle défendable? Expliquez votre point de vue en appliquant cette formule aux Canadiens français (incluant le Québec) et aux Anglo-Québécois. Chapitres **15, 18** et **21**.

7. Le multilinguisme contribue à l'équilibre et à la paix sociale en Yougoslavie. Dans d'autres pays, il semble provoquer ou entretenir la division. Comment peut-on, selon vous, expliquer des résultats si différents? Appuyez-vous sur des cas concrets. Chapitres **15** et **22**.

8. Des pays comme Madagascar et Israël semblent avoir réussi à se réapproprier une langue nationale qui leur soit propre. À l'opposé, d'autres États ont plus ou moins échoué. Évaluez les facteurs expliquant les résultats différents obtenus à Madagascar, en Israël, au Sénégal, au Maroc et en Algérie. Comment situer le Québec dans tout cela? Chapitre **22**.

9. Faites votre propre analyse de la protection accordée aux minorités en Italie et au Canada (gouvernement fédéral) en commentant cette affirmation:

> «L'autonomie dont bénéficient les régions autonomes en Italie n'assure pas à leurs citoyens l'égalité proclamée par les lois constitutionnelles. C'est une égalité boîteuse qui ressemble à cellle des francophones de l'Ouest canadien vis-à-vis de la majorité anglaise.» Chapitres **18** et **19**.

10. Imaginez qu'un(e) francophone québécois(e) unilingue aurait le choix de résider pendant quelques années soit à Genève en Suisse, soit à Vancouver en Colombie-Britannique, soit à Abidjan (capitale) en Côte d'Ivoire, soit à Rabat (capitale) au Maroc, soit à Tananarive (capitale) à Madagascar, soit à Gand en Belgique. Présentez votre description en deux parties: les endroits à exclure, les endroits intéressants (ordre de préférence croissante). Chapitres **16, 18, 19** et **22**.

11. Imaginez la situation suivante: vous et les membres de votre famille ne parlez que le français. Votre employeur offre la possibilité de doubler votre salaire à la condition que vous alliez travailler à l'extérieur du pays pendant cinq ans dans l'*un* des endroits suivants:

— le Val d'Aoste en Italie;

— Berne, la capitale de la Suisse;

— Alger, la capitale de l'Algérie;

— Victoria en Colombie-Britannique;

— Port-Vila, la capitale du Vanuatu.

Où préféreriez-vous aller si vous êtes père ou mère de deux enfants, l'un de huit ans, l'autre de quatorze ans? Indiquez votre ordre de préférence en commençant par le moins intéressant tout en justifiant votre réponse. Chapitres **16, 18, 19** et **22**.

12. La formule de la *personnalité* vous paraît-elle préférable à celle de la *territorialité* pour régler les conflits inhérents à la cohabitation linguistique? Tirez vos conclusions à partir de la situation du Canada et de la Côte d'Ivoire, d'une part, de la Belgique et de la Suisse, d'autre part. Chapitres **18** et **19**.

13. Certains États utilisent des solutions mixtes, c'est-à-dire à la fois personnelles et territoriales. En vous servant des solutions finlandaise et yougoslave, imaginez l'application de telles mesures au Canada et au Québec; qu'est-ce que de telles mesures donneraient dans la réalité? Chapitre **19**.

14. En vous inspirant des diverses politiques linguistiques mises en application dans le monde, imaginez-vous chef du gouvernement du Québec et élaborez une politique linguistique que vous estimeriez idéale pour votre communauté. Établissez vos objectifs et vos priorités, puis énoncez une politique globale de façon structurée et méthodique. Chapitres **15** et **22**.

15. En vous inspirant des diverses politiques linguistiques mises en application dans le monde, imaginez-vous chef du gouvernement du Canada et élaborez une politique linguistique que vous estimeriez idéale pour les francophones et les anglophones du pays. Établissez vos objectifs et vos priorités, puis énoncez une politique globale de façon structurée et méthodique. Concluez en explicitant ce que votre politique aurait de préférable par rapport à la politique actuelle du Canada. Chapitres **15** et **22**.

16. Comparez la politique linguistique du gouvernement fédéral du Canada à l'égard des francophones à celle du Québec à l'égard des anglophones. Qui accorde une meilleure protection à sa minorité? Chapitres **15** et **22**.

CHAPITRES 23, 24 ET 25

LA VARIATION LINGUISTIQUE DANS LES SOCIÉTÉS MONOLINGUES

CONNAISSANCE DU CONTENU

1. Définissez les expressions suivantes: *communauté linguistique* et *diversité linguistique*.

2. Définissez la notion de «variété linguistique» tout en montrant en quoi cette notion peut être qualifiée d'«objective». Chapitre **23**.

3. Quels sont les *deux* jugements de valeur opposés que certains vont formuler face aux différentes variétés de langue? Chapitre **23**.

4. Quels rapports existe-t-il entre une communauté linguistique et une unité géographique et/ou politique? Chapitre **23**.

5. Pour communiquer, il faut un minimum d'uniformité linguistique. Expliquez. Chapitre **23**.

6. Qu'appelle-t-on variation *géo-linguistique*? Donnez-en des exemples personnels. Quel autre facteur devrait accompagner l'éloignement spatial pour que celui-ci puisse créer des différenciations linguistiques? Chapitre **23**.

7. Qu'appelle-t-on variation linguistique *temporelle*? Donnez vos propres exemples. Chapitre **23**.

8. Qu'entend-on par variation *sociale*? Donnez vos propres exemples. Chapitre **23**.

9. Énumérez les quatre niveaux de langue les plus communément identifiés. Les linguistes formulent de très sérieuses réserves contre ces notions de «niveaux de langue». Déterminez leurs raisons. Chapitre **23**.

10. Comment peut-on définir la *variation situationnelle*? Donnez des exemples personnels. Chapitre **23**.

11. Langue parlée et langue écrite: quelles sont les possibilités et les contraintes propres à ces deux formes d'expression? Chapitre **23**.

12. Mettez en relief les différences qui existent entre la communication individualisée et la communication institutionnalisée. Chapitre **23**.

13. Dans une société donnée, les variétés linguistiques sont dites «hiérarchisées». Que signifie cette expression? Chapitre **23**.

14. À quels niveaux de langue associe-t-on ordinairement la langue parlée (l'oral) et la langue écrite (le système graphique)? Chapitre **23**.

15. On fait souvent allusion à la «clarté de la langue française». D'où vient, historiquement, cette présomption de clarté? Chapitre **23**.

16. La langue littéraire a toujours été considérée comme un modèle de perfection linguistique. Décrivez les causes et les manifestations de ce phénomène. Chapitre **23**

17. Expliquez le choix parfois difficile que vivent les écrivains québécois face au niveau linguistique (avec exemples à l'appui). Chapitre **23**.

18. La langue parlée subit des contraintes similaires à celles de la langue écrite: il existe une façon de parler considérée «standard». Quels sont les facteurs (d'ordre extralinguistique) qui déterminent la nature de cette variété standard? Chapitre **23**.

19. Décrivez le processus de standardisation de la variété considérée comme la variété privilégiée par le groupe dominant dans une société donnée. Chapitre **23**.

20. Quels sont normalement les effets produits sur le développement linguistique d'une communauté par l'imposition de la langue dite standard? Chapitre **23**.

21. Sur quoi reposent fondamentalement les oppositions que l'on établit entre les niveaux de langue? Expliquez et illustrez. Chapitre **23**.

22. Définissez de façon aussi précise que possible la notion de *norme*. Chapitre **24**.

23. Esquissez un bref historique de la norme à partir des points de repère suivants:

— la grammaire de Panini;
— l'héritage gréco-latin;
— le Moyen Âge et la Renaissance;
— la modification de perspective au XVIe siècle;
— le retour vers l'obsession de la «pureté linguistique» au XVIIe siècle avec Malherbe puis Vaugelas;
— les tendances actuelles (XXe siècle). Chapitre **24**.

24. Dans l'usage contemporain, la norme peut être vue à partir de trois perspectives différentes: la perspective prescriptive, la perspective descriptive, la perspective fonctionnelle. Définissez ces trois points de vue et montrez-en le mode de fonctionnement. Chapitre **24**.

25. La langue peut servir à des fins politiques. Dans quel sens emploie-t-on le mot *politique(s)*? Chapitre **24**.

COMPRÉHENSION

1. Identifiez dans le texte A de la figure C (*La variation géo-linguistique*) tous les éléments linguistiques correspondant à des variations géo-linguistiques par rapport au Québec. Faites quelques hypothèses: S'agit-il d'un homme ou d'une femme? De quel âge environ? Où habite cette personne? À quelle catégorie sociale appartient-elle? etc. Chapitre **23**.

2. Identifiez dans le texte B (*La variation temporelle*) les principaux éléments *linguistiques* (orthographe, morphologie, syntaxe, vocabulaire) ou *non linguistiques* (les mœurs, par exemple) pouvant servir à marquer la variation temporelle. Ce texte a été rédigé en 1687 par Catherine Le Gardeur, veuve de Pierre de Saurel (capitaine du régiment de Carignan) et il était adressé à l'intendant Bochart De Champigny, suite à des insultes subies au Fort de Sorel. Chapitre **23**.

3. Lisez le texte C intitulé *C'est les toilettes. . . en France. . . dans les bars*. Il s'agit d'un récit de Léopold Tremblay de l'Île-aux-Coudres, tiré du film *Le règne du jour* (Office national du film du Canada, 1967). Dans un premier temps, relevez les éléments linguistiques propres à la langue parlée: prononciation, phrases, vocabulaire. Puis réécrivez le texte comme s'il s'agissait d'une variation *écrite*. Vérifiez ce que vous auriez oublié de signaler comme caractéristique de la langue parlée. Chapitre **23**.

4. Dans le texte C, relevez ce qui est strictement caractéristique de la variation *sociolinguistique* propre à Léopold Tremblay. Est-ce que la langue du narrateur diffère sensiblement de celle de la moyenne des Québécois francophones? Justifiez votre position. Chapitre **23**.

TEXTE A: *LA VARIATION GÉO-LINGUISTIQUE*

Dans ce temps-là, on sortait peu. On n'allait pas à la campagne. Aller au bois de Vincennes, c'était déjà loin. Alors fréquemment, le soir, on montait sur les fortifications et on prenait l'air. Les enfants faisaient des culbutes dans l'herbe. Les parents causaient. Les pères fumaient la pipe. Et on passait comme ça la soirée. Oh! c'étaient des plaisirs... des plaisirs très simples et peu coûteux. D'ailleurs, dans ce temps-là, on avait peu d'argent. On l'économisait beaucoup. Il le fallait. Quand un père de famille gagnait trois francs soixante-quinze par jour, il ne pouvait pas se livrer à de grosses dépenses. Je me souviens d'un brave... — Qu'est-ce qu'il faisait donc? — Ah! c'était un homme d'équipe au chemin de fer qui gagnait ses trois francs soixante-quinze et qui avait deux enfants et trouvait encore moyen de faire des économies. Seulement, dame, on mangeait des pommes de terre du premier janvier à la Saint-Sylvestre, des pommes de terre, toujours des pommes de terre, pas d'autres choses. Et même, détail un peu... un peu curieux, enfin un peu spécial, les enfants étaient dressés à ramasser les cigarettes pour faire le tabac du père. Comme je sortais avec eux, je suivais la tradition, je ramassais les mégots de cigarettes. C'est un petit passe-temps. Ah non! On était (*sic*) pas riche. Il y a une différence formidable entre cette époque-là et celle d'aujourd'hui. Évidemment, la vie était facile, mais elle était facile pour une partie des citoyens, pas pour toute la nation. Quand les gens avaient des salaires aussi bas que ceux que je viens de dire, ben, ils ne pouvaient pas faire grand chose (*sic*), d'autant plus qu'il n'y avait aucune loi sociale, pas de garantie contre les accidents du travail, pas de retraite sur la vieillesse, enfin rien de toutes les lois sociales que nous avons vu éclore peu à peu, qui sont... qu'on a beaucoup critiquées, qui sont peut-être critiquables, mais enfin qui constituent un mieux, une recherche de mieux.

Source: G. GOUGENHEIM et coll., *L'élaboration du français fondamental*, Paris, Didier, 1967, p. 240-241.

FIGURE C

TEXTE B: *LA VARIATION TEMPORELLE*

«Supplie humblement Damoizelle Catherine Legardeur vefue de feu M^re^ pierre de sorel Cy devant Capitaine des Troupes du Regiment de Carinant (*sic*) demeurante au fort de sorel; Disant que la femme du Nommé Laplante un de ses habitants Seroit venue audit fort avecq une bayonnette, Et une ache a la main; Et en arriuant auroit dit a laditte damoizelle: Te voilla Donc bougresse De Sorsiere; en Jurant... Le saint Nom de Dieu; disant Toujours beaucoup Dinjures Grosse' Et Difamatoire a la ditte dam^lle^. Supliante quy Luy auroit dit de se Retiré, Et quelle estoit une beste; Sur quoy laditte Laplante Se seroit aprochée de lad. Damoizelle pour luy Donner Sa bayonnette du travers du vantre; Dont elle fut repousée, Et se Jetta pour une Seconde foys Sur Laditte Damoizelle a Dessain de la Tuer; Disant quelle voulloit Lastripé; Et Comme Laditte Damoizelle De sorel Se voyait ainsy Maltraittée De parolle; Elle Saisit Laditte Laplante par Derrière pour Luy hauter SA bayonnette Ce quelle ne peut Faire; Mais Elle luy fut hautée par un Soldat de Monsieur de Rompré Et Comme Lad. Damoizelle Croyoit que Laditte Laplante Navoit aucune Chosse en main elle la laissa allé; Et Cestant Retournée elle Voulleut Coupé Le visage de lad. dam[lle] Supliante avec une ache quelle avoit Entre Ses mains; Ce quelle auroit fait Sy Long Ne lust arresté Le bras.»

Source: Robert-Lionel SÉGUIN, *L'injure en Nouvelle-France*, Ottawa, Leméac, 1976, p. 40-41.

FIGURE C (SUITE)

TEXTE C: *C'EST LES TOILETTES... EN FRANCE... DANS LES BARS*

Quelqu'un:

Qu'est-ce que c'est ton histoire... pour les toilettes là...? Comment c'est, ces toilettes-là?

Léopold Tremblay:

Ben oui! Quand j'ai sorti des Folies-Bergères, il a fallu que j'aille aux toilettes.

Eh! crisse, j'ai rentré dans un bar. Pis après ça, j'me mourrais. J'pouvais plus «toffer» (endurer). J'ai demandé au bar, j'ai dit: «toilettes». Le boss (patron) i dit: «oui... prenez la porte à gauche. Il me montrait la porte à gauche.

J'ai pris la porte à gauche. Pis j'ai arrivé, j'étais dans un mur. Il y avait une flèche. J'ai été virer au moins à cinq, six coins de rues... derrière d'une cour... en arrière du bar... j'sus venu à bout de trouver une flèche pis une porte.

J'ai ouvert la porte...
... des toilettes à pédales!!

(gros rire de l'assistance) Pis j't'avais un mal dans l'corps qu'ça pouvait pus t'nir ct'affaire-là.

C'que c'est que c't'affaire-là? En premier, il y avait une espèce de pot à l'eau... pis une moppe... pis deux grosses pédales sur un bloc de ciment... Pis en arrière du bloc de ciment... là, mon vieux, il y avait un trou qu'était à peu près grand d'même. Pis quand t'embarquais sus l'bloc de ciment, pis tu t'écrasais sus l'derrière... fallait que ça y aille dans l'trou!

C'est les toilettes... en France... dans les bars!

Source: Pierre PERRAULT, *Le Règne du jour*, Montréal, Lidec Inc., 1968, p. 118.

5. Sur quels critères (social, situation de communication, jugement de valeur, esthétique) reposent les marques suivantes identifiées dans les dictionnaires? Justifiez votre choix.

— Il va se faire *zigouiller* (pop.): «tuer».
— Elle a essayé de me *vamper* (fam.): «séduire».
— Prendre *son pied* (fam.): «jouir sexuellement».
— Arrête de faire le *cave* (pop.): «se laisser duper».
— Tout a *foiré* (fam.): «raté».
— J'ai connu un succès *bœuf* (fam.): «étonnant».
— Il a *pissé* par terre (vulg.): «uriner».
— On m'aimait *naguère* (litt.): «autrefois».
— C'est un *con* (vulg.): «imbécile». Chapitre **24**.

6. Dressez un tableau comparatif par période (Grecs, Romains, Moyen Âge, Renaissance, XVIIe siècle, etc.) de telle sorte qu'on puisse voir comment la conception grecque de la norme s'est perpétuée jusqu'à nos jours. Chapitre **24**.

7. Quelle opposition peut-on établir entre la notion de «bon usage» considérée d'un point de vue *prescriptif* et la même notion de «bon usage» considérée dans une perspective *fonctionnelle*? Illustrez avec des exemples que vous trouverez vous-même dans la langue courante. Chapitre **24**.

8. À partir du texte D (*Langue, esthétique et morale*), dressez un tableau où vous mettrez en parallèle les diverses justifications de la norme: critères sociolinguistiques, esthétiques, moraux ou idéologiques. Puis expliquez en quoi les choix de Roger Lemelin sont reliés à des comportements moraux et sociaux. Chapitre **24**.

9. La notion de «langue québécoise» peut être utilisée à des fins idéologiques et véhiculer deux types de valeurs symboliques tout à fait opposées. Commentez et donnez des exemples. Chapitre **24**.

10. Décrivez le rôle de la langue dans l'apprentissage scolaire en ce qui concerne la reproduction (ou la conservation) des écarts sociaux. Êtes-vous d'accord avec le point de vue de R. Lemelin sur ce sujet? Chapitre **24**.

TEXTE D: *LANGUE, ESTHÉTIQUE ET MORALE*

Au moment où un grand cri collectif s'élève pour affirmer la suprématie de notre langue, une vague de fond de torpeur suicidaire la pénètre et la décompose. Laissons de côté la politique et ses arguments fallacieux, et parlons très sérieusement et très gravement, en famille, de cette culture française qui nous tient si profondément à cœur. N'accusons personne de nos fautes, et parlons du vrai problème, c'est-à-dire de l'absence chez nous d'une véritable esthétique culturelle. Car aucune culture ne peut survivre, si elle ne fait que refléter un désarroi moral collectif, autodétermination politique ou pas.

(...) Parlons donc de la dégradation de ce qu'on appelle «le génie français» chez nous, option culturelle profonde et absolue, laquelle n'a rien à voir avec le génie «québécois», qui est surtout une option politique née de ce désarroi même.

Le «génie français», cette galaxie somptueuse, sans laquelle tant d'entre nous perdraient leur goût de vivre, et dans laquelle on est malheureux si l'oxygène de la beauté se met à y manquer, le retrouverons-nous un jour à tous les niveaux de notre société?

(. . .) Si, au-delà de la politique, dans ce monde pluraliste piétiné à tout instant par la sauvage chevauchée de la communication, les Canadiens français ne retrouvent pas, en chacun d'eux-mêmes, une morale élevée, indispensable au génie et à l'épanouissement d'une langue, notre avenir culturel risque de s'étioler dans une minable agonie, et je ne souhaiterais pas aux immigrants d'être forcés de tomber dans la glu de ce triste fléau.

(. . .) Il faut commencer quelque part. Si tous, écrivains, comédiens, scripteurs, annonceurs, chanteurs, hommes politiques, sociétés culturelles, nous nous donnions la main, si nous faisions ce que, inlassablement, un LeCavalier a fait pour le français dans le sport, si nous nous mettions à chaque instant à donner l'exemple d'un français rigoureux, si nous pouvions convaincre les parents de nos enfants à se joindre à nous, si nous nous mettions vraiment à respecter notre génie français, notre plus grande ressource naturelle?

Mais cela ne donnera rien si en même temps, nous ne retrouvons pas une morale nourrie par nos plus belles qualités ethniques, si nous ne réapprenons pas les critères classiques de la beauté, pureté, dépouillement et harmonie, si nous ne cultivons pas le respect de la vie et si, enfin, nous ne retrouvons pas les grandeurs de la vie spirituelle.

Source: Roger LEMELIN, *La Presse*, Montréal, 19 mai 1977.

FIGURE C (SUITE)

PRODUCTION

1. Ce ne sont pas seulement les groupes «dominants» qui ont tendance à critiquer la langue des groupes «dominés». La réciproque (ou l'inverse) est vraie. Commentez et expliquez. Chapitres **23**, **24** et **25**.

2. Montrez jusqu'à quel point la conception de la *norme grecque* s'est perpétuée jusqu'à nos jours:

> «Ainsi, la norme dans la grammaire grecque, née du sentiment et d'une certaine conscience de sa régularité, s'est développée dans un effort pédagogique pour fixer la langue dans un certain état de pureté et pour permettre l'étude des écrivains de la «belle époque.»
> Michel CASEVITZ et François CHARPIN, «L'héritage gréco-latin» dans *La norme linguistique*, p. 52.

Chapitre **24**.

3. Commentez et illustrez l'affirmation suivante à partir d'exemples pris dans l'histoire du français:

> «En matière de norme, on peut certes supposer que la vérité d'aujourd'hui sera l'erreur de demain.»

Chapitres **6**, **23**, **24** et **25**.

4. À l'intérieur d'une communauté linguistique, une langue n'est jamais tout à fait homogène. Expliquez comment et pourquoi à partir d'illustrations tirées de la situation du français au Québec. Chapitre **23**.

5. «Le critère de la qualité littéraire est la notoriété des écrivains et la diffusion de leurs œuvres.» En vous servant d'exemples d'écrivains québécois du XXe siècle (ex.: Michel

Tremblay, Gabrielle Roy, Anne Hébert, etc.), tentez de répondre à cette question: quels sont les facteurs qui ont contribué au succès de ces écrivains? (leur talent littéraire, leurs tendances idéologiques, la conjoncture sociale, etc.) Chapitre **23**.

6. Lisez le texte de Pierre Lemieux, *Petit nègre blanc d'Amérique* (texte E). Parmi les types de critères se rapportant à la norme, retrouvez ceux qui semblent inspirer les jugements formulés par Pierre Lemieux et montrez chaque fois la relation critère-jugement. Chapitre **24**.

TEXTE E: *PETIT NÈGRE BLANC D'AMÉRIQUE*

«Hei, c'te plant'-lâ, é'é grosse.» «M'en vas faire pipi.» «All'â l'air bonn', ma pomm!» (Allah est grand aussi!) C'est ainsi que vos enfants apprendront à parler la langue officielle du Québec en écoutant «Passe-Partout», une émission d'enfants réalisée par le ministère de l'Éducation (sic) du Québec.

L'omniprésent «moi-je» y figure dans toute sa petitesse: dans cette langue de chien battu, un sujet seul, comme un individu solitaire, passe pour un moins que rien. Les termes impropres n'y sont pas rares: «le compte de téléphone», par exemple. Quant à la diction, nos pédagogues l'ont si mauvaise qu'ils ne savent même pas prononcer correctement les «a» (fermés) de «papa», ni du reste les autres «a» («A'parl'pâ»). Et, fier de la «civilisation québécoise», comme dit le MEQ, on ne craint pas d'innover dans l'usage joual international: «Les p'tit' filles, i' ont ben l'droit de. . .» dit Passe-Partout, dont le ramage ne se rapporte hélas! pas au plumage; alors que le premier joual venu vous hennira qu'il fallait dire: «Les p'tit' filles, a'z-ont ben l'droit. . .».

Pire encore, c'est avec cœur, goulûment, avec un gros appétit de snack bar, que l'on mord à grosses dents dans ce parler de Québécoué mal dégrossi à la Tex Lecor de Canadian Tire. De même, enfants, dans les cours d'écoles, nous joualisions avec empâtement et taxions de fifis les pauvres et rares petits qui, avec une langue plus légère, plus belle, plus raffinée, défiaient la vulgarité de la foule.

Oh! ça valait bien la peine, 20 ans de révolution tranquille, pour en arriver à dire «chui» au lieu de «chu»! Encore que cette dernière forme n'est pas tout à fait tombée en désuétude chez les copains de Passe-Partout («si chu capab!. . .»).

Parlant de l'un de ceux-ci, Passe-Partout disait: «Fardoche (le nom du personnage), i' dit des drôles d'affaères.» En tout cas, le ministère de l'Éducation, il viole la loi 101: le ministère de l'Éducation, il parle petit-nègre, petit-nègre blanc d'Amérique.

Source: Pierre LEMIEUX, *Le Devoir*, Montréal, 5 décembre 1979.

FIGURE C (SUITE)

CHAPITRES ***26,*** *27* *ET* ***28***

LES LANGUES ET LEUR ÉVOLUTION

CONNAISSANCE DU CONTENU

1. *La préhistoire*. Chapitre **26**.

1.1. Pourquoi le problème des origines du langage ne peut-il pas être traité par le linguiste?

1.2. S'est-il écoulé beaucoup de temps entre l'apparition de l'Australopithèque et l'apparition des *langues*? Comment a-t-on pu savoir avec assez d'exactitude à quel moment sont apparues les langues?

1.3. Comment peut-on expliquer que la naissance de l'écriture ait coïncidé avec celle des premiers États?

1.4. Quelles ont été les trois grandes langues internationales des premiers millénaires avant notre ère? Pourquoi ces langues ont-elles eu cette importance?

1.5. Qui étaient les Indo-Européens? D'où venaient-ils? Où se sont-ils installés?

1.6. Comment expliquer l'expansion du latin dans le monde occidental? Pourquoi certains peuples n'ont-ils pas été assimilés par les Romains?

1.7. Quelles furent les conséquences politiques et linguistiques des invasions germaniques au IVe siècle?

1.8. Comment se présentait la situation linguistique en Europe vers le VIIe siècle?

1.9. Quelle langue parlait Charlemagne? Pourquoi n'a-t-il pu imposer sa langue à toute l'Europe? Quel a été le sort linguistique des Francs majoritaires par rapport aux Francs minoritaires, dans les pays conquis?

2. *L'histoire sociolinguistique du français*. Chapitre **27**.

2.1. Expliquez les causes du morcellement linguistique de l'ancien français durant la période féodale.

2.2. Résumez la situation linguistique en France à la fin du XIIIe siècle.

2.3. Quelles ont été les conséquences de la Guerre de Cent ans sur le moyen français?

2.4. Quel a été le rôle des clercs et des scribes instruits face à la langue de cette époque (XIVe siècle)?

2.5. Quel a été l'impact linguistique de la Renaissance italienne et des guerres de Religion sur le français?

2.6. Qu'est-ce qui explique l'expansion du français au XVIe siècle?

2.7. Qu'est-ce qui caractérise le français du XVIIe siècle? Qui parlait la «langue du roi» à cette époque, aussi bien en France qu'à l'extérieur du pays? Quelle était la situation linguistique des gens du peuple?

2.8. Pourquoi l'école demeure-t-elle un grand obstacle à la diffusion du français au début du XVIIIe siècle? Expliquez.

2.9. Qu'est-ce qui explique la prépondérance du français en Europe au XVIIIe siècle?

2.10. Expliquez pourquoi la langue française devint tout à coup une affaire d'État avec la Révolution. Quels ont été les résultats de la politique linguistique des révolutionnaires en France?

2.11. Le règne de Napoléon a-t-il été très bénéfique pour l'évolution et le statut du français? Résumez la situation qui a prévalu à cette époque.

2.12. Expliquez comment la création de l'école obligatoire en 1830 relevait à la fois d'un esprit libéral et foncièrement conservateur.

2.13. Comment caractériser la langue commune des Français dans les dernières décennies du XIXe siècle?

2.14. Quelles ont été les causes majeures de la suprématie définitive du français sur les parlers régionaux en France?

2.15. Résumez brièvement la situation linguistique du français d'aujourd'hui.

3. *La question linguistique au Québec*. Chapitre **28**.

3.1. De quelles provinces françaises venaient 80 % des immigrants du XVIIe siècle en Nouvelle-France?

3.2. Quelle langue parlaient ces premiers immigrants à leur arrivée en Nouvelle-France? Le pays a-t-il connu le «choc des patois»? Expliquez.

3.3. Exposez les différentes causes de l'unification linguistique de la Nouvelle-France en insistant sur l'importance relative de chacune de ces causes.

3.4. Que pouvait être le français parlé en Nouvelle-France par rapport à celui de France? Justifiez votre réponse.

3.5. Quelles pouvaient être les conséquences de la Conquête militaire anglaise sur l'avenir de la langue française en Amérique du Nord?

3.6. Pourquoi la Proclamation royale de 1763 n'a-t-elle pas connu le succès escompté?

3.7. L'Acte de Québec de 1774 constituait-il un acte de générosité de la part des Anglais? Expliquez les raisons de cette nouvelle constitution.

3.8. En 1791, l'Acte constitutionnel sépare le Canada en deux colonies distinctes: le Haut-Canada (anglais) et le Bas-Canada (français). Pourquoi les Canadiens français ont-ils été finalement déçus de l'autonomie qu'on leur accordait?

3.9. Expliquez pourquoi la langue est devenue une source d'affrontements au Parlement du Bas-Canada (1741-1839)?

3.10. Qu'est-ce qui a amené la révolte des Patriotes de 1837? Les revendications des francophones paraissaient-elles justifiées ou non?

3.11. Quelles furent les propositions fondamentales de Lord Durham pour solutionner les conflits au Canada?

3.12. Quel a été l'impact linguistique de la domination anglaise au cours de la période 1763-1840?

3.13. Que venait changer l'Acte d'Union de 1840 pour les Canadiens français et l'avenir de leur langue?

3.14. Quels ont été les effets sur la langue du repliement des Canadiens français vers l'agriculture et de leur exode massif en Nouvelle-Angleterre?

3.15. L'Acte de l'Amérique du Nord britannique (A.A.N.B.) de 1867 assurait-il l'égalité entre le français et l'anglais au Canada? Expliquez.

3.16. Pourquoi les gouvernements québécois ne sont-ils pas intervenus en faveur du français pendant un siècle de Confédération? Comment expliquer leur attitude timorée lorsqu'ils ont finalement adopté des lois en ce sens (la Loi Lavergne en 1910 et la loi de Duplessis en 1837)?

3.17. Explicitez les rapports entre l'urbanisation, l'industrialisation et l'anglicisation au Québec. Que pourrait-on reprocher à cet égard aux gouvernements québécois de cette époque?

3.18. Le rôle de l'Église catholique du Québec face au destin linguistique vous paraît-il plus efficace? Expliquez.

3.19. Quelles ont été les caractéristiques essentielles de la Révolution tranquille à l'égard de l'État, de l'identité québécoise et de la langue? En matière linguistique, qu'est-ce qui préoccupait les francophones?

3.20. Croyez-vous que les gouvernements de l'époque étaient justifiés d'intervenir en matière de langue? Commentez. Qu'est-ce qui explique l'attitude non interventionniste des politiciens de la Révolution tranquille?

3.21. Qu'est-ce qui explique l'adoption de la loi 63 par le gouvernement en 1969?

3.22. D'après vous, pourquoi le gouvernement du Parti libéral a-t-il adopté la loi 22 en 1974? Paraissait-elle suffisante pour protéger le français au Québec? Justifiez.

3.23. Que venait régler la loi 101 par rapport aux deux lois précédentes?

3.24. Comment justifier le rejet du bilinguisme officiel par le gouvernement du Parti québécois au moment de l'adoption de la loi 101?

3.25. Quels ont été les véritables objectifs linguistiques de la Loi constitutionnelle de 1982 et les conséquences de celle-ci pour le Québec?

3.26. En quoi la loi 101 ou *Charte de la langue française* constitue-t-elle un symbole, voire un mythe?

3.27. Pourquoi beaucoup de jeunes Québécois francophones s'identifient-ils peu à la cause de leur langue?

3.28. Montrez les aspects positifs et négatifs de l'avenir démolinguistique des Franco-Québécois.

3.29. Pourquoi sera-t-il désormais impossible pour le Québec d'être aussi français que l'Ontario est anglais?

3.30. Comment peut-on dire que l'article 23 de la Loi constitutionnelle de 1982 a été conçu pour neutraliser la loi 101 du Québec? Expliquez.

COMPRÉHENSION

1. De tous les peuples de l'Antiquité qui ont existé entre 2500 et 1000 avant notre ère, seuls les Hébreux (ou Juifs ou Israéliens), les Grecs, les Chinois et les Arabes existent encore aujourd'hui. Comment expliquer ce phénomène? Donnez des faits concrets. Chapitre **26**.

2. Établissez un parallèle entre les méthodes de latinisation du monde romain et l'expansion de l'anglais en Amérique, en Océanie et en Afrique. Ces méthodes vous paraissent-elles fondamentalement différentes? Chapitre **26**.

3. Expliquez comment il se fait qu'aucun des peuples germaniques n'a pu imposer sa langue dans les anciens territoires romains alors qu'ils ont pu assimiler les peuples conquis dans les actuels pays germaniques (Belgique flamande, Allemagne, Suisse alémanique, Autriche). Chapitre **26**.

4. À partir des textes 2, 3 et 4 des Serments de Strasbourg (voir p. 397), essayez de dégager des lois d'évolution de la langue: phonétique, grammaire, orthographe. Chapitre **26**.

5. Comparez, dans l'histoire du français, quelques grandes périodes de bouleversements à des périodes de consolidation et montrez que l'état de la langue reflète toujours l'état de la société. Chapitre **27**.

6. Le latin a maintenu sa dominance culturelle jusqu'au début du XIXe siècle. Sur quoi reposait la force d'attraction du latin au cours de cette longue période? Démontrez ce phénomène à l'aide d'exemples concrets. Chapitre **27**.

7. Établissez les rapports entre la puissance politique de la France au XVIIe siècle (Louis XIV), le français comme langue de classe et le conservatisme linguistique. Chapitre **27**.

8. Décrivez en 200 mots la politique linguistique des politiciens de la Révolution française. Chapitre **27**.

9. Établissez un parallèle entre le conservatisme linguistique à l'époque de Louis XIV et celui de l'époque de Napoléon 1er. Chapitre **27**.

10. Comparez la dominance du latin par rapport au français entre les XIIIe et XVIIIe siècles avec celle de l'anglais sur le français aujourd'hui. Chapitre **27**.

11. Comparez les causes de l'unification linguistique en France et en Nouvelle-France. Trouvez les ressemblances et les différences. Chapitre **28**.

12. Montrez comment la Proclamation royale de 1763 et l'Acte d'Union de 1840 pouvaient être des politiques assimilationnistes apparentées à celles que l'on retrouve au Brésil, en Chine ou ailleurs. Chapitres **17** et **28**.

13. Expliquez pourquoi les mesures assimilatrices du gouvernement britannique ont toujours échoué au Québec. Confinez-vous à la période 1763-1867. Chapitre **28**.

14. Commentez cette affirmation de Me Réjean Patry:

> «Le fait qu'on ait dû batailler pour obtenir des concessions dans des secteurs où le bilinguisme aurait dû s'appliquer naturellement et logiquement, démontre éloquemment que de la Confédération jusqu'aux années 60 le gouvernement fédéral, de façon systématique, s'en est tenu aux prescriptions constitutionnelles.»
> R. PATRY, *La législation linguistique fédérale*, Québec, Éditeur officiel du Québec, 1981, p. 48-49.

Chapitre **28**.

15. Quand un État adopte une politique de non-intervention linguistique, cela signifie qu'on laisse les langues en présence évoluer librement (chapitre **16**). Qu'en est-il résulté pour le Québec au cours de la période 1867-1968? Chapitre **28**.

16. Faites un court historique des différentes législations linguistiques du gouvernement canadien (fédéral): 1867, 1969, 1982. Montrez les liens et la cohérence historique entre ces interventions sur la langue. Chapitres **18** et **28**.

17. Faites un court historique des différentes législations linguistiques du Québec: 1969, 1974, 1977. Montrez la progression, la cohérence et les différences entre ces interventions. Chapitres **21** et **28**.

18. Vérifiez en quoi les lois 63, 22 et 101 satisfaisaient ou non aux trois principes préalables de Jean-Claude Corbeil (chapitre **15**) à tout projet d'aménagement linguistique. Chapitres **21** et **28**.

19. Que pensez-vous de cette affirmation de McRoberts et Posgate à l'effet que «la loi 101 constitue... l'exemple le plus frappant de la modération des réformes péquistes». K. McROBERTS et D. POSGATE, *Développement et modernisation du Québec*, Montréal, Boréal Express, 1983, p. 230. Chapitres **21** et **28**.

PRODUCTION

1. Expliquez et illustrez par des exemples cette affirmation:

> «L'évolution de la langue française a toujours été étroitement liée aux événements socio-historiques de la France.»

Comparez les périodes de grande centralisation et les périodes d'affaiblissement politique. Chapitre **27**.

2. Expliquez, illustrez et commentez cette affirmation du chanteur belge, Jules Beaucarne, en vous basant sur l'histoire de langue française:

> «Si Louis XIV s'était installé à Namur, toute la France parlerait le wallon de Namur. Le français, c'est un patois qui a réussi, qui s'est imposé au hit-parade des langues.»
> Cité par Louis-Jean CALVET, *Linguistique et colonialisme*, Paris, Payot, 1974, p. 54.

Chapitres **11** et **27**.

3. Imaginez-vous en contemporain de Voltaire au XVIIIe siècle et commentez cette déclaration:

> «La langue française est de toutes les langues celle qui exprime avec le plus de facilité, de netteté, de délicatesse tous les objets de la conversation des honnêtes gens.» (VOLTAIRE)

Puis, faites de même en tant qu'observateur de notre monde moderne et établissez les nuances qui s'imposent. Chapitres **24** et **27**

4. Que pensez-vous des propos suivants aujourd'hui si on les applique aussi bien au français qu'à l'anglais?

> «Ce n'est pas par faiblesse ou par affectation que les deux souverains[1] les plus «modernes et les plus nationalistes de l'Allemagne et de la Russie ont usé et abusé du français au détriment de leurs langues nationales. Ils avaient bien vu ce que l'emploi systématique d'une langue internationale — à l'époque, la langue de la nation la plus riche en hommes et en biens, la plus «progressiste» dans un certain système — apportait à leurs pays.»
> Jacques CELLARD, *Histoire de mots*, Paris, La Découverte/Laronde, 1985, p. 81.

Chapitres **11** et **27**.

1. Il s'agit de Frédéric le Grand, de Prusse, et de la Grande Catherine de Russie.

5. Imaginez-vous en Anglais du XIXe siècle. Qu'auriez-vous pensé de la proposition suivante de Lord Durham quant à l'avenir du Québec (Bas-Canada)? Trouvez-vous que les gouvernements canadiens en ont toujours tenu compte jusqu'à aujourd'hui?

> «Mais je répète qu'il faudrait entreprendre immédiatement de changer le caractère de la province, et poursuivre cette fin avec vigueur, mais non sans ménagement; je réaffirme aussi que le premier objectif de tout plan qui sera adopté pour le gouvernement futur du Bas-Canada doit être d'en faire une province anglaise et qu'à cet effet il doit voir à ce que l'influence dominante ne soit jamais de nouveau placée en d'autres mains que celles d'une population anglaise.»

Chapitres **11, 17** et **28**.

6. Prenez position sur la question suivante, relative à l'interventionnisme du gouvernement canadien. Donnez-vous raison à Me Réjean Patry ou vous opposez-vous à celui-ci? Justifiez.

> «L'intervention législative du Parlement fédéral dans le domaine de la langue était toutefois possible, comme en font foi les mesures qu'il a adoptées depuis 1969. Il est probable que si les mêmes lois avaient été adoptées plus tôt, elles auraient eu un effet d'entraînement sur les provinces anglaises, que les francophones n'auraient pas été forcés à se replier à l'intérieur du Québec et à légiférer pour assurer la protection de leur langue et que l'assimilation des francophones du Québec n'aurait pas atteint les proportions actuelles.»
> Réjean PATRY, *La législation linguistique fédérale*, Québec, Éditeur officiel du Québec, 1981, p. 83.

Chapitre **28**.

7. Que pensez-vous de la position suivante au sujet du bilinguisme canadien?

> «Toute réforme constitutionnelle du système fédéral qui enchâssera dans la Constitution le principe de l'égalité des deux langues, est vouée à l'échec si elle ne s'accompagne pas de la mise en place des instruments nécessaires pour que cette égalité se traduise dans les faits. L'encadrement constitutionnel et les mesures législatives sont nécessaires au bilinguisme, mais sans l'appui d'une véritable volonté politique de la part des dirigeants et sans l'acceptation des deux groupes linguistiques, le bilinguisme devient un facteur de division plutôt que d'unité.»
> Réjean PATRY, *op. cit.*, p. 86.

Chapitre **28**.

8. Justifiez votre propre position par rapport à celle de Michel Plourde au sujet de l'attitude du Québec entre 1867 et 1968:

> «En fait, le Québec donna également plus d'extension que nécessaire à l'obligation de bilinguisme que lui imposait l'article 133 pour ce qui a trait aux tribunaux et à la justice. On peut donc dire que, pendant les cent ans qui suivirent la Confédération de 1867, le Québec lui-même, au lieu de favoriser le développement du français dans ses institutions publiques, favorisa plutôt l'usage des deux langues.»
> Michel PLOURDE, «La politique et la législation linguistiques du Québec», dans *La langue française au Québec*, Québec, CLF, Éditeur officiel du Québec, 1985, p. 117.

Chapitres **21** et **28**.

9. Dégagez les idées essentielles du texte suivant de Polk, cité par J. Fishman (*Language and Nationalism*):

> «Il est facile pour nous qui parlons anglais, sûrs que nous sommes dans l'impérialisme et même le colonialisme de notre langue — puisque nous avons conquis et colonisé, pour ainsi dire, tout un vocabulaire allemand, français, latin et arabe — de mépriser ce qui peut paraître puéril ou prétentieux dans la linguistique défensive. En sécurité dans le monde invulnérable de notre langue, nous ne pouvons

pas réellement comprendre pourquoi les autres se tiennent désespérément devant nous dans un état de défense. La langue n'est-elle pas, après tout, un simple moyen de communication et ne devrait-elle pas, comme telle, être jugée uniquement de façon pragmatique? Si un meilleur moyen de communication existe, ne devrait-il pas être adopté? Quel mérite réel y a-t-il à maintenir des langues inefficaces, moins employées ou même hors circuit? Les hommes d'affaires sérieux ont sûrement des tâches plus importantes à faire que de se questionner sur l'origine des mots, leurs significations étrangères, leur «pureté» linguistique.

Mais les autres, ceux qui défendent leur langue, la question se pose à eux de façon bien différente. Ils ont trouvé dans leur langue non pas seulement un moyen de communication mais le génie de leur nation.»

Traduit par Michel PLOURDE, «L'avenir de la langue française au Québec», *op. cit.*, p. 40.

Qu'en pensez-vous? Donnez votre appréciation en faisant référence au français au Québec.

Chapitres **11, 21** et **28**.

10. Expliquez et commentez la déclaration suivante de Michel Plourde:

«Bien sûr, la langue française sera toujours menacée en Amérique du Nord. Les lois du nombre et de l'encerclement imposeront toujours aux quelques millions de francophones d'ici, entourés de 250 millions d'anglophones, l'obligation constante d'être tenaces et vigilants. Mais qu'à cela ne tienne! Une preuve qui s'étale sur 375 ans, c'est beaucoup plus qu'une garantie dès lors qu'on entretient la volonté d'être soi-même!»
Michel PLOURDE, «Cinquième Rencontre francophone de Québec», *op. cit.*, p. 272.

Chapitres **11, 21** et **28**.

11. Dégagez les idées essentielles du texte suivant et expliquez ce que vous en pensez.

«La *Charte de la langue française* a contribué grandement à modifier le paysage linguistique du Québec. Elle continue d'être nécessaire, mais elle a ses limites et n'est pas complètement équipée pour faire face à de nouveaux défis d'avenir. Désormais, une grande partie des menaces faites à la langue française viendront peut-être de l'extérieur: elles seront dues en particulier à l'envahissement de la haute technologie et des produits culturels américains, à la rapidité des communications et à l'exposition plus fréquente à la présence de l'anglais par tous les moyens. Il faut dont ajouter une nouvelle approche à notre politique linguistique. Je me dis personnellement convaincu que le meilleur gage d'avenir pour la langue française réside dans une prise en charge, par l'éducation, de la formation d'une conscience linguistique authentiquement nationale et ouverte sur le monde.»
Michel PLOURDE, «Éducation et avenir du français au Québec», *op. cit.*, p. 170.

Chapitres **11, 21** et **28**.

12. Que pensez-vous des résultats du sondage CROP mené du 18 novembre au 11 décembre 1985:

«Moins de la moitié des Québécois, soit 46 %, sont d'avis que la situation du français s'est améliorée au Québec depuis cinq ans. Parmi eux, 65 % estiment que l'affichage unilingue français joue un rôle «très important» (35 %) ou «important» (30 %) dans les progrès qu'ils décèlent. Par ailleurs, 13 % des Québécois pensent que la situation s'est détériorée et 37 % qu'elle est restée stable. Bref, pour la moitié des Québécois, il n'y a pas eu de progrès depuis cinq ans.»
Jean-Pierre PROULX, «Un Québécois sur deux estime que le français n'a pas progressé au Québec depuis cinq ans», dans *Le Devoir*, Montréal, 23 avril 1986.

Chapitres **11, 21** et **28**.

GLOSSAIRE

BILINGUISME DIGLOSSIQUE
Phénomène social caractérisé par la connaissance de deux langues étendue à l'ensemble d'une communauté dont la langue première est de statut socio-politique inférieur ou marginalisé. V. DIGLOSSIE.

CODIFICATION
Intervention qui consiste à élaborer et à produire un appareil de références des usages linguistiques rassemblés, fixés, recommandés ou prescrits par des spécialistes en matière de langue: création d'un système d'écriture ou d'un alphabet, rédaction de grammaires, de dictionnaires ou de lexiques, de manuels d'enseignement, d'œuvres littéraires, etc.

COMMUNICATION INDIVIDUALISÉE
Acte personnel par lequel un locuteur entre en relation avec un autre au moyen du langage. S'oppose à COMMUNICATION INSTITUTIONNALISÉE.

COMMUNICATION INSTITUTIONNALISÉE
Acte (souvent anonyme ou impersonnel) par lequel un organisme (gouvernement, administration publique, firme, média, groupement, etc.) entre en relation avec un autre organisme ou avec des individus en tant que représentant ou membre de cet organisme. S'oppose à COMMUNICATION INDIVIDUALISÉE.

CRÉOLE
Langue mixte, née du contact d'une LANGUE IMPÉRIALE avec diverses langues autochtones, utilisée par toute une communauté donnée comme langue maternelle: *le créole d'Haïti*. S'oppose à PIDGIN.

DIGLOSSIE
1. Phénomène social caractérisé par la coexistence de deux langues dont l'une est généralement de statut socio-politique supérieur, l'autre inférieur.
2. Situation de bilinguisme étendu à toute une communauté, généralement minoritaire et socialement infériorisée, dont la langue première (maternelle) reste confinée à des domaines absents de prestige. V. BILINGUISME DIGLOSSIQUE.

DROITS PERSONNELS
Droits linguistiques reconnus par un État généralement multilingue à des individus, indépendamment de l'endroit où ils résident sur le territoire national. Les droits accordés selon cette formule dite de la PERSONNALITÉ sont ordinairement transportables lorsque l'on change de lieu de résidence: *Les citoyens canadiens, qu'ils parlent l'anglais ou le français, ont le droit, partout au Canada, de s'adresser au gouvernement fédéral dans l'une ou l'autre des deux langues officielles*. S'oppose à DROITS TERRITORIAUX.

DROITS TERRITORIAUX
Droits linguistiques reconnus par un État multilingue à des individus résidant sur un territoire protégé par des frontières linguistiques fixes et sécurisantes, c'est-à-dire unilingues, de façon à éviter la concurrence entre les langues. V. TERRITORIALITÉ. S'oppose à DROITS PERSONNELS.

ÉPICÈNES (MOTS)
On appelle épicènes les noms qui ont la propriété d'avoir un double genre, correspondant chacun à des termes de l'opposition de sexe: *un journaliste/une journaliste, un ministre/une ministre,* etc.

FÉTICHISATION
Procédé qui consiste à utiliser certains éléments d'une langue moribonde dans le but de fournir une identité propre à une collectivité qui a changé d'allégeance linguistique: *Les Mexicains aiment recourir à des mots aztèques (chanson, menus de restaurant, toponymie, etc.) pour manifester leur mexicanité.*

GLOTTOCHRONOLOGIE
Technique utilisée pour dater des langues anciennes, c'est-à-dire établir l'époque à laquelle deux ou plusieurs langues apparentées se sont séparées d'une langue originelle commune.

GLOTTOPHAGE
Néologisme servant à désigner les États centralisateurs dont la propension naturelle est d'assimiler les langues faibles.

IDIOME
1. Terme servant à désigner le parler spécifique d'une communauté donnée.
2. Souvent utilisé comme synonyme de «langue».

LANGAGE ARTICULÉ
Aptitude observée chez tous les êtres humains à communiquer au moyen des organes phonateurs nécessaires à la formation de PHONÈMES .

LANGUE CODIFIÉE
Une langue *codifiée* est une langue dotée d'instruments de références écrits tels les grammaires, les dictionnaires, les manuels, etc. On dit d'une telle langue qu'elle a subi un processus de CODIFICATION.

LANGUE COLONIALE
Langue apportée ou imposée par les anciennes puissances coloniales (Grande-Bretagne, France, Espagne, Portugal, Pays-Bas, etc.) dans les pays conquis et utilisée par la suite comme langue VÉHICULAIRE, voire comme langue OFFICIELLE. *Le français, l'anglais et le portugais sont des langues coloniales en Afrique*. Souvent synonyme de LANGUE IMPÉRIALE.

LANGUE CRÉOLISÉE
Langue ayant subi au cours des siècles l'influence d'une LANGUE IMPÉRIALE (français, anglais, portugais, espagnol, etc.) au point de devenir un système linguistique mixte et distinct des langues d'origine, c'est-à-dire de la langue impériale et de la ou des langues autochtones; une langue créolisée est employée comme langue maternelle par la communauté qui la parle. *Les langues créolisées d'Haïti, de la Martinique, de la Guadeloupe*. Terme souvent employé dans un sens négatif. V. CRÉOLE. S'oppose à LANGUE PIDGINISÉE.

LANGUE IMPÉRIALE
Terme utilisé par désigner une langue qui, alliant importance numérique et diffusion dans l'espace (trois ou quatre continents), s'assure à peu près toutes les fonctions sociales possibles. *L'anglais, le français, l'espagnol sont des langues impériales*. Synonyme aussi de LANGUE COLONIALE.

LANGUE INDIGÈNE
Se dit de la langue maternelle utilisée par une communauté donnée; souvent synonyme de LANGUE VERNACULAIRE ou de LANGUE NATIONALE. *Le français et l'anglais sont des langues indigènes au Canada, mais des langues coloniales en Afrique.* S'oppose parfois à LANGUE VÉHICULAIRE et à LANGUE OFFICIELLE.

LANGUE NATIONALE
1. Langue parlée par une communauté autochtone dans un pays; synonyme parfois de LANGUE VERNACULAIRE ou de LANGUE INDIGÈNE. *L'allemand en Allemagne, le breton en France, l'ukrainien en URSS, le français au Québec, le wolof au Sénégal sont des langues nationales; seuls l'allemand en Allemagne et le français au Québec constituent à la fois des langues nationales et officielles.*

2. Langue ayant un statut reconnu par un État, mais qui demeure subordonnée à la LANGUE OFFICIELLE; dans les pays où l'on distingue langue(s) nationale(s) et langue(s) officielle(s), le statut accordé correspond généralement à une reconnaissance juridique différenciée ou inégale par rapport à la langue officielle. *Il y a trois langues officielles en Suisse (allemand, français, italien), mais quatre langues nationales (allemand, français, italien, romanche).* En ce sens, langue nationale s'oppose à LANGUE OFFICIELLE.

LANGUE NORMALISÉE
Une langue est dite *normalisée* lorsqu'elle a été CODIFIÉE, uniformisée, puis promue à un statut socio-politique reconnu et valorisé par une intervention étatique, soit comme LANGUE NATIONALE, LANGUE OFFICIELLE, langue d'enseignement, etc. *Fragmenté en 34 variétés linguistiques en Amérique du Sud, le guarani n'est pas une langue normalisée; l'espagnol et le portugais sont des langues normalisées.*

LANGUE OFFICIELLE
Langue dont le statut et les fonctions sociales sont reconnus par l'autorité étatique (gouvernement, administration) qui l'utilise dans ses COMMUNICATIONS INSTITUTIONNALISÉES. *L'anglais et le français sont les langues officielles du gouvernement du Canada.* Langue officielle peut s'opposer à LANGUE NATIONALE, à LANGUE VERNACULAIRE, à LANGUE INDIGÈNE, parfois à LANGUE VÉHICULAIRE. Dans certains cas, ces différents statuts peuvent aussi se correspondre: *L'anglais et le français au Canada sont à la fois des langues officielles, nationales, véhiculaires, vernaculaires, indigènes.*

LANGUE PIDGINISÉE
Langue mixte résultant du contact d'une langue impériale et d'une ou de plusieurs langues autochtones au point de devenir un système linguistique autonome et distinct des langues ayant contribué à sa formation; contrairement aux LANGUES CRÉOLISÉES, les langues pidginisées sont utilisées uniquement comme langue seconde. En ce sens, s'oppose à LANGUE CRÉOLISÉE qui s'emploie comme langue maternelle.

LANGUE SOUS-ÉTATIQUE
Langue dont le statut officiel est limité à une région dans un pays; une langue sous-étatique demeure sous le contrôle d'un territoire et d'un gouvernement local soumis aux décisions d'un autre gouvernement qui lui est supérieur. *Le catalan en Espagne, l'ukrainien en URSS et le pendjabi en Inde sont des langues sous-étatiques. L'espagnol est la langue officielle de l'Espagne, mais le catalan est officiel en Catalogne.*

LANGUE VÉHICULAIRE
Se dit d'une langue servant aux COMMUNICATIONS INSTITUTIONNALISÉES ou commerciales, souvent entre des peuples de langue maternelle ou VERNACULAIRE différente. *Le français, l'anglais et le swahili sont des langues véhiculaires en Afrique.* S'oppose souvent à LANGUE VERNACULAIRE.

LANGUE VERNACULAIRE
Du latin *vernaculus* «indigène, domestique», désigne un IDIOME utilisé comme langue maternelle par une communauté donnée; la langue vernaculaire est souvent réservée à la COMMUNICATION INDIVIDUALISÉE si elle ne constitue pas à la fois une LANGUE NATIONALE ou une LANGUE OFFICIELLE dans un pays. Peut s'opposer à LANGUE VÉHICULAIRE.

MINORISATION
Technique d'assimilation utilisée par un groupe linguistique qui est majoritaire à l'échelle d'un pays, mais minoritaire sur une portion donnée du territoire; cette technique consiste à rendre numériquement inférieure la minorité qui est majoritaire localement. Le moyen généralement privilégié est l'afflux massif de locuteurs de la langue majoritaire au niveau national dans le territoire habité majoritairement par la minorité; à long terme, la minorité devient ainsi minoritaire sur son propre territoire, submergée par le groupe majoritaire. *Originellement peuplée à 100 % de locuteurs parlant le mongol, la région autonome de la Mongolie intérieure de Chine renferme aujourd'hui près de 80 % de «vrais» Chinois qui ont envahi le territoire.*

NORMALISATION
Invention étatique consistant à standardiser une langue ou une variété de LANGUE CODIFIÉE afin d'étendre son usage à l'ensemble de la société; la normalisation se fait par l'entremise du gouvernement, de l'administration publique, du système d'enseignement, des médias, etc., et concerne toutes les COMMUNICATIONS INSTITUTIONNALISÉES.

NORME
Usage conforme à la moyenne générale des cas et considéré le plus souvent comme la règle. V. NORME PRESCRIPTIVE, NORME DESCRIPTIVE, NORME FONCTIONNELLE.

NORME DESCRIPTIVE
1. Tout ce qui est d'usage courant et commun dans une communauté linguistique.
2. Moyenne des divers usages d'une langue communs à l'ensemble de la communauté. S'oppose à NORME PRESCRIPTIVE.

NORME FONCTIONNELLE
Ce qui est courant et commun dans une variété linguistique conformément à un contexte situationnel donné. S'oppose à NORME PRESCRIPTIVE.

NORME PRESCRIPTIVE
Usage considéré comme le plus correct ou le plus prestigieux si l'on veut se conformer à un certain idéal esthétique ou socio-culturel. S'oppose à NORME DESCRIPTIVE et à NORME FONCTIONNELLE.

PERSONNALITÉ
Formule d'aménagement linguistique qui cherche à faire de la langue un droit reconnu par un État (multilingue) à des individus, indépendamment de l'endroit où ils résident sur le territoire national; ce droit, fondé sur la personne, est transportable d'un endroit à un autre comme l'est, par exemple, le droit de vote. V. DROITS PERSONNELS. S'oppose à TERRITORIALITÉ.

PHONÈME
Dans les langues, unité sonore minimale produite par les organes de la parole, ayant une valeur distinctive et différenciative, déterminée par les rapports entre les autres sons: [*b*] *et* [*p*] *sont des phonèmes en français.*

PHONOLOGIQUE
Ce qui est relatif à la phonologie, science qui étudie les PHONÈMES non en eux-mêmes, mais quant à leur fonction dans la langue. V. PHONÈME.

PIDGIN

Langue mixte, employée comme langue seconde et née du contact d'une LANGUE IMPÉRIALE avec diverses langues autochtones afin de permettre l'intercompréhension entre des communautés linguistiques différentes. *Le pidgin-english du Cameroun est une langue composite à base grammaticale africaine et à vocabulaire en grande partie anglais.* V. LANGUE PIDGINISÉE. S'oppose à CRÉOLE qui s'emploie comme langue maternelle.

SOLUTIONS PERSONNELLES

Formule d'aménagement linguistique d'un État généralement multilingue qui consiste à accorder des DROITS PERSONNELS à des individus peu importe où ils résident sur le territoire national. V. PERSONNALITÉ et DROITS PERSONNELS. S'oppose à SOLUTIONS TERRITORIALES.

SOLUTIONS TERRITORIALES

Formule d'aménagement linguistique d'un État multilingue qui consiste à accorder des DROITS TERRITORIAUX à des individus résidant dans un territoire protégé par des frontières linguistiques fixes et sécurisantes. V. TERRITORIALITÉ et DROITS TERRITORIAUX. S'oppose à SOLUTIONS PERSONNELLES.

TERRITORIALITÉ

Formule d'aménagement qui dérive du principe que les langues en concurrence dans un État multilingue sont séparées sur le territoire à l'aide de frontières linguistiques fixes et sécurisantes. Selon l'application de cette formule, les droits linguistiques sont accordés aux citoyens résidant à l'intérieur d'un territoire donné et un changement de lieu de résidence peut leur faire perdre tous leurs droits (linguistiques), lesquels ne sont pas transportables comme l'est, par exemple, le droit de vote. V. DROITS TERRITORIAUX et SOLUTIONS TERRITORIALES. S'oppose à PERSONNALITÉ.

TRIGLOSSIE

Situation de trilinguisme social dans laquelle chacune des trois langues s'approprie des rôles sociaux à peu près exclusifs. *Au Luxembourg, le français (langue officielle) est la langue de la politique et de l'administration, l'allemand la langue des médias, du commerce et des affaires, le luxembourgeois la langue vernaculaire, c'est-à-dire celle de la vie courante.*

INDEX DES SUJETS

INDEX DES LANGUES

INDEX DES PAYS, ÉTATS ET RÉGIONS